Jungmann / MISSARUM SOLLEMNIA

Zweiter Band

MISSARUM SOLLEMNIA

EINE GENETISCHE ERKLÄRUNG DER RÖMISCHEN MESSE

von

Josef Andreas Jungmann S. J.
Professor an der Universität Innsbruck

Zweiter Band

OPFERMESSE

1952

VERLAG HERDER WIEN

IMPRIMI POTEST
Vindobonae, die 2. febr. 1952
Godefridus Heinzel S. J.
Praep. Prov. Austriae

IMPRIMATUR
(Nr. 1138)
Apostolische Administratur Innsbruck,
19. Juni 1952
Dr. Br. Wechner
Provikar

Satz und Druck: Elbemühl A. G., Wien, IX., Berggasse 31

INHALTSVERZEICHNIS

IV. TEIL

DIE MESSE IN IHREM RITUELLEN VERLAUF. DIE OPFERMESSE

1.

DAS OFFERTORIUM

1. Der Opfergang der Gläubigen

Wenn die Lesungen mit dem Gebet der Versammelten geschlossen sind und alle, die der Kirche nicht als vollberechtigte Glieder angehören, sich entfernt haben, kann zum Hauptteil der Feier geschritten werden, zur Erneuerung der Stiftung Jesu. Der Herr hat das eucharistische Geheimnis in den Zeichen von Brot und Wein eingesetzt: Brot, wie er es auf dem Tisch des Abendmahles fand, und den Becher, der vor ihm stand, ergreift er und wandelt sie in die himmlische Gabe. Brot und Wein müssen also bereitstehen, wenn die Feier beginnen soll.

Dieses Bereitstellen von Brot und Wein braucht noch kein ritueller Akt zu sein. Es kann auch schon vor dem Beginn der eigentlichen Feier durch irgendwen besorgt sein. In den ältesten Berichten spüren wir auch nichts von einer besonderen Betonung dieser vorbereitenden Handlung. Solange die Eucharistie mit dem Brudermahl verbunden wird, fehlt auch ein Anlaß dazu: die Gaben sind schon auf dem Tisch. Aber auch noch bei Justin heißt es lediglich in unpersönlicher Weise: es wird Brot sowie Wasser und Wein herbeigebracht. Es werden keine besonderen Förmlichkeiten mit der Handlung verbunden und es wird auch keine Symbolik in sie hineingelegt. Das hängt zusammen mit der strengen Distanzierung, in der die junge Kirche in den ersten zwei Jahrhunderten gegenüber allem heidnischen und jüdischen Opferwesen den geistigen Charakter des christlichen Kultus betont. Ihr Blick gleitet hinweg über die irdische Materie von Brot und Wein und ist hingeheftet auf die über alles geistige, ja himmlische Gabe, die aus ihrer Eucharistia hervorgeht, und auf die Danksagungen, die aus den Herzen aller zu Gott emporsteigen, ein Gottesdienst im Geiste und in der Wahrheit.

Seit dem Ende des 2. Jahrhunderts zeigen sich aber die Übergänge zur Milderung dieser streng abweisenden Haltung[1]). Man sieht sich gedrängt, gegenüber der Stoffverachtung der aufsteigenden hellenistischen Gnosis die Würde der irdischen Schöpfung zu betonen, auch im Gottesdienst. Nicht mehr der Materialismus des heidnischen Opferwesens ist der gefährliche Gegner, sondern der Spiritualismus einer christlich verbrämten

---

[1]) Vgl. oben I, 31 f.

Geistlehre. So tritt auch die Eucharistie in eine neue Beleuchtung. Die himmlische Gabe hat doch einen irdischen Anfang; es sind die „Erstlinge der Schöpfung“, aus denen sie hervorgeht. Bei Irenäus sahen wir dies zuerst betont. Die Bewegung hin auf Gott, in der Leib und Blut des Herrn dargebracht wird, beginnt sich also auch auf die materiellen Gaben zu übertragen; sie werden in die liturgische Handlung hineingezogen. Bei Tertullian erfahren wir, daß die Gläubigen Gaben herbeibringen, und auch ihr Tun wird als ein an Gott gerichtetes *offerre* bezeichnet[2]). Ähnlich werden bei Hippolyt von Rom nicht nur Brot und Wein, die von den Diakonen vor der Eucharistia dem Bischof gebracht werden, schon *oblatio* genannt[3]), so wie auch die schon geheiligten Gaben *oblatio sanctae Ecclesiae* heißen[4]); an anderer Stelle, bei der Beschreibung der Taufliturgie, erfahren wir, daß auch die Gläubigen, wenigstens die Neugetauften, ihre Gabe für die Eucharistie „darbringen“[5]).

---

[2]) Tertullian, De exhort. cast. c. 11 (CSEL 70, 146 f): (er redet den Vertreter einer zweiten Ehe an, im Hinblick auf seine erste Frau) ...*pro qua oblationes annuas reddis. Stabis ergo ad Dominum cum tot uxoribus, quot in oratione commemoras? Et offeres pro duabus, et commendabis illas duas per sacerdotem... et ascendet sacrificium tuum libera fronte?* Vgl. dazu Elfers, Die Kirchenordnung Hippolyts 294 f.

[3]) Dix 6: *illi (sc. episcopo) vero offerant diacones oblationem.* Mit dem *offerant* ist hier noch kein Darbringen an Gott gemeint.

[4]) Dix 9. Vgl. oben I, 38. — Auch im Gebet zur Bischofsweihe wird gebetet, der Neugeweihte möge προςφέρειν σοι τὰ δῶρα τῆς ἁγίας σου Ἐκκλησίας (Dix 5).

[5]) Diese sollen „keinen andern Gegenstand mitbringen außer dem, was jeder bringt für die Eucharistie; denn es geziemt sich für jeden, dann seine Gabe (προςφορά) zu bringen“. Hippolyt, Trad. Ap. (Dix 32; vgl. Hennecke, Neutestamentl. Apokryphen 579: „...da es sich für den würdig Gewordenen schickt, dann darzubringen.“ Es handelt sich um einen aus den divergierenden orientalischen Übersetzungen zu gewinnenden Text.) Vgl. zur Stelle B. Capelle, Quête et offertoire (La Maison-Dieu 1950, IV, 121—138) 126 f; A. Clark, The function of the Offertory rite (Eph. liturg. 1950) 330 f Anm. 52. — Übrigens werden die Bezeichnungen *oblatio* und *offerre* oder ihr orientalischer Gegenwert in der „Apostolischen Überlieferung“ mehrfach auch im weiteren Sinn gebraucht: Es wird die Agape als Ganzes *oblatio* genannt. Ebenso wird innerhalb der Agapenordnung die Segnung des Bechers durch den einzelnen mit *offerre* bezeichnet (Dix 46: *calicem singuli offerant),* und auch die Segnung des Brotes am Beginn durch den vorsitzenden Kleriker scheint mit einem *offerre* identisch gesetzt zu sein (Dix 48: alle sollen aus seiner Hand die *benedictio* erhalten; vgl. Dix 46: *qui offert* soll des Gastgebers gedenken). Das Wort will hier offenbar besagen, daß jene Gegenstände durch das Segnungsgebet geheiligt und so irgendwie Gott geweiht werden. Möglich, daß dabei auch eine Darbringung ausgesprochen wurde, wie in dem folgenden Fall: Wenn man nämlich dem Bischof Erstlinge der Feldfrüchte

Bei Cyprian erscheint es schon als eine allgemeine Regel, daß die Gläubigen zu der Eucharistiefeier Gaben darbringen sollen. Das wird deutlich, wenn Cyprian die reiche Frau tadelt: *dominicum celebrare te credis ... quae in dominicum sine sacrificio venis, quae partem de sacrificio quod pauper obtulit sumis*[6]).

Die Entwicklung muß dann so verlaufen sein, daß die von den Gläubigen von jeher geleisteten Beiträge für die Bedürfnisse der Kirche und für die Armen schrittweise enger mit der Feier der Eucharistie verbunden wurden. Die Verbindung kam um so leichter zustande, als man schon von jeher gewohnt war, Gaben für die Kirche und für die Armen als eine Darbringung an Gott, ja als ein Opfer zu bezeichnen[7]). Nun-

---

bringt (wofür wieder das Wort *offerre*, προςενεγκεῖν gebraucht ist; es geschieht übrigens ohne Beziehung zur Eucharistiefeier), soll dieser sie ebenfalls darbringen (*offerre*) und dafür wird nun auch eine Gebetsformel angegeben: *Gratias tibi agimus, Deus, et offerimus tibi primitias fructuum* ... (Dix 53 f; auch griechisch erhalten: προςφέρομεν). Es handelt sich aber auch bei diesem *offerre* um eine Segnung der Früchte, wie die Fortsetzung des Textes zeigt: *Benedicantur quidem fructus, id est* ... (folgt die Aufzählung; Dix 54). Übrigens liegt auch schon darin, daß jene Erstlinge dem Bischof gebracht werden, ebenso wie im Herbeibringen von Brot und Wein vor dem Eucharistiegebet, eine gewisse Heiligung dieser Gaben, so daß auch dieses *offerre* religiöses Gepräge erhält. — Vgl. J. Coppens, Les prières de l'offertoire: Cours et Conférences VI, Löwen 1928, 189—192, der aber den Zusammenhang von Segnung und *oblatio* nicht näher verfolgt.

6) Cyprian, De opere et eleemos. c. 15 (CSEL 3, 384). Derselbe Gedanke später bei Cäsarius von Arles, Serm. 13 (Morin 63; PL 39, 2238).

7) Phil 4, 18. Vgl. dazu E. Peterson, Apostel und Zeuge Christi, Freiburg 1940, 38 f: Gabe an Gott „ein wohlriechender Opferduft", nicht Kirchensteuer, ist die Form, in der die Kirche den Unterhalt erhält. — Bei Hermas, Pastor, Simil. V, 3, 8, wird ein mit Almosen verbundenes Fasten eine gottgefällige θυσία und λειτουργία genannt. Auch das Wort *operari (opus, operatio)*, das in der heidnischen Kultsprache im Sinne von *sacris operari* = *sacrificare* verwendet wurde, und von dem unser deutsches Wort „opfern" stammt (die Herübernahme muß, wie die Lautverschiebung zeigt, schon zu Beginn der römischen Missionierung, etwa im 6. Jh., erfolgt sein), wird im Latein der Christen seit Tertullian von der christlichen Mildtätigkeit gebraucht; vgl. schon den Titel der in voriger Anmerkung zitierten Schrift Cyprians. In der gleichen Bedeutung wird aber auch *offerre (oblatio)* verwendet. Beide Ausdrücke nebeneinander bei Tertullian, De idolol. c. 22 (CSEL 20, 55). Doch wird angenommen, daß bei *operari* der Grundbegriff *opus bonum* entscheidend eingewirkt hat; H. Janssens, Kultur und Sprache. Zur Geschichte der alten Kirche im Spiegel der Sprachentwicklung von Tertullian bis Cyprian, Nijmegen 1938, 217—224; vgl. 104—110. Über die Geschichte des Wortes „opfern", das zunächst in der süddeutschen Kirchensprache gebraucht wurde, dann im Wettbewerb mit dem von Gallien her vordringenden *offerre* (vgl. französisch offrir, offrande) die Oberhand behalten hat, aber dessen Bedeutungsinhalt übernahm, vgl. Th. Frings, Germania Romana, Halle 1932, 111—114;

mehr werden solche Gaben christlicher Wohltätigkeit auch mit dem Opfer der Eucharistie zusammengefaßt[8]). Daß man die Darbringung der Gläubigen auch im rituellen Vorgang mit der Gabenzurüstung für die Eucharistie in Verbindung brachte, war dann nur mehr eine Folgerung, die sich in einer liturgisch lebendigen Zeit von selbst ergab[9]). So finden wir denn eine auf die Eucharistie hingeordnete Gabendarbringung der Gläubigen seit dem 4. Jahrhundert wenigstens als vorübergehend geübten Brauch in irgendeiner Form fast allenthalben in der Kirche vor. Im Orient sind allerdings nur verstreute Spuren davon vorhanden[10]).

Kluge-Götze, Etymologisches Wörterbuch der deutschen Sprache, 11. Aufl., Berlin 1934, 426; H. Wesche, Beiträge zur Geschichte d. deutschen Sprache und Literatur 61 (1937) 72. Ich verdanke den Hinweis auf diese Literatur dem Indogermanisten der Universität Wien, Herrn Prof. W. Havers.

[8]) Irenäus, Adv. haer. IV, 31, 5 (Harvey II, 209); vgl. Tertullian, De or. c. 28 (CSEL 20, 198 f); Ad uxor. II, 8 (CSEL 70, 124). — Aus späterer Zeit Augustinus, u. a. Enchiridion c. 110 (PL 40, 283): für die Verstorbenen werden dargebracht *sacrificia sive altaris sive quarumcumque eleemosynarum*. Ähnlich mehrfach Leo d. Gr.; s. L. Eizenhöfer, Das Opfer der Gläubigen in den Sermonen Leos d. Gr. (Die Messe in der Glaubensverkündigung 79—107) 98 f.

[9]) Die Entwicklung wird auf den Kopf gestellt durch G. P. Wetter, Altchristliche Liturgien, II. Das christliche Opfer (Forschungen zur Religion u. Literatur des A. u. N. T., N. F. 17), Göttingen 1922. Wetter stellt die unmittelbar an Gott gerichtete Darbringung natürlicher Gaben, die er hauptsächlich aus den Darbringungsgebeten frühmittelalterlicher Texte abliest, ohne weiteren Beweis hin als Überreste von Gebräuchen der Urkirche, in der die Gläubigen Beiträge für die mit der Eucharistie verbundene Agape mitbrachten. Von dieser angeblich schon im vollen Sinn als Opfer aufgefaßten Darbringung sei die Idee des Opfers dann erst auf die Eucharistie übertragen worden. Vgl. die kritische Beleuchtung durch J. Coppens, L'offrande des fidèles dans la liturgie eucharistique ancienne: Cours et Conférences V, Löwen 1927, 99—123, sowie die Fortsetzung der Studie von demselben, Les prières de l'offertoire et le rite de l'offrande: Cours et Conférences VI, Löwen 1928, 185—196; A. Arnold, Der Ursprung des christlichen Abendmahles 84—100, der Wetters wilde Methode S. 95 ff hinreichend kennzeichnet; doch ist sein Vertrauen auf Wetters Ergebnisse auch in der S. 100 angegebenen Beschränkung noch viel zu weitgehend.

[10]) Eine umfassende Untersuchung über die Gabendarbringung der Gläubigen im Orient liegt nicht vor. Eine Aufzählung von in Betracht kommenden Quellen s. bei Hanssens, Institutiones III, 279—282, der selber geneigt ist, einen eigentlichen Opfergang der Gläubigen (allerdings nur in dem engen Sinn einer Darbringung von Brot und Wein am Beginn der einzelnen Meßfeier) im Orient auszuschließen. Weniger negativ urteilt E. Bishop in seinem Anhang zu Connolly, The liturgical homilies of Narsai 116 f. Vgl. auch Srawley 193 f. — In Ägypten muß eine auf die Eucharistie bezogene Gabendarbringung der Gläubigen durch längere Zeit bestanden haben. Im Eucharistiegebet Serapions wird für die

Die Verbindung zur Gabendarbringung der Messe war hier im allgemeinen nur lose. Das gilt jedenfalls für den antiochenisch-byzantinischen Bereich. Die Gaben konnten von den Gläubigen vor Beginn des Gottesdienstes in einem dafür bestimmten besonderen Nebenraum der Kirche abgegeben werden[11]). Von da ab wurde dann das für die Eucharistie Benötigte zu Beginn der Opfermesse auf den Altar übertragen. Aus dem feierlichen Zeremoniell dieser Übertragung, das bei Ps.-Dionysius zuerst sichtbar wird[12]), ist dann der „Große Einzug" erwachsen, der die Stelle unseres Offertoriums einnimmt und der einen Höhepunkt der byzantinischen Liturgie darstellt: unter Vorantritt von Leuchterträgern und umwallt von Weihrauch tragen Diakon und Priester die ehrfürchtig verhüllte Hostie und den Kelch von der Prothesis[13]) durch das Schiff der Kirche zurück in den Altarraum, wobei in der Prozession bereits

---

Darbringer gebetet (Quasten, Mon. 64). Nach Theophilus von Alexandrien, Can. 7 (PG 65, 41), soll der Überschuß der zum Altar gebrachten Gaben verteilt werden, jedoch nicht an Katechumenen. Im 6. Jh. ist hier der Begriff εὐχαριστήριον = Opfergabe (der Gläubigen) für die Verstorbenen belegt; s. E. Peterson, Die alexandrinische Liturgie bei Kosmas Indikopleustes: Eph. liturg. 46 (1932) 66—74. — Bei den Kopten ist der Gebrauch, daß die Gläubigen Brot und Wein für die Eucharistie in die Kirche brachten, bis in neuere Zeit nachweisbar; J. Bute, The Coptic morning service, London 1908, 133; Cl. Kopp, Glaube und Sakramente der koptischen Kirche (Orientalia christiana 75), Rom 1932, 120. — Für Syrien bezeugt das Testamentum Domini im 5. Jh. die Opfergaben der Gläubigen; es ist dafür ein besonderer Raum vorhanden (I, 19; s. folgende Anm.); Taufkandidaten dürfen nichts mitbringen *praeter unum panem ad eucharistiam* (II, 8; Rahmani 127); das Brot des Katechumenen darf man nicht annehmen (I, 23; Rahmani 37). Vgl. weiter Jakob von Batnä († 521), Gedicht über die Messe für die Verstorbenen: BKV 6 (1912) 305—315; er spricht von Brot und Wein, die die Gläubigen in Prozession auf den Händen zum Altare tragen. — Der von Theodoret, Hist. eccl. V, 17 (PG 82, 1236 CD), berichtete Opfergang des Kaisers Theodosius, der dazu den Altarraum betritt, spielt zwar in Mailand, setzt aber einen ähnlichen Brauch in Konstantinopel voraus (ὥςπερ εἰώθει). Ähnlich berichtet Gregor von Nazianz, Or. 43, 52 (PG 36, 564 A), von einer Gabendarbringung des Kaisers Valens (s. dazu jedoch die kritischen Bemerkungen von Bishop a. a. O. 116, aber auch die Verteidigung durch Dix, The shape of the liturgy 123 Anm. 3). Vgl. auch Trullanische Synode (692) c. 69 (Mansi XI, 973).

[11]) So die Regelung im Testamentum Domini I, 19 (Rahmani 23; Quasten, Mon. 237): *Diaconicon sit a dextera ingressus qui a dexteris est, ut eucharistiae sive oblationes quae offeruntur possint cerni.* Dieses *diaconicon* entspricht dem einen der in den Apostolischen Konstitutionen II, 57 (Quasten 181) genannten zwei παστοφόρια (die hier aber schon neben den Altarraum verlegt sind).

[12]) Ps.-Dionysius, Eccl. hierarch. III, 2 (Quasten, Mon. 294).

[13]) Die Prothesis, d. i. der Raum zur Zurüstung der Opfergaben, befindet sich heute allgemein neben dem Altarraum oder als Tisch vielmehr nun innerhalb desselben, nördlich des Altars. Brightman 586.

der von Engelscharen unsichtbar geleitete König des Alls begrüßt und in Gesängen geehrt wird[14]). Ähnliche Formen einer feierlichen Übertragung der Opfergaben sind in den anderen Liturgien dieses Bereiches vorhanden oder doch noch wenigstens in Spuren feststellbar[15]).

In voller Entfaltung ist derselbe Ritus lange Zeit in der gallisch-fränkischen Kirche geübt worden[16]). Es ist klar, daß einer Gabendarbringung von seiten des Volkes innerhalb der Messe mit einer solchen Einrichtung der Boden entzogen war. Jedoch nicht der Gabendarbringung überhaupt.

Gerade aus der gallischen Kirche der betreffenden Zeit haben wir u. a. eine Bestimmung des Nationalkonzils von Macon (585), mit der das Gabenopfer der Gläubigen, und zwar bestehend aus Brot und Wein, unter Hinweis auf den überlieferten Brauch erneut eingeschärft wurde[17]). Die

---

[14]) Gegen diese proleptische Verehrung von Brot und Wein hat schon Patriarch Eutychius († 565), De pasch. c. 8 (PG 86, 2400 f), Bedenken geäußert, ebenso andere nach ihm. Hanssens, Institutiones III, 286—289. Man könnte fragen, ob die Huldigung ursprünglich nicht an Christus, insofern er durch den geweihten Priester dargestellt und vertreten wird, gerichtet war; doch geben die Quellen darüber keine Auskunft. Eine andere Erklärung bei Dix, The shape of the liturgy 284 ff.

[15]) Baumstark, Die Messe im Morgenland 112; Hanssens, III, 272—277; 285—293. — Auf syrischem Boden erscheint dabei früh der Gedanke, daß Christus einzieht, um zu leiden, oder auch, um geopfert zu werden (προέρχεται σφαγιασθῆναι); Hanssens III, 291 f. — Nur in Ägypten handelt es sich eher um eine Prozession um den Altar, die übrigens schon am Beginn der Vormesse stattfindet und die also nicht notwendig einen vom Altar verschiedenen Ort der Zurüstung voraussetzt; vgl. Hanssens III, 31—33.

[16]) Die älteste Nachricht stammt von Gregor von Tours, De gloria mart. c. 86 (PL 71, 781 f). Die Opferprozession wird dann in der Expositio der gallikanischen Messe erwähnt (ed. Quasten 17 f). Sie lebt aber auch noch im 8. Jh. innerhalb der römischen Messe fort; s. den zweiten Meßordo des Capitulare eccl. ord. und dessen monastischen Paralleltext im Breviarium (Silva-Tarouca 206; Andrieu III, 122 f. 180 f): es handelt sich um die Messe, bei der die Teilnahme des Volkes und damit der Opfergang ausgeschlossen ist (Andrieu 166); die Opfergaben werden also nach den Lesungen von Priester und Diakon in turmartigen Gefäßen und im Kelch aus dem *sacrarium* zum Altar übertragen. Sie heißen hier *oblationes*, während die vorher genannten Quellen schon proleptisch vom Leib des Herrn sprechen. Während der Übertragung wurde der sogenannte *sonus* gesungen. Siehe die Klarstellung der zum Teil mißverstandenen Angaben bei Nickl, Der Anteil des Volkes 37—42.

[17]) can. 4 (Mansi IX, 951): ...*Propterea decernimus ut omnibus dominicis diebus altaris oblatio ab omnibus viris et mulieribus offeratur, tam panis quam vini.* — Vgl. Cäsarius von Arles, Serm. 13 (Morin 63; PL 39, 2238): *Oblationes quae in altario consecrentur offerte. Erubescere debet homo idoneus, si de aliena oblatione communicaverit.*

Gläubigen werden es also vor Beginn des Gottesdienstes in dem dafür bestimmten Raume abgegeben haben[18]). Ähnliche Einrichtungen sind im Orient vorauszusetzen, wo von Gaben der Gläubigen die Rede ist[19]).

In engster Verbindung mit dem eucharistischen Opfer stand die Gabendarbringung der Gläubigen in der alten mailändischen[19a]), in der römischen und wohl ebenso in der nordafrikanischen Liturgie. Über den Brauch in der letzteren, aus der uns ja die frühesten Nachrichten über das Gabenopfer der Gläubigen überhaupt begegnet sind, erhalten wir weiteren Aufschluß vor allem[20]) durch Augustinus. Man kann hier Tag für Tag seine Opfergabe zum Altar bringen, wie es Monika tat[21]). Der Priester selbst nimmt das von den Gläubigen in Empfang, was er dann Gott darbringt[22]). Diese Gabendarbringung ist also in den Gang der Messe eingebaut. Das wird auch bestätigt durch die Nachricht vom Psalmengesang, der damals *ante oblationem* ebenso wie zur Kommunion eingeführt wurde[23]).

In allen Einzelheiten liegt der Vorgang vor uns, wie er sich im 7. Jahrhundert zu Rom beim päpstlichen Stationsgottesdienst

---

18) Nickl 36 ff. Nickl verweist dafür auf eine Erzählung bei Gregor von Tours, De gloria confess. c. 65 (PL 71, 875 C): Eine Witwe ließ ein Jahr hindurch täglich für ihren verstorbenen Mann die Messe feiern und brachte dafür jedesmal ein Sechstel besten Weines dar; der betrügerische Subdiakon, der die Gaben in Empfang nahm, vertauschte ihn aber mit schlechtem Wein und nahm den guten für sich, bis die Frau eines Tages unerwartet wieder kommunizierte und dabei den Betrug entdeckte. Die Vertauschung war kaum anderswo möglich als im Sacrarium, im Raum, aus dem die Oblation zum Altar zu übertragen war.

19) Für Syrien vgl. oben Anm. 11. Der Nebenraum, der hier für die Annahme der Opfergaben der Gläubigen bestimmt war, ist seit der zweiten Hälfte des 6. Jh. im Orient allgemein verbreitet; Baumstark, Die Messe im Morgenland 109 f.

19a) Ambrosius, In ps. 118 prol. 2 (CSEL 62, 4); vgl. unten 229 Anm. 13.

20) Gaben der Gläubigen auf dem Altare sind auch deutlich bezeugt durch Optatus von Mileve, Contra Parmen. VI, 1 (CSEL 26, 142): Die Donatisten haben Altäre umgestürzt, *in quibus et vota populi et membra Christi portata sunt.* Von einem Einzelfall berichtet Victor von Vita, Hist. pers. Afric. II, 51 (CSEL 7, 44).

21) Augustinus, Confessiones 5, 9 (CSEL 33, 104); vgl. Ep. 111, 8: Die in die Gefangenschaft der Barbaren geratenen Frauen und Jungfrauen können nicht mehr *ferre oblationem ad altare Dei vel invenire ibi sacerdotem, per quem offerant Deo* (CSEL 34, 655). Mit ersterem Fall muß der Opfergang *(ferre oblationem)* in der öffentlichen Feier gemeint sein, mit letzterem die von privater Seite erbetene Votivmesse; vgl. oben I, 288.

22) Augustinus, Enarr. in ps. 129, 7 (PL 37, 1701). — Vgl. auch Roetzer 116.

23) Siehe unten 36 Anm. 7.

abspielte[24]). Die Gaben werden hier nicht vom Volke zum Altar gebracht, sondern vom Zelebranten und seiner Umgebung eingesammelt. Nach dem Evangelium begibt sich der Papst mit seiner Assistenz zuerst zum Hochadel und nimmt der Reihe nach die Brotgabe in Empfang, während der ihm folgende Archidiakon die in besonderen Kännchen[25]) dargebotene Weinoblation entgegennimmt und in den von einem Subdiakon dargebotenen großen Kelch gießt, welch letzterer wieder nach Bedarf in ein größeres Gefäß *(scyphus)* entleert wird. Ähnlich werden die Brote vom Papst einem begleitenden Subdiakon übergeben, der sie in ein großes Tuch legt, das zwei Akolythen halten. Die Fortsetzung dieser Entgegennahme übernimmt dann ein Bischof mit einem Diakon. Der Papst geht darauf von der Männerseite weg an der Confessio vorbei, nimmt hier an Festtagen die Gaben der höheren Hofbeamten in Empfang und setzt darauf bei den adeligen Frauen die Gabensammlung fort. Es ist dann Sache des Archidiakons, unter Mithilfe von Subdiakonen, die ihm von den gesammelten Broten darreichen, die Brotoblation auf dem Altar zurechtzulegen. Er legt so viel hin, als für die Kommunion des Volkes erfordert scheint. Ist dies geschehen, so nimmt der Papst selbst noch die Brotgabe der Assistenz entgegen und legt seine eigene, bestehend aus zwei Broten, die der *subdiaconus oblationarius*[26]) überbracht hat, auf den Altar[27]). Für den Kelch wird nur die Gabe verwendet, die der Papst und seine Umgebung geleistet haben, oder aber es wird aus dem großen Gefäß, das die Weingabe des Volkes enthält, etwas weniges in den *calix sanctus* gegossen[28]). Dieser wird dann nach der Beimischung des Wassers, das die Sänger darbringen dürfen, auf den Altar gestellt, rechts von der Brotgabe des Papstes.

---

[24]) Ordo Rom. I n. 13—15 (Andrieu II, 90—94; PL 78, 943 f).

[25]) Abbildungen von *amulae* bei Beissel, Bilder 317 f. Es handelt sich um eigene, mit religiösen Bildern geschmückte Fläschchen, die für diesen besonderen Zweck hergestellt waren.

[26]) Über dieses Amt s. Andrieu, Les ordines II, 45; Eichmann, Die Kaiserkrönung II, 246.

[27]) Zur Zweizahl vgl. Amalar, Liber off. III, 19, 25 (Hanssens II, 319): *unam (oblationem) pro se et alteram pro diacono.*

[28]) Das geschieht unter Benützung eines Seihlöffels. So u. a. nach dem Ordo von S. Amand (Andrieu II, 162 Z. 25); mit genauer Beschreibung im Ordo ‚Postquam' der Bischofsmesse (ebd. 357 f; PL 78, 992). — Das *colatorium,* auch *colum, sia* („Seihe"), *cochlear* genannt, ist im allgemeinen nachweisbar, solang die Weinoblation des Volkes in Übung ist. Alles Nähere über den liturgischen Seiher bei Braun, Das christliche Altargerät 448—454. Abbildung eines *colatorium* bei Beissel 318.

Die Umrisse dieses Oblationsritus sind im römischen Pontifikalgottesdienst auch noch ein halbes Jahrtausend später feststellbar[29]).

Von der Menge der auf solche Weise sich ansammelnden Gaben kam begreiflicherweise nur ein Bruchteil für den Altar in Betracht. Was geschah mit dem Überschuß? Wo wurde er zunächst während des Gottesdienstes untergebracht? Unter den goldenen und silbernen Gegenständen, die die Lateranbasilika von Kaiser Konstantin erhalten hat, verzeichnet das Papstbuch *altaria septem ex argento purissimo*[30]). Bekanntlich gab es damals in jeder Kirche nur einen einzigen Altar. Es muß sich also um Tische handeln, die zur Niederlegung der Opfergaben dienten. Ihre Siebenzahl entspricht der Siebenzahl der Diakone, die, wie anderswo, so auch in Rom berufen waren, „den Tischen zu dienen"[31]). Auf diesen Tischen, die irgendwo im Vordergrund der Basilika aufgestellt waren[32]), wurde die Brot- und Weingabe der Gläubigen als Darbringung an Gott niedergelegt[33]). Sie wird dann, soweit nicht bei den Klerikern ein Bedarf zu decken war, im wesentlichen den Armen zuge-

---

[29]) Ordo eccl. Lateran. (Fischer 82): Wenn der Offertoriumsgesang begonnen wird, geht der Bischof *ad accipiendam oblationem in consueto loco, mansionario ante eum praecedente.* Nach dieser nicht näher beschriebenen Entgegennahme wird dem Bischof am Altar allerdings sogleich die schon bereitgemachte Patene *cum hostiis* gereicht. — Der Ritus muß aber schon in den folgenden Jahrzehnten verschwunden sein. In der Meßerklärung Innozenz' III. ist davon keine Rede mehr. In den römischen Ordines von Kard. Stefaneschi (um 1311) und von Petrus Amelii († 1403) sind zwar noch für Weihnachten Oblationen erwähnt, aber der Gang der Papstmesse wird davon nicht mehr berührt; vgl. unten Anm. 34.

[30]) Duchesne, Liber pont. I, 172.

[31]) Apg 6, 2. — Entsprechend der Siebenzahl der Diakone, die auch in anderen Bischofsstädten eingehalten wurde, war Rom für die Armenverwaltung in sieben Regionen eingeteilt. Die weiter benötigten Hilfskräfte standen im Institut der Subdiakone zur Verfügung.

[32]) Th. Klauser, Die konstantinischen Altäre in der Lateranbasilika: Röm. Quartalschrift 43 (1935) 179—186, vermutet einen Zusammenhang mit der Entstehung des Querschiffes in den konstantinischen Basiliken. Dieses sei eingeführt worden, um Raum zu schaffen für die Aufstellung jener Tische. Vgl. dagegen J. P. Kirsch, Das Querschiff in den stadtrömischen christlichen Basiliken des Altertums: Pisciculi, F. J. Dölger dargeboten, Münster 1939, 148—156.

[33]) Damit stimmt überein, daß in den Formeln der *oratio super oblata* des Sacramentarium Leonianum, wie übrigens ja auch noch in unserem Missale, wiederholt die Rede ist von einer Mehrzahl von *altaria,* auf die die Gaben des Volkes niedergelegt seien: *tua Domine muneribus altaria cumulamus.* (Muratori I. 324 u. ö.) Dagegen wird in den Formeln der Postcommunio ausschließlich von der *mensa* in der Einzahl gesprochen. Klauser 185 f.

führt worden sein, für die zu sorgen ja in erster Linie zum Beruf der Diakone gehörte[34]).

In anderen Kirchen des Abendlandes[35]) und vor allem in der auf fränkischen Boden übertragenen römischen Liturgie gestaltete sich die Oblation[36]) zum Opfergang der Gläubigen. Nach dem *Credo* bildet sich ein Zug, der sich zum Altare hin bewegt. Voran gehen die Männer, es folgen die Frauen, die Priester und Diakone schließen sich an, den Abschluß bildet der Archidiakon. Der Zug erinnert schon die fränkischen Erklärer an den Zug der Scharen, die am Palmsonntag Christus entgegengingen, um ihm zu huldigen[37]).

---

[34]) Hier wird die starke Annäherung des Begriffes Almosen an den des Opfers von neuem sichtbar; vgl. oben 5 f. — Mit dem Rückgang, bzw. der Umbildung der Oblationen im Mittelalter scheint diese Bedeutung geschwunden zu sein: der Gedanke an die Armen tritt völlig zurück; vgl. Schreiber, Gemeinschaften des Mittelalters 468 b (Register). Im 12. Jh. erfahren wir aus dem Ordo ecclesiae Lateranensis (Fischer 141 Z. 2), daß am Beginn des Nachtoffiziums zum Titularfest der Kirche (24. Juni) dem dabei beschäftigten Klerus *de oblatione altaris maioris* ein guter Trunk gereicht wird *(defertur potus honorifice et sufficienter)*, u. zw. von denjenigen, *qui oblationem altaris custodiunt* (ebd. 140 Z. 3). Die Oblationen werden jetzt räumlich mit einem bestimmten Altar in Verbindung gebracht, dann aber unterschieden in solche, die *sub altari*, und in solche, die *desuper* anfallen (Fischer 52. 95 f), und dementsprechend unter dem Klerus verteilt. — Noch der Ordo des Petrus Amelii († 1403) n. 9 (PL 78, 1278 D) enthält für die päpstlichen Gottesdienste die Regel: *quidquid offertur sive ad manus papae vel pedes vel super altare, capellanorum commensalium est, excepto pane et vino, quod acolythorum est, et quidquid venit per totam missam super altare.* Vgl. Ordo Stefaneschis n. 70 f (PL 78, 1184. 1187). Außer den Gaben, die der Papst persönlich entgegennimmt, liegen also solche vor, die während des weiteren Verlaufes der Messe — der Ordo eccl. Lateran. (Fischer 95 f) kennt auch Oblationen während einer Bittprozession — irgendwo niedergelegt werden, und zwar anscheinend vor allem auf der Mensa eines Seitenaltares. Alle diese letzteren Oblationen scheinen unter den Begriff der Oblation *ad pedes* zu fallen; vgl. Apg 4, 35. 37; 5, 2; Durandus IV, 30, 38. Die unbedeutend gewordene Brot- und Weinoblation fällt den Akolythen zu.

[35]) Für Aquileja vgl. unten 14.

[36]) Diese wird hier von Anfang an urgiert; s. Synode von Mainz (813) can. 44 (Mansi XIV, 74). Eine erste Bezeugung des Opfergangs schon in der zweiten Messe des Capitulare eccl. ord. (Andrieu III, 123 Z. 23 ff).

[37]) Amalar, Expositionis gem. cod. I, 9 (Hanssens I, 262); derselbe, Liber off. III, 19, 13. 20 (Hanssens II, 315. 317); Expositio ‚Missa pro multis' c. 10, 1 (Hanssens, Amalarii opp. III, 306). Der Vergleich mit dem Palmsonntag kehrt bei späteren Erklärern wieder, z. B. bei Honorius Augustod., Gemma an. I, 26 (PL 172, 553), und bei Sicard von Cremona, Mitrale III, 5 (PL 213, 114 B. 116 A).

Brot und Wein bilden auch hier die Opfergabe der Gläubigen[38]). Die englische Synode von Calchut (787) betont, die Gabe der Gläubigen solle Brot sein, nicht Kuchen[39]). Das Brot brachte man in der Regel auf weißem Tüchlein zum Altar[40]); es werden aber auch geflochtene Körbchen erwähnt[41]). Der Zelebrant mit seiner Assistenz geht den Offerenten bis an die vom Brauch bestimmte Stelle entgegen[42]). Von den Gaben erfahren wir gelegentlich, daß sie auf die von einem Akolythen mitgetragene Patene gegeben werden[43]). Sie werden aber, auch wenn sie am Altare dargebracht werden, nicht mehr auf dem Altar selbst niedergelegt, sondern *post altare*[44]). Sie sind ja, selbst wenn sie noch Brot und Wein enthalten, nicht mehr dafür bestimmt, konsekriert zu werden[45]. Bei der inzwischen auf ein Minimum gesunkenen Kom-

---

[38]) Amalar, Liber off. III, 19, 20 (Hanssens II, 317). Ebenso noch deutlich um 900 im Ordo ‚In primis' der Bischofsmesse (Andrieu III, 332 f; PL 78, 987 f), wo zur Entgegennahme ein *lineum pallium* und eine *kanna* bereitgehalten werden. Weniger betont in dem etwas jüngeren Ordo ‚Postquam' (Andrieu III, 358 f; PL 78, 992).

[39]) can. 10 (Mansi XII, 942).

[40]) Expositio ‚Missa pro multis' c. 10, 6 (Hanssens, Amalarii opp. III, 308); Eclogae c. 22 (ebd. III, 250); Ordo sec. Rom. n. 9 (Andrieu II, 218 f; PL 78, 973): *cum fanonibus candidis.* Ähnlich in den Klöstern; Udalrici Consuet. Clun. III, 12 (PL 149, 756 A).

[41]) Christian von Stablo, In Matth. (nach 865) c. 35 (PL 106, 1393 A).

[42]) Nach Herard von Tours, Capitula (vom Jahre 858) c. 82 (Hardouin V, 455), durften Laien den Altarraum nicht betreten, die Oblationen mußten *foris septa* entgegengenommen werden. Ähnlich die Kapitulariensammlung des Benedictus Levita I, 371 (PL 97, 750); vgl. auch schon die 2. Synode von Braga (563) can. 13 (Mansi IX, 778). — Dagegen schließt Theodulf von Orleans († 821), Capitulare I c. 6 (PL 105, 193 f), nur die Frauen vom Altarraum aus. Letztere Praxis ist auch später bezeugt; Martène 1, 4, 6, 7 (I, 387 f); vgl. 1, 3, 9, 8—10 (I, 341—344). Wo man heute in den noch fortlebenden Opfergängen an den Altar herantritt, wird meines Wissens auch für Frauen kein Unterschied gemacht.

[43]) Ordo ‚Postquam' der Bischofsmesse (Andrieu II, 358; PL 78, 992 C): *patina.* Es handelt sich offenbar um einen großen Teller. Solche Teller, *offertoria* genannt, sind in Frankreich bis in die neueste Zeit herein in Verwendung geblieben; Corblet II, 229.

[44]) Regino von Prüm, De synod. causis I, 62 (PL 132, 204).

[45]) Sie werden dem *custos* („Küster") *ecclesiae ad observandum* übergeben; Ordo ‚Postquam' der Bischofsmesse (Andrieu II, 359 Z. 14; PL 78, 993 A). Vgl. oben Anm. 34. — Ein Teil des Brotes wurde gesegnet und nach dem Gottesdienst verteilt; s. die entsprechende Visitationsfrage bei Regino I, inquis. 61 (PL 132,

munionfrequenz wäre dies meist überflüssig. Außerdem wird für den Altar nun meist das ungesäuerte Brot gefordert, das auf anderem Wege beschafft wird[46]) und für das in der Folge gelegentlich durch besondere Stiftungen gesorgt wird[47]). Aber nichtsdestoweniger lebt der Opfergang noch lange ungebrochen fort, oder richtiger: eine schon längst angebahnte weitere Form desselben kommt nun vollends zum Durchbruch.

Der Grundsatz nämlich, daß neben dem Opfer der Eucharistie auch materielle Gaben Gott dargebracht werden dürfen, ist rasch auch auf andere Gegenstände als nur Brot und Wein ausgedehnt worden[48]). Aus konstantinischer Zeit haben wir das bekannte Mosaik im Fußboden der in Aquileja ausgegrabenen Doppelkirche mit der Darstellung einer Opferprozession, in der Männer und Frauen außer Brot und Wein auch Weintrauben, Blumen, einen Vogel bringen[49]). Darum werden früh entsprechende Regelungen nötig, in denen klargestellt wird, in welcher Weise die Darbringung geschehen darf. Rein abweisend erklärt 393 die Synode von Hippo: „Bei dem Sakrament des Leibes und Blutes Christi soll nichts geopfert werden als Brot und Wein, mit Wasser gemischt."[50]) Um dieselbe Zeit wird in den Apostolischen Canones bestimmt: „Wenn ein Bischof oder Priester gegen die Anordnung des Herrn über das Opfer am Altar etwas anderes darbringt: Honig und Milch oder an Stelle von (richtigem) Wein zu Essig gemachten oder Geflügel oder irgendwelche Tiere oder Gemüse, entgegen der Ordnung, so soll er abgesetzt werden. Es soll außer neuen Ähren und Trauben zur entsprechenden Zeit und Öl für die Lampen und Weih-

---

190 A): *Si de oblationibus, quae a populo offeruntur, die dominico et in diebus festis expleta missa eulogias plebi tribuat.* — Näheres zum Brauch der Eulogien s. unten Kap. 4, 6.

[46]) Im Ordo ‚Postquam' der Bischofsmesse (Andrieu II, 359; PL 78, 992 f) ist zwar noch von Brot die Rede, das die Gläubigen darbringen (vgl. die Begründung der darauffolgenden Händewaschung), aber auf den Altar kommt nur das Nötige von den Oblationen der Kleriker und von den *oblatae a nullo immolatae* (ebd.).

[47]) In den Urkunden erscheint die Verpflichtung, für ein Gotteshaus die *annona missalis* zu liefern. Beispiele seit dem 13. Jh. bei K. J. Merk, Abriß einer liturgiegeschichtlichen Darstellung des Meß-Stipendiums, Stuttgart 1928, 12 Anm. 23.

[48]) Siehe oben 5 f.

[49]) Siehe den Bericht JL 2 (1922) 156 f; Abbildung bei Righetti, Manuale III, 29.

[50]) can. 23 Mansi III, 922); eine Ausnahme wird immerhin gemacht für Milch und Honig in der österlichen Taufmesse (vgl. oben I, 19) und für die *primitiae* von Trauben und Getreide. — Dem scheint die Unterscheidung der Gaben zu entsprechen bei Augustinus, Ep. 149, 16 (CSEL 44, 362): *voventur autem omnia, quae offeruntur Deo, maxime sancti altaris oblatio.*

rauch nichts anderes zum Altar gebracht werden zur Zeit des Opfers. Alle anderen Früchte sollen als Erstlinge dem Bischof oder den Priestern ins Haus geschickt werden und nicht zum Altar; es ist klar, daß Bischof und Priester sie auch auf die Diakone und die übrigen Kleriker verteilen."[51]) Diese Bestimmungen sind auch im Abendland noch durch Jahrhunderte weitergegeben worden[52]). Unter den Gegenständen, denen die Ehre zukam, daß sie zum Altar gebracht werden durften, erscheinen neben dem Öl für die Lampen[53]) besonders auch Wachs und Kerzen[54]). Heute noch bringen ja in der Weihemesse die Neugeweihten dem Bischof eine Kerze dar, die brennend überreicht wird.

Dann hören wir, daß in manchen Kirchen *pretiosa ecclesiae utensilia,* die für die Kirche bestimmt sind, an hohen Festtagen beim Opfergang auf den Altar gelegt werden[55]). Selbst die Schenkung von liegenden

---

[51]) Canones Apostolorum 2—4 = Const. Ap. VIII, 47, 2—4 (Funk I, 564).

[52]) Sie stehen bei Regino von Prüm, De synod. causis I, 63—65 (PL 132, 204), dürfen hier also nicht, wie dies Netzer 226 tut, einfach als Ausdruck der gleichzeitigen Praxis betrachtet werden.

[53]) Auch das Öl, das am Gründonnerstag geweiht wird, stammte in Rom aus Oblationen. Sacramentarium Gregorianum ed. Lietzmann n. 77, 4: *levantur de ampullis quas offerunt populi.*

[54]) Von Wachs und Öl spricht, allerdings ohne das Hinbringen zum Altar zu betonen, Cäsarius von Arles, Serm. 13 (Morin 63; PL 39, 2238). — Auf einer im 11. Jh. entstandenen Exultetrolle aus Gaeta findet sich eine Miniatur, die auf eine ältere, den Exultettext des älteren Gelasianums illustrierende Vorlage zurückgeht, mit der Darstellung eines Opferganges: Während die eine der vorderen Figuren dem den Kelch tragenden Diakon ein Fläschchen mit Wein übergibt, reicht die andere dem Bischof zwei Ringe Wachs, offenbar für die Osterkerze; Th. Klauser, Eine rätselhafte Exultetillustration aus Gaeta: Corolla, L. Curtius zum 60. Geburtstag dargebracht, Stuttgart 1937, 168—176 (mit Abbildung; auch bei L. A. Winterswyl, Gestaltwandel der Caritas, Freiburg 1939, 12/13). Klauser verweist auf den Exultettext eines Missale aus Florenz (10. Jh.), der eine Fürbitte enthält für den Darbringer: *cereum, Domine, quod tibi offert famulus tuus ille;* Ebner 27. — Ein Brot und eine Kerze erscheint im 12. Jh. als das gewöhnliche Opfer auch in der Legende vom verschütteten Bergmann, dem die wöchentliche Messe, bei der seine Frau opfert, das Leben erhält. Franz, Die Messe im deutschen Mittelalter 8 f. Mit der Legende hat auch die Opfergabe einen Wandel durchgemacht. Vgl. auch den Abschnitt über Kerze und Wachs als Opfer bei E. Wohlhaupter, Die Kerze im Recht (Forschungen zum deutschen Recht IV, 1), Weimar 1940, 29—35.

[55]) Joh. Beleth, Explicatio c. 41 (PL 202, 50 D). Nach einem Dekret der Ritenkongregation vom 26. I. 1658 ist es auch jetzt noch gestattet, *oblationes intortitiorum et calicis* beim Offertorium entgegenzunehmen; Decreta auth. SRC n. 1052.

Gütern wird vielfach durch Überreichung einer Urkunde beim Opfergang vollzogen[56]). Seit dem 11. Jahrhundert tritt das Geld in den Vordergrund[57]). Petrus Damiani berichtet, noch als etwas Außergewöhnliches, zwei vornehme Frauen hätten bei seiner Messe Goldstücke geopfert[58]). Brot und Wein werden nur mehr von den Klerikern dargebracht[59]) und in Klosterkirchen von den Mönchen[60]). Nur bei außerordentlichen Anlässen lebte in manchen Ländern die Brot- und Weindarbringung auch aus Laienhand noch länger fort, so bei der Königs-

---

[56]) Martène 1, 4, 6, 2 (I, 385 C). — Kaiser Heinrich II. legte an einem Weihnachtsfest, in dessen Mitternachtsmesse er einen kostbaren Kelch dargebracht hatte, beim Offertorium des Hochamtes die Schenkungsurkunde über das Gut Erwitte am Altare nieder. Vita des Bischofs Meinwerk von Paderborn († 1036) n. 182 (MGH Scriptores XI, 149). — Über diesen Brauch der Schenkungen durch Niederlegen auf dem Altar s. Bona II, 8, 8 (703—706).

[57]) Merk, Abriß 92 f; ebd. 11 Anm. 22 eine Urkunde von 1046/49 aus Vendôme, in der jemand eine Eigenkirche übergibt und mit ihr *nummorum etiam offerende medietatem*. In Spanien hat das Geldopfer schon im 7. Jh. eine Rolle gespielt; s. unten 21 f.

[58]) Petrus Damiani, Ep. V, 13 (PL 144, 359 D): *byzanteos obtulerunt.*

[59]) So schon Ivo von Chartres, De conven. (PL 162, 550 C): *hostiam* (wird später bestimmt als Brot und Wein für die Konsekration) *accipit a ministris et diversi generis oblationem a populis.* — Im Meßordo von Séez (PL 78, 248 A) ist überhaupt nur mehr die Rede von den *oblationes offerentium presbyterorum et diaconorum.*

[60]) Dabei handelt es sich nur mehr um den Hostienopfergang. Der Sakristan reichte mit einem goldenen oder silbernen Löffel vom großen Hostienteller jedem eine Hostie, die dieser auf einem Tüchlein entgegennahm. Ein zweiter goß dem einzelnen Wein in seinen Becher. So trug man beides zum Priester hin. Priestermönche durften selbst den Wein in den großen Altarkelch gießen. Was nicht für die Konsekration nötig war, wurde als Eulogie zurückgestellt und im Refektorium ausgeteilt. Wilhelm von Hirsau, Const. I, 84; II, 30 (PL 150, 1011. 1014 f. 1083 f), und die analogen Bestimmungen anderer Klöster; s. St. Hilpisch, Der Opfergang in den Benediktinerklöstern des Mittelalters: Studien u. Mitteilungen z. Geschichte des Benediktinerordens 59 (1941/42) 86—95, bes. 91 f. — In manchen französischen Klöstern bestanden verwandte Gebräuche noch im 18. Jh. In St. Vaast bei Arras wurde noch täglich bei der Konventmesse vom Obern im Namen der Kommunität auf einer Patene das Brot und in einem Kelche der Wein dargebracht. Nach dem *Oremus* trat er, vom Zelebranten mit *Pax tecum, reverende Pater* begrüßt, mit beiden an den Altar, küßte den dargereichten Manipel, legte das Brot auf die Altarpatene und goß den Wein in den Altarkelch. Anderswo, wie in Cluny, legten nur mehr die Kommunikanten je eine Hostie auf die Patene des Priesters. Hilpisch 94 f. Vgl. auch de Moléon 149. 239; Lebrun, Explication I, 252 f.

krönung[61]) und bei der Jungfrauenweihe[62]), vielleicht auch noch an einzelnen Hochfesten[63]) und vereinzelt noch bei Totengottesdiensten[64]). Seit dem 12. Jahrhundert erscheint darum in den Erklärungen des Opferganges eine Aufzählung, die mit dem Golde beginnt: manche bringen Gold dar, wie die Weisen aus dem Morgenland, andere Silber, wie die Witwe im Tempel, andere *de alia substantia;* dann werden erst Brot

---

[61]) Cod. Ratoldi (10. Jh.; PL 78, 260 C). — E. S. Dewick, The coronation book of Charles V. of France (HBS 16), London 1899, 43: *debet offerre panem unum, vinum in urceo argenteo, tresdecim bisantos aureos.* — W. Maskell, Monumenta Ritualia ecclesiae Anglicanae III, London 1847, 42: Der König opfert Brot und Wein und darauf *marcam auri* (Ordnung des späten Mittelalters). — Nach dem Ordo der Kaiserkrönung des 11./12. Jh. (Ordo C) bringt der Kaiser am Thron des Papstes dar *panem simul et cereos et aurum, singillatim vero imperator vinum, imperatrix aquam, de quibus debet ea die fieri sacrificium;* Eichmann, Die Kaiserkrönung im Abendland I, 178; vgl. 215. Nach dem vom 13. Jh. ab geltenden, auf Innozenz III. zurückgehenden Ordo D bringt der Kaiser nur mehr dar *aurum quantum sibi placuerit;* Eichmann I, 264; vgl. 285; II, 273 f. Letztere Ordnung ist auch vorgesehen im Pontificale Romanum I, De bened. et cor. regis.

[62]) So in England noch um 1500: Jede der Jungfrauen hat die beiden Hände mit einem Tuch verhüllt. In der Rechten trägt sie eine Patene mit der Hostie und in der Linken ein Kännchen mit Wein zum Altar. Die Hostie läßt sie auf die Patene gleiten, die der Diakon hält; das Weinkännchen übergibt sie dem Bischof, dessen Hand sie küßt. Der Wein wird in einen Kelch gegeben und darin nach der Kommunion dargereicht. W. Maskell, Monumenta II, London 1846, 326 f. — Derselbe Ritus bei der Weihe eines Oblaten-Knaben in den Gewohnheiten des piemontesischen Klosters Fruttuaria (11. Jh.): Albers, Consuetudines IV, 154. Die Ansätze dazu schon in des hl. Benedikt Regula c. 59. — Das Pontificale Romanum I, De bened. et consecr. virginum, kennt nur noch die Oblation einer brennenden Kerze.

[63]) Über die Brot- und Weinoblation bei der Papstmesse vgl. oben Anm. 29. — Nach dem Ordinarium von Nantes vom Jahre 1263 wurden zu Weihnachten in der ersten Messe *luminaria,* in der zweiten Brot, in der dritten Geld geopfert. E. Martène, Tractatus de antiqua ecclesiae disciplina, Lyon 1706, 90. Eine Brotoblation des Volkes an Weihnachten kennt auch Durandus, Rationale IV, 30, 40. — Verhältnismäßig spät wird noch ohne Einschränkung eine Brot- und Weinoblation erwähnt bei der Abtretung einer Kirche an das Kloster S. Denis im Jahre 1180: Der bisherige Inhaber übergibt diesem u. a. *omnia ad altare pertinentia cum offerenda panis et vini, lini, canapi et candele;* Merk, Abriß 13 Anm. 27; vgl. 87 Anm. 11. Ein gleichzeitiges Zeugnis aus Tours nennt als gewöhnliche Oblationsgegenstände: *panis, vinum, denarius, candela.*

[64]) In der Champagne bestand noch in der ersten Hälfte des 19. Jh. bei Begräbnisgottesdiensten der Brauch, daß die nächste Verwandte des Verstorbenen auf einer Serviette ein Brot und in einem besonderen Gefäß Wein darbrachte, außerdem eine Kerze (um 1860/70 wurde an Stelle des Weins nur noch das leere Gefäß mit Geld hingetragen). Die übrigen Frauen brachten Brot und Kerzen dar, die Männer Geld. So nach Jugenderinnerungen von A. Loisy bei Wetter, Alt-

und Wein genannt[65]), die Gabe der Kleriker, die in der Reihe der Darbringer von jeher den Schluß bildeten. Schließlich wird auf Brot und Wein auch hier verzichtet. Nur bei der Bischofsweihe ist in der römischen Liturgie ein Rest bis heute erhalten geblieben: der neugeweihte Bischof bringt zwei Brote, zwei Fäßchen mit Wein und zwei Kerzen dar[66]), und bei der Papstmesse aus Anlaß einer Heiligsprechung werden in feierlichem Ritus zwei Brote, zwei Fäßchen mit Wein und Wasser, weiter

---

christliche Liturgien II (oben Anm. 9) 77 f. — Denselben Brauch berichtet für den Beginn des 18. Jh. aus der Diözese Orleans de Moléon 215 f; ebd. das Beispiel aus einer Pfarrei, in der an Allerseelen 50 bis 60 Frauen diesen Opfergang vollzogen; vgl. ebd. 239. 408. 409. 410. — de Moléon 173. 187. 427 berichtet auch über den damals z. T. noch vorhandenen Opfergang der Kanoniker mit Patene und Kelch bei feierlichen Totengottesdiensten an einzelnen Kathedralen. Corblet I, 225 bezeugt den zu seiner Zeit (1885) u. a. in der Normandie noch geübten Brauch, daß bei Totengottesdiensten die betreffende Familie eine Flasche Wein und ein Brot stellte, die beim Offertorium durch zwei Meßdiener dargebracht wurden. — Über eine Brot- oder Mehloblation, die in bayerischen Gemeinden vor der Begräbnismesse noch in unserer Zeit an den Chorschranken niedergelegt wurde, sowie über den Brauch der Spendbrote vgl. V. Thalhofer-L. Eisenhofer, Handbuch der katholischen Liturgik II, Freiburg 1912, 121 Anm. 3. Aus einer Regensburger Landpfarre wird mir berichtet von einer Zinnkanne, die auf die Tumba gestellt wird und neben die früher ein Brotlaib gelegt wurde (L. Schosser, 1931). Ähnliches berichtet J. Bernbeck, Katechesen f. d. Oberstufe III, Regensburg 1927, 113. Aus Kössen im Unterinntal wird als noch lebendiger Brauch gemeldet, daß bei feierlichen Totengottesdiensten u. a. eine Schüssel mit Mehl und drei Zinnkrüge aufgestellt werden, die nach der Messe als Gabe für den Priester gefüllt werden (P. Werner, 1947). In Schwaz in Tirol legen noch heute beim Offertorium der am Begräbnistage üblichen zweiten Seelenmesse in der Franziskanerkirche alle Teilnehmer eine (unterwegs beim Bäcker erworbene, seit einiger Zeit hygienisch verpackte) große Semmel in dem bereitstehenden Korbe nieder; das Ergebnis verbleibt dem Kloster als Almosen (Schilderung in der Tiroler Tageszeitung v. 16. XII. 1950). — In loser Verbindung mit der Meßfeier ist eine Widmung von Brot für die Armen im Anschluß an den Totengottesdienst auch anderswo noch bis in unser Jahrhundert herein üblich geblieben, so z. B. in meiner Südtiroler Heimat.

[65]) Honorius, Augustod., Gemma an. I, 27 (PL 172, 553); vgl. Sicard von Cremona, Mitrale III, 5 (PL 213, 115); Durandus IV, 30, 34. — Eine andere Aufzählung üblicher Meßoblationen aus dem 12. Jh. lautet: *Panis, vinum, denarius et candela*; Martène 1, 4, 6, 6 (I, 387 A).

[66]) Pontificale Rom., De consecr. ep.; ähnlich bei der Benediktion eines Abtes. Ebenso im römischen Pontifikale des 13. Jh. und (auch bei der Weihe von Kardinalpriestern und -diakonen) in dem des 12. Jh.; Andrieu II, 349. 364 f; I, 137. 151 f. — In der Kathedrale von Lyon bringen an den Ferien der Quadragesima noch jetzt die zwei ersten Priester jeder Chorseite Brot und Wein an den Altar; J. Baudot, Le Missel Romain, Paris 1912, 101. Vgl. de Moléon 426. Auch die Kanoniker von Angers hielten um 1700 noch Opfergang; ebd. 89.

fünf Kerzen und drei Käfige mit Tauben, Turteltauben und anderen Vögeln dargebracht[67]).

Es wird nun betont, daß die Kleriker überhaupt nicht zu opfern verpflichtet sind[68]). Für die Elemente von Brot und Wein ist auf anderem Wege schon vorher Sorge getragen, im Opfergang aber hat die wirtschaftliche Leistung, der Beitrag zum Unterhalt des Klerus, die Oberhand gewonnen, er dient, wie es nun heißt, dazu, *ut inde sibi victum habeant sacerdotes*[69]). Wenn dabei auch das Geld an die Stelle fast aller anderen Gaben getreten ist und viele Gegenstände schon durch die Heiligkeit des Ortes vom eigentlichen Opfergange ausgeschlossen waren, so bestand doch der Absicht und der Bestimmung nach nun kaum mehr ein Unterschied gegenüber den übrigen Leistungen und Beiträgen, die freiwillig oder nach fester Vorschrift der Kirche gewidmet wurden. Umgekehrt werden diese nun gedanklich um so mehr an die Gaben des Opferganges angenähert und wie jene um so deutlicher als Gaben an Gott betrachtet; selbst die Leistung des Zehnten wird als ein *offerre* bezeichnet[70]). Unter dem Begriff der Oblation erscheinen nun alle Produkte der ländlichen Wirtschaft und alle Gegenstände des kirchlichen und des häuslichen Gebrauches und, soweit es tunlich ist, wird auch eine gewisse Verbindung mit dem kirchlichen Opfergang angestrebt[71]).

---

[67]) J. Brinktrine, Die feierliche Papstmesse 54—56. Dieser Opfergang bei der Heiligsprechung ist erst seit 1391 bezeugt; s. Th. Klauser, Die Liturgie der Heiligsprechung: Heilige Überlieferung, Münster 1938, 212—233, bes. 223 ff. Die allegorische Absicht bei der Wahl der Gaben wird klargestellt bei H. Chirat, Psomia diaphora: Mélanges E. Podechard, Lyon 1945, 121—126.

[68]) So im 10. Jh. der Ordo ‚Postquam' der Bischofsmesse (Andrieu II, 359; PL 78, 993 A): *quos non tam patrum instituta iubent quam proprium arbitrium immolare suadet.* — Joh. Beleth, Explicatio c. 41 (PL 202, 59): *Clerici enim non offerunt nisi in exequiis mortuorum et in nova celebratione sacerdotis. Nam inhumanum videretur, si ii offerre tenerentur, qui ex oblationibus vivunt aliorum.* — Durandus IV, 30, 36 fügt zu den Ausnahmen hinzu: *et in quibusdam praecipuis sollemnitatibus,* und dehnt die Befreiung auch auf die *monachi* aus.

[69]) Joh. Beleth, Explicatio c. 17 (PL 202, 30). Im gleichen Sinn unterscheidet Durandus IV, 30, 9 nun zwischen *donum* und *sacrificium: donum diciter quicquid auro vel argento vel qualibet alia specie offertur,* dagegen ist *sacrificium,* was der Konsekration dient.

[70]) G. Schreiber, Untersuchungen zum Sprachgebrauch des mittelalterlichen Oblationswesens, Wörishofen 1913, 19 f. Schreiber spricht von einer nun eintretenden Spiritualisierung der Zehentleistungen.

[71]) Mit der Primizfeier war in der Diözese Eichstätt im 15./16. Jh. ein Opfergang des ganzen Volkes verbunden, bei dem außer Geld und Naturalien verschiedener Hausbedarf, wie Küchengeräte und Bettzeug, als Ausstattung für den

Im übrigen kehren die Verhältnisse der gallikanischen Gabendarbringung wieder, in der ja vor dem Gottesdienst Gaben jeder Art für den Altar gewidmet wurden. Der Reichtum dieser Eingänge hatte es mit sich gebracht, daß in der Zeit des Eigenkirchenwesens vielfach die Grundherren ihre Hand darauf legten und mit der Begründung, daß sie ja für die Kirche und deren Priester Sorge trugen, den Großteil für sich beanspruchten. Schon 572 hatte eine Synode von Braga bestimmt, daß kein Bischof eine Kirche weihen solle, die der Grundherr gebaut hat, um die Hälfte der darin fallenden Oblationen zu erhalten[72]). Der Kampf gegen verwandte Ansprüche setzte sich durch Jahrhunderte fort[73]). Er

---

Neupriester geopfert wurde; J. B. Götz, Die Primizianten des Bistums Eichstätt aus den Jahren 1493—1577 (Reformationsgeschichtliche Studien und Texte 63), Münster 1934, 18. — In einzelnen Pfarreien des bayerischen Voralpenlandes wurden bis in neuere Zeit an gewissen Festtagen Flachs und Getreidegarben zur Kirche gebracht, während andere Naturalien in den Höfen abgesammelt wurden. In einer Pfarrei wurde zum Martinstag von jedem Bauern eine Gans, später, bis 1903, eine Henne „geopfert"; die Tiere wurden während des Gottesdienstes neben dem Friedhofeingang in einem Käfig verwahrt und nach dem Gottesdienst zugunsten der Kirchenkasse versteigert. G. Rückert, Alte kirchliche Opfergebräuche im westlichen bayerischen Voralpenland: Volk und Volkstum I (1936) 263—269. — Ähnliches wird noch für die Gegenwart aus dem slowenischen Kärnten berichtet. Im Gailtal werden bei Trauungsgottesdiensten auch Naturalien geopfert, u. a. der Wein, der nachher gesegnet und dem Brautpaar gereicht wird. In St. Jakob in Neuhaus ist neben der Sakristei ein eigener Raum vorhanden, in dem die am Sonntag vor dem Gottesdienst eingehenden Opfergaben verwahrt werden; nach demselben werden sie durch den Kirchenkämmerer versteigert. Sonntage, an denen nichts einlangt — es handelt sich um Lämmer, Ferkel, allerlei Geflügel —, seien selten. An manchen Orten mit ähnlichem Brauch geht der Spender zum Zeichen der Gott gewidmeten Gabe um den Altar herum. (Aus einer Niederschrift meines ehemaligen Schülers Kaplan Christian Srienc über das religiöse Brauchtum der Kärntner Slowenen [1936].)

[72]) can. 6 (Mansi IX, 840); vgl. 3. Synode von Toledo (589) c. 19 (ebd. 998).

[73]) Jonas von Orleans († 843), De inst. laicali II, 19 (PL 106, 204 f); Synode von Ingelheim (948) can. 8 (Mansi XVIII, 421); Decretum Gratiani III, 1, 10 (Friedberg I, 1296). — Bei der Übereignung von Kirchen an Klöster und an Bischöfe, wie sie in Urkunden seit dem 9. Jh. greifbar wird, sind unter den abgetretenen Rechten häufig auch die *oblationes, offerentiae* oder *offerendae* (besonders letzteres regelmäßige Bezeichnung für Altaroblation; s. Schreiber, Untersuchungen 24 ff; vgl. französisch „offrande") genannt, vielfach mit der Bestimmung, daß ein bestimmter Anteil dem mitübernommenen Geistlichen verbleiben müsse. Beispiele bei Merk, Abriß 48 ff; G. Schreiber, Mittelalterliche Segnungen und Abgaben (Zeitschrift d. Savigny-Stiftung 63 [1943] 191—299) 245 f. 280 f. 283. 289 Anm. (= Schreiber, Gemeinschaften des Mittelalters 247 f usw.; s. ebd. 467 f Register s. v. Oblationen). — Genaue Abmachungen zwischen

berührt nun auch unmittelbar die auf breitere Basis gestellte eigentliche Altaroblation, deren kirchliche Verwendung in ihrem älteren bescheidenen Umfang kaum gefährdet gewesen war[74]).

In der Übergangszeit, in der sich neben der zurückgehenden Brot- und Weinoblation die neuen Gegenstände zum Opfergang drängen, d. i. im 9./10. Jahrhundert, treffen wir den Versuch an, eine strenge Scheidung durchzuführen zwischen ersterer und den letzteren. Nur Brot und Wein soll man in der herkömmlichen Form beim Offertorium der Messe darbringen, Kerzen und alles übrige aber vor der Messe oder vor dem Evangelium abgeben[75]). Tatsächlich finden wir in der Folgezeit ein Schwanken bezüglich der Stelle, wo der umgebildete Opfergang zu stehen habe. Ein Opfergang vor dem Evangelium lebt in bayrischen Landgemeinden bis in die Gegenwart fort[76]). Auch ein Opfergang schon beim *Kyrie eleison* ist geübt worden[77]) und hat noch lange fortbestanden[78]). In Spanien wurden Geldspenden schon in der Frühzeit beim Kommuniongang entgegengenommen[79]), ein Brauch, der auch

---

den Stiftsdamen und den an der Kirche wirkenden Priesterkanonikern enthält z. B. der Liber ordinarius der Essener Stiftskirche (14. Jh.) hrsg. von F. Arens (Paderborn 1908), 126—128; vgl. 200—204.

[74]) In den Const. Ap. VIII, 31 (Funk I, 532 f) wird ein Schlüssel angegeben, wie man die bei den Geheimnissen übrigbleibende „Segnung" (τὰς περισσευούσας ἐν τοῖς μυστικοῖς εὐλογίας) auf die Rangstufen des Klerus verteilen könne. Es handelt sich offenbar um Brot und Wein. Weitere Belege aus dem Orient bei Funk a. a. O. — Gregor d. Große, Dial. IV, 55 (PL 77, 417 B), erzählt von einem Priester, der jemandem *duas oblationum coronas* schenken wollte, die darauf als *panis sanctus* bezeichnet werden. Vgl. auch oben Anm. 34. — Die seit dem 5. Jh. oft erwähnte Aufteilung auf Bischof, Klerus, Kirchengebäude und Arme betraf die Gesamtheit der kirchlichen Einkünfte, nicht unmittelbar die Altaroblation.

[75]) Hinkmar von Reims, Capitula I c. 16 (PL 125, 777 f). Ähnlich Regino von Prüm, De synod. causis, inquis. 72 f (PL 132, 190 C).

[76]) Thalhofer-Eisenhofer, Handbuch der katholischen Liturgik II, 121 Anm. 3. Neben diesem Opfergang, der gleich nach der Kollekte beginnt, findet bei den betreffenden Begräbnisgottesdiensten noch ein zweiter nach dem Evangelium statt. Bei beiden wird Geld geopfert. — Der doppelte Opfergang bei Totenämtern im 16. Jh. auch in Ingolstadt; Greving, Johann Ecks Pfarrbuch 83. 113 f. 118 Anm. 1. Derselbe Brauch bestand damals in Biberach; Schreiber, Untersuchungen 15 Anm. 1, nach A. Schilling (Freiburger Diözesanarchiv 1887).

[77]) So nach der Meßerklärung einer Stuttgarter Hs des 15. Jh.; Franz, Die Messe 704 f.

[78]) Er wird noch als gegenwärtiger Brauch bei der Trauungsmesse erwähnt von L. von Hörmann, Tiroler Volksleben, Stuttgart 1909, 371. Doch ist mir der Brauch unbekannt geblieben.

[79]) Isidor von Sevilla, Ep. ad Leudefredum n. 12 (PL 83, 896). — Synode von Merida (666) can. 14 (Mansi XI, 83): *communicationis tempore*

anderswo[80]) bestand oder neu sich bildete und der wiederholt Anlaß gab zu scharfen Verboten gegen simonistische Handlungsweise[81]). Später treffen wir in Spanien den Opfergang eingefügt zwischen der Darbringung von Brot und Wein durch den Priester und der Händewaschung, so innerhalb der mozarabischen Liturgie[82]); aber auch im Bereich der römischen Liturgie gewinnt dieser Ansatz Verbreitung[83]). Der Verfasser des Micrologus nennt eine solche Ordnung verkehrt[84]). In der Regel nimmt denn der Opfergang auch in der neuen Form wieder seine alte Stelle ein: nach dem *Oremus*, während das Offertorium gesungen wird, dessen freudige Klänge das fröhliche Geben zum Ausdruck bringen sollen[85]). An dieser Stelle war er noch in dem 1502 gedruckten Meß-

---

a fidelibus pecuniam novimus poni. Vgl. die Anmerkungen von A. Lesley zum Missale mixtum (PL 85, 537 f).

[80]) Z. B. um 1400 in Rom: Ordo des Petrus Amelii n. 85 (PL 78, 1332 C). Als Mißbrauch bekämpft in den Aufzeichnungen des Mainzer Pfarrers Florentius Diel (1491—1518) hrsg. von F. Falk (Erläuterungen zu Janssens Geschichte des deutschen Volkes IV, 3; Freiburg 1904) 15. 46: Die Gläubigen sollen das Geld auch nicht auf das Kommuniontuch legen.

[81]) Trullanische Synode (692) can. 23 (Mansi XI, 953); Synode von Worchester (1240) can. 29 (Mansi XXIII, 536): *parochianos suos, cum communicant, offerre compellunt, propter quod simul communicant et offerunt, per quod venalis videtur... hostia pretiosa.* Weitere Beispiele bei Browe, Die häufige Kommunion im Mittelalter 136 f. — Der Anlaß zu einer solchen Praxis lag in dem begreiflichen Bestreben, die durch ein wiederholtes Gehen verursachte Unruhe dadurch zu vermindern, daß man Kommuniongang und Opfergang zusammenlegte. — Daß überlieferte Opfergänge noch in neuerer Zeit nach der Kommunion angesetzt wurden, dürfte in Österreich zusammenhängen mit der Verordnung Josephs II. vom 24. 6. 1785, welche die angeblich durch den Opfergang hervorgerufene Störung der Messe beseitigen wollte. Die Verordnung wollte den Opfergang vor dem Hochamt, nicht mit brennenden Kerzen und nur in Geld gehalten wissen; K. K. Verordnungen, welche über Gegenstände in Materiis publico-ecclesiasticis 1784 u. 1785 sind erlassen worden, Augsburg 1786, 22. — Für den Brauch in Vorarlberg s. L. Jochum, Religiöses und kirchliches Brauchtum in Vorarlberg: Montfort 1 (Bregenz 1946) 263 ff, bes. 271.

[82]) Missale mixtum (PL 85, 537). Nach der Rubrik zum ersten Adventsonntag geht auch die Inzensierung des Altars und das *Adiuvate me fratres* noch voraus (PL 85, 113).

[83]) Für Frankreich s. zahlreiche Belege aus dem 11.—18. Jh. bei Lebrun I, 254 f. — Für England s. die Belehrung über die Messe in der Vernon-Hs (um 1375) bei Simmons, The Layfolks Massbook 142. — Auch die Rubrik im Missale von Vich von 1547 scheint Ähnliches zu besagen: Ferreres 121.

[84]) Bernold von Konstanz, Micrologus c. 10 (PL 151, 983 C).

[85]) Alexander von Hales, Summa theol., p. IV, 10, 5, 2 und nach ihm Wilhelm von Melitona, Opusculum super missam ed. van Dijk (Eph. liturg. 1939) 327.

ordo des Burchard von Straßburg vorgesehen[86]) und an dieser Stelle lebt er auch heute meistens noch weiter, dort wo die alte Überlieferung nicht abgebrochen ist[87]).

Der auf genaue Rubriken bedachte Meßordo Burchards beschreibt auch den Ritus, den der Priester dabei einhalten soll. Nachdem er das Offertorium aus dem Missale gelesen, geht er an die Epistelseite, nimmt den Manipel vom Arm und reicht ihn den einzelnen Gebern zum Kuß mit einem Segenswunsch[88]). Derselbe Ritus ist auch in spanischen Meßbüchern des 15./16. Jahrhunderts vorgesehen[89]). Er ist in Spanien altüberliefert[90]) und ist hier und in Portugal[90a]) bis heute lebendig geblieben, abgesehen vom Segenswunsch, der in Spanien 1881

---

86) Legg, Tracts 149.

87) Für Spanien s. Ferreres 121 f. — Auch B. Gavanti will den heute etwa geübten Opfergang der Gläubigen an dieser Stelle eingefügt wissen; Gavanti-Merati II, 7, 5 (I, 260). — In Wirklichkeit beginnt der heute auf dem Lande fortbestehende Opfergang häufig erst etwas später; er dauert dann vielfach, je nach der Zahl der Offerenten, während der ganzen Messe fort, mit kurzer Unterbrechung während der Wandlung.

88) Legg, Tracts 149: *dicto offertorio, si sint volentes offerre, celebrans accedit ad cornu epistole, ubi stans detecto capite, latere suo sinistro altari verso, deponit manipulum de brachio sinistro, et accipiens illud in manum dextram porrigit summitatem eius singulis offerentibus osculandam dicens singulis: Acceptabile sit sacrificium tuum omnipotenti Deo, vel: Centuplum accipias et vitam eternam possideas.* Auch bei Franz, Die Messe 614 Anm. 1. — Zwei Meßbücher aus dem Bereich von Montecassino (11./12. Jh.) lassen den Priester, wenn er die *oblationes singulorum* entgegennimmt, sprechen: *Suscipe s. Trinitas hanc oblationem, quam tibi offert famulus tuus, et praesta ut in conspectum tuum tibi placens ascendat.* Ebner 309. 340; vgl. 346. Die Formel, wohl in gleicher Verwendung, schon in der ersten Hälfte des 11. Jh. in der Missa Illyrica und im Missale von Troyes: Martène 1, 4, IV. VI (I, 508 D. 532 C), anderseits noch in dem 1336 geschriebenen Missale von St. Lambrecht (Köck 120). — Der Segensspruch: *Acceptabilis sit omnipotenti Deo oblatio tua* erscheint ebenfalls bereits in der Missa Illyrica, aber im Munde des Bischofs, wenn er die *oblata* für die Eucharistie entgegennimmt, und ähnlich vorher im Munde des Diakons. Martène 1, 4, IV (I, 508); vgl. Meßordo von Séez (PL 78, 248 A).

89) Ferreres 120 f.

90) Vgl. Missale mixtum (PL 85, 529 A): Der Priester spricht zu jedem: *Centuplum accipias et vitam aeternam possideas in regno Dei. Amen.*

90a) Missale von Braga (1924) S. XLVII: *Deinde si qui sint, qui suas oblationes offerre voluerint, Celebrans descendit ad ultimum Altaris gradum vel ad alium locum consuetum, et accipiens extremitatem Stolae vel Manipuli, porrigit offerentibus osculandum, dicens singulis: Centuplum accipias et vitam aeternam possideas in regno Dei. Et, data benedictione populo cum signo Crucis, ad medium Altaris revertitur.*

einem Einspruch der Ritenkongregation zum Opfer gefallen ist[91]). Auch anderswo sind die Umrisse dieses Brauches bis in die jüngste Zeit erhalten geblieben[92]). An Stelle des Manipels oder der Stola[93]) küßte der Darbringer, nachdem er seine Gabe abgegeben hatte[94]), mancherorts die Hand des Zelebranten[95], anderswo das Corporale[96]) oder auch die dar-

---

[91]) Entscheidung vom 30. XII. 1881; Decreta auth. SRC n. 3535, 1. Doch ist auch der Segensspruch nicht ganz verschwunden; s. Kramp, Meßgebräuche der Gläubigen in den außerdeutschen Ländern (StZ 1927, II) 362. — Zum Kuß wird gereicht die Stola oder der Manipel oder (bis 1881) eine Kreuzpartikel. Auch Paxtafel, Kruzifix, Bild oder die Hand des Zelebranten kann dafür eintreten; so G. Martínez de Antoñana, Manual de liturgia sagrada I, 5. Aufl., Madrid 1938, 496 f, der auch als begleitenden Gesang außer dem Offertorium den zugehörigen Psalm oder eine passende Motette gestattet. Der Segensspruch des Priesters lautete in der Diözese Urgel: *Oblatio tua accepta sit Deo.* Der Kuß von Stola und Manipel wurde auf erneute Vorstellungen hin auch bei Totenmessen weiter gestattet, 15. VI. 1883; Decreta auth. SRC n. 3579. Ferreres 121 f.

[92]) In Vorarlberg stand der Priester während des Opferganges an der Epistelseite. Vom Darreichen zum Kuß war hier meist nur noch eine Senkbewegung übriggeblieben, die der Priester bei jeder Gabe mit dem Manipel machte, verbunden mit einem Segensspruch, z. B. *Pax tecum;* Jochum (s. oben Anm. 81) 272. — Im benachbarten St. Gallen bestimmte eine Synode 1690: den Männern soll der Manipel zum Kuß gereicht, den Frauen aufs Haupt gelegt werden. Nach K. Steiger: JL 2 (1922) 176. Vgl. folgende Anm.

[93]) Ferreres 121 f. Von den Stiftsdamen der Essener Stiftskirche küßte jede die Stola, wenn sie dem Priester, der mit seiner ganzen Assistenz nach genau bestimmter Ordnung zum Chor der Damen kam, die Oblation überreicht hatte; Arens, Der Liber ordinarius 18. 200 f. — Auch nach dem Pfarrbuch von Biberach um 1530 (hrsg. von A. Schilling: Freiburger Diözesanarchiv 1887) wurde vom Priester den adeligen Offerenten die Stola zum Kuß gereicht, den übrigen wurde sie auf den Kopf gelegt; Schreiber, Untersuchungen 15 Anm. 1.

[94]) Es ist die Rede von Oblationen, die *ad altare, ad librum, ad stolam, ad manum* gegeben werden. Merk, Abriß 33 f; vgl. ebd. 34 Anm. 4 eine Oberndorfer Meßstiftung von 1474: „das Opfer so uff den Altar gefalt oder in sein (des Kaplans) Hanndt oder Buch geben und gelegt wirdt". — Joh. Beleth, Explicatio c. 41 (PL 202, 50 D), wendet sich dagegen, daß der Priester eine *pyxis* oder etwas Ähnliches in der Hand hält, weil er so leicht in den Verdacht der Habsucht komme. — Durandus IV, 30, 38 glaubt zu wissen, daß der Papst, außer in Totenmessen, nur die Brotoblation *ad manum* entgegennehme und mit den Händen berühre, alles übrige nur *ad pedes;* vgl. oben Anm. 34. So wurden auch Oblationen, die *ad manum episcopi* dargebracht wurden, vom Subdiakon entgegengenommen, weil der Bischof zeitliche Geschäfte nicht mit eigener Hand besorgen soll.

[95]) Durandus IV, 30, 35.

[96]) Nach einem Bericht aus Lübeck um 1350: P. Browe, Hist. Jahrbuch 49 (1929) 481.

gereichte Patene[97]). Auch der Darbringer konnte seine Gabe mit einem Segensspruch begleiten[98]). Nach einem Meßordo des 15. Jahrhunderts sollte zuletzt der Priester das Volk segnen mit den Worten: *Centuplum accipiatis et vitam aeternam possideatis, in nomine Patris* . . .[99]).

Ein hochfestlicher Ritus des Opferganges ist heute noch gebräuchlich in der feierlichen Papstmesse, die aus Anlaß einer Heiligsprechung stattfindet. Die Offerenten treten in drei Gruppen zum Thron des Papstes vor, jede von einem Kardinal geführt. In jeder Gruppe gehen dem Kardinal zwei Edelleute voran und es folgen ihm zwei weitere Personen — die vier Gabenträger. Die von den Edelleuten getragenen Gaben, zwei schwere Kerzen, zwei Brote, zwei Fäßchen mit Wein und Wasser, überreicht der betreffende Kardinal nun dem Heiligen Vater; dabei küßt er dessen Hand und die Stola, worauf der Papst die Gabe segnet und sie seinem Zeremonienmeister übergibt. Die weiteren Gaben (Kerzen, Käfige mit Vögeln) werden von den Trägern dem Kardinalprokurator übergeben; dieser überreicht sie dem Papst, der auch sie segnet[100]).

---

[97]) Der Brauch wurde von Pius V. verboten, ebenso in Mailand durch die Provinzialsynode von 1574. In Rouen bestand er aber an hohen Festtagen noch weiter fort; de Moléon 366. In Belgien wird der Kuß der Patene heute noch geübt, und zwar bei Totenmessen; Kramp a. a. O. 358. — C. M. Merati schlägt vor, statt der Patene ein Kruzifix oder sonst eine Darstellung zum Kuß zu reichen. Gavanti-Merati II, 7, 5, XXI (I, 263). In Oberschlesien besteht (oder bestand) denn auch der Brauch, beim Gang um den Altar, der ja fast allgemein zum Opfergang gehört, die Füße eines hier angebrachten großen Crucifixus zu küssen (A. Stasch S. J., 1947).

[98]) Die Missa Illyrica: Martène 1, 4, IV (I, 508 B), läßt ihn sprechen: *Tibi Domino creatori meo offero hostiam pro remissione omnium peccatorum meorum et cunctorum fidelium tuorum vivorum ac defunctorum.* Ebd. noch zwei weitere Formeln, die eine bestimmte Intention aussprechen. Begreiflicherweise konnte ein solcher Spruch nur Klerikern allgemein zugemutet werden. Im Meßordo von Séez (PL 78, 248 A) ist er auch nur für Priester und Diakone bestimmt; ähnlich in jüngeren Hss bei Martène 1, 4, XVI (I, 598) und bei Ebner, Quellen 346. Auch im Missale von Troyes (um 1050), wo noch ein zweiter folgt: *Hanc oblationem, clementissime Pater, defero ad manus sacerdotis tui, ut offerat eam tibi Deo Patri omnipotenti pro cunctis peccatis meis et pro totius populi delictis. Amen.* Martène 1, 4, VI (I, 532 C). — Noch das nicht allzu lange vor 1325 entstandene Sakramentar von Fonte Avellana (PL 151, 886) bietet erstere Formel mit der Rubrik: *Quando quis offert oblationem presbytero dicat.*

[99]) Pontifikale von Noyons: Leroquais, Les Pontificaux I, 170.

[100]) Brinktrine, Die feierliche Papstmesse 55 f. Vgl. oben 18 f. — Ein ähnlich feierliches Geleit umgab den König von Frankreich, wenn er am Krönungstage den Opfergang übte; s. Corblet I, 223.

Doch hat die im ganzen ablehnende Haltung der neueren römischen Liturgie gegenüber dem Opfergang dazu geführt, daß der Zelebrant auf denselben, wo er auch jetzt noch stattfindet, in der Regel keine Rücksicht nimmt[101]), ein Verhalten, das allerdings auch schon im ausgehenden Mittelalter vorkommt[102]). Die Gläubigen legen also ihre Gaben in einen in der Nähe des Altares bereitstehenden Teller oder Opferstock. Oder es sind, vielleicht auch für zwei verschiedene Zwecke, zwei Stellen dafür vorgesehen, an der Evangelienseite und an der Epistelseite; die Gläubigen legen also an der ersten Stelle ihre Gaben nieder, umkreisen, wo dies möglich ist, den Altar und geben dann ihre zweite Gabe[103]).

Wenn es seit dem 3. Jahrhundert rasch zur festen Regel geworden ist, daß die Gläubigen zur gemeinsamen Eucharistiefeier ihre Gaben darbringen sollen, so wurde in einer so engen Mitwirkung zum Vollzug des heiligen Geheimnisses von Anfang an auch schon ein Ehrenrecht erkannt, das nur vollbürtigen Gliedern der Kirche zustehen konnte, nicht anders als der Empfang des Sakramentes. Schon in der syrischen Didascalia wird den Bischöfen und Diakonen in langen Ausführungen die Pflicht vor Augen geführt, wohl zuzusehen, wer derjenige ist, von dem sie eine Gabe annehmen[104]); die Gabe aller, die offenkundig in der Sünde leben, sind zurückzuweisen, seien es Unzüchtige oder Diebe und Wucherer oder auch römische Staatsbeamte, die ihre Hände mit Blut befleckt haben. Ähnliche Bestimmungen kehren in der Folgezeit im Osten

---

[101]) Nach einem so gewiegten Rubrizisten wie B. Gavanti wäre diese Strenge auch von den heutigen Rubriken nicht gefordert; der Priester könne den Darbringern, wo es Brauch ist, die Hand zum Kusse reichen (abgesehen von Totenmessen); er kann also mindestens eine Pause machen. Nicht zulässig sei das *circuire ecclesiam ad oblationem,* wie es von Primizianten geübt wurde. Gavanti-Merati II, 7, 5 q (I, 260 f).

[102]) Es war von selbst gegeben beim Opfergang zu Beginn der Messe; s. oben 21.

[103]) So vielfach in den Alpenländern; siehe z. B. die Notiz im Korrespondenzblatt für den katholischen Klerus 54 (Wien 1935) 73. — Erfahrungen und Winke zur Neugestaltung des Opferganges bieten u. a. Bischof Paul Rusch, Versuche zur Meßgestaltung (Messe und Glaubensverkündigung 309—320) 317 f; J. Zabel, Volksliturgische Gestaltung des Offertoriums: Bibel u. Liturgie 17 (1950) 241—245; J. Gülden, Die Möglichkeiten (s. oben I, 216 Anm. 18) 120—122.

[104]) Didascalia IV, 5—8 (Funk I, 222—228). Als Begründung wird allerdings vor allem geltend gemacht, daß die unterstützten Witwen für verhärtete Sünder nicht mit Erfolg beten können. Die Gabe wird aber auch schon, wenigstens gedanklich, mit dem Altar in Verbindung gebracht; vgl. IV, 7, 1. 3; IV, 5, 1 und die der letzteren Stelle im griechischen Paralleltext der Apostolischen Konstitutionen vorangestellte Überschrift: „Mit welcher Sorgfalt man die sonntägigen Beiträge entgegennehmen soll" (Funk 222).

und im Westen mehrfach wieder[105]). Gegen Ende des 5. Jahrhunderts betonen die aus dem Bereich von Arles stammenden Statuta Ecclesiae antiqua, von abständigen Brüdern solle man nichts annehmen, weder *in sacrario* noch *in gazophylacio*[106]). Auch Büßer sind dieses Rechtes verlustig[107]); erst in der Rekonziliation wird es ihnen zurückgegeben[108]). Ebenso wird die Gabe von Christen, die in Feindschaft leben, zurückgewiesen[109]). Noch ein Prediger des 15. Jahrhunderts, Gottschalk Hollen, vertritt ähnliche Grundsätze[110]).

Andererseits wurde eine Gabendarbringung der Gemeinde jeden Sonntag erwartet[111]). Selbst der Wunsch nach dem täglichen Opfergang wird ausgesprochen[112]). In den Klöstern findet er sich nach der

---

105) Siehe eine Reihe von Belegen bei Funk 224, Anm. zu IV, 6, 1; Bona II, 8, 5 (693 f); Corblet I, 218 f.

106) can. 93, al. 49 (PL 56, 884): *Oblationes discordantium fratrum neque in sacrario neque in gazophylacio recipiantur.* Im *sacrarium* wird die für den Altar bestimmte Gabe abgegeben; vgl. oben 8 f.

107) Konzil von Nicäa (325) can. 11 (Mansi II, 673); Felix III., Ep. 7, al. 13 (PL 58, 926 A; Thiel 263). — Auch Besessene (in einem weiteren Sinn) waren ausgeschlossen; Konzil von Elvira, can. 29 (Mansi II, 10). Vgl. Dölger, Antike u. Christentum 4 (1933) 110—137.

108) Vgl. im spanischen Liber ordinum (Férotin 98) das Gebet bei der Rekonziliation: *ut liceat ei deinceps sacrificia laudum per manus sacerdotum tuorum sincera mente offerre et ad cibum mensae tuae coelestis accedere.* — Nikolaus I., Ep. ad Hincmarum (PL 119, 1122 f), gestattet einem Mörder nach vierjähriger Buße zwar die Kommunion, jedoch nicht den Opfergang: *oblationes quidem nullatenus offerendo.*

109) 11. Synode von Toledo (675) can. 4 (Mansi XI, 139). Anderseits erwähnt Gregor der Große, Ep. VI, 43 (PL 77, 831 B), die Mahnung an einen Bischof, er solle nicht einer Streitsache wegen seinem Gegner die Annahme der Gabe verweigern.

110) Franz 22. Vgl. auch Schreiber, Gemeinschaften des Mittelalters 161 f.

111) Theodulf von Orleans, Capitulare I, c. 24 (PL 105, 198): *Concurrendum est* (am Sonntag) *etiam cum oblationibus ad missarum sollemnia.* — Benedictus Levita, Capitularium collectio (9. Jh.) I, 371 (PL 97, 750): *Et hoc populo nuntietur, quod per omnes dies dominicos oblationes Deo offerant et ut ipsa oblatio foris septa altaris recipiatur.* Vgl. ebd. II, 170 (PL 97, 768). Tatsächlich hat man den Opfergang im 8. und 9. Jh. schon von den Neubekehrten verlangt; s. Pirminius, Scarapsus c. 30 (G. Jecker, Die Heimat des hl. Pirmin, Münster 1927, 69); J. M. Heer, Ein karolingischer Missionskatechismus, Freiburg 1911, 81. 94.

112) Benedictus Levita, Capitularium collectio II, 170 (PL 97, 768). Es wird dabei vor allem an die Oblatio derjenigen gedacht sein, in deren Anliegen jeweils die Messe gefeiert wird; vgl. unten 30 f. Die deutsche Königin Mathilde († 968) übte den täglichen Opfergang: *quotidie sacerdoti ad Missam praesentare oblationem panis et vini.* Vita c. 19 (MGH SS IV, 296).

Reform des Benedikt von Aniane († 821) auch in die Gottesdienstordnung eingebaut[113]). Aber alter Brauch ist die sonntägige Oblation. Sie ist auch heute noch da und dort in Übung[114]).

Seit sich die alte Naturaliengabe in Geld zu wandeln beginnt und die unmittelbar sprechende Symbolik der Darbringung von Brot und Wein einer fühlbaren wirtschaftlichen Leistung Platz macht, scheint der allsonntägige Opfergang an Beliebtheit verloren zu haben. Konnte man ja auch darauf hinweisen, daß das nötige Einkommen der Kirche meist

---

[113]) Capitula monachorum ad Augiam directa (Albers, Consuetudines III, 105; vgl. S. XX): *sunt equidem cottidie sex per brevem deputati fratres sacram offerentes oblationem.* Für den Eifer, mit dem in diesen Kreisen die Oblation gepflegt wurde, zeugt auch die hieher gehörige Reklusenregel des Grimlaich, Reg. (9. Jh.) c. 16 (PL 103, 594 B): Die Zelle des Reklusen soll so angelegt sein, daß der Priester durch das Fenster derselben die Oblation entgegennehmen kann. Unter dem Einfluß von Cluny bildete sich in der Folge der Brauch, der bis ins 12./13. Jh. bestand, daß an Ferialtagen zur Frühmesse alle opferten, zur Hauptmesse abwechselnd die einzelnen Chorseiten; von den Offerenten der Hauptmesse durften dann eine gewisse Anzahl auch zur Kommunion gehen. An Festtagen opferte der Obere allein. Consuetudines monasteriorum Germ. n. 33. 43 (Albers V, 28. 47); Wilhelm von Hirsau, Const. II, 30 (PL 150, 1083). Vgl. St. Hilpisch, Der Opfergang (Studien u. Mitteilungen 1941/42) 88 ff. Eine genaue Regelung, wann einer, wann zwei, wann die Hälfte der Brüder und wann alle (wie an Allerseelen) den Opfergang vollziehen sollten, bieten die Consuetudines von Farfa (11. Jh.): Albers I, s. Register S. LVI. In Totenmessen war allenthalben der Opfergang aller Mönche üblich, wohl um die Kraft der Fürbitte zu steigern; Hilpisch 90. 93. Nach Wilhelm von Hirsau, Const. I, 86 (PL 150, 1017), sollte auch in Privatmessen der Ministrant opfern oder jemand anderer, *si iste non vult communicare.* Dabei handelte es sich allgemein um den Opfergang mit Hostien und Wein; vgl. oben Anm. 60.

[114]) Nach meinen gelegentlichen Erkundigungen lebt der allsonntägige Opfergang der Gemeinde noch fort am Nordrand der Alpen, besonders in vielen Pfarreien von Vorarlberg und Oberbayern, aber bisher auch in der Gegend von Schneidemühl. Das Erträgnis gehört der Kirche. In einzelnen Landgemeinden der Gegend um Freising (und, wie ich erfahre, ähnlich im deutschen wie im polnischen Oberschlesien) ist sogar der werktägige Opfergang noch üblich: jemand aus der Familie, für die die Messe gefeiert wird, eröffnet ihn, andere schließen sich an, zunächst aus der Verwandtschaft, wobei sich die Reihenfolge nach dem Verwandtschaftsgrade richtet. — Auch von den Landgemeinden der Diözese Zips in der Slowakei wird mir berichtet, daß etwa monatlich zweimal am Sonntag ein Opfergang stattfindet, der aber meist einem besonderen Zwecke dient oder von einer Bruderschaft (Rosenkranzbruderschaft) veranstaltet wird, deren Mitglieder dabei mit brennender Kerze um den Altar gehen. — Nachrichten über einen sonntägigen Opfergang in spanischen Diözesen bei Kramp a. a. O. 361; an einzelnen Orten ist der Brauch hier dahin umgebildet, daß nur die Dorf- oder Stadtobrigkeit allsonntäglich den Opfergang vollzieht. Eine ähnliche Vertretung der Gemeinde durch den Vorgesetzten war z. T. bis in neuere Zeit in manchen Klöstern üblich; Hilpisch 93 f.

schon durch festen Besitz und durch vorgeschriebene Abgaben gesichert war. Doch galt es daneben noch, die symbolische Handlung des Opferganges wenigstens in einem bescheidenen Ausmaße aufrechtzuerhalten. Auf der römischen Reformsynode von 1059 wird die Vernachlässigung der Oblationen gerügt (diese allerdings in einem weiteren Sinn verstanden) und mit Verweigerung der Kommunion bedroht[115]); Gregor VII. schärft 1078 die alte Pflicht von neuem ein[116]): *Ut omnis christianus procuret ad missarum sollemnia aliquid Deo offerre,* mit Hinweis auf Ex 23, 15 und die alte Überlieferung[117]). Doch wird kein bestimmter Tag mehr genannt. Tatsächlich tritt seit dem 11. Jahrhundert mehr und mehr der Opfergang an bestimmten Festtagen in den Vordergrund, an denen er weiterhin als pflichtmäßig betrachtet wird. Die Zahl dieser Festtage schwankt zunächst[118]). Im späteren Mittelalter sind es regelmäßig die Hochfeste Weihnachten, Ostern und Pfingsten, zu denen noch Allerheiligen[119]) oder Maria Himmelfahrt oder Kirchweihe oder das Fest des Kirchenpatrons hinzukommt. In den zahlreichen Urkunden, in denen Abmachungen über den Ertrag der Oblation festgelegt werden, ist darum oft vom Opfer der *quattuor* oder *quinque festivitates,* vom Vierzeitenopfer oder kurz von den *quattuor offertoria* die Rede[120]). Noch im Zuge der katholischen Restauration des 16. und 17. Jahrhunderts hat man versucht, diese Opfergänge zu erhalten oder sie neu zu beleben[121]).

---

[115]) can. 6 (Mansi XIX, 908 f).

[116]) can. 12 (Mansi XX, 510). Einen Kommentar dazu bietet Schreiber, Gemeinschaften des Mittelalters 306—322.

[117]) Die Bestimmung auch im Corpus Juris Canonici, Decretum Gratiani III, 1, 69 (Friedberg I, 1312 f). — Mit starkem Nachdruck und Aufgebot vieler Stellen aus dem Alten Testament wird die Pflicht eingeschärft bei Durandus IV, 30, 32 f. — Wie in der Folge auf verschiedenen Synoden näher festgelegt wird, trifft die Pflicht alle, die die *anni discretionis* erreicht, 14 Jahre erfüllt, das hochwürdige Gut empfangen haben. Merk, Abriß 6 Anm. 14.

[118]) Beispiele seit dem 11. Jh. mit 3—7 Festtagen bei Merk, Abriß 18 ff. — Ebd. 14 (mit Anm. 28) eine Bestimmung des Bischofs Manasses von Troyes vom Jahre 1185, in der übrigens an einzelnen Kirchen auch noch die sonntägigen Oblationen vorausgesetzt werden.

[119]) Auf diese vier Festtage ist die Pflicht schon beschränkt bei Joh. Beleth († um 1165), Explicatio c. 17 (PL 202, 30).

[120]) Schreiber, Untersuchungen 7. 12 f. 38; Merk, Abriß 18—21. Eine größere Zahl von Festtagen wird noch 1364 genannt in der Verfügung des Bischofs von Ermland, bei Merk 104 f.

[121]) Synode von Arras (1570), Statuta praedec. 9 (Hartzheim VIII, 255 f). Es wird hingewiesen auf den Wortlaut jener Sekreten, die die *oblationes populi* Gott anempfehlen. Vgl. u. a. auch die Synoden von Köln 1549 (Hartzheim VI, 557) und noch von Konstanz 1609 (ebd. VIII, 912 f).

Sie sind dann aber noch vollständiger untergegangen als der ältere sonntägige Opfergang[122]). Man wird den Hauptgrund dieses Mißerfolges darin erblicken dürfen, daß der Widerwille gegen den mit den fiskalischen Wucherungen des späten Mittelalters belasteten Festtagsopferung nach dem Konzil von Trient stärker war als das Verlangen, den symbolischen Ritus zu erneuern[123]).

Zum vorgeschriebenen Opfergang der Hochfeste kamen aber im Mittelalter zahlreiche freiwillige Oblationen, bei jenen Gelegenheiten nämlich, bei denen die Meßfeier einen bestimmten engeren Kreis versammelte: bei Sterbegottesdiensten und an den nachfolgenden Totengedächtnistagen, bei Hochzeiten, beim Auszug von Pilgern, an den Jahresfesten der Zünfte und Bruderschaften [124]). Gerade bei solchen Gelegenheiten hat sich der Opfergang auf dem Lande vielfach bis in die Gegenwart erhalten[125]). Von großer Bedeutung waren dann noch die Oblationen

---

[122]) An einzelnen französischen Kirchen kannte E. Martène um 1700 noch den Opfergang an bestimmten Festtagen, der aber zum Teil beschränkt war auf die Kommunikanten oder auf den Klerus; Martène 1, 4, 6, 9 (I, 388 f). Vgl. Corblet I, 222—225. Im Pontifikalritus von Lyon ist er noch jetzt vorgesehen; Missale von Lyon (1904) S. XLII. — In einer gehobenen, wenn auch erstarrten Form besteht der Opfergang bekanntlich in der Kathedrale von Mailand fort: zwei Männer und zwei Frauen aus der Scuola di Sant' Ambrogio begeben sich in besonderer Kleidung zum Eingang des Chores, in der rechten Hand Oblaten, in der linken ein Gefäß mit Wein; beides nimmt der Zelebrant entgegen. Righetti, Manuale III, 253. Ähnlich im 12. Jh., wo die Männer aber noch zum Altar vorgehen; Ordo des Beroldus (ed. Magistretti, Mailand 1894, 52).

[123]) Vgl. Jedin, Das Konzil von Trient und die Reform des römischen Meßbuches (Liturg. Zeitschrift 1939) 59. Auch in der Zeit der Aufklärung sah man am Opfergang vor allem nur die Mißbräuche; s. Vierbach 228—233; vgl. oben Anm. 81. — Eine wohlwollende Beurteilung des Opferganges kommt wieder zum Ausdruck im Rundschreiben Pius' XII. ‚Mediator Dei': Acta Ap. Sed. 39 (1947) 555.

[124]) Am Beginn des 16. Jh. war es z. B. in Ingolstadt Brauch, daß die Mitglieder der Hutmacherzunft am Tage der hl. Barbara, ihrer Schutzheiligen, mit ihren Frauen und Knechten zum Opfer gingen. Bei den akademischen Gottesdiensten mußte der Rektor der Universität darauf sehen, daß sich alle hervorragenden Mitglieder der Universität, Doktoren, Lizentiaten, Magister, adelige Studenten, am Opfergang beteiligten; unterließen sie es, so mußte er sie mit zwei Groschen Strafe belegen. Greving, Johann Ecks Pfarrbuch 115 ff. 168.

[125]) Auch im Herrschaftsbereich Josephs II., der gerade derartige Opfergänge verbot (in der oben Anm. 81 zitierten Verordnung). — Eine Übersicht über das heutige Brauchtum liegt leider nicht vor. Einige Angaben bei J. Kramp, Meßgebräuche der Gläubigen in der Neuzeit (StZ 1926, II) 216. 219; derselbe, Meßgebräuche der Gläubigen in den außerdeutschen Ländern (ebd. 1927, II) 357 f. 361 f. Der Opfergang bei Totengottesdiensten scheint im ganzen deutschen Sprach-

bei Votivmessen, die der einzelne oder eine Familie in besonderen Anliegen feiern ließ: für Kranke, für Freunde, um gute Ernte, zu Ehren eines Heiligen, in mannigfachen Gefahren[126]). Sie werden regelmäßig mit einer Oblation der betreffenden verbunden gewesen sein, worauf in vielen Fällen die Secreta und oft auch die besondere *Hanc-igitur*-Formel hinweist. Außerdem konnten die jeweils Anwesenden bei jeder Messe ihre Oblation zum Altare bringen und sich so enger in das Opfer einschließen. Auf solche Weise ergaben sich die *oblationes cotidianae fidelium* der mittelalterlichen Urkunden[127]).

Aber dann löst sich gerade hier zuerst die Verknüpfung des Anteils am Opfer mit einer in seinem Rahmen dargebrachten Gabe. Wie man schon längst in Stiftungen durch größere Zuwendungen eine wiederholte Meßfeier sich im voraus gesichert hat[128]), so beginnt man allmählich auch im Einzelfall immer öfter, die Gabe schon vorher dem Priester still zu reichen[129]), ohne daß man darum vom betreffenden Meßopfer andere Offerenten schon ausschalten wollte; solche konnten vielmehr, wie auch bisher, beim gewohnten Opfergang sich anschließen oder aber auch ihrer-

gebiet bekannt zu sein; ebenso lebt er fort in Holland und Belgien. In Spanien findet sich der Opfergang beim Rubrizisten G. Martinez de Antoñana (oben Anm. 91) 298. 496 f, als vielgeübter Brauch bei Begräbnissen, Trauungen „etc." in die Darstellung des Meßritus einbezogen. — Bei Hochzeiten lebte er bis jetzt u. a. im Osten Deutschlands fort, besonders in Oberschlesien; R. Adamski, im „Seelsorger" 6 (Wien 1929/30) 381. Ebenso in Vorarlberg, wo die Brautleute und die Hochzeitsgäste um den Altar gehen; Jochum (s. oben Anm. 81) 266. Auch bei den Kärntner Slowenen ist er vorhanden, wo der Brautführer den Anfang macht (nach Sricnc; s. oben Anm. 71). Manchenorts, wie in meiner Südtiroler Heimatpfarrei Taufers im Pustertal, werden nach altem Herkommen die jährlichen Bundesfeste der Standesbündnisse mit Opfergang gehalten; der Bundesvorsteher geht voran; die Oblation stellt den Jahresbeitrag dar. — Der Vorantritt einer bestimmten dazu berufenen Person scheint auch anderswo zum festen Ritus des Opferganges zu gehören; vgl. L. A. Veit, Volksfrommes Brauchtum und Kirche im deutschen Mittelalter, Freiburg 1936, 96, wo als heutiger Brauch berichtet wird: „Im Schwäbischen geht in der Hütmesse, die vor dem Austrieb des Viehes gehalten wird, der Hütbub an der Spitze der ganzen Gemeinde um den Altar."

[126]) Beispiele aus dem 14. Jh. bei Merk 28 f mit Anm. 55. 56; 108. — Für die Gegenwart vgl. oben Anm. 114 die Nachricht aus Freising.

[127]) Merk 22 f. Nach Schreiber, Gemeinschaften des Mittelalters 307, hießen sie auch *oblationes peculiares*, im Gegensatz zu den *oblationes communes* der Sonn- und Feiertage.

[128]) Beispiele von großen Meßstiftungen seit dem 11. Jh. bei Merk 37 ff.

[129]) Es ist das *occulte offerre*, der *denarius secretalis*. Beispiele aus dem 14. Jh. bei Merk 35 f. Der gleiche Vorgang ist auch schon in zwei Urkunden von 1176 und 1268 vorausgesetzt, in denen verhandelt wird über Gaben *pro missis*, die in der Kirche *vel extra* gegeben werden. Merk 40 f Anm. 15. 16.

seits durch eine stille Gabe sich eine besondere Einbeziehung sichern[130]). Aber daneben dringt nun auch das eigentliche Meßstipendium vor, die vorher gereichte Gabe, mit der der Priester zur Feier der Messe ausschließlich auf die Meinung des Gebers verpflichtet wird[131]). Man gebrauchte dafür unbefangen den Ausdruck *comparatio missae, missam comparare*[132]). Zumal die Begriffe nicht genügend geklärt waren, fehlte es nicht an Bedenken und Widerständen[133]).

---

[130]) Letztere stellen die seit dem 12. Jh. hervortretenden *recommendationes missae* dar, mit denen für den Priester vielfach die Pflicht zur Namensnennung im Memento oder zur Einfügung einer besonderen Oration verbunden war. Merk 45 f. 74. 88 f.

[131]) Einen bestimmten Zeitpunkt für das Aufkommen des Meßstipendiums anzugeben, dürfte schwierig sein. Die wesentlichen Momente dürften schon in Fällen gegeben sein, wie sie Augustinus erwähnt (oben Anm. 21) und wie sie schon lange vor ihm geläufig gewesen sein müssen, es sei denn, daß man für den Begriff des Stipendiums als wesentlich betrachtet, daß es in Geld gegeben werde. Übrigens berichtet schon Epiphanius, Adv. haer. XXX, 6 (PG 41, 413), den Fall, daß jemand dem Bischof, von dem er eben die Taufe empfangen hatte, eine Summe Gold überreicht und die Bitte hinzufügt: πρόςφερε ὑπὲρ ἐμοῦ. — Aber das Meßstipendium gewinnt gewaltig an Bedeutung gegen Ende des Mittelalters, wo die Zahl der Priester stark zunimmt und damit auch die Zahl der Privatmessen; vgl. oben I, 293 f. So wird es immer mehr möglich und alltäglich, daß der einzelne durch die dem bestimmten Priester gereichte Gabe sich die Zelebration einer Messe sichert. — Eine genügende Darstellung der Entstehungsgeschichte des Meßstipendiums ist nicht vorhanden; s. vorläufig Merk, Abriß, besonders seine Zusammenfassung S. 91 ff. Dieses wegen seines urkundlichen Materials wertvolle Werk ist in seinen geschichtlichen Darlegungen und Schlußfolgerungen nicht immer zuverlässig. Eine reiche Materialsammlung liegt vor in Fr. de Berlendis, De oblationibus ad altare, Venedig 1743.

[132]) Belege seit dem 13. Jh. bei Merk, s. im Register s. v. *comparatio*. Das Wort *comparare* hat im Latein dieser Zeit auch die Bedeutung „kaufen". — Im Deutschen war der technische Ausdruck: Messe „vruemen" (frumen), was nicht mehr besagt, als „veranlassen", „bestellen"; die Bedeutung „Nutzen sich erwerben" (Merk 96) scheint für das Wort nicht erwiesen zu sein; vgl. Grimm, Deutsches Wörterbuch IV, 1 (1878) 246 f; J. B. Schöpf, Tirolisches Idiotikon, Innsbruck 1866, 157.

[133]) Um 1342 mußte in Würzburg ein Magister Konrad Hager, der das „Messe frumen" als simonistisch bekämpft hatte, beschwören, *quod actus „messefrumen" seu misse comparatio ex sui natura est oblatio ..., item quod ... non est „messekaufen" seu misse emptio*, daß es also erlaubt sei. Der Text bei Merk 98—100. — Andere verzichteten auf Meßstipendien, ohne die Erlaubtheit in Zweifel zu ziehen, so der Biberacher Benefiziat Heinrich von Pflummern († 1531); L. A. Veit, Volksfrommes Brauchtum und Kirche, Freiburg 1936, 211. Auch die Gesellschaft Jesu nahm ursprünglich keine Meßstipendien an; Constitutiones S. J. VI, 2, 7 (Institutum S. J. II, Florenz 1893, 96). — Noch strenger waren die Franziskaner, die von Anfang an auch keine *oblationes manuales* zuließen; Salimbene, Chronik (MGH SS 32, S. 422. 425).

Auf dem Konzil von Trient, wo die Beseitigung der im kirchlichen Geldwesen hervorgetretenen Mißstände zu den Hauptanliegen gehörte, kam auch das Stipendienwesen zur Behandlung. Man begnügte sich aber schließlich mit einer allgemeinen Mahnung an die Bischöfe[134]), die dann durch die nachfolgende Gesetzgebung kirchenrechtlich weiter ausgebaut wurde. Bei diesem Ausbau ist offenkundig eine weitere Lockerung des Zusammenhanges zwischen Gabe und Darbringung eingetreten, da es nach neueren Entscheidungen nicht mehr verwehrt ist, ein Stipendium auch von Nichtkatholiken, ja selbst von Heiden anzunehmen, die in keiner Weise Darbringer des Opfers der Kirche werden können[135]). Das hindert aber nicht, daß wenigstens das Stipendium der Gläubigen, im Lichte der kirchlichen Überlieferung gesehen, auch weiterhin die Gabe an Gott bleibt, die ähnlich wie Brot und Wein unmittelbar hingeordnet ist auf das Opfer des Neuen Bundes. Der Priester übernimmt es mit der Verpflichtung *(ratione rei detentae)*, das Opfer zugunsten des Gebers zu vollziehen, und mit dem Recht, den nach Bestreitung der Erfordernisse verbleibenden Überschuß für seinen Lebensunterhalt zu verwenden[136]). Die Gläubigen aber müßten, im Bewußtsein des ihnen in Taufe und Firmung gewordenen Priestertums, wo dies möglich ist, die Reichung des Stipendiums ebenso nur als Anfang der Teilnahme an ihrem Meßopfer betrachten, wie es die Christen früherer Zeiten taten, wenn sie nicht nur ihre Gabe zum Altare brachten, sondern der Feier dann auch weiter folgten und den Leib des Herrn als Gegengabe in Empfang nahmen[137]).

Eine zweite Verwandlung, in der die alte Oblation der Gläubigen heute noch fortlebt, ist der sogenannte Klingelbeutel, mit dem bei ver-

---

[134]) Conc. Trid., sessio XXII, decretum de observandis: insbesondere sollten die Bischöfe *importunas atque illiberales eleemosynarum exactiones potius quam postulationes* streng verbieten.

[135]) In diesem Sinne römische Entscheidungen seit 1848, bei Hanssens, Institutiones II, 64 f. Hanssens nimmt an, daß seit dem 16. Jh. ein neuer Begriff des Meßstipendiums vorliegt, kraft dessen der Stipendiengeber nicht mehr notwendig *missae oblator* wird. — Doch wird man den Tatsachen auch gerecht, wenn man mit M. de la Taille, Mysterium fidei, Paris 1921, 366 f, in den erwähnten Entscheidungen vielmehr Grenzfälle behandelt sieht, in denen nicht mehr der echte Begriff des Stipendiums zugrunde gelegt, sondern lediglich an ein Almosen gedacht ist, das man annimmt und gelegentlich dessen man eine fürbittende Darbringung des Opfers verspricht.

[136]) M. de la Taille, Esquisse du Mystère de la Foi suivie de quelques éclaircissements, Paris 1924, 111—251; 279—282; derselbe, Examen d'un article sur les offrandes de messe: Nouvelle Revue théol. 54 (1927) 241—272. Andere Umschreibungen des Stipendiums bei den Kanonisten.

[137]) Vgl. oben 5 und Anm. 17 f.

schiedenen Gelegenheiten freiwillige Geldspenden eingesammelt werden[138]). Es steht nichts im Wege, dieser Sammlung über den praktischen Zweck hinaus etwas mehr Geist und etwas mehr Form zu geben, als sie gewöhnlich bei uns aufweist; Geist, indem sie wieder auf die lebendige Wurzel eines Beitrags zurückgeführt wird, der primär Gabe an Gott sein will und erst über den Altar zum irdischen Empfänger kommt; Form, indem sie mit dem Offertorium beginnt und auch ihr Organ ein würdiges Auftreten gewährleistet[139]). Daß es ein Einsammeln, nicht ein Opfergang ist, schließt die Idee einer echten Oblation ebensowenig aus, als es beim Ritus des römischen Stationsgottesdienstes der Fall war.

2. *Der Offertoriumsgesang*

Wenn man den Einzug des Klerus am Beginn der Messe durch die Schola cantorum mit dem Gesang des Introitus begleiten ließ, so war es nur eine selbstverständliche Anwendung desselben Grundsatzes, auch den Opfergang der Gläubigen und ähnlich dann den Kommuniongang, die beide in den hörbaren Verlauf der Messe eine Unterbrechung brachten, durch psalmodischen Gesang zu beleben und zu bereichern.

Daß darin der Sinn des Offertoriumsgesanges liege, ist im ganzen Mittelalter klar bewußt geblieben. Man bezeichnete den Gesang mit demselben Namen wie die Niederlegung der Opfergaben: *offertorium*[1]),

---

[138]) Über seine Beurteilung in der Zeit der Aufklärung s. Vierbach 232 f. — In Nordamerika gehört eine Gabensammlung beim Offertorium beinahe zum Ritus einer jeden Messe, da ja die Bedürfnisse der Kirche im wesentlichen auf diesem Wege gedeckt werden.

[139]) Ein Pariser Pfarrer läßt zu Beginn des Offertoriums zwölf Opferteller durch Ministranten ausgeben und, mit den Gaben der Gläubigen versehen, wieder zurücknehmen; während der Secreta werden sie beiderseits des Altares in Händen gehalten. G. Chevrot, Restauration de la Grand'messe dans une paroisse de Paris: Etudes de Pastorale liturgique (Lex orandi 1), Paris 1944, 269—292, bes. 286 f.

[1]) Der Name *offertorium* erscheint für den Gesang schon regelmäßig in den ältesten Hss des Meßgesangbuches, geht also mindestens ins 7. Jh. zurück; s. Hesbert, Antiphonale missarum sextuplex. Seltener ist die volle Bezeichnung *antiphona ad offertorium;* vgl. Wagner, Einführung I, 107. 121; III, 418. *Offertorium* bezeichnet zunächst den Ritus des *offerre,* also des Darbringens der Opfergaben durch Volk und Klerus, so in der Beschreibung des Ganges der Messe im Sacramentarium Gregorianum (Lietzmann n. 1) und im Ordo Romanus I n. 16; vgl. dafür auch die Umschreibung im Gründonnerstagsritus des älteren Gelasianum I, 39 (Wilson 67): *Post haec offert plebs.* Auf den Gesang übertragen erscheint der Name erstmalig bei Isidor von Sevilla, De eccl. off. I, 14 (PL 83, 751): *De offertoriis.*

offerenda[2]). Noch im späteren Mittelalter heben die Erklärer diesen Zusammenhang hervor: der Gesang soll den Jubel des Herzens andeuten, mit dem die Gläubigen ihre Gaben darbringen, denn, so zitieren sie, „einen freudigen Geber liebt Gott"[3]).

War die Niederlegung der Gaben beendet, wurde den Sängern ein Zeichen gegeben, ihren Gesang zu beschließen[4]). Soweit darauf nicht mehr wie im frühen Mittelalter der laute Vortrag der *oratio super oblata* folgte, trat nun vollkommene Stille ein, eine bewußte Stille, die schon auf den Beginn der priesterlichen Opferhandlung hindeutete[5]), obgleich zunächst nur vorbereitende Akte des Priesters folgten: Händewaschung, Inzensierung, stilles Beten; diese Stille war auch Gegenstand besonderer Erklärungen und Deutungen[6]). Erst als um die Wende des Mittelalters das Verständnis für eine solche Stille geschwunden, anderseits im Zusammenhang mit dem Verfall auch des festtägigen Opferganges der Gesang auf die heute allein noch vorhandene Antiphon zusammengeschrumpft war, beginnen die Meister der Polyphonie an den Hochfesten gerade diesen Gesang — anders als Introitus und Communio — wieder durch ihre Kunst auszuweiten und ihn über die weiteren Riten hinweg, die wir heute als Offertorium zusammenfassen, als Bindeglied zur Präfation hin auszugestalten.

Die frühesten Nachrichten über den Offertoriumsgesang kommen aus Nordafrika. Hier ist er zur Zeit des hl. Augustinus eingeführt worden, zuerst in Carthago, dann auch in Hippo durch Augustinus selbst. Der Kirchenlehrer bemerkt nämlich in der Rückschau auf seine literarische Tätigkeit, er habe sich auch in einer (heute verlorenen) Schrift gegen einen gewissen Hilarus gewendet, der Stimmung machte gegen

---

[2]) So in der von G. M. Tommasi (Tommasi-Vezzosi V, 3ff) wiedergegebenen Hs; Capitulare eccl. ord. (Andrieu III, 123; vgl. 71); Amalar (die Stellen bei Hanssens III, 407); Remigius von Auxerre, Expositio (PL 101, 1251 D); Pontifikale von Poitiers: Martène 4, 22, 5 (III, 300 C). — Der Ausdruck erscheint vor allem auf französischem Boden, und zwar auch als Bezeichnung des Opferganges; vgl. Schreiber, Untersuchungen 21ff. Er lebt fort im französischen „offrande": Opfergabe, Opfergang.

[3]) 2 Kor 9, 7. — Innozenz III., De s. alt. mysterio II, 53 (PL 217, 831); Durandus IV, 27, 5. — Vgl. oben 22.

[4]) Ordo Rom. I n. 15 (Andrieu II, 95; PL 78, 944); vgl. Ordo sec. Rom. n. 9 (Andrieu II, 220; PL 78, 973), wo das Zeichen vor dem *Orate* gegeben wird.

[5]) Es ist bezeichnend, daß bei Wilhelm von Melitona, Opusculum ed. van Dijk (Eph. liturg. 1939) 327, Opfergang und Offertoriumsgesang als rein vorbereitend noch zum ersten Teil der Messe geschlagen werden; vgl. oben I, 151.

[6]) Innozenz III. a. a. O. II, 54 (PL 217, 831): De silentio post offertorium. — Vgl. oben I, 144.

den neueingeführten Brauch, daß zur Gabendarbringung und zur Kommunion Psalmen gesungen wurden[7]). Auch in Rom muß der Brauch früh, vielleicht schon um dieselbe Zeit, Eingang gefunden haben[8]). Immerhin fehlt der Offertoriumsgesang ebenso wie die übrigen Scholagesänge noch in unserer Karsamstagsmesse, in der auch in diesem Punkt ein älterer Zustand der Meßfeier erhalten geblieben ist. Im übrigen war aber nach allem Anschein hier schon im 6. Jahrhundert jener bescheidenere Vorrat an Offertoriumsgesängen vorhanden, der in der mailändischen Messe in altertümlicher Form mit allen Anzeichen der Entlehnung aus Rom heute noch vorliegt, und der dann im römischen Meßgesangbuch erst durch Gregor den Großen und seine Nachfolger eine gewaltige Bereicherung erfahren hat[9]).

Der Offertoriumsgesang wird von Anfang an dieselbe antiphonische Anlage besessen haben wie der Gesang zum Introitus: die Schola singt, in zwei Chören abwechselnd, einen Psalm, dem eine Antiphon vorhergeht[10]); der Psalm wechselt von Feier zu Feier und nimmt an Festtagen und zu Festzeiten nach Möglichkeit auf das Kirchenjahr Rücksicht.

Es ist nun eine auffällige Tatsache, daß die antiphonische Vortragsweise gerade bei den Offertorien schon früh verlassen wurde und die responsorische an ihre Stelle getreten ist. Schon der eben erwähnte, in Mailand erhaltene ältere Grundstock der römischen Offertorien zeigt diesen responsorischen Aufbau. Zu ihm gehörte z. B. aus dem heutigen Missale Romanum das Offertorium des 11. Sonntags nach Pfingsten (wiederverwendet am Aschermittwoch), das in den ältesten Quellen folgende Form hat:

Exaltabo te, Domine, quoniam suscepisti me, nec delectasti inimicos meos super me. (Kehrvers:) *Domine clamavi ad te et sanasti me.*

V. *Domine abstraxisti ab inferis animam meam, salvasti me a descendentibus in lacum.* (Kehrvers:) *Domine clamavi ad te et sanasti me.*

---

7) Augustinus, Retractationes II, 37 (CSEL 36, 144): *ut hymni ad altare dicerentur de psalmorum libro sive ante oblationem, sive cum distribueretur populo, quod fuisset oblatum.*

8) Anders J. Brinktrine, De origine offertorii in missa Romana: Eph. liturg. 40 (1926) 15—20; derselbe, Die hl. Messe 133 f. Aber die Gründe, aus denen Brinktrine einen späten Ursprung des römischen Offertoriums (8. Jh.) folgert, insbesondere die Wiederkehr derselben Texte in verschiedenen Meßformularien, beweisen eher eine frühe Entstehung.

9) O. Heiming, Vorgregorianisch-römische Offertorien in der mailändischen Liturgie: Liturg. Leben 5 (1938) 152—159.

10) Darauf weist mindestens die in den Quellen gelegentlich auftauchende Bezeichnung hin: *antiphona ad offertorium* (oben Anm. 1).

V. *Ego autem dixi in mea abundantia: non movebor in aeternum. Domine in voluntate tua praestitisti decori meo virtutem.* (Kehrvers:) *Domine, clamavi (ad te et sanasti me)*[11]).

Ähnlich wie bei den Zwischengesängen wird hier also ein Kehrvers mehrmals wiederholt[12]). Damit stimmt überein, daß die Verse in den ältesten Neumenhandschriften als Sologesänge behandelt und demgemäß mit dem größten melodischen Reichtum ausgestattet sind[13]). Einzelne den Sologesängen gewidmete Handschriften enthalten darum auch die Verse des Offertoriums, während sie von den dem Chore zufallenden Texten, nämlich dem Anfangsstück und dem Kehrvers, nur je das Stichwort angeben[14]). Ein *Gloria Patri* ist zu diesen Versen anscheinend nicht mehr hinzugefügt worden.

Wie ist diese merkwürdige Entwicklung zu erklären? Jedenfalls war hier das Bestreben wirksam, dem Gesang des Offertoriums eine gewisse Dauer zu geben, und dies offenbar im Hinblick auf den Opfergang des Volkes. Die längere Dauer wäre nun freilich meist auch zu erreichen gewesen, indem man den jeweiligen Psalm antiphonisch zu Ende gesungen und die am Anfang stehende Antiphon allenfalls am Ende wiederholt hätte. Vielleicht wollte man durch die responsorische Ausführung den Sängern die Teilnahme am Opfergang erleichtern[15]). Außerdem kam es in diesen Feiern nicht so sehr auf den Text eines vollen Psalmes, sondern mehr auf die festliche Stimmung an, die durch musikalische Mittel eher zu erreichen war. Darum wohl schon früh die Kürzung des

---

[11]) Antiphonar von Compiègne (Hesbert n. 37 b; vgl. n. 183). — Die in ( ) stehenden Worte sind in Übereinstimmung mit Heiming 156 ergänzt. Für die Berechtigung dieser Ergänzung spricht insbesondere die Erscheinung, daß vom Anfangsstück am Ende nur die zweite Hälfte wiederholt wird. — Von diesem Offertoriumsgesang verwendet die Mailänder Liturgie an einem Sonntag den ersten Vers mit dem Kehrvers, an einem zweiten den zweiten Vers mit dem Kehrvers, letzteren beide Male in derselben Melodie. Heiming 156. — Der responsorische Charakter der Offertorien ist besonders deutlich ausgeprägt in der Hs von Compiègne: Hesbert n. 3 ff.

[12]) In den Offertorien, und zwar schon in den ältesten Textzeugen derselben, kommt noch eine andere sehr merkwürdige Wiederholung vor: es werden auch innerhalb des Textes einzelne Worte und Wortgruppen zweimal, dreimal und öfter gesungen und zum Teil selbst in den nichtneumierten Hss so geschrieben. So beginnt im Antiphonar von Senlis der vierte Vers vom 21. Sonntag nach Pfingsten: *Quoniam, quoniam, quoniam non revertetur.* Hesbert n. 196 a. Die Erscheinung ist nicht erklärt. Doch hat das Graduale Vaticanum die so geformten Texte, soweit altüberliefert, wieder aufgenommen. Wagner I, 109—111.

[13]) Wagner, I, 108.

[14]) Ebd.

[15]) So Wagner I, 108. Vgl. jedoch zur Weise dieses Opferganges oben I, 94.

Psalmes und die Kompensierung durch die bereicherte Melodie der nun solistisch vorgetragenen Verse einerseits und durch die Wiederholung der zum Kehrvers werdenden Antiphon oder eines Teiles derselben anderseits. Dieser Kehrvers hätte nun dem Volke zugewiesen werden können. Aber für eine solche, dem responsorischen Gesang entsprechende Beteiligung des Volkes bestand schon damals, wenigstens im großen Stationsgottesdienst, offenbar nur mehr wenig Interesse. Wir sahen ja an der Geschichte der Zwischengesänge, wie früh auch im responsorischen Gesang die Kunst der Sänger das Übergewicht bekommen hat[16]). So blieben beim Offertorium die Kehrverse von Anfang an dem Chor der Sänger vorbehalten.

In diesem responsorischen Aufbau erscheint das Offertorium regelmäßig in den Meßgesangbüchern des frühen Mittelalters. Die Zahl der Psalmverse schwankt zwischen 1—4[17]). Das ist immerhin mehr als in den übrigen Meßgesängen. Diese größere Ausdehnung muß, wie schon angedeutet, zusammenhängen mit der Dauer des Opferganges[18]). Während beim Gesang des Introitus nur eine einzige Gruppe, der Klerus, durch das Gotteshaus zog und der Empfang der Kommunion, den die Communio zu begleiten hatte, seit dem Ende des christlichen Altertums fast überall in raschem Rückgang begriffen war, beteiligte sich am Opfergang allsonntäglich noch bis um die Jahrtausendwende regelmäßig die ganze Gemeinde. Erst seit dem 11. Jahrhundert wird der Verfall des sonntägigen Opferganges deutlich und es setzt die Beschränkung auf die hohen Festtage ein. Tatsächlich beginnen auch im 11. Jahrhundert in manchen Handschriften die Offertoriumsverse zu fehlen. Im folgenden Jahrhundert fehlen sie schon in der Regel, wenn auch bis an den Ausgang des Mittelalters Ausnahmen vorkommen[19]). Man begnügt sich nun mit dem, was ursprünglich die Antiphon war. Im Missale Pius' V. hat nur noch die Totenmesse einen Vers und in Verbindung damit auch einen Kehrvers behalten: *Hostias et preces* und *Quam olim Abrahae*, wiederum

---

[16]) Oben I, 545 f.

[17]) Einzelheiten bei Wagner I, 111.

[18]) Für diesen Zusammenhang s. um 1080 Udalrici Consuet. Clun. I, 6 (PL 149, 652): der *praecentor* solle, wie es ihm angemessen scheint, bald einen, bald alle Verse anstimmen, *maxime propter offerentes*.

[19]) Wagner I, 112. — Ebd. 112 Anm. 2 sind zwei Hss aus dem 15./16. Jh. erwähnt, die noch für die Weihnachtsmesse Offertoriumsverse haben; vgl. oben 29. — Das Sarum-Missale des ausgehenden Mittelalters weist in verschiedenen Messen noch zwei Verse zum Offertorium auf, von denen aber, einer beigegebenen Rubrik entsprechend, damals nur noch an Wochentagen im Advent und nach Septuagesima je ein Vers verwendet wurde; Ferreres 118. — Anderseits stellt schon Durandus IV, 27, 4 von den Versen fest: *hodie plerisque locis omittuntur*.

in Übereinstimmung mit der Tatsache, daß gerade in der Totenmesse der Opfergang auch weiterhin geübt wurde. Dagegen hat die mailändische Messe den Offertoriumsvers bis heute festgehalten, ähnlich die mozarabische[20]).

Ausgeführt wurde das Offertorium, wie schon angedeutet, immer von der Sängerschule[21]). Eben weil diese durch den Gesang in Anspruch genommen war, durfte sie sich am Opfergange selbst nur durch den einen Vertreter aus ihrer Mitte, in Rom durch den *archiparaphonista*, beteiligen, der das Wasser darzubringen hatte[22]). Da die Sängerschaft in den Kirchen des späteren Mittelalters meist einen Teil des Klerikerchores darstellt, ist es nur eine verschiedene Ausdrucksweise, wenn dafür nun manchmal der *clerus*[23]) oder der *chorus*[24]) genannt wird. Eine Reminiszenz davon, daß es sich um den Gesang eines Chores handelt, lebt in einzelnen Meßordnungen des Mittelalters auch noch darin fort, daß im Hochamt die Texte nicht nur vom Zelebranten, sondern vom Zelebranten zusammen mit Diakon und Subdiakon aus dem Missale gelesen werden[25]).

Was die Texte des Offertoriums angeht, so sind sie in der Regel der Hl. Schrift, und zwar vorwiegend, wie es dem psalmodischen Ursprung dieses Gesanges entspricht, dem Psalmenbuch entnommen. Man würde nun erwarten, daß des näheren vor allem Texte herangezogen werden, die den Gedanken der Darbringung aussprächen und so eine Sinndeutung des Opferganges böten. Das ist aber nur ausnahmsweise der Fall, so am Feste der Kirchweihe: *Domine Deus, in simplicitate cordis mei laetus obtuli universa,* an Epiphanie: *Reges Tharsis et insulae munera offerent,* am Pfingstsonntag: ... *tibi offerent reges munera,* an Fronleichnam: *Sacerdotes Domini incensum et panes offerunt Deo.* Auch das Offertorium der Totenmesse gehört hieher mit seinem Versus: *Hostias et preces tibi Domine laudis offerimus*[26]). Die meisten Texte tragen ganz

---

[20]) Der Gesang heißt hier *sacrificium;* Missale mixtum (PL 85, 536 A).

[21]) Oben 36 f.

[22]) Ordo Rom. I n. 14 (Andrieu II, 93; PL 78, 944); Amalar, Liber off. III, 19, 30 (Hanssens II, 320); Ps.-Alkuin, De div. off. (PL 101, 1246 A).

[23]) Rabanus Maurus, De inst. cler. I, 33 (PL 107, 322).

[24]) Ordo ‚Postquam' der Bischofsmesse (Andrieu II, 358 Z. 11; PL 78, 992 C); Durandus IV, 27, 3.

[25]) Liber ordinarius von Lüttich: Volk 92; Meßordo von York um 1425: Simmons 98; so auch im heutigen Ritus der Dominikaner: Missale O. P. (1889) 27; s. auch Apparat bei Volk a. a. O.

[26]) Dieses Offertorium ist wegen der Sprache, mit der es vom Zustand der abgeschiedenen Seelen spricht, Gegenstand vieler Erörterungen geworden; s. die Darstellung der vorherrschenden Lösungsversuche etwa bei Gihr 455—459. Neue Bemühungen finden sich u. a. in den Eph. liturg. 50 (1936) 140—147, in der Theol. prakt. Quartalschrift 91 (1938) 335—337. — Sicher ist, daß hier bildhafte

allgemeinen Charakter oder verweilen beim Thema der Festfeier. Das gilt auch von den Versen, die ehemals hinzutraten; sie gehörten regelmäßig demselben Psalm oder demselben Schrifttext an wie der Anfangsvers. Und tatsächlich war ein Hinweis auf das Geschehen im Opfergang im Grunde so lange überflüssig, als eben der Opfergang selbst lebendig war. Anders als in heutigen Meßgesängen kam es darauf an, was in sich deutlich war, religiös zu weihen, nicht erst, es zu erklären.

3. *Die Opfermaterie*

Die Schicksale des Opferganges hingen zum guten Teil von den Anforderungen ab, die man an die Beschaffenheit der Opfermaterie stellte. Was das Brot betrifft, so besteht kaum ein Zweifel, daß Christus der Herr

---

Jenseitsvorstellungen zugrunde gelegt werden, die noch nicht theologisch durchgeklärt sind, die insbesondere nicht klar scheiden zwischen Hölle und Reinigungsort. Von der Errettung der Hingeschiedenen wird darum in Ausdrücken gesprochen, die auch als Errettung von der Hölle verstanden werden könnten. Des näheren hat man auf die antike und auch noch christliche Vorstellung vom Durchgang der Seele durch das Reich der Lüfte verwiesen, in dem die guten und die bösen Engel um die Seele kämpfen; J. Stiglmayr, Das Offertorium in der Requiemmesse und der ‚Seelendurchgang‘: Der Katholik 93 (1913) I, 248—255. Daß in diesem Kampfe der hl. Michael eine Rolle spielt, ist eine Folgerung aus biblischen Gegebenheiten. Der hl. Michael erscheint häufig in der koptischen Sepulchralkunst, er wägt die Verdienste der Verstorbenen, er ist auch ihr Führer zum Licht (vgl.: *signifer sanctus Michael repraesentet eas in lucem sanctam).* Eine koptische Grabinschrift aus dem Jahre 409 bittet um die Seelenruhe einer Verstorbenen διὰ τοῦ ἁγίου καὶ φωταγωγοῦ ἀρχαγγέλου Μιχαῆλ. — Vgl. auch aus dem Artikel von H. Leclercq, Anges: DACL I, 2080—2161, die Abschnitte über „Les Anges psychagogues“ und „Les Anges psychopompes“, besonders Sp. 2137 ff. — Unser Offertorium ist auf gallischem Boden entstanden. Die einzelnen Textelemente treten hier im 8.—10. Jh. ans Licht; s. R. Podevijn, Het Offertorium der Doodenmis: Tjidschrift voor Liturgie 2 (1920) 338—349; 3 (1921) 249—252; Bericht darüber JL 2 (1922) 147. Vgl. die weiteren Literaturhinweise JL 15 (1941) 364. — Zu *de profundo lacu* usw. vgl. H. Rahner, Antenna crucis II (ZkTh 1942) 98 mit Anm. 77; 113 Anm. 175. Mittelalterliche Vorstellungen vom Fegfeuer zieht zur Erklärung heran Franz, Die Messe 222. — Auf dem Konzil von Trient wurde bei der Verhandlung über die *abusus Missae* auch unser Offertorium als einer der Punkte genannt, die geändert werden sollten. Concilium Tridentinum ed. Goerres. VIII, 917. Eine nähere Deutung unseres Offertoriums, die dem Wortlaut wie dem katholischen Dogma Genüge tut, bei Eisenhofer II, 138 f. Eine zusammenfassende Darstellung, die gleichfalls den obigen Grundgedanken hervorhebt, ist inzwischen erschienen von B. M. Serpilli, L’offertorio della Messa dei defunti, Rom 1946; s. den Bericht Eph. liturg. 61 (1947) 245—252.

beim letzten Abendmahle das für das Opfermahl vorgeschriebene ungesäuerte Brot, das aus feinem Weizenmehl hergestellt war, verwendet hat. Aber schon die Art und Weise, wie die Berichte darüber lauten, läßt erkennen, daß auf diesen österlichen Sonderbrauch des ungesäuerten Brotes kein Gewicht gelegt wurde; was der Herr in seine Hände nahm, wird einfach als ἄρτος bezeichnet, worunter sowohl das ungesäuerte Brot verstanden werden konnte, das bei der Osterfeier, wie das gesäuerte, das sonst bei Juden und Heiden in Gebrauch war[1]. Letzteres wurde also schon in der Frühzeit für die Eucharistie mindestens als zulässig betrachtet. So bestand denn um so weniger ein Hindernis, daß die Gläubigen die Brotgabe für den Altar darbringen konnten; sie nahmen einfach von ihrem häuslichen Brot mit in den Gottesdienst[2]. Sowohl die literarischen Nachrichten über das eucharistische Brot wie die bildlichen Darstellungen desselben zeigen, daß dessen Form nicht abwich von den Formen, wie sie auch beim häuslichen Brot gebräuchlich waren[3]. Nur wählte man für den Altar begreiflicherweise die edler gestalteten Formen desselben. Auf zwei Mosaiken in Ravenna, die den eucharistischen Altar zeigen, erscheint das Brot in Kranzform: als zopfähnlich gewundener, zum Kreis geschlossener Strang in Handgröße[4]. Es ist die *corona*, die

---

[1]) Goossens, Les origines 117.

[2]) Vgl. die Nachrichten oben 5 ff. Eindeutig ist Ambrosius, De sacramentis IV, 4 (Quasten, Mon. 158), der den Zuhörer sagen läßt: *meus panis est usitatus*, d. h. das Brot, das ich in der Kommunion empfangen habe, ist das alltägliche. — Von dem ägyptischen Mönch und Bischof Petrus dem Iberer († 487) wird hervorgehoben, daß er für die Eucharistie in einer Bäckerei Brote herstellen ließ, die schön und weiß und des Opfers würdig und sehr klein an Umfang waren; diese ließ er hart werden — es war also gesäuertes Brot — und so vollzog er jeweils mit ihnen das heilige Opfer. Dölger, Antike u. Christentum 1 (1929) 33 f; ebd. 34 ff weitere Belege. — Die Erzählung bei Johannes Diaconus, Vita s. Gregorii II, 41 (PL 75, 103), von der Frau, die in der ihr zur Kommunion gereichten Partikel das von ihr selbst gebackene und mitgebrachte Brot erkennt, darüber lacht und dafür einen Verweis erhält, ist, wie die Spendeformel zeigt (s. unten 484 Anm. 117), wohl erst eine Legende des 9. Jh. — Im Abendlande verlangt die 16. Synode von Toledo (693), daß das Hostienbrot eigens bereitet werde; can. 6 (Mansi XII, 73 f).

[3]) Dölger, Antike u. Christentum 1 (1929) 1—46: „Heidnische und christliche Brotstempel mit religiösen Zeichen", bes. 33 ff. R. M. Wooley, The bread of the Eucharist (Alcuin Club tracts 10), London 1913 (mir nicht zugänglich).

[4]) San Vitale: Abbildung bei Braun, Der christliche Altar I, Tafel 6; Sant' Apollinare in Classe: Abbildung bei Dölger, Antike u. Christentum I (1929), Tafel 10.

Gregor der Große erwähnt[5]) und die als vornehmes Gebäck seit dem 3. Jahrhundert bekannt ist[6]). Oder es war die innere Höhlung des Kranzes ausgefüllt, so daß die Scheibenform entstand[7]). Am häufigsten wurde wohl das mit einer Kreuzkerbe in vier Teile geteilte rundliche Brot *(panis quadratus, panis decussatus)* gebraucht[8]), dessen Zeichnung man gern nun im christlichen Sinne deutete und wohl auch als notwendig forderte[9]), obwohl sie aus einer rein praktischen Erwägung — des leichteren Brechens wegen — entstanden und genau so schon in vorchristlicher Kultur geläufig war[10]). Daneben kannte man ebenfalls schon in der Antike den Brauch, dem Brot durch einen Stempel eine Zeichnung oder eine Aufschrift einzuprägen. Ein Brotstempel aus dem 4./5. Jahrhundert weist das ineinandergeschobene XP auf[11]); daß das so gezeichnete Brot gerade für die Eucharistie bestimmt war, läßt sich nicht beweisen. Doch haben in der Folge sämtliche orientalischen Riten, obwohl dies für das weniger feste gesäuerte Brot nicht selbstverständlich ist, solche Brotstempel ausgebildet[12]). Es handelt sich meist um eine mehrfache Wiederholung des Kreuzes in verschiedenen Anordnungen. Im eucharistischen Brotstempel der byzantinischen Liturgie wird dem etwas größeren runden Brot ein Quadrat eingedrückt, das durch das Kreuz in vier Felder geschieden wird, auf die die Inschrift verteilt ist: Ἰ(ησοῦς) Χ(ριστὸς) νικᾷ.

---

[5]) Oben 21 Anm. 74. — Der Liber pontificalis (zu Zephyrin; Duchesne I, 139) spricht von der *corona consecrata,* die zur Kommunion ausgeteilt wird. Auch im Ordo von S. Amand wird die Hostie einmal *corona* genannt (Andrieu II, 164 Z. 18). — Kranzform zeigen auch die Hostienbrote auf der Elfenbeintafel in Frankfurt: Abbildung DACL III, 2476/77; Braun, Das christliche Altargerät, Tafel 6.

[6]) Dölger 37 Anm. 152.

[7]) So bei einem der zwei Brote der Altardarstellung von Sant' Apollinare; in die Mitte ist ein Kreuz gezeichnet. Vgl. oben Anm. 4.

[8]) A. de Waal, Hostie, bei Kraus, Realencyclopädie I, Freiburg 1882, 672.

[9]) Vgl. Gregor d. Gr., Dial. I, 11 (PL 77, 212).

[10]) Dölger 39—43. Auch das von der Mitte her in drei Teile geteilte Brot *(panis trifidus),* das Paulinus von Nola als das in seiner Umgebung übliche Brot bezeichnet und trinitarisch ausdeutet, kommt auf einer altchristlichen Abendmahldarstellung vor; ebd. 44 f und Dölger, Antike u. Christentum 6 (1940) 67.

[11]) Dölger, Antike u. Christentum 1 (1929) 17—20 mit Tafel 9. — Ähnlich ein Brotstempel des 6. Jh. aus Carthago, bei dem die Umschrift hinzukommt: *Hic est flos campi et lilium;* H. Leclercq, DACL V, 1367.

[12]) Dölger 21—29, dazu die Abbildungen auf Tafel 3—8. — Die Hostienbrote der Orientalen sind, etwa von den Ostsyrern abgesehen, etwas größer als unsere großen Hostien und, da durch Säuerung aufgelockert, dicker, ungefähr fingerdick (vom byzantinischen Ritus abgesehen); Hanssens, Institutiones II, 174—178. Sie können daher immer noch gebrochen werden.

Im Abendland erscheinen seit dem 9. Jahrhundert Äußerungen, die für die Eucharistie nur mehr ungesäuertes Brot zulassen wollen[13]). Die steigende Sorgfalt für das heilige Sakrament, das Verlangen, möglichst schönes, weißes Brot zu verwenden[14]), dazu biblische Erwägungen[15]) müssen hier schon lange, bevor man im ungesäuerten Brot die allein zulässige Materie erblickte, zu seiner Bevorzugung geführt haben[16]). Es dauerte aber bis um die Mitte des 11. Jahrhunderts, bis die neue Art alleinherrschend wurde[17]). Insbesondere in Rom ist sie erst mit dem allgemeinen Einströmen nordischer Einrichtungen durchgedrungen. Im Orient fand man gegen einen solchen Gebrauch in älterer Zeit nicht viel einzuwenden[18]). Erst in den Auseinandersetzungen, die zum Schisma von

---

[13]) Alkuin, Ep. 69 (alias 90; PL 100, 289): *panis, qui in corpus Christi consecratur, absque fermento ullius alterius infectionis debet esse mundissimus.* Doch wird hier unmittelbar nur die Beimischung *(fermentum)* von Salz abgelehnt. Rabanus Maurus, De inst. cler. I, 31 (PL 107, 318 D): *panem infermentatum.* Über angebliche ältere Belege s. F. Cabrol, Azymes: DACL I, 3254—3260; J. R. Geiselmann, Die Abendmahlslehre an der Wende der christlichen Spätantike 21—36; vgl. dazu jedoch A. Michel, Byzant. Zeitschrift 36 (1936) 119 f.

[14]) Siehe oben Anm. 2 das Beispiel von Petrus dem Iberer. Vgl. 16. Synode von Toledo (693) can. 6 (Mansi XII, 73 f): *panes mundos,* womit aber wohl schon ungesäuertes Brot gemeint ist; s. A. Michel, Humbert und Kerullarios II, Paderborn 1930, 119 f.

[15]) Außer der Rücksicht auf das Vorbild des Herrn beim letzten Abendmahl wird die vorwiegende Deutung des Sauerteiges als unedler Beimischung (besonders 1 Kor 5, 7 f) in dieser Richtung gewirkt haben. Dazu kam die wachsende Geltendmachung alttestamentlicher Vorschriften im frühen Mittelalter (Lev 2, 4. 11; 6, 16 f usw.; vgl. auch Mal 1, 11).

[16]) A. Michel, Byzant. Zeitschrift 36 (1936) 119 f, demzufolge u. a. schon bei Augustinus, Serm. 227 (PL 38, 1100) das ungesäuerte Brot vorausgesetzt wird. — Die von J. Mabillon, Dissertatio de pane eucharistico, Paris 1674 (= PL 143, 1219—1278), gegen J. Sirmond, Disquisitio de azymo, Paris 1651, vertretene Meinung, daß im Abendland von jeher nur ungesäuertes Brot für die Eucharistie gebraucht worden sei, läßt sich heute nicht mehr halten.

[17]) J. Geiselmann, Die Abendmahlslehre 38 ff. — Auch die drei kranzförmig gewundenen Brötchen, die auf der dem 9./10. entstammenden Elfenbeintafel der Frankfurter Stadtbibliothek (vgl. oben Anm. 5) vor dem Zelebranten sichtbar sind, stellen offenbar gesäuertes Brot dar.

[18]) Michel, Humbert und Kerullarios II, 112 ff. bes. 117 f. 122. — Die Armenier gebrauchten schon im 6. Jh. ungesäuertes Brot und haben daran seither festgehalten. Das Trullanische Konzil (692), das sich mehrfach mit den Sonderbräuchen der Armenier auseinandersetzt, tut dessen aber keine Erwähnung; Hanssens, Institutiones II, 156 f. Auch bei den Syrern scheint man im 5. Jh. ungesäuertes Brot vorgezogen zu haben, ein Brauch, der bei den Maroniten auch heute festgehalten wird; ob in ununterbrochener Überlieferung, ist ungewiß. Im

1054 führten, wird daraus einer der großen Anklagepunkte gegen die Lateiner[19]). Auf dem Konzil von Florenz (1439) ist demgegenüber festgestellt worden, daß das Sakrament *in azymo sive fermentato pane triticeo* vollzogen werden kann[20]). Darum behalten bekanntlich auch die unierten Kirchengemeinschaften des Orients bei der Union mit Rom die bei ihnen herkömmliche Brotart bei.

Die Ehrfurcht für das heilige Sakrament ist dann aber im Morgenland wie im Abendland wieder auf neuen Wegen bemüht gewesen, das für den Altar bestimmte Brot mehr und mehr aus dem profanen Bereich herauszuheben. Im Orient darf die Herstellung in der Regel nur durch Kleriker besorgt werden; auf jeden Fall sind nach heutiger Praxis Frauen ausgeschlossen. Sie soll in einem kirchlichen Raum und unter Gebet geschehen, und zwar möglichst am Tage der Meßfeier selbst[21]). Bei den Ostsyrern ist ein eigener Ritus vorhanden, der in zwei Teilen das Bereiten des Teiges und dann das Backen mit vielen Psalmen und Gebeten umgibt, und der bereits als Bestandteil der Meßliturgie gilt[22]). Bei den Abessiniern ist für den gleichen Zweck bei jeder Kirche ein eigenes Nebengebäude vorhanden, *beth-lechem* („Haus des Brotes") genannt, aus dem am Beginn der Meßfeier drei frischgebackene Brote in feierlichem Zuge zum Altar übertragen werden[23]).

Auch im Abendlande ist, besonders im Bereich der Reformbewegung von Cluny, vorübergehend schon die Herstellung des Hostienbrotes liturgisch gestaltet worden. Nach den Gewohnheiten des Klosters Hirsau im Schwarzwald (11. Jh.) mußte schon der Weizen Korn für Korn ausgelesen werden; die Mühle, auf der er gemahlen wurde, mußte vorher gereinigt, dann mit Vorhängen umspannt werden; der Mönch, der das Mahlen besorgte, bekleidete sich mit Alba und Humerale. Dieselbe Klei-

---

übrigen ist seit dem 6. Jh. im Orient das gesäuerte Brot mehr und mehr Regel geworden; Hanssens II, 134 ff. Ebd. II, 121—217 eingehende Darlegung aller hieher gehörigen Vorschriften und Kontroversen in den orientalischen Riten. Für die Ostsyrer s. W. de Vries, Sakramententheologie bei den Nestorianern (Orientalia Christ. anal. 133), Rom 1947, 193 ff.

[19]) Die ἄζυμα seien eigentlich ἄψυχα und bedeuteten die Leugnung der Seele Christi; auch seien sie ein Rückfall ins Alte Testament; Christus selber habe nur gesäuertes Brot verwendet. Eine solche Eucharistie sei darum ungültig. Geiselmann 42 ff. Später wurde die Beurteilung wieder milder.

[20]) Denzinger-Umberg n. 693.

[21]) Hanssens II, 206—217.

[22]) Ebd. II, 208 f; Brightman 247—249.

[23]) Hanssens II, 210 f. Für die Messe selbst wird nur eines der drei Brote ausgewählt.

dung trugen die vier Mönche, denen das Backen der Hostien anvertraut war und von denen mindestens drei zum wenigsten Diakone sein mußten. Sie mußten während der eigentlichen Arbeit Stillschweigen bewahren, damit nicht der Hauch ihres Mundes das Brot berühre[24]). Nach den Vorschriften anderer Klöster dagegen verbanden die Mönchen ihre Tätigkeit nach bestimmter Ordnung mit Psalmengesang[25]). Übrigens fand ein so feierlicher Akt auch nicht alle Tage, sondern nur einige Male im Jahre statt[26]). Mit Berufung auf die alttestamentlichen Vorschriften über die Schaubrote[27]) verlangte man auch außerhalb der Klöster, daß nur Priester bei der Herstellung der Hostien tätig seien[28]), eine Bestimmung, die in Frankreich vielfach noch im 18. Jahrhundert beobachtet wurde[29]). Anderswo hat man sich schon früher damit begnügt, die Gewähr zu fordern, daß die mit der Herstellung betrauten Personen die einschlägigen kirchlichen Vorschriften gewissenhaft erfüllen[30]). Die Sorge in dieser Richtung hat meist dazu geführt, die Hostienbereitung in Ordenshäuser, vorwiegend in Frauenklöster, zu verlegen.

Die Neigung, das zur Messe erforderliche Brot nicht erst den Gaben der Gläubigen zu entnehmen, sondern dafür auf andere Weise mit allem erwünschten Fleiße vorzusorgen, wird schon früh gelegentlich bemerk-

---

[24]) Bernardi Ordo Clun. I, 53 (Herrgott, Vetus disciplina monastica 249); Wilhelm von Hirsau, Const. II, 32 (PL 150, 1086 f). Vgl. Udalrici, Consuet. Clun. III, 13 (PL 149, 757 f).

[25]) Consuetudines von Fruttuaria (11. Jh.; Albers, Consuetudines IV, 138); Lanfranc († 1089), Decreta pro O. S. B. c. 6 (PL 150, 488 f). Weitere Nachrichten bei Corblet I, 176 f.

[26]) Wilhelm von Hirsau, Const. II, 32 (PL 150, 1087 A): es bestehe keine Vorschrift *quot vicibus in anno;* vgl. Bernardi Ordo Clun. a. a. O. (Herrgott 249): vor allem vor Weihnachten und vor Ostern.

[27]) 1 Par 9, 32.

[28]) Sicard von Cremona, Mitrale III, 6 (PL 213, 119 A). Auch die begleitende *melodia psalmorum* wird als allgemeine Vorschrift erwähnt bei Humbert von Silva Candida, Adv. Graecorum calumnias n. 21 (PL 143, 946; C. Will, Acta et scripta de controversiis ecclesiae graecae et latinae s. XI, Leipzig 1861, 104). — Daß das Hostienbrot nach römischem Brauch (anders sei es bei den Griechen) nicht von Frauen hergestellt werden dürfe, ist schon ausgesprochen in den Canones des Theodor von Canterbury II, 7, 4 (Finsterwalder 322). Priestern oder doch Klerikern wird die Herstellung vorbehalten bei Theodulf von Orleans († 821), Capitulare I, c. 5 (PL 105, 193): *Panes, quos Deo in sacrificium offertis, aut a vobis ipsis aut a vestris pueris coram vobis nitide ac studiose fiant.*

[29]) Eisenhofer II, 132; Corblet I, 177 f.

[30]) Ebd.

bar[31]). Mit dem Übergang zum ungesäuerten Brot ist die Ausschaltung der Gläubigen selbstverständlich geworden. Vorerst stellte man die dünnen Scheiben des ungesäuerten Weizenbrotes noch in größeren Ausmaßen her und verbrachte sie so an den Altar, wo sie für die Kommunion des Volkes gebrochen wurden[32]). Da diese aber fast nur an den höchsten Festtagen in Frage kam, formt man schon im 12. Jahrhundert die Hostie des Priesters in der heute gebräuchlichen bescheidenen Größe, *in modum denarii*[33]). Man bleibt dann bei dieser Form auch an Kommuniontagen. Um nämlich nun überhaupt das Brechen der Gestalten zu vermeiden, beginnt man, auch für die Kommunion des Volkes die „Partikeln"[33a]) gleich fertig herzustellen. Da die dünnen Scheiben, aus denen die Hostien ausgeschnitten wurden, nun ohnehin in einer Metallform, dem „Hostieneisen"[34]), gebacken werden müssen, lag es um so näher, wenigstens bei der großen Hostie eine schmückende Prägung anzubringen. Diese bestand zunächst einfach in der überlieferten Kreuzkerbe, aus der aber bald das Bild des Gekreuzigten oder sonst eine Darstellung Christi[35]) und, da eine allgemeine Vorschrift nie erging, in der Folge mancherlei andere Dar-

[31]) Vgl. oben Anm. 14. Von der heiligen Königin Radegundis († 587) berichtet Venantius Fortunatus, sie habe jedes Jahr in der Fastenzeit Hostienbrot gebacken und an die Kirchen verteilt. Vita n. 16 (MGH Scriptores Merov. II, 369 f). — Einige weitere Daten bei Merk, Abriß 3 Anm. 7.

[32]) Humbert von Silva Candida († 1061), Adv. Graecorum calumnias n. 33 (PL 143, 952 B): *tenues oblatas ex simila praeparatas integras et sanas sacris altaribus nos quoque superponimus, et ex ipsis post consecrationem fractis cum populo communicamus.* Vgl. ebd. n. 32 (951 B). Dem entspricht es, daß nach Udalricus, Consuet. Clun. III, 12 (PL 149, 755 D), auch an Sonntagen, an denen doch viele kommunizierten, nur fünf *hostiae* aufgelegt wurden. Noch um 1140 wurden in der Laterankirche *integrae oblatae* konsekriert, die dann gebrochen wurden; Ordo eccl. Lateran. (Fischer 48 Z. 2. 21).

[33]) Honorius Augustod., Gemma an. I, 35. 66 (PL 172, 555. 564). — Ernulf von Rochester († 1124), Ep. ad Lambertum (d'Achery, Spicilegium, 2. Aufl., III, 471): *in forma nummi.* — Vgl. F. de Berlendis, De oblationibus ad altare, Venedig 1743, 22 f. — Bis um 1200 hatte übrigens bei den Kartäusern die Hostie des Zelebranten dieselbe mittlere Größe wie die Hostien für die Kommunikanten (Mitteilung aus der Kartause von Valencia).

[33a]) Ähnliche Bezeichnungen sind übrigens schon altchristlich; s. E. Peterson, Μερίς. Hostienpartikel und Opferanteil: Eph. liturg. 61 (1947) 3—12; Chr. Mohrmann, Vigiliae christianae 1 (1947) 247 f.

[34]) Zuerst erwähnt in den Miracula s. Wandregisili (9. Jh.) n. 53; J. Braun, Hostieneisen: LThK V, 157. Auch bei Bischof Ildefons (um 845), Revelatio (PL 106, 889). Um schöne Hostieneisen in den Kirchen sorgte sich Franz von Assisi; J. Jörgensen, Der hl. Franz von Assisi, Kempten 1908, 566.

[35]) Honorius Augustod., Gemma an. I, 35 (PL 172, 555): *imago Domini cum litteris.*

stellung wurde, abgesehen von verschiedenen Aufschriften und Umschriften, die frühzeitig auftreten[35a]).

Wir nennen heute die für die Eucharistie bestimmten Brötchen in proleptischer Ausdrucksweise „Hostien"[36]). Das Wort *hostia* ging ursprünglich nur auf ein lebendiges Wesen, auf das Opfertier, das geschlachtet wurde. Es konnte darum zunächst auch nur von Christus selbst verstanden werden, der für uns zur *hostia* (vgl. Eph 5, 2), zum Opferlamm geworden war. Älter ist der Gebrauch des Wortes *oblata* für das dargebrachte Brot[37]). Auch in anderen Liturgien finden wir eine ähnliche Verwendung von Namen, die Opfer, Darbringung bedeuten, für die noch nicht konsekrierten Elemente[38]). Die genaue Parallele zu der bei „Hostie" vorliegenden Bedeutungsübertragung ist in der byzantinischen Liturgie vorhanden, wo das in der Proskomidie herausgelöste Stück des Brotes, das für die Konsekration bestimmt ist, „Lamm" genannt wird[39]).

Auch beim zweiten Opferelement, dem Wein, ergaben sich einzelne Fragen, die erst im Laufe der Geschichte ihre Lösung finden mußten. Sie

---

35a) Vgl. Ildefons, Revelatio (PL 106, 883 f. 888 f).

36) Belege für *hostia* in diesem Sinn seit dem 13. Jh. bei Du Cange-Favre IV, 243 f. Beispiele seit dem 11. Jh. bei Ebner 296. 298. 300 f usw. Weitere Hinweise bei Eisenhofer II, 130. Vielleicht gehört auch schon hieher Amalar, Liber off., prooemium n. 13 (Hanssens II, 16): *sacerdos componit hostiam in altari.* — Vgl. dagegen die ältere, Leib und Blut des Herrn umfassende Bedeutung des Wortes in unserem Meßkanon: *hostiam puram, hostiam sanctam.*

37) Siehe z. B. oben Anm. 32. Aber auch schon im Ordo Rom. I n. 13—15 (Andrieu II, 91—94; PL 78, 943 f): *oblatio, oblata.* Vgl. weiter 16. Synode von Toledo (693) can. 6 (Mansi XII, 74 A): es sollen nicht große Brotlaibe, *sed modica tantum oblata* auf den Altar gebracht werden.

38) Brightman 571 f.

39) Brightman 571: ἀμνός. Auch die Kopten nennen die Hostie „Lamm", arabisch *alhamal.* Die Benennung erscheint auf ägyptischem Boden bereits in den Canones Basilii c. 98 (Riedel 275 f), wo das Paschalamm zugleich als Vorbild für die tadellose Beschaffenheit des Opferbrotes geltend gemacht wird. — Bei den Syrern heißt die Hostie „der Erstgeborene"; Brightman 571 f. Wegen der dem Brote aufgedrückten Prägung wurde die Hostie auch „Siegel" genannt, so bei den Griechen (σφραγίς) und bei den Westsyrern. Die konsekrierte Hostie heißt bei den Syrern „(glühende) Kohle". Derselbe Ausdruck (ἄνθραξ) im Bereich von Antiochia schon seit dem 4. Jh.; J. E. Eschenbach, Die Auffassung der Stelle Is 6, 6. 7 bei den Kirchenvätern und ihre Verwendung in der Liturgie (Würzburger theol. Preisaufgabe), Würzburg 1927, bes. 34 ff. — Auch die Bezeichnung μαργαρίτης, *margarita,* Perle, wird im gleichen Sinn gebraucht, und zwar bei Syrern und Griechen, in der byzantinischen Liturgie insbesondere für die konsekrierten Partikeln, die an die Gläubigen ausgeteilt werden. Brightman 585 s. v. „Pearl". Die Ausdrucksweise geht auf altchristliche Überlieferung zurück; Dekkers, Tertullianus 46 Anm. 3.

betreffen nur zum geringen Teil die Beschaffenheit des Weines selbst. Im Orient bevorzugt man den roten Wein, wie er auch beim Letzten Abendmahle vorauszusetzen ist[39a]. Zeitweise tat man es auch im Abendland, weil so eine Verwechslung mit Wasser sicherer vermieden werde[40]. Doch ist darüber nie eine allgemein verbindliche Vorschrift zustande gekommen. Seitdem sich das Purifikatorium durchgesetzt hat, d. i. seit dem 16. Jahrhundert, wird im allgemeinen der weiße Wein bevorzugt, weil dieser darin weniger Spuren zurückläßt[41].

In einzelnen Landschaften des Orients, wo Wein schwer zu haben ist, besonders bei den Kopten und den Abessiniern, wurde und wird dadurch Ersatz geschaffen, daß man getrocknete Trauben, also Rosinen, in etwas Wasser aufweicht und dann auspreßt, ein Verfahren, das auch katholischerseits zugelassen ist, wofern man nur wenigstens den Beginn der Gärung abwartet[42].

Tiefer gingen die Erörterungen um die Mischung des Weines. Dem Wein muß nach alter Vorschrift etwas Wasser beigemischt werden. Das war zwar nicht bodenständig palästinensischer, wohl aber griechischer Brauch, der zur Zeit Christi auch in Palästina beobachtet wurde[43]. Schon im 2. Jahrhundert wird diese Beimischung für die Eucharistie ausdrücklich hervorgehoben[44]. Von gnostischen Kreisen her, die allen Weingenuß verwarfen, tritt dann da und dort die Neigung hervor, den Wein überhaupt durch Wasser zu ersetzen[45]. Cyprian hat in

---

39a) Beim Paschamahle war Rotwein vorgeschrieben; J. Jeremias, Die Abendmahlsworte Jesu, 2. Aufl., Göttingen 1949, 28 f. 106.

40) Pariser Synodaldekret (um 1210; vgl. unten 257) unter den Praecepta synodalia von Bischof Odo n. 28 (Mansi XXII, 682 E); Synode von Clermont (1268) c. 6 (ebd. XXIII, 1190 E). Vgl. auch Corblet I, 200 f. — Die größere Ähnlichkeit mit dem Blute wird zugunsten des Rotweins geltend gemacht von der 4. Provinzialsynode von Benevent (1374) tit. 7 c. 4; Gavanti-Merati III, 4, 2 (II, 11).

41) So die 1. Provinzialsynode von Mailand (1565) II, 5 (Hardouin X, 650 f); die Synoden von Almeria (1595) und Majorca (1639), bei Corblet I, 200.

42) Hanssens, Institutiones II, 217 f.

43) Strack-Billerbeck IV, 613 f, vgl. 61 f. 72; G. Beer, Pesachim, Gießen 1912, 71 f. 106. — Während die Evangelien von der Mischung nicht ausdrücklich sprechen, erwähnen die orientalischen Anaphoren in ihrem Einsetzungsbericht in der Regel auch die Mischung; s. unten.

44) Justinus, Apol. I, 65. 67 (oben I, 29 f); Irenäus, Adv. haer. V, 1. 2 (Harvey II, 316. 319 f); Aberkius-Inschrift (Quasten, Mon. 24: κέρασμα διδοῦσα μετ' ἄρτου).

45) Das Material ist gesammelt bei A. Harnack, Brod und Wasser (TU 7, 2, S. 115—144), Leipzig 1891. Die Wassereucharistie erscheint in den apokryphen Apostelgeschichten des 2. Jh., sie lebt aber noch fort in gewissen Mönchskreisen

einem ausführlichen Schreiben ein solches Verfahren, das von einigen Unwissenden geübt werde, als der Stiftung Jesu widerstreitend zurückgewiesen[46]). Anderseits hat gerade er den symbolischen Sinn der Beimischung betont. Wie der Wein das Wasser in sich aufnimmt, so hat Christus uns und unsere Sünden auf sich genommen. Wenn daher das Wasser mit dem Wein vermischt wird, wird die Schar der Gläubigen mit dem verbunden, an den sie sich gläubig angeschlossen hat, und zwar ist diese Verbindung so fest, daß nichts sie lösen kann, wie auch das Wasser vom Wein nicht mehr zu trennen ist. Daraus folgert Cyprian: „Wenn jemand nur Wein darbringt, so beginnt das Blut Christi zu sein ohne uns, wenn aber nur Wasser, so beginnt das Volk zu sein ohne Christus"[47]), Worte, die das ganze Mittelalter hindurch oft wiederholt, manchmal auch weitergeführt worden sind[48]). Daneben taucht frühzeitig eine zweite Symbolik auf, der Hinweis auf Blut und Wasser, die aus der Seitenwunde Jesu flossen[49]). Im Vordergrunde steht aber die Symbolik der Verbindung von Christus und Kirche. Diese wurde noch verstärkt durch das Wort der Apokalypse (17, 15), daß im Wasser die Völker dargestellt seien[50]). Die jubelnden Völker, die durch die Sänger angedeutet werden, bringen es dar. Als Bild des Volkes, das noch der Entsühnung bedarf, wird es auch gesegnet, während der Wein in der Regel

---

des 5. Jh. (Theodoret, Haereticarum fabularum comp. I, 20). Gegen Harnacks These, daß in der ersten Zeit Wasser und Wein in der Kirche als gleich zulässig galten, s. C. Ruch, Messe II, 6: DThC X, 947—955.

46) Cyprian, Ep. 63 ad Caecilium (CSEL 3, 701—717).

47) Ebd. n. 13 (CSEL 3, 711). Angedeutet ist eine in dieser Richtung gehende Symbolik schon bei Irenäus, Adv. haer. V, 1, 3 (Harvey II, 316): die Ebioniten, die an die Gottheit Christi nicht glauben, „verwerfen die Mischung des himmlischen Weines und wollen bloß irdisches Wasser sein, indem sie Gott nicht aufnehmen in die Mischung mit sich". — Vgl. auch Clemens von Alexandrien, Paed. II, 2 (PG 8, 409 f).

48) Siehe die Nachweise bei F. Holböck, Der eucharistische und der mystische Leib Christi 200 f.

49) Jo 19, 35. Die letztere Beziehung schon bei Ambrosius, De sacr. V, 1, 4 (Quasten, Mon. 164), der für das Wasser außerdem auf das Wasser aus dem Felsen Christus (1 Kor 10, 4) verweist. Beide Gedanken auch bei Eusebius Gallicanus (5. Jh.), Hom. 16 (PL 67, 1055 A; Cäsarius zugeschrieben, vgl. aber ed. Morin 925: *Magnitudo)*. — Nur die Blut- und Wassersymbolik wird betont in den karolingischen Prüfungsfragen Ioca episcopi bei Franz 343 Anm. 1; weitere Belege bei Holböck 201 f.

50) Nach verschiedenen frühscholastischen Autoren weist darum auch das aus der Seite Jesu mit dem Blut geflossene Wasser auf das Volk, das Christus erlöst hat. Holböck 202. — Vgl. auch Konzil von Trient, sess. XXII, c. 7.

nicht gesegnet wurde[51]). Die kleine Zeremonie wird im Lauf des Mittelalters auch zur Grundlage theologischer Überlegungen: die Beimischung des Wassers zeigt näherhin, daß in der Messe nicht nur Christus, sondern auch die Kirche dargebracht wird; doch könne dies nur durch den Priester geschehen, der von der Kirche nicht getrennt ist[52]). Gerade wegen solcher Symbolik, in der er das reine Gotteswerk durch eine menschliche Beimischung herabgemindert sah, hat Luther die Beimischung des Wassers, insofern sie auf unsere Einheit mit Christus hinweisen soll, als unpassend bezeichnet[53]). Das Konzil von Trient nimmt den Brauch daher ausdrücklich in Schutz und bedroht seine Verwerfung mit dem Anathema[54]).

Auch im Orient sind um das Wassertröpfchen hartnäckige Kämpfe geführt worden. Hinter dem auch hier üblichen Hinweis auf Blut und Wasser aus der Seite Jesu stand bei den Orientalen eine etwas anders gewendete theologische Symbolik. Entsprechend der Schärfe des christologischen Streites wurden im Orient Wein und Wasser zur Darstellung der göttlichen und der menschlichen Natur in Christus. Die Armenier, bei denen der radikale Monophysitismus sich durchgesetzt hatte, dem zufolge in Christus nach der Inkarnation nur mehr von einer Natur, der göttlichen, die Rede sein könne, lehnten schon im 6. Jahrhundert, jedenfalls schon vor 632, die Beimischung des Wassers ab und hielten daran trotz einigen Schwankungen fest, obwohl bei den immer wieder angestrebten Unionen mit Byzanz und mit Rom gerade dieser Punkt ein entscheidendes Hindernis bildete[55]). Auch der Ausschaltung des Sauerteiges beim Brot gab man armenischerseits eine ähnliche theologische Deutung. „Der chalcedonensische Irrtum der zwei Naturen“ und der Brauch, das heilige Sakrament „durch Säuerung des Brotes und durch Wasser zu beflecken“, wird in armenischen Quellen gelegentlich in einem Atem genannt[56]). Dieses theologischen Hintergrundes wegen haben die bei der Union verbliebenen Armenier auch die Beimischung des Wassers angenommen.

---

[51]) Über Ausnahmen siehe unten 82 ff.

[52]) Lepin, L'idee du sacrifice de la messe 96 f. 142 f.

[53]) M. Luther, Formula missae et communionis n. 16 (Kleine Texte 36, S. 15).

[54]) Concilium Tridentinum, sess. XXII, c. 7 (Denzinger-Umberg n. 945); can. 9 (n. 956).

[55]) Hanssens, Institutiones II, 250—271. Die monophysitische Begründung tritt bei den Armeniern noch im 14. Jh. hervor; Hanssens II, 261. Förmlich verurteilt wurde der armenische Gebrauch des ungemischten Weines auf dem Trullanum (692) can. 32 (Mansi XI, 956 f).

[56]) So vom armenischen Geschichtsschreiber Stephan Asoghik (um 1025), der damit den Hauptgegenstand einer armenischen Synode des Jahres 726 umschreibt. Hanssens II, 163.

Übrigens umfaßte und umfaßt diese Beimischung, die in der heutigen römischen Liturgie nur eine ganz geringe Menge betrifft, in den Liturgien des Orients einen guten Bruchteil des Kelchinhaltes[57]). Bei den syrischen Jakobiten wird dem Wein von alters her das gleiche Quantum Wasser beigegeben[58]), was übrigens mit dem Brauch in der Umwelt der jungen Kirche übereinstimmt[59]). Aber auch im Abendlande verlangt die Synode von Tribur (895), daß der Kelch neben zwei Dritteln Wein ein Drittel Wasser enthalte[60]), und noch im 13. Jahrhundert begnügt man sich mit der Forderung, daß mehr Wein als Wasser genommen werde[61]). Von da an setzt sich dann die Beschränkung auf das von der Symbolik geforderte Minimum durch und gleichzeitig erscheint auch das Löffelchen, mit dem die Überschreitung jenes Minimums bequem vermieden werden kann[62]).

4. Die Niederlegung der Gaben auf dem Altar und die begleitenden Gebete

Wenn die Gaben von Brot und Wein in der geforderten Beschaffenheit zur Verfügung stehen, bleibt für eine reicher entwickelte Liturgie noch die Frage, wie und durch wen sie auf dem Altar niederzulegen, wie sie hier anzuordnen und insbesondere, ob und wie sie schon jetzt, vor Beginn

---

[57]) Hanssens II, 242—250.

[58]) Ebd. 244. 248. — Diese in einer westsyrischen Quelle schon 538 erscheinende Regel ebenso in einer nestorianischen Bestimmung um 900, die aber auch bis zu drei Vierteln Wasser noch als zulässig erklärt; ebd. 248 f.

[59]) Vgl. Strack-Billerbeck IV, 58. 614. Bei Saronwein galt als Regel, ein Drittel Wein und zwei Drittel Wasser zu nehmen.

[60]) can. 19 (Mansi XVIII, 142). In Rouen galt noch um 1700 eine ähnliche Regel; de Moléon 366.

[61]) Durandus IV, 30, 21. Doch verlangt auch schon Wilhelm von Melitona († 1260), Opusc. super missam ed. van Dijk (Eph. liturg. 1939) 328, mit seiner etwas älteren franziskanischen Vorlage, das Wasser dürfe nur *in modica quantitate* beigemischt werden, weil wir nichts bedeuten im Vergleiche mit Christus.

[62]) Ordo des Petrus Amelii († 1403) n. 81 (PL 78, 1325 D): *post aquae benedictionem ponit cum cochleari tres guttas aquae.* Die *tres guttae* werden auch schon 1318 verlangt von der Synode zu Brixen; Baur (oben I, 385 Anm. 30) 129. Vgl. Cod. Iur. Can. can. 814: *modicissima aqua.* Diese Formulierung zuerst im Decretum pro Armenis (Denzinger-Umberg n. 698). Das Kelchlöffelchen — und damit offenbar auch die zugrunde liegende Auffassung vom Maße des Wassers — erscheint gegen Ende des 13. Jh. in Nordfrankreich. Braun, Das christliche Altargerät 446 f. Doch ist es auch heute noch vielenorts unbekannt, z. B. in Italien.

der altüberkommenen Eucharistia, durch Wort und Handlung in die Opferbewegung hineinzunehmen seien.

Die ältere römische Liturgie kannte nur die wohlgeregelte äußere Handlung[1]) und als einziges Gebet, das aber im Namen der ganzen Versammlung mit lauter Stimme gesprochen wurde, die *oratio super oblata.* Auf fränkischen Boden übertragen, wird die Handlung bald verschiedentlich abgeändert, hauptsächlich im Zusammenhang mit den Wandlungen des Opferganges, und durch weitere vorbereitende Akte, wie Inzensierung und Händewaschung, bereichert. Zu den einzelnen Schritten der Handlung kommt das begleitende und deutende Wort, das der Liturge aber nicht mehr laut vor der Gemeinde, sondern mit leiser Stimme spricht. Auch das eigentliche Gebetswort erfährt einen Zuwachs. Dieses zeigt den gleichen halbprivaten Charakter und will vor allem einzelne Anliegen mit der Darbringung in Verbindung setzen. Dabei ist all dieser liturgische Neuwuchs im Frankenreich nicht von einem bestimmten Zentrum aus geregelt, sondern vollzieht sich an verschiedenen Punkten und wird auf die verschiedenste Weise kreuz und quer über die Länder der Christenheit hin übertragen und übernommen. Es ergibt sich so in den Meßbüchern des späteren Mittelalters um die Oblation ein wahres Dickicht neuer Gebet und Texte. Die Mannigfaltigkeit dieser Formeln und ihrer Gruppierung ist so groß, „daß eine Klassifizierung fast unmöglich erscheint“[2]). Wenn wir aber ein näheres Verständnis auch nur der verhältnismäßig nüchternen Gestalt des Oblationsritus gewinnen wollen, wie ihn unser römisches Missale bietet, werden wir trotzdem jenes Dickicht nicht gänzlich umgehen dürfen.

Die heute vorherrschende Auffassung, die Wert und Wucht der Eucharistia wieder entdeckt hat und den mittelalterlichen Neuschöpfungen wenig gewogen ist, läßt das Offertorium daraus entstanden sein, daß der Opfergang im Lauf des Mittelalters in Wegfall gekommen und so eine Lücke entstanden sei, die durch jene Zeremonien und Gebete hätte ausgefüllt werden sollen. Außerdem werden diese Gebete in erster Linie der nun vordringenden Privatmesse zugeschrieben, die auf eine solche Bereicherung besonders angewiesen schien. Es sind das zwei Behauptungen, die zwar auch von großen Autoritäten wiederholt werden[3]), die aber dringend einer Nachprüfung bedürfen. Wir wollen daher das Werden der

---

[1]) Oben I, 93 f.

[2]) Eisenhofer II, 141.

[3]) Eisenhofer II, 139. Die Herleitung aus der Privatmesse bei Batiffol, Leçons 21. 144. Die Opferganglücke bei Fortescue 305.

Formen wenigstens in den großen Linien von seinen Anfängen her verfolgen.

Das erste, was uns entgegentritt, noch ganz im Rahmen der alten römischen Oblationsordnung, ist das stille Beten des Zelebranten, noch bevor er die Secreta spricht. Das der Mitte des 8. Jahrhunderts angehörende Capitulare ecclesiastici ordinis läßt den Zelebranten im feierlichen Hochamt, nachdem die Gaben der Gläubigen und des Klerus auf dem Altare angeordnet sind, seine eigene Gabe in die Hand nehmen und Hände und Augen zu Gott erheben in stillem Gebete[4]). Auch daß er sich anschließend an den umgebenden Klerus wendet um dessen Gebetshilfe, wird noch im gleichen Jahrhundert erwähnt[5]).

Einen ersten knappen Wortlaut solcher Darbringungsgebete bietet im 9. Jahrhundert das Sakramentar von Amiens. Als Kern derselben erscheint das demütige Darbringen der schon bereitgelegten Gaben, die als Gaben der Gläubigen gekennzeichnet werden[6]), also deutlich den Opfergang voraussetzen.

Wenn wir zunächst unsere Aufmerksamkeit diesen älteren Oblationsgebeten und den damit verbundenen Oblationsgebräuchen zuwenden, so finden wir, daß sie gegen die Jahrtausendwende hin und über sie hinaus in einem gewaltigen Anwachsen begriffen sind, und zwar breiten sie sich zunächst aus am Beginn der Oblation, bevor der Kelch zum Altar gebracht wird. Sie tragen wesentlich fürbittenden Charakter; die Darbringung wird „für" *(pro)* bestimmte Anliegen oder Personen vollzogen. Es wirken hier deutlich Erinnerungen aus der gallikanischen Liturgie nach[7]). Der Auftrieb ist schon bei Amalar zu spüren. Bei der

---

[4]) Capitulare eccl. ord. (Andrieu III, 102): *Novissime duas oblationes suas proprias accipiens, elevatis oculis et manibus cum ipsis ad coelum, orat Deum secrete.* Darauf wird vom Archidiakon noch der Kelch geordnet, worauf der Bischof mit tiefer Verbeugung die *oratio super oblata* spricht. — Ähnlich der klösterliche Paralleltext des Breviariums (ebd. 181), wo derselbe Ritus auch schon für den Kelch wiederholt wird: *similiter offerat et vinum.*

[5]) Breviarium eccl. ord. (Andrieu III, 181): *Tunc vero sacerdos dextera laevaque aliis sacerdotibus postulat pro se orare.*

[6]) Das zweiteilige Gebet lautet: *Hanc oblationem, quaesumus, omnipotens Deus, placatus accipe, et omnium offerentium et eorum, pro quibus tibi offertur, peccata indulge. Et in spiritu humilitatis... Domine Deus* (Dan 3, 39 f; fast wie heute). Leroquais (Eph. liturg. 1927) 441. Ebenso noch im heutigen Lyoner Missale (1904) 227. — Die erste Formel *(Hanc... indulge. Per)* in ähnlicher Verwendung auch später: Leroquais I, 126. 155 (Limoges). 211; II, 25. 34 f. Ebenso in Limoges noch um 1483: Martène 1, 4, 6, 16 (I, 393 D); vgl. ebd. I, 4, VIII (I, 539 A). Auch im mozarabischen Missale mixtum (PL 85, 536 C).

[7]) Vgl. die Texte unten zum Memento für die Lebenden.

Erklärung der *offerenda* nennt er unter Heranholung alttestamentlicher Vorschriften eine Reihe von Anliegen, *pro quibus offerre debeamus sacrificia*[8]): zur Erfüllung von Gelübden, die man in Bedrängnis abgelegt hat, zur Danksagung, zur Sühne für unsere Sünden, für das Königshaus, für die kirchlichen Stände, um den Frieden. Sein jüngerer Zeitgenosse, Walafried Strabo († 849), sieht sich bereits veranlaßt, anzukämpfen gegen die Meinung, als müßte man für jedes Anliegen eine besondere Oblation darbringen und eine besondere Bitte aussprechen und als könnte man nicht *una petitione pro multis* bitten[9]). Daneben verschafft sich auch die Ehrung bestimmter Glaubensgeheimnisse entsprechenden Ausdruck, in den Gebeten sowohl[10]), wie — und dies fast noch mehr — in der Art und Weise, wie die Oblationen auf dem Altare verteilt werden; und zwar treffen wir diese Bewegung um dieselbe Zeit sowohl im Abendland wie im Morgenlande. Während in den älteren römischen Ordines auf die Frage wenig Gewicht gelegt wird[11]), hören wir aus dem karolingischen Bereich von zwei Kreuzen, die der Priester *de oblata* neben dem Kelch bilden soll[12]). Noch um 1100 verlangen Missalien im Bereich von Montecassino, daß die Oblation *in modum crucis* angeordnet werden soll[13]). In Spanien gibt um 845 ein Bischof Ildefons noch genauere Anweisungen: Während an gewöhnlichen Tagen nur ein einziges Brot aufgelegt wird, sollten an Sonntagen fünf Brote genommen und in Kreuzesform angeordnet werden; an Weihnachten und an einigen anderen Festtagen 17 Brote, von denen 5 die Kreuzesform und 12 einen Kreis um jenes Kreuz bilden sollen; an Ostern und Pfingsten 45 Brote, für die eine kombinierte Kreuzesform vorgezeichnet

---

[8]) Amalar, Liber off. III, 19, 6 (Hanssens II, 312).

[9]) Walafried Strabo, De exord. et increm. c. 22 (PL 114, 948). Auch Regino von Prüm, De synod. causis I, inquis. 73 (PL 132, 190), betont, daß nur eine *oblata* für alle Anliegen dargebracht werden soll.

[10]) Siehe unten 58. 62 f.

[11]) Im Ordo Rom. I n. 14 (Andrieu II, 93 Z. 3; PL 78, 944) heißt es vom Archidiakon nur: *componit altare*. Nur der Ordo von S. Amand weist ihn an, aus den *oblatae* drei oder fünf *ordines* auf dem Altar zu bilden (Andrieu II, 162). — Auf dem Mosaik von San Vitale in Ravenna liegen zwei Brote symmetrisch rechts und links vom Kelch; Braun, Der christliche Altar I, Tafel 6. Ähnlich auf dem von Sant' Apollinare, wo der als Zelebrant dargestellte Melchisedech ein drittes in Händen hält: Dölger, Antike u. Christentum 1 (1929), Tafel 10.

[12]) Rabanus Maurus, De inst. cler. I, 33, (früh interpolierte) additio (PL 107, 324 D). — Darstellungen im Stuttgarter Bilder-Psalter des 9. Jh.; Fiala 190.

[13]) Ebner 309; Fiala 203. Es handelt sich offenbar um Hostien für die Kommunion der Mönche.

wird[14]). Noch im 12. Jahrhundert nimmt der Trierer Liber officiorum gegen diejenigen Stellung, die der Dreizahl wegen immer drei *oblatae* konsekriert wissen wollen[15]). Neben der Rücksicht auf die Kommunion des Volkes spricht in solchen Bestrebungen noch die Neigung mit, einzelne Opfermotive symbolisch auszudrücken oder wenigstens symbolische Zahlen zu bevorzugen[16]).

Wenn wir hier nun einen Blick auf die gleichzeitige Entwicklung der byzantinischen Messe werfen, so finden wir, daß sie in gleicher Richtung noch einen Schritt weiter gegangen ist. Neben der Andeutung von Glaubensgeheimnissen verschaffen sich nämlich in ihrer Ordnung der Brotoblation auch die wichtigsten Anliegen symbolischen Ausdruck. Während die übrigen orientalischen Liturgien im allgemeinen keine näheren einschlägigen Vorschriften kennen und auch an Kommuniontagen meist nur ein entsprechend vergrößertes Brot verwenden und

---

[14]) Ildefons, Revelatio (PL 106, 883—890; auch bei Martène 1, 4, 6, 10 [I, 389]). — Ähnliche Anweisungen in irischen Quellen, doch anscheinend erst seit dem 11. Jh.; s. die Hinweise bei K. Burdach, Der Gral, Stuttgart 1938, 206. — Die Bildung bestimmter Figuren findet sich in der altspanischen Messe, wie wir noch sehen werden, auch bei der *fractio,* und zwar schon in früherer Zeit.

[15]) Franz 374. — Die Dreizahl entspricht allerdings schon alter Überlieferung; vgl. das Mosaik von Sant' Apollinare (oben Anm. 11). Nach dem zweiten Nachtrag zum Ordo Rom. I (Andrieu II, 131; PL 78, 958) reicht der Archidiakon jedem der an den Hochfesten mit dem Papst konzelebrierenden Kardinalpriester *oblatas tres.* Auch andere Anzeichen weisen darauf hin, daß in Rom drei Hostienbrote als die normale Zahl für die eigene Oblation des Zelebranten galten, während gallikanische Überlieferung die Zweizahl bevorzugte; s. Andrieu, Les ordines II, 94 Anm. zu n. 83. — Seit dem späteren Mittelalter ist es bei der feierlichen Papstmesse Brauch, daß drei große Hostien zum Altar gebracht werden, von denen aber zwei sofort der *episcopus sacrista* genießen muß, ebenso wie er von Wein und Wasser kosten muß; *facit probam* heißt es davon im Ordo des Petrus Amelii (um 1400) n. 81 (PL 78, 1325 D); vgl. Martène 1, 4, XXXVII (I, 681 E). Es ist die heute sogenannte *praegustatio,* die aus jener unsicheren Zeit konserviert worden ist, in der das Gift eine Rolle spielte. Vgl. Martène 1, 4, 6, 14 (I, 391 f); Brinktrine, Die feierliche Papstmesse 19 f. Angaben über den düsteren Hintergrund bei Corblet I, 381. — Die *praegustatio* ist auch noch vorgesehen im Caeremoniale episc. II, 8, 60 f; vgl. II, 8, 11; I, 11, 12. In Narbonne ist sie um 1700 noch Tag für Tag geübt worden; de Moléon 255.

[16]) Jedenfalls spielt die ungerade Zahl eine Rolle (vgl. oben I, 495 f). Nach den Canones Basilii c. 99 (Riedel 277) sollen es ein oder drei Brote sein; nach dem Ordo der Laterankirche (Fischer 81) eines oder drei oder fünf. In Cluny sind es in der Regel drei oder fünf Oblaten, wobei der Priester die vorgeschriebenen Bekreuzungen usw. an der mittleren vollziehen soll; Udalrici, Consuet. Clun. II, 30 (PL 149, 718 B); vgl. I, 6, 8 (652 f); III, 12 (755 f).

konsekrieren[17]), ist es in der byzantinischen Messe ungefähr seit der Jahrtausendwende allmählich Regel geworden, daß bei der Proskomidie fünf Brote bereitliegen müssen, aus denen aber dann für den Altar nur bestimmte Partikeln herausgehoben werden, die in bestimmter Weise anzuordnen sind. Aus dem ersten Brote wird das „Lamm" heraus-

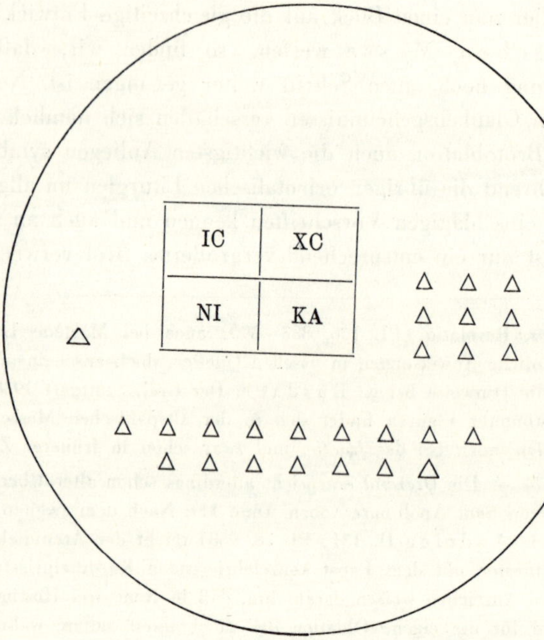

geschnitten, aus dem zweiten eine Partikel zu Ehren der seligsten Jungfrau, aus dem dritten neun Partikeln zu Ehren bestimmter Heiliger, die genannt werden, aus der vierten eine freie Anzahl Partikeln für die Lebenden, die man empfehlen will, und aus dem fünften ebenso eine Anzahl für Verstorbene[18]). Diese erhalten ihre bestimmte Anordnung auf dem Diskos, der großen Patene, auf der sie auch zum Altar über-

[17]) Hanssens, Institutiones II, 185. Nur bei den Armeniern, Maroniten und Malabarchristen fügt man für die Kommunion der Gläubigen besondere kleinere Brötchen hinzu. — In älterer Zeit wurden in einzelnen Riten manche Erörterungen über die Zahl der Hostienbrote geführt und verschiedentlich die ungerade Zahl gefordert. Es obsiegte aber der praktische Gesichtspunkt, der davon absieht. Ein westsyrischer Bischof der Frühzeit weist den Diakon an, für je zehn Kommunikanten ein Brot hinzuzufügen. Hanssens II, 196—200.

[18]) Brightman 356—359; Hanssens II, 182—185; ebd. 185—196 die geschichtliche Darstellung des Brauches. Im Typikon der Kaiserin Irene (um 1100)

tragen und auf demselben links vom Kelch niedergestellt werden: die Ausschnitte aus den ersten drei Broten bilden eine erste Reihe, in deren Mitte das „Lamm" liegt, die Ausschnitte für die Lebenden eine zweite, die für die Verstorbenen eine dritte[19]). Zu dieser zweiten und dritten Reihe können oder konnten bei den Russen auch die Gläubigen, indem sie vor der Messe ein Brot abgaben, eine daraus zu entnehmende Partikel beisteuern und so sich enger in das Opfer einschließen.

Im Abendland hat sich eine solche symbolische Kommemoration auch für bestimmte Fürbitten nicht durchgesetzt. Dafür haben sich diese wenigstens eine Strecke weit im Gebetswort um so breitere Bahn gebrochen. Um die Jahrtausendwende sehen wir den Bischof im feierlichen Hochamt nach dem Opfergang des Volkes und der Kleriker zum Altar treten und eine mehr oder weniger lange Reihe von Darbringungsgebeten sprechen, in denen die wichtigsten Anliegen zum Ausdruck kommen und die, nach vereinzelten Versuchen stärkerer Anlehnung an die Gebetssprache des römischen Meßkanons[20]), alle nach einem Schema geformt sind, das deutlich gallikanisches Gepräge aufweist. Sie beginnen: *Suscipe sancta Trinitas hanc oblationem, quam tibi offero pro;* dann wird das Anliegen genannt und mit einem *ut*-Satz weitergeführt; die Konklusion kann gallikanisch oder römisch sein[21]). Die Formel begegnet uns schon im 9. Jahrhundert in Nordfrankreich,

---

wird bestimmt, daß jedesmal sieben Brote verwendet werden müssen; davon wird das vierte dargebracht für den Kaiser, das fünfte für die verstorbenen Mönche, das sechste für Verstorbene aus der kaiserlichen Familie, das siebente für die lebenden Mitglieder derselben. Hanssens II, 188 f.

19) Die vorstehende Skizze nach Mercenier-Paris, La prière des églises de rite byzantin I, 216. — Diese Partikeln werden übrigens in der nichtunierten Kirche nicht mit dem „Lamm" mitkonsekriert, wohl aber in der Regel vor der Kommunion des Volkes in den Kelch gegeben, aus dem sie, mit dem heiligen Blute befeuchtet, mittels des Löffelchens zur Kommunion gereicht werden; Hanssens II, 200—206. Die von den Hostienbroten zurückgebliebenen Stücke werden am Schluß der Messe als Antidoron an die Gläubigen verteilt. Bei den unierten Ruthenen (Ukrainern) haben die Vorschriften über die Partikeln in neuerer Zeit eine gewisse Auflockerung erfahren; ebd. 183 f.

20) Siehe oben Anm. 6 die Formel *Hanc oblationem.* Sie ist offenkundig an das *Hanc igitur oblationem* des Kanons angelehnt, das ja zur Nennung von Fürbitten bestimmt war. Anklänge an Formulierungen des Kanons liegen in den Formeln des Oblationskreises besonders auch vor hinsichtlich der Gebetsanrede, z. B.: *clementissime Pater;* Sakramentar von Angers (10. Jh.): Leroquais I, 71. — Zum heutigen *Suscipe sancte Pater* s. unten 72.

21) Neben dem römischen *Per Christum* finden sich öfter das gallikanische *Qui vivis,* aber auch gelegentlich: *Per te Jesu Christe* (so in einem Dominikaner-Missale des 13. Jh.; Sölch 77 Anm. 152) und *Quod ipse praestare dignetur*

sowohl als Einzelgebet[22]) wie auch in mehrfacher Abwandlung aneinandergereiht[23]). In den Meßordnungen der Folgezeit erscheint sie nach den verschiedensten Seiten hin angewendet: für den Zelebranten selbst, für die kirchliche Gemeinde und ihre Wohltäter, für den König, für Verstorbene. An der Spitze steht meist die Formel, die sich bis heute erhalten hat, und die nach dem Vorbild des Meßkanons als erste Opferintention das Gedächtnis der Erlösungsgeheimnisse zu seinem Rechte kommen läßt[24]), mit dem das Gedächtnis der Heiligen verbunden ist[25]).

(Missalien von Fécamp: Martène 1, 4, XXVI f [I, 637. 6401]). Zur gallikanischen Herkunft dieser Schlußformeln s. Jungmann, Die Stellung Christi 84 f. 88. 105 Anm. 43 f. — Auch die Gebetsanrede *sancta Trinitas* ist gallisch; in der älteren römischen Liturgie ist sie unbekannt. Ebd. 80. 91. 109; vgl. 193 ff. Daß das *Per Christum* mit dieser Anrede verbunden wird, ist zwar theologisch einwandfrei, aber für den religiösen Vollzug doch offenbar weniger günstig als die alte Anredeordnung: *Deus (Pater) — per Christum (Filium)*; vgl. ebd. 210 f.

[22]) Als *memoria Imperatoris* im Sakramentar von Sens (L. Delisle, Mémoire sur d'anciens sacramentairs, Paris 1886, 107): *Suscipe, sancta Trinitas, hanc oblationem quam tibi offerimus pro Imperatore nostro illo et sua venerabili prole et statu regni Francorum, pro omni populo christiano et pro elemosinariis nostris et pro his qui nostri memoriam in suis continuis orationibus habent, ut hic veniam recipiant peccatorum et in futuro praemia consequi mereantur aeterna.* — Im Gebetbuch Karls des Kahlen (ed. Felician Ninguarda, Ingolstadt 1583, S. 112 f) ist sie, kaum verändert, auch dem Laien zugeteilt als *Oratio quando offertis ad missam pro propriis peccatis et pro animabus amicorum.* Sie beginnt: *Suscipe sancta Trinitas atque indivisa unitas, hanc oblationem quam tibi offero per manus sacerdotis tui, pro me... ut...;* darauf folgt, leicht modifiziert, Ps 115, 12 f und die Weiterführung als Fürbitte für die Verstorbenen. — Weitere Beispiele in Sakramentaren des 9. und 10. Jh. bei Leroquais, Les sacramentaires I, 52. 59. 63. 71. 76.

[23]) Zwei Sakramentare von S. Thierry bei Reims (2. Hälfte des 9. Jh. und Ende des 10. Jh.; s. Leroquais I, 21 f. 91 f) enthalten übereinstimmend die heutige Formel *(in memoriam)* und drei weitere: für den König, für den Priester selbst und für die Verstorbenen; Martène 1, 4, IX. X (I, 545. 548 f). Ebenso das Sakramentar von S. Amand (Ende des 9. Jh.): Leroquais I, 56; ähnlich das von Corbie (ohne die Formel für den Priester): ebd. 27. — Das der 2. Hälfte des 9. Jh. entstammende Sakramentar von Amiens läßt auf das oben Anm. 6 angeführte Gebet eine fünffache Abwandlung des *Suscipe sancta Trinitas* folgen, außer den vier eben genannten noch eine Formel für das christliche Volk; Leroquais (Eph. liturg. 1927) 441 f. — Verschiedene spätere Abwandlungen sind zusammengetragen bei F. Cabrol, Diptyques XII: DACL IV, 1081—1083.

[24]) Manchmal mit einer dem Übergewicht der Votivanliegen gegenüber fast entschuldigenden Wendung: *Suscipe, sancta Trinitas, hanc oblationem quam offerro imprimis, ut iustum est, in memoriam...* So z. B. im Meßordo von Séez (PL 78, 248 D).

[25]) Inhaltlich verwandt mit dieser Formel ist auch die letzte Oblationsformel, die im Stowe-Missale ed. Warner (HBS 32) 9 durch Moelcaich (9. Jh.) un-

Bis zu 13 Formeln dieses Schemas finden sich in einzelnen Meßbüchern seit dem 11. Jahrhundert so aneinandergereiht[26]). Sie waren bestimmt, vom Zelebranten gesprochen zu werden, wenn nach dem Opfergang[27]) die Brotoblation vom Diakon auf dem Altar angeordnet[28]) und wohl auch schon die eigene Oblation hinzugegeben war[29]), aber bevor der Kelch herbeigebracht wurde.

---

mittelbar vor dem *Sursum corda* eingefügt ist: *Grata sit tibi haec oblatio plebis tuae, quam tibi offerimus in honorem Domini nostri Jesu Christi et in commemorationem beatorum apostolorum tuorum ac martyrum tuorum et confessorum, quorum hic reliquias specialiter recolimus n. et eorum quorum festivitas hodie celebratur et pro animabus ... et poenitentium nostrorum, cunctis proficiant ad salutem. P. D.*

[26]) 13 Formeln enthält die Missa Illyrica: Martène 1, 4, IV (I, 509 f). — Das Missale von St. Lorenz in Lüttich (Martène 1, 4, XV [I, 590 f]) enthält deren sieben; der Meßordo aus Gregorienmünster (ebd. XVI [I, 598 f]) deren sechs; ein Missale des 11. Jh. aus S. Denis (ebd. 1, 4, V [I, 524 f]) hat deren vier; ebenso aus derselben Zeit das Missale von Troyes (ebd. VI [I, 533]) und die aus Séez stammende Meßordnung (PL 78, 248). Es handelt sich also im wesentlichen um Zeugen des rheinischen Meßordo (s. oben I, 122). — Beispiele des 11. Jh. aus Italien s. Ebner 171. 304 f. 337 f. Mehrere Formeln gleichen Inhaltes, aber zum Teil mit geänderter Anrede, in einem Mailänder Meßordo des 11. Jh.: Codex sacramentorum Bergomensis, Solesmes 1900, S. 91 Anm. 1.

[27]) Daß ein Opfergang mindestens von seiten der Kleriker vorausgeht, ist in einer Reihe von Meßordnungen verschiedener Herkunft aus dieser Zeit eindeutig ausgesprochen; so in der Missa Illyrica: Martène 1, 4, IV (I, 508 B). Es geht die Rubrik voraus: *Tunc convertat se suscipere oblationes presbyterorum aliorumque.* Nach der Entgegennahme der eigenen Brotoblation folgt die Reihe der Oblationsgebete. — Ähnlich (ohne das *aliorumque)* Meßordnung von Séez: PL 78, 248 A; Missale von Montecassino (11./12. Jh.): Ebner 309, vgl. ebd. 346; Missale von St. Lambrecht (1336): Köck 120. — Eindeutig ist auch Bernold von Konstanz, Micrologus c. 10 f (PL 151, 983 f), der zuerst vom Opfergang spricht, dann von der Ordnung der Gaben auf dem Altar, dann von den Gebeten, die darauf, *composita autem oblatione in altari,* zu sprechen seien: *Veni sanctificator* und *Suscipe sancta Trinitas.* — Die ältere Ordnung dürfte gewesen sein, daß der Zelebrant diese Gebete sprach, wenn nach dem Opfergang des Volkes der Altar bereitgemacht war, bevor er die Gaben der Kleriker entgegennahm; vgl. Ordo sec. Rom. n. 9 (Andrieu II, 220; PL 78, 973 B): *orat ... et suscipit oblatas de manu presbyterorum.*

[28]) Meßordnung von Séez (PL 78, 248 C): *Tunc puro corde offerat Domino oblatas altari superpositas dicens.*

[29]) In der Missa Illyrica besagt die Rubrik vor der genannten Gebetsreihe, diese sei zu sprechen, *cum oblationes offeruntur;* anderseits ist die ganze Gebetsreihe eingesprengt zwischen der ersten und der letzten Formel, mit der der Bischof die in Händen gehaltene eigene Oblation darbringt. Martène 1, 4, IV (I, 508 E—510 E). Daß der Zelebrant wenigstens anfangs die eigene Brotoblation

Dann werden aber die Wirkungen fühlbar, die die Umbildung des Opferganges mit sich bringt. Der Opfergang lebt weiter, vor allem in den großen festtäglichen Hochämtern, von denen die Rubriken der Meßbücher meistens sprechen. aber seine Gaben kommen nicht mehr auf den Altar. Die Brotoblation besteht meist nur mehr in der dünnen Hostie, die der Priester selber als eigene Gabe darbringt. Man muß also, bevor man die Gebete beginnt, diese Gabe abwarten. Und angesichts ihrer Geringfügigkeit ist es verständlich, daß man nun auch den Kelch abwartet, der dem Zelebranten, wie wir alsbald sehen werden, nun übrigens meist zusammen mit der Patene überreicht wird. Jene Reihe der Darbringungsgebete rückt also an spätere Stelle zurück. Ja es mußte sich die Frage ergeben, ob sie nicht auch die weiteren vorbereitenden Handlungen, die sich inzwischen vielfach an dieser Stelle festgesetzt haben, die Händewaschung, die Inzensierung, vorangehen lassen und so erst unmittelbar der gleichfalls längst eingelebten Gebetsbitte des *Orate fratres* vorausgehen soll — als letzte persönliche Einstimmung in das priesteramtliche Tun, in das heilige Opfergeschehen des Kanons der Messe, den man damals ja meist mit der Secreta beginnen ließ[30]).

Um dieselbe Zeit wird nun aber auch eine Strömung fühlbar, die auf die Beschränkung der Zahl jener Gebete ausgeht. Bernold von Konstanz († 1100) war als Anwalt dieser Beschränkung aufgetreten, wenn er diejenigen lobte, die sich mit einer einzigen Formel begnügen, mit der sie Lebende und Verstorbene Gott anempfehlen[31]). Die Formel, die er meint, und die allein der Priester *inclinatus ante altare* sprechen soll, ist immer noch vom überlieferten Typ: *Suscipe sancta Trinitas.* Es ist diejenige, die wir heute noch vor dem *Orate fratres*, also an der

---

in den Händen erhoben hält, setzen auch die Meßordnungen von Troyes und von Gregorienmünster voraus: ebd. 1, 4, VI. XVI (I, 532 C. 598 B). Vgl. oben Anm. 26. Anderswo muß man die verbeugte Haltung vorgezogen haben, wobei die eigene Gabe schon auf dem Altare lag.

[30]) Siehe unten 103 f. — Jungmann, Gewordene Liturgie 105 ff. — Ein gewisses Bedürfnis nach vorbereitendem Gebet an dieser Stelle offenbart sich auch darin, daß hier vereinzelt das Gebet *Aperi Domine os meum* auftritt, das heute, leicht abgewandelt, am Anfang des Breviers steht. Sakramentar von S. Denis (11. Jh.): Martène 1, 4, V (I, 526 B); spanische Missalien des 15. Jh.: Ferreres 130.

[31]) Bernold von Konstanz, Micrologus c. 11 (PL 151, 984): *Quae utique oratio a diligentioribus ordinis et comprobatae consuetudinis observatoribus tam pro defunctis quam pro vivis sola frequentatur.* — Auch Amalar hatte ja schon gegen die Häufung der Gebete Stellung genommen; s. oben I, 493.

soeben angedeuteten späteren Stelle, vor dem Altar verbeugt sprechen[32]), und die vormals meist an der Spitze der Formelreihe gestanden hat.

An dieser Stelle, vor dem *Orate fratres,* und in dieser verbeugten Haltung allein[33]) gesprochen, treffen wir sie denn auch schon früh[34]), und zwar vor allem auf italischem Boden[35]) als Bestandteil der sich hier

---

[32]) A. a. O. führt Bernold nur die Anfangsworte an (und vorher das nicht als Darbringungsgebet eingeschätzte *Veni sanctificator).* Den vollen Wortlaut teilt er später mit, c. 23 (PL 151, 992 f): *Suscipe, sancta Trinitas, hanc oblationem, quam tibi offerimus in memoriam passionis, resurrectionis, ascensionis Domini nostri Jesu Christi et in honorem sanctae Dei genitricis Mariae, sancti Petri et sancti Pauli et istorum atque omnium sanctorum tuorum, ut illis proficiat ad honorem, nobis autem ad salutem, et illi pro nobis dignentur intercedere, quorum memoriam agimus in terris. Per Christum.* Auch Wilhelm von Hirsau († 1091), Const. I, 86 (PL 150, 1017), verlangt, daß man immer nur dieselbe gleichbleibende Formel *Suscipe sancta Trinitas* gebrauche. Die von Bernold geforderte Einbeziehung auch der Verstorbenen ist ausdrücklich vorgenommen u. a. in der Fassung der Formel, die im alten Zisterzienserritus gebraucht wurde: *...ut eam acceptare digneris pro nobis peccatoribus et pro animabus omnium fidelium defunctorum;* Bona II, 9, 2 (710 f). Ähnlich noch im heutigen Missale O. Carm. (1935) 225. Vgl. auch unten Anm. 42.

[33]) Am längsten ist die Parallelformel für die Verstorbenen mit ihr verbunden geblieben. So vor dem *Orate fratres* im Sakramentar von Modena (nach 1174): Muratori I, 92; in einem unteritalischen Missale um 1200: Ebner 322; in zwei ungarischen Meßbüchern um 1195 und vom 13. Jh.: Radó 43 (n. 17). 62. — An der ursprünglichen Stelle vor der Kelchoblation stehen diese beiden Formeln im Sakramentar von Limoges (11. Jh.): Leroquais I, 155. Das Formelpaar in französischen Meßbüchern noch bis ins 15. Jh.: Martène 1, 4, XXVI ff (I, 637. 640. 644); vgl. ebd. 1, 4, 6, 16 (I, 393 A). Doch scheint man die zweite Formel nur mehr in Totenmessen gebraucht zu haben. — Auch noch eine dritte Formel für die Lebenden ist stehengeblieben in einem Salzburger Missale um 1200: Köck 124. — Der mailändische Oblationsritus enthält bis heute zwei und an Sonn- und Festtagen drei Formeln unseres Typs *Suscipe sancta Trinitas,* die übrigens mit ausgebreiteten Armen gesprochen werden. Vorausgeht eine weitere Formel gleicher Art, nur mit geänderter Anrede, die verbeugt gesprochen wird und unmittelbar auf die doppelte Darbringung folgt. Missale Ambrosianum (1902) 168.

[34]) Das älteste Beispiel scheint vorzuliegen in einem aus dem „9. oder 10. Jh." stammenden Nachtrag der St. Galler Hs 348 des fränkischen Sacramentarium Gelasianum ed. Mohlberg, S. 247; vgl. XCIX.

[35]) Beispiele aus dem 11./13. Jh. aus Italien, vor allem aus dem Bereich von Montecassino, bei Ebner 298. 301. 310. 322. 326. 329. 337; Fiala 205 f. Es scheint sich um die Neuordnung zu handeln, die sich im Zuge der cluniazensischen Reformbewegung vom Norden her ausgebreitet hat; vgl. zugleich für die verbeugte Haltung, auch das Sakramentar aus dem cluniazensischen Kloster Moissac (11. Jh.): Martène 1, 4, VIII (I, 539 A).

nun vorbereitenden römischen Oblationsordnung[36]). Erst später erscheint sie an gleicher Stelle in einzelnen Ländern auch außerhalb Italiens[37]).

Dabei zeigt die Formel gegenüber dem heutigen Wortlaut, zumal in den älteren Texten, regelmäßig zwei Erweiterungen. Die aus dem Kanon übernommene Reihe der Erlösungsgeheimnisse, deren wir gedenken: Leiden, Auferstehung, Himmelfahrt, ist meistens ergänzt zur Fassung: *in memoriam incarnationis, nativitatis, passionis, resurrectionis, ascensionis D. N. J. C.;* die Erwähnung der Heiligen geschieht in der Regel mit der Formel: *et in honore*[38]*) sanctorum tuorum, qui tibi placuerunt ab initio mundi, et eorum quorum hodie festivitas celebratur et quorum nomina hic et reliquiae habentur*[39]). In einer Gruppe von Texten aber entfällt die erste Erweiterung schon früh. In der zweiten Erweiterung wird schon im 11. Jahrhundert da und dort auch der Name der seligsten Jungfrau und wenig später, und zwar zunächst außerhalb Roms, der der Apostelfürsten eingeschoben[40]), zuletzt der Name des Täufers. Im übrigen erscheint an Stelle jener umschreibenden Erweite-

---

[36]) Innozenz III., De s. alt. mysterio II, 60 (PL 217, 834 C), erwähnt zwar nicht die Formel, wohl aber, daß der Priester verbeugt ein Gebet spricht.

[37]) Für Lyon s. Ebner 326 (Cod. XII, 2); Martène 1, 4, XXXIII (I, 659). Für Süddeutschland Köck 119 ff; Beck 238. 308; Hoeynck 373 f; vgl. Martène 1, 4, XXXII (I, 656).

[38]) Lebrun, Explication I, 315—317, macht aufmerksam, daß die meisten mittelalterlichen Texte und sogar noch das Missale Pius' V. in den älteren Drucken bei unserer Formel die obige Lesart *in honore* bieten: bei der Ehrung, am Ehrentage (in ähnlichem Sinn, wie es in der Marienpräfation heißt: *in veneratione B. M. V.),* nicht *in honorem,* „zur Ehrung", weil dies im Zusammenhalt mit dem nachfolgenden *ut illis proficiat ad honorem* im Grunde eine Tautologie wäre. In einzelnen Kirchen wurde die Oration auch nur an Festtagen gesprochen; ebd. 317. Doch hat sich die Ritenkongregation am 25. V. 1877 für *in honorem* entschieden. Decreta auth. SRC n. 3421, 3.

[39]) Beide Erweiterungen schon in den ältesten Texten: Sakramentare von S. Thierry (9. und 10. Jh.): Martène 1, 4, IX. X (I, 545 B. 548 E); anderseits noch im Missale von Lyon (1904) 228. — Der heutige Wortlaut erscheint (ohne *Johannes Baptista)* bei Bernold, Micrologus c. 23 (oben Anm. 32). — Material aus mancherlei Handschriften ist gesammelt bei P. Salmon O. S. B., Le ‚Suscipe sancta Trinitas' dans l'Ordinaire de la messe: Cours et Conférences VI, Löwen 1928, 217—227.

[40]) Meßordo von Gregorienmünster: Martène 1, 4, XVI (I, 598 C). Weitere Angaben bei Salmon 222, wo aber der Micrologus (vorige Anm.) nicht beachtet ist. — Einzelne Meßbücher enthalten eine eigene Fassung der Formel *Suscipe sancta Trinitas* zu Ehren aller Heiligen, die entsprechend ausgebaut ist. Sakramentar von S. Denis (11. Jh.): Martène 1, 4, V (I, 524 f).

rung, besonders in den späteren Meßbüchern, ein *istorum* eingesetzt[41]). Was den weiteren Inhalt der Formel betrifft, so liegt auf dem *ut*-Satz, in dem sie sich fortsetzt, entsprechend ihrem Ursprung als Kommemorationsformel kein besonderes Gewicht; er scheint fast nur angefügt, um die Form zu wahren: das Opfer möge wie den Heiligen zur Ehre so uns zum Heile gereichen und ihre Fürbitte uns erwirken. Die Funktion der Formel als Ersatz aller anderen Fassungen und als Zusammenfassung aller anderen Opferintentionen kommt darum in ihr nur unvollkommen zum Ausdruck[42]).

Anderswo erscheint an gleicher Stelle, gleichfalls in der verbeugten Haltung dieser Oblationsgebete gesprochen, das Gebet des Azarias: *In spiritu humilitatis* (Dan 3, 39 f). Diese Formel stand schon früh im Wettbewerb mit den Formeln vom Typ *Suscipe sancta Trinitas*[43]). Sie

---

[41]) Oben Anm. 32; Salmon 223. Dieses *istorum* auch im Ordo der päpstlichen Kapelle um 1290 ed. Brinktrine (Eph. liturg. 1937) 203. — Der ursprüngliche Sinn dieses *istorum* ist wohl die Andeutung, hier könne der Priester nach eigener Wahl Heilige nennen, es ist also gleichwertig einem späteren „N.". Vgl. die Aufzählung verschiedener Heiliger im zweiten Teil des *Confiteor* im Augsburger Ordinarium, das in der seit 1481 mehrfach gedruckten Meßerklärung „Messe singen oder lesen" enthalten ist; hier heißt es: ... *s. Katharinam, istos sanctos et omnes electos Dei,* wobei der Erklärer Ratschläge gibt, welche Heilige der Priester einschalten soll. Franz 751. Die ältere römische Liturgie gebrauchte in solchen Fällen in der Regel *ille* oder *talis,* s. Ordo Rom. I n. 7 (Andrieu II, 79 f; PL 78, 940 C) und unten die Besprechung der Mementoformeln. — Bei Salmon a. a. O. auch die Besprechung einiger rein sprachlicher Varianten des *Suscipe sancta Trinitas.* — An Stelle des heutigen *offerimus* haben die älteren Texte meist *offero.*

[42]) Vereinzelt ist eine Auffullung versucht worden. So fügt das Regensburger Missale von 1485 ein: *(...ad salutem) et omnibus fidelibus defunctis ad requiem* (Beck 238); ähnlich das Freisinger Missale von 1520 (Beck 308), das Missale von Osnabrück (Peters, Der Oblationsritus 405) und das von Upsala von 1513 (Yelverton 15). Das Missale von Strengnäs von 1487 fügt an die Formel einen besonderen Spruch an: *Oblatio ista prosit vivis et defunctis ad vitam sempiternam;* E. Segelberg, Manuale Strengnense (Kyrkohistorisk Årsskrift 1949, 199—203) 201. In Totenmessen gebrauchte man hier und anderwärts im Norden und in England als erstes Oblationsgebet die Verse aus dem Offertoriumsgesang: *Hostias et preces... semini eius* (ebd. 200 f). — In unserer heutigen Oblationsordnung ist die Erwähnung der Verstorbenen schon im ersten Darbringungsgebet enthalten. So konnte Batiffol, Leçons 23, finden, daß man im Missale Pius' V. auf unsere Formel wohl hätte verzichten können.

[43]) S. oben Anm. 6. Weitere Fundorte aus Quellen angeblich des 9.—11. Jh. bei Lebrun, Explication I, 284. Der Ausgangspunkt in Nordfrankreich wird bestätigt durch das Sakramentar von S. Denis (Mitte des 11. Jh.), wo auch schon die Rubrik vorausgeht: *inclinatus ante altare dicat;* Martène 1, 4, V (I, 526 C).

hat zunächst in der normannisch-angelsächsischen Liturgie und gegen Ende des Mittelalters schließlich im ganzen Norden weithin das Übergewicht gewonnen und erscheint hier meist in der Rolle des abschließenden Oblationsgebetes vor dem *Orate fratres*[44]), ebenso in den Ordensliturgien[45]), während sie in der römisch-italischen Ordnung zwar auch schon früh auftritt, aber ähnlich wie heute meist unmittelbar auf die Kelchdarbringung folgt[46]). Es liegen also in dieser unserer heutigen Ordnung zwei Gebete vor, die auch in der Körperhaltung demütiger Verbeugung noch erkennen lassen, daß sie als Vorwegnahme der Darbringungsgebete des Kanons gemeint sind[47]).

Dabei ist bemerkenswert, daß man bei beiden Gebeten, wenn sie in

---

[44]) Für die Normandie s. Beispiele bei Martène 1, 4, XXXVI f (I, 673 C. 678 A); Legg, Tracts 42. 60. Für England: Legg, Tracts 5. 221; Maskell 94 f. Auch in Schweden: Yelverton 15. In Deutschland (Beispiele aus Köln, Mainz und Trier bis 1610): Peters, Der Oblationsritus 399 ff. 415. Ähnlich in Spanien: Ebner 342; Ferreres 128. 130.

[45]) Für die Zisterzienser s. Franz 587. Für die Kartäuser Legg, Tracts 101; Ordinarium Cart. (1932) c. 26, 20. Für die Dominikaner Sölch, Hugo 82. Auch im weitverbreiteten benediktinischen Liber ordinarius von Lüttich: Volk 92.

[46]) Eine dritte Formel von gleicher Bewertung und Bestimmung, die ihrem Wortlaut entsprechend ursprünglich unmittelbar auf die Kelchbereitung folgte, ist später wieder verschwunden. Sie lautet: *Domine Jesu Christe, qui in cruce passionis tuae de latere tuo sanguinem et aquam, unde tibi Ecclesiam consecrares, manare voluisti, suscipe hoc sacrificium altari superpositum et concede, clementissime, ut pro redemptione nostra et etiam totius mundi in conspectum divinae maiestatis tuae cum odore suavitatis ascendat. Qui vivis.* Unmittelbar nachdem der Kelch auf den Altar gestellt ist, folgt sie in der Missa Illyrica: Martène 1, 4, IV (I, 511 B), und im Meßordo von Séez (PL 78, 249 A), ebenso in mittelitalischen Meßordnungen des 11./12. Jh. (Ebner 298. 313; Fiala 204; Muratori I, 90 f); auch noch im Missale von 1336 aus St. Lambrecht (Köck 121). Die Erhebung des Kelches begleitet sie im Missale von St. Lorenz in Lüttich: Martène 1, 4, XV (I, 591 D). Gleichfalls in mittelitalischen Ordnungen des 11./12. Jh. erscheint sie aber auch unmittelbar vor dem *Orate fratres*, einmal ausdrücklich als mit der Formel *Suscipe sancta Trinitas* vertauschbar gekennzeichnet (Ebner 301) und mit der Rubrik: *Tunc inclinet se sacerdos ante altare et dicat* (ebd.; vgl. Ebner 296. 341).

[47]) Beide Formeln wie heute in der Meßordnung des 11. Jh. aus Montecassino: Ebner 340 (Cod. C 32); vgl. 309 f. Im übrigen ist die Verwendung der beiden Formeln auch in Italien bis zum Durchdringen des Missale Romanae Curiae und bis zum Auftreten der Franziskaner (vgl. Ebner 314) selten. Vgl. jedoch, übrigens erst vom 13. Jh. an, für Lyon: Ebner 326; Martène 1, 4, XXXIII (I, 659); für den süddeutschen Bereich Beck 237 f, 307 f; Köck 122.

jüngeren Texten als Begleitworte zum äußeren Darbringungsakt erscheinen, immer noch die verbeugte Haltung mit dem Darbringungsgestus zu verbinden sucht. In einer fast höfischen Gebärde — Formen des gesellschaftlichen Verkehres kehren ja auch sonst in der Gottesverehrung wieder — bietet man die Gabe Gott dar und spricht dazu: *In spiritu humilitatis*[48]) oder: *Suscipe sancta Trinitas*[49]).

In ihren Anfängen kaum viel jünger ist eine zweite Schicht von Textelementen, die nun aber mit dem äußeren Ritus enger verbunden und wesentlich darauf hingeordnet sind, den sichtbaren Vorgang deutend zu begleiten[50]). Wir werden sie also am besten mit der Besprechung dieses äußeren Vorganges selbst verbinden.

Zuerst muß der Altar bereitgemacht werden. Im Hochamt wird noch heute unmittelbar vor dem Offertorium, gegebenenfalls während des *Credo*, das in der Bursa liegende Corporale durch den Diakon zum Altar übertragen und dort ausgebreitet, während wir es sonst beim Gang zum Altar dorthin mitbringen und sofort entfalten. Dieses Corporale ist heute auf bescheidene Maße reduziert; nur bei der feierlichen Papstmesse bedeckt es noch die ganze Breite des Altares und wird hier zu Beginn der Gabendarbringung von einem (Kardinal-)Diakon und dem Subdiakon über den Altar gelegt[51]). Das war so schon Brauch im

---

[48]) So in der 1486 zuerst erschienenen Expositio mysteriorum missae des Wilhelm von Gouda: *Elevato igitur calice, parum suspiciens, devote affectans humili corde pronus, genibus parum flexis, ut ille dignissimus dignetur aspicere: In spiritu humilitatis.* Zitiert bei M. Smits van Waesberghe, Die Misverklaring van Meester Simon van Venlo (Ons geestelijk Erf 1941) 303. Es handelt sich in den niederländischen Meßordnungen um die gleichzeitige Darbietung von Kelch und Patene; vgl. ebd. 325—327.

[49]) Kamaldulenser Sakramentar des 13. Jh.: *patenam cum oblatis accipit et inclinans se ad altare suppliciter dicit hanc orationem: Suscipe sancta Trinitas;* Ebner 355. — Ähnlich um dieselbe Zeit der Brauch in England: Der Priester nimmt den Kelch mit der Patene entgegen, *et inclinato parum elevet calicem, utraque manu offerens Domino sacrificium ...: Suscipe sancta Trinitas.* Frere, The use of Sarum 75. Noch das Zisterziensermissale von 1617 bestimmt: *elevatis patena cum pane et calice et genuflectens dicat;* Schneider (Cist.-Chr. 1926) 349.

[50]) Das Stilprinzip, jede Handlung mit einem begleitenden Spruch auszustatten, wird z. B. in der Bußdisziplin schon im 9. Jh. fühlbar und dann immer stärker wirksam; Jungmann, Die lateinischen Bußriten 91 ff. 212 f. Die Absolutionsformeln haben darin ihren Ursprung.

[51]) Brinktrine, Die feierliche Papstmesse 18.

römischen Gottesdienst des 7. Jahrhunderts[52]). Das Mittelalter hat vielfach schon diese Handlung mit Gebet begleitet[53]).

Wenn der Altar bereit ist, können die Gaben auf den Altar verbracht und darauf angeordnet werden. Auch dafür lag im römischen Stationsgottesdienst eine wohl abgewogene Ordnung vor: Der Archidiakon legt, unterstützt von den Subdiakonen, die den Gaben der Gläubigen entnommene Oblation auf dem Altare zurecht; der Papst legt die Brotgabe der Kleriker und seine eigene hinzu; den Kelch stellt wieder der Archidiakon rechts neben die Brotgabe des Papstes[54]). Das alles spielte sich ab, ohne daß dabei ein Wort gesprochen wurde. Dem fränkischen Liturgieempfinden war das unerträglich. Im Ritus, wie wir ihn auf Grund der übernommenen römischen Ordnung um die Jahrtausendwende hier im Norden voll entfaltet finden, ist in dieser Hinsicht bereits ausgiebig vorgesorgt; am reichsten in der sogenannten Missa Illyrica[55]), wobei wir von dem Wuchergewächs der Apologien absehen wollen, die

---

[52]) Ordo Rom. I n. 12 (Andrieu II, 90; PL 78, 943). Ebenso noch im Ordo sec. Rom. n. 9 (Andrieu II, 218; PL 78, 972 C). Während in den ersten Jahrhunderten außerhalb des Gottesdienstes nur die aus kostbarem Stoff hergestellte Altarbekleidung, von der unser Antependium stammt, auf dem Altartisch verblieb, hat man schon im 7. Jh. auch Altartücher aus Leinwand dauernd auf dem Altare belassen. Überreste des älteren Brauches haben sich bis heute erhalten in den Kartagen, wo diese Altartücher erst am Beginn des Gottesdienstes ausgebreitet werden. Die zu denselben hinzukommende *palla corporalis* — so genannt, weil sie mit dem Leib des Herrn in Berührung kommt — unser Corporale, war so gefaltet, daß sie nach der Bereitlegung der Hostienbrote und des Kelches auf dem Altare als Schutz über diese geschlagen werden konnte. Seit dem späteren Mittelalter hat man dann die Palla im heutigen Sinn für den Kelch vom Corporale abgetrennt. Braun, Die liturgischen Paramente 184—192; 205—212; Eisenhofer I, 353—360. In manchen Ländern wurden und werden zwei Corporalien gebraucht; Ferreres 126 n. 499 f. Die Kartäuser behelfen sich auch heute noch mit dem zurückgeschlagenen Corporale; Ordinarium Cart. (1932) c. 26, 20.

[53]) Mittelitalische Meßbücher um das 12. Jh. lassen den Priester Ps 67, 29 f *(Confirma hoc... munera)* sprechen und hinzufügen: *In tuo conspectu Domine haec munera nostra sint placita, ut nos tibi placere valeamus. Per.* Ebner 333; vgl. 337. 340; Fiala 203. Das genannte Gebet auch noch im Missale von Braga (1924) 250. Eine andere Formel *(Per hoc sacrificium salutare)* in einem Florentiner Missale des 11. Jh., ebd. 300. — Die Formel *In tuo conspectu* auch im Meßordo der päpstlichen Kapelle um 1290 ed. Brinktrine (Eph. liturg. 1937) 201, und (mit der Rubrik: *Ad corporalia displicanda)* noch in spanischen Meßbüchern des 15./16. Jh.; Ferreres 126.

[54]) Oben I, 94.

[55]) Vgl. oben I, 102 ff. 124 ff.

hier am Anfang des Offertoriums und noch einmal in dessen Verlauf hervortreten[56]).

Schon die Überreichung der Gaben beim Opfergang soll vom einzelnen Geber mit einem Spruch begleitet werden, auf den jedesmal mit einem Gegenspruch des Empfängers geantwortet wird[57]). Wenn dann der Diakon die für den zelebrierenden Bischof bestimmte Brotoblation vom Subdiakon übernimmt, tut er dies ebenfalls mit einem Segenswunsch: *Acceptum sit omnipotenti Deo et omnibus sanctis eius sacrificium tuum*[58]). Wenn er sie dem Bischof überreicht, übernimmt sie dieser wieder mit einem ähnlichen Segenswunsch, wobei der Diakon aber auch seinerseits schon einen Gebetsspruch sagt, mit dem er die Gaben Gott darbietet[59]). Dann bietet der Bischof auch selber die Gabe Gott dar mit einem ähnlichen Gebetsspruch, der ungefähr die erste Hälfte unseres heutigen *Suscipe sancte Pater* umfaßt[60]) oder aber mit einer anderen angemessenen Formel[61]), und dann folgt die lange Reihe der Darbringungsgebete, von denen oben die Rede war.

---

[56]) Martène 1, 4, IV (I, 508—512); die Apologien S. 506 ff. 509 CD. — Auch bei der Händewaschung werden Apologien eingefügt: ebd. 1, 4, V (I, 525 f). — Ein Gebet im Stil der Apologien wird schon von Amalar, Liber off. III, 19, 24 (Hanssens II, 318 f), an dieser Stelle erwähnt, wenn er vom Priester sagt, bevor er die Gaben der Kleriker entgegennimmt, erflehe er *pro suis propriis delictis remissionem, ut dignus sit accedere ad altare et ad tactum oblatarum.*

[57]) Oben 23 ff.

[58]) Später auch in erweiterter Form. Ein spanisches Missale des 15. Jh. läßt den Diakon *ad hostiam ponendam* sprechen: *Grata sit tibi haec oblatio, quam tibi offerimus pro nostris delictis et Ecclesia tua sancta catholica.* Nach J. Serra di Vilaro: JL 10 (1930) 392. — Vgl. Ferreres S. LX. LXIX. LXXX. CV. CXI. 126, wo aber die Zueignung an den Diakon weggefallen ist.

[59]) *Suscipe, Domine, sancte Pater, hanc oblationem et hoc sacrificium laudis in honorem nominis tui, ut cum suavitate ascendat ad aures pietatis tuae. Per.* A. a. O. 508 D.

[60]) Die Brotgabe wird also betrachtet als Oblation aller, durch deren Hände sie geht: Subdiakon, Diakon, Bischof. Daß die Formel, mit der der Zelebrant die Oblation Gott darbietet, nur ein persönlicher Begleitspruch, nicht ein spezifisch priesterliches Gebet sein will, erhellt daraus, daß dafür, mitunter kaum verändert, auch die Formel dient, mit der Laien ihre Gabe darreichen; so in einem oberitalischen Sakramentar des 12. Jh. (Ebner 306) und noch im Missale von Lund (1514): Segelberg (Eph. liturg. 1951) 255: *Tibi Domino creatori meo;* vgl. oben 25 Anm. 98. Auch der Diakon spricht öfter die gleiche Formel, wenn er dem Priester die Patene mit der Hostie überreicht; so in einem italischen Pontifikale des 11./12. Jh.: Ebner 312; im Sakramentar von Modena (vor 1174): Muratori I, 90.

[61]) Das eben erwähnte italische Pontifikale des 11./12. Jh. bei Ebner 312 läßt den Priester Ps 19, 2—4 sprechen.

Ähnlich ist der Vorgang, wenn dem Zelebranten nach dieser Gebetsreihe der Kelch überbracht wird[62]). Es ist in der Regel der fertige Kelch, der mindestens schon den Wein enthält[63]). Der Diakon überreicht ihn dem Zelebranten mit einem kombinierten Psalmenwort[64]), worauf dieser ihn mit dem heute geläufigen Darbringungsspruch erhebt: *Offerimus tibi*[65]), oder mit einer ähnlichen Formel. Doch wird die Überreichung außerdem auch hier schon früh vom Zelebranten vorher mit einem Psalmenwort[66]) oder auch, in Parallele zur Hostie, gleichfalls mit einem Segensspruch beantwortet[67]).

In der Folge wird der Vorgang enger zusammengedrängt und klarer geordnet. Seitdem nämlich die Brotoblation meist nur mehr aus der

---

[62]) Von der Regel, daß nur ein Kelch auf den Alter kommt, sind immerhin auch Ausnahmen bekannt, was im Hinblick auf die Volkskommunion *sub utraque specie* im Grunde nicht wundernehmen kann. So ist in Montecassino noch im 11. Jh. von 7 Kelchen die Rede; Martène, 1, 4, 6, 11 (I, 390). Auch der hl. Bonifatius richtet darüber eine Anfrage nach Rom, erhält aber die Antwort, daß es nicht angemessen sei, *duos vel tres calices in altario ponere;* Gregor II. an Bonifatius (726) (MGH Ep. Merow. et Karol. aevi I, 276). Es scheint sich bei dem von Bonifatius berichteten Brauch um gallikanische Überlieferung zu handeln; s. Capitulare eccl. ord. (Andrieu III, 122 f). — Eine Mehrzahl von Kelchen auf dem Altar wird erwähnt auch in orientalischen Liturgien: Const. Ap. VIII, 12, 3 (Quasten, Mon. 212 Z. 21), griechische Jakobusliturgie (Brightman 62 Z. 17. 28), ostsyrische Liturgie (ebd. 295 Z. 18); namentlich griechische Markusliturgie (Brightman 124 Z. 8; 134 Z. 10); vgl. dazu Andrieu, Immixtio et consecratio 240—243.

[63]) Daß der Diakon das Eingießen besorgt, zeigt z. B. das Missale von Troyes (um 1050): *Diaconus vergens libamen in calicem dicat: Acceptum sit omnipotenti Deo sacrificium istud;* Martène 1, 4, VI (I, 532 D). Anderswo sagt der Diakon den gleichen Spruch, wenn er den Kelch auf den Altar stellt. Mittelitalische Meßbücher des 11./12. Jh. bei Ebner 328. 337; Fiala 204; Sakramentar von Besançon (11. Jh.): Leroquais I, 139.

[64]) *Immola Deo sacrificium laudis et redde Altissimo vota. Sit Dominus adiutor tuus, mundum te faciat, et dum oraveris ad eum exaudiat te* (Pss 49, 14; 27, 7; 90, 15). Missa Illyrica: Martène 1, 4, IV (I, 511 A); Meßordo von Séez (PL 78, 249 A) und einige verwandte Meßordnungen (u. a. Ebner 301. 309; Fiala 203).

[65]) Missa Illyrica a. a. O. (511 A).

[66]) Mit Ps 115, 3 (12) f *(Quid retribuam),* so schon bevor die Aufforderung *Immola* (vorige Anm.) bezeugt ist: die beiden Sakramentare von S. Thierry (9. u. 10. Jh.): Martène 1, 4, IX f (I, 545 D. 549 B); Meßordnung von Gregorienmünster (11. Jh.): ebd. XVI (I, 599 B). — Mit Ps 115, 4 (13) *(Calicem salutaris):* Meßordnung der Peterskirche (Beginn des 12. Jh.; Ebner 333).

[67]) Meßordnung der Peterskirche (vorige Anm.): *Acceptum sit omnipotenti Deo sacrificium istud.* Vgl. oben Anm. 63.

dünnen Hostie des Priesters besteht, der die flache, kleine Patene entspricht, wird es mehr und mehr üblich, daß der Diakon unter einem den Kelch mit Wein und, darauf liegend[68]), die Patene mit der Hostie herbeibringt und darreicht[69]). In diesem jüngeren, weiterentwickelten Ritus redet der Diakon den Zelebranten an mit dem Psalmvers (49, 14): *Immola Deo sacrificium laudis et redde Altissimo vota tua.* Der Zelebrant begegnet ihm mit dem anderen Psalmwort, 115, 4 (13): *Calicem salutaris accipiam et nomen Domini invocabo*[70]). Doch sind

---

[68]) Anders im Missale von St. Vinzenz am Volturno, wo noch um 1100 die Kommunion des Konvents vorausgesetzt wird: der Subdiakon bringt in der Linken den Kelch, in der Rechten *patenam cum oblatis;* Fiala 203. 216. — Über die Verkleinerung der Patene um das 11. Jh. s. unten 379.

[69]) In der Privatmesse ist bei den Cluniazensern die gemeinsame Übertragung schon im 11. Jh. üblich. Wilhelm von Hirsau, Const. I, 86 (PL 150, 1015 D); vgl. Udalrici, Consuet. Clun. II, 30 (PL 149, 724 B). — Die mittelalterliche Allegorese, die hier griechische Anregungen weiterbildete, sah im Kelch das Grab und in der Patene den Grabstein. Darauf lag die Hostie mit dem (bis es der Diakon entfaltete) zusammengefalteten Corporale, worin der Leib des Herrn mit den Grabtüchern erblickt wurde. Ein Merkvers darüber schon bei Sicard, Mitrale III, 9 (PL 213, 146). Auch die Bezeichnung des Corporale als *sindon* (Ebner 328; Fiala 204) kann hieher gehören. — Im Regensburger Missale um 1500 (Beck 267; vgl. 266) wird die Palla als Grabstein bezeichnet: *Accipe lapidem et pone super calicem.* Ähnlich in dem 1493 gedruckten Brixener Missale S. 130v: *Hic ponitur lapis super calicem* (Hinweis von P. Balthasar Gritsch O. F. M.). — Nach einem Meßordo von Lüttich aus dem 16. Jh. soll der Priester den Kelch bedeckend sprechen: *In pace factus est locus eius*... Smits van Waesberghe (Ons geestelijk Erf 1941) 326. Dasselbe Wort in ähnlichem Zusammenhang im Missale von Lund (1514) und Lübeck (1492): Segelberg 255, auch in einem ungarischen Missale des 14. Jh.: Radó 68. Der gleiche Hinweis auf die Grabesruhe im Missale von Riga (15. Jh.): v. Bruiningk 81.

[70]) Ordinarium O. P. von 1256 (Guerrini 239); vgl. Legg, Tracts 78. Ebenso im heutigen Dominikanerritus, wobei aber das Gegenwort des Priesters beginnt mit *Quid retribuam:* Missale O. P. (1889) 18. 27; das Wort des Diakons entfällt in der nichtfeierlichen Messe, ebd. 18. Ähnlich in Tongern um 1413; de Corswarem 126. — Nach dem benediktinischen Liber ordinarius von Lüttich ist das Wort des Diakons auf den Priester übergegangen, der dann mit *Quid retribuam* fortfährt (Volk 92). Ähnlich auch schon im Sakramentar des 12. Jh. aus Camaldoli (Ebner 296). Folgerichtig läßt man den Priester dann auch sprechen: *Immolo ... et reddam (reddo):* so das von F. Rödel (JL 1924, 84) beschriebene rheinische Missale des 13. Jh. und das von Osnabrück im 16. Jh.: Peters, Der Oblationsritus 405; vgl. Missale von Riga: v. Bruiningk 81. — Ohne das Diakonswort ist das *Quid retribuam ... invocabo* häufig in jüngeren Meßordnungen: Martène 1, 4, 6, 16 (I, 393 B. D); ebd. 1, 4, XVII. XXXIII (I, 600 E. 659 B); Legg, Tracts 41. 59; Missale von Lyon (1904) 227, wo noch das Parallelwort zur Hostie: *Dixit Jesus discipulis suis: Ego sum panis*... (Jo 6, 51.

auch andere Formeln in Gebrauch gewesen[71]). Nun erhebt der Priester Kelch und Patene, so wie sie ihm überreicht wurden, und spricht dazu eine kurze Darbringung für beide gemeinsam. In der Liturgie der Dominikaner ist es eine kurze, inhaltlich bereicherte Fassung des *Suscipe sancta Trinitas*[72]); ähnlich meist in England[73]), vielfach auch in Frankreich, wo weithin derselbe Oblationsritus maßgebend war[74]).

---

52 a). — Ein Prämonstratenser-Missale von 1539 hat die Formel weitergebildet: *Panem coelestem et calicem salutaris accipiam;* Waefelghem 60 Anm. 1. — Nach dem Kölner Ordo celebrandi des 14. Jh. (und ebenso noch 1514) begann der Priester das Offertorium mit *In nomine Patris... Quid retribuam,* worauf die Oblationsgebete folgten; Binterim IV, 3, S. 222; vgl. ebd. 227. Ähnlich im Zisterzienserritus des 15. Jh. (Franz 587) und im Ritus von S. Pol-de-Léon (Martène 1, 4, XXXIV [I, 662 E]).

[71]) Bernold von Konstanz, Micrologus c. 23 (PL 151, 992): *Cum sacerdos accipit oblationem, dicit: Acceptabile sit omnipotenti Deo sacrificium nostrum.* Ebenso Missale von Fécamp (um 1400): Martène 1, 4, XXVII (I, 640 B); Augsburger Missale von 1386 (Hoeynck 373); vgl. die steirischen Missalien: Köck 119. 122. 125. Auch in Riga: v. Bruiningk 81. Eine erweiterte Fassung *(quam tibi offerimus pro...)* im heutigen Missale von Braga (1924) 251. — Nach einem Pontifikale des 11./12. Jh. in Neapel (Ebner 312) antwortet der Priester auf das *Immola* mit der römischen Bußoration *Praeveniat.* — Eine frühe Sammlung kurzer Oblationsformeln im ungarischen Sakramentar von Boldau (um 1195): Radó 43 (hierhergehörig besonders n. 8. 10. 13. 14).

[72]) Missale O. P. (1889) 18 f: *Suscipe sancta Trinitas hanc oblationem, quam tibi offero in memoriam passionis Domini nostri Jesu Christi, et praesta ut in conspectu tuo tibi placens ascendat et meam et omnium fidelium salutem operetur aeternam.* Ähnlich Missale O. Carm. (1935) 225. Auch die noch kürzere Fassung, die uns oben 23 Anm. 88 als Formel zur Oblation der Laien begegnet ist, kommt in gleicher Verwendung vor: Martène 1, 4, XXXI (I, 650 f); vgl. Ebner 326. Ähnlich in der Dominikanerliturgie des 13. Jh.: Legg, Tracts 78; Sölch, Hugo 77 f mit Anm. 152. Auch die Prämonstratenser befolgten bis 1622 einen ähnlichen Ritus; Waefelghem 63 Anm. 1.

[73]) Sarum Ordinary (13. Jh.; Legg, Tracts 220): *Suscipe, sancta Trinitas, hanc oblationem, quam ego miser et indignus offero in honore tuo et beatae Mariae perpetuae virginis et omnium sanctorum tuorum pro peccatis meis et pro salute vivorum et requie omnium fidelium defunctorum. Qui vivis.* Vgl. ebd. 5; Martène 1, 4, XXXV (I, 667 A); Maskell 82 f; Simmons, The Layfolks Massbook 98 f. — Das Missale von Westminster (um 1380) ed. Legg (HBS 5) 500 hat eine andere Formel: *Offerimus tibi, Domine, calicem et hostiam salutaris tuam clementiam deprecantes... ascendant. In nomine Patris.*

[74]) Ordinarium von Coutances: Legg, Tracts 59; vgl. das in Frankreich wiederholt gedruckte Alphabetum sacerdotum (ebd. 41). — Derselbe Ritus, aber mit anderen Oblationssprüchen in Missalien des 15./16. Jh. aus Tours und Limoges: Martène 1, 4, 6, 16 (I, 393). — Die Kartäuser gebrauchen bei gleichem Ritus als Oblationsspruch: *In spiritu humilitatis;* Martène 1, 4, XXV (I, 632 D); Legg, Tracts 100 f; Ord. Cart. (1932) c. 26, 20. Vgl. zum Ritus ebd. c. 29, 5. 12.

Anderwärts wird dann aber der Oblationsritus aufgespalten. Es liegt zwar zuerst in der Regel die Patene mit der Hostie auf dem Kelch. Manchmal wird auch darüber erst ein Segensspruch gesagt[75]). Dann nimmt der Priester aber zuerst die Patene[76]) und bringt mit einem begleitenden Gebetswort die Hostie dar, darauf, sofern dies nicht dem Diakon zugewiesen bleibt, ebenso den Kelch[77]).

Für eine solche doppelte Darbringung waren schon Vorbilder vorhanden im Frühstadium des Offertoriumsritus, wo der Kelch noch getrennt überreicht wurde. In der Missa Illyrica liegt auch schon der Anfang der späteren römischen Formel zur Patene vor: *Suscipe sancte Pater*[78]), und die vollständige Formel zum Kelch: *Offerimus*[79]), beide mit weiteren Texten umsponnen[80]). Doch scheint man auch diesem doppelten Begleitwort nicht das Gewicht eines eigentlichen Gebetes,

---

[75]) Nach dem Pontifikale des Durandus soll der Priester, bei dessen Messe der Bischof anwesend ist, diesem, nachdem er von ihm den Segen für das Wasser erbeten hat, den Kelch mit der Patene entgegenhalten, ebenfalls zur Segnung (s. unten Anm. 127). Vgl. die Statuta antiqua der Kartäuser (13. Jh.): Martène 1, 4, XXV (I, 632 D).

[76]) Eine Zwischenform z. B. im Alphabetum sacerdotum: Zuerst gemeinsame Darbringung, dann noch ein kurzer Spruch über die Patene (Legg, Tracts 41); ebenso Ordinarium von Coutances (ebd. 59). Ähnlich auch schon im Kölner Ordo celebrandi des 14. Jh. (Binterim IV, 3. S. 222 f).

[77]) Der Übergang ist deutlich sichtbar im Vergleich des älteren Ritus von Sarum (13. Jh.: Legg, Tracts 220 f) mit dem jüngeren (14. Jh.: ebd. 4 f; auch schon zu Beginn des 14. Jh.: Legg, The Sarum Missal 218 Anm. 8): in letzterem die getrennte Oblation. Jedoch ist die neue Ordnung in England nicht überall durchgedrungen. — Dagegen findet sie sich meist in den jüngeren süddeutschen Meßordnungen (Beck 237 f. 266 f. 307 f; Hoeynck 373; Köck 119—125). — In Italien ist die doppelte Darbringung schon seit dem 11. Jh. die Regel; Ebner 300 f. 306. 309. 328 usw.

[78]) Zur Darbringung der eigenen Brotoblation: *Suscipe, sancte Pater omnipotens aeterne Deus, hanc immaculatam hostiam, quam ego indignus famulus tuus tibi offero Deo meo vivo et vero, quia te pro aeterna salute cunctae Ecclesiae tuae suppliciter exoro. Per.* Martène 1, 4, IV (I, 508 E). Dieselbe kurze Formel in verderbter Gestalt in einem unteritalischen Meßordo: Ebner 346.

[79]) Die Formel erscheint zuerst als eine aus dem „9. oder 10. Jh." stammende Beigabe der St. Galler Sakramentar-Hs 348 unter der Überschrift *Offertorium sacri calicis post oblationes oblatarum.* Mohlberg, Das fränkische Sacramentarium Gelasianum S. 247; vgl. XCIX. Es fehlen hier und an anderen frühen Fundorten noch die Worte *pro nostra et totius mundi salute;* vgl. Lebrun, Explication I, 279.

[80]) Martène 1, 4, IV (I, 508 E. 511 A); zwischen den beiden Formeln liegen die oben besprochenen Oblationsgebete mit *Suscipe sancta Trinitas.*

jedenfalls nicht das einer priesterlichen Oration beigemessen zu haben[81]). Besonders beim Kelch begnügt man sich manchmal mit einem kurzen Segensspruch[82]). Mit wachsender Deutlichkeit werden dann auch sonst die näheren Umrisse der stofflich schon in der Missa Illyrica vorhandenen späteren römischen Oblationsordnung erkennbar, und zwar in den italischen Meßordnungen seit dem 11./12. Jahrhundert. Die Psalmenworte zum Überreichen und Ergreifen des Kelches entfallen. Neben einem sonst vielfach allein gebrauchten kurzen Oblationsspruch[83]) erscheint zur Darbringung der Hostie das im allgemeinen noch sehr seltene *Suscipe sancte Pater* nun in seinem vollen Wortlaut[84]). Nach

---

[81]) Daraus erklärt sich u. a., daß Innozenz III., De s. alt. mysterio II, 58 (PL 217, 833 f), in der Beschreibung des Oblationsritus sie nicht erwähnt, obwohl die mittelitalischen Meßordnungen des 11. und 12. Jh. alle eine reiche Auswahl von Oblationsgebeten aufweisen. Es sind mehrfach Formeln, die in anderen Fällen der Diakon und sogar der Laie spricht; vgl. die Beispiele oben 67.

[82]) Seckauer Missale um 1170 (Köck 120): *Acceptabile sit*... Ähnlich einzelne englische Meßordnungen: York um 1425: Simmons 100. Vgl. Sarum: Martène 1, 4, XXXV (I, 667 B); Maskell 82.

[83]) Es ist die auch von Laien (oben 25 Anm. 98) und auch vom Diakon oder vom Subdiakon bei der Kelchüberreichung (Ebner 298. 300. 312) gesprochene Formel: *Tibi, Domine, creatori meo hostiam offero pro remissione omnium peccatorum meorum et cunctorum fidelium tuorum.* So in Italien: Ebner 337; vgl. 296. 306. 340; auch in Süddeutschland: Hoeynck 373; Beck 266. 307; Köck 119—123; Salzburger Missaliendrucke (Hain 11420 f).

[84]) Vgl. Ebner 13. 328. 340. Die letztgenannte Stelle beträfe den ältesten Fall (11. Jh., Bereich von Montecassino); doch trifft die Angabe bei Ebner 340 („wie jetzt"), wie die Prüfung der Hs (Rom, Bibl. Vallic. C 32) ergab, nur für die erste Hälfte zu, bis *vivo et vero*. Die Weiterführung lautet hier: *qua te pro te (!) eterna salute cuncte ecclesie tue suppliciter exoro.* Vgl. oben Anm. 78. Die Formel ist übrigens auch sonst in Italien bis zum Minoritenmissale (Ebner 314) sehr selten. Meßerklärungen des 13. Jh. setzen sie aber bereits voraus: Wilhelm von Melitona, Opusc. super missam ed. van Dijk (Eph. liturg. 1939) 327; Durandus IV, 30, 17. — Es ist ein auch bei Eisenhofer II, 141 weitergegebener Irrtum, daß die Formel schon im Gebetbuch Karls des Kahlen vorhanden sei (vgl. oben Anm. 22). — Die einleitenden Wendungen in einem Missale des 10./11. Jh. aus Bobbio (Ebner 81): *Accipe, quaesumus Domine s. P. o. ae. D., hanc immaculatam hostiam, quam tibi suppliciter offero Deo vivo et vero*... Vgl. oben Anm. 78. Anklänge *(quam ego indignus famulus tuus offero)* in fränkischen Sakramentaren des 10. Jh.: Leroquais I, 69. 71. 76. Noch deutlicher schon um 800 in der Secreta einer Messe des Priesters *pro se* im Sakramentar von Angoulême (ed. Cagin, Angoulême 1919, S. 160): *Suscipe, clementissime Pater, has oblationes quas ego indignus famulus tuus offero pro peccatis atque offensionibus meis.* Die Wendungen der zweiten Hälfte der Formel kehren in Apologien mehrfach wieder, u. a. in einer *oratio ante altare* des Sakramentars des 9. Jh. aus S. Thierry (auch in dem eben genannten Sakramentar von Montecassino;

der Beimischung des Wassers folgt die Darbringung des Kelches mit dem *Offerimus*[85]), wobei es übrigens noch lange nicht allgemeine Regel ist, daß der Zelebrant, wie vereinzelt schon in sehr früher Zeit[86]), Patene und Kelch über dem Altar erhoben hält[87]). Dazu kommen noch, außer der Herabrufung des *sanctificator*, die verbeugt zu sprechenden und somit einigermaßen selbständigen Gebete *In spiritu humilitatis* und *Suscipe sancta Trinitas*[88]).

Es ist nicht ganz Zufall, daß die Formel zur Patene den Singular behalten hat, der in all diesen mittelalterlichen Oblationstexten vorherrscht, während die Formel zum Kelch: *Offerimus*, pluralisch gefaßt ist. Wir treffen die letztere nämlich früh nicht nur im Munde des

---

Ebner 339): *Deus qui de indignis dignos facis ... concede propitius ut ... hostias acceptabiles ... offeram pietati tuae pro peccatis et offensionibus meis et innumeris quotidianis excessibus ... et omnibus circumstantibus ... cunctisque simul fidelibus christianis ...* Martène 1, 4, IX (I, 547 B). — Zu den Schlußworten vgl. den Schluß einer *Suscipe*-Formel im Sakramentar von S. Denis (Mitte des 11. Jh.): Martène 1, 4, V (I, 525 A): *... pro peccatis omnium christianorum tam vivorum quam defunctorum, ut vivis hic ad salutem et remissionem peccatorum et defunctis proficiat ad requiem sempiternam et vitam sempiternam.* Die heutige Formel muß im frühen 11. Jh. in Frankreich entstanden sein.

[85]) In den meisten italischen Meßordnungen: Ebner 301. 306. 322 usw. Die Form vorwiegend auch in Süddeutschland, wo das *Suscipe sancte Pater* unbekannt war: Hoeynck 373; Beck 238. 267. 307 f; Köck 120. 122. 124. — Während sonst meist nur geringere Varianten erscheinen, liegt eine merkwürdige Prolepsis vor in einem Hamburger Missale des 11. Jh. (Ebner 200): *Offerimus tibi Domine sanguinem Filii tui deprecantes ...*

[86]) Oben Anm. 4.

[87]) Bis ins 13. Jh. führen italische Meßordnungen den betreffenden Oblationsspruch lediglich mit der Rubrik ein: *Quando panem et vinum super altare ponit* (Ebner 326); *Quando offert hostiam super altare; Quando ponitur calix super altare* (päpstliche Kapelle um 1290: ebd. 347; vgl. 296. 306. 322. 328. 337). Vgl. Innozenz III., De s. altaris myst. II, 58 (PL 217, 833). — Andere Meßordnungen sagen: *Cum oblatam accipit* u. ä. (Ebner 340; vgl. 298. 300), wobei einmal erst eine jüngere Hand verdeutlichend hinzufügt: *Tenens patenam in manibus* (ebd. 340 Anm. zu Cod. Vall. F 4), eine Weisung, die allerdings auch schon in einem benediktinischen Meßbuch des 11./12. Jh. (ebd. 309) und ähnlich in einem solchen des 11. Jh. (ebd. 340, Cod. Vall. C 32) erscheint.

[88]) Zu den ältesten Zeugen der römischen Oblationsordnung einschließlich *Orate fratres* gehören ein Minoritenmissale des 13. Jh. in Neapel (Ebner 314) und der Meßordo der päpstlichen Kapelle um 1290 (ebd. 347 f; ed. Brinktrine, Eph. liturg. 1937, 201—203). Weitere Nachweise bei P. Salmon, Les prières et les rites de l'Offertoire de la messe dans la liturgie romaine au XIIIe et au XIVe siècle: Eph. liturg. 43 (1929) 508—519.

Priesters[89]), sondern auch anstatt dessen im Munde des Diakons an, der den Kelch auf den Altar hinstellt und das Hinstellen mit diesem Worte begleitet, das er ja doch wohl zugleich im Namen des Zelebranten gesprochen haben will[90]). Dann wird aber auch wieder ausdrücklich betont, daß zwar der Diakon den Kelch mit Wein, den er zum Altar gebracht hat, behält und darbringt und dann auf dem Altare zurechtstellt, aber gerade aus dem *Offerimus,* mit dem er die Darbringung begleitet, wird gefolgert, daß hier in Wirklichkeit durch den Diakon der Priester tätig ist und auch, daß der Priester das *Offerimus* sprechen[91]) oder mitsprechen müsse[92]). Das ist denn auch als Mitsprechen des Diakons, der dabei den Kelch berührt oder den Arm des Priesters stützt, üblich geblieben[93]), seitdem der Priester selbst als Hauptdarbringer des Kelches auftritt. Es lebt mit diesem Zuge also im heutigen Hochamt noch etwas fort von der alten Zuweisung des Kelchs an den Diakon[94]), von jenem Verhältnis, aus dem heraus Laurentius nach der Legende zu Papst Xystus spricht: *Nunquam sacrificium sine ministro offerre consueveras ... cui commisisti Dominici sanguinis dispensationem*[95]).

Eine Änderung, die im Ritus der Kurie schon früh vorhanden war und dann durch die Reform Pius' V. allgemein festgelegt wurde, bestand noch darin, daß die B e r e i t u n g d e s K e l c h e s oder zunächst wenigstens die Beimischung des Wassers a n d e n A l t a r verlegt und in den Oblationsritus hineingenommen wurde. Zumal in außeritalischen Oblationsgebräuchen war dies alles in der Regel an früherer Stelle,

---

89) Vgl. oben Anm. 79.

90) Italische Meßordnungen des 11./12. Jh. bei E b n e r 309. 328; F i a l a 203 f. — Im Munde des Priesters erscheint die Formel ausnahmsweise singularisch: *Offero tibi;* mittelitalisches Sakramentar des 12. Jh. (E b n e r 340); Zipser Missale des 14. Jh. (R a d ó 71).

91) Ordo des Kard. Stefaneschi n. 53 (PL 78, 1164 A). Ebenso ein Preßburger Missale des 15. Jh.: J á v o r 115. — Über dieses allmähliche Zurücktreten des Diakons bei der Darbringung des Kelches s. V. B e a u j e a n, La part du diacre à l'Offertoire: Les Questions liturg. et paroiss. 16 (1931) 13—19.

92) D u r a n d u s IV, 30, 17. Daß Durandus auch schon die Zeremonie des gemeinsamen Emporhebens des Kelches durch Priester und Diakon vor Augen hat, wird durch den Zusammenhang ausgeschlossen.

93) Rit. serv. VII, 9. — Zuerst 1485 im römischen Pontifikale des Patrizio Piccolomini; s. d e P u n i e t, Das römische Pontifikale I, 195. — Der Ritus ist demjenigen bei der Schlußdoxologie des Kanons nachgebildet; s. unten 337 f.

94) Oben I, 94. 96.

95) A m b r o s i u s, De off. I, 41 (PL 16, 84 f).

nach der Epistel[96]) oder schon zu Beginn, besorgt worden[97]), und zwar auch in der ohne Leviten gefeierten Messe[98]). Der Subdiakon bringt also zufolge der nunmehrigen Regel im Hochamt nach dem *Oremus* wohl die Hostie auf der Patene, aber mit der Patene nur den leeren oder doch nur den mit Wein versehenen[99]) Kelch zum Altar und überreicht beides dem Diakon, der dann (Wein und) Wasser, ohne besondere Förmlichkeit herbeigebracht, in den Kelch gießt. Der liturgisch bedeutsame Akt des Hinbringens der Gaben zum Altar erleidet damit auch im Hochamt, wo allein er nach dem Entschwinden des Opferganges noch in die Erscheinung treten konnte, eine gewisse Einbuße.

Immerhin hat man den Versuch gemacht, auch auf dieser neuen Basis noch die Symbolik, die in einer eindrucksvollen Übertragung der Gaben liegt, wenigstens für das Hochamt festzuhalten. Durandus kennt noch die Übung, daß zuerst ein Subdiakon Kelch und Patene nebst Corporale zum Altar bringt, dann folgten zwei Sänger, von denen der eine auf einem Tüchlein die Hostie und im Kännchen den Wein, der andere das

---

[96]) Oben I, 362 f. 565.

[97]) Vor dem Anlegen der Gewänder, z. B. in zwei Meßordnungen aus der Normandie: Martène 1, 4, XXVI. XXXVI (I, 635 D. 671 D); vor dem *Confiteor* in Kölnischen Meßordnungen: Smits van Waesberghe 299. Wie wenig bestimmt hier die Vorschriften waren, zeigt der Windesheimer Ordinarius divini officii von 1521 c. 37, demzufolge der Kelch in der Privatmesse vor dem Stufengebet, in der Konventmesse *infra Kyrie eleison vel Gloria in excelsis sive post Epistolam aut infra Credo* bereitgemacht wird; Peters, Der Oblationsritus 408; vgl. ders., Beiträge 85. Legg, Tracts 239, verweist auf eine Sonderuntersuchung: A comparative study of the time in the Christian liturgy at which the elements are prepared and set on the holy table: Transactions of the St. Paul's Ecclesiological Society, 1895, vol. III, p. 78. — In vielen Meßordnungen fehlt jede Erwähnung des Ritus, da er als außerhalb des Rahmens der eigentlichen Liturgie stehend betrachtet wird, so z. B. in dem sonst sehr ausführlichen Meßordo von S. Denis (11. Jh.): Martène 1, 4, V (I, 518 ff), auch in den meisten englischen.

[98]) Nach dem bayrischen Benediktiner Bernhard von Waging († 1472) gossen manche Priester Wein und Wasser in den Kelch vor Beginn der Messe, andere nach dem *Confiteor*, andere nach der Epistel; er selbst empfiehlt, es unmittelbar vor der Darbringung zu tun. Franz 575. — Den erstgenannten Brauch bestimmt auch das Missale O. P. (1889) 17 f für die Privatmesse: Am Altar angekommen, deckt der Priester den Kelch ab, gießt Wein und nach einer kurzen Segensformel Wasser in den Kelch und bedeckt ihn wieder. Das Offertorium beginnt dann mit dem darbringenden Emporheben von Kelch und Patene. Im Amt wird der Kelch nach der Epistel bereitgemacht (ebd. 26). Ähnliche Bestimmungen im Missale O. Carm. (1935) 220. 223. Vgl. oben Anm. 72.

[99]) So z. B. im Ordo der Laterankirche (um 1140); Fischer 81 Z. 15; 82 f.

Wasser trägt, zur Mischung, die nun der Diakon besorgt[100]). Der Ritus ist nicht durchgedrungen. Wohl aber kommt, wie von jeher so auch jetzt, in der Art und Weise, wie Kelch und Patene behandelt werden, eine große Ehrfurcht zum Ausdruck. Wenn mit ihnen die Opfergaben zum Altar übertragen wurden, hatte der Kleriker, der dies besorgte, schon nach älteren Bestimmungen ein Velum um die Schultern geschlagen, mittels dessen er die heiligen Gefäße anfaßte[101]). Mehrfach war es Brauch, daß auch der Diakon, wenn er Kelch und Patene an den Priester weiterreichte, dies tat *mediante mappula*[102]). Übrigens gebrauchte schon in den ältesten römischen Ordines der Diakon, wenn er den zubereiteten Kelch an seine Stelle setzte, und ebenso wenn er ihn am Ende des Kanons emporhob, dazu ein eigenes Tuch, das *offertorium*[103]), und so wird auch die Patene schon seit jener Zeit vom Kleriker, dem

---

[100]) Durandus IV, 30, 25. — Vgl. Ordinarium von Laon (um 1300): Martène 1, 4, XX (I, 608 B). — Ein leiser Versuch, das Herbeibringen beider Gaben noch sichtbar werden zu lassen, ist auch im Liber ordinarius der Essener Stiftskirche (14. Jh.) gemacht: der Subdiakon reicht dem Diakon nicht nur die Kännchen dar für den Kelch, sondern auch die Pyxis mit den Hostien für die Patene. Arens 16. Auch im heutigen Hochamtritus der Dominikaner wird das Überbringen der Gaben (schon während des *Gloria)* noch einigermaßen sichtbar vollzogen; Verwilst 13; vgl. 15. — Im Pontifikalritus der byzantinischen Liturgie wird die in sich schon eindrucksvolle Übertragung der Gaben im Großen Einzug noch dahin ausgestaltet, daß der Bischof an der mittleren Türe den Zug erwartet, den Diskos inzensiert und selbst zum Altare trägt, und dann ebenso den Kelch. Hanssens III, 537.

[101]) J. Braun, Die liturgischen Paramente, 2. Aufl., Freiburg 1924, 230 f. — Kelch und Patene wurden auch ihrerseits, sobald sie Hostie und Wein enthielten, mit einem Tuch bedeckt, aus dem unser Kelchvelum geworden ist; ebd. 213—215. Im spätmittelalterlichen Zisterzienserritus nahm der Diakon das über den Kelch gebreitete *offertorium* von diesem weg, bedeckte damit seine Hände und trug so die Patene mit der Hostie und den Kelch mit Wein zum Altare. Schneider (Cist.-Chr. 1926) 349.

[102]) Ordo Stefaneschis (um 1311) n. 53 (PL 78, 1163 C). Für *mappula* wird in anderen Meßordnungen auch *manipulus* gesetzt: Martène 1, 4, XXIV. XXXVII (I, 628 C. 681 C D); vgl. Durandus IV, 30, 16. Der oft *mappula* genannte Manipel ist hier seiner ursprünglichen Funktion noch näher. — Die in sich vornehme Art scheint sich wenig bewährt zu haben. Burchard von Straßburg bestimmt in seinem Meßordo, der Meßdiener solle *manu dextera nuda* das Kännchen darreichen; Legg, Tracts 150.

[103]) Ordo Rom. I n. 15 f (Andrieu II, 94. 96; PL 78, 944 f); Ordo sec. Rom. n. 9 f (Andrieu II, 220. 222; PL 78, 973 f). — Vgl. Amalar, Liber off., prooemium n. 21 (Hanssens II, 18). — Der Brauch, Heiliges nur mit verhüllten Händen anzufassen, ist altchristlich und vorchristlich; s. J. Kollwitz, Theologie u. Glaube, Werkheft 2 (1947/48) 100.

sie anvertraut ist, nur mittels eines Velums gehalten — es erscheinen dafür die Bezeichnungen *sindo, linteum* — bis er sie vor der *fractio* abgibt[104]). Die Verhüllung der Patene ist dann auch auf die nichtfeierliche Messe übergegangen[105]). Auch der die Überreichung von Patene und Kelch begleitende Handkuß wird schon früh vermerkt[106]). Das Kreuzzeichen, das der Zelebrant mit der Patene und mit dem Kelch nach der Darbringung auf den Altar zeichnet, ist etwas jünger[107]), hat aber schon früh seine Vorläufer[108]).

---

104) Ordo Rom. I n. 17 (Andrieu II, 96 f; PL 78, 945 B). Zweiter Meßordo des Capitulare eccl. ord. (ebd. III, 123 f). Nach dem letzteren, mit fränkischen Gebräuchen durchsetzten Meßordo hat die Patene vorher gedient, um in der Weise der gallikanischen Opferprozession die Brotoblation zum Altar zu bringen. Nach stadtrömischer Überlieferung kam die Patene erst bei der Brechung der Brotsgestalt in Verwendung, wurde aber schon zu Beginn des Kanons herbeigebracht; Ordo Rom. I a. a. O. — Batiffol, Leçons 88, erklärt die der Patene erwiesene Ehrfurcht daraus, daß auf ihr die konsekrierte Partikel *(sancta)* lag, die vor der Kommunion in den Kelch gegeben wurde. Die Annahme dürfte nicht notwendig sein; vgl. unten 380 f.

105) Der Brauch, die Patene unter das Corporale zu schieben, ist schon vorhanden und wird wie oben, von der Verhüllung im Hochamt her, erklärt bei Bernold von Konstanz, Micrologus c. 10 (PL 151, 983 D). Dann bemächtigt sich die Allegorese des Brauches, die darin das Sichverbergen der Jünger beim Beginn des Leidens erblickt; Innozenz III., De s. alt. mysterio II, 59 (PL 217, 834). Der Gedanke, daß nicht alle untreu wurden, scheint dann zu der nur teilweisen Verhüllung geführt zu haben, die seit dem 13. Jh. bezeugt ist; Durandus IV, 30, 29; Frere, The use of Sarum I, 75. Die Zeremonie wurde übrigens noch im ausgehenden Mittelalter nicht allgemein geübt. Nach dem Ordinarium von Coutances (1557) legt der Priester die Patene *sub corporalibus aut super altare.* Legg, Tracts 59.

106) Missale in Montecassino (11./12. Jh.): Ebner 309. — Ordo Eccl. Lateran. (um 1140; Fischer 82 Z. 33. 38), hier auch schon bei der Überreichung und Zurücknahme des Wassergefäßes. — Ordo Stefaneschis (um 1311) n. 53 (PL 78, 1163 D). — Nach dem Ordo Rom. I n. 18 (Andrieu II, 97; PL 78, 945 B) küßt der Archidiakon die Patene, wenn er sie nach dem *Pater noster* übernimmt.

107) Für die Patene bezeugt bei Durandus IV, 30, 17; für den Kelch im Ordo ecclesiae Lateranensis: Fischer 83 Z. 2. Als vom Diakon vollzogener Ritus letzteres in benediktinischen Missalien des 11./12. Jh.: Ebner 309; Fiala 203. — Wo Kelch und Patene unter einem dargebracht werden, wurde mit beiden zusammen das Kreuzzeichen gemacht; Missale von Evreux (um 1400): Martène 1. 4, XXVIII (I, 644 B); vgl. Kölner Ordo celebrandi des 14. Jh.: Binterim IV, 3, S. 222.

108) Nach Innozenz III, De s. alt. mysterio II, 58 (PL 217, 833 f), macht der Priester vorher ein Kreuzzeichen über die Gaben, wenn er die Patene mit der Hostie, das Wasserkännchen und den Kelch (und ebenso, wenn er das *thuribulum)* entgegennimmt. — Vereinzelt ist eine Bekreuzung des Hostienbrotes schon seit

Wenn so die Bereitung des Kelches wieder an den Altar verlegt ist, treten von da an auch Texte, die diese Handlung begleiten, in unseren Gesichtskreis. Daß die Beimischung des Wassers, deren Symbolik so früh und so allgemein Gegenstand tiefgehender Erwägungen geworden ist, in der römischen Liturgie fränkischer Ausprägung nicht ohne begleitendes Wort bleiben konnte, ist selbstverständlich. Jener Typ des Oblationsritus, den wir zuerst an entfernten Punkten am Nordrand des Karolingerreiches und dann bereits im 11. Jahrhundert im italischen Wirkungsfeld der Cluniazenserbewegung trafen[109]), weist zuerst dafür eine Form auf, und zwar ungefähr diejenige, die in der römischen Messe bis heute in Geltung geblieben ist: Es wird am Altar selbst das Wasser in den Kelch gegeben, vor[110]) oder auch nach der Darbringung des Kelches[111]), und dazu wird die Oration gesprochen: *Deus qui humanae substantiae*[112]), die eine alte römische Weihnachtsoration darstellt[113]), vermehrt um den Hinweis *per huius aquae et vini mysterium* und um die feierliche Namensnennung Christi vor der Schlußformel.

Es tritt also der in der vorausgehenden Literatur in diesem Zusammenhang kaum erörterte weihnachtliche Gedanke der Teilnahme des Menschen an der Gottheit durch die Menschwerdung des Gottessohnes[114]) in den Vordergrund, ein Gedanke, der allerdings sowohl das Gottmenschliche in Christus der orientalischen Deutung wie unser Eingehen

---

dem 4. Jh. bezeugt. Augustinus, In Joh. tract. 118, 5 (PL 35, 1950); Canones Basilii c. 99 (Riedel 276). — Die Marcioniten in der Umgebung des hl. Ephräm zeichneten mit Rotwein ein Kreuz auf das eucharistische Brot. Dölger, Antike u. Christentum 1 (1929) 30 ff. — In der älteren römischen Liturgie war die Bekreuzung nicht üblich; wohl aber heißt es Ordo Rom. I n. 14 (Andrieu II, 93; PL 78, 944 B) vom Diakon, der das Wasser in den Kelch gießt: *infundit faciens crucem in calice*. Er bildet also im Gießen ein Kreuz. Vgl. Ordo sec. Rom. n. 9 (Andrieu II, 220; PL 78, 973 B).

[109]) Oben Anm. 26 ff; vgl. S. 66 ff. Es ist der rheinische Meßordo.

[110]) Missa Illyrica: Martène 1, 4, IV (I, 510 f); mittelitalische Meßbücher seit dem 11. Jh.: Ebner 300. 314. 347.

[111]) Meßordnung von Séez: PL 78, 249 B; benediktinischer Meßordo des 11./12. Jh.: Ebner 309.

[112]) In einzelnen der eben genannten Fälle (Anm. 110. 111) ist noch eine zweite Formel neben dieser angeführt. — Bemerkenswert ist die Betonung der Mischungsoration durch vorangestellte Versikel *(Ostende, Domine exaudi,...)* in ungarischen Meßbüchern; Radó 24. 43. 76. 123.

[113]) Leonianum (Muratori I, 467); Gelasianum (Wilson 5); Gregorianum (Lietzmann n. 9, 6).

[114]) F. Holböck, Der eucharistische und der mystische Leib Christi 203, findet den Gedanken der Oration in der Frühscholastik nur bei Honorius Augustod., Gemma an. I, 158 (PL 172, 593 B).

in Christus der abendländischen Deutung des Mischungsritus[115]) voraussetzt und insofern zusammenfaßt.

Viel öfter indes als diese Formel begegnet selbst in italischen Meßordnungen eine andere, die von der Wasser- und Blutsymbolik ausgeht[116]) und die übrigens außerhalb Italiens samt dem mit ihr verbundenen Mischungsritus nur ausnahmsweise im Offertoriumskreis erscheint[117]), sondern, im Hochamt meist vom Diakon gesprochen, nach der Epistel[118]) oder auch schon zu Beginn der Messe auftritt[119]). Die Deutung auf Blut und Wasser aus der Seite Christi muß sehr beliebt gewesen sein; lag sie ja auf der Linie der allegorischen Ausdeutung der Messe auf das Leiden Christi. Der Gedanke ist wach erhalten worden auch durch ein weitverbreitetes Darbringungsgebet, das vielfach an Stelle

---

[115]) Siehe oben 49 f.

[116]) Mittelitalische Meßbücher seit dem 11. Jh. (Ebner 298. 300 u. ö.): *Ex latere Christi sanguis et aqua exisse perhibetur et ideo pariter commiscemus, ut misericors Deus utrumque ad medelam animarum nostrarum sanctificare dignetur. Per.* Sakramentar von Moissac (11. Jh.): Martène 1, 4. VIII (I, 540 B). Missale von Braga (1924) 249. Auch schon im Sakramentar von St. Gatien in Tours (9. Jh.): Martène 1, 4, VII (I, 535 D). Mit der Variante: *ut tu pius et misericors utrumque sanctificare et benedicere digneris,* um 1290 in der päpstlichen Kapelle: Brinktrine (Eph. liturg. 1937) 202. Ähnlich seit dem 14. Jh. in Ungarn (Jávor 114; Radó 24. 96. 118. 123 u. ö.): *ut Dominus utrumque dignetur benedicere et in odorem suavitatis accipere.* Anders noch im Sakramentar von Boldau um 1195, ebd. 43. — Neben dieser Formel erscheinen übrigens noch andere, die aber mit ihr in der Regel den Anfang gemeinsam haben: *De latere D. N. J. C. exivit sanguis et aqua pariter in remissionem peccatorum,* Martène 1, 4, XXVI (I, 635 D). Oder dasselbe mit der Weiterführung: *sanguis ut redimeret, aqua ut emundaret,* ebd. XXXVI (I, 671 D). Oder auch einfach Zitation von Jo 19, 34 b. 35 a, ebd. XXXVII (I, 677 D). Oder dasselbe mit mehrfacher Erweiterung, Ebner 326, und ähnlich, mit dem Anfang *In nomine D. N. J. C.* (Lyon, 11. Jh.), Leroquais I, 126; ohne diesen Anfang das heutige Lyoner Missale (1904) 227. Als Bitte um würdige Zelebration weitergebildet *(et aqua quem pretiosissimum liquorem ... influi peto in cor meum ...)* in holländischem Brauch des 15. Jh., s. P. Schlager, Über die Meßerklärung des Franziskaners Wilhelm von Gouda: Franziskan. Studien 6 (1919) 328. Doch sind damit nur typische Beispiele der vielfältigen Variation dieser Formel genannt. — Die Formel dürfte auf gallikanische Überlieferung zurückgehen; vgl. die Deutung des beigemischten Wassers in der Expositio der gallikanischen Messe (Quasten 19).

[117]) So in der Meßordnung der Kartäuser, wo dieser auf die Überreichung von Kelch und Patene folgt: Martène 1, 4, XXV (I, 632 D); Legg, Tracts 100; Ordinarium Cart. (1932) c. 26, 20.

[118]) Siehe oben I, 565.

[119]) Siehe die oben Anm. 97 erwähnten Meßordnungen aus der Normandie und aus Köln.

einer der früher genannten Darbringungsformeln zum Kelch gesprochen wurde[120]), vor allem aber durch die Regel, daß der Kelch auf dem Altare rechts von der Hostie stehen müsse, *quasi sanguinem Domini susceptu-rus*[121]), eine Deutung, die zwar jünger ist als der zugrunde liegende Brauch[122]), die aber mitsamt der Regel selbst in fast allen Meßerklärungen des späteren Mittelalters wiederkehrt[123]) und der erst durch das Missale Pius' V. allgemein die Grundlage entzogen wurde.

Wollte man so die symbolische Bedeutung des Wassers hervorheben, so sollte dieses zugleich aber auch gesegnet werden. Das geschieht heute mit dem Kreuzzeichen, mit dem wir die Worte *per huius aquae et vini mysterium* begleiten und das in der Totenmesse entfällt, weil alle förmliche Segnung darin nur den Toten zugewendet wird. In den ältesten römischen Ordines wurde, wie wir schon sahen, beim Eingießen des Wassers in den Kelch die Kreuzesform gebildet[124]). In mittelalterlichen Missalien war diese Segnung nicht selten stärker betont. Wohl ebensosehr dieser Segnung wegen, wie um die Symbolik zu verstärken, wurde die Beimischung des Wassers dem Priester vorbehalten[125]), jedenfalls

---

[120]) Oben Anm. 46.

[121]) Bernold von Konstanz, Micrologus c. 10 (PL 151, 983 D).

[122]) Ordo Rom. I n. 15 (Andrieu II, 94; PL 78, 944 C): der Kelch steht *iuxta oblatam pontificis.* Die jüngere Rezension fügt hinzu: *a dextris.*

[123]) Durandus IV, 30, 22 f kennt sowohl die eine wie die andere Anordnung, ebenso Radulph de Rivo, De canonum observ., prop. 23 (Mohlberg I, 143). Nach letzterem wurde die heute übliche Anordnung damals von den *Gallicani* beobachtet; ähnlich Hildebert von Le Mans, Versus de mysterio missae (PL 171, 1180). Tatsächlich merkt schon Amalar, Liber off., prooemium n. 21 (Hanssens II, 18), als abweichenden römischen Brauch an: *Calix in latere oblatae in altari componitur, non post tergum.* Der gallikanische Brauch wurde in einigen Ordensfamilien und 1485 auch in Rom heimisch; Lebrun, Explication I, 278. — Nach dem Directorium div. off. des Ciconiolanus (1539) soll der Priester den Kelch *ad sinistram hostiae* stellen; Legg, Tracts 207.

[124]) Oben Anm. 108.

[125]) Der Brauch, daß der Zelebrant selber das Wasser beimischt, u. a. bei Bonizo von Sutri († um 1095), De vita christiana II, 51 (ed. Perels, Berlin 1930, 59); im Ordo ecclesiae Lateranensis (Mitte des 12. Jh.) ed. Fischer 82 f; Innozenz III., De s. alt. mysterio II, 58 (PL 217, 833); Durandus IV, 30, 18; Ordo des Kard. Stefaneschi (um 1311) n. 53 (PL 78, 1163 f). Als Begründung nennt Innozenz III., daß Christus sein eigenes Blut für die im Wasser versinnbildeten Völker vergossen hat. — Ausdrücklich erklärt ein Grazer Missale aus dem 15. Jh., daß der Diakon wohl den Wein in den Kelch geben darf, nicht aber das Wasser; letzteres darf nur der *sacerdos celebrans* eingießen; Köck 126 (hier auch die Rubrik, die vereinzelt auch anderswo erscheint: *prius effundi debet parum super terram ex ampullis de vino et aqua).* Die starke Betonung des priesterlichen Vor-

mußte sie nun am Altare stattfinden, was dann in weiterer Folge die Eingießung des Weines an gleicher Stelle nach sich zog[126]).

Für die Segnung selbst sind verschiedene Formeln überliefert. Wenn nach dem Pontifikale des Durandus der Bischof in der Messe des Kaplans das Wasser segnete, so sprach er dazu: *Ab illo benedicatur, cuius spiritus super eam ante mundi exordium ferebatur*[127]). Nach englischen Meßbüchern sprach der Zelebrant über das Wasser: *Ab eo sit benedicta de cuius latere exivit sanguis et aqua. In nomine Patris*...[128]). Anderswo sagte der Priester in Analogie zur Mischung der Gestalten vor der Kommunion: *Fiat commixtio et consecratio vini et aquae in nomine D. N. J. C., de cuius latere exivit sanguis et aqua*[129]) oder: *Fiat commixtio vini et aquae pariter in nomine Patris et Filii et Spiritus Sancti*[130]) oder einfach — anscheinend die ursprünglichste Weise —: *In nomine Patris et Filii et Spiritus Sancti*[131]). Meist wurde ein solcher Segensspruch, den

---

rechtes geschieht offenbar im Hinblick auf noch vorhandenen gegenteiligen Brauch. Nach dem benediktinischen Liber ordinarius von Lüttich (Volk 100) war es auch in der Privatmesse Sache des Meßdieners, Wein und Wasser in den Kelch zu geben, wofern er *in sacris* war. Nach einer Meßordnung englischer Kartäuser um 1500 (Legg, Tracts 100) genügte es, daß er Kleriker war. Dem entspricht es, daß nach heutiger Ordnung im Hochamt der Subdiakon das Eingießen des Wassers besorgt.

126) Eine besondere Formel zum Eingießen des Weines ist nur ausnahmsweise ausgebildet worden. In spanischen Meßbüchern des 15. Jh. findet sich dafür das gedanklich nicht gerade naheliegende Psalmwort (74, 8 f): *Hunc humiliat*...; Ferreres 127 f (n. 503. 506).

127) Martène 1, 4, XXIII (I, 619 D); Andrieu III, 645. Darauf folgt nach dem genannten Pontifikale allerdings noch eine weitere Segnung: Der Priester legt die Patene mit der Hostie auf den Kelch und wendet sich noch einmal mit einem *Benedicite* zum Bischof hin; dieser spricht: *Benedictionis et consecrationis angelus virtute sanctae Trinitatis descendat super hoc munus.* Ähnlich verbindet das heutige Missale von Braga (1924) 249 mit der oben genannten Segnung noch die Formel *Ex latere* (oben Anm. 116).

128) Frere, The use of Sarum I, 71; vgl. Ferreres 132 f. Ähnlich im Kölner Ritus des 14. Jh.; Binterim IV, 3, S. 222.

129) Missale des 13. Jh. aus Schlägl: Waefelghem 59 Anm. 3. Ähnlich in einem Zipser Missale des 14. Jh. und in einem Breslauer Missale von 1476: Radó 71. 163.

130) Seckauer Missale um 1330 (Köck 121); Kölner Ordo celebrandi des 14. Jh. (Binterim IV, 3, S. 222); Statuten von 1413 aus Tongern (de Corswarem 125 f); ungarische Missalien des 15. Jh. (Jávor 114; Sawicki 148). — Ähnlich Augsburger Meßordnung vom Ende des 15. Jh. (Franz 752); Regensburger Missale um 1500 (Beck 265); Meßordo des 14./15. Jh. aus Toul: Martène 1, 4, XXXI (I, 650 E); Meßordo aus Rouen: ebd. XXXVII (I, 677 D).

131) Missale des 12. Jh. aus St. Peter: Ebner 333; Missale von 1417 aus Valencia: Ferreres 127 (n. 503; vgl. n. 505).

das Kreuzzeichen begleitete, an die Formel angeschlossen, die den Mischungsritus zu deuten bestimmt war, oder er wurde auch mit ihr zu einer Formel verbunden[132]).

Das spätere Mittelalter ist die Blütezeit der Segnungen. Auf alle Erzeugnisse der Natur und auf alle Gegenstände des menschlichen Gebrauches wurde die Segensmacht der Kirche angewendet. Da ist es nicht zu verwundern, wenn bei der Gabendarbringung nicht allein das Wasser, sondern auch die weiteren Gaben gesegnet wurden. Damit kommen wir zu einer letzten Schicht von Texten, die in den mittelalterlichen Oblationsriten erwachsen sind, und von denen in der römischen Messe das *Veni sanctificator* stehengeblieben ist, zu den Segnungsformeln. Da die Segnung vorwiegend in der Weise geschieht, daß Gottes Segen herabgefleht, die Kraft des Heiligen Geistes oder schlechthin der Heilige Geist herabgerufen wird, können wir auch von epikletischen Formeln sprechen.

Die einfachste Form ist[133]) die eben genannte: es wird der Name des dreieinigen Gottes zur vorbereitenden Handlung ausgesprochen. Im Kartäuserritus setzt der Priester den Kelch mit der darauf ruhenden Patene auf den Altar, indem er spricht: *In nomine Patris ... Amen*[134]). Oder die gleiche trinitarische Formel steht am Beginn des ganzen Oblationsaktes[135]) oder verbindet sich mit den einzelnen Gliedern der Handlung[136])

---

[132]) Z. B. Missale aus Toul (vorletzte Anm.); vgl. auch die Segnungsbitte am Ende der Formel *Ex latere*, oben Anm. 116.

[133]) Soweit Texte überhaupt in Frage kommen und man sich nicht mit einem stummen Kreuzzeichen begnügte, wie um 1100 im Missale von St. Vinzenz (Fiala 203). — Vielfältige segnende Bekreuzung mit oder ohne begleitende Formel war insbesondere alter irischer Mönchsbrauch. Andrieu, Les ordines III, 21. 212 f. 218 ff.

[134]) So nach den Statuta antiqua (13. Jh.): Martène 1, 4, XXV (I, 632 D); vgl. Legg, Tracts 101; Ordinarium Cart. (1932) c. 26, 20. Ebenso Frere, The use of Sarum I, 78; Maskell 98. Die Worte folgen in diesen Fällen auf das *In spiritu humilitatis* und entsprechen so genau dem römischen *Veni sanctificator*. Isoliert stehen sie im Missale O. Carm. (1935) 225. — Ein selbständiges *In nomine Patris* zwischen *Suscipe sancta Trinitas* und *Orate* im Lyoner Klostermissale von 1531: Martène 1, 4, XXXIII (I, 659 D). — In der mozarabischen Messe spricht der Priester die gleiche trinitarische Formel zum Hinlegen der Patene und zum Hinsetzen des Kelches (PL 85, 536 B C); das Sprechen der Formel wird als ein *sanctificare* bezeichnet (ebd.).

[135]) Breviarium von Rouen: Martène 1, 4, XXXVII (I, 678 A); Zisterzienserritus des 15. Jh.: Franz 587; niederländische Meßordnungen des 15./16. Jh.: Smits van Waesberghe (Ons geestelijk Erf 1941) 325. 327.

[136]) Im Alphabetum sacerdotum schließt mit *in nomine Patris* die Darbringungsformel, mit der der Kelch emporgehoben, und dann die Formel, mit der die Hostie

und vor allem mit anderen epikletischen Formeln[137]), wo sie aber in ihrer einleitenden Funktion öfter, besonders in der Frühzeit, durch die Formel *In nomine Domini nostri Jesu Christi* ersetzt wird[138]). Häufig erscheint seit der Jahrtausendwende eine doppelte Segnungsbitte, die mit dem Niederlegen der Brotoblation und mit dem Hinstellen des Kelches verbunden wird: *Sanctifica, Domine, hanc oblationem, ut nobis Unigeniti Filii tui D. N. J. C. corpus fiat. Qui tecum,* und entsprechend zum Kelch: *Oblatum tibi, Domine, calicem sanctifica, ut nobis Unigeniti tui D. N. J. C. sanguis fiat. Qui tecum*[139]). In süddeutschen Meßordnungen erscheinen

---

auf den Altar gelegt wird. Legg, Tracts 41. — Im Kölner Missale von 1498 steht die trinitarische Formel außerdem am Anfang, vor dem *Quid retribuam;* Smits van Waesberghe 327; Peters, Der Oblationsritus 400 (weniger entwickelt im Ordo celebrandi des 14. Jh.; Binterim IV, 3, S. 223). — Ähnlich im Meßordo von S. Pol-de-Léon: Martène 1, 4, XXXIV (I, 662 f), wo die trinitarische Formel auch noch auf das *Veni sanctificator* folgt, also viermal erscheint. Viermal erscheint sie auch im Ordinarium von Coutances von 1559: Legg, Tracts 59 ff. — Auch in der Augsburger Meßordnung des 15. Jh. steht sie an vier Stellen im Offertorium, wenn man die Segnung des Weines einrechnet mit der Formel: *Benedictio Dei Patris... descendat super hanc creaturam vini* (Franz 752), während sie im Missale von 1386 (Hoeynck 373) noch völlig fehlt. In einem Salzburger Missale des 15. Jh. steht sie dreimal bei der vorausgehenden Herrichtung von Kelch und Hostie und noch viermal im Offertorium; Radó 141. — Vgl. auch das *In nomine Patris* am Beginn der Inzensierung in römischen Oblationsordnungen des 13./14. Jh. bei Salmon (Eph. liturg. 1929) 512 f.

[137]) Besonders die Formel *Sit signatum* (oder *Sit benedictum;* unten Anm. 143) beginnt öfters mit *In nomine Patris.* So schon in der Missa Illyrica: Martène 1, 4, IV (I, 511 C), und in einem mittelitalischen Sakramentar des 11. Jh.: Ebner 298; vgl. 327. — Ähnlich im Lütticher Missale des 16. Jh.: Smits van Waesberghe 325; vgl. Liber ordinarius von Lüttich: Volk 92. — Das *Veni sanctificator* schließt manchmal mit *in nomine Patris;* s. englische und nordfranzösische Meßordnungen bei Legg, Tracts 5. 42. 60 f. 221.

[138]) Meßordo von Séez (PL 78, 249 B); mittelitalische Meßordnungen seit dem 11. Jh.: Ebner 296. 301. 310. 313. 333. Das Ordinarium von Toul (14./15. Jh.) verbindet beide Formeln: *in nomine Jesu Christi fiat hoc sacrificium a te Deo vivo et vero coadunatum et benedictum in nomine P. et F. et Sp. S.* Martène 1, 4, XXXI (I, 651 A).

[139]) Missa Illyrica: Martène 1, 4, IV (I, 510 f). Die zweite Formel *Oblatum ... fiat* steht als Nachtrag aus dem 9. oder 10. Jh. im fränkischen Sacramentarium Gelasianum ed. Mohlberg S. 244, wo sie unmittelbar auf das *Offerimus* folgt (s. oben Anm. 79). — In gleicher Fassung erscheinen die beiden Formeln nur vereinzelt in mittelitalischen Meßordnungen seit dem 11. Jh.: Ebner 301; vgl. 296; in anderen Fällen hier bereits verändert (ebd. 326 f) oder in eine Formel zusammengezogen (ebd. 298). Meist sind sie entfallen. — Mehrfach begegnen die beiden Formeln in deutschen Meßordnungen: Mainz (um 1170): Martène 1, 4, XVII (I, 600 f); Gregorienmünster (14./15. Jh.): ebd. XXXII (I, 656); Augsburger

sie öfter in der Form, daß die zweite Formel der ersten genauer angeglichen ist: *Sanctifica quaesumus Domine hunc calicem, ut nobis Unigeniti tui sanguis fiat*[140]).

Als eine Art Zusammenfassung dieser Doppelformel folgt in vielen Fällen eine weitere, die aber auch oft allein auftritt und die Emporführung der doppelten irdischen Opfergabe in die eine heilige erbittet: *In nomine Domini nostri Jesu Christi sit sacrificium istud immaculatum et a te Deo vivo et vero adunatum et benedictum.* Ähnlich der vorgenannten erscheint auch diese Formel zuerst am Nordrand des ehemals karolingischen Bereiches[141]), dann aber hauptsächlich in Italien[142]), wo noch eine Parallelformel mit ihr in Wettbewerb steht[143]). Beide Formeln haben

---

Missale von 1386: Hoeynck 373; Augsburger Meßordnung vom Ende des 15. Jh.: Franz 752; Salzburger Inkunabeln von 1492 und 1498 (Hain 11420 f). Vgl. die Angaben von Bernhard von Waging († 1472) bei Franz 575.

[140]) Sakramentar vermutlich aus Regensburg (11. Jh.): Ebner 7. — Beck 237 f. 266 f. 307; Köck 120 f. 125; Radó 141. — So aber auch im Sakramentar von Modena: Muratori I, 91, und in einem Sakramentar des 12. Jh. aus Camaldoli: Ebner 296; ebenso Sakramentar aus Fonte Avellana (vor 1325): PL 151, 887. — Eine andere Parallelisierung der beiden Formeln im Missale Ambrosianum (1902) 168: *Suscipe, clementissime Pater, hunc panem sanctum, ut fiat Unigeniti tui corpus, in nomine Patris...; Suscipe, clementissime Pater, hunc calicem, vinum aqua mixtum, ut fiat Unigeniti tui sanguis in nomine Patris...* Erst die anschließenden Gebete bringen die verschiedenen Anliegen zum Ausdruck.

[141]) Meßordo von Séez: PL 78, 249 B; in Frankreich sonst nur vereinzelt: Martène 1, 4, XXXI f (I, 651 A. 656 C). Auch auf deutschem Boden nicht häufig: Meßordo aus Gregorienmünster: Martène 1, 4, XVI (I, 599 C); Liber ordinarius von Lüttich um 1285: Volk 92; Lütticher Missalien von 1486 und 1499: Smits van Waesberghe 325; steirische Meßbücher: Köck 121. 124.

[142]) Ebner 20. 296. 298. 301. 310. 313. 333.

[143]) Es ist die wiederum in der Missa Illyrica zuerst auftauchende Formel: *(In nomine P. et F. et Sp. S.) sit signatum, ordinatum, sanctificatum et benedictum hoc sacrificium novum;* Martène 1, 4, IV (I, 511 C). Für Italien (11./12. Jh.) vgl. Ebner 14. 338. In zwei mittelitalischen Meßbüchern des 11. Jh. (Ebner 301; vgl. 298) erscheint die Formel verdoppelt, zur Hostie: *...benedictum hoc corpus,* zum Kelch: *...benedictum hoc sanctum sacrificium,* worauf noch zusammenfassend die oben genannte Formel: *In nomine D. N. J. C. sit sacrificium istud,* folgt. — Daraus ist in jüngeren italischen Meßordnungen (12./13. Jh.; Ebner 327. 341) wieder die vereinigte Formel geworden: *(In nomine Patris...) sit signatum et benedictum et consecratum hoc corpus et hoc sacrificium.* Unter *sacrificium* wird also hier der Kelch verstanden. — Nur zum Kelch wird die Formel gesprochen *(Sanctificatum sit hoc libamen)* im Freisinger Missale von 1520: Beck 308 Z. 3; vgl. Salzburger Missale um 1200: Köck 123. — Weitere Abwandlungen der Formel: Meßordo von York um 1425: Simmons 100; Missale des 16. Jh. von Lüttich, das Offertorium eröffnend: Smits van Waesberghe 325; schwedische Missalien des 15. Jh.: Segelberg 255.

aber auch hier den Boden nicht behauptet, sondern wurden verdrängt durch die dritte, die schon zu Beginn des 9. Jahrhunderts im irischen Stowe-Missale[144]) und anderseits noch im heutigen Missale Romanum erscheint, das *Veni sanctificator*, das in Italien vor dem Auftreten des Missale Romanae Curiae nur mäßig verbreitet war[145]). Während es in den italischen Meßordnungen an der heute ihm zukommenden Stelle und meist auch in ähnlicher Umgebung steht[146]), folgte es in den deutschen Meßordnungen regelmäßig als Zusammenfassung auf die beiden *Sanctifica*-Formeln[147]), wodurch der Sinn der Formel als Segnung um so deutlicher hervortrat[148]). In einzelnen Meßordnungen eröffnet das *Veni sanctificator* auch das Offertorium[149]). Nach einer beiderseits des Kanals weitverbreiteten Ordnung beschließt es dasselbe und geht erst

---

[144]) Warner (HBS 32) 7: Bei der Enthüllung des Kelches (vor dem Evangelium) wird dreimal gesprochen: *Veni Domine sanctificator omnipotens, et benedic hoc sacrificium praeparatum tibi. Amen.* Ende des 10. Jh. im Sakramentar von S. Thierry: Martène 1, 4, X (I, 548 E), nach dem ersten der Oblationsgebete: *Veni sanctificator, omnipotens aeterne Deus, benedic hoc sacrificium praeparatum tibi.* Um 1030 in der Missa Illyrica: ebd. IV (I, 511 C), vor der Inzensierung: ... *hoc sacrificium tibi praeparatum. Qui vivis.*

[145]) Ebner 306. 327. 333. 340. 348. — Einige Male erscheint eine stark erweiterte Fassung: *Veni sanctificator omnium, Sancte Spiritus, et sanctifica hoc praesens sacrificium ab indignis manibus praeparatum et descende in hanc hostiam invisibiliter, sicut in patrum hostias visibiliter descendisti.* Missale in Montecassino vom 11./12. Jh.: Ebner 310; vgl. ebd. 328. Missale von St. Vinzenz am Volturno: Fiala 205. Ebenso in einem Minoritenmissale: ebd. 314; auch im Missale des Stiftes St. Lambrecht von 1336 (Köck 121). — Der zweite Teil geht zurück auf ein Gebet zur Beräucherung der Opfergaben in der Missa Illyrica (a. a. O. 511 D), worin der Zusammenhang mit der Kanonepiklese deutlich ist: *Memores ... petimus ... ut ascendant preces ... et descendat* ... Es wirkt hier offenbar ein gallikanisches Schema nach; vgl. Missale Gothicum: Muratori II, 654; vgl. ebd. 548. 699 f. 705; Lietzmann, Messe und Herrenmahl 93 ff.

[146]) Verwandt ist auch die Stellung in den meisten niederländischen Meßordnungen: Smits van Waesberghe 326 f; vgl. 301.

[147]) Die Fundorte wie oben Anm. 140. Ähnlich in den deutschen Meßordnungen der vorausgehenden Anm. 139.

[148]) Das Missale des 13. Jh. aus Schlägl (Waefelghem 61 Anm. o) überschreibt die Formel: *Benedictio panis et calicis.*

[149]) Liber ordinarius von Lüttich: Volk 92; ebenso in den Lütticher Missalien von 1486 und 1499: Smits van Waesberghe 325; Missale von Upsala (1513): Yelverton 14; Missale von Fécamp (14./15. Jh.): Martène 1, 4, XXVII (I, 640 B). — Im Ordo ‚Postquam' der Bischofsmesse (Mitte des 10. Jh.) (Andrieu II, 359 f; PL 78, 993) ist es das einzige Gebet, das beim Offertorium genannt wird.

unmittelbar dem *Orate fratres* voraus[150]). Dagegen sind andere Ausprägungen einer förmlichen Herabrufung der Kraft und Gnade des Himmels nur selten durchgedrungen[151]).

Im eben genannten Bereich ist noch eine Erscheinung zu buchen, von der aus einiges Licht fällt auf die Stimmung, in der man jene epikletischen Formeln gesprochen hat. Gegen Ende des Mittelalters treffen wir nämlich in der Normandie sowohl wie in England, aber auch anderswo,

---

[150]) Sakramentar von S. Denis (11. Jh.): Martène 1, 4, V (I, 526 D); Ordinarium von Toul: ebd. XXXI (I, 651); Ordinarium des 13. Jh. von Sarum: Legg, Tracts 221; vgl. ebd. 5. 42. 60 f; Legg, The Sarum Missal 219. — In der Meßordnung von York (Simmons 100) steht an genau entsprechender Stelle die Formel *Sit signatum,* die also als gleichwertig betrachtet wurde. Vgl. das Missale von 1336 aus St. Lambrecht, wo das *Veni sanctificator* mit dem *(In nomine Patris . . .) sit hoc sacrificium* (vgl. oben 84) als vertauschbar erklärt wird; Köck 121.

[151]) Eine Formel *Descendat (hic sanctus) angelus benedictionis et consecrationis super hoc munus* erscheint seit dem 11. Jh. in französischen Oblationsordnungen: Sakramentar von Limoges: Leroquais I, 155; vgl. ebd. 211; Sakramentar von Moissac: Martène, 1, 4, VIII (I, 539 C; ebd. noch eine erweiterte *Descendat*-Formel). Auch eine im Missale Gallicanum vetus des 7. Jh. als Epiklese dienende dreigliedrige *Descendat*-Formel (Muratori II, 699 f; vgl. Lietzmann, Messe und Herrenmahl 94 f) taucht an dieser Stelle seit dem 11. Jh. wieder auf; Leroquais I, 164; II, 25; III, 126. — Vgl. die Segensformel im Pontifikale des Durandus, oben Anm. 127; die Weiterführung des *Veni sanctificator,* oben Anm. 145; die Formeln bei Martène 1, 4, 6, 3 (I, 395 D). Schlichter bittet ein Sakramentar des 11. Jh. aus Monza (Ebner 106): *Benedictio Dei P. et F. et Sp. S. descendat super hanc nostram oblationem.* Drei *descendat-(descende-)* Formeln enthält der Oblationsritus im Sakramentar von Boldau; Radó 43. — Eine mit *Descendat* beginnende Oration zur Altarweihe aus dem Gregorianum (Lietzmann n. 196) wird nach spanischen Missalien noch nach der Antwort auf das *Orate fratres* in verschiedener Fassung vor oder nach den übrigen Sekreten vom Priester gesprochen. Ferreres 132 f. — An der Stelle des *Veni sanctificator* erscheint in Spanien vielfach die Formel: *Dextera Dei Patris omnipotentis benedicat haec dona sua.* Ferreres 129 (n. 513); Ebner 342. — An gleicher Stelle bietet die Mailänder Messe die Formel: *Benedictio Dei omnipotentis Patris . . . descendat super hanc nostram oblationem . . .;* Missale Ambrosianum (1902) 169. Ebenso das Karmeliten-Ordinale von 1312 (Zimmerman 79) und das Missale O. Carm. (1935) 225. Die Augsburger Meßordnung vom Ende des 15. Jh. beginnt das Offertorium mit der Herabrufung des Segens über den Wein: *Benedictio Dei Patris . . . descendat super hanc creaturam vini.* Im weiteren Verlauf folgen dann noch zwei *Veni*-Formeln; Franz 752 f. Ein Missale des 12. Jh. aus Tortosa führt das *Suscipe sancte Pater* nach dem ersten Satz weiter: *. . . offero, et mittere digneris sanctum angelum tuum de coelis, qui sanctificet corpus et sanguinem istum;* Ferreres 129 (n. 512). — Der Kölner Ordo celebrandi des 14. Jh. hat je eine *benedicat*-Formel für Brot, Wein und Wasser; Binterim IV, 3, S. 222.

außer einer der eben genannten Anrufungsformeln den Hymnus *Veni Creator* eingeschaltet[152]). Der Wortlaut des *Veni sanctificator* zwingt zwar nicht, dieses letztere als Anrufung des Heiligen Geistes zu verstehen[153]) und damit in die Reihe der Offertoriumsgebete und der Meßgebete überhaupt eine Gebetsanrede hineinzutragen, die diesen sonst fremd ist. Aber gerade angesichts der erwähnten Tatsache ist kaum ein Zweifel, daß die Anrufung im Mittelalter vielfach so verstanden worden ist. In einzelnen Fällen ist die Anrede an den Heiligen Geist auch im *Veni sanctificator* in aller Form ausgesprochen worden[154]). Es ist eben

---

[152]) Für England: Ordinarium von Sarum aus dem 14. Jh. (Legg, Tracts 5; dagegen noch nicht in den Hss des 13. und des beginnenden 14. Jh.: Legg, The Sarum Missal 219); Meßordo von York um 1425 (Simmons 100). — Meßordnungen aus der Normandie: Legg, Tracts 59 f; Martène 1, 4, XXVI. XXVIII. XXXVI f (I, 637 E Anm. b. 644 C. 673 B. 677 E). Für anderweitige Fundorte vgl. Lebrun, Explication I, 288 Anm. a. — Der Hymnus folgt meist auf die Niederlegung der Gaben. Daran schließt sich *In spiritu humilitatis* (vgl. oben 63 f) und die weiteren epikletischen Formeln, meist *Veni sanctificator.* — In ähnlicher Funktion erscheint im 15./16. Jh. vereinzelt auch die Antiphon *Veni Sancte Spiritus, reple.* Alphabetum sacerdotum: Legg, Tracts 42; Lütticher Missale des 16. Jh.: Smits van Waesberghe 326; ein Breslauer Missale vom Jahre 1476: Radó 163; das Lyoner Missale von 1531: Martène 1, 4, XXXIII (I, 659 C) und das heutige (1904) 228; vgl. das Missale von S. Pol de Léon: ebd. XXXIV (I, 663 B), wo dem *Veni Sancte Spiritus* vorausgeht *Kyrie eleison, Christe eleison, Kyrie eleison, Pater noster* und *Ave Maria.* — Im Missale von Westminster (um 1380) ed. Legg (HBS 5) 500 f folgt auf das *Veni Creator* noch die Antiphon *Veni Sancte Spiritus, reple* mit Versikel und Oration *(Deus cui omne cor patet).* Dasselbe ohne den Hymnus in der Meßordnung englischer Kartäuser um 1500: Legg, Tracts 102; ebenso um 1407 im Missale von Strengnäs (mit der Oration *Deus qui corda):* Segelberg 256. — Ähnliche Anrufungen begegneten uns im gleichen Bereich schon zu Beginn der Messe; s. oben I, 357. 365. 384 f in den Anmerkungen.

[153]) Dies betont mit Recht Batiffol, Leçons 27 f. — Vereinzelt ist die Anrede an den Heiligen Geist auch in der Textfassung ausgeschlossen: so in zwei Texten aus der Normandie: *Omnipotens Pater, benedic ... hoc sacrificium:* Martène 1, 4, XXXVI (I, 673 C); *Domine Deus omnipotens, benedic et sanctifica:* ebd. XXVI (I, 637 f).

[154]) Zwei italische Missalien des 11./12. Jh. (Ebner 310. 328; vgl. oben Anm. 145): *Veni sanctificator omnium, Sancte Spiritus.* Ein weiteres aus St. Peter (ebd. 333): *Veni Spiritus sanctificator omnium.* — Ordinarium des 13. Jh. von Sarum (Legg, Tracts 221): *Veni Sancte Spiritus benedic ...* — Auch das mozarabische Missale mixtum (PL 85, 113 A) hat: *Veni Sancte Spiritus sanctificator.* Das Augsburger Missale von 1386 hat in offenkundigem Anklang an den Anfang des Hymnus: *Veni creator et sanctificator;* Hoeynck 373; vgl. die zweimalige, etwas variierte Formel in der Augsburger Meßordnung vom Ende des 15. Jh.: Franz 752 f. — Nach der 1494 erschienenen Meßerklärung des Balthasar

zu beachten, daß die verschiedenen Texte, die die Oblationshandlung begleiten, allenfalls von den eigentlichen Darbringungsgebeten abgesehen, nicht Charakter und Gewicht von Orationen in Anspruch nehmen wollen und schon darum die freiere Form von Bittrufen und Segenssprüchen aufweisen.

5. *Die Inzensierung*

Wenn die Gaben auf dem Altar niedergelegt sind, folgt im Hochamt[1]) noch die Inzensierung. Sie ist heute, wie schon im Missale Romanae Curiae, so in den Gang des Offertoriums eingebaut, daß außer der Händewaschung noch ein letztes Darbringungsgebet nachfolgt, während sie anderwärts und ursprünglich den Abschluß bildete und unmittelbar dem *Orate fratres* vorherging[2]). Die Inzensierung im Anschluß an das Offertorium wird zuerst von Amalar erwähnt[3]), der nach seiner Romreise in dem um 832 geschriebenen Nachtrag seines Werkes feststellt, der Brauch dieser Inzensierung sei in Rom unbekannt[4]). Er wird daher auch im Norden lange bekämpft[5]), bis in eine Zeit hinein, wo er bereits in Rom Eingang gefunden hat[6]). Römischer Brauch kannte neben dem Ver-

---

von Pforta sprach man damals entweder: *Veni invisibilis sanctificator* oder die Antiphon: *O rex gloriae (... mitte promissum Patris in nos Spiritum veritatis)*. Franz 587.

[1]) Vgl. aber oben I, 409 Anm. 1.

[2]) In dieser geringfügigen Einzelheit scheiden sich wieder zwei Ausprägungen mittelalterlicher Liturgie: erstere Ordnung im Sakramentar der Abtei S. Denis aus dem 11. Jh.: Martène 1, 4, V (I, 525 f), und dann in mittelitalischen Abteikirchen: Ebner 296. 301. 310 usw., also derselbe Zusammenhang wie oben 78. Vgl. auch die benediktinischen Meßordnungen bei Köck 120. 121. — Dagegen zeigen die Inzensierung unmittelbar vor dem *Orate fratres* das Sakramentar des 10. Jh. von S. Thierry: Martène 1, 4, X (I, 549 C); Missa Illyrica: ebd. IV (I, 511); Meßordo von Séez (PL 78, 249). Auch später außerhalb Italiens, z. B. in Salzburg: Köck 124 f.

[3]) Amalar, Liber off. III, 19, 26 (Hanssens II, 319). — Vgl. Hinkmar von Reims, Capitula (852) c. 6 (PL 125, 774); Ordo sec. Rom. II n. 9 (Andrieu II, 220; PL 78, 973 C).

[4]) Amalar, Liber off., prooemium n. 21 (Hanssens II, 18; PL 105, 992 B): *Post evangelium non offerunt incensum super altare.*

[5]) Noch im 11. Jh. durch Bernold von Konstanz, Micrologus c. 9 (PL 151, 983 B).

[6]) Die Inzensierung erscheint seit dem 11. Jh. in mittelitalischen Abteikirchen (oben Anm. 2); zu Beginn des 12. Jh. auch in Rom, in St. Peter (Ebner 333); wird dann erwähnt von Innozenz III., De s. alt. mysterio II, 57 f (PL 217, 832—834).

brennen von Weihrauch in feststehenden Rauchfässern überhaupt nur das Mittragen des Inzenses beim Einzug, beim Vortreten mit dem Evangelienbuch, beim Auszug, nicht aber die Inzensierung[7]). Der Brauch ist also eine Frucht karolingischer Liturgieentwicklung. Insbesondere die in Rede stehende Inzensierung beim Offertorium hat dann das Übergewicht behalten über die Inzensierungen, die am Beginn der Messe und beim Evangelium ausgebildet wurden[8]). Und dieses Übergewicht ist ihr auch in der heutigen Liturgie erhalten geblieben, was darin zum Ausdruck kommt, daß sie am reichsten mit Gebeten ausgestattet und daß die Inzensierung von Personen hier am weitesten entfaltet ist.

Die Umrisse ihrer heutigen Gestalt treffen wir schon im 10. Jahrhundert an. Der rheinische Meßordo weist bereits die Inzensierung der Gaben, des Altares und der Umstehenden auf mit allen Gebeten, die heute üblich sind[9]), während sich manche jüngere Meßordnungen allerdings mit der einen oder der anderen dieser Formeln begnügen[10]). Wir treffen hier also zuerst ein Gebet zum Einlegen der Weihrauchkörner: *Per intercessionem beati Gabrielis archangeli*[11]) mit der Bitte um Seg-

---

[7]) Vgl. oben I, 90. 93.

[8]) Der im 10. Jh. in Deutschland entstandene Ordo ‚Postquam' der Bischofsmesse verlangt die Inzensierung des Altares nach dem Offertorium: *offerat illud (incensum) altari*, während er eine ähnliche Handlung nach dem Introitus nur als Brauch einzelner Kirchen erwähnt (Andrieu II, 354. 360 Z. 4; PL 78, 990. 993 B). Über die vorübergehende Ausgestaltung der Inzensierung nach dem Evangelium s. oben I, 578 f. — Zur Gesamtentwicklung vgl. Batiffol, Leçons 153—158. Zahlreiche Einzeldaten zur Inzensierung beim Offertorium s. bei Atchley, A History of the use of Incense 247—264.

[9]) Messe von Séez: PL 78, 249; Missa Illyrica: Martène 1, 4, IV (I, 511), wo noch das oben 85 Anm. 145 erwähnte Anamnesegebet *Memores* hinzukommt. — Anderswo, wie in skandinavischen Diözesen (Segelberg 255), erscheinen zur Segnung des Weihrauchs Formeln aus der ersten Inzensierung (oben I, 412 Anm. 15 f).

[10]) Vgl. z. B. zwei Sakramentare des 13. Jh. bei Ebner 326. 342, die beide nur das *Dirigatur* aufweisen.

[11]) In den mittelalterlichen Texten steht meistens Gabriel an Stelle des nur selten und spät (z. B. Ebner 327; 13. Jh.), wohl erst infolge einer Verwechslung, genannten Michael, dessen Nennung heute aufrechterhalten wird. Noch in einem Dekret vom 25. IX. 1706 nahm die Ritenkongregation Anlaß, zu entscheiden, daß Michael zu nennen sei. Martinucci, Manuale decretorum SRC, S. 139. Wohl im Hinblick auf Michael als den Schirmherrn der Kirche ist also die biblische Vorlage (Lk 1, 11. 18 f) verlassen. Eine gewisse Berechtigung zu solch freier Behandlung des Gedankens gab Apok 8, 3 f, wo man im Engel, der mit dem goldenen Rauchfaß neben dem himmlischen Altar steht, Michael

nung des Weihrauchs und um gnädige Annahme „zu lieblichem Wohlgeruch"; ein weiteres, das die Räucherung begleitet: *Incensum istud*, und das sich fortsetzt in dem Psalmvers: *Dirigatur oratio mea sicut incensum in conspectu tuo Domine*[12]); und endlich eine Formel, die heute der Zelebrant spricht, wenn er das Rauchfaß in die Hände des Diakons zurückgibt[13]): *Accendat in nobis Dominus ignem sui amoris et flammam aeternae caritatis*, die aber nach den Meßordnungen des 11./12. Jahrhunderts bestimmt war, von den einzelnen gesprochen zu werden, die nun die Inzensierung empfingen[14]).

Es wird gerade in diesen Worten der Sinn sichtbar, den man damals dieser Inzensierung gegeben hat, ähnlich wie wir es auch früher trafen[15]): Der Weihrauch ist etwas, das Gott geweiht wurde und woran man, wie in einer Art Kommunion, Anteil verlangt. Die glühende Kohle

---

erblicken konnte. Vgl. jedoch die Bedenken bei Gavanti-Merati, Thesaurus II, 7, 10 (I, 274 f); U. Holzmeister, Eph. liturg. 59 (1945) 300 f. — Der genannte Text (*Stetit angelus;* vgl. Offertorium vom 29. IX.) wird zum *Dirigatur* hinzugefügt im Pontifikale Christians I. von Mainz (1167—1183; vgl. Leroquais, Les pontificaux II, 25): Martène 1, 4, XVII (I, 601 B).

[12]) Der Psalmvers wird bereits im 9./10. Jh. vom Priester gesprochen: Remigius von Auxerre, Expositio (PL 101, 1252). In den mittelalterlichen Texten in der Regel nur der eine Vers Ps 140, 2 oder nur der eben angeführte Halbvers. So auch noch im Ritus der Kartäuser: Ordinarium Cart. (1932) c. 26, 21, im Missale von Lyon (1904) 228, und bis ins 13. Jh. in manchen unmittelbaren Vorläufern des Missale Romanum in Mittelitalien: Ebner 310. 333. 342. Der volle Text Ps 140, 2—4 ebd. 327 (13. Jh.); ebenso im Ordo des Kard. Stefaneschi (um 1311) n. 53 (PL 78, 1164 C), wo aber der Anfangsvers *Dirigatur* dreimal gesprochen wird, zur dreimaligen Bekreuzung der Gaben. — Die weiteren Verse Ps 140, 3. 4 können denn auch nur mehr als Fortsetzung des Psalmes, nicht des Inhaltes wegen gesprochen werden. Immerhin hat gerade der zelebrierende Priester Grund, um Heiligung seiner Lippen zu bitten; vgl. Gihr 492 f.

[13]) So bereits in einem mittelitalischen Sakramentar des 13. Jh., dessen Inzensierungstexte mit den heutigen genau übereinstimmen, Ebner 327; vgl. 314. — Im Meßordo von Strengnäs (15. Jh.) als Gebet, von einem Altarkuß begleitet: *Accende in me* (Segelberg 256).

[14]) Der Formel, die übrigens häufig fehlt, geht im 11. Jh. die Rubrik voraus: *Quando odor incensi porrigitur sacerdoti et fratribus, dicat unusquisque eorum: Accendat.* Missa Illyrica: Martène 1, 4, IV (I, 511 E); Meßordo von Séez: PL 78, 249 C; Kamaldulenser-Sakramentar: Ebner 301 (vgl. auch 298. 322, wo die Worte aber schon dem inzensierenden Kleriker zugewiesen zu sein scheinen). Mit anderer Formulierung auch noch im Mainzer Pontifikale um 1170 (oben Anm. 11): Martène 1, 4, XVII (I, 601 B): *Cum redolet incensum.*

[15]) Oben I, 412 f. 578 f.

und der Duft, der ihr entsteigt, führen den Gedanken aber auf das höchste, was wir von Gott als Antwort auf unsere Gabe erbitten können: das Feuer der göttlichen Liebe. Wir dürfen diese Symbolik auch heute mit der Inzensierung der Teilnehmer verbinden. Die in Rede stehenden liturgischen Texte vermeiden es indessen, den Begriff Opfer, *sacrificium, oblatio,* ausdrücklich auf den Weihrauch anzuwenden. Es wird nur gebeten, der Weihrauch möge zu Gott empor- und Gottes Erbarmen möge auf uns herniedersteigen. Die Verse aus Ps 140 lassen die aufsteigenden Weihrauchwolken nur als Bild des Gebetes erscheinen, das wir zu Gott emporsenden möchten. Als förmliches Opfer oder auch nur als Gabe an Gott wird der Weihrauch nicht bezeichnet. In der Frühzeit war man auch im Abendlande weniger bemüht, hier eine strenge Grenzlinie einzuhalten. Amalar nennt die Handlung ein *offerre incensum super altare* und stellt sie damit offenkundig in Parallele mit dem Weihrauchopfer des Alten Bundes[16]). Derselbe Gedanke erscheint auch schon ein Jahrhundert früher in einem Brief, mit dem dem hl. Bonifatius eine Weihrauchsendung angekündigt wurde[17]). In der Liturgie selbst findet der Gedanke Ausdruck in den von der sonstigen Überlieferung stark abweichenden Gebeten, mit denen u. a. um die Mitte des 11. Jahrhunderts im Sakramentar von S. Denis die Inzensierung begleitet wird[18]), Gott möge diesen Weihrauch annehmen, wie er die Gaben der heiligen Männer des Alten Bundes angenommen habe. Es sind Gebete, deren Herkunft aus dem Orient, und zwar aus der griechischen Jakobusliturgie, schon früher erkannt worden ist[19]). In diesem östlichen Bereich ist der Gebrauch wie die religiöse Einschätzung des Weihrauchs früh viel stärker

---

[16]) Lev 2, 1 f. 15 f. Oben Anm. 4.

[17]) Brief eines römischen Diakons (742) an Bonifatius (MGH, Ep. Merow. et Karol. aevi I, 308): der Schreiber schickt ihm *aliquantum cotzumbri, quod incensum Domino offeratis temporibus matutinis et vespertinis, sive dum missarum celebratis sollemnia, miri odoris atque fragrantiae.*

[18]) Martène 1, 4, V (I, 525 f). — Vgl. auch die zu Ps 140, 2 hinzugefügte Paraphrase im Missale von St. Vinzenz (um 1100): ...*et elevatio manuum nostrarum cum oblatione huius incensi sit tibi in sacrificium laudis.* Fiala 205.

[19]) Brightman S. LIV Z. 10 ff weist für drei von den sechs Formeln (nämlich: *Domine D. n. qui suscepisti; Omnipotens s. D. qui es in sanctis; Omnipotens s. D. qui es repletus)* die Vorlage in der griechischen Jakobusliturgie nach (Brightman 32. 36). Auch noch ein viertes Gebet *Suscipe quaesumus Domine* — wiederkehrend im Missale von Troyes: Martène, 1, 4, VI (I, 532 E) — ist Übersetzung aus gleicher Quelle, und zwar der zweiten Hälfte des Weihrauchgebetes nach dem Großen Einzug (Brightman 41 Z. 16: καὶ πρόσδεξαι).

zur Entfaltung gekommen[20]). In der westsyrischen Liturgie sprach man von einem dreifachen Opfer, das in jeder Meßfeier vollzogen wird: dem Opfer des Melchisedech in der Herrichtung von Brot und Wein zu Beginn der Feier, dem Opfer des Aaron in der Inzensierung und dem Opfer Christi[21]).

Sachlich ist gegen eine solche Redeweise wenig einzuwenden, sobald man festhält, daß im Neuen Bunde das einzige für den Kult der Kirche wesentliche, weil von Gott selbst angeordnete Opfer die Eucharistie ist[22]). Wir können unsere Huldigung vor Gott so wie durch Worte, so auch durch Zeichen symbolisieren, auch durch Gaben, die wir selber gewählt haben, und wenige Gaben sind so ausdruckskräftig wie der Weihrauch, der in der Kohlenglut dahinschmilzt und in duftender Wolke emporsteigt. Dennoch hat man im Abendland die Weihrauchgebete dieser Art bald wieder ausgeschieden[23]). Offenbar sollte die Einzigkeit des christlichen Opfers — die durch die Erstreckung des Opferbegriffes auf Brot und

---

[20]) Vgl. E. Fehrenbach, Encens: DACL V, 6—11; Atchley, A History of the use of Incense 117—130. Seit dem 4. Jh. finden sich hier Zeugnisse für den Gebrauch von Weihrauch am Beginn der Messe, beim Evangelium und am Höhepunkt der Opfermesse. Über den der Weihrauchspende zugeschriebenen Opfercharakter zunächst in Ägypten s. H. Schwarzmann, Zum Begriff der εὐχαριστήρια in der griechischen Markusliturgie: Aus Theologie u. Philosophie. Festschrift f. F. Tillmann, Düsseldorf 1950, 468—476, bes. 469 f.

[21]) M. Jugie, La messe en Orient: DThC X, 1331. Vgl. jedoch in etwas anderem Sinn Raes, Introductio 66 ff.

[22]) Vgl. die einschlägigen Überlegungen bei Brinktrine, Die hl. Messe 152 ff; Eisenhofer II, 148 f; J. Kramp, Die Opferanschauungen der römischen Meßliturgie, 2. Aufl., Regensburg 1924, 253 Anm.

[23]) Das erste der im Sakramentar von S. Denis vorhandenen, aus dem Osten stammenden Weihrauchgebete mit dem Anfang: *Domine Deus noster, qui suscepisti munera pueri tui Abel, Noe, Aaron et omnium sanctorum tuorum,* erscheint auch schon im Sakramentar von Amiens (oben I, 102 f); weiter findet es sich im Sakramentar des Abtes Ratoldus († 986) von Corbie (PL 78, 243 A), im Sakramentar von Moissac (11. Jh.): Martène 1, 4, VIII (I, 538 E), im Missale von Troyes (um 1050): ebd. VI (I, 532 D); weiter in zwei benediktinischen Missalien des 11., bzw. 11./12. Jh. aus Mittelitalien: Ebner 301. 337, und in einem solchen des 13./14. Jh. von Fonte Avellana: PL 151, 934 C, sowie in einem (nicht näher bestimmten) Rituale von Soissons: Martène I, 4, XXII (I, 611 f). Zwei Fundorte des 11. Jh. auch bei Leroquais I, 139. 161. Später nur noch vereinzelt, wie in zwei skandinavischen Hss des 13. und 15. Jh. (Segelberg 255 f) und in dem 1543 gedruckten Missale von Chalons s. M. bei Martène 1, 4, 7, 1 (I, 394 E). — Auch die weiteren bei Brightman S. LIV vermerkten Herübernahmen aus der Jakobusliturgie gehören dem monastischen Bereich aus dem 10. (nicht 9.) und 11. Jh. an.

Wein ja nicht geschmälert wird — in der Gebetssprache der Liturgie nicht unnötig verdunkelt werden[24]). Auch die symbolische Handlung, in der das Rauchfaß vor der Inzensierung der Opfergabe zu Gott emporgehoben wurde[25]), ist wieder fallengelassen worden[26]). Die Verwendung des Weihrauchs ist also auch innerhalb des Offertoriums nur Zugabe, nicht selbständige Gabe an Gott. Darum gelten die ersten Züge des Rauchfasses den Gaben von Brot und Wein, die dreimal bekreuzend und dreimal umkreisend inzensiert werden. Es ist der vollste Ausdruck von Segnung und Weihe und insofern eine verstärkende Wiederholung des *Veni sanctificator*[27]). Der Weihrauch soll diese Gaben, wie die weitere Inzensierung den Altar und die liturgische Gemeinde, in eine heilige Atmosphäre des Gebetes hüllen, das „wie Rauchwolken emporsteigt vor Dein Angesicht"; er soll also den primären Vorgang am Altar symbolisch darstellen und verstärken.

In der Weise der Durchführung des Inzenses sind nur wenig Schwankungen zu verzeichnen. Vereinzelt vollzieht der Zelebrant nur die Inzensierung der Opfergaben und etwa der Altarfront und überläßt die

---

[24]) Im *Exultet* des Karsamstags kennt übrigens auch die römische Liturgie eine Ausnahme von diesem Stilgesetz der liturgischen Sprache: *Suscipe, sancte Pater, incensi huius sacrificium vespertinum quod tibi in hac cerei oblatione... reddit Ecclesia.* Unter *incensum* ist hier die („angezündete") Kerze gemeint.

[25]) Ein solcher Ritus wird erwähnt im Ordo des Kard. Stefaneschi (um 1311) n. 53 (PL 78, 1164 C): *elevet paulisper in altum.*

[26]) Verwandt, aber nicht ganz derselben Art ist die heute häufigste Anwendung des Weihrauchs, die Inzensierung der Eucharistie, bei der das Rauchfaß dem Allerheiligsten entgegengeschwungen wird. Es schwebt dabei aber weniger die Huldigungsgabe vor als das Symbol der Verehrung, das auch sonst in der Inzensierung von Gegenständen und Personen angewendet wird, das hier freilich in einem besonderen Sinn am Platze ist. Ähnliches ist zu sagen von der Inzensierung des Crucifixus, die ja auf die der Opfergaben folgt.

[27]) Die Inzensierung ist schon in den ältesten Rubriken in dieser Weise festgelegt, z. B. in der Missa Illyrica: ...*Thuribulum super panem et calicem circumducitur;* darauf: *Circumiens autem altare cum incenso;* und schließlich: *odor incensi porrigitur...;* Martène 1, 4, IV (1, 511). Auch die bekreuzende Inzensierung der Gaben wird schon seit dem 11. Jh. ausdrücklich erwähnt, bald als einfache (Ebner 298), bald als dreifache Bekreuzung (ebd. 310. 327. 333). In Cluny bildete man um 1080 drei Kreuzzeichen und einen Kreis; Udalrici Consuet. Clun. II, 30 (PL 149, 717 D). Innozenz III., De s. alt. mysterio II, 57 (PL 217, 832), erwähnt, wie auch ältere Quellen, nur die (dreimalige) Umkreisung der Gaben. Durandus IV, 31, 1, der hier im übrigen Innozenz III. ausschreibt, vermerkt dreifache Bekreuzung und dreifache Umkreisung des Kelches, kennt aber auch einmalige Bekreuzung und Umkreisung; ebd. 31, 3. Weitere Einzelheiten

Fortsetzung dem Diakon, der den Altar umkreist[28]). Die Umkreisung des Altares wird auch sonst betont[29]). Während sie bei der Altarweihe wenigstens als liturgische Norm erhalten geblieben ist[30]), ist sie beim Offertorium vor den Tatsachen des gotischen Altarbaues zurückgewichen, so daß sie in der Regel auch dort unterbleibt, wo die bauliche Anlage sie zuließe[31]). Doch ist auch in der heutigen Weise der Altarberäucherung der ursprüngliche Gedanke noch deutlich erkennbar. Die Beräucherung setzt sich nach heutigem Brauch jedesmal fort in der Inzensierung des Zelebranten[32]) und beim Offertorium auch in der Inzensierung des Chores durch den Diakon[33]), deren Weise und Reihenfolge in zahlreichen Dekreten der Ritenkongregation eine letzte und eingehende Regelung

---

s. bei Atchley 249—254. — Bei dieser Beräucherung der Gaben wird manchmal nur gesprochen: *In nomine Patris...:* Meßordnung der Kartäuser (auch eigene Ordnung der Altarinzensierung): Martène 1, 4, XXV (I, 632 E); Ordinarium Cart. (1932) c. 26, 21. Vgl. Missale von Fécamp (um 1400): Martène XXVII (I, 640 C), und oben 83 Anm. 136 (am Ende).

[28]) Johannes von Avranches, De off. eccl. (PL 147, 35 C); Missale von St. Vinzenz (Fiala 205; vgl. 199); Ordo eccl. Lateran. (Fischer 83); Meßordo der Kartäuser: Martène 1, 4, XXV (I, 632 f); Ordinarium Cart. (1932) c. 26, 21. Vgl. ein Missale des 11./12. Jh. bei Ebner 310. — Nach dem Rituale von Soissons: Martène 1, 4, XXII (I, 612 A), inzensiert der Diakon den Priester, die *cornua altaris,* die über dem Altar hangende Eucharistie (als Taube), dann die übrigen Altäre, das Kruzifix und den Kreuzaltar, endlich den *succentor.* Er spricht dabei den Psalm 140 von Anfang an: *Domine clamavi.* Den Chor inzensiert der *clericulus.* — Eine genaue Norm für die Inzensierung des Chores (durch den Thurifer) im Missale von Sarum: Martène 1, 4, XXXV (I, 667); vgl. das Custumarium von Sarum (13. Jh.): Frere, The use of Sarum I, 76 f.

[29]) Vgl. oben Anm. 27; Missa Illyrica: Martène 1, 4, IV (I, 511 E); Meßordo von Séez: ebd. XIII (I, 578 B); PL 78, 249 C.

[30]) Pontificale Romanum II, De altaris consecratione.

[31]) Eine gegenteilige Gewohnheit wurde jedoch von der Ritenkongregation (3. II. 1877) zugelassen; Decreta auth. SRC n. 3413.

[32]) Einen besonderen Brauch bietet dabei der Liber ordinarius der Prämonstratenser (12. Jh.; Lefèvre 10; Waefelghem 66 f): der Diakon, der inzwischen den Altar inzensiert hat, inzensiert den Zelebranten, während dieser sich zum *Orate* umwendet. Ebenso später neben anderen benediktinischen Quellen (Waefelghem 67 Anm. 1) der Liber ordinarius von Lüttich (Volk 93) und noch heute der Ritus der Kartäuser: Martène 1, 4, XXV (I, 633 A); Ordinarium Cart. (1932) c. 29, 13.

[33]) In englischem Brauch des ausgehenden Mittelalters war die Inzensierung des Chores nur vorgesehen an Tagen mit *Credo,* also an Tagen mit gehobenem Rang; Frere, The use of Sarum I, 77; Missale von Sarum: Martène 1, 4, XXXV (I, 667 E).

für die verschiedensten Verhältnisse besonders der großen Kathedralen gefunden hat[34]), und schließlich in der Inzensierung des Diakons, der niederen Assistenz und des Volkes durch den Thurifer[35]).

6. Die Händewaschung

Auf die Bereitlegung der Opfergaben und gegebenenfalls die Inzensierung folgt die Händewaschung. Ihr Sinn ist heute an dieser Stelle nicht mehr ohne weiteres ersichtlich. Offenbar hat die Handlung, die ja nur in einer Benetzung der Fingerspitzen besteht, symbolische Bedeutung. Aber auch dafür muß gefragt werden, weshalb sie gerade hier stattfindet.

Es entspricht einem natürlichen Gefühl, daß wir kostbare Dinge nur mit gereinigten Händen anfassen. Oder noch allgemeiner: An eine festliche und auch an eine heilige Handlung tritt man nur heran, nachdem man sich vom Schmutz des Werktags gereinigt und außerdem sein Festgewand angelegt hat. So finden wir auch in der Liturgie neben dem Anlegen der liturgischen Gewänder die Händewaschung. In der christlichen Antike ist eine Händewaschung mehrfach als fester Brauch bezeugt, bevor man sich zum Gebet begibt[1]). Auch die häusliche Andacht

---

[34]) Gavanti-Merati, Thesaurus II, 7, 10 (I, 274—282). Auch der *gubernator civitatis* erhält den Inzens, ebenso der *baro dominus in ecclesia parochiali.* Jedoch darf auch bei zahlreichem Chor nicht ein zweites Rauchfaß verwendet werden (281). Übrigens wird von den beiden großen Rubrizisten zugestanden, daß auch der *rationabilis consuetudo* Raum zu lassen sei, *ad pacem et concordiam tum cleri tum laicorum conservandam* (274. 282). Der letzteren Bemerkung liegen unerfreuliche Erfahrungen zugrunde. So wissen die Akten des Trienter Konzils (Concilium Trid. ed. Goerres. IX, 591 f) von einer *magna contentio* zu berichten, die sich beim Hochamt am 29. VI. 1563 zwischen dem spanischen und dem französischen Gesandten erhob *in dando thure et pace.* — Eine genaue Regelung für den Chor vielfach schon im Mittelalter, z. B. im Ordinarium O. P. von 1256 (Guerrini 234. 239 f); sie betrifft hier und in anderen Fällen zugleich die Erteilung der *pax* und die *aspersio.*

[35]) Ähnlich wie heute schon im Ordo eccl. Lateran. (Fischer 83); nur daß der *mansionarius* auch schon die Inzensierung des Chores vornimmt: *Mansionarius itaque accipiens turibulum de manu diaconi ei incensum odorandum praebet. Quod postquam fecerit, dat incensum fratribus per chorum, postea dat et populo.* Zum *odorare* vgl. oben I, 578 Anm. 67.

[1]) Hippolyt, Trad. Ap. (Dix 65; Hauler 119); Canones Basilii c. 28 (Riedel 246). — Tertullian, De or. c. 13 (CSEL 20, 188 f), bekämpft die Auffassung, daß diese Händewaschung notwendig sei. Vgl. dazu Elfers, Die Kirchenordnung Hippolyts 38—42.

steht unter diesem Gesetz. Wir wundern uns daher nicht, daß wir auch in der Liturgie die Händewaschung frühzeitig ausdrücklich erwähnt finden. In Jerusalem begann im 4. Jahrhundert die Messe der Gläubigen damit, daß der Diakon dem Zelebranten und den Presbytern, die den Altar umgaben, das Wasser reichte[2]), wobei vom Anfang an der symbolische Sinn der Handlung betont wird. Ähnlich war der Brauch in der antiochenischen Kirche[3]). Auch in den orientalischen Liturgien der Folgezeit treffen wir im allgemeinen dieselbe Händewaschung. Sie erfolgt in der Regel, sobald die Gaben auf den Altar übertragen sind[4]). Eine bedeutungsvolle Erweiterung hat der Ritus in der äthiopischen Messe erhalten: nachdem der Priester die Gaben auf dem Altare enthüllt hat, wäscht er die Hände, trocknet sie aber nicht sofort ab, sondern wendet sich um und spritzt das an den Fingern haftende Wasser gegen das Volk mit einem drohenden Wort der Warnung gegen Unwürdige, die sich etwa dem Tisch des Herrn nahen wollten[5]).

Übrigens liegen auch anderwärts Ansätze vor, die Waschung oder doch ein ihr zugehöriges Zeichen, das auf die Reinheit des inneren Menschen mahnend hinweist, auch auf das Volk auszudehnen. Im Atrium der altchristlichen Basilika stand der Brunnen[6]), der in diesem Sinne ver-

---

[2]) Cyrillus von Jerusalem, Catech. myst. V, 2 (Quasten, Mon. 97 f).

[3]) Const. Ap. VIII, 11, 12 (Quasten, Mon. 211): ein Subdiakon reicht allen Priestern die ἀπόρρυψις χειρῶν, und zwar nach dem Friedenskuß. Dieselbe Ordnung bei Theodor von Mopsvestia, Sermones catech. V (Rücker 25). — Noch etwas später, erst nach der Verlesung der Diptychen, ist die Händewaschung angesetzt bei Ps.-Dionysius, De eccl. hierarchia III, 2; 3, 10 (Quasten, Mon. 295. 308 f); daß man nur die Fingerspitzen wäscht, bedeute den hier geforderten Zustand vollkommener Reinheit.

[4]) Brightman 82; 162 Z. 32; 226; 271 Z. 13; 432 Z. 29. — In der byzantinischen Liturgie ist die genannte Händewaschung nur beim Pontifikalamt vorgeschrieben. Doch kennt sie die Händewaschung vor der Messe, die auch in den meisten übrigen Liturgien geübt wird. Eine dreifache Händewaschung ist in der ostsyrischen Messe der Nestorianer gebräuchlich; die dritte findet vor der Brechung statt. Hanssens, Institutiones III, 7—11. 537. Vgl. auch die Übersichten bei Raes, Introductio 72 f. 84 f. In dem bei Raes 97 f wiedergegebenen ostsyrischen Brauch scheint eine *thurificatio digitorum* die Funktion der Händewaschung vor der Brechung übernommen zu haben.

[5]) Brightman 226: „Ist einer hier, der rein ist, so mag er von der Hostie empfangen. Wer aber nicht rein ist, der soll nicht empfangen, damit er nicht verzehrt wird vom Feuer der Gottheit — wer Rache im Herzen trägt und wer einen fremden Geist hat wegen seiner Unkeuschheit. Ich bin rein vom Blute von euch allen und von eurem Sakrileg am Leibe und Blute Christi... Eure Sünde wird auf euer Haupt zurückfallen, wenn ihr nicht in Reinheit empfangt."

[6]) Beissel, Bilder 254 f.

standen wurde, und auch am Eingang unserer Kirche ist das Becken angebracht für das geweihte Wasser, mit dem die Gläubigen die Stirne benetzen. Der pfarrliche Gemeinschaftsgottesdienst am Sonntag aber beginnt seit der Karolingerzeit mit dem Sprengen des geweihten Wassers über die versammelte Gemeinde, ein Brauch, der seine Deutung findet im begleitenden Gesang: *Asperges me Domine hyssopo et mundabor*. Die Symbolik der Reinheit und Reinigung ist für die Waschungen in der Liturgie offenbar von jeher in erster Linie maßgebend gewesen. Das wird deutlich gerade an den orientalischen Liturgien, deren Händewaschung an der genannten Stelle nie oder kaum irgendwo durch eine vorausgehende Entgegennahme von Gaben begründet war, da diese ja vor Beginn der Messe geschah[7]). Es ist lediglich ein Akt der Ehrfurcht nach dem großen Einzug beim eigentlichen Eintritt ins Heiligtum.

Es ist bezeichnend, daß wir auch in der abendländischen Messe die Händewaschung dort finden, wo man den heiligen Kreis betritt, und weil es ein mehrfacher Kreis ist, der sich um das Allerheiligste legt, treffen wir auch die Händewaschung an verschiedenen Punkten: schon dort, wo man an den äußersten Kreis herantritt, und auch noch dort, wo man an der letzten Schwelle vor dem innersten Heiligtum steht. Eine Händewaschung vor dem Anlegen der Gewänder gehört schon in frühmittelalterlichen Quellen zum Gang der Meßordnung[8]) und ist auch heute noch, wenn auch in abgeschwächter Betonung, vorgesehen als Händewaschung in der Sakristei. Anderseits treffen wir vereinzelt eine Händewaschung unmittelbar vor der Wandlung[9]). Der nächstfolgende Ring, der die Wandlung umgibt, ist der Kanon. Seitdem man den Kanon mit dem *Te igitur* beginnen läßt, erscheint manchmal eine Händewaschung vor dem *Te igitur*. Es ist zwar ursprünglich eine Händewaschung des Diakons[10]), der am Schluß des Kanons bei der Erhebung

---

[7]) Oben 6 f.

[8]) Oben I, 361 f.

[9]) In der mailändischen Messe: Missale Ambrosianum (1902) 177. Der Brauch ist natürlich jüngeren Datums. Immerhin steht er schon im Missale von 1560: Martène 1, 4, III (I, 484 f). Der ältere mailändische Ritus kannte nur die Händewaschung am Beginn der Messe. Es scheint dies die einzige ursprüngliche Händewaschung der gallischen Liturgien zu sein. Fortescue, The mass 311.

[10]) Ordinarium von Bayeux (13./14. Jh.): Martène 1, 4, XXIV (I, 629 B). — Anderswo findet diese Händewaschung erst nach dem *Supplices* statt, so zu Cluny im 11. Jh.; Udalrici Consuet. Clun. II, 30 (PL 149, 719). Auch Durandus IV, 44, 5 kennt die Händewaschung des Diakons an dieser Stelle als Brauch *in nonnullis ecclesiis*. Zu diesen Kirchen gehörte Sarum, wo aber auch der Subdiakon an der Händewaschung teilnahm; Frere, The use of Sarum I, 79. 82.

des Kelches dienen mußte, oder eine solche der Diakone[11]), die bei der Brechung mitzuwirken hatten; aber gegen Ende des Mittelalters war diese, wenigstens auf deutschem Boden, als Händewaschung des Priesters weit verbreitet[12]).

Das Übergewicht erhielt aber die schon ältere Händewaschung am Beginn der Opfermesse in Verbindung mit dem Offertorium. Auch diese trägt zunächst deutlich symbolischen Charakter. Im Ersten römischen Ordo wäscht der Papst seine Hände, bevor er an den Altar herantritt, um hier die Opfergaben des Klerus entgegenzunehmen und dann seine eigenen Gaben auf dem Altar niederzulegen[13]). Der symbolische Sinn der Händewaschung, der auch hier sichtbar ist, wird noch deutlicher in der fränkischen Fassung des römischen Pontifikalritus. Hier wäscht der Zelebrant seine Hände schon sofort nach dem *Oremus*[14]), bevor er die Gaben der Gläubigen entgegennimmt, worauf noch die eben erwähnte Händewaschung als zweite folgt[15]). Beidemal ist sie

---

Letzteres ebenso in einer Zisterzienser-Meßordnung, die diese Händewaschung schon nach dem *Orate fratres* ansetzt; de Moléon 233.

[11]) Ordo ‚Postquam' der Bischofsmesse (10. Jh.) (Andrieu II, 360; PL 78, 993 B): Nach dem *Sanctus* erscheinen drei Akolythen und reichen den Diakonen Wasser. Auch schon bei Amalar, Liber off. III, 25, 10 (Hanssens II, 343), wird gegen Ende des Kanons diese Händewaschung der Diakone erwähnt, die dann nur allegorisch (die reinigende Wirkung des Leidens Christi) begründet wird. Ebenso ist sie im Ordo sec. Rom. (um 900) n. 10 (Andrieu II, 222; PL 78, 974 B) an gleicher Stelle erwähnt. Im Sakramentar des Ratoldus (10. Jh.) erscheint sie nach der Secreta (PL 78, 243 B; vgl. Netzer 229). Vgl. dazu Luykx (Anal. Praem. 1946/47) 65 Anm.

[12]) Franz 106. 550. 575. 753; Binterim IV, 3, S. 224; Beck 268; Köck 62; Gerbert, Vetus liturgia Alemannica I, 330. — Auch diese Händewaschung geschah an der Epistelseite; Beck 268. — Nach dem Kölner Ordo celebrandi sprach man dazu: *Dele Domine omnes iniquitates meas, ut tua mysteria digne possim tractare;* Binterim a. a. O.; vgl. Peters, Beiträge 75 f. — Diese Händewaschung auch schon in einem oberungarischen Missale des 14. Jh., das dazu Is 53, 7 und die Gründonnerstagssecreta *Ipse* sprechen läßt; Radó 68.

[13]) So in der älteren Fassung des Ordo Rom. I n. 14 (Andrieu II, 92; PL 78, 944). Dieselbe Ordnung im Ordo sec. Rom. n. 9 (Andrieu II, 219; PL 78, 973). Auch in dem bereits fränkisch bearbeiteten gregorianischen Sakramentar des Ratoldus (10. Jh.; PL 78, 243 A), das aber auch schon die Händewaschung beim Ankleiden erwähnt und mit einem Gebet begleitet (ebd. 241 A). — Vgl. Ordo eccl. Lateran. (Fischer 82 Z. 25).

[14]) Capitulare eccl. ord. (Andrieu III, 100. 123); ebenso Breviarium (ebd. III, 180) und Ordo von S. Amand (ebd. II, 161).

[15]) Capitulare und Breviarium (Andrieu III, 101. 180). Im Ordo von S. Amand ist an zweiter Stelle (ebd. II, 162) nur von der Händewaschung des Archidiakons (die übrigens auch der Ordo Rom. I kennt; a. a. O.) und der Diakone die Rede.

also deutlich ein Ausdruck der Ehrfurcht an der Schwelle des Heiligtums[16]). Eine ähnliche Ordnung findet sich an verschiedenen Orten das ganze Mittelalter hindurch, soweit eine Händewaschung im Verlauf der Messe überhaupt vorgesehen ist. Sie findet sich am Anfang des Offertoriums angesetzt, und zwar so, daß die Beschäftigung mit den Opfergaben als Erklärungsgrund nicht in Frage kommt[17]). Das ist besonders deutlich im Ritus der Franziskaner, die ja Oblationen des Volkes in der Messe überhaupt nicht zuließen[18]); auch sie begannen das Offertorium mit der Händewaschung[19]).

Daneben erscheinen aber bald auch Meßordnungen, die die Händewaschung erst nach dem Opfergang der Gläubigen folgen lassen und sie, unbeschadet der weiteren symbolischen Ausdeutung, damit be-

---

[16]) Vgl. Cod. Ratoldi (a. a. O.): *lavetque manus et sic ingrediatur propitiatorium, et omnis processio offerat sibi oblationem.* Innozenz III, De s. alt. mysterio II, 55 (PL 217, 831): *manus abluit, quatenus lotis manibus oblationem accipiat, incensum offerat et orationem effundat.* — Besonders reich entwickelt ist die Symbolik der Ehrfurcht beim endgültigen Herantreten an den Altar im ostsyrischen (chaldäischen und syromalabarischen) Ritus, wo der Priester, nachdem die Händewaschung schon vorangegangen ist, nun das Bema verläßt und, dreimal innehaltend, unter Gebet und mehrfacher Verbeugung den Altarraum betritt, wo er dreimal das Knie beugt und den Altar in der Mitte, rechts, links und wieder in der Mitte küßt. Raes, Introductio 83; vgl. Brightman 271—274. — Vgl. den Altarkuß an dieser Stelle auch in der alten römischen Liturgie, oben I, 94. 406 Anm. 20.

[17]) Missa Illyrica: Martène 1, 4, IV (I, 505 E); Sakramentar von S. Denis: ebd. V (I, 523 C); Missale von St. Vinzenz: Fiala 202 f; italische Meßbücher des 12./14. Jh.: Ebner 312. 314. 347; Liber ordinarius O. Praem. (Waefelghem 59; vgl. 57 mit Anm. 2); vgl. zu letzterem Luykx (Anal. Praem. 1946/47) 59 f. — Der symbolische Sinn kommt gut zum Ausdruck noch im 15. Jh. in Klosterneuburg, wenn im Hochamt zuerst der Subdiakon die Hände wäscht, bevor er den Kelch anfaßt, dann der Diakon, bevor er das Corporale ausbreitet, endlich der Priester, bevor er die Patene entgegennimmt; Schabes 63. Ebenso halten es Diakon und Subdiakon noch im heutigen Dominikanerritus; G. Sölch, Die Liturgie des Dominikanerordens (Angelicum 1950) 35. 37. Die Händewaschung des Diakons auch in St. Vinzenz; Fiala 202. — Lebrun, Explication I, 304 Anm. a, zitiert noch einen 1570 in Antwerpen gedruckten Meßordo, der die Händewaschung in der stillen Messe am Anfang ansetzt. Die gleiche Erscheinung in der Meßerklärung des Wilhelm von Gouda (15. Jh.; P. Schlager, Franziskan. Studien 6 [1919] 332) und in den Kölner Missalien von 1494, 1506 und 1520 (Freisen, Manuale Lincopense S. LVIII Anm.; Peters, Der Oblationsritus 400).

[18]) Oben 32 Anm. 133.

[19]) Wilhelm von Melitona, Opusc. super missam ed. van Dijk (Eph. liturg. 1939) 328 f, und die weiteren Nachweise des Herausgebers (ebd. Anm. 182). — Vgl. Ebner 177. 314.

gründen, daß der Priester seine Hände *a tactu communium manuum atque terreno pane* reinigen müsse[20]). Manchmal läßt man auch noch die Zurüstung der Gaben auf dem Altare vorausgehen[21]), und zwar in einzelnen Fällen in der Weise, daß die Inzensierung erst nachfolgt[22]).

Es ist aber begreiflich, daß von da aus schon früh der weitere Schritt getan wird: man stellt auch die Inzensierung voran; es geschieht dies *ad maiorem munditiam*[23]). Nach einer klösterlichen Anweisung soll der Priester nun achthaben, daß er mit den Fingern, die den Leib des Herrn berühren sollen, nichts anderes mehr anfasse[24]). Dabei steht diese Händewaschung noch vielfach neben der ersten, älteren, die weiter vor dem Offertorium vorgenommen wurde[25]), so wie dies auch im heutigen Pontifikalritus der Fall ist[26]). In der Folge ist diese bald

---

[20]) Amalar, Liber off. III, 19, 22 (Hanssens II, 318). Vgl. Ordo ‚Postquam' der Bischofsmesse (Andrieu II, 359; PL 78, 992 D). — Unmittelbar nach dem Opfergang folgt die Händewaschung auch in einzelnen italischen Meßbüchern: Ebner 309. 340 (Vall. C 32); vgl. Bonizo von Sutri († um 1095), De vita christiana II, 51 (ed. Perels 59). Ebenso um die Wende des Mittelalters nach allem Anschein in den niederländischen Meßordnungen und in der Kölnischen Messe: Smits van Waesberghe 300; vgl. 325 ff; Binterim IV, 3, S. 227.

[21]) So u. a. französische Meßordnungen des ausgehenden Mittelalters: Martène: 1, 4, XXVI. XXXI. XXXIII f (I, 637 D. 651 A. 659 C. 663 B); ebenso englische Meßordnungen: Legg, Tracts 5. 221; Zisterzienser-Meßordnung des 15. Jh.: Franz 587. Aber auch schon um 1068 die Ordnung der Privatmesse in Cluny: Bernardi Ordo Clun. I, 72 (Herrgott 264).

[22]) Sakramentar des 13. Jh. von Lyon: Ebner 326; benediktinisches Missale des 11./12. Jh. aus Mittelitalien: ebd. 337.

[23]) Ordo des Kard. Stefaneschi (um 1311) n. 53 (PL 78, 1165 A).

[24]) Udalrici Consuet. Clun. II, 30 (PL 149, 717 B); Wilhelm von Hirsau, Const. I, 84 (PL 150, 1012 A). Dieselbe Regel bei Durandus IV, 31, 4, der beifügt, daß der Priester nach der Wandlung die Finger schließen müsse.

[25]) Ordo Stefaneschis a. a. O. (1163 B). Die zweite wird hier nur als zulässig, *in Ecclesia Romana* sonst nicht üblich (1165 A), erwähnt; vgl. Ordo Rom. XIV n. 71 (PL 78, 1186 f) und den Meßordo der päpstlichen Hofkapelle um 1290 (Brinktrine: Eph. liturg. 1937, 201 f), wo beidemal nur die erste Händewaschung vorliegt. Letzteres ist in Tongern noch um 1413 der Fall; de Corswarem 126. — Beide Händewaschungen auch noch in den Statuta antiqua der Kartäuser: Martène 1, 4, XXV (I, 632 C. E); vgl. auch Missale von York (14./16. Jh.) ed. Henderson I (Surtees soc. 59) 171. — Pontifikale des Durandus: ebd. XXIII (I, 617 C. D); Andrieu III, 640. Hier wird angemerkt, bei dieser zweiten Händewaschung wasche der Zelebrant *summitates digitorum et labia*. Das geht offenbar über den symbolischen Sinn des Ritus hinaus. — Durandus IV, 28, 1. Vgl. Sölch, Hugo 80.

[26]) Caeremoniale episc. I, 11, 11.

überall weggefallen und nur die jüngere stehengeblieben[27]). Im Ritus der Kartäuser hat sich jedoch die Händewaschung an ihrer früheren Stelle bis heute behauptet.

Der symbolische Grundgedanke der Händewaschung kommt seit der fränkischen Periode regelmäßig zum Ausdruck in den Worten, mit denen man sie begleitete. Das *Lavabo,* im Literalsinn eine Beteuerung der Unschuld des Psalmisten, in unserem Munde der Ausdruck sehnsüchtigen Verlangens nach Reinheit und würdigem Dienst am Altar, ist schon früh mit der Händewaschung verbunden worden, früher allerdings mit derjenigen beim Ankleiden als mit der hier in Rede stehenden. Dabei handelt es sich meist um den einen Vers Ps 25, 6 oder um das Verspaar Ps 25, 6 f. Wenn später auch die folgenden Verse bis zum Schluß des Psalmes hinzugenommen wurden, so konnten diese nur allgemein als heiliger Text, nicht wegen ihrer inhaltlichen Beziehung zur Händewaschung einbezogen werden[28]). Mittelalterliche Meßordnungen fügten oft andere geeignete Texte zu den genannten Versen hinzu, bei der Händewaschung zu Beginn der Messe sowohl[29]) wie bei derjenigen, die uns hier beschäftigt. Im Bereich von Montecassino wird im 11./12. Jahrhundert zum *Lavabo* die Oration hinzugefügt: *Concede mihi, omnipotens Deus, ita manum lavare ut puro corde et corpore possim dominicum corpus et sanguinem tractare*[30]). Späte Meßordnungen in Nordfrankreich nehmen zum *Lavabo* (Ps 25, 6—12) das dreifache *Kyrie eleison* mit dem *Pater noster* hinzu[31]). Öfter erscheint auch eine solche

[27]) So schon im Ritus der Karmeliten, der Dominikaner (abgesehen von der Frühperiode der letzteren; Sölch 81) und ehemals der Zisterzienser; s. die Nachweise bei Sölch 80. Nur die jüngere Händewaschung nach dem Vorbild des Ordinarium O. P. von 1256 (Guerrini 240) auch im benediktinischen Liber ordinarius von Lüttich: Volk 93. — Spätmittelalterliche Meßordnungen bei Martène 1, 4, XX. XXII. XXIV (I, 608 D. 612 B. 629 A). Im jüngeren Meßordo von Gregorienmüster: ebd. XXXII (I, 656 E), folgt die Händewaschung erst auf das *Orate.*

[28]) Spanische Meßbücher des ausgehenden Mittelalters gebrauchen zur Händewaschung beim Offertorium 2—4 Verse (Ferreres 129); ähnlich auch noch das heutige Ordinarium Cartusiense (1932) c. 26, 18. Die Meßordnung von York um 1425 verwendet nur einen Vers (Simmons 100), das Lyoner Missale (1904) 228 zwei, das Missale O. P. (1889) drei. — Der volle Abschnitt wie heute ist im Mittelalter selten; vgl. jedoch oben die Fortsetzung des Textes.

[29]) Oben I, 361.

[30]) Ebner 309. 340; Fiala 202. Die gleiche Oration begleitet später im Missale von Toul (14./15. Jh.) an gleicher Stelle allein die Händewaschung: Martène 1, 4, XXXI (I, 651 A).

[31]) Missale von Evreux: Martène 1, 4, XXVIII (I, 644 C); Alphabetum sacerdotum: Legg, Tracts 41 f; Ordinarium von Coutances: ebd. 60.

ergänzende Oration als alleiniger Begleittext[32]). Alles Elemente, die sich gelegentlich zu einem wohlgefügten Ritus vereint finden[33]).

Wie stark man den symbolischen Sinn der Händewaschung manchenorts betont hat, zeigt ein klösterlicher Meßordo aus Rouen, demzufolge auf das *Lavabo* des Zelebranten der Abt mit dem *Misereatur* antwortet[34]). Die Händewaschung wurde also zu einem förmlichen Ritus der Sündentilgung.

Anderseits erscheint die Händewaschung auch in späterer Zeit gelegentlich noch ohne Formel[35]) und noch öfter geschieht ihrer im Laufe

---

[32]) Missa Illyrica (vgl. oben Anm. 17): *Largire sensibus nostris, omnipotens Pater, ut sicut hic exterius abluuntur inquinamenta manuum, sic a te mundentur interius pollutiones mentium et crescat in nobis sanctarum augmentum virtutum. Per;* Martène 1, 4, IV (I, 505 E). Ebenso im Sakramentar von S. Denis: ebd. V (I, 523 C) und in mittelitalischen Meßordnungen: Ebner 337. 347. 356; vgl. Ferreres 129. — Gerhoh von Reichersberg († 1169) führt die Oration an in der Auslegung von Ps 25, 6 (PL 193, 1165 B). Das Pontifikale des Durandus (Andrieu 640) verwendet die Oration *Largire* bei der Händewaschung vor dem Offertorium und das *Lavabo* nach der Inzensierung, wo der Bischof *summitates digitorum et labia* wäscht. — Ein italisches Pontifikale des 11./12. Jh. (Ebner 312) bietet: *Omnipotens sempiterne Deus, ablue cor nostrum et manus a cunctis sordibus peccatorum, ut templum Spiritus Sancti effici mereamur. Per.* — Nach der spätmittelalterlichen Ordnung von Sarum bei Martène 1, 4, XXXV (I, 667 E) spricht der Zelebrant: *Munda me Domine ab omni inquinamento cordis et corporis nostri, ut possim mundus implere opus sanctum Domini.* Vgl. Ferreres 133 (n. 531); Frere, The use of Sarum I, 77; Maskell 92. Dasselbe in Linköping, wo dafür aber auch eine neue Formel eintritt: *Da mihi Domine Jesu;* Segelberg 256. — Nach der Meßerklärung des Wilhelm von Gouda (15. Jh.) betet der Priester: *Amplius lava me sanguine tuo sicut puer in baptismo ...;* P. Schlager, Franziskan. Studien 6 (1919) 332. Das Kölner Missale von 1494 fügt zu Ps 25, 6 noch Lk 15, 18 f hinzu: *Pater peccavi ...;* Peters, Der Oblationsritus 400.

[33]) Im Regensburger Missale um 1500 (Beck 261) spricht der Priester vor dem Ankleiden zur Händewaschung zuerst den Vers *Lavabo* als Antiphon, darauf den ganzen Ps 25, darauf wieder die Antiphon, *Kyrie eleison* usw., *Pater noster, Ave,* einige Versikel und die Oration *Largire.* Vgl. oben I, 361 Anm. 9.

[34]) Martène 1, 4, XXXVII (I, 677 f).

[35]) So in einem Minoritenmissale bei Ebner 314. — Anderswo betet der Zelebrant zur Händewaschung das *Veni Creator* (vgl. oben I, 357 Anm. 15; I, 365 Anm. 28): Meßordo von Bec: Martène 1, 4, XXXVI (I, 673 B); Missale von Westminster (um 1380) ed. Legg (HBS 5) 500; vgl. Maskell 92 f. In Hereford (1502) fügt er die Oration *Ure igne S. Spiritus* hinzu: Maskell 93. Zur Auswahl steht es (neben *Lavabo* und *Deus misereatur)* im Ordinale O. Carm. ed. Zimmerman 80. — Nach dem *Sanctus* erscheint die Händewaschung ohne Begleitwort in deutschen Meßordnungen des ausgehenden Mittelalters. Franz 753; Beck 268.

der Messe überhaupt keine Erwähnung[36]). In spätmittelalterlichen Ordnungen der nichtfeierlichen Messe wird das aus der vordringenden praktischen Motivierung der Händewaschung zu erklären sein, die ja dort, wo weder Opfergang noch Inzensierung stattfand, nicht in Frage kam. Im Missale Pius' V. hat sich die Händewaschung aber dennoch für jede Messe behauptet. Das weist darauf hin, daß der symbolische Sinn der Handlung im Vordergrunde bleibt; nur die Stelle, wohin sie verschoben ist, erinnert an die jüngeren Begründungen.

7. *Orate fratres*

Einen der wenigen festen Punkte, die in allen mittelalterlichen Oblationsriten gleichbleibend wiederkehren, bildet gegen Ende derselben die Bitte des Priesters um das Gebet der Umstehenden. Nach der noch dem 8. Jahrhundert angehörenden monastischen Abwandlung des römischen Pontifikalritus im Frankenreich hat der Zelebrant eben seine eigene Gabe zur Oblation der Gläubigen und des Klerus hinzugelegt, dann wendet er sich um und bittet die übrigen Priester, indem er die Hände ausbreitet, sie möchten für ihn beten[1]). Eine Antwort wird nicht vermerkt. Es folgt ähnlich wie heute sofort die *oratio super oblata,* die bezeichnenderweise hier zum erstenmal mit gedämpfter Stimme gesprochen und mit dem Kanon irgendwie zu einer Einheit zusammengefaßt wird.

Die Gebetsbitte geschieht also in dem Moment, wo die Gabenzurüstung beendet ist und der Priester nun an der Spitze und im Namen der Gemeinde mit ihrer Gabe vor Gott hintreten soll. Daß dies der ursprüngliche Sinn der Einschaltung ist, die übrigens im Orient ihre Parallele[2]), ja vielleicht ihre Vorlage hat[3]), bestätigt auch Amalar. Er

---

[36]) So in vielen italischen Meßordnungen; s. Ebner 296. 298 f. 300 f usw. Auch in süddeutschen Meßbüchern: Beck 307 f; Köck 119 ff.

[1]) Breviarium eccl. ord. (Andrieu III, 181 Z. 10): *Tunc vero sacerdos dextera laevaque aliis sacerdotibus postulat pro se orare.*

[2]) In der griechischen Markusliturgie folgt in ähnlichem Zusammenhang der Gruß des Priesters und dann der Ausruf des Diakons: Προσεύξασθε ὑπὲρ τῶν προσφερόντων, darauf ein Darbringungsgebet des Priesters und die Einleitung zur Anaphora; Brightman 124.

[3]) In der westsyrischen (Brightman 83 Z. 2) und in der ostsyrischen Messe (ebd. 272 f) liegt eine gemeinsame und darum wohl uralte Überlieferung vor, die sich eng mit dem abendländischen Brauch berührt. Der Priester selbst spricht in ersterer: „Meine Brüder und meine Herren (masters), betet für mich, daß mein Opfer angenommen werde." Eine dem *Suscipiat* ähnliche Antwort ist nur im ostsyrischen Ritus ausgebildet worden (273).

nimmt in seiner einschlägigen Betrachtung schon das *Sursum corda* vorweg und führt aus, wie es nun gilt, alle Kräfte des Gebetes zusammenzunehmen; darum wende sich der Priester zum Volk hin, *et precatur ut orent pro illo, quatenus dignus sit universae plebis oblationem offerre Domino*[4]). Der Priester fühlt sich, wie dies dem frühmittelalterlichen Stand des Kirchenbewußtseins entspricht, ganz stark aus der Gemeinde herausgehoben und schon im Opfergebet als ihr Mittler allein Gott gegenübergestellt[5]).

Das gleiche ergibt sich daraus, daß die Gebetshilfe schon in den frühesten Beispielen, in denen uns ein Wortlaut mitgeteilt wird, und dann das ganze Mittelalter hindurch, fast immer persönlich gehalten ist: *Orate pro me*[6]). Fälle, in denen dieses *pro me* fehlt, erscheinen in einigen der ältesten Beispiele[7]). Anderseits begegnet es in den verschiedensten Fassungen: *pro me* oder *pro me peccatore*[8]), auch *pro me misero peccatore*[9]) und *pro me miserrimo peccatore*[10]), oder die persönliche Note wird betont durch die Wendung: *Obsecro vos, fratres, orate pro me*[11]) oder durch das Versprechen: *Orate pro me, fratres et sorores, et ego orabo*

---

[4]) Amalar, Liber off. III, 19, 36 (Hanssens II, 322); vgl. Remigius von Auxerre († um 908), Expositio (PL 101, 1252): *ut iungant preces suas precibus eius et mereatur exaudiri pro salute eorum. Hoc autem dicendum est a sacerdote cum silentio.*

[5]) Vgl. oben I, 108 f.

[6]) Lediglich diese Worte im Ordo ‚Postquam' der Bischofsmesse (Andrieu II, 360; PL 78, 993 B); mit der heutigen Fortsetzung im Sakramentar der päpstlichen Kapelle um 1290: Brinktrine (Eph. liturg. 1937) 203; vgl. noch Ordo Stefaneschis n. 72 (PL 78, 1194 A), gegen n. 53. 71 (1165 B. 1187 B); Missale von Lyon (1904) 228.

[7]) Sakramentar von Amiens (9. Jh.): *Orate fratres, ut...;* Leroquais (Eph. liturg. 1927) 442. Ebenso die beiden Sakramentare von S. Thierry (9./10. Jh.): Martène 1, 4, IX. X (I, 546 E. 549 D); vgl. ebd. XV (I, 592 C). Im Ordo sec. Rom. n. 9 (Andrieu II, 220; PL 78, 973 C) sagt der Priester nur: *Orate.*

[8]) Für letzteres s. Sakramentar des 10. Jh. aus Lorsch: Ebner 247; Missa Illyrica: Martène 1, 4, IV (I, 512 A). Auch in italischen Meßordnungen seit dem 11. Jh.: Ebner 301. 306. 327. Ebenso noch im Ordinarium Cartusiense (1932) c. 26, 21.

[9]) Martène 1, 4, XIII. XXVII (I, 578 C. 640 E); vgl. ebd. XXXII (I, 656 D).

[10]) Missale von Fécamp: Martène 1, 4, XXVI (I, 638 A); ein Dominikanermissale des 13. Jh.: Sölch 83 Anm. 193.

[11]) Sakramentar von Moissac: Martène 1, 4, VIII (I, 539 D); weitere Beispiele ebd. 1, 4, 7, 4 (I, 396); Ferreres 131 f; vgl. Ebner 323. — Eine andere Verstärkung in der mozarabischen Liturgie: *Adiuvate me, fratres, in orationibus vestris et orate pro me ad Deum;* Missale mixtum (PL 85, 537 A).

pro vobis ...[12]) oder auch einmal durch eine förmliche Selbstanklage[13]), oder es wird die demütige Bitte auch unterstützt durch die Gebärde, indem der Priester die Hände über der Brust kreuzt[14]). Jedenfalls betont aber der Nachsatz, der selten fehlt[15]), daß die Gebetshilfe erbeten wird für das eigene Opfer, das allerdings zugleich das Opfer der Gemeinde ist, auf daß es wohlgefällig sei. Die gewöhnlichste Fassung lautet: *ut meum pariter et vestrum sacrificium acceptum sit Deo*[16]). Der ursprüngliche Gedanke ist schließlich verlassen, wenn in England und in der Normandie in besonderen Formeln bei den Totenmessen nur mehr Gebet für die Verstorbenen erbeten wird[17]).

---

[12]) Missale aus S. Pol de Léon: Martène 1, 4, XXXIV (I, 663 C); ähnlich ebd. I, 4, 7, 4 (I, 396 A); 1, 4, XVIII (I, 644 D); Alphabetum sacerdotum: Legg, Tracts 42; Hugo von S. Cher, Tractatus (ed. Sölch 23); Durandus IV, 32, 3.

[13]) Missale von Toul: Martène 1, 4, XXXI (I, 651 C): *Orate fratres pro me peccatore, ut auferat Deus spiritum elationis et superbiae a me, ut pro meis et pro cunctis vestris delictis exorare queam. Per.*

[14]) Nach dem deutschen Lehrgedicht über die Messe vom Ende des 12. Jh.: Leitzmann (Kleine Texte 54) 18 Z. 18.

[15]) Er fehlt in einzelnen älteren Meßordnungen: Ordo sec. Rom. n. 9 (oben Anm. 7); Ordo ‚Postquam' der Bischofsmesse (Andrieu II, 360; PL 78, 993 B: *Orate pro me)*; Ebner 329. 334. Aber auch heute noch bei den Kartäusern.

[16]) So schon bei Remigius von Auxerre, Expositio (PL 101, 1252 B). Doch kehrt die Formel selten wieder ohne kleine Verschiebungen im Ausdruck: ...*sit acceptum in conspectu Domini:* Martène 1, 4, V (I, 526 D); vgl. ebd. XXVI. XXVIII (638 A. 644 D); *in conspectu D. N. J. C.:* ebd. VI (533 C); *sit acceptabile* in conspectu divinae pietatis: ebd. XIII (I, 578 C); ...*coram Deo acceptum sit sacrificium:* ebd. 1, 4, XXXIV (I, 663 C); *aptum sit Domino Deo nostro sacrificium:* ebd. XXXV (I, 668 A), usw. — Das Missale von St. Lorenz in Lüttich: Martène 1, 4, XV (I, 592 C), führt neben einer Formel dieser Art noch zwei freier gefaßte zur Auswahl an: *ut me orantem pro vobis exaudiat Dominus,* und: *Orate fratres pro me peccatore, ne mea peccata obsistant votis vestris.* Ein Meßordo von Bec: *ut digne valeam sacrificium offerre Deo:* ebd. XXXVI (I, 673 C); vgl. die Formulierung Amalars oben 104. Ein Missale von Narbonne (1528) erbittet das Gebet *pro statu s. Dei Ecclesiae et pro me misero peccatore, ut omnipotens et misericors Deus placide et benigne sacrificium nostrum humiliter dignetur suscipere.* Martène 1, 4, 7, 4 (I, 396 A). — Oder es wird zum *Orate* die Bestimmung hinzugefügt: *ad Dominum,* u. ä., *ad Dominum Deum Patrem omnipotentem* (Beck 268), oder auch: *ad Dominum Jesum Christum, ut... placabile fiat* (Ferreres 131). — Ausnahmsweise ist nur vom *vestrum sacrificium* die Rede: Martène 1, 4, XXXIII (I, 659 DE), oder vom *nostrum sacrificium:* ebd. XVII (I, 601 C). — Auffällig ist die Formel im Sakramentar von Amiens (9. Jh.): *ut vestrum pariter et nostrum sacrificium acceptabile fiat Deo;* Leroquais (Eph. liturg. 1927) 442.

[17]) So der Brauch von Sarum: *Orate fratres* (jüngere Fassung: *et sorores) pro fidelibus defunctis;* Martène 1, 4, XXXV (I, 668 B); Legg, Tracts 5. 221;

An wen wird die Bitte gerichtet? In dem oben erwähnten ältesten Beispiel wendet sie sich an die umgebenden Priester. Die Angaben der Folgezeit, von Amalar angefangen, nennen durchwegs das Volk. In dem auf fränkischem Boden heimischen Ordo secundum Romanos gibt der Bischof der Schola vorher ein Zeichen *ut sileant,* dann heißt es: *Et convertit se ad populum dicens: Orate*[18]). Er wendet sich also mit vernehmlicher Stimme an die ganze Versammlung. Vereinzelt ist auch vorgesehen, daß der Priester ein *Dominus vobiscum* vorausschickt[19]). Es fehlt also nur wenig, daß der Zuruf an die Rufe angeglichen worden wäre, die im Amt vom Priester gesungen werden. In der mozarabischen Messe wird das entsprechende *Adiuvate me fratres* auch tatsächlich gesungen[20]). In der römischen Liturgie ist es dazu nicht gekommen. Das *Dominus vobiscum* wurde in einer merkwürdigen Zwiespältigkeit nur leise gesprochen und ist dann wieder weggefallen.

Die weitere Entwicklung hält wohl daran fest, daß sich der Priester *ad populum* wendet, mindestens in der Hälfte der Fälle wird dies ausdrücklich gesagt[21]). Vorher küßt er den Altar[22]), wie dies später für jede solche Hinwendung zum Volke Regel geworden ist. Aber die Worte spricht er mit gedämpfter Stimme, wie verschiedene Male angedeutet wird[23]).

Legg, The Sarum Missal 219. Etwas erweitert in den spätmittelalterlichen Missalien von Fécamp: Martène 1, 4, XXVI (I, 638 A), und von Evreux: ebd. XXVIII (I, 644 D). Entsprechend wird auch die Antwort geändert. Die Umbiegung scheint von Rouen auszugehen; vgl. Martène 1, 4, XXXVII (I, 678 A): *Orate, fratres carissimi, pro me peccatore ut meum pariter ac vestrum in conspectu Domini acceptum sit sacrificium apud Deum omnipotentem pro salute et requie tam vivorum quam mortuorum.*

[18]) Ordo sec. Rom. n. 9 (Andrieu II, 220; PL 78, 973 C).

[19]) Durandus IV, 32, 3 (vgl. IV, 14, 10): der Priester soll *sub silentio* sagen: *Dominus vobiscum,* darauf *voce aliquantulum elevata* die Gebetsbitte. Vgl. schon Joh. Beleth, Explicatio c. 44 (PL 202, 52 B). Genau wie bei Durandus auch in zwei Missalien von 1417 aus Valencia: Ferreres 131. Auch in Deutschland erwähnt noch um 1462 Bernhard von Waging den von manchen geübten Brauch, vor dem *Orate pro me fratres* das *Domine exaudi orationem meam* oder das *Dominus vobiscum* einzuschalten; Franz 575.

[20]) Missale mixtum: PL 85, 537 A.

[21]) In italischen Meßordnungen heißt es öfter: *ad circumstantes,* was um diese Zeit nicht dasselbe besagen muß. Ebner 301. 306. 314. 334. 341. 346.

[22]) Vgl. oben I, 408 Anm. 36.

[23]) Remigius von Auxerre (oben Anm. 4); Statuta antiqua der Kartäuser: Martène 1, 4, XXV (I, 633 A): *dicens in silentio;* Hugo von S. Cher, Tract. super missam (ed. Sölch 23): *secreto.* — Die heutige Regel, daß die ersten Worte *voce aliquantulum elata* und die Fortsetzung *secreto* gesprochen werden sollen (Missale Rom., Ritus serv. VII, 7), erscheint zuerst im Ordo des Johannes Burchard (Legg, Tracts 152). Weitere Nachweise bei Sölch, Hugo 83.

Daß der Priester bei der Hinwendung zum Volk, anders als beim *Dominus vobiscum*, die Umdrehung vollendet[24]), könnte man geneigt sein, ebenfalls als eine Verstärkung des Anrufes zu betrachten, wird aber in Wirklichkeit anders zu erklären sein[25]).

Daß aber auch weiterhin nicht bloß die Kleriker angesprochen werden, ergibt sich auch aus der Form der Anrede, die außerhalb Italiens und Spaniens in den nichtklösterlichen Dokumenten aus dem Mittelalter, die die Formel mit einer Anrede verbinden, fast allgemein lautet: *fratres et sorores*[26]). Immerhin ist die Anrede nur an die *fratres* früher bezeugt[27]),

---

[24]) Das war jedoch nicht gebräuchlich im alten Zisterzienserritus; Schneider (Cist.-Chr. 1927) 6.

[25]) Den wirklichen Grund dürfte Gavanti angeben: Der Priester dreht sich dorthin, wo das Buch steht, aus dem er nun lesen soll; vgl. Lebrun, Explication I, 326, mit Hinweis darauf, daß das Buch früher manchmal weiter von der Altarmitte entfernt lag. Dies erhellt tatsächlich u. a. aus dem Ordinarium O. P. von 1256 (Guerrini 240), demzufolge der Priester bei der Secreta zwischen Buch und Kelch, also nicht schlechthin in der Mitte, stand, weshalb hier auch ausdrücklich die volle Wendung verlangt wird (vgl. dagegen Liber ordinarius von Lüttich ed. Volk 93 Z. 19). Das gleiche ist auch schon der Fall im 12. Jh. im Liber ordinarius der Prämonstratenser (Lefèvre 11; vgl. Waefelghem 67 mit Anm. 2), der darin einer älteren Quelle folgt; s. Luykx (Anal. Praem. 1946/47) 65. Es ist also dieselbe Situation wie heute vor dem letzten Evangelium. — Die angedeutete Regel erleidet heute eine scheinbare Ausnahme nur beim *Dominus vobiscum* vor dem Offertorium, wo aber die Lesung des Offertoriumtextes erst sekundär ist; Gavanti-Merati II, 7, 7 (I, 265 f). — Daß sich der Priester im allgemeinen nach links zurückwendet, ist vermerkt bei Durandus IV, 14, 11; 32, 3. Ebenso im Lütticher Liber ordinarius: Volk 93 Z. 19; vgl. 90 Z. 19; 97 Z. 14.

[26]) So bereits in der Missa Illyrica: Martène 1, 4, IV (I, 512 A), und im Sakramentar von S. Denis: ebd. V (I, 526 D). Allgemein in den niederländischen Meßordnungen: Smits van Waesberghe 325—327; ebenso in den kölnischen: ebd. 327; Binterim IV, 3, S. 223; in den süddeutschen: Beck 238. 268. 308; Köck 120. 121. 122. 125. 126; Hoeynck 374; Franz 753; in den englischen: Martène 1, 4, XXXV (I, 668 A. B); Legg, Tracts 5; Legg, The Sarum Missal 219 Anm. 5 (bloß die älteste Sarum-Hs aus dem 13. Jh. hat nur *fratres*); Simmons 100; Maskell 98 f; in Schweden: Yelverton 15; in Riga: v. Bruiningk 81. Die Doppelanrede auch in manchen französischen Meßordnungen: Martène 1, 4, 7, 4 (I, 396 B); ebd. 1, 4, V. XXVI. XXXIV (I, 526 D. 638 A. 663 C); Alphabetum sacerdotum: Legg, Tracts 42. Ausnahmsweise auch in Italien: Sakramentar von Modena (vor 1174; Muratori I, 92), und in Ungarn: Jávor 121.

[27]) Remigius von Auxerre (PL 101, 1252): *Orate pro me fratres ut.* Ebenso in den beiden Sakramentaren von S. Thierry aus dem 9. und 10. Jh.: Martène 1, 4, IX. X (I, 546 f. 549 D); ähnlich im Sakramentar von Amiens

und es mag wohl sein, daß damit ursprünglich nicht mehr im altchristlichen Sinn die Gesamtheit der Gläubigen[28]), sondern nur die Kleriker gemeint waren. Aber die unbefangene Erweiterung auf die *sorores* zeigt uns, daß wir auch mit den mittelalterlichen Liturgikern in Übereinstimmung sind, wenn wir das Wort wieder auf alle beziehen, die Frauen miteingeschlossen, zugleich im Sinn eines hl. Paulus, der mit „Brüder" die ganze Gemeinde anredete.

Der heutige Wortlaut der vom Priester gebrauchten Formel erscheint zuerst in italischen Meßordnungen seit dem 12. Jahrhundert[29]).

Eine Antwort ist in den ältesten Bezeugungen unserer Gebetsbitte nicht vorgesehen[30]). Auch später[31]) und bis in die Gegenwart herein[32]) erfolgt auf das *Orate fratres* in einzelnen Meßordnungen ebenso wie noch in der heutigen römischen Karfreitagsliturgie keine Antwort. Die Gebetsbitte wird also lediglich als Empfehlung in das Gebet eines jeden einzelnen aufgefaßt. Aber schon im karolingischer Zeit werden auch Antworten mitgeteilt. Amalar hat sagen hören, daß das Volk für den Priester drei Verse sprechen soll, nämlich die Verse 3—5 aus dem 19. Psalm: *Mittat tibi Dominus auxilium de sancto et de Sion tueatur te. Memor sit omnis sacrificii tui et holocaustum tuum pingue fiat. Tribuat tibi secundum cor tuum et omne consilium tuum confirmet*[33]). Diese Verse oder

(oben Anm. 7). — Öfters werden sie angeredet: *fratres carissimi;* Ebner 299. 301; Martène 1, 4, XXVII. XXXVII (I, 640 E. 678 A); auch *beatissimi fratres:* Ebner 338. Das Ordinarium von Coutances von 1557 (Legg, Tracts 60) hat: *Orate vos fratres mecum unanimes.*

28) Vgl. z. B. Minucius Felix, Octavius c. 9, 2 (CSEL 2, 12): der heidnische Gegenredner stößt sich daran, daß sich die Christen lieben, fast noch bevor sie sich kennen, und sich ohne Unterschied *fratres et sorores* heißen. Darauf der Christ c. 41, 8 (ebd. 45): *nos, quod invidetis, fratres vocamus, ut unius Dei parentis homines, ut consortes fidei, ut spei coheredes.* — Vgl. Tertullian, Apologeticum c. 39, 8 ff (CSEL 69, 93).

29) Ebner 296. 313. 314 usw.

30) Oben 103 f.

31) Mainzer Pontifikale um 1170: Martène 1, 4, XVII (I, 601 C); vgl. ebd. XXXII f. XXXVII (I, 656 D. 659 E. 678 A); Lebrun I, 328 Anm. d. So vielfach in jüngeren deutschen Meßordnungen: Beck 238. 268. 308; Köck 121. 126; Salzburger Inkunabeln von 1492 und 1498 (Hain 11420 f); auch in niederländischen Meßordnungen: Smits van Waesberghe 325—327; ebenso in schwedischen: Yelverton (HBS 57) 15; Freisen, Manuale Lincopense S. XXVI.

32) Dominikanerritus: Sölch 84. — Auch bei den Kartäusern: A. Degand, Chartreux: DACL III, 1056.

33) Amalar, Liber off. III, 19, 36 (Hanssens II, 322).

auch die ersten drei Verse[34]) oder doch der eine oder der andere Vers des genannten Psalmes kehren dann auch in den folgenden Jahrhunderten fast überall in der Antwort auf das *Orate* wieder, seltener allein[35]), meist kombiniert mit anderen Formeln der Fürbitte, die auch ihrerseits oft allein vorkommen.

So kann nach Remigius von Auxerre († um 908) das Volk mit Ps 19, 2—4 oder aber mit den Worten antworten: *Sit Dominus in corde tuo et in ore tuo et* — mit dieser Fortsetzung wird zum erstenmal ein *Suscipiat* bezeugt — *suscipiat sacrificium sibi acceptum de ore tuo et de manibus tuis pro nostra omniumque salute. Amen*[36]). Das um 870 geschriebene Gebetbuch Karls des Kahlen enthält unter der Überschrift: *Quid orandum sit ad missam pro sacerdote, quando petit pro se orare,* das zum Segenswunsch umgeformte Wort des Engels Lk 1, 35: *Spiritus Sanctus superveniat in te et virtus Altissimi obumbret te*[37]); darauf Ps 19, 4 f und dann das weitere Gebetswort: *Da Domine pro nostris peccatis acceptibile et susceptibile fieri sacrificium in conspectu tuo*[38]). Das Sakramentar von Séez läßt das Gebet, das der einzelne sagen soll, beginnen: *Orent pro te omnes sancti*[39]) und fügt nach Ps 19, 4 hinzu: *Exaudiat te Dominus pro*

---

34) Remigius von Auxerre, Expositio (PL 101, 1252 B). Mit diesen Versen, Ps 19, 2—4, antwortet der *chorus* auch noch nach dem Meßordo von York um 1425 (Simmons 100) und 1517 (Maskell 100).

35) Die genannten drei Verse im Missale von Fécamp (14./15. Jh.): Martène 1, 4, XXVII (I, 641 A); mit *sive* wird noch eine zweite Antwort angeführt. Nur Ps 19, 4 im Missale von Toul: ebd. XXXI (I, 651 C). Nur Ps 19, 4 f im Missale O. Carm. (1935) 226. — Nach Joh. Beleth, Explicatio c. 44 (PL 202, 52 B), sprach man Pss 19 und 20 vollständig.

36) Remigius, Expositio (PL 101, 1252). Dieselbe Doppelformel mit *Dominus sit* und *recipiat sacrificium* im gleichzeitigen Meßordo von Amiens ed. Leroquais (Eph. liturg. 1927) 442. Sie erscheint dann auch in italischen Meßordnungen: Ebner 310. 313. 346. Etwas verändert um 1176 bei den Zisterziensern: Canivez (Eph. liturg. 1949) 294, und noch im Missale von Toulon (um 1400): Martène 1, 4, 7, 4 (I, 396 B).

37) Diese Worte stellen die Antwort dar in einer schwedischen Hs um 1198· Segelberg 256; im älteren Missale von Fécamp: Martène 1, 4, XXVI (I, 638 A); in Beauvais: ebd. 1, 4, 7, 4 (I, 396 A); auch noch in zwei Sarum-Hss des 14. Jh.: Legg, The Sarum Missal 219 Anm. 7. — Dieselben Worte an gleicher Stelle (vgl. oben Anm. 2 f) seit dem 10./11. Jh. in byzantinischer Liturgie; A. Raes, Le Dialogue après la Grande Entrée: Orientalia christ. Periodica 18 (1952) 38—51.

38) Liber precationum quas Carolus Calvus ... mandavit, ed. Fel. Ninguarda 115.

39) Diese eine Formel als Antwort in italischen Meßbüchern: Ebner 329. 341. In anderen Fällen mit verschiedenen Weiterführungen; siehe u. a. das von F. Rödel beschriebene rheinische Missale: JL 4 (1924) 84; Fiala 206.

nobis orantem[40]), und: *Misereatur tui omnipotens Deus, dimittat tibi omnia peccata tua*[41]). Anderswo erscheint das Psalmwort (49, 14): *Immola Deo sacrificium laudis et redde Altissimo vota tua*[42]), oder der Segenswunsch: *Sancti Spiritus gratia illuminet cor tuum et labia tua*[43]). Manche Meßordnungen führen mehrere dieser Antworten an, von denen man eine wählen mochte[44]), und mehrfach wurde die Fürbitte nach dem *Sanctus* weitergeführt[45]).

Von Psalmenversen abgesehen, waren am weitesten verbreitet wohl *Suscipiat*-Formeln, die aber verschiedene Fassungen aufweisen[46]) und

---

[40]) Soweit auch die Antwort in zwei Meßbüchern italischer Klöster des 11./12. Jh. (Ebner 306. 310; vgl. 14. 20. 323), im ungarischen Sakramentar von Boldau (jedoch mit Ps 19, 3—5; Radó 43) und in zwei Seckauer Missalien (Köck 120. 122). Dasselbe mit Hinzunahme von Ps 49, 14 *(Immola)* im Augsburger Missale von 1386: Hoeynck 374.

[41]) PL 78, 249 D. — Ebenso mit Hinzunahme von Lk 1, 35, Ps 49, 14 und *Suscipiat* in der Meßordnung von Gregorienmünster: Martène 1, 4, XVI (I, 599 D). — Vgl. Missale von St. Lorenz in Lüttich: ebd. XV (I, 592 C); Sakramentar von Modena: Muratori I, 92; Sakramentar von Boldau: Radó 43.

[42]) Damit fängt die Antwort an, die der der Messe des Kaplans beiwohnende Bischof gibt im Pontifikale des Durandus: Martène 1, 4, XXIII (I, 619 F); sie wird weitergeführt: *ipseque, tuus pius et misericors adiutor, exauditor existat;* es folgt Ps 19, 3. 4 und das heutige *Suscipiat.* — Ps 49, 14 auch schon innerhalb einer langen Reihe von Formeln in der Missa Illyrica: Martène 1, 4, IV (I, 512 B), und im Sakramentar von S. Denis: ebd. V (I, 526 f).

[43]) Mit angeschlossener *Suscipiat*-Formel *(et accipiat...)* im Gebrauch von Sarum: Legg, The Sarum Missal 219, Martène 1, 4, XXXV (I, 668 A); vgl. Ferreres 133; Maskell 100. — Im 13. Jh. in Norwegen: Segelberg 256.

[44]) Sakramentare von S. Denis (11. Jh.): Martène 1, 4, V (I, 526 f); Wilhelm von Melitona, Opusc. super missam ed. van Dijk (Eph. liturg. 1939) 329; Durandus IV, 32, 3.

[45]) Siehe unten 175 f. — Das Sakramentar von Fonte Avellana (vor 1325) läßt nach der Antwort auf das *Orate fratres* den Priester selbst die betreffenden Psalmen 24. 50. 89. 90 beten (PL 151, 887 B).

[46]) Z. B. in Sakramentar von S. Denis: Martène 1, 4, V (I, 526 E): *Suscipiat Dominus sacrificium de manibus tuis ad tuam et nostram salutem omniumque circumadstantium et animarum omnium fidelium defunctorum.* Ähnliche Schlußwendung im Missale von Lyon (1904) 228. — In Spanien: *Suscipiat Dominus Jesus Christus sacrificium de manibus tuis et dimittat tibi omnia peccata;* Ferreres S. CV. 131. 132; Ebner 342. Ein Missale des 10./11. Jh. aus Bobbio (Ebner 81): *Accipiat Dominus Deus omnipotens sacrificium... ad utilitatem totius sanctae Dei Ecclesiae.* — Hss des 14. Jh. von Gerona enthalten als alleinige Antwort die sonst kaum begegnende Formel: *Oratio tua accepta sit in conspectu Altissimi et nos tecum pariter salvari mereamur in perpetuum;* Ferreres 131 (n. 524); vgl. ebd. XVIII; auch im Missale von Narbonne (1528): Martène 1, 4, 7, 4 (I, 396 A). — Das

meist als Fortsetzung eines anderen, mit ihnen verwachsenen Textes erscheinen[47]). Die uns geläufige Fassung, die außerhalb Italiens sehr selten ist[48]), hat sich in Italien schon seit dem 11. Jahrhundert als alleinige Formel durchgesetzt[49]) und ist so ins Missale Romanum gekommen.

Wie schon aus den obigen Ausführungen ersichtlich, wird die Antwort wiederholt dem Volke zugeteilt. Diese Zuteilung kehrt in einzelnen Fällen bis an die Wende des Mittelalters wieder[50]). Sie kann wenigstens dort nicht wundernehmen, wo *fratres* und *sorores* aufgerufen sind[51]). Andere Male sind in frühen wie in späten Texten die *circumstantes*[52]) oder die *clerici*[53]) oder der *chorus*[54]) genannt. Auffällig ist, daß in einer Gruppe von Meßordnungen des 11./12. Jahrhunderts die Antwort „von den einzelnen" *(a singulis)* gegeben werden soll[55]). Das wird wohl bedeuten, daß der Text nicht laut zu sprechen, sondern nur als Hilfe für das Privatgebet zu betrachten war. Stilles Gebet des einzelnen war offenbar am Anfang vorausgesetzt, wo die Bücher keine Antwort anführen; und auch, wo dann Texte geboten wurden, werden sie zunächst ähnlich gemeint gewesen sein[56]). Die spätere Regel[57]) wird gewesen sein, daß der Chor

---

Missale von Strengnäs (um 1487) bietet: *Acceptare dignetur Dominus sacrificium tuum et nostrum;* Segelberg 256.

[47]) Vgl. oben 109.

[48]) Ein Beispiel oben Anm. 42.

[49]) Ebner 299. 301. 323. 327. 334. 338. 348. 356.

[50]) Sakramentar von Barcelona (13. Jh.): Ebner 342; spanische Missalien des 14. und 15. Jh.: Ferreres 131. — Missale von Fécamp um 1400: Martène 1, 4, XXVII (I, 641 A): *Oratio populi pro sacerdote dicentis hos versus.* — Vgl. Missale von Toul (um 1400): ebd. XXXI (I, 651 C): *respondetur ei ab omnibus.*

[51]) Ein Pontifikale von Laon (13. Jh.) hat sogar die Rubrik: *Et respondeant fratres et sorores Suscipiat.* Leroquais, Les Pontificaux I, 167.

[52]) Ebner 314. 323. 338; Martène 1, 4, VI. XV (I, 533 C. 592 C); so auch im heutigen Missale Romanum.

[53]) Martène 1, 4, XVI. XXVI (I, 599. 638 A); Ferreres 133. — Nach dem Bursfelder Ordinarius von 1510 antwortet nur der Diakon leise mit Ps 19, 2—5; Peters, Der Oblationsritus 409.

[54]) Martène 1, 4, XXII (I, 612 C); Meßordnung von York: Simmons 100.

[55]) Martène 1, 4, IV. XIII (I, 512 A. 578 C); Ebner 301. 334.

[56]) Dies ist die natürliche Auffassung für den Text im Gebetbuch Karls des Kahlen, oben 109. — Darum auch die Betonung des stillen Betens. Vgl. Joh. Beleth, Explicatio c. 44 (PL 202, 52 B): Wenn wir den Priester das *Orate fratres* sagen hören, müssen auch wir leise *(secreto)* beten, worauf er als Inhalt Pss 19 und 20 nennt. Ähnlich Durandus IV, 32, 3: *populus debet similiter secrete orare respondens ...*

[57]) Sichere Beispiele begegnen aber schon seit dem 11./12. Jh.: Ebner 338. — Im Custumarium von Sarum (13. Jh.) heißt es im Ordo für das Hochamt: Nach-

der Kleriker gemeinsam die Antwort gab, die ja auch in ihrer lateinischen Form und ihrem beträchtlichen Umfang nur von ihm richtig zu bewältigen war[58]). Ein Grenzfall liegt in der Ordnung von Sarum in England vor, wo in der Totenmesse die vorgesehene Sonderantwort mit dem Gesang des Offertoriums zusammengezogen wird. Wenn der Priester leise gesprochen hatte: *Orate fratres et sorores pro fidelibus defunctis,* antwortet der Klerus, indem er den letzten Vers des Offertoriumsgesanges: *Requiem aeternam dona eis Domine et lux perpetua luceat eis, Quam olim Abrahae promisisti et semini eius*[59]) singt.

8. Die Secreta

In der stadtrömischen Liturgie des frühen Mittelalters war die Einsammlung und Niederlegung der Gaben von keinem einzigen Gebet, sondern lediglich vom Gesang des Offertoriums begleitet. Erst wenn die äußere Handlung zu Ende war, ergriff der Zelebrant wieder das Wort zur *oratio super oblata,* der heutigen Secreta. Wie der Einzug mit der Kollekte und die Kommunion mit der Postcommunio abgeschlossen wurden, so die Gabendarbringung mit dieser Oration, die genau so wie die erstgenannten in allen römischen Sakramentaren erscheint, mit ihnen nach dem Kirchenjahr wechselt und auch in Aufbau und Anlage mit ihnen übereinstimmt. Wie jene wird sie in der Orantenhaltung gesprochen[1]), und zwar wurde sie ehemals, wie es sich von selbst versteht, gleichfalls mit lauter Stimme vorgetragen. Noch heute werden ja die Schlußworte

---

dem der Priester *tacita voce* das *Orate fratres et sorores* gesprochen hat: *Responsio clerici privatim: Sancti Spiritus* ... Frere, The use of Sarum I, 78.

[58]) Nach dem englischen Layfolks Massbook aus dem 13. Jh. (Simmons 24; vgl. oben I, 318 f) soll man, wenn der Priester um das Gebet bittet, an die Brust klopfen, weil man sich für unwürdig hält, für ihn zu beten; dann aber wird ein Reimgebet geboten, das man („wenn man will") mit aufgehobenen Händen sprechen soll, wozu noch *Pater, Ave* und *Credo* kommen sollen. — Im gleichen Sinn führt die 1366 geschriebene Melker Meßerklärung die von ihr genannten drei Formeln der Antwort mit der Bemerkung ein: *tunc astantes et literati dicent: Memor sit;* Franz 510 Anm. 3.

[59]) Martène 1, 4, XXXV (I, 668 B); Frere, The use of Sarum I, 78; vgl. oben 105. — Die gleiche Antwort auch schon im Ordinarium aus dem 13. Jh., hier aber mit der Überschrift: *responsio populi.* Legg, Tracts 221.

[1]) Eine späte Abweichung zeigt das Ordinarium von Coutances (1557): man spricht die Secreta *manibus super sacrificio extensis.* Legg, Tracts 61. So auch bei den Kartäusern, Ordinarium Cart. (1932) c. 26, 24, und zwar seit dem Caeremoniale von 1370 (Mitteilung aus der Kartause von Valencia).

Per omnia saecula saeculorum ebenso wie das zugehörige *Oremus* am Anfang[2]) laut gesungen. In der mailändischen Messe ist das laute Sprechen der ganzen *oratio super oblata* noch heute erhalten[3]).

Da ist nun zunächst das Rätsel zu klären, wie die *oratio super oblata*[4]) dann doch zum Stillgebet geworden ist. Die erste Nachricht über das lautlose Sprechen dieses Gebetes liegt um die Mitte des 8. Jahrhunderts auf fränkischem Boden vor[5]). Wir sind so zur Annahme gedrängt, daß der Name *secreta* im Norden entstanden ist, und daß er hier geschaffen wurde, um die betreffende Oration als leise gesprochen zu bezeichnen[6]). Von da an ist im fränkischen Bereich das Stillsprechen dieses Gebetes selbstverständlich und allgemein, und zwar wird es in Verbindung gebracht mit diesem Namen *secreta*[7]), der gleichfalls nun

---

[2]) Oben I, 618 f.

[3]) Missale Ambrosianum (1902) S. V.

[4]) Die Benennung steht im Sacramentarium Gregorianum (Lietzmann n. 1). Hier sind auch die einzelnen Formeln überschrieben: *Super oblata* (Cod. Pad. D 47 ed. Mohlberg-Baumstark: *Super oblatam),* ebenso im jüngeren Gelasianum ed. Mohlberg. Dieselbe Bezeichnung findet sich auch in den ältesten Ordines, soweit sie den Gegenstand erwähnen: im Ordo sec. Rom. n. 10 (Andrieu II, 221; PL 78, 973 D): *dicta oratione super oblationes secreta;* und im Capitulare eccl. ord. (folgende Anm.).

[5]) Capitulare eccl. ord. (Andrieu III, 102): *Tunc pontifex inclinato vultu in terra dicit orationem super oblationis, ita ut nullus praeter Deum et ipsum audiat, nisi tantum Per omnia saecula saeculorum.* Ähnlich die Bearbeitung im Breviarium (ebd. 181).

[6]) Andere Erklärungen des Namens bleiben reine Hypothesen. So erklärt man seit Bossuet ohne einen geschichtlichen Beleg *secreta* = *oratio ad secretionem,* d. i. zur Aussonderung der Opfergaben (die überdies als solche keine religiöse, sondern eine rein praktische Bedeutung hatte), oder zur Aussonderung, d. h. Verabschiedung der Katechumenen (zu der überdies jede inhaltliche Beziehung fehlt). — Batiffol, Leçons 161 (vgl. ebd., 7. Aufl., S. XXI), schlug vor, *secreta* von *secernere* in einer (nirgends nachweisbaren) Bedeutung *benedicere* abzuleiten. — Brinktrine, Die hl. Messe 171 f, betrachtet *secreta* als gleichbedeutend mit *mysteria,* das bei Innozenz I., Ep. 25 (PL 20, 553 f), als Bezeichnung der Kanongebete vorkommt, und vermutet, daß das Wort dann als Name am einleitenden Gebet haften geblieben sei. Allein es handelt sich eben nicht um *mysteria,* sondern um *secreta,* das als Name für den Kanon vom *Te igitur* an erst seit dem 9. Jh. und für den Kanon von unserem Oblationsgebet an erst seit dem 12. Jh. erweisbar ist, so daß jenes Haftenbleiben schon im 8. Jh. daraus nicht erklärt werden kann. Vgl. Jungmann, Gewordene Liturgie 93 ff. 105 ff. Auch was Th. Michels, Liturg. Leben 3 (1936) 307 f, zugunsten Brinktrines beibringt, erweist nur *secreta* = Kanon im 11. Jh.

[7]) Amalar, Liber off. III, 20, 1 (Hanssens II, 323): *Secreta ideo nominatur, quia secreto dicitur.* Dasselbe besagt die Bezeichnung *arcana* in fränkischen Sakramentaren, worauf Martène 1, 4, 7, 5 (I, 396 D) hinweist.

gebraucht wird[8]). Der Name *secreta* steht nun zwar als Überschrift über unserer Formel auch schon in einem Teil der römischen Sakramentarüberlieferung, am frühesten im älteren Gelasianum. Aber es ist die Frage, ob sein Gebrauch nicht jedesmal erst auf den Einfluß gallischer Liturgie zurückzuführen ist[9]). Dafür fällt jedenfalls schwer ins Gewicht, daß er handschriftlich mindestens ein halbes Jahrhundert vor der genannten ersten römischen Bezeugung, schon im 7. Jahrhundert, in einer Quelle gallischer Liturgie, nämlich im Missale von Bobbio erscheint, und zwar mit allen Kennzeichen nichtrömischen Ursprungs[10]). Dann sehen wir uns aber zur weiteren Annahme gedrängt, daß dieses Leisesprechen auch erst auf gallischem Boden auf die römische *oratio super oblata* angewendet worden ist, wie dies in etwas späterer Zeit beim Kanon der Fall war. Denn dieses Leisesprechen liturgischer Texte steht ebensosehr im Widerspruch mit älterer römischer Gepflogenheit, wie es der Neigung gallisch-fränkischer Liturgie gemäß ist; treten ja hier seit dem

---

[8]) Am längsten lebt die ältere Bezeichnung in den Hss des Gregorianums fort. Aber auch hier wird sie bald, wie zum Teil z. B. in der Hs des Pamelius (Köln 1571), durch *secreta* ersetzt. — Eine Gruppe von südfranzösischen und spanischen Hss seit dem 11. Jh. gebraucht den Namen *sacra*, der durch ein Mißverständnis aus der Abkürzung *scr* entstanden war. Vgl. A. Wilmart, Une curieuse expression pour designer l'oraison sécrète: Bulletin de litt. ecclés. 1925, 94—103; vgl. JL 5 (1925) 291 f. Beispiele dafür auch bei Ferreres 132 und *passim* in seiner einleitenden Beschreibung der Hss.

[9]) Vgl. Jungmann, Gewordene Liturgie 93 ff.

[10]) Der Name *secreta* begegnet auch hier als Überschrift über der letzten Formel, die der Präfation vorangeht. Obwohl das Missale von Bobbio einen starken Einschlag römischer Liturgie aufweist, findet sich aber unter einem Dutzend Fällen, in denen die Überschrift erscheint, wenn ich nicht irre, nur einer, in dem eine römische *oratio super oblata* damit bezeichnet wird; es ist die Formel *Munda nos Domine* (Sakramentar von Padua: Mohlberg-Baumstark n. 706); s. Lowe, The Bobbio Missal (HBS 58) n. 514. In den übrigen Fällen handelt es sich einige Male um römische Kollekten allgemeinen Inhaltes, die als *secreta* verwendet sind, meist aber um rein gallische Formeln. Umgekehrt erscheinen wiederholt römische *Superoblata*-Formeln unter den gallischen Bezeichnungen *Post nomina* und *Ad pacem;* s. Lowe n. 6. 154. 260 u. ö. Daraus geht eindeutig hervor, daß die Bezeichnung als *secreta* hier nicht aus der römischen Quelle stammt, wie denn das Bobbio-Missale auch sonst nur gallische Formelüberschriften aufweist. — Eine ursprünglichere Bedeutung des Wortes wird vorliegen in der Bezeichnung *Post secreta* (dafür auch *Post mysterium)*, die im Missale Gothicum und auch im Missale Gallicanum vetus für das erste Gebet nach der Wandlung gebraucht wird: Muratori II, 522. 534. 559 usw.; 699. 705.

9. Jahrhundert alle die stillen Gebete ans Licht, die seither den Raum des Offertoriums ausfüllen[11]).

Es werden bei der Entstehung des Brauches Erinnerungen aus der gallischen Liturgie und letztlich Anregungen aus dem Orient eingewirkt haben. An der Stelle des römischen Offertoriums stand in der gallikanischen Messe die Opferprozession, bei der heiliges Schweigen angekündigt wurde[12]). Stilles Gebet ist an diesem Punkt jedenfalls in der mozarabischen Schwesterliturgie altüberliefert[13]). Stilles Gebet muß, besonders in der Form der Apologien, aber auch der Räucherungs- und nicht zuletzt der Oblationsgebete, auch in der gallikanischen Messe und hier in Verbindung mit der gallikanischen Opferprozession in Übung gewesen sein. Sonst wären die Elemente dieser Art, die sich schon im 9. Jahrhundert hier in die römische Messe eingedrängt haben, nicht verständlich[14]). Daß sodann im Frankenreich gerade an diesem Punkt der Meßfeier orientalische Vorbilder maßgebend gewesen sind, haben wir bereits früher feststellen müssen, wo uns sogar wörtliche Herübernahmen aus der griechischen Jakobusliturgie, d. h. aus der Liturgie des Pilgerzentrums Jerusalem begegnet sind[15]). Hier stoßen wir denn auch auf das plastische Vorbild: feierlicher Einzug des in den Gaben proleptisch verehrten großen Königs unter den Klängen des „cherubinischen Hymnus“, der heiliges Schweigen fordert, während der Priester stilles Gebet verrichtet[16]). Die Neigung, bei der Opferhandlung das Gebet leise zu ver-

---

[11]) Das Hauptbedenken gegen diese Erklärung liegt in der oben erwähnten Tatsache, daß das ältere Gelasianum, das uns im allgemeinen römische Liturgie des 6. Jh. überliefert, durchwegs schon die Überschrift *secreta* aufweist. Dagegen ist aber zu beachten, daß die einzige erhaltene Handschrift desselben erst im 8. Jh. auf fränkischem Boden entstanden ist und auch sonst mancherlei fränkische Zutaten aufweist. In der römischen Vorlage besaßen die einzelnen Formeln vermutlich, ebenso wie dies im Leonianum der Fall ist, überhaupt keine Überschriften. Sonst wäre es schwer verständlich, wie im jüngeren Gelasianum, das die Formeln im allgemeinen aus dem älteren übernimmt, als Überschrift das gregorianische *Super oblata* eingesetzt worden wäre.

[12]) Expositio ant. lit. gallicanae (ed. Quasten 17): *spiritaliter iubemur silentium facere.* Das *spiritaliter* bezieht Righetti, Manuale III, 288, zu Unrecht auf ein bloßes „raccoglimento spirituale interiore“. Den Gesang des *sonus* schließt es natürlich nicht aus.

[13]) Nach dem *Adiuvate me fratres* wird leise *(silentio)* eine Apologie gesprochen, die auf Julian von Toledo († 690) zurückgeht: Missale mixtum (PL 85, 538 f).

[14]) Vgl. oben I, 103 f; II, 8.

[15]) Oben 91.

[16]) Brightman 41: Σιγησάτω πᾶσα σάρξ. Unmittelbar voraus geht das oben 87 f u. a. in S. Denis festgestellte Räucherungsgebet. Vgl. byzantinische Liturgie: Brightman 377 f. — Wie sehr das heilige Schweigen beim Einzug der Opfer-

richten, muß im Osten auch sonst schon früh erstarkt sein, da es Justinian 565 für nötig hielt, dagegen eine besondere Verordnung zu erlassen[17]). Es ist wohl möglich, daß hier Erinnerungen aus der heidnischen Antike nachgewirkt haben[18]).

Daß die nunmehr sogenannte Secreta, verglichen mit den übrigen Offertoriumsgebeten, ein stärkeres Gewicht besitzt, ist auch in der neuen fränkischen Offertoriumsordnung irgendwie bewußt geblieben. Vereinzelt spürt man noch, daß die Secreta mit dem vorausgehenden *Oremus* zusammengehört[19]) oder aber man gab ihr eine neue orationsgemäße Einleitung. Die Statuta antiqua der Kartäuser lassen den Priester das *Oremus* wiederholen, und zwar vor der ersten und vor der zweiten Secreta[20]), betonen aber, offenbar gegen eine sich bildende gegenteilige Gepflogenheit, daß kein *Domine exaudi* vorauszuschicken sei. Tatsächlich findet sich auch dieser Versikel seit dem 13. Jahrhundert mehrfach der Secreta vorangestellt[21]). Anderswo faßte man das *Orate fratres* als Äqui-

---

gaben schon im 5. Jh. betont wurde, zeigt jetzt die Liturgieerklärung des Theodor von Mopsvestia, Sermones catech. V (Rücker, Ritus bapt. et missae 22): *in silentio et timore et oratione tacita* müssen alle auf das Opfer blicken, wenn es von den Diakonen hereingetragen wird. Auch in den Apostolischen Konstitutionen VIII, 12, 4 (Quasten, Mon. 212) wird für den gleichen Augenblick bereits stilles Gebet des Zelebranten erwähnt: εὐξάμενος οὖν καθ' ἑαυτὸν ὁ ἀρχιερεύς. Vgl. auch Jungmann, Gewordene Liturgie 96—98.

17) Novelle 137, 6: *Iubemus omnes et episcopos et presbyteros non tacite, sed ea voce quae a fideli populo exaudiatur sacram oblationem ... faciant.* Batiffol, Leçons 210 f.

18) Vgl. O. Casel, Die Liturgie als Mysterienfeier, 3./5. Aufl. (Ecclesia Orans 9), Freiburg 1923, 135—157.

19) So noch Innozenz III., De s. alt. mysterio II, 55. 60 (PL 217, 831. 834): der Priester hat beim *Oremus* das Gebet unterbrochen, das er erst jetzt wieder aufnimmt. Ähnlich Durandus IV, 32. 3.

20) Martène 1, 4, XXV (I, 633 A).

21) Ordinarium O. P. von 1256 (Guerrini 240) und heutiges Missale O. P. (1889) 19; Liber ordinarius von Lüttich: Volk 93; Ordinale der Karmeliten von 1312 (Zimmerman 80) und heutiges Missale O. Carm. (1935) 226. Kölner Ordo celebrandi des 14. Jh.: Binterim IV, 3, S. 223. — Spätmittelalterliche Meßordnungen aus Frankreich: Martène 1, 4, XXXI. XXXIV (I, 651 C. 663 C); Lebrun I, 331 Anm. c; und aus den Niederlanden: Smits van Waesberghe 325. 326. 327. — Vereinzelt geht außerdem das *Dominus vobiscum* voraus: Alphabetum sacerdotum: Legg, Tracts 42; Ordinarium von Coutances: ebd. 61. Auf Island wurde es 1345 auf einer Synode vorgeschrieben; Segelberg 256 f. Ebenso im Missale von Upsala von 1513, das außerdem noch den Versikel *Domine Deus virtutum* an die Spitze stellt; Yelverton 15. Vgl. auch Lebrun I, 331. — Brinktrine, Die hl. Messe 173, äußert die Vermutung, daß schon in den ältesten Zeugen des gelasianischen Sakramentars, die vor dem

valent des *Oremus* und schickte folgerichtig schon diesem Aufruf, wie wir sahen, das *Dominus vobiscum* voraus[22]). Es waren dies Umbildungsversuche, die zusammengehören mit einer auf fränkischem Boden schon früh sich vorbereitenden Auffassung des Kanons, derzufolge dieser eben mit der Secreta seinen Anfang nimmt, ja als Ganzes eine einzige *secreta* darstellt[23]).

Wenn wir aber den wirklichen, d. h. den von ihrem Ursprung her ihr eigenen Sinn unserer Oration gewinnen wollen, müssen wir nach dem Gesagten nicht vorwärts, sondern zunächst rückwärts schauen. Die Secreta ist das Gebet, mit dem die Darbringung und Niederlegung der materiellen Gabe ihren Abschluß und ihre Sinndeutung erhält, indem sie in die Sprache des Gebetes umgesetzt wird. Daß eine solche Formel geschaffen wurde, war nahegelegt, wenn nicht selbstverständlich, sobald einmal der Schritt getan war, daß auch die materielle Gabe selbst als Darbringung an Gott betrachtet und durch die Heranziehung des Volkes in diesem ihrem symbolischen Sinn betont wurde. So finden wir schon im ältesten römischen Sakramentar, im Leonianum, gerade diese Züge, die der Secreta bis heute eigen sind, besonders deutlich und rein ausgeprägt. Bei allem Wechsel der Formeln kehrt in anderen Worten derselbe Gedanke beständig wieder: Wir bringen Gott Gaben dar, *dona, munera, oblationem,* seltener und offenbar nur, um im Ausdruck zu wechseln, *hostias, sacrificium.* Es sind zunächst irdische Gaben, wie gelegentlich auch in aller Form ausgesprochen wird: *Altaribus tuis, Domine, munera terrena gratanter offerimus, ut coelestia consequamur, damus temporalia, ut sumamus aeterna. Per*[24]). Oder: *Exercentes Domine gloriosa commercia offerimus*

Sursum corda kein *Dominus vobiscum* vermerken, ein solches nebst dem *Oremus* vor der Secreta vorauszusetzen sei. Die Vermutung hängt zusammen mit seiner Auffassung der Secreta als Vorformel zur Präfation, in Analogie zu einer ähnlichen Vorformel bei der Chrisamweihe am Gründonnerstag (älteres Gelasianum ed. Wilson 70). Wenn auch der Gedanke der Vorformel nicht ganz von der Hand zu weisen ist — das ganze Offertorium ist ein Vorritus, eine Vorweihe — so geht doch die daraus gezogene Folgerung zu weit; denn in der in Frage kommenden Zeit ist man sich sicher noch der Zusammengehörigkeit mit dem *Dominus vobiscum* und *Oremus* vor dem Offertorium bewußt gewesen.

[22]) Vgl. oben 106.

[23]) Im Cod. 150 von St. Gallen (9. Jh.) beginnt die als Ordo ‚Qualiter quaedam orationes‘ bekannte Darstellung der Rubriken des Kanons mit der Secreta (Andrieu II, 295). — Tatsächlich sucht Brinktrine (vgl. oben Anm. 21) diese Kanonauffassung zu erneuern; er läßt mit der Secreta den zweiten Hauptteil der Messe, die „eucharistische Konsekration" beginnen (168 ff).

[24]) Muratori I, 303.

quae dedisti[25]). Oder mit einer Formel, die wir auch heute noch gebrauchen: *Domine Deus noster, qui in his potius creaturis, quas ad fragilitatis nostrae praesidium condidisti, tuo quoque nomini munera iussisti dicanda constitui . . .*[26]). Oder es wird mit unbefangener Zuversicht die Menge der Gaben hervorgehoben: *Tua domine muneribus altaria cumulamus . . .*[27]). Aber die Gaben stellen kein selbständiges Opfer dar, sie werden nur dargebracht, damit sie ins Opfer Christi übergehen. Zuweilen berührt das Gebet auch in der Secreta schon diese Bestimmung: *Sacrandum tibi, Domine, munus offerimus . . .*[28]). Oder: *Propitius, Domine quaesumus, haec dona sanctifica*[29]). Oder: *Remotis obumbrationibus carnalium victimarum spiritalem tibi, summe Pater, hostiam supplici servitute deferimus*[30]). Doch ist ein solches Weitergreifen des Gedankens, einem allgemeinen Entwicklungsgesetz entsprechend, in den ältesten Texten, jedenfalls im Leonianum, seltener als in den späteren und heutigen, ebenso wie anderseits das völlige Fehlen des Opfergedankens von Anfang an und bis heute eine seltene Ausnahme geblieben ist[31]).

Wohl aber erscheint das opfernde Darbringen in verschiedener Abwandlung: neben dem *offerimus* und *immolamus* steht das *suscipe, respice, ne despicias, intende placatus* oder — manchmal an Festtagen — der Hinweis auf die Verdienste der Heiligen oder auf die gefeierten Erlösungsgeheimnisse, die unsere Gaben bei Gott empfehlen mögen: *Ecclesiae tuae, quaesumus Domine, preces et hostias beati Petri Apostoli commendet oratio*[32]). Oder es wird gebeten um die rechte Verfassung, das Opfer würdig darzubringen, oder umgekehrt auch schon um die Frucht des dargebrachten Opfers, wobei das Opfer selbst nur mehr

---

[25]) Ebd.

[26]) Muratori I, 415. Weitere Fundorte in den ältesten Sakramentaren s. Mohlberg-Manz n. 388. — Missale Rom., Donnerstag der Passionswoche.

[27]) Muratori I, 324; Mohlberg-Manz n. 930. — Zum Ausdruck *altaria* vgl. oben 11. — Für den Gedanken, daß die Secreta zunächst den materiellen Gaben gilt, siehe auch Batiffol, Leçons 162 ff.

[28]) Muratori I, 465; Mohlberg-Manz n. 1368. Missale Romanum am 29. XI.

[29]) Muratori I, 318. 320. Mohlberg-Manz n. 823.

[30]) Muratori I, 327; Mohlberg-Manz n. 846.

[31]) Beispiele solcher Ausnahmen im Missale Rom. am 31. XII. u. ö. an Heiligenfesten: *Sancti tui* (vgl. fränkisches Gelasianum ed. Mohlberg n. 74; Mohlberg-Manz n. 74); am 25. III.: *In mentibus nostris* (vgl. Gregorianum ed. Lietzmann n. 31, 3).

[32]) In cathedra s. Petri; vgl. fränkisches Gelasianum ed. Mohlberg n. 218; Mohlberg-Manz n. 218.

in obliquo genannt wird. Zuweilen tritt für einen Augenblick das ganze Gefüge von Opfergeschehen und Opfersymbolik in den Gesichtskreis, wie in der großartigen Secreta am Pfingstmontag: *Propitius, Domine quaesumus, haec dona sanctifica et hostiae spiritalis oblatione suscepta nosmetipsos tibi perfice munus aeternum. Per*[33]). Meistens ist aber die Bitte, die mit der Darbringung verbunden wird — die Secreta ist eben als *oratio,* d. h. als Bittgebet, formuliert — allgemeiner gehalten: wie unsere Gabe emporsteigt, so möge Gottes Segen auf uns herniedersteigen. So ist öfter vom geheimnisvollen Austausch die Rede, von den *sacrosancta commercia,* von den *huius sacrificii veneranda commercia,* die in der heiligen Feier sich vollziehen.

Festgehalten wird in der ganzen römischen Sakramentarüberlieferung daran, daß die Secreta nicht nur als Gemeinschaftsgebet von der Gesamtheit aus pluralisch formuliert wird: *offerimus, immolamus, munera nostra, oblationes populi tui,* sondern auch, daß sie an Gott gerichtet und mit *Per Dominum* geschlossen wird. Noch das Missale Pius' V. kannte keine einzige Ausnahme von dieser Regel. Und in der Tat war das Festhalten am alten Gesetz: *Cum altari assistitur, semper ad Patrem dirigatur oratio*[34]), wenn irgendwo im liturgischen Gebet, so hier am Platz, wo es sich um das Opfer handelt, das Christus eingesetzt hat, nicht um es zu empfangen, sondern um es mit uns dem Vater darzubringen — wobei es immer noch mit dem katholischen Dogma vereinbar bleibt, wenn sich die Darbringung auch einmal an Christus wendet[35]). Die erste Ausnahme dieser Art bildet im Missale Romanum die Secreta am Fest des hl. Antonius von Padua, das durch Sixtus V. allgemein vorgeschrieben wurde. In der Folge sind bis in die jüngste Zeit noch einige weitere Fälle hinzugekommen[36]).

Seit langem gilt die Regel, daß in jeder Messe ebensoviel

---

[33]) Auch schon im Leonianum (Muratori I, 318. 320); Mohlberg-Manz n. 823.

[34]) Oben I, 486.

[35]) Über die dogmatische Zulässigkeit der Darbringung an Christus ist in der byzantinischen Kirche im 12. Jh. eine Kontroverse geführt und 1156 durch eine Synode von Konstantinopel im oben genannten Sinne entschieden worden. C. J. Hefele, Conciliengeschichte V, 2. Aufl., Freiburg 1886, 567 f. — Anders wird die Entscheidung lauten, wenn sie nicht unter dogmatischen, sondern unter kerygmatischem Gesichtspunkt gefällt wird.

[36]) Siehe die näheren Nachweise bei Jungmann, Die Stellung Christi (1925) 103. 106 f. — Hinzugekommen ist seitdem das 1932 eingeführte Fest des heiligen Gabriel Possenti am 27. (28.) Februar, an dem alle drei Orationen an Christus gerichtet sind.

Secreten — und dann auch Postcommunionen — zu nehmen sind, als Kollekten genommen wurden[37]). Die Regel ist nicht ganz selbstverständlich, da in den Formeln der Secreta, die viel stärker um ihre eigenes Thema kreist und die auch nur selten zur Anrede eine relativische Prädikation hinzufügt[38]), der inhaltliche Wechsel und der Einfluß des Kirchenjahres gering ist, abgesehen davon, daß an Heiligenfesten meist die Fürbitte des Heiligen mit der Darbringung verbunden wird. So bedeutet die Aneinanderfügung mehrerer Formeln manchmal nur die Wiederholung des gleichen Gedankens. Die Regel wird aber mit wachsender Bestimmtheit eingeschärft[39]), offenbar weil sie dem Sinn für Symmetrie entspricht.

Von der letzten Secreta werden die Schlußworte *Per omnia saecula saeculorum* mit lauter Stimme gesprochen[40]). Daß von einem zu öffentlichem Vortrag bestimmten Gebet wenigstens die Schlußworte laut gesprochen werden, ist ein Gesetz, das wir auch an anderen Stellen befolgt sehen: bei den Schlußworten des Kanons und bei den Schlußworten des Embolismus. Beide Male handelt es sich um dieselben Worte: *Per omnia saecula saeculorum*. Auch das *Pater noster* wird außerhalb der Messe vielfach so gesprochen. In den orientalischen Liturgien, in denen das Stillbeten der priesterlichen Orationen einen viel größeren Umfang angenommen hat, besonders infolge der Zusammenschiebung der letzteren mit dem früher ihnen vorausgeschickten Wechselgebet des Diakons mit dem Volk, spielt die sogenannte ἐκφώνησις eine große Rolle[41]). Sie ist allgemein umfangreicher als ihr abendländisches Gegenstück und umfaßt in der Regel eine vollständige Doxologie, so daß das Amen des Volkes schon als Bejahung der letzteren sinnvoll bleibt. Unser *Per omnia saecula saeculorum* erfordert die Ergänzung durch das vorangehende Gebet des Priesters. Diese ist insofern nicht schwierig, als der Gang des priesterlichen Gebetes in allen drei genannten Fällen, Secreta, Kanon und Embolismus, im wesentlichen stets derselbe bleibt. Dieses laut gesprochene *Per omnia saecula saeculorum* verweist, formal gesehen, noch einmal zurück auf das am Anfang stehende *Oremus* und

---

37) Vgl. oben I, 494.

38) Vgl. oben I, 480.

39) Siehe z. B. Durandus IV, 15, 16.

40) Vgl. oben 108 und ebenso Amalar, Liber off. III, 19, 9 (Hanssens II, 313 f). Auch jüngere Hss des Gregorianums (Lietzmann n. 1) führen die Erwähnung der *oratio super oblata* weiter; *qua completa dicit sacerdos excelsa voce: Per omnia.*

41) Die Fachausdrücke der nichtgriechischen Liturgien s. bei Brightman 596. Bei den Nestorianern *kanuna*, von κανών.

faßt, was dazwischen liegt, zu einer Einheit zusammen. Denn, was dazwischen liegt, ist tatsächlich ein *orare,* nur mit dem Unterschied, daß zu den Worten das äußere Symbol hinzugetreten ist. Remigius von Auxerre († um 908) hatte dafür noch ein lebendiges Empfinden, wenn er das scheinbar vereinsamte *Oremus* mit dem Hinweis erklärt, es sei als Aufforderung an die Gläubigen zu verstehen, auf die Darbringung bedacht zu sein, indem sie damit ihre innere Darbringung verbinden, damit ihre Gabe dem Herrn angenehm sei[42]). Im gleichen Sinn sprechen eine größere Anzahl altüberlieferte Secreta-Formeln ausdrücklich nicht nur von den Opfergaben, sondern zugleich auch von den Gebeten des Volkes: *Suscipe quaesumus Domine preces populi cum oblationibus hostiarum*[43]); *Muneribus nostris, quaesumus Domine, precibusque susceptis*[44]); *Offerimus tibi Domine, preces et munera*[45]). Das wiederholte Vorkommen solcher Formeln gerade in Meßformularien ältester Prägung drängt zur Annahme, daß die Miterwähnung des Gebetes im Grunde doch wohl jenes Beten meint, zu dem das *Oremus* aufgerufen hat[46]).

9. Der Oblationskreis als Ganzes

Angesichts der verwirrenden Fülle von Formen und Formeln, die wir im Kreis des Offertoriums im Laufe der Jahrhunderte haben erwachsen sehen, ist die Frage begründet: Wie sollen wir nun im Licht der gewonnenen Einsichten die so gewordenen Gebilde einschätzen? Wie sollen wir insbesondere die Reihe von Texten, die als Ertrag der mittelalterlichen Entwicklung in unserem Missale Romanum steht[1]), als Ganzes

---

[42]) Remigius von Auxerre, Expositio (PL 101, 1251 C): *Ita autem potest intelligi... ut omnis populus oblationi insistere iubeatur, dum oblaturi intentionem suam offerunt, quatenus illorum oblatio accepta sit Domino.* Vgl. auch Amalar, Liber off., prooemium n. 13 (Hanssens II, 16).

[43]) Auf solche Weise beginnen u. a. die Formeln vom Karsamstag bis Osterdienstag, und zwar auch schon im Gregorianum (Lietzmann n. 87—90).

[44]) Commune martyrum u. ö.; im Gregorianum an sechs Stellen (Lietzmann S. 182). Vgl. auch Mohlberg-Manz n. 69.

[45]) Votivmesse von den Aposteln. Vgl. Mohlberg-Manz n. 982. 1111. 1355. Schon im Leonianum (Muratori I, 334. 335).

[46]) Vgl. oben I, 618 f.

[1]) In der heutigen Fassung und Reihenfolge (mit zwei Zugaben und abgesehen von der noch an der Spitze stehenden Händewaschung) bereits im Meßordo der päpstlichen Kapelle um 1290 ed. Brinktrine (Eph. liturg. 1937) 201—203; Ebner 347. Vgl. das Minoritenmissale des 13. Jh. ebd. 314. — Die spätmittelalterlichen Entwicklungen (oben 82 ff) sind in Rom nicht mehr mitgemacht worden.

sehen? Und wie können wir dieses Ganze im Gange unsrer Meßfeier zum sinnvollen Vollzug bringen?

Da ist zunächst nicht zu leugnen: Es handelt sich im ersten Ansatz um eine Vorwegnahme von Gedanken des Kanons und insofern um eine gewisse Verdoppelung. Die Bezeichnung der Offertoriumsgebete als Kleiner Kanon gehört zwar erst dem ausgehenden Mittelalter an[2]), aber unausgesprochen stand die Idee schon früh hinter den Neubildungen. Im liturgischen Denken des Mittelalters hat der Wortlaut des Hochgebets der Messe nur eine geringe Rolle gespielt. Er war in einer Sprache abgefaßt, die den jungen Völkern, so sehr man lateinisch zu reden und katholisch zu denken gelernt hatte, in seiner römischen Prägung doch immer einigermaßen fremd geblieben ist. Der Kanon, und dieser mehr und mehr verstanden vom ganzen Ablauf von der Secreta angefangen, wurde zum geheiligten Konsekrationstext, der so, wie er lag, objektiv gegeben und getreulich zu vollziehen war, der aber nicht dazu bestimmt schien, eigenen Gebetsgedanken und Gebetsanliegen Ausdruck zu verleihen.

So wird alsbald die Gelegenheit ergriffen, im Anschluß an die Bereitlegung der Gaben, auch dieses Eigene zur Geltung zu bringen. Im Grunde sind es aber die alten Gedanken, die hervortreten: Darbringung, Bitte um Annahme, Fürbitte; und sogar der Wortschatz ist zum großen Teil dem römischen Kanon und den Texten der *oratio super oblata* entnommen. Aber einige neue Momente machen sich geltend: Das Darbringen geschieht sofort „für" bestimmte Anliegen; diese treten heute nur mehr in einigen Wendungen hervor. Die Darbringung des „makellosen Opfers" hebt sich sodann ab von den dunklen Schatten der eigenen Sündhaftigkeit; auch diese ist, anders als einst in der Wuchersaat der Apologien, heute nur im ersten Oblationsgebet betont. Sodann steht stärker im Vordergrund das persönliche Tun des Zelebranten, der zum Teil in der Einzahl redet. Diese Ausdrucksweise entspricht der neuen Lage des Priesters, der sich vom Volke stärker losgelöst fühlt. Dennoch ist der Singular an einigen Stellen wieder zurückgedrängt worden[3]).

---

[2]) Sie begegnet z. B. im 15. Jh. in Ungarn: Jávor 120, Radó 125; in zwei Regensburger Missalien des 15./16. Jh.: Beck 237. 266; in Augsburger Missalien bereits seit 1386: Hoeynck 372 f. In der gleichfalls aus Augsburg stammenden Meßerklärung „Messe singen oder lesen" von 1484 heißt es: „Und hye hebt an Canon minor, das ist die minder Stillmesse, die dem leyen nit zymment zu lesen"; Franz 713; vgl. 633. Die mit diesen Worten ausgesprochene rigorose Auffassung war sonst nur auf den Text von der Secreta an angewendet worden. Man ging also erst jetzt daran, mit dem Gedanken des *canon minor* vollen Ernst zu machen.

[3]) Siehe oben 57 ff mit Anm. 41; 73.

Anderseits ist, wenigstens grundsätzlich, nun auch ein besonderes Beten des Volkes vorgesehen, und zwar ein Beten, das eine Fürbitte für den Priester darstellt, in der Antwort auf das *Orate fratres*. Eine Auflösung hat auch stattgefunden darin, daß für die beiden Opferelemente schließlich je eine eigene Darbringung ausgebildet wurde. Die Tendenz, die beiden Darbringungen, die aus den ursprünglichen Oblationssprüchen erwachsen sind, in strenger Symmetrie zusammenzuordnen, ist wohl auf eine Strecke weit, aber nicht vollständig durchgedrungen. Wird hier der Oblationsvorgang nach der Dimension der Breite entfaltet, so ist eine weitere Zerlegung in der Weise hinzugetreten, daß neben das von unten hinaufstrebende Darbieten und Darbringen die epikletische Bitte um die Kraft von oben gekommen ist. Diese doppelte Bewegung kommt heute gut zum Ausdruck darin, daß nach der Einzeldarbringung von Patene und Kelch nun zuerst die demütige Annahmebitte folgt: *In spiritu humilitatis*, in der zugleich der tiefere Sinn aller äußeren Darbringung, die persönliche Herzenshingabe und innere Opferbereitschaft mit biblischer Wucht zum Ausdruck kommt[4]), dann aber der Ruf nach der heiligenden Kraft von oben folgt, die unserer irdischen Gabe erst die rechte Weihe geben muß.

In sprachlich-stilistischer Betrachtung steht die römische Oration, die zur Beimischung des Wassers gesprochen wird, in einem deutlichen Kontrast zu den übrigen Gebeten, die nicht so streng formuliert sind und die auch, da sie sich ja eng an die einzelne Handlung anschmiegen, keine strenge Gedankenfolge aufweisen. Anderseits ist auch eine gewisse äußere Angleichung an die Form der Kanongebete nicht durchgedrungen, die darin bestanden hätte, daß die einzelnen Gebete mit dem *Per Christum* geschlossen wurden[5]).

Sind so in den Gebeten des Offertoriums im Grunde nur Gedanken ausgesprochen und mit einigen näheren Bestimmungen versehen, die

---

[4]) Siehe die ansprechende biblisch-liturgische Erklärung des Textes bei G. E. Closen, Wege in die Hl. Schrift, Regensburg 1939, 148—156.

[5]) In manchen spätmittelalterlichen Meßordnungen sind mit diesem Schluß nicht nur einzelne, sondern alle geeigneten Formeln versehen worden, auch *In spiritu humilitatis* und *Veni sanctificator*, zum Teil selbst das *Oratre fratres* und kurze Begleitsprüche, wie *Acceptabile sit omnipotenti Deo sacrificium nostrum;* s. z. B. Martène 1, 4, XXXI f (I, 651. 656); Köck 125 f; ebenso das Regensburger Missale des 15./16. Jh., demzufolge der Priester den *canon minor* auch sprechen soll *elevatis manibus in coelum;* Beck 266 f. Es können nur die Gebete gemeint sein, die man sonst nach mittelalterlicher Weise gebeugt und mit gefalteten Händen sprach. Die Formel *Suscipe sancte Pater* weist den christologischen Schluß schon auf in der Missa Illyrica: Martène 1, 4, IV (I, 508 E).

schon im Kanon vorliegen, so wird man eine eigentliche Verdoppelung darin doch nur dann erblicken, wenn man von der *missa lecta* ausgeht, in der das Relief der im Amt hervor- und zurücktretenden Partien eingeebnet ist, und wenn man diesen Gebeten infolgedessen das gleiche Gewicht beimißt wie den lapidaren Sätzen des Kanons. In diesen Gebeten des Offertoriums sollen verschiedene Motive nur einmal anklingen, die dann später ihre volle Entfaltung finden. Es sind im wesentlichen ja überhaupt nicht „Gebete“ im vollen Sinn, sondern vorwiegend Begleitsprüche, die neben der äußeren Handlung einhergehen. Sie waren nie dafür bestimmt — vom *Orate fratres* teilweise abgesehen — öffentlich vor der Gemeinde gesprochen zu werden, wollten also das dramatische Geschehen der Messe auch nicht weiterführen.

Einigermaßen anders ist es mit der alten *oratio super oblata*, die in ihrer Weise ja tatsächlich eine Vorwegnahme des Opfergedankens darstellt. Von ihr muß auch die richtige Einordnung der mittelalterlichen Texte ausgehen. Die *oratio super oblata* will den einzigen Schritt unterstreichen, der im Oblationsritus geschieht: die Eröffnung der Opferhandlung durch die vorläufige Darbringung der materiellen Gaben. Diese ist zwar grundsätzlich schon mit deren Niederlegung auf dem Altar gegeben und ist insofern allen Liturgien gemeinsam[6]); in der römischen Liturgie aber hat sie durch die als Regel vorausgesetzte Gabendarbringung der Gläubigen eine verstärkte Bedeutung gewonnen, die in diesem Gebete zum Ausdruck kommt: Schon in dieser seiner Anfangsphase darf das eine Opfer Symbol sein unserer inneren Herzenshingabe. Die materielle Gabe von Brot und Wein wird also, so wie sie im äußeren Ritus von der Gemeinde zum Altar gebracht wurde, so nun auch im Gebet von der Kirche Gott dargeboten, wobei allerdings der Blick immer wieder auf die endgültige Gabe übergleitet, die aus der materiellen hervorgehen soll. Aber diese erhält damit eine vorläufige Weihe, eine Vorweihe[7]), so ähnlich wie auch andere Erfordernisse des Gottesdienstes, Kirche und Altar, Kelch und Patene, Kerzen und Altarlinnen, schon vorher ihre vorberei-

---

[6]) A. Clark, The function of the Offertory rite in the mass: Eph. liturg. 64 (1950) 309—344. Nur ist nicht einzusehen, warum diese Darbringung nicht eine *pars integrans* (309. 337) des Opfers sein soll; vgl. oben I, 255 Anm. 56.

[7]) Der Gedanke wird besonders vertreten von Batiffol, Leçons 162—164. Mit Suarez will er die Secreta betrachtet wissen als *quaedam dedicatio materiae sacrificandae per futuram consecrationem.* Daß die Gaben schon jetzt als geweiht gelten, zeigt in unserem Missale die Bestimmung (De defectibus X, 9), daß eine vor der Wandlung als ungeeignet beiseite gelegte Hostie, *si illius hostiae iam erat facta oblatio,* nach der Ablution zu sumieren ist.

tende Weihe erhalten haben. Es steht nichts im Wege, daß wir die jüngeren Oblationsgebete in diese Funktion der Secreta einbeziehen; so werden sie sich uns aufs beste in den Gang der Messe einfügen[8]).

Wenn es im ersten Oblationsgebet vom Brote heißt: *hanc immaculatam hostiam,* so mag das von den mittelalterlichen Verfassern von der Eucharistie gemeint gewesen sein[9]). Objektiv können wir es aber ebensogut vom schlichten irdischen Brot verstehen, und zwar mit dem gleichen Recht, mit dem wir im Kanon das Opfer Melchisedechs bezeichnen als *sanctum sacrificium, immaculatam hostiam.* Etwas Ähnliches gilt vom *calix salutaris* in der Kelchformel. Unser Kelch ist auch schon auf dieser Vorstufe des Opfers mindestens ebenso heilig und heilsam wie der Dankesbecher des Sängers im 115. Psalm, dem das Wort entnommen ist[10]). Dabei bleibt es selbstverständlich, daß, wenn wir diese Gebete sprechen, die höhere Bestimmung unserer Gaben mit im Blickfelde steht, das ja auch schon durch das Mischungsgebet, *Deus qui humanae substantiae,* in die gleiche Richtung ausgeweitet wird: hin auf die große Verwandlung nicht nur unserer Gaben, sondern unseres ganzen Menschentums.

Auf das Große und Ganze gesehen, haben wir also keinen Grund, Entstehung und Entwicklung des liturgischen Gebildes, das wir im Offertorium vor uns sehen, zu bedauern — wenigstens dann nicht, wenn wir bereit sind, in der Messe nicht bloß ein Geschehen von Gott her zu erblicken, sondern auch ein Tun des Menschen anzuerkennen, der, von Gott gerufen, sich mit der irdischen Gabe auf den Weg macht, um seinem Schöpfer entgegenzuwandern.

---

8) Siehe auch Batiffol, Leçons 26. Ähnlich C. Callewaert, De offerenda et oblatione in Missa: Periodica de re morali canonica liturgica 32 (1944) 60—94, der unter Hinweis auf die in der Secreta verwendeten Ausdrücke noch entschiedener die einheitliche Linie der Opferhandlung betont, die im Offertorium eine *aliqualis inchoatio* erhalte.

9) Noch deutlichere Beispiele solcher proleptischer Sprechweise aus mittelalterlichen Meßbüchern bei Eisenhofer II, 144.

10) Im Literalsinn des Psalmes ist es übrigens der Becher beim Dankopfer für das schon erlangte Heil, für die Rettung aus der Gefahr. Im kirchlichen Gebet verwendet, ist das Wort natürlich dem Kontext entsprechend zu deuten.

2.

DER CANON ACTIONIS

1. Der Canon actionis oder das Eucharistiegebet als Ganzes

Als Kern der Meßfeier und als inneren Bezirk, in dessen Mitte die Stiftung Jesu vollzogen wird, haben wir bei unserem Gang durch die Geschichte klar und eindeutig die Eucharistia kennengelernt. Ein Dankgebet erhebt sich in der Gemeinde und wird vom Priester zu Gott emporgetragen, das in die Worte der Wandlung und weiter in die Darbringung der heiligen Gaben übergeht, die dann in einem feierlichen Lobpreis ihren Abschluß findet. Obwohl das so entstandene Gebilde in unserer Messe ungebrochen fortlebt, ist es doch für den, dem geschichtliche Kenntnisse fremd sind, nicht leicht, im heutigen Text die Gestalt eines solchen Planes wiederzuerkennen. Das Dankgebet bietet sich in der „Präfation" als eine isolierte, lediglich vorbereitende Größe dar, auf die erst der Kanon folgt. Der Kanon selbst aber erscheint, von den Wandlungsworten abgesehen, als eine nur lose geordnete Folge von Darbringungen, Fürbitten und ehrenden Erwähnungen von Aposteln und Märtyrern der christlichen Frühzeit. Noch größer ist der Abstand von jenem Plan, wenn man das äußere Erscheinungsbild ins Auge faßt. Mit dem *Sanctus* bricht der laute Gebetsvortrag des Priesters ab. Alles weitere vollzieht sich in unzugänglicher Stille, nur das Schellen des Meßdieners weist noch auf die Erhebung der heiligen Gestalten hin, der wieder die Stille folgt. Im Hochamt ist diese Stille überdeckt durch den Gesang des *Sanctus* und des *Benedictus;* dabei erscheint die Reihe der Fackelträger und ordnet sich vor dem Altar wie zu einem großen Empfang, die Chorassistenz fällt in die Knie, grüßend und huldigend tönt das *Hosanna* dem entgegen, der da kommt im Namen des Herrn. An der Stelle des vorwärtsströmenden, zu Gott empordrängenden Dankgebetes hat sich die entgegengesetzte Bewegung ausgebreitet, die vom Niedersteigen des heiligen Geheimnisses ausgelöst wird und deren Wellenschlag sich nun weithin über das Bild der alten Eucharistia legt.

Unsere Aufgabe wird es nun sein, die heutige Erscheinung dieses zentralen Teiles unserer Messe in ihren einzelnen Elementen zu ihren Ursprüngen zurückzuverfolgen und so schließlich den zugrunde liegenden alten Plan wieder deutlicher sichtbar zu machen. Dabei ist von dem entscheidenden Faktor schon die Rede gewesen, von der theologischen Bewegung in der Eucharistielehre, die dazu geführt hat, weniger auf die geheiligte Gabe zu sehen, die wir darbringen und in der wir uns, zum Leibe Christi versammelt, selber mitdarbringen, als vielmehr auf den Vorgang der Wandlung, in dem die göttliche Allmacht in unserer Mitte wirksam wird und Christus unter den Gestalten von Brot und Wein unter uns erscheint[1]). Diese theologische Bewegung traf auf verschiedene Ansatzpunkte im Eucharistiegebet der römischen Messe und begann so ihre umbildende Wirkung. Der wichtigste Ansatzpunkt war der Einschnitt beim *Te igitur,* der zur Abspaltung der Präfation und zu einer neuen Auffassung des nun folgenden Kanons geführt hat.

In allen alten Liturgien ist das Eucharistiegebet als Einheit aufgefaßt und auch als Einheit benannt worden. Der urspüngliche Name εὐχαριστία wird allerdings früh verdrängt durch neue Bezeichnungen, aber auch die neuen Bezeichnungen haben das Ganze als einheitliche Größe vor Augen. Im Orient ist an die Stelle von „Eucharistia" fast überall der Name „Anaphora" getreten, der die Darbringung in den Vordergrund rückt[2]). Auch in der älteren abendländischen Liturgie kommen ähnliche Benennungen vor, die das Opfer hervortreten lassen[3]): *oratio oblationis, actio sacrificii.* Aber stärker verbreitet sind hier andere Namen, die unmittelbar bloß auf das begleitende Gebet gehen und dies entweder nur ganz allgemein als solches benennen: *oratio*[4]), *prex*[5]), oder

---

[1]) Oben I, 109 f. 155 ff.

[2]) Die Anaphora umfaßt in allen Fällen das Eucharistiegebet, wird aber in den verschiedenen Riten in verschiedener Weise auch auf die vorausgehenden Gebete und auf den Kommunionteil erstreckt. Brightman 569; A. Baumstark, Anaphora: Reallexikon f. Antike u. Christentum I, 422—427. Vgl. oben I, 227. — Im Euchologion Serapions n. 13 (Quasten, Mon. 59) ist das Eucharistiegebet überschrieben: εὐχὴ προσφόρου.

[3]) P. Cagin, Les noms latins de la préface eucharistique: Rassegna Gregoriana 5 (1906) 321—358, bes. 331 ff.

[4]) Cyprian, De dom. orat. c. 31 (CSEL 3, 289 Z. 14).

[5]) Gregor d. Gr., Ep. IX, 12 (PL 77, 956): das *Pater noster* wird gebetet *mox post precem.* — Papst Vigilius, Ep. 2, 5 (PL 69, 18 D): *canonica prex.* — Innozenz I., Ep. 25 (PL 20, 553). — Augustinus, De Trin. III, 4, 10 (PL 42, 874): *prece mystica;* Contra litt. Petil. 2, 69 (CSEL 52, 58 f): *precem sacerdotis;* vgl. Batiffol, Leçons 186 f. — Im Leonianum vermutet Stuiber 65 an acht Stellen *preces* = Präfation. — Bei Cyprian weist Fortescue, The

aber, ähnlich wie εὐχαριστία, dessen Inhalt als Lobpreisung Gottes kennzeichnen, vor allem *praedicatio*[6]), Begriffe, die wir mit „Hochgebet", „Eucharistiegebet" einigermaßen wiedergeben können. Als ein heiliges Tun wurde der hier beginnende Abschnitt bezeichnet in dem Wort *actio*[7]): *intra actionem*, so sagt eine Quelle des 6. Jahrhunderts, soll das Volk mit dem Priester zusammen das *Sanctus* singen[8]). Dieser Name steht auch in der Überschrift, die mehrere der ältesten Sakramentarhandschriften dem die Präfation einleitenden Dialog vorausgehen lassen: *Incipit canon actionis*[9]). Der mit dem *Sursum corda* einsetzende Text wird als die Norm, als die feste Grundlage der nun folgenden heiligen Handlung bezeichnet. Dann wird das Wort *canon* auch für sich allein im gleichen Sinne gebraucht[10]). Um die Wende des 8. Jahrhunderts ist im Begriff Kanon noch die Präfation miteingeschlossen. So heißt es: Die

---

mass 323, auf folgende Stellen hin, in denen er *prex* als Name für das Hochgebet erblickt: Ep. 15, 1 (PL 4, 265); 60, 4 (ebd. 362); 66, 1 (ebd. 398). — Das Wort hat dann als Bezeichnung für die Präfation auch später noch länger fortgelebt. Als regelmäßige Überschrift der Präfation ist es gebraucht in den Zürcher und Peterlinger Meßbuchfragmenten des 10. Jh. ed. Dold (Beuron 1934). Auch in spanischen Meßbuchfragmenten des 11. Jh.; s. A. Dold, Im Escorial gefundene Bruchstücke eines Plenarmissales in beneventanischer Schrift des 11. Jh. mit vorgregorianischem Gebetsgut und dem Präfationstitel ‚prex': Spanische Forschungen der Görresgesellschaft 5 (1935) 89—96.

6) Cyprian, Ep. 75, 10 (CSEL 3, 318), im Bericht Firmilians von einer Frau, die < *non* > *sine sacramento solitae praedicationis* die Eucharistie zu feiern sich vermaß; vgl. Batiffol 186. — Liber pont. (Duchesne I, 127): *Hic* (Alexander I.) *passionem Domini miscuit in praedicatione sacerdotum quando missae celebrantur.* — Ebd. (I, 312): *Hic* (Gregor I.) *augmentavit in praedicationem canonis diesque nostros...* Vgl. dazu das *benedicere et praedicare*, von dem im Eingang der Marienpäfation die Rede ist.

7) Vgl. oben I, 229.

8) Liber pont. (Duchesne I, 128).

9) So das ältere Gelasianum III, 16 (Wilson 234). — Ebner 395 Anm. 3; B. Botte, Le canon de la messe romaine, Mont-César 1935, 30 (im Apparat).

10) Im Sakramentar von Angoulême (ed. Cagin, Angoulême 1919, S. 117) lautet die genannte Überschrift bereits: *Incipit canon.* So auch schon Gregor d. Gr., Ep. IX, 12 (PL 77, 956 A): das Gebet des Herrn folgt *mox post canonem.* Vgl. Vigilius, Ep. 2 (PL 69, 18 D): *canonica prex.* — Zur Bedeutungsgeschichte des Wortes s. H. Oppel, Κανών (Philologus, Supplementband 30, 4), Leipzig 1937; L. Wenger, Canon in den römischen Rechtsquellen und in den Papyri (Sitzungsber. d. Ak. d. Wiss. 220, 2), Wien 1942. Das Wort, in seinem Ursprung das geradegewachsene Rohr bezeichnend, besagt bekanntlich soviel wie Richtschnur, Norm des Tuns, womit aber nicht notwendig ein immer gleiches Tun, sondern nur ein wohlgeregeltes Tun bezeichnet ist. Vgl. Walafried Strabo, De exord. et increm. c. 22 (PL 114, 950 A): *Canon vero eadem actio nominatur, quia in ea est legitima et regularis sacramentorum confectio.*

Weihe der Osterkerze soll geschehen *decantando quasi canonem*[11]). Noch deutlicher etwas später: der Subdiakon übernimmt die Patene *medio canone, id est cum dicitur Te igitur*[12]). So war auch noch im Begriff Kanon die Einheit des Hochgebetes festgehalten. Der Kanon begann mit dem, was wir Präfation nennen, und auch die rituelle Gestaltung im feierlichen Pontifikalamt hob diese Stelle als Anfang hervor[13]).

Dann erfolgt eine Aufspaltung der ursprünglichen Einheit und Präfation und Kanon erscheinen als ihre Teile. Diese Aufspaltung kam von den gallischen Liturgien her. Hier war das Eucharistiegebet oder vielmehr der gesamte Gebetsverlauf der Opfermesse von jeher zerlegt in eine Reihe von Einzelgebeten. Die *oratio sexta,* der Isidor ohne nähere Unterscheidung die Konsekration zuschreibt, erstreckte sich vom Ende des Sanctusgesanges bis zum *Pater noster*[14]). Mit dem Schema der von Isidor herkommenden Ideen treten die fränkischen Liturgieerklärer des 8. und 9. Jahrhunderts auch an die römische Liturgie heran. Mit dem *Sanctus* mußte auch hier die *oratio quinta* schließen und die konsekratorische *oratio sexta* beginnen. Was vorausging, war die *praefatio,* also nach dem neuen, von gallischer Liturgie her geläufigen Sprachgebrauch die Vorrede und Einleitung zum Hauptgebet. Las man ja im gregorianischen Sakramentar die Überschrift *praefatio* an der Spitze der *Vere-dignum*-Formeln. Man schränkte ihre Geltung, ohne zu fragen, auf das ein, was dem *Sanctus* vorausging. Dann war unter *canon* das zu verstehen, was darauf folgte, das Gebet, das mit dem *Te igitur* beginnt.

Dem schien, trotz dem sonst entgegenstehenden Sprachgebrauch der römischen Bücher, eine Bemerkung im Ersten römischen Ordo entgegenzukommen, wenn es nach der Erwähnung des Sanctusgesanges hieß: *Quem dum expleverint, surgit pontifex solus et intrat in canone*[15]): der Kanon ist das Heiligtum, das der Priester nun allein betritt.

[11]) Ordo a dominica mediana (Andrieu III, 404; PL 78, 955 C). — Denselben Ausdruck gebraucht um 770/780 das Sakramentar von Gellone vom Vortrag des Taufwasserweihegebetes; Martène 1, 1, 18, VI (I, 184 E).

[12]) Amalar, Liber off. III, 27, 4 (Hanssens II, 351).

[13]) Das geschah hauptsächlich durch die von da an vorgesehene wohlgeordnete, streng symmetrische Aufstellung der Assistenz um den Altar; vgl. oben I, 94 f. — Eine Spur dieser Anordnung ist noch in der heutigen Papstmesse erhalten; vgl. Brinktrine, Die feierliche Papstmesse 24 Anm.

[14]) Vgl. oben I, 108 f.

[15]) Ordo Rom. I n. 16 (Andrieu II, 95; PL 78, 945). — Der Satz will in Wirklichkeit nur besagen, daß nach dem gemeinsamen Gesang des *Sanctus* wieder der Zelebrant allein im Kanon „einsetzt", d. h. fortfährt. Vgl. den Gebrauch von *intrare* im älteren Gelasianum I, 16 (Wilson 34; unten 202); ähnlich I, 36. 40 (ebd. 58. 70).

Der Heiligkeit dieses innersten Raumes, der dem Volke verschlossen bleiben muß, entspricht es, daß darin heiliges Schweigen herrscht. Der Kanon wird zum Gebet, das vom Priester leise gesprochen wird, selbst der Umgebung nicht vernehmbar. Der Übergang ist deutlich sichtbar um die Mitte des 8. Jahrhunderts in der ersten fränkischen Bearbeitung des genannten römischen Ordo, dem Capitulare ecclesiastici ordinis, wo es nach der Erwähnung des *Sanctus* heißt: *Et incipit canire dissimili voce et melodia, ita ut a circumstantibus altare tantum audiatur*[16]). Es ist vorerst ein gedämpftes Sprechen, während die Secreta bereits zum vollen Stillgebet geworden ist. Für die vollständige Stille auch des Kanons beginnen die sicheren Nachrichten um die Wende des 8. Jahrhunderts[17]). Der Ordo secundum Romanos, der eine spätkarolingische Bearbeitung des Ersten römischen Ordo darstellt, hat den oben erwähnten Satz des letzteren bereits umgestaltet zur Form: *surgit solus pontifex et tacito intrat in canonem*[18]).

Die Folgezeit hat daran festgehalten, womit nicht gesagt ist, daß man das Stillbeten schon vor Pius V. überall im Sinne völlig unhörbaren Sprechens verstanden hat[19]). Der Gedanke wurde aber nun immer weiter

---

[16]) Capitulare eccl. ord. (Andrieu III, 103). Andrieu ist schwerlich im Recht, wenn er (ebd. Anm.) die Ursprünglichkeit dieser von der älteren Rezension (St. Gallen 349) gebotenen Lesart zugunsten der jüngeren Fassung bezweifelt (ohne *et melodia; canone* statt *canire* [= *canere*]); in letzterer konnte die Erwähnung der Melodie ruhig wegfallen, wenn um 800 der Übergang zur völligen Stille schon vollzogen war. — Vgl., auch für das folgende, Jungmann, Gewordene Liturgie 53—119: die Studie „Praefatio und stiller Kanon" (= ZkTh 1929, 66—94; 247—271), bes. S. 87 ff. — Daß der Kanon bis dahin mit vernehmbarer Stimme gesprochen wurde, ist auch im Ordo Rom. I n. 16 (Andrieu II, 96; PL 78, 945) vorausgesetzt, wenn es ohne sonstige Bemerkung heißt, daß die Subdiakone beim *Nobis quoque peccatoribus* sich von ihrer verbeugten Haltung erheben sollen. Ordo sec. Rom. n. 10 (Andrieu II, 222; PL 78, 974), der bereits die volle Kanonstille voraussetzt, ordnet folgerichtig an, der Bischof solle jene Worte *aperta clamans voce* sprechen, was übrigens auch schon Amalar, Liber off. III, 26, 5. 14 f (Hanssens II, 345. 347 f) bezeugt: *exaltat vocem, elevat vocem.*

[17]) Meßerklärung ‚Quotiens contra se' (um 800): Martène 1, 4, 11 (I, 455 D); Amalar (vorige Anm.); Florus Diaconus, De actione miss. n. 42 f (PL 119, 43); Remigius von Auxerre, Expositio (PL 101, 1256 C; Expositio ‚Introitus missae quare' n. 13 (Hanssens, Amalarii opp. III, 319 f.

[18]) Ordo sec. Rom. n. 10 (Andrieu II, 221; PL 78, 974 A).

[19]) So mahnt neben anderen englischen Synoden (s. Hardouin XI, 1335) diejenige von Sarum (1217) can. 36 (Mansi XXII, 1119): *ut verba canonis in missa rotunde et distincte dicantur.* — Nach dem Ordo des Kard. Stefaneschi (um 1311) n. 53 (PL 78, 1165) war der Kanon vom Priester in der gleichen Weise

ausgebaut: der Kanon ist das Heiligtum, das dem Priester allein vorbehalten ist[20]). Die Gründe, die man sonst noch für das Stillbeten des Kanons anführt, weisen in dieselbe Richtung: die heiligen Worte dürften nicht verunehrt werden, wolle man nicht Gottes Strafe herabziehen[21]). Es ist nur derselbe Gedanke positiv gewendet, wenn andere betonen, der Kanon sei dem Priester allein vorbehalten: *specialiter ad sacerdotem pertinet*[22]).

Auch in der äußeren Erscheinung des Meßbuches hat sich die Abspaltung der Präfation bald durchgesetzt. Während zu Beginn des 8. Jahrhunderts im Cod. Reg. 316, der uns das ältere Gelasianum überliefert, das *Te igitur* noch ohne jeden Abstand, ja nicht einmal mit einer neuen Zeile auf das letzte *Hosanna* folgt[23]) und dies, obwohl es sich um eine Prachthandschrift handelt, zeigen andere Handschriften desselben Jahrhunderts bereits den Einschnitt.

Das *T* wird als Initiale ausgebildet. Dann wird die Initiale, zuerst vereinzelt[24]), seit dem 10. Jahrhundert immer regelmäßiger zum Bild des Gekreuzigten ausgestaltet[25]). Seit dem 12. Jahrhundert löst sich dieses, immer mehr bereichert, als Kanonbild vom Texte ab und an die

---

submissa voce zu sprechen wie das mit Diakon und Subdiakon gemeinsam, also laut gesprochene *Sanctus*. — Auch die heute noch am Gründonnerstag vor dem *Per quem haec omnia* halblaut *(voce demissa)* gesprochene Weihe des Krankenöls ist ein Überrest dieser älteren Praxis.

[20]) Vgl. oben I, 109.

[21]) Remigius von Auxerre, Expositio (PL 101, 1256 D). Remigius führt die von Johannes Moschus († 619), Pratum spirituale c. 196 (PL 74, 225 f; PG 87, 3081 f), mitgeteilte und auch von den späteren Meßerklärern wiederholte Erzählung an, daß Hirtenknaben vom Blitz erschlagen worden seien, weil sie auf dem Felde den Kanon gesungen hätten. — Im Orient ist die Bewegung für die Kanonstille schon älter, obwohl sie dann andere Formen angenommen hat; vgl. E. Bishop, Silent recitals in the mass of the faithful: im Anhang zu R. H. Connolly, The liturgical homilies of Narsai 121—126.

[22]) Eclogae (9. Jh.) c. 24, 3 (Hanssens, Amalarii opp. III, 256); Honorius Augustod., Gemma an. I, 103 (PL 172, 577 B). Mit Honorius verweisen spätere Erklärer auch auf die Ermüdung des Priesters, die durch das Stillbeten vermieden werden solle; s. Eisenhofer II, 154, der darin auch selbst einen mitbestimmenden Faktor erblicken möchte. Man kann ihm darin wohl beistimmen.

[23]) Siehe das Faksimile DACL VI, 756/57.

[24]) Im Sakramentar von Gellone (um 770); Abbildung bei Leroquais IV, Tafel II.

[25]) Ebner 445 f; Abbildungen von beiden Lösungen ebd. 9. 16. 50. 130. 184. 444, und im Titelbild; Leroquais, Les sacramentaires IV (Tafelband). Manchmal gilt dieses zum Kruzifix gestaltete *T* auch als Abkürzung für die ersten Worte *Te igitur,* der Text fährt dann fort mit *clementissime Pater.*

Spitze des Textes tritt eine neue T-Initiale, die nicht selten neuerdings figürlich ausgestaltet wird[26]). Daneben erhält sich lange die aus älterer Überlieferung kommende künstlerische Ausgestaltung des Präfationsanfanges, dessen Eingangsworte *Vere dignum* in der Regel mit einem großen, oft künstlerisch ausgestalteten *VD* angegeben waren[27]), das meist zur Form CD umgebildet war. Die Rundung dieses Zeichens wurde den Miniatoren seit dem 9. Jahrhundert mehr und mehr zum Rahmen für eine Maiestas Domini[28]). Gegen Ende des Mittelalters verschwindet das Präfationszeichen und damit die Erinnerung an den eigentlichen Anfang des Hochgebetes[29]). Unser Missale kennt nur mehr das Bild vor dem *Te igitur,* mit dem der Kanon auch buchtechnisch als etwas völlig Neues beginnt[30]). Dem Text des Kanons ist in den Handschriften vielfach die größte Sorgfalt zugewendet. Nicht selten ist er in Gold- oder Silberschrift auf Purpurpergament geschrieben worden[31]). Noch heute wird dafür in den Meßbüchern eine größere Letter angewendet, die bei den Buchdruckern den Namen Kanon führt.

Der Endpunkt des Kanons wurde im Lauf der Jahrhunderte an verschiedenen Stellen angesetzt. Der Abschluß mit der Schlußdoxologie wird noch deutlich zugrunde gelegt im Ersten römischen Ordo[32]) und im Grunde auch noch durch die heutigen Rubriken[33]). Anderseits läuft in unseren Missalien die Seitenüberschrift *Canon missae* und ebenso die Anwendung der größeren Letter bis zum letzten Evangelium. Dazwischen sind

---

[26]) Dafür war im späteren Mittelalter beliebt die Darstellung des zelebrierenden Priesters am Altar oder das Erbärmdebild oder das Bild der ehernen Schlange. Ebner 447 f.

[27]) Ebner 432 ff; für Abbildungen s. das Verzeichnis S. XI. — Einzelne Hss wie Cod. Ottobon. 313 (Beginn des 9. Jh.), die den Kanonanfang noch kaum hervorheben, haben bereits das reich ausgestaltete Präfationszeichen; Ebner 233 f.

[28]) Ebner 438—441.

[29]) Ebner 434 f. 437.

[30]) Der von der Abtei Maria Laach besorgte Herdersche Missaledruck von 1931 weist, wohl zum erstenmal, auch wieder ein Präfationsbild auf, und zwar vor der *praefatio communis,* die auch bereits in den für den Kanon üblichen größeren Lettern gesetzt ist.

[31]) Ebner 449; Martène 1, 4, 8, 2 (I, 399 f). Doch haben hier manchmal noch ältere Erinnerungen nachgewirkt. Ein Sakramentar des ausgehenden 9. Jh. aus Tours zeigt mit dem Kanon noch die *praefatio communis* in Goldschrift auf Purpur, ein solches des 10. Jh. aus Trier nur die genannte Präfation mit dem *Sanctus.* Leroquais I, 53. 83.

[32]) Ordo Rom. I n. 18 (Andrieu II, 97; PL 78, 945). Vgl. auch noch den fränkischen Auszug aus diesem Ordo (Andrieu II, 248 Z. 15; PL 78, 981 C).

[33]) Missale Rom., Ritus serv. VIII. IX.

seit dem 9. Jahrhundert die verschiedensten Endpunkte des Kanons angesetzt worden, insbesondere im Zusammenhang mit den verschiedenen Theorien über das Konsekrationsgebet und über jene Riten, mit denen der Vollzug des Opfers oder auch die Darstellung des Leidens Christi in der Messe abgeschlossen wird: man ließ den Kanon enden mit dem Schluß des *Pater noster,* mit dem Schluß des Embolismus, mit dem *Agnus Dei*[34]), mit der Kommunion, und bestimmte danach auch manche Einzelheiten des äußeren Ritus, wie die Dauer der Kanonstille, die Dauer des Kniens der Assistenz usw.[35]). Wir werden auf einzelne dieser Festsetzungen noch zu sprechen kommen. Für den urspünglichen Aufbau der Meßliturgie besteht aber kein Zweifel, daß der Hauptabschnitt der Messe mit dem *Amen* vor dem *Pater noster* endete.

Der vorkarolingischen römischen Liturgie war der Gedanke der in Rede stehenden Zweiteilung in Präfation und Kanon, wie gesagt, unbekannt. Nicht nur unter *canon* wurde das ganze Eucharistiegebet verstanden, auch *praefatio* besagte nach allem Anschein dasselbe[36]). Es war das feierliche Gebet, das vor der Versammlung zu Gott emporstieg. In solcher Bedeutung war das Wort schon der antiken Sakralsprache geläufig[37]). In ähnlichem Sinne finden wir es früh als liturgischen Terminus im christlichen Gebrauch[38]). So ist es mit Vorzug und durchaus treffend der Name für das Hochgebet der Messe geworden.

---

[34]) Ebner 425. — In letztgenanntem Falle wurde öfter der Schluß des Kanons durch ein Bild ausgezeichnet: das Lamm Gottes in rundem Medaillon. Ebner 448 f.

[35]) Vgl. Jungmann, Gewordene Liturgie 133—135.

[36]) S. für das folgende Jungmann, Gewordene Liturgie 53—80, woselbst die näheren Belege. Das Wort *praefatio* wurde gebraucht für die einzelnen Teile des Eucharistiegebetes, aber nicht nur für das *Vere dignum,* sondern ebenso auch für die *Hanc-igitur*-Formeln und für die Segnungsformeln, die vor der Schlußdoxologie einzuschalten waren; so im Gregorianum (Lietzmann n. 2, 9; 138, 3; vgl. n. 77, 3 im Apparat). Das setzt eine frühere Verwendung des Wortes für das ganze Eucharistiegebet voraus.

[37]) Man sagte: *praefari divos* (Virgil), *praefari Vestam* (Ovid), *fausta vota praefari* (Apuleius); *praefatio* war geradezu das Gebet, das mit dem Opfer verbunden wurde (Sueton). Auch die Profansprache gebrauchte das Wort im Sinne von Verlautbarung, Ankündigung. Die näheren Belege bei Jungmann, Gewordene Liturgie 76—78. Dem *prae-* kommt hier also dieselbe räumliche Bedeutung zu wie in *praelectio, praedicatio, praesidium;* es bezeichnet ein Tun, das im Raume vor jemand, nicht in der Zeit vor einem anderen Tun geschieht. — Vgl. nun auch B. Capelle, Problèmes textuels de la préface romaine: Recherches de Science religieuse 40 (1952) 139 ff.

[38]) Konzil von Mileve (416) c. 12 (Mansi IV, 330). — Liber pont. (Duchesne I, 255): (Gelasius) *fecit etiam et sacramentorum praefationes.* — Eine

Sind wir damit auf der richtigen Fährte, so bestätigt der Name zugleich noch einmal, was wir ohnehin annehmen mußten, daß das ganze Gebet mit lauter Stimme gesprochen wurde. Wenn irgendwo, so muß das feierliche Sprechen hier frühzeitig zum eigentlichen Sprechgesang geworden sein[39]). Zeugnisse für den gesangartigen Vortrag von Meßgebeten, die man offenbar vor allem auf das Eucharistiegebet beziehen muß, liegen vor seit dem 6. Jahrhundert[40]). Damit ist nicht gesagt, daß ursprünglich das ganze Eucharistiegebet im Präfationston gesungen wurde. Doch muß es ein erheblicher Teil des Ganzen gewesen sein[41]). Dabei werden wir aber annehmen müssen, daß nach dem *Sanctus* schon von altersher ein schlichtes Rezitativ, der einfache Leseton vorgeherrscht hat[42]). So entsprach es ja auch dem Charakter des Gebetstextes, der von da an nicht mehr den hohen Schwung des Dankeshymnus, sondern den ruhigen Gang der Bitte, der Darbringung und des biblischen Berichtes aufweist, wobei man allerdings auf jeden Fall mindestens wieder für die Schlußdoxologie, nicht erst für das *Per omnia saecula saeculorum*, die Rückkehr zum feierlichen Ton vermuten möchte.

---

etwas andere Bedeutung liegt vor, wenn Cyprian, De dom. or. c. 31, das *Sursum corda* eine *praefatio* nennt; *praefatio* ist hier die Rede, die nicht mitteilend vor dem Volke, sondern abwehrend vor dem Heiligtum steht. Das Wort entspricht dem griechischen πρόρρησις vgl. Dölger, Sol salutis 288 ff. Im Sinn einer vorbereitenden Ankündigung wurde *praefatio* auch in der gallikanischen Liturgie für die Gebetseinladung gebraucht.

[39]) Vgl. oben I, 484.

[40]) Das älteste Zeugnis wohl im Leonianum (Muratori I, 375): *Incipiunt preces diurnae cum sensibus necessariis.* Mit *sensus* ist die Vortragsmelodie gemeint; vgl. oben I, 524 Anm. 36. Von der Melodie der Psalmen wird das Wort gebraucht im Liber pontificalis bei Gregor III. († 741) (Duchesne I, 415 Z. 3). Siehe auch unten Anm. 42. — Vgl. zum priesterlichen Meßgesang auch den oben I, 483 Anm. 18 zitierten can. 12 der Synode von Cloveshoe.

[41]) Das scheint sich aus dem oben 130 erwähnten Ausdruck zu ergeben: *decantando quasi canonem.*

[42]) Dafür spricht der Ausdruck *dissimili voce et melodia* in dem oben 131 angeführten Text des Capitulare ecclesiastici ordinis. Jedenfalls haben wir im römischen Taufwasserweihegebet des Karsamstags, das wir in Parallele zum Eucharistiegebet stellen dürfen, schon im 7. Jh. die Rubrik, die noch heute für den letzten Abschnitt den Übergang zum *tonus lectionis* anordnet; sie lautet im älteren Gelasianum I, 44 (Wilson 86): *hic sensum mutabis*, im Sakramentar von Gellone (um 770; Martène 1, 1, 18, VI [I, 184 E]): *hic mutas sensum quasi lectionem legas.* Zum Worte *sensus* s. oben Anm. 40. Daß in der so häufig gebrauchten Meßliturgie eine solche Rubrik nicht überliefert ist, erklärt sich daraus, daß der Brauch, anders als bei der österlichen Taufwasserweihe, durch lebendige Übung hinreichend geläufig war.

In der Präfation hat der Altargesang in der Folge seine reichste Ausgestaltung gefunden. Das Rezitativ ist hier nicht mehr bloß mit entsprechenden Kadenzen versehen, am Anfang und am Ende der Satzglieder nimmt es psalmodische Formen auf und geht teilweise über in eine schlichte Melodie. Doch ist der Schritt zum eigentlichen Kunstgesang nie vollzogen worden[43]). Der Ernst der Begegnung mit dem heiligen Gott, dem der Priester im Hochgebet am unmittelbarsten gegenübersteht, hat wohl auch hier von diesem Schritt zurückgehalten[44]). Anderseits ist doch die strenge Objektivität des Vortrags der Präfation nicht so aufgefaßt worden, als ob Stimmung und Gefühlsausdruck in ihr keinen Raum finden dürften. Die Musikgeschichte stellt fest, daß auch der Altargesang und vor allem die Präfation vom Strom des choralen Lebens erfaßt worden ist[45]).

Die Einheit und Geschlossenheit des aus Präfation und Kanon bestehenden Hochgebetes der römischen Messe ist nun freilich, auch wenn wir vom äußeren Vortrag, von der buchmäßigen Erscheinung und von der zweiteiligen Benennung absehen und nur mehr auf den Inhalt achten, nicht allzu groß. Neben den Darbringungen nehmen die Fürbitten einen breiten Raum ein. Diese Fürbitten sind ihrerseits wieder in Einzelgebete aufgelöst, von denen ein Teil vor, ein Teil nach der Wandlung angesetzt ist. Der ursprüngliche Grundgedanke der Eucharistia tritt nur mehr im Anfangsstück, eben in der Präfation, deutlicher hervor[46]).

---

[43]) Das äußert sich darin, daß die Präfationsmelodie bis herauf in die Neuzeit im allgemeinen nicht in Notenschrift, sondern lediglich mit Hilfe der sogenannten Lektionszeichen festgehalten wurde; vgl. oben I, 484 f.

[44]) Über Grenzüberschreitungen schon im 8. Jh. s. oben I, 483 Anm. 18.

[45]) Ursprung, Die kath. Kirchenmusik 58 f; vgl. 27 f. Danach hat sich ein erster Wandel darin vollzogen, daß an die Stelle der subtonalen „Tuba", des Rezitationstons, der im Ganzton herabsteigt (von h zu a), um das 10. Jh. die subsemitonale Tuba getreten ist, der Rezitationston, der im Halbton herabsteigt (von c zu h; unser ferialer Präfationston). Ein weiterer Schritt war neben der Ausschmückung der Anfangs- und der Endphrasen die Hervorhebung eines die Tuba überhöhenden Akzenttones für einzelne Silben (vgl. unser festtägliches *Pater noster)* und seit dem 12. Jh. die Ausbildung einer „Nebentuba", indem streckenweise die Rezitation auf dem Nachbarton verläuft (unser feierlicher Präfationston). Endlich wurden um dieselbe Zeit für hochfestliche Gelegenheiten die Anfangs- und Schlußglieder mit drei- und viertonigen Melismen durchsetzt, so daß sich an diesen Stellen eine melodische Gestaltung ergab (unser *tonus sollemnior* für die Präfation).

[46]) Auf einem anderen Wege findet Brinktrine, Die hl. Messe (315 ff und passim), eine „strenge Gesetzlichkeit" im Aufbau des Kanons (und der römischen Messe überhaupt), indem er nämlich auf die heute vorliegende symmetrische An-

Die inhaltliche Auflockerung hat im Eucharistiegebet schon in sehr früher Zeit begonnen. Der heutige Text des Kanons liegt, von einzelnen Wendungen abgesehen, schon im 5. Jahrhundert vor, und den für jene Lockerung entscheidenden Gedanken, daß die Namen derer, die Gaben dargebracht haben, erst innerhalb der *mysteria*, nicht vorher, zu verlesen seien, trafen wir schon bei Innozenz I.[47]). Im Orient haben die Fürbitten, und zwar in sehr breiter Entfaltung, schon im 4. Jahrhundert Einlaß erhalten in den inneren Kreis des Hochgebetes[48]). Die Entwicklung scheint so verlaufen zu sein: Seitdem man sich gewöhnt hat, in der Feier nicht mehr zunächst die ganz geistige Eucharistia zu sehen, sondern über sie hinaus die Darbringung der Gabe, die ἀναφορά, die *oblatio*, wie nun die vorherrschende Benennung lautet[49]), bestimmter ins Auge zu fassen, ist auch die Zuversicht gestiegen, mit der man die Darbringung der Gabe in fürbittendem Sinn geltend macht, was bei einem „Dankgebet" nicht gut möglich war. Oder umgekehrt ausgedrückt: seitdem ist der Anreiz gewachsen, die Fürbitten, die man von jeher für alle Anliegen der Kirche nach den Lesungen gesprochen hat, nun auch in Beziehung zu setzen mit den Gaben. Diese Beziehung war am innigsten, wenn man die Fürbitten hineinnahm in den inneren Kreis der Darbringungsgebete.

Die treibende Kraft wird dabei der naheliegende Gedanke gewesen sein, daß unsere Bitten um so wirksamer sein müssen, je näher wir sie an das Heiligste heranbringen und die Kraft des Sakramentes auf sie herabziehen können. Wird ja wohl auch heute dem bedrängten Beter der Rat gegeben, seine großen Anliegen bei der Wandlung vor Gott auszusprechen[50]). So durfte der ungestüme Freund wohl auch ins Heiligtum

---

ordnung der Teile vor und nach der Wandlung verweist: Memento, Heiligenkataloge, Kreuzzeichen, Präfation und *Pater noster*, Secreta und Embolismus (und weiter nicht nur Offertorium und Kommunion, sondern auch Vormesse und „Nachmesse"). Ähnlich auch J. Gassner, The Canon of the Mass, St. Louis 1949, 259 ff. Doch trägt das Herausstellen einer solchen, dem materiellen Bau angemessenen äußeren Architektonik nur wenig bei zum wirklichen Verständnis des als geistiger Vorgang ablaufenden Ritus der Messe.

[47]) Oben I, 69 f.

[48]) Euchologion Serapions 13, 18 (oben I, 45); Const. Ap. VIII, 12, 40—49 (Quasten, Mon. 224—227); Cyrill von Jerusalem, Cat. myst. V, 8—10 (Quasten, Mon. 102 f).

[49]) Oben I, 226 f.

[50]) Eine psychologische Parallele liegt vor, wenn man ein großes Gebetsanliegen dem neugeweihten Priester in seine erste Messe oder einem Kinde für seine erste heilige Kommunion anempfiehlt oder, aus alter Zeit, wenn Tertul-

des Hochgebetes Einlaß begehren. Im Orient war der Abbruch, der damit diesem Gebete geschah, insofern geringer, als das eigentliche Dankgebet ja reicher entwickelt war, und weil auch die Einfügung nur an einer einzigen Stelle geschah, entweder nach der Wandlung, wie in den Liturgien des syrischen und des byzantinischen Bereiches, oder vor der Wandlung, und zwar schon vor dem *Sanctus*, wie in den ägyptischen Liturgien. Im Abendland war die Auswirkung stärker, weil das Dankgebet von jeher nur knapp gefaßt und, soweit in der Folge die *praefatio communis* zum Normaltext wurde, auf ein Minimum zusammengeschrumpft war, und weil anderseits die Einfügung der Fürbitten schließlich an zwei Stellen erfolgte, vor und nach der Wandlung.

2. *Der einleitende Dialog*

Während sonst dem priesterlichen Gebet nur der gewöhnliche Gruß und die Aufforderung *Oremus* vorangeht, offenbart das Hochgebet sein größeres Gewicht auch in der größeren Förmlichkeit der Einleitung. Nicht zu einem Beten schlechthin, zu einer *oratio*, sondern zu einem Dankgebet, zur εὐχαριστία, ergeht nach dem Gruß die Aufforderung: *Gratias agamus Domine Deo nostro.* Εὐχαριστήσωμεν τῷ κυρίῳ. Und dieser förmlichen Aufforderung geht noch die andere vorher: *Sursum corda,* und beide Male wird, anders als beim schlichten *Oremus,* dem Volk eine zustimmende Antwort zugeteilt: *Habemus ad Dominum, Dignum et iustum est.*

Wir haben in diesem einleitenden Dialog älteste christliche Überlieferung vor uns[1]). Schon Cyprian bespricht das *Sursum corda* und er sieht in diesen Worten die Verfassung ausgesprochen, mit der der Christ eigentlich jedes Gebet beginnen sollte: jeder fleischliche und weltliche Gedanke soll zurücktreten und der Sinn einzig auf den Herrn gerichtet sein[2]). Augustinus kommt wiederholt auf das *Sursum corda* zu sprechen. Das Wort ist ihm geradezu der Ausdruck christlicher Haltung. Es hat

lian, De bapt. 20 (CSEL 20, 218), die von ihm unterwiesenen Taufkandidaten bittet, sie möchten seiner gedenken in dem ersten Gebet, das sie als Neugetaufte unmittelbar nach der Taufe in der Kirche verrichten werden.

[1]) Oben I, 20. 38.

[2]) Cyprian, De dom. or. c. 31 (CSEL 3, 289): *Cogitatio omnis carnalis et saecularis abscedat nec quicquam animus quam id solum cogitet quod precatur. Ideo et sacerdos ante orationem praefatione praemissa parat fratrum mentes dicendo: Susum corda, ut dum respondet plebs: Habemus ad Dominum, admoneatur nihil aliud se quam Dominum cogitare debere.*

für ihn denselben Klang, wie wenn Paulus denen, die mit Christus auferstanden sind, zuruft: *quae sursum sunt quaerite*[3]); unser Haupt ist im Himmel, also müssen auch unsere Herzen bei ihm sein. Sie sind bei ihm durch Gottes Gnade, und das frohe Bewußtsein davon, das im gemeinsamen Ruf der Gläubigen: *Habemus ad Dominum*, sich ausspricht, ist es im Grunde nach Augustinus, was den Priester weiterdrängt zum *Gratias agamus*[4]). Freilich können unsere Gedanken nicht immer bei Gott verweilen, aber dann sollen sie es wenigstens, so betont ein anderer Erklärer, so wie es der Mund versichert, in dieser hehren Stunde[5]).

Der eigentliche Ursprung dieses vorangestellten Rufes *Sursum corda* ist unbekannt[6]). Dagegen hat das *Gratias agamus* schon in der Gebetsordnung des Judentums das Dankgebet eingeleitet[7]). Auch die Beant-

---

[3]) Kol 3, 1.

[4]) Augustinus, Serm. 227 (PL 38, 1100 f). — Bei Roetzer 118 f sind noch neun weitere einschlägige Stellen gebucht, zu denen ein *et cet.* kommt. — Das Wort *Dominus* wird dabei ebenso wie im *Dominus vobiscum* von Augustinus nicht immer gerade von Christus verstanden, z. B. serm. 6, 3 Denis (Miscell. Aug. I, 30 f): *Quid est Sursum cor? Spes in Deo, non in te. Tu enim deorsum es, Deus sursum est.* — Mit ähnlichem Nachdruck wie Augustinus hat das *Sursum corda* Cäsarius von Arles homiletisch ausgewertet; s. Sermones ed. Morin, im Register S. 999. Das *Sursum* bringt er u. a. in Verbindung mit Phil 3, 20; Serm. 22, 4 (Morin 97) u. ö.

[5]) Cyrill von Jerusalem, Cat. myst. V, 4 (Quasten, Mon. 99 f). Der Aufruf zur Loslösung von den βιωτικαὶ φροντίδες, die Cyrill in das "Ανω τὰς καρδίας hineinlegt, findet später in orientalischer Liturgie Ausdruck im cherubischen Hymnus, der den Großen Einzug begleitet (Brightman 377).

[6]) Als biblische Anklänge kommen in Betracht Jo 11, 41; Kol 3, 1 f; bes. Klagel 3, 41. — A. Baumstark, Wege zum Judentum des neutestamentlichen Zeitalters: Bonner Zeitschrift f. Theologie u. Seelsorge 4 (1927) 33, verweist auf eine Formel der samaritanischen Liturgie, die vor bestimmten Höhepunkten des Gebetes zum Erheben der Hände auffordert. Neuerdings denkt er jedoch vielmehr an hellenistischen Ursprung und vermutet, daß sich der Gruß am Anfang des Gebetes bald mit dem *Gratias agamus*, bald mit dem *Sursum corda* verbunden habe, bis schließlich beide Rufe aneinandergereiht wurden; Baumstark, Liturgie comparée 97. Dagegen läßt A. Robinson den Ausdruck *sursum corda habere* im Lateinischen heimisch sein; s. die Bemerkung von R. H. Connolly, The Journal of theol. studies 39 (1938) 355. Demgegenüber wird wohl mit Recht auf den im Gebrauch von *corda*, καρδίαι (für Geist, Sinn) liegenden Semitismus verwiesen; C. A. Bouman, Variants in the introduction to the eucharistic prayer: Vigiliae christianae 4 (1950) 94—115, bes. 109. 112 f. — Bei Hippolyt, Trad. Ap. (Dix 50 f), wird dem Dankgebet, das die Agape einleitet, nur das *Dominus vobiscum* und *Gratias agamus* vorangestellt und betont, daß das *Sursum corda* „nur bei der Darbringung gesagt werden soll". Es erscheint hier also als eine Verstärkung und Bereicherung des im *Gratias agamus* vorliegenden Aufrufes.

[7]) Oben I, 20 Anm. 40.

wortung eines Gebetsaufrufes mit *Dignum et iustum est* war schon hier geläufig[8]). Ebenso spielten in der antiken Kultur Zurufe solcher Art, Akklamationen, eine große Rolle. Es war Sache des rechtmäßig versammelten Volkes, einen wichtigen Entscheid, eine Wahl, die Übernahme eines Amtes oder einer λειτουργία, durch einen Zuruf zu bestätigen[9]). Neben der am meisten gebrauchten Formel ἄξιος sind auch Fassungen bezeugt wie: *Aequum est, iustum est*[10]); *Dignum est, iustum est*[11]).

Eine solche Akklamation des Volkes entsprach nun durchaus der Verfassung der Kirche und dem Wesen ihres Gottesdienstes. Es ist die kirchliche Versammlung, die Gott huldigen will; aber ihr Organ, von oben her bevollmächtigt, ist der Priester oder Bischof an ihrer Spitze. Nur durch ihn kann sie handeln und will sie handeln, das bekräftigt sie durch ihre Zustimmung. Aber auch der Priester seinerseits will nicht als isolierter Beter, sondern nur als Sprecher der Gemeinde vor Gott hintreten[12]). So kommt durch Ruf und Gegenruf in dem großen Moment, da das Eucharistiegebet begonnen, das Opfer dargebracht werden soll, die wohlgeordnete Gemeinschaft zum Ausdruck, die hier tätig wird, und es kommt zugleich zum Ausdruck, wie selbstverständlich und geziemend das ist, was die christliche Gemeinde nun unternimmt[13]).

---

8) Als eine dem *Amen* gleichwertige Bestätigung im Schema' des Morgengebetes: *'emet wajjazib;* I. Elbogen, Der jüdische Gottesdienst 22 f. 25.

9) E. Peterson, Εἷς θεός 176—180; Th. Klauser, Akklamation: RAC I, 216—233.

10) So bei der Wahl des Kaisers Gordian; Scriptores hist. Aug., Gordian c. 8 (ed. Didot 501); Peterson 177. — Vgl. die Liste der Akklamationen bei Klauser 227—231.

11) Beides bei der Bischofswahl in Hippo: Augustinus, Ep. 213 (CSEL 57, 375 f).

12) Vgl. Chrysostomus, In II Cor. hom. 18 (PG 61, 527): „Nicht der Priester allein vollbringt die Danksagung, sondern das Volk mit ihm."

13) Peterson a. a. O. 179 spricht die Vermutung aus, daß sich in dem Maße, als in der christlichen Eucharistia speziell der Opfergedanke hervorgehoben wurde, auch der Rechtscharakter und damit das Bedürfnis nach der Bestätigung des Aktes durch das Volk in der Akklamation stärker geltend gemacht haben muß. Daß man die Eucharistiefeier sehr stark „als Akt der Gebührlichkeit und Gerechtigkeit" Gott gegenüber betrachtet hat, betont auch Elfers 270 Anm. 84 mit Hinweis auf Clemens von Alexandrien, Strom. VII, 6; Irenaeus, Adv. haer. IV, 18, 4 (al. IV, 31, 4; Harvey II, 205). Vgl. die Erklärung, die zum Ἄξιον καὶ δίκαιον gegeben wird bei Cyrill von Jerusalem, Cat. myst. V, 5 (Quasten, Mon. 100): „Wenn wir danksagen, tun wir eine geziemende und gerechte Sache; er aber hat nicht gerecht, sondern über alle Gerechtigkeit gehandelt, da er uns seine Wohltaten erwies und so großer Güter uns für würdig erachtete"

Es versteht sich von selbst, daß bei solcher Denkweise die erwähnten Antworten auch wirklich vom Volke gesprochen wurden. In den angeführten Zeugnissen ist dies ja auch schon zum Ausdruck gekommen[14]).

Eine Besonderheit im Ritus dieses einleitenden Dialogs ist, daß sich der Priester beim Gruß nicht, wie sonst immer, zum Volke hinwendet. In der römischen Messe bleibt er zum Altar gekehrt[15]). Auch hier hat das feinere Formgefühl der antiken Kultur mitgesprochen: Wenn die heilige Handlung eröffnet, das Tun vor Gott begonnen ist, darf man sich davon nicht mehr wegwenden[16]). Allerdings hing die Entscheidung noch davon ab, was man als Eröffnung der heiligen Handlung ansah, ob erst den Beginn der Eucharistia selbst, wie offenbar in der byzantinischen Liturgie[17]), oder aber schon das Niederlegen der Gaben, wie dies anscheinend in unserer Messe vorausgesetzt ist. Das antike Formgefühl zeigt sich auch in den begleitenden Gebärden: den Aufruf zur Erhebung der Herzen begleitet der Priester mit der Erhebung der Hände[18]) und

---

(es war vorher von Erlösung und Gotteskindschaft die Rede). Die Pflichtmäßigkeit des Dankens wird auch schon betont 2 Thess 1, 3 ff.

[14]) Oben 138 f. Chrysostomus, De s. Pentec. hom. 1, 4 (PG 50, 458 f); De poenit. hom. 9 (PG 49, 345; Brightman 473 f). — Vgl. das ermutigende Wort an die noch etwas schüchternen Neugetauften, mit dem Augustinus die Erklärung des *Sursum cor* begleitet: Sermo Denis 6, 2 (PL 46, 835; Roetzer 119): *hodie vobis exponitur, quod audistis et quod respondistis; aut forte, cum responderetur, tacuistis, sed quid respondendum esset hodie, heri didicistis.* Die allgemeine Verbreitung dieser Antwort bezeugt Augustinus, De vera religione c. 3, 5 (PL 34, 125): auf der ganzen Welt antwortet die Menschheit täglich mit diesem Worte.

[15]) Anders in der byzantinischen Liturgie, wo der Gruß allerdings die feierlichere Form von 2 Kor 13, 13 hat (s. oben die Fortsetzung des Textes) und auch von einem Segnungsgestus begleitet ist; Brightman 384. Der Priester steht dabei zum Volk gewendet und spricht auch noch das nachfolgende Ἄνω σχῶμεν τὰς καρδίας zum Volke hin; erst das Εὐχαριστήσωμεν τῷ κυρίῳ wird „gegen Osten" hin gerufen. Hornykewitsch 76.

[16]) Vgl. Dölger, Sol salutis 322. Ein deutliches Empfinden für den Sinn dieser Vorschrift zeigt noch Amalar, Liber off. III, 9, 1 (Hanssens II, 288): *Ibi iam occupati circa altare... nec debet arator, dignum opus exercens, vultum in sua terga referre.* Daß man in späterer Zeit auf diesen Gedanken nicht mehr gekommen wäre, zeigt Lebrun, Explication I, 335 f, der sich die Ausnahme nur daraus erklären kann, daß einstmals an dieser Stelle der Liturgie der Altarraum durch Vorhänge dem Blick des Volkes entzogen und eine Hinwendung also ohne Sinn gewesen wäre.

[17]) Oben Anm. 15.

[18]) Vgl. im byzantinischen Ritus, wo dem Ἄνω σχῶμεν τὰς καρδίας die Rubrik beigegeben ist: δεικνύων ἅμα τῇ χειρί; Brightman 384.

diese bleiben von da an zur Orantenhaltung, zur Gebetshaltung der alten Kirche, erhoben.

Das Erbe der alten Kirche ist in der römischen Messe an dieser Stelle besonders treu bewahrt auch durch die schlichte Textform, die der Dialog bis heute aufweist und die sich fast gleichlautend schon bei Hippolyt findet[19]). Es fehlen alle Zutaten und Erweiterungen, die in anderen Liturgien zum Teil die lapidaren Rufe umkleiden. Der Gruß ist hier wie sonst das schlichte *Dominus vobiscum.* Im Orient zeigt nur Ägypten am Anfang des Dialogs eine ähnlich einfache Grußform: Ὁ κύριος μετὰ πάντων (ὑμῶν), während die übrigen Liturgien in verschiedener Weise den feierlichen dreigliedrigen Segenswunsch des Apostels 2 Kor 13, 13 abwandeln und weiterbilden[20]). Auch das *Sursum corda* hat anderswo Erweiterungen erfahren[21]) und ebenso, aber in geringerem Maße, das *Gratias agamus* mit seiner Antwort. Bei letzterem Ruf, der ja das Thema des nun folgenden Hochgebetes angibt, sind die Änderungen, die sich da und dort durchgesetzt haben, um so charakteristischer. Die westsyrische Jakobusliturgie betont das Moment des Furchtbaren: „Laßt uns Dank sagen dem Herrn mit Furcht und ihn anbeten mit Zittern"[22]). Die ostsyrische Messe läßt schon hier das Opfer hervortreten, das in der Danksagung verborgen liegt: „Das Opfer wird

---

[19]) Oben I, 38.

[20]) H. Engberding, Der Gruß des Priesters zu Beginn der Eucharistia in östlichen Liturgien: JL 9 (1929) 138—143. — Die wichtigste Weiterbildung ist diejenige, bei der das Gott den Vater betreffende Glied an die Spitze gestellt wird: Ἡ ἀγάπη τοῦ κυρίου καὶ πατρός, ἡ χάρις . . . Diese Form hat sich von Jerusalem aus verbreitet. Eine ähnliche Fassung zeigt auch das mozarabische Missale mixtum (PL 85, 546 B). — Baumstark, Liturgie comparée 89 f.

[21]) Im syrisch-antiochenischen Bereich: Ἄνω σχῶμεν τὰς καρδίας ἡμῶν; Baumstark 90 f. Daneben steht die Formel der Apostolischen Konstitutionen VIII, 12, 5 (Quasten, Mon. 213): Ἄνω τὸν νοῦν. Die griechische Jakobusliturgie verbindet beide Formeln: Ἄνω σχῶμεν τὸν νοῦν καὶ τὰς καρδίας; Brightman 50; vgl. 85. 473. Sowohl σχῶμεν wie νοῦς (zunächst an Stelle von καρδία) müssen im Lauf des 4. Jh. feinerem Sprachgefühl entsprechend in die alte Formel eingeführt worden sein; Bouman (oben Anm. 6) 105 ff. — Die mozarabische Messe schaltet nach dem erwähnten trinitarischen Segenswunsch die Aufforderung zum Friedenskuß ein, die der Chor mit einem mehrgliedrigen responsorischen Gesang beantwortet, darauf das Psalmenwort *Introibo ad altare Dei mei,* das wiederum der Chor weiterführt: *Ad Deum qui laetificat iuventutem meam,* sodann den Ruf *Aures ad Dominum,* den der Chor beantwortet: *Habemus ad Dominum.* Dann erst folgt *Sursum corda* mit dem Gegenruf des Chores: *Levemus ad Dominum,* und die wiederum eigenartig formulierte Aufforderung zum Dankgebet. Missale mixtum (PL 85, 546 f).

[22]) Brightman 85; vgl. oben I, 50 f.

nun dargebracht Gott, dem Herrn des Alls", worauf die gewohnte Antwort erfolgt: „Es ist würdig und recht"[23]). Die mozarabische Liturgie verbindet mit dem Aufruf ein trinitarisches Bekenntnis[24]), wie es die byzantinische mit der Antwort des Volkes tut[25]).

Der einleitende Dialog ist in den meisten orientalischen Liturgien von dem, was vorhergeht, noch dadurch abgehoben und in seiner Bedeutung stärker herausgestellt, daß zuerst ein Ruf des Diakons ertönt, der zu geziemender Haltung, zu Ehrfurcht und Aufmerksamkeit ermahnt angesichts des heiligen Opfers, das es nun darzubringen gilt: Στῶμεν καλῶς, στῶμεν μετὰ φόβου, πρόςχωμεν τὴν ἁγίαν ἀναφορὰν ἐν εἰρήνῃ προςφέρειν, und der Chor bestätigt den Ruf, indem er die Darbringung als gnadenvolles Pfand des Friedens, als Opfer des Lobes rühmt: Ἔλεον εἰρήνης, θυσίαν αἰνέσεως [26]). In manchen Kirchen des westsyrischen Bereiches war eine Mahnung dieser Art schon im 4./5. Jahrhundert erweitert durch eine ganze Reihe von Warnungsrufen des Diakons, die verhüten sollten, daß ein Unwürdiger im Kreis der Teilnehmer verblieb[27]). Wir haben hier die antike πρόρρησις, die *praefatio* in dem von Cyprian angedeuteten Sinn[28]). Auch der Friedenskuß,

---

[23]) Brightman 283. Dieselbe Betonung des Opfers an gleicher Stelle in breiterer Ausdrucksweise in den ostsyrischen Anaphoren des Theodor von Mopsvestia und des Nestorius; Renaudot, Liturgiarum orient. collectio II (1847) 611. 620 f.

[24]) Liber ordinum (Férotin 236): *Deo ac Domino nostro, Patri et Filio et Spiritui Sancto, dignas laudes et gratias referamus.* Im Missale mixtum (PL 85, 547) ist an Stelle der drei Personen Christus eingesetzt.

[25]) Brightman 384: Ἄξιον καὶ δίκαιόν ἐστιν προςκυνεῖν πατέρα υἱὸν καὶ ἅγιον πνεῦμα τριάδα ὁμοούσιον καὶ ἀχώριστόν. In manchen Texten fehlt aber der Zusatz.

[26]) So in der byzantinischen Messe (Brightman 383) und in der griechischen Jakobusanaphora (ebd. 49 Z. 4. 21); vgl. bei den Kopten (ebd. 164). Anderswo ist die (wohl ursprüngliche) Lesart ἔ. εἰρήνην θ. αἰ. bezeugt; s. Rücker, Die syrische Jakobusanaphora 9 (mit Apparat); vgl. die armenische Messe, Brightman 434 f. Θυσία αἰνέσεως (aus Ps 115, 8 nach der Septuaginta) wird sich ungefähr mit λογικὴ θυσία decken: ein Opfer, das in Lob besteht; es wird zugleich (von Gott her) als Gnade und Friede gekennzeichnet. — Den Kern dieses Diakonrufes bildet die Aufforderung, die schon Theodor von Mopsvestia († 428), Sermones catech. V (Rücker, Ritus bapt. et missae 25 f), an dieser Stelle bezeugt und erklärt: *Aspicite ad oblationem.*

[27]) Const. Ap. VIII, 12, 2 (Quasten, Mon. 212). Im Testamentum Domini I, 23 (Rahmani 37 f; Quasten, Mon. 250) sind 13 Warnungsrufe aneinandergereiht; sie beginnen: *Si quis odium contra proximum habet, reconcilietur! Si quis in conscientia incredulitatis versatur, confiteatur! Si quis mentem habet alienam a praeceptis, discedat!*

[28]) Oben Anm. 2. Dölger, Sol salutis 290, verweist auf Livius 45, 5: *... cum omnis praefatio sacrorum eos, quibus non sint purae manus, sacris arceat.*

der in orientalischen Liturgien unmittelbar[29]) oder mittelbar dem Dialog, bzw. dem Aufruf des Diakons vorhergeht, hat offenkundig denselben Sinn einer Gewähr, daß man bereit ist für das Heilige.

Die römische Liturgie kennt an dieser Stelle keinen solchen mahnenden oder warnenden Haltepunkt. Die Funktion des Diakons ist ja kaum entwickelt und der Friedenskuß ist an andere Stelle verschoben. Umgekehrt ist der das Dankgebet einleitende Dialog heute mit dem, was vorausgeht, so eng verflochten, daß er sich nicht einmal deutlich abhebt. Der Priester beginnt, nachdem er die Gabenzurüstung in der Stille vollzogen hat, seine lauten Rufe mit den Worten: *Per omnia saecula saeculorum*, die noch als Schlußworte der Secreta zum Offertoriumskreis gehören, so daß das *Dominus vobiscum* gar nicht als Anfang, sondern als Fortsetzung erscheint. Das war schon im 8. Jahrhundert so[30]). Doch war man sich damals noch deutlich dessen bewußt, daß der eigentliche Anfang erst beim *Dominus vobiscum* liegt. Mit diesem beginnen mehrere karolingische Meßerklärungen[31]), und einige der ältesten Handschriften, die den Kanon enthalten, lassen, wo sie den Kanon anführen, auch das *Dominus vobiscum* als selbstverständlich unerwähnt und beginnen mit dem *Sursum corda*[32]). Man darf wohl annehmen, daß wenigstens die feierliche Melodie erst mit dem *Dominus vobiscum* einsetzte[33]).

---

[29]) So in der koptischen, in der äthiopischen und in der ostsyrischen Liturgie: Brightman 162 f. 227. 281 f.

[30]) Gregorianum (Lietzmann n. 1). Schon der dem Anfang des 9. Jh. angehörige Cod. Ottobon. 313 fügt noch ausdrücklich ein: *qua (sc. oratione super oblata) completa dicit sacerdos excelsa voce: Per omnia* (ebd.); s. zur Textüberlieferung JL 5 (1925) 70 f. — Auch nach dem Capitulare eccl. ord. (Mitte des 8. Jh.), das bereits das Stillbeten der Secreta verlangt, erhebt der Zelebrant die Stimme schon zum *Per omnia saecula saeculorum* (Andrieu III, 102).

[31]) Vgl. Franz 344. 349. 350. 395 f. — Auch Amalar. Liber off. III, 21, 1 (Hanssens II, 324), läßt die hier vorliegende *praeparatio* beginnen *a salutatione, quae dicitur ante Sursum corda.*

[32]) Vgl. oben 129.

[33]) Die hier vorliegende Unzukömmlichkeit ist Gegenstand einer Notiz in Les Questions liturgiques 4 (1913/14) 244. Als Lösung wird vorgeschlagen, das *Per omnia saecula saeculorum* auf einem weniger hohen Ton zu singen — mit dem Einverständnis des Organisten, der darauf eine kurze Übergangsmelodie einschalten würde, bevor das *Dominus vobiscum* folgt. Vgl. Cours et Conférences VII, Löwen 1929, 143 Anm. 8, wo auch hingewiesen wird auf den Brauch, der bei Prämonstratensern und Trappisten bestehe, das *Per omnia* nur zu rezitieren und den Gesang erst mit dem *Dominus vobiscum* zu beginnen. Die gleiche Sachlage ist vorhanden am Ende des Kanons, wo die Einleitung zum *Pater noster* folgt, und nach dem Embolismus, wo das *Pax Domini* folgt.

3. Die Präfation

Das Gebet, das nun mit der Präfation einsetzt, ist das Gebet der Kirche schlechthin, ihr Hochgebet[1]). Es ist der Versuch, mit menschlichen Worten für das heilige Geheimnis, das sich in unserer Mitte vollziehen soll und das wir zu Gott hintragen dürfen, eine würdige Umrahmung und vor allem einen geziemenden Eingang zu schaffen. Zwei Gedankenkreise sind es, die sich hier drängen und die ans Licht wollen: einmal das urmenschliche Bewußtsein, daß wir Gott, unserem Schöpfer und Herrn, Anbetung und Huldigung schulden, den Grundakt aller Religion und allen Kultes; und zweitens die christliche Erkenntnis, daß wir, auserwählt und beglückt mit der herrlichen Berufung, die uns durch Christus geworden ist, nichts anderes können als danken und immer wieder danken. Auf das εὐ-αγγέλιον können wir nur mit der εὐ-χαριστία antworten[2]). Denn, was wir hier empfangen haben, geht über alles weit hinaus, was unsere Menschennatur von ihrem Schöpfer als geziemende Ausstattung erwarten durfte. Zum Dank treibt ja auch schon der Blick auf die irdische Schöpfung, auf das, was allen Menschen von Natur aus gegeben ist. Diesen Dank für die Wohltaten der natürlichen Ordnung finden wir auch in einzelnen Beispielen der christlichen Frühzeit in bemerkenswerter Breite ausgeführt, innerhalb und außerhalb des Eucharistiegebetes[3]). Später wird das Thema seltener. Besonders selten ist es in der römischen Liturgie, doch fehlt es auch hier nicht gänzlich[4]). Aber einen ganz neuen Klang und eine neue Vordringlichkeit erhält das Danken im Hinblick auf die christliche Heilsordnung. Die Briefe eines

---

[1]) Über die in der römischen Liturgie gebrauchten Namen *praefatio* und *prex* s. oben 128. 134. In der gallikanischen Liturgie heißt die Präfation *contestatio*, feierliches Bekenntnis, eine Bezeichnung, die dem ἐξομολόγησις entspricht, das in den Canones Basilii c. 97 (Riedel 274) für die Präfation gebraucht wird. Im gallischen Liturgiebereich erscheinen auch Bezeichnungen, die auf das Opfer hinweisen: *immolatio* (im Missale Gothicum), *illatio* (in der mozarabischen Liturgie). Vgl. Jungmann, Gewordene Liturgie 72 f. 82 f.

[2]) Den äußeren Anknüpfungspunkt für diese aus inneren Kräften schöpfende Entwicklung bildete, wie oben I, 20 f gezeigt wurde, das Dankgebet nach dem Mahle.

[3]) Oben I, 41. 46.

[4]) Vgl. im Leonianum (Muratori I, 303): *VD. Quoniam licet immensa sint omnia quae initiis humanae sunt collata substantiae, quod eam scilicet crearis ex nihilo, quod tui dederis cognitione pollere, quod cunctis animantibus summae rationis participatione praetuleris, quod tota mundi possessione ditaris; longe tamen mirabiliora sunt . . .*

heiligen Paulus, die fast alle mit einem Dankgebet beginnen[5]), sind davon eine erste Offenbarung[6]).

Dabei ist es schwer zu entscheiden, ob die liturgische Eucharistia in ihren ersten vorgriechischen Ansätzen, die in der Berachah vorliegen, schon dieses deutliche Übergewicht des Dankens über eine allgemeine Äußerung des Lobpreises oder der Anbetung besessen hat[7]). Der letztere Gegenstand ist ja, besonders seitdem das *Sanctus* Aufnahme gefunden hat, immer ein wichtiger Faktor des Eucharistiegebetes geblieben, als dessen Ausweitung ins Universale und Metaphysische[8]). Auch das Bittgebet ist in Ansätzen schon frühzeitig[9]) und später auch in breiterer und oft übermäßiger Entfaltung neben das Danken getreten. Aber ebenso deutlich ist, seitdem die Quellen sprechen, wenigstens grundsätzlich und von jüngeren Randentwicklungen abgesehen, das Danken der Grundton der nun anhebenden Eucharistia geblieben.

Dafür war außer dem Charakter der christlichen Heilsordnung noch ein anderes Moment bestimmend. Der Herr hatte den Seinen das Sakrament mit der Weisung übergeben: Tut dies zu meinem Gedächtnis! Demgemäß bringen zwar nun alle Liturgien nach den Stiftungsworten in der Anamnese in einigen Wendungen dieses Gedächtnis zum Ausdruck. Aber sie gehen an dieser Stelle auch alle, wie es die Natur der Sache verlangt, mehr oder weniger rasch zur Darbringung der soeben geheiligen Gaben über. Das Gedenken hat seinen passenden Ort, wo es sich ausbreiten kann, nicht hier, sondern vor den Worten der Wandlung, die ja gezie-

---

[5]) Eine Danksagung gehörte allerdings schon nach dem hellenistischen Briefstil zum Einganges des Briefes; s. A. Deißmann, Licht vom Osten, 4. Aufl., Tübingen 1923, 147 Anm. 3.

[6]) Vgl. E. Mócsy, De gratiarum actione in epistolis Paulinis: Verbum Domini 21 (1941) 193—201; 225—232.

[7]) Vgl. J. M. Nielen, Gebet und Gottesdienst im Neuen Testament, Freiburg 1937, 227 mit Anm. 11. Nielen weist u. a. hin auf M. J. Lagrange, Evangile selon S. Luc (3. Aufl., Paris 1927) 544, der im biblischen εὐχαριστεῖν nicht einfach die Übersetzung eines hebräischen Wortes allgemeinerer Bedeutung sieht, und der für die Urkirche eine Tradition erschließt „que la prière de Jésus bénissant avant de distribuer le pain et le vin était une action de grâces".

[8]) In den orientalischen Liturgien ist in der Regel die Präfation bis zum *Sanctus* dem allgemeinen Lobpreis Gottes geweiht; in den außerägyptischen folgt dann nach dem *Sanctus* das christologische Dankgebet, das sich durch seinen engeren Zusammenhang mit dem Einsetzungsbericht auch hier als ursprünglicher erweist. Vgl. Hanssens, Institutiones III, 356.

[9]) Vgl. Euchologion Serapions, oben I, 45. — Zu Justinus, Apol. I, 67 vgl. unten 191 Anm. 3.

menderweise nur in einen von der dankbaren Erinnerung an den Herrn erfüllten Raum hineingesprochen werden können. Und dieses Gedenken findet seinen angemessensten Ausdruck, wenn es nicht nur als ein sinnendes In-die-Erinnerung-Rufen vergangener Bilder, sondern wenn es betend vor Gott geschieht. Dann wird es aber zum Danken, zum Dankgebet für das Große, das uns in Christus geschenkt worden ist. „Danken" ist ja auch etymologisch nichts anderes als „ge-denken", an empfangene Wohltaten denken, nicht gedankenlos über sie hinweggehen.

Als zentrales Thema dieses Gedenkens nennt schon Paulus den Tod des Herrn, das Werk der Erlösung[10]). Dies ist auch weiterhin der Hauptgegenstand der Eucharistia geblieben und als solcher bewußt festgehalten worden[11]). Wir sollen dessen gedenken, wofür die heilige Handlung auch in sich ein Gedächtnis, ein Denkmal darstellt. Die Messe ist ja nicht ein in sich ruhendes Opfer, sondern sie ist Opfer nur, indem sie zugleich Gedächtnis des schon vollbrachten Opfers unserer Erlösung ist. Darum ist sie auch zugleich Danksagung und fordert auch von uns solche Danksagung[12]). Wo auf solche Weise die Grundgeheimnisse der christlichen Heilsordnung im Blickpunkt eines Dankgebetes stehen, das vor der Gemeinde preisend zu Gott emporsteigt, wird dies zugleich zum treffendsten Ausdruck und zur beständigen Erneuerung ihres Glaubensbewußtseins: die Eucharistia erscheint so im Sinn ältester Überlieferung

---

[10]) 1 Kor 11, 26.

[11]) Mit großer Klarheit ist letzteres z. B. der Fall in dem Brief des Jakob von Edessa († 708) an Thomas den Presbyter (Brightman 492): Dann (nach dem *Dignum et iustum est)* „gedenkt er in wenigen Worten der ganzen Absicht der göttlichen Gnade betreffend den Menschen und seine erste Erschaffung und seine nachfolgende Erlösung und betreffend das Werk, das Christus für uns getan hat, als er für uns litt im Fleische; denn dies ist die ganze Meßfeier *(kurobho)*, daß wir gedenken und Erwähnung tun der Dinge, die Christus für uns getan hat". — Wie nahe auch noch Formeln der wechselnden lateinischen Präfation der Anamnese bleiben können, zeigt die Präfation am Sonntag nach Christi Himmelfahrt, die der Alkuinsche Anhang (Muratori II, 319) bietet: *VD. Per Christum Dominum nostrum. Qui generi humano nascendo subvenit, quum per mortem passionis mundum devicit, per gloriam resurrectionis vitae aeternae aditum patefecit et per suam ascensionem ad coelos nobis spem ascendendi donavit. Per.*

[12]) Beide Gedanken kommen treffend zum Ausdruck bei Fulgentius. Er sagt De fide n. 60 (PL 65, 699): *In illis enim carnalibus victimis significatio fuit carnis Christi, quam ... fuerat oblaturus ...*, *in isto autem sacrificio gratiarum actio atque commemoratio est carnis Christi, quam pro nobis obtulit.* Ep. 14, 44 (PL 65, 432 C): *Ideo ... a gratiarum actione incipimus, ut Christum non dandum, sed datum nobis in veritate monstremus.*

zu gleicher Zeit als eine andere, gehobene Form des Glaubensbekenntnisses[13]).

Danksagung für das Kommen des Herrn, für sein Leiden und Sterben, für die Auferstehung und Himmelfahrt, für alles, was er zu unserem Heile getan hat, das sind denn auch die Themen, die in den Präfationen der römischen Liturgie im Laufe des Jahres heute noch der Reihe nach den Gegenstand des Dankens bilden. Es ist eine Eigentümlichkeit der abendländischen Liturgien, daß ihr Gebet und auch das Hochgebet mit dem Fortgang des Kirchenjahres wechselt, und daß infolgedessen jeweils nur ein Teilaspekt der Glaubensgeheimnisse ins Auge gefaßt wird. Andere Liturgien und vor allem die gesamten Liturgien des Ostens kennen diesen Wechsel nicht. Sie kennen wohl den Wechsel der Formulierung und diesen manchmal in einem großen Reichtum — so die westsyrische und auch die äthiopische Liturgie[14]); aber jedes Anaphoraformular überschaut in neuer Weise das Ganze des christlichen Heilswerkes. Das war auch der Grundsatz, der die Eucharistia der Frühzeit beherrschte[15]). Nur galt dabei die Regel, daß die Präfation in der sonn- und festtäglichen Versammlung der Gemeinde länger und feierlicher sein soll als bei der Meßfeier an den Märtyrergräbern, die naturgemäß nur einen kleineren Kreis zusammenführte und nicht vollöffentlichen Charakter hatte[16]). Im Lauf der Jahrhunderte mußte allerdings der Brauch, daß man das Dankgebet jeweils neu gestalten sollte, im Bestreben, jedesmal auch etwas Neues zu sagen, dazu führen, daß manche Fassungen des Dankgebetes sich an der Peripherie des eigentlichen Themas bewegten. Man spürt die Wirkung dieses Gesetzes schon in einzelnen der ältesten Beispiele[17]). Stärker mußten sich die zentrifugalen Kräfte dort auswirken, wo nicht nur jede Festfeier eine neue Fassung zuließ, sondern auch ein neues, eben ein der Festfeier entsprechendes Thema forderte. Das war in den Liturgien des Abendlandes und insbesondere auch in der lateinischen Liturgie Roms schon früh der Fall. Die älteste Sammlung römischer Meßformularien, das Sacramentarium Leonianum, weist

---

[13]) Über den ursprünglichen Zusammenhang zwischen Eucharistiegebet und Symbolum vgl. die Hinweise oben I, 605 f. Mit dem vorwiegend heilsgeschichtlichen Thema der Präfationen hängt es wohl zusammen, daß als Eigenart ihres sprachlichen Stils seine biblische Färbung festgestellt wird; Chr. Mohrmann, Le latin liturgique (La Maison-Dieu 1950, IV) 20 f.

[14]) Oben I, 53 f.

[15]) Oben I, 38 ff. 44 ff.

[16]) Canones Basilii c. 97 (Riedel 274).

[17]) Einigermaßen gehört wohl schon hieher das Formular im Euchologion Serapions, oben I, 44 f.

für jede Messe eine eigene Präfation auf; so enthält dieses Sakramentar, obwohl unvollständig, 267 Präfationen. Auch das ältere Gelasianum bietet noch 54 Präfationen[18]), das jüngere Gelasianum in der St. Galler Handschrift deren 186[19]).

Der Hauptanteil an diesen Präfationen fällt auf die Märtyrerfeste. Als Sonderthema war an solchen Tagen von selbst der Leidenssieg des betreffenden Märtyrers gegeben. Wo nun in der Märtyrerpräfation nur der Grundgedanke des Blutzeugnisses für Christus herausgehoben wurde, konnte sich ein Dankgebet ergeben, das durchaus in der Nähe des heilsgeschichtlichen Grundthemas blieb, so wenn etwa auf die Nennung des Namens Christi der Sondertext weiterfuhr:

> *Qui ad maiorem triumphum de humani generis hoste capiendum praeter illam gloriam singularem, qua ineffabilibus modis Domini virtute prostratus est, ut etiam a sanctis martyribus superaretur effecit, atque in membris quoque suis victoria sequeretur, quae praecessit in capite. Per*[20]).

Andere Male erscheint der siegreiche Kampf des Märtyrers oder auch seine fürbittende Macht nach dem Siege als selbständiges Thema des Dankes. Manchmal breitet sich dann aber im formelhaften Rahmen eine panegyrische Festrede auf den Glaubenshelden aus und die Festrede wird schließlich zur mehr oder weniger weit ausgesponnenen Schilderung der Leidensgeschichte. Es ist nicht verwunderlich, daß in den fünf Präfationen für das Fest der hl. Cäcilia, die das Leonianum bietet, die eine oder andere dieser letzteren Gefahr erlegen ist[21]). Man muß eher staunen, daß von den 20 Präfationen, die für verschiedene Meßformulare am Fest der Apostelfürsten Petrus und Paulus vorgesehen sind, die meisten immer noch vom theologischen und christologischen Gehalt des apostolischen Amtes gespeist werden[22]).

---

[18]) Diese Zahlen nach Eisenhofer II, 157. Seine weiteren Zahlenangaben für das Gregorianum sind allerdings unrichtig.

[19]) Mohlberg, Das fränkische Sacramentarium Gelasianum, nach dem Register S. 280—282. — Baumstark führt diese Präfationen des jüngeren Gelasianums auf ein Urgelasianum zurück, das demnach ebenfalls fast jedem Meßformular eine eigene Präfation gegeben hätte; Mohlberg-Baumstark, Die älteste erreichbare Gestalt 128*.

[20]) Leonianum (Muratori I, 311 f).

[21]) Muratori I, 456—459.

[22]) Muratori I, 330—345. — Zusammenfassend über die genannte Verfallserscheinung im Leonianum Stuiber 67 f. In stärkerem Ausmaß hat sich die gleiche Entwicklung in den gallischen Liturgien ausgewirkt; vgl. z. B. die Präfation auf das Fest des hl. Mauritius im Missale Gothicum (Muratori II, 634). Weit ausgedehnte Lebens- und Leidensberichte der Heiligen weisen vielfach die Prä-

Auch Meßformularien ohne bestimmten Festcharakter weisen in diesem ältesten Sakramentar manchmal eine Präfation auf, deren Inhalt von dem eines Eucharistiegebetes, wie es ursprünglich gedacht war, sehr weit entfernt ist, so wenn daraus eine Streitrede gegen mißliebige Gegner oder eine Mahnrede zu sittlicher Lebensführung geworden ist[23]). Solche Erscheinungen mußten früher oder später zu einer Reaktion führen. Vielleicht liegt ein Vorgehen in der gedachten Richtung schon hinter der Nachricht des Papstbuches: *Hic* (Alexander) *passionem Domini miscuit in praedicatione sacerdotum, quando missae celebrantur*[24]). Schließlich werden derartige Erscheinungen zu jener überscharfen Reform geführt haben, deren Ergebnis wir im gregorianischen Sakramentar vor uns haben. Dieses Sakramentar enthält in seinem echten Bestande, so wie es von Hadrian I. an Karl den Großen gelangt ist[25]), nur mehr 14 Meßpräfationen[26]), die *praefatio communis* mitgerechnet. Davon sind

---

fationen der mozarabischen Liturgie auf; vgl. z. B. die Passionsgeschichte des hl. Vinzentius im Missale mixtum (PL 85, 678—681).

[23]) Muratori I, 350 ff; vgl. oben I, 79.

[24]) Duchesne, Liber pont. I, 127. Daß die Nachricht im Papstbuch steht, läßt vermuten, daß die Gegenbewegung zur Zeit des Schreibers (um 530) noch nicht abgeschlossen war. Präfationen, die dem damit bezeichneten Programm entsprechen, wären z. B. die unten 153 ff angeführten, die sicher im allgemeinen vorgregorianisch sind. Mit *passio Domini* ist offenbar, wie schon bei Cyprian, einfach das Erlösungswerk gemeint. — Die Deutung, die Th. Schermann, Liturgische Neuerungen (Festgabe A. Knöpfler zum 70. Geburtstag, Freiburg 1917, 276—289) 277 ff, der Stelle gegeben hat, es sei damals, zur Zeit Alexanders I. († 116), das Formular der „Allgemeinen Kirchenordnung" (= Hippolyt) in Rom eingeführt worden, ist aus verschiedenen Gründen unannehmbar. Ebenso unbefriedigend ist aber auch die von anderen ausgesprochene Vermutung, es handle sich um das *Unde et memores (... tam beatae passionis)* oder um die Worte *Pridie quam pateretur*. Vgl. Fortescue, The mass 346; Botte, Le canon 64. — Auch die Annahme von Elfers, Die Kirchenordnung Hippolyts 248—253, es sei der mit der Erwähnung der *passio* verbundene Einsetzungsbericht gemeint und ausgesagt, „daß erst Papst Alexander die mit dem Leidensbericht des Herrn verbundene Stiftungserzählung in das eucharistische Danksagungsgebet eingefügt habe" (250), stützt sich auf unbewiesene und unannehmbare Voraussetzungen; s. ZkTh 63 (1939) 236 f.

[25]) Auffällig ist, daß das von Baumstark mit geringen Abstrichen als „älteste erreichbare Gestalt" des Gregorianums herausgegebene Sakramentar von Padua noch 46, mit Abstrich der offenkundig jüngeren Elemente (n. 387. 623. 654. 674) noch 42 Präfationen zählt. Das Mehr geht hauptsächlich auf Märtyrerpräfationen zurück. Mohlberg-Baumstark, Die älteste erreichbare Gestalt, s. im Register S. 96 f. Ist also die endgültige Verminderung erst nach Gregor geschehen?

[26]) Lietzmann, s. im Register S. 185. Es sind außer der *praefatio communis* die heutigen Präfationen für Weihnachten, Epiphanie, Ostern, Christi Himmel-

auf fränkischem Boden die Präfationen für außerordentliche Anlässe und für die zwei darin noch bevorzugten Heiligenfeste weggefallen, so daß aus dem ganzen Reichtum der alten römischen Überlieferung nur sieben Formeln blieben. Als Erweiterung dieses dürftigen Bestandes haben sich im gleichen fränkischen Raum in den folgenden Jahrhunderten die Kreuzpräfation[27]), die Dreifaltigkeitspräfation[28]) und die Fastenpräfation[29]) durchgesetzt. Diese zehn Präfationen — oder, da die *praefatio communis* nicht mitgezählt wurde, sprach man von neun — werden als allein zulässig aufgezählt in einer zuerst bei Burchard von Worms auftauchenden[30]), von ihm Pelagius II. († 590) zugeschriebenen Dekretale, die dann in das Corpus Juris Canonici übergegangen ist[31]). Zuletzt kam zu dieser knappen Liste noch hinzu die Marienpräfation, die durch Urban II. 1095 auf der Synode von Piacenza vorgeschrieben wurde, die selber aber älteren Datums ist[32]).

---

fahrt, Pfingsten und für die Apostelfeste. Außer diesen je eine Präfation *in natali papae*, zur Priesterweihe, zur Altarweihe, zur Brautmesse, für Andreas und zwei für Anastasia (darunter eine weitere Weihnachtspräfation). In der Bevorzugung gerade dieser beiden Heiligen scheinen ähnliche Kräfte einer Einwirkung von Byzanz wirksam zu sein wie bei der Einfügung des hl. Andreas im Embolismus (s. unten).

[27]) Erstmalig als Eintragung von jüngerer Hand, die aber, wie mir P. Leo Eizenhöfer mitteilt, noch dem 9. Jh. angehört, im Prager Sakramentar ed. Dold-Eizenhöfer (oben I, 474 Anm. 51) 123*. Eine Präfation vom hl. Kreuz mit der Antithese vom doppelten Holz im Alkuinschen Anhang: Muratori II, 318. Diese Antithese selbst ist allerdings uralt; sie findet sich u. a. schon bei Irenäus, Adv. haer. V, 17, 3; s. H. Rahner, Antenna crucis III (ZkTh 1943) 1 Anm. 1.

[28]) Sie erscheint zuerst im älteren Gelasianum I, 84 (Wilson 129), und zwar am Sonntag nach Pfingsten, der später Dreifaltigkeitsfest geworden ist. Sie dürfte aus Spanien stammen und also ins 7. Jh. zurückreichen; vgl. A. Klaus, Ursprung und Verbreitung der Dreifaltigkeitsmesse, Werl 1938, 17 f. 18—83; A. Segovia, La clausula ‚Sine differentia discretionis sentimus': Mélanges J. de Ghellinck, Gembloux 1951, 375—386.

[29]) Sie erscheint im jüngeren Gelasianum (Mohlberg n. 254), aber auch schon in der ältesten erreichbaren Gestalt des Gregorianums (Mohlberg-Baumstark n. 161), gehört also älterer römischer Überlieferung an.

[30]) Burchard von Worms († 1025), Decretum III, 69 (PL 140, 687 f). Capelle (s. unten Anm. 32) spricht den begründeten Verdacht aus, daß Burchard selbst der Erfinder dieses Kanons sei (47).

[31]) Decretum Gratiani III, 1, 71 (Friedberg I, 1313). Vgl. Durandus IV, 33, 35.

[32]) Ansätze zu ihr liegen vor im jüngeren Gelasianum. — Mit einer geringen Variante *(huic mundo lumen aeternum effudit)* und einem auf die Jungfrauen im allgemeinen gehenden Einleitungssatz ist ihr heutiger Wortlaut vorhanden um 850 im Cod. Ottobon. 313 des Gregorianums ed. Wilson (HBS 49) 283 f,

Viele mittelalterliche Kirchen haben sich allerdings mit dieser Armut nicht abfinden können. Schon in dem Anhang, den Alkuin dem aus Rom kommenden gregorianischen Sakramentar beigegeben hat, ist u. a. als besonderer Abschnitt eine große Zahl von Präfationen aufgenommen, die vorwiegend aus alter römischer Überlieferung stammen[33]). Bis ins 11. Jahrhundert und darüber hinaus halten die Meßbücher vielfach noch ein mehr oder weniger reiches Erbe aus dieser Überlieferung fest. Das aus dem Rheinland stammende Leofric-Missale (11. Jh.) weist noch zu jedem Meßformular eine besondere Präfation auf; ähnlich manche Sakramentare aus Frankreich[34]). Aber schließlich siegt der durch Burchard hervorgezogene Kanon, der nun von allen Liturgieerklärern wiederholt wird. Allerdings war der Sieg auch im Mittelalter kein vollständiger. Für besonders verehrte Heilige: Johannes den Täufer, Augustinus, Hieronymus, Franziskus, Rochus, Christophorus, kamen wieder Präfationen in Gebrauch, von denen manche wegen ihres ungeschichtlichen Inhaltes zur Zeit des Konzils von Trient den Widerspruch reformeifriger Kreise hervorriefen und darum schließlich wieder wegfallen mußten[35]). Nur in einigen Ordensfamilien und im Proprium einzelner Diözesen sind Sonderpräfationen weiter erhalten geblieben oder auch neu in Gebrauch genommen worden[36]). Das römische Missale selbst hat erst in neuester Zeit, nachdem durch mehr als acht Jahrhunderte der

---

auch im Sakramentar des Eligius (PL 78, 133); s. B. Capelle, Les origines de la préface romaine de la Vierge: Revue d'histoire eccl. 38 (1942) 46—58. Vgl. C. Mesini, De auctore et loco compositionis praefationis B. M. V.: Antonianum 10 (1935) 59—72.

[33]) Muratori II, 273—356.

[34]) Das Sakramentar von S. Amand (9. Jh.) weist 283 Präfationen auf, das von Chartres (10. Jh.) 220, das von Angers (10. Jh.) 243, das von Moissac (11. Jh.) 342; Leroquais, Les sacramentaires I, 57. 76. 86. 100. — Ein Beispiel des 10. Jh. aus Oberitalien bei Ebner 29. Auf Island mußte noch 1224 die Beschränkung auf zehn Präfationen eingeschärft werden; Segelberg 257.

[35]) Jedin, Das Konzil von Trient und die Reform des Römischen Meßbuches (Liturg. Leben 1939) 43. 46. 55. 60 f.

[36]) In den Ordensliturgien handelt es sich um Eigenpräfationen für Benedikt, Augustinus, Franziskus, Franz von Sales. Seit 1919 sind hinzugekommen Norbert, Dominikus, Johannes vom Kreuz, Theresia, Elias, Maria vom Berge Karmel. In Frankreich haben viele Diözesen noch Eigenpräfationen; so hat z. B. Lyon solche nicht nur für einige Heilige, sondern auch, wohl aus neugallikanischer Überlieferung, für Advent, Gründonnerstag, Fronleichnam, Kirchweihe. B. Opfermann, Die Sonderpräfationen des römischen Ritus: Liturg. Leben 2 (1935) 240—248. A. Zák O. Praem., Über die Präfationen: Theol.-prakt. Quartalschrift 58 (1905) 307—325.

Kanon der elf Präfationen gegolten hatte, wieder eine Bereicherung des Bestandes erfahren, und zwar in der Weise, daß damit im allgemeinen wirklich der Kerngedanke des Dankgebetes entfaltet wird: 1919 wurde die Präfation für Totenmessen[37]) und die Präfation vom hl. Joseph eingeführt; 1925 folgte die Präfation für das Christkönigsfest, 1928 die Präfation für die Herz-Jesu-Messe.

Auffallend ist an dem mittelalterlichen Kanon der Präfationen das Fehlen einer besonderen Präfation für den Sonntag. In der älteren römischen Sakramentarüberlieferung hat es an Sonntagspräfationen nicht gefehlt. Sie treten besonders im jüngeren Gelasianum und im Alkuinschen Anhang des Gregorianums ans Licht[38]). Innerhalb der Festkreise, im Advent, nach Epiphanie, in der Fastenzeit, nach Ostern bleiben sie bei dem durch den Festkreis gegebenen Thema. So heißt es am letzten Adventsonntag[39]):

VD. Sanctificator et conditor generis humani, qui Filio tuo tecum aeterna claritate regnante, cum de nullis extantibus cuncta protulisses, hominem limosi pulveris initiis inchoatum ad speciem tui decoris animasti, eumque credula persuasione deceptum reparare voluisti spiritalis gratiae aeterna suffragia mittendo nobis Jesum Christum Dominum nostrum. Per quem[40]).

Am 2. Sonntag nach Epiphanie lautet eine Präfation:

VD. Semperque virtutes et laudes tuas labiis exultationis effari, qui nobis ad relevandos istius vitae labores super diversa donorum tuorum solatia etiam munerum salutarium gaudia contulisti mittendo nobis Jesum Christum Filium tuum Dominum nostrum. Per quem[41]).

---

[37]) Sie ist die Überarbeitung einer ursprünglich mozarabischen Präfation (Missale mixtum: PL 85, 1019 A), die über den Alkuinschen Anhang (Muratori II, 354 f. 355 f) in mittelalterliche Meßbücher gekommen und u. a. in der Diözese Besançon in Gebrauch geblieben war. Die glückliche christologische Anknüpfung des Eigentextes *(in quo nobis)* war in dieser älteren Fassung noch nicht vorhanden. J. Brinktrine, Die neue Präfation in den Totenmessen: Theologie u. Glaube 11 (1919) 242—245.

[38]) Dafür, daß es sich zunächst im jüngeren Gelasianum um römische Überlieferung handelt, s. die Feststellungen A. Baumstarks bei Mohlberg-Baumstark, Die älteste erreichbare Gestalt 128*.

[39]) Diese und die folgenden Zuweisungen an bestimmte Sonntage nach dem fränkischen Gelasianum Mohlbergs. Sie kehren nicht in allen Hss gleichmäßig wieder.

[40]) Mohlberg n. 1454. Vgl. die weiteren Fundorte ebd. S. 336 (= Mohlberg-Manz n. 1454).

[41]) Mohlberg n. 124; die weiteren Fundorte ebd. S. 296.

In der neutralen Zeit nach Pfingsten erscheinen manche Formeln, die den Charakter des Dankgebetes verlassen und in Bittgebet nach Art einer Kollekte übergehen[42]) oder die sich wenigstens mit einem ganz allgemeinen Thema des Lobpreises für die göttliche Güte begnügen. So heißt es am Sonntag im Herbstquatember:

VD. Quia cum laude nostra non egeas, grata tibi tamen est tuorum devotio famulorum nec te augent nostra praeconia, sed nobis proficiunt ad salutem, quoniam sicut fontem vitae praeterire causa moriendi est, sic eodem iugiter redundare effectus est sine fine vivendi. Per Christum[43]).

Andere Male wird eine schöne Universalität christlichen Denkens erreicht, so am 15. Sonntag nach Pfingsten:

VD. Qui nos de donis bonorum temporalium ad perceptionem provehis aeternorum et haec tribuis et illa promittis, ut et mansuris iam incipiamus inseri et praetereuntibus non teneri; tuum est enim quod vivimus, quia licet peccati vulnere natura nostra sit vitiata, tui tamen est operis, ut terreni generati ad coelestia renascamur. Per Christum[44]).

Mehrere Formeln aber lassen das Grundthema der Eucharistia, das man wie an Ostern so vor allem auch am Sonntag erwarten muß, mit großer Bestimmtheit hervortreten, so wenn es am 3. Sonntag nach Pfingsten heißt:

VD. Per Christum. Cuius hoc mirificum opus ac salutare mysterium fuit, ut perditi dudum atque prostrati a diabolo et mortis aculeo ad hanc gloriam vocaremur, qua nunc genus electum, sacerdotium regale ac populus adquisitionis et gens sancta vocemur. Agentes igitur indefessas gratias sanctamque munificentiam tuam praedicantes maiestati tuae haec sacra deferimus quae nobis ipse salutis nostrae auctor Christus instituit. Per quem[45]).

Oder am 7. Sonntag:

VD. Per Christum. Verum aeternumque pontificem et solum sine peccati macula sacerdotem, cuius sanguine omnium fidelium corda mundantur, placationis tibi hostias non solum pro delictis populi, sed etiam pro nostris offensionibus immolamus, ut omne peccatum quod carnis fragilitate contraximus summo pro nobis antistite interpellante solvatur. Per quem[46]).

---

[42]) Z. B. im Alkuinschen Anhang (Muratori II, 285): *VD. Et immensam bonitatis tuae pietatem humiliter exorare...*

[43]) Mohlberg n. 1203. Die weiteren Fundorte ebd. 328. Auch schon im Leonianum.

[44]) Mohlberg n. 1135. Weitere Fundorte ebd. S. 326.

[45]) Mohlberg n. 873. Die weiteren Fundorte ebd. S. 318. Auch schon im älteren Gelasianum I, 65 (für den Sonntag nach Christi Himmelfahrt).

[46]) Mohlberg n. 979. Die weiteren Fundorte ebd. S. 321.

Oder ein anderesmal kurz und treffend:

VD. Per Christum Dominum nostrum. Qui vicit diabolum et mundum hominemque paradiso restituit et vitae ianuas credentibus patefecit. Per quem[47]).

Es mag in diesem zäheren Festhalten auch des betonten Sonntagsgedankens gerade auf fränkischem Boden eine Nachwirkung vorliegen davon, daß der Sonntag hier — gelegentlich noch im 9. Jahrhundert — *dominicae resurrectionis dies* hieß[48]) und bewußt auch liturgisch als solcher gefeiert wurde. Aber schließlich dringt seit dem 11. Jahrhundert die angebliche Vorschrift Pelagius' II. überall durch und damit für die Sonntage offenbar zunächst die *praefatio communis*, die übrigens in Rom diese Rolle und überhaupt die Führung unter den Präfationen vielleicht schon im 6. Jahrhundert erhalten hatte[49]). Seit dem 13. Jahrhundert beginnt die Dreifaltigkeitspräfation für die Sonntage einzutreten[50]). Von Rom aus wird sie aber erst 1759 dafür vorgeschrieben[51]).

---

[47]) Text nach dem Alkuinschen Anhang: Muratori II, 337. — Mohlberg n. 1236. Die weiteren Fundorte ebd. S. 329. — Weitere Beispiele von Sonntagspräfationen der genannten Art: Mohlberg n. 1296 *(VD. Maiestatem tuam)*; 1305 *(VD. Per Christum. Per quem sanctum)*; Alkuinscher Anhang: Muratori II, 323 *(VD. Quoniam illa festa)*. Auch manche Präfationen der österlichen Zeit kämen in Betracht.

[48]) Jungmann, Gewordene Liturgie 215; vgl. 223. Vgl. aber auch noch Vita Alcuini c. 11 (MGH Scriptores 15, 1, S. 191 Z. 21): *Praeter enim dies resurrectionis ac festivitatis ieiunium protelabat...*

[49]) Das scheint sich daraus zu ergeben, daß sie mit der ältesten Überlieferung des Meßkanons fest verbunden ist. Daß sie im besonderen auch Sonntagspräfation geworden ist, wird dadurch nahegelegt, daß der mit der *praefatio communis* beginnende Kanon z. B. im älteren Gelasianum III, 16 (Wilson 234) eine Reihe von 16 Sonntagsmessen beschließt, die selber keine eigene Präfation aufweisen. Daß sie manchenorts auch noch im späteren Mittelalter Sonntagspräfation war, zeigt z. B. der dem ersten Sonntag nach Pfingsten beigegebene Meßordo im Rituale von Soissons: *Praefatio nulla dicatur nisi quotidiana;* Martène 1, 4, XXII (I, 612 C).

[50]) So im Missale von Sarum ed. Legg, S. 171. Radulph de Rivo († 1403), De canonum observ., prop. 23 (Mohlberg II, 146), kennt sie als Sonntagspräfation von Dreifaltigkeit bis Advent. Ohne nähere Bestimmung bezeugt allerdings auch schon Bernold von Konstanz († 1100), Micrologus c. 60 (PL 151, 1020 C), die Verwendung der Dreifaltigkeitspräfation an Sonntagen *(quam in diebus dominicis frequentamus)*.

[51]) Decreta auth. SRC n. 2449. Die Begründung verweist darauf, daß am Sonntag der Beginn der Weltschöpfung, die Auferstehung Christi, die Sendung des Heiligen Geistes geschehen sei. Freilich kommt diese heilsökonomische Sicht des Trinitätsgeheimnisses im Text der Präfation nicht zum Ausdruck.

Neben der Dreifaltigkeitspräfation, die eher ein Bekenntnis des Trinitätsgeheimnisses als ein Dankgebet darstellt, fällt von den heute aus alter Überlieferung überkommenen Präfationen die von den Aposteln aus dem Rahmen des Präfationsschemas. Es ist zwar unbegründet, in ihr die Anrede an Christus anzunehmen[52]), die in der ganzen römischen Sakramentarüberlieferung nicht vorkommt. Wohl aber schlägt das Dankgebet in dieser Präfation schon in den einleitenden Wendungen in ein Bittgebet um, mag man auch aus dessen Fortgang Klänge des mit dem *Gratias agamus* angekündigten Dankes heraushören. Es liegt eine Entstellung des ursprünglichen Textes vor. Dieser ist erhalten im Leonianum, wo die Präfation die ganze normale Einleitung voraussetzt, die zunächst vom Danken spricht, und die am Ende mit dem *Per Christum* abschließt, also die gewöhnliche Anrede zugrunde legt: *Vere dign(um ... gratias agere ... aeterne Deus) suppliciter exorantes ut gregem tuum, pastor aeterne, non deseras ... pastores, per (Christum Dominum nostrum, per quem)*[53]). Daß eine Präfation, von der Einleitung abgesehen, Bittcharakter annimmt, ist allerdings auch schon im Leonianum nicht selten[54]).

Das Grundschema der römischen Präfation liegt vor in der *praefatio communis.* Ohne in prosaische Nüchternheit zu verfallen, ent-

---

[52]) Wegen der Worte *pastor aeterne;* so z. B. Gihr 530. Ganz im Geiste alter Tradition (vgl. Leonianum ed. Muratori 332: *pastor bone;* ähnlich öfter) wird diese Anrede in der Oration des 1942 vorgeschriebenen Commune summorum pontificum von Gott dem Vater gebraucht.

[53]) Feltoe 50; Muratori I, 345. Ebenso im älteren Gelasianum II, 36 (Wilson 186). Auch das Sakramentar des Eligius (10. Jh.; PL 78, 124 CD) weist die vollständige Einleitung auf und fährt fort *(gratias agere ...) et te suppliciter exorare.* Dasselbe ist noch der Fall in englischen Missale-Hss des 13. und 14. Jh. (Legg, The Sarum Missal 214) und auch noch in den Drucken des Sarum-Missale aus dem 15./16. Jh. (F. H. Dickinson, Missale ad usum ecclesiae Sarum, Burntisland 1883, 605). — Dagegen hat die gregorianische Überlieferung ebenso wie das jüngere Gelasianum schon den heutigen Text, wenn auch in der Abgrenzung der einleitenden Phrase Schwankungen vorliegen, die als solche den sekundären Charakter dieser Fassung verraten. — Die in Rede stehende textkritische Feststellung auch bei Jungmann, Die Stellung Christi (1925) 97 f. Sie ist inzwischen auch anderwärts gemacht worden, wie aus dem Bericht von V. Oderisi, Eph. liturg. 58 (1944) 307—309, hervorgeht.

[54]) Selbst der Fall kommt hier vor, daß eine Kollekte (mit relativischer Prädikation: *Deus qui)* als Mittelstück der Präfation dient, z. B. Muratori I, 334 in der sechsten Apostelmesse, wo nur von dem *praesta ut* der Kollekte (ebd. 339, XVII) das *praesta* wegfällt. Vgl. Stuiber 11. 69. Ähnliche Fälle sind in der Mailänder Liturgie häufig; s. P. Lejay, Ambrosien (Rit): DACL I, 1413.

hält sie nur die Umrisse des Dankgebetes. Der Grund desselben wird überhaupt nicht mehr auseinandergesetzt, aber darin, daß der Dank dargebracht wird *per Christum Dominum nostrum,* ist er einschlußweise genannt: er liegt darin, daß der ungeheure Abstand, der den Menschen von Gott trennt, überbrückt ist, daß wir den Zugang haben und das zuversichtliche Wort „durch Christus unseren Herrn“[55]). Dieses Schema wird in den übrigen Präfationen entweder wörtlich wiederholt, wie in der Fasten- und in der Passionspräfation, wo nur nach dem Wort *Deus* die entsprechende Erweiterung eingefügt und dann weitergefahren wird mit *per Christum Dominum nostrum, per quem*[56]), und ähnlich in der Marien- und in der Josefspräfation, wo die Weiterführung mit *per quem* einsetzt. Oder aber es folgt zwar nach dem Worte *Deus* die christologische Erweiterung, aber so, daß dann mit *Et ideo* zum *Sanctus* übergeleitet wird, wie an Weihnachten, Epiphanie, Herz Jesu und Christkönig — bei der Osterpräfation ist auch die Einleitung etwas umgebildet. Oder es folgt die Erweiterung erst nach dem *per Christum Dominum nostrum* wie an Christi Himmelfahrt und in der Totenpräfation und mit freierer Schlußphrase an Pfingsten. Der Name des Erlösers steht überall im Mittelpunkt. Die ursprüngliche Stellung wird die sein, daß er als Mittler unseres Dankgebetes eingeführt wird[57]). Die Schilderung des Christusgeheimnisses konnte in anderen Fassungen als Ersatz dafür gelten. Wenn in der Dreifaltigkeitspräfation und in der heutigen Fassung der Apostelpräfation sein Name überhaupt fehlt, so sind dies sekundäre Erscheinungen[58]).

Es ist nötig, noch einige Einzelheiten in diesem stets wiederkehrenden Grundschema näher ins Auge zu fassen. Jede römische Präfation beginnt seit alters mit der Betonung der Billigkeit, ja Geschuldetheit unseres Tuns: *Vere dignum et iustum est, aequum et salutare.* Die Eucharistia Hippolyts kennt diese Formulierung noch nicht. Es ist die Wieder-

---

[55]) Vgl. Eph 3, 12; Röm 5, 2.

[56]) Das *per Christum* erhält dabei allerdings einen anderen Sinn: es ist schwerlich mehr unser Dank durch Christus gemeint, sondern ein Tun Gottes durch Christus. Vgl. dazu Jungmann, Die Stellung Christi 156 f.

[57]) So auch in der Eucharistia Hippolyts, oben I, 38. — Ein Arianer des 4./5. Jh. argumentiert gegen das ὁμοούσιος der katholischen Christologie aus dem katholischen Brauch, *in oblationibus* das Dankgebet durch Christus an Gott zu richten; da heiße es: *Dignum et iustum... neque est alius per quem ad te aditum habere, precem facere, sacrificationem tibi offerre possimus nisi per quem tu nobis misisti.* G. Mercati, Antiche reliquie liturgiche (Studi e Testi 7), Rom 1902, 52.

[58]) Eine nähere Klassifizierung der gesamten lateinischen Präfationsüberlieferung bei P. Cagin, Te Deum ou illatio, Solesmes 1906, 356—371.

aufnahme der schon älteren Antwort, die der Priester auf das *Gratias agamus* erhalten hat: *Dignum et iustum est.* In fast allen Liturgien ist dieses oder ein ähnliches Aufgreifen der Akklamation des Volkes durchgedrungen[59]). So betont auch der Priester, daß es lediglich der pflichtmäßige Dienst ist, den die versammelte Gemeinde Gott darbringt[60]). Vom Inhalt dieses Dienstes wird nur der eigentliche Kerngedanke ausgesprochen: es ist ein Danksagen, aber ein Danksagen, in das wir die ganze Kraft unserer Seele hineinlegen müssen, ein Danksagen nach dem Maß der Liebe, die wir Gott schuldig sind aus ganzem Herzen, aus ganzer Seele und aus allen Kräften, ein Danksagen, das im Grunde immer und überall stattfinden soll[61]). Andere Liturgien verstärken das Wort vom Danksagen, indem sie eine lange Reihe von Ausdrücken anfügen, die Lobpreis und Huldigung bedeuten[62]).

Die Gottesanrede, die heute abgeteilt wird: *Domine sancte, Pater omnipotens, aeterne Deus*[63]), muß ursprünglich so gegliedert gewesen sein: *Domine, sancte Pater, omnipotens aeterne Deus*[64]). Sowohl

---

[59]) In den gallischen Liturgien lautet der Anfang: *Dignum et iustum est,* in den orientalischen entweder wie in Rom: Ἀληθῶς γάρ ἄξιόν ἐστιν καὶ δίκαιον (ägyptische Markusanaphora: Brightman 125; vgl. 164; byzantinische Chrysostomusliturgie: ebd. 321 f), oder der Ausdruck wird noch mit dem Ton des Affektes ausgestattet: Ὡς ἀληθῶς ἄξιόν ἐστι καὶ δίκαιον (westsyrische Jakobusanaphora: Brightman 50; vgl. Const. Ap. VIII, 12: ebd. 14) — die byzantinische Basiliusliturgie stellt dieser Eingangswendung noch eine feierliche Gottesanrede voran: Ὁ ὢν δέσποτα κύριε θεὲ πάτερ παντοκράτορ προσκύνητε, ἄξιον ὡς ἀληθῶς ... Brightman 321 f. — Eine dem *Vere dignum* ähnliche Formulierung übrigens schon in den altjüdischen Gebeten zum Ostermahl; s. Stapper (unten 167 Anm. 26) 10 Anm. 2.

[60]) Vgl. oben 140 Anm. 13.

[61]) Vgl. 1 Thess 5, 18; Kol 1, 12; 2, 7; 3, 15—17.

[62]) Dies gilt besonders von der Basiliusliturgie. Dabei ist bemerkenswert, daß diese in allen ihren Fassungen außer der ägyptischen neben dem εὐχαριστεῖν und den begleitenden Ausdrücken irgendwie den Opfercharakter der Eucharistie zum Ausdruck bringt: Die byzantinische Basiliusliturgie fährt fort (a. a. O.): ... σὲ αἰνεῖν, σὲ ὑμνεῖν, σὲ εὐλογεῖν, σὲ προσκυνεῖν, σοὶ εὐχαριστεῖν, σὲ δοξάζειν τὸν μόνον ὄντως ὄντα θεόν, καὶ σοὶ προσφέρειν ... τὴν λογικὴν ταύτην λατρείαν ἡμῶν. Die armenische Fassung wird wiedergegeben: καὶ σοὶ προσφέρειν θυσίαν αἰνέσεως; H. Engberding, Das eucharistische Hochgebet der Basileiosliturgie, Münster 1931, 2 f.

[63]) So schon um 800 die Expositio ‚Quotiens contra se' (PL 96, 1489 B). Auch Remigius von Auxerre, Expositio (PL 101, 1253), verbindet: *Domine sancte.*

[64]) Brinktrine, Die hl. Messe 177. Er verweist u. a. auf das *Qui pridie* bei Ambrosius (oben I, 67): *ad te, sancte Pater omnipotens aeterne Deus,* und auf unser erstes Darbringungsgebet beim Offertorium: *Suscipe, sancte Pater,* das noch im 10./11. Jh. entstehen konnte. Im gleichen Sinn mit weiteren Hinweisen A. Dold,

das *Domine* wie das *omnipotens aeterne Deus* sind geläufige Gottesanreden der römischen Liturgie. Das *sancte Pater* entspricht offenbar dem *clementissime Pater*, das später folgt. Die Feierlichkeit der Anrede, in der gewissermaßen sämtliche uns zugängliche Titel und Ehrennamen Gottes zusammengefaßt werden[65]), unterstreicht noch einmal die Bedeutsamkeit des Augenblickes.

Unseren Dank und unsere Huldigung bringen wir nicht unmittelbar vor Gottes Thron als irgendwelche Gruppe menschlicher Beter, sondern wir bringen sie dar als Gemeinde der Erlösten, durch den, der unser Erlöser und unser Haupt ist, durch Christus, unseren Herrn. In den Festpräfationen wird diese Stufe des Aufstieges verschlungen durch den Jubel des Festgedankens, der ja jedesmal dem Christusgeheimnis gilt; daß wir durch ihn Gott loben, braucht dann nicht mehr gesagt zu werden.

Unser Gotteslob mündet zuletzt ein in die Lobgesänge der himmlischen Chöre. Es ist eine im christlichen Altertum besonders beliebte Darstellung des in Christus uns geschenkten Heils, daß wir kraft desselben den seligen Geistern des Himmels zugesellt werden und die Plätze der gefallenen Engel einnehmen dürfen: „Ihr seid herangetreten an den Berg Sion und an die Stadt des lebendigen Gottes, das himmlische Jerusalem, und an die Myriaden der Engel, an die Festversammlung und Gemeinde der Erstgeborenen, die im Himmel eingetragen sind.“[66]) So dürfen wir schon in diesem Leben als Kinder des höheren Jerusalem[67]), und zumal, wenn wir versammelt sind zur Feier des Neuen Bundes, ein-

---

Bened. Monatsschrift 22 (1946) 143. 146, und J. Juglar, Eph. liturg. 65 (1951) 101—104. — Bei den Zisterziensern entschied das Generalkapitel von 1188, daß nur nach dem Worte *Pater* ein Einschnitt gemacht werden dürfe; Schneider (Cist.-Chr. 1927) 8 f. — Vgl. Baumstark, Liturgie comparée 72, der in der Aneinanderfügung eines eingliedrigen, eines zweigliedrigen und eines dreigliedrigen Ausdruckes ein Verfahren der antiken Rhetorik befolgt sieht.

[65]) Mit orientalischer Breite geschieht dies an gleicher Stelle in einzelnen Liturgien des Morgenlandes; s. z. B. oben I, 46; II, 158 Anm. 59.

[66]) Hebr 12, 22 f. — Vgl. auch die bei den Vätern fast allgemeine Auffassung des Gleichnisses vom Guten Hirten (Lk 15, 4—7), wonach der Sohn Gottes in den 99 Schafen die Engel des Himmels verlassen und in dem einen die verlorene Menschheit gesucht hat, um sie zur glücklichen Herde zurückzuholen; s. die Belege aus Irenäus, Origenes, Methodius, Hilarius, Cyrill von Alexandrien, Petrus Chrysologus bei Th. K. Kempf, Christus der Hirt. Ursprung und Deutung einer altchristlichen Symbolgestalt, Rom 1942, 160—166. Die gleiche Anschauung u. a. auch noch bei Gregor dem Großen, In Ev. hom. 34, 3 (PL 76, 1247 f).

[67]) Gal 4, 26.

stimmen in die Lobgesänge der himmlischen Heerscharen[68]). Die Präfation läßt uns zuerst gewissermaßen diesen Lobgesängen lauschen. Was uns daran überrascht, ist, daß auch sie, wie die *praefatio communis* dies ausspricht, dargebracht werden durch Christus: *per quem maiestatem tuam laudant angeli*... Aber er ist ja gesetzt „über alle Herrschaften, Gewalten, Mächte und Kräfte und was sonst noch für Namen genannt werden, nicht nur in dieser Welt, sondern auch in der zukünftigen“[69]). „Ihm sind untertan geworden die Engel, die Gewalten und Mächte.“[70]) In Christus ist „das All zusammengefaßt, das, was im Himmel und das, was auf Erden ist[71]). Der Gedanke ist also durchaus biblisch, wobei allerdings die Scholastik zu betonen pflegt, daß die Engel nicht in derselben Weise auf Christus hingeordnet sein können wie die Menschen, die durch Christus erlöst sind[72]). So ist aber selbst in der so knapp gefaßten *praefatio communis* auch der zweite Teil vom Christusthema beherrscht: Christus erscheint vor unseren Blicken als König der triumphierenden Kirche.

Aus biblischen Angaben ist auch geschöpft, was von den Chören der Engel und ihrem Tun des näheren gesagt wird[73]). Die *praefatio communis* bringt die längste Reihe ihrer Namen: *angeli, dominationes, potestates, caeli, caelorum virtutes, seraphim.* Eine kürzere Reihe ist mit der Schlußformel *Et ideo* verbunden, doch werden hier außerdem genannt *archangeli* und *throni.* Die Dreifaltigkeitspräfation fügt trotz ihrer knapperen Fassung noch die *cherubim* hinzu[74]). Die Pfingstpräfation faßt

---

[68]) Vgl. H. Düllmann, Engel und Menschen bei der Meßfeier: Divus Thomas 27 (Freiburg 1949) 281—292; 381—411. — Der Anschluß an das Gotteslob der Engelwelt wird allerdings auch schon im Alten Bunde mehrfach gesucht, besonders in den Psalmen (102, 20 ff; 148, 2 ff u. ö.).

[69]) Eph 1, 21 f.

[70]) 1 Petr 3, 22.

[71]) Eph 1, 10.

[72]) Das gilt von der Scholastik, abgesehen vom Skotismus. Letzterer geht bekanntlich von der Annahme aus, daß das Kommen des Gottmenschen in Gottes Ratschluß gelegen habe, auch unabhängig von der Sünde Adams. Christus wäre von Anfang an gedacht gewesen als Krone der gesamten Schöpfung und als Quelle aller Gnade, auch derjenigen, die den Engeln verliehen wurde. Vgl. darüber J. Pohle-M. Gierens, Lehrbuch der Dogmatik II, 9. Aufl., Paderborn 1937, 136—139. 176—182.

[73]) Eph 1, 21; Kol 1, 16; 1 Petr 3, 22; 1 Thess 4, 15; Ez 10, 1 ff; Is 6, 2 usw.

[74]) Es erscheinen also neun verschiedene Namen und Klassen himmlischer Geister. Die willkürliche Auswahl zeigt indes, daß dabei noch nicht an die neun Chöre gedacht ist, wie sie seit Ps.-Dionysius, De coel. hierarchia 6, 2 (PL 3, 200 f), aufgezählt werden. Die *principatus* fehlen, dafür werden *caeli* genannt. Letztere

alle zusammen als *supernae virtutes atque angelicae potestates*, ähnlich wie die *Et-ideo*-Formel zuletzt von der *omnis militia coelestis exercitus* spricht. Sie alle beugen sich in Ehrfurcht vor Gottes Majestät, sie rufen *una voce* ihren Preisgesang, sie rufen ihn *sine fine*, zwei Bestimmungen, die vom irdischen Brauch der Akklamation in die Schilderung der himmlischen Liturgie hinübergedrungen sind[75]).

An dieser himmlischen Liturgie, die in orientalischen Anaphoratexten mit noch stärkeren Tönen ausgestattet wird, sind wir nun berufen teilzunehmen. Mit einer demütigen Bitte auf den Lippen läßt uns die *praefatio communis* in den Kreis der himmlischen Geister treten: *cum quibus et nostras voces ut admitti iubeas deprecamur*, und in das Dreimalheilig einstimmen.

4. Sanctus und Benedictus

Das *Sanctus* ist die Fortsetzung der Präfation. Das ist so sehr der Fall, daß die älteste Singweise des *Sanctus*[1]) einfach die Fortsetzung der ferialen Präfationsmelodie ist. Weil das *Sanctus* aber an dieser Stelle mehr ist als bloße Zitation aus dem Bericht des Propheten Isaias, weil es nicht bloß die Erinnerung wecken will, daß die Seraphim diesen Hymnus gesungen haben[2]), sondern die irdische Kirche nun am himmlischen Gesang teilnehmen soll, so erhält das *Sanctus* seine eigene selbständige Bedeutung. Daß das ganze Volk in das *Sanctus* einfällt,

möchte übrigens B. Capelle, Problèmes textuels (oben 134 Anm. 37) 145—150, aus der Reihe der Engelscharen ausschalten, indem er in der *praefatio communis* mit geänderter Interpunktion liest: *tremunt potestates caeli caelorumque virtutes*, sodaß erst von den Seraphim das *concelebrant* ausgesagt wäre. Doch ist zu beachten, daß der Verfasser mit *caeli* ganz gut, etwa im Blick auf Dn 3, 59, eine nicht näher abgegrenzte Klasse von Engelwesen meinen kann, wie es im *Te Deum* geschieht *(tibi omnes angeli, tibi caeli ...)*. Auch die Anknüpfung mit *ac (beata seraphim)* scheint eher den Anschluß an die *caeli caelorumque virtutes* zu besagen (vgl. *in sanctas ac venerabiles manus)* als den Beginn einer neuen, nur auf die Seraphim bezüglichen Aussage, zumal auch die übrigen Präfationsschlüsse den Lobgesang nicht allein den Seraphim zuteilen.

[75]) Th. Klauser, Akklamation: RAC I, 227; Peterson, Εἷς θεός 192 Anm. 1. — Das *sine fine* wird in der Pfingstpräfation von den Engeln ausgesagt (vgl. Apok 4, 8), in den übrigen Fällen von uns.

[1]) 18. Choralmesse des Graduale Romanum, ed. Vaticana, an Wochentagen von Advent und Quadragesima; übereinstimmend in der Requiemmesse.

[2]) So hat Luther das *Sanctus* aufgefaßt. Martin Luthers Deutsche Messe (1526), hrsg. von H. Lietzmann (Kleine Texte 37), Berlin 1929, S. 14.

war im christlichen Altertum selbstverständlich[3]) und ist es im Orient zum Teil bis heute[4]).

Auch im Abendland läßt noch um 530 der Liber pontificalis Papst Sixtus I. bestimmt haben: *ut intra actionem, sacerdos incipiens, populo* (l.*-us) hymnum decantare ‹t›: Sanctus*[5]). Vielleicht war es damals schon notwendig, die alte Überlieferung ins Gedächtnis zu rufen, obwohl sie auch im Text der Präfationen selbst ihre Stütze hatte, da es schon damals wie ja auch heute noch hieß: *cum quibus et nostras voces ut admitti iubeas deprecamur.* Im römischen Festgottesdienst ist der Gesang in der Folge tatsächlich auf eine Gruppe von Klerikern übergegangen[6]).

Erst auf fränkischem Boden wird wieder das Volk genannt[7]). Hier war

---

[3]) Const. Ap. VIII, 12, 27 (oben I, 47). — Gregor von Nyssa, De bapt. (PG 46, 421 C): schließe dich an dem heiligen Volke und lerne verborgene Worte, rufe mit uns das, was die sechsflügeligen Seraphim mit dem Christenvolk rufen. — Cyrill von Jerusalem, Catech. myst. V, 6 (Quasten, Mon. 101). — Chrysostomus kommt wiederholt darauf zu sprechen, z. B. In illud ‚Vidi Dominum' hom. I, 1 (PG 56, 97 f): „Oben rufen die Seraphim den dreimal heiligen Hymnus, unten sendet denselben der Menschen Menge empor". Vgl. In Eph. hom. 14, 4 (PG 62, 104); In II. Cor. hom. 18, 3 (PG 61, 527). Chrysostomus hebt öfter auch den Wert dieses gemeinsamen Singens hervor; s. In I. Cor. hom. 27, 5 (PG 61, 232); In Is. hom. 6, 3 (PG 56, 138). Vgl. J. Gülden, Liturgische Erneuerung und die Beteiligung des Volkes am Gottesdienst in der Väterpredigt: StZ 137 (1940, I) 178—186, bes. 182.

[4]) In den orientalischen Liturgien wird, obwohl die Übergangsworte der Präfation selbst nur selten davon sprechen, das *Sanctus* meist durch eine besondere Rubrik ausdrücklich dem Volke zugeteilt, wie schon in den Apostolischen Konstitutionen VIII, 12, 27 (Quasten, Mon. 220), so in den westsyrischen und in den ägyptischen Liturgien (Brightman 50. 86. 132. 176. 231); auch in der älteren byzantinischen Liturgie (ebd. 323), während es in der heutigen dem Chor zugewiesen wird, ebenso wie in der armenischen (ebd. 385. 403. 436). Vgl. Hanssens, Institutiones III, S. 392 f. 400.

[5]) Duchesne, Liber pont. I, 128. — Vgl. O. Casel, JL 1 (1921) 151.

[6]) Ordo Rom. I n. 16 (Andrieu II, 95; PL 78, 944 f): *subdiaconi regionarii.* Vgl. Ordo sec. Rom. (Andrieu II, 221; PL 78, 973): *subdiaconi.* Der Ordo Benedikts (um 1140) n. 20 (PL 78, 1033) läßt das *Sanctus* ebenso wie das *Credo* durch die *basilicarii* singen, das ist der zur betreffenden Basilika gehörige Klerus; vgl. oben I, 605 Anm. 68. Das *Sanctus* wird also auch hier niemals der Schola cantorum zugewiesen.

[7]) Ältere Überlieferung des Capitulare eccl. ord. (Andrieu III, 103): *proclamantibus omnibus clericis vel* (meist = *et) populo cum tremore et reverentia: Sanctus.* Vgl. Breviarium eccl. ord. (ebd. 181); Ordo ‚In primis' der Bischofsmesse (Andrieu II, 334; PL 78, 988): *Subdiaconi itaque, dum canitur Sanctus, post altare pergant stare,* es singen also auch andere mit. — Als Ideal schwebt in späterer Zeit wohl auch dem Ordo ecclesiae Lateranensis (ed. Fischer 44) das

es alte Überlieferung, daß das Volk das *Sanctus* singe[8]). Ja die Reformdekrete der Karolingerzeit brauchen nicht erst einzuschärfen, daß das Volk das *Sanctus* singen, sondern nur, daß der zelebrierende Priester es mit dem Volke zu Ende singen und erst dann mit dem *Te igitur* weiterfahren soll[9]).

Als Volksgesang behielt das *Sanctus* seine hergebrachte schlichte Melodie, die kaum über ein Rezitativ hinausging. Daraus erklärt es sich, daß ein karolingischer Musikschriftsteller um 830, der die Gesänge der Messe aufzählt, das *Sanctus* gar nicht erwähnt[10]). Als gemeinsamer Gesang von Priester und Volk erscheint das *Sanctus* noch im 12. Jahr-

---

vom ganzen Volke gesungene *Sanctus* vor. Aber in der Pontifikalmesse wird es doch nur *in choro* gesungen (ebd. 83 Z. 38).

[8]) Cäsarius von Arles, Serm. 73, 3 (Morin 294; PL 39, 2277), sagt von denen, die vorzeitig weggehen: *qualiter cum tremore simul et gaudio clamabunt: Sanctus, Sanctus, Sanctus. Benedictus qui venit in nomine Domini?* — Vgl. Gregor von Tours, De mir. s. Martini II, 14 (PL 1946 f). — Ein Irrtum ist es, wenn vielfach can. 3 der Synode von Vaison (529) angeführt wird als Beleg dafür, daß das *Sanctus* damals überhaupt nicht gesungen und erst eben wieder eingeführt worden sei. Es handelt sich an dieser Stelle nicht um das *Sanctus*, sondern um das Trisagion *(Aius;* vgl. oben I, 61). Siehe den Nachweis dafür bei Nickl, Der Anteil des Volkes an der Meßliturgie im Frankenreich 25—29.

[9]) Admonitio generalis (789) n. 70 (MGH Cap. I, 59): *Et ipse sacerdos cum sanctis angelis et populo Dei communi voce Sanctus, Sanctus, Sanctus decantet.* — Herard von Tours (858), Capitula n. 16 (PL 121, 765): *ut secreta presbyteri non inchoent, antequam Sanctus finiatur, sed cum populo Sanctus cantent.* — Amalar, Liber off. III, 21, 9 (Hanssens II, 326 f), verweist auf das oben erwähnte Dekret Sixtus' I. — Mit dem Aufkommen der Apologien wird diese Vorschrift aber wieder durchbrochen; vgl. noch im 9. Jh. den Meßordo des Sakramentars von Amiens ed. Leroquais (Eph. liturg. 1927) 442: *Quando tractim canitur Sanctus, idem sacerdos cursim decantet,* worauf eine Apologie folgt. Im ausgehenden 11. Jh. weist aber z. B. das Missale von St. Vinzenz über dem *Sanctus* wieder Neumen auf, offenbar für den Gesang des Priesters; Fiala 192.

[10]) Aurelian von Reaumé, Musica disciplina c. 20 (Gerbert, Scriptores de mus. sacra I, 60 f). Er bespricht Introitus, *Kyrie, Gloria,* Graduale, Alleluja, Offertorium und Communio. Vgl. Wagner, Einführung I, 58 f. Es handelt sich offenbar um die oben Anm. 1 erwähnte Melodie, die bei den Kartäusern noch im 18. Jh. allein im Gebrauch war; Wagner 114. Es scheint, daß neue, reichere Melodien für das *Sanctus* im allgemeinen erst im 11./12. Jh. geschaffen worden sind, also ein Jahrhundert später, als dies für das *Kyrie* der Fall ist. (Vgl. jedoch unten Anm. 16.) — Damit hängt auch zusammen, daß das *Sanctus* erst spät von der mehrstimmigen Komposition erfaßt worden ist. Die älteste Sammlung von zweistimmigen Meßkompositionen, das Winchester Tropar (HBS 8), enthält zwar schon 12 Versuche zum *Kyrie,* 8 zum *Gloria,* aber noch keinen zum *Sanctus* (und ebenso keinen zum *Agnus Dei).* Vgl. Ursprung 57. 119.

hundert bei Hildebert[11]) und bei Honorius[12]). Ein Zwischenglied vor dem Verschwinden des Volksgesanges war dann auch in den nördlichen Ländern die Zuweisung des *Sanctus* an den im Chor assistierenden Klerus[13]). Ein Überrest davon besteht noch heute fort, wenn im Hochamt vorgeschrieben ist, daß Diakon und Subdiakon[14]) das *Sanctus* mit dem Zelebranten zusammen sprechen. Das Übergleiten des *Sanctus* aus dem Munde des Volkes in den Bereich des Sängerchores geht Hand in Hand mit der Schaffung der jüngeren Sanctusmelodien und wird endgültig mit dem Durchbruch des mehrstimmigen Gesanges in der gotischen Periode. Es ist bezeichnend, daß dabei der Text des *Sanctus,* das im Grunde nicht mehr war als ein schlichter Ruf, eine Akklamation[15]), um für die neue Bearbeitung tauglicher zu sein, vorübergehend ähnlich wie andere Gesänge auch seine Erweiterung in Tropen erfahren hat[16]).

Honorius hebt hervor, daß auch die Orgel, die freilich noch ein sehr primitives Instrument war, in das Rufen von Volk und Klerus einfällt[17]): *Unde solemus adhuc in officio sacrificii organis concrepare, clerus cantare, populus conclamare.* Das Erklingen der Orgel *in hoc concentu angelorum et hominum* wird auch von späteren Erklärern auffällig betont[18]). Im umfangreichen liturgischen Handbuch des Durandus

---

[11]) Hildebert von Le Mans, Versus de mysterio missae (PL 171, 1182): *Hinc bene cum populo ter Sanctus ... canit.*

[12]) Honorius Augustod., Gemma an. I, 42 (PL 172, 556 D).

[13]) Ein Sakramentar des 9. Jh. von Le Mans und ebenso ein solches des 11. Jh. aus Echternach (Leroquais I, 30 f. 122): *Quando clerus ... Sanctus cantat;* vgl. Leroquais I, 59. — Robert Paululus († um 1184), De caeremoniis II, 24 (PL 177, 425 D): *Hunc hymnum sacerdos cum choro dicere debet.* — Durandus IV, 34, 1: *totus chorus ... simul canit dictum evangelicum hymnum.* Nach A. Gastoué, L'église et la musique, Paris 1936, 80, war das *Sanctus* in manchen Kathedralen lange Zeit sieben Subdiakonen vorbehalten, die vor dem Altar einen Halbkreis bildeten. Vgl. oben I, 259 Anm. 9. — Das Bewußtsein, daß der im Chor anwesende Klerus das *Sanctus* sprechen muß, ist auch noch zu Beginn des 14. Jh. lebendig, wenn es im Ordo Stefaneschis n. 61 (PL 78, 1176) vom Kardinal, der der Messe seines Kaplans beiwohnt, heißt: *dicta praefatione dicat sine nota Sanctus etc. cum astantibus sibi.*

[14]) Über den Brauch römischer Basiliken, daß es nur der Diakon tut, s. Gavanti-Merati II, 7, 11 (I, 282 f).

[15]) E. Peterson, Das Buch von den Engeln, Leipzig 1935, 58; derselbe, Εἷς θεός 234. 325,

[16]) Blume-Bannister, Tropen des Missale I (Analecta hymnica 47) S. 301 bis 369 (n. 247—283). Nicht wenige Beispiele stammen übrigens, wie die Vermerke der Herausgeber zeigen, bereits aus dem 10. Jh.

[17]) A. a. O.

[18]) Sicard von Cremona, Mitrale III, 6 (PL 213, 123 D).

ist das *Sanctus* die einzige Stelle, an der von der Orgel die Rede ist[19]). Sie hat also hier mehr als die gewöhnliche Funktion der Begleitung des Gesanges. Sie ist in ähnlicher Weise Ausdruck der Freude, wie das Erklingen der vielerlei Instrumente beim Psalmisten[20]). Man muß wohl annehmen, daß auch das Erklingen des Altarglöckchens, das, dem dreifachen *Sanctus* entsprechend, in drei Absätzen erschallt[21]), von Anfang an so gemeint war[22]).

---

[19]) Durandus, Rationale IV, 34, 10.

[20]) Vgl. Durandus, der a. a. O. zur musikalischen Begleitung des *Sanctus* bemerkt: David und Salomon hätten ja eingeführt *hymnos in sacrificio Domini organis et aliis instrumentis musicis concrepari et laudes a populo conclamari.*

[21]) Noch unser heutiges Missale Romanum kennt ebenso wie seine erste Ausgabe von 1570 nur zwei Glockenzeichen, das zum *Sanctus* und das zur Wandlung; Rit. serv. VII, 8; VIII, 6. Von einem Glockenzeichen auch kurz vor der Wandlung spricht das Dekret der Ritenkongregation vom 25. X. 1922, ohne daraus eine Vorschrift zu machen; Decreta auth. SRC n. 4377.

[22]) Die mit dem 13. Jh. einsetzenden Nachrichten über die Glockenzeichen betreffen zunächst fast ausschließlich das Zeichen zur Erhebung der Gestalten bei der Wandlung, die ja damals eingeführt wurde; vgl. Braun, Das christliche Altargerät 573—577. — Immerhin fehlen auch vor dem Missale Pius' V. Zeugnisse für ein Glockenzeichen zum *Sanctus* nicht gänzlich. Nach einer Stiftung, die in Chartres 1399 gemacht wurde, soll *dum incipietur cantari Sanctus* eines der über dem Chor aufgehängten Glöckchen geläutet werden, wobei allerdings als Begründung angegeben wird: damit das Volk auf die *levatio sacramenti* aufmerksam werde; Du Cange-Favre VII, 259. Die unter Eduard VI. († 1553) aufgenommenen Inventare englischer Kirchen weisen nicht selten Sanctusglöckchen auf (sanctus bell, santtes bell). F. C. Eeles, The Edwardian inventories for Buckinghamshire (Alcuin Club Coll. 9) 3. 5. P. Browe, Die Elevation (JL 1929) 39, der diese Stellen anführt, nimmt an, daß es sich, wie die erwähnte Stiftung allerdings andeutet, beim Glockenzeichen zum *Sanctus* nur um ein vorverlegtes Zeichen zur Wandlung handle. Das dürfte aber nicht der erschöpfende Sinn sein. Man wird das Glöckchen zuerst für die Wandlung eingeführt, es dann aber auch für das Sanctus gebraucht haben, zunächst nicht, um hier ein Zeichen zu geben, da der Gesang ja ohnehin vernehmbar war, sondern im gleichen Sinn, wie man heute zum feierlichen *Te Deum* und wie man schon vor alters zum *Gloria,* wenn es am Karsamstag wieder angestimmt wurde, alles erklingen läßt, was tönen kann. Letzterer Brauch ist bezeugt im Ordo ecclesiae Lateranensis (Mitte des 12. Jh.; Fischer 73): ...*Gloria in excelsis, et statim omnia signa pro gaudio tantae sollemnitatis in classicum pulsentur.* — Nach Gavanti-Merati II, 7, 11 (I, 282) sollte man beim Hochamt *campanas maiores* läuten, bei der Privatmesse die *campanula parva* (auf die man beim Hochamt verzichten könne, es sei denn als Zeichen für die Läuter der großen Glocke). Der Brauch, beim Hochamt zur Präfation bis zum *Sanctus* ein große Glocke zu läuten, wurde mir aus dem Stifte Hohenfurt berichtet (um 1937); das Läuten einer großen Glocke beim *Sanctus* selbst ist noch im Westerwald üblich (1947; Prof. Balthasar Fischer).

Über die Anfänge des *Sanctus* in christlicher Liturgie besteht keine volle Klarheit. Im Eucharistiegebet Hippolyts fehlt es[23]). Anderseits aber scheint es schon um die Wende des ersten Jahrhunderts zum Gebetsgut, wenn auch nicht gerade zum Eucharistiegebet, der christlichen Gemeinde Roms gehört zu haben. Denn es ist sehr auffällig, daß Clemens von Rom nicht nur den Lobgesang selbst aus der Isaiasvision anführt, sondern ihn auch mit der Stelle Dn 7, 10 einleitet, wie dies später in den meisten Liturgien des Orients geschieht:

> „Laßt uns darauf achten, wie die gesamte Menge seiner Engel bei ihm steht und seinem Willen dient; denn es sagt die Schrift: ‚Zehntausendmal zehntausend standen bei ihm und tausendmal tausend dienten ihm und sie riefen: Heilig, heilig, heilig ist der Herr Sabaoth, die ganze Schöpfung ist seiner Herrlichkeit voll'. Und auch wir, die wir einmütig und in einem Sinn versammelt sind, laßt uns anhaltend wie aus einem Munde zu ihm rufen, daß wir seine großen und herrlichen Verheißungen erlangen."[24])

Jedenfalls ist das Dreimalheilig in allen weiteren uns bekannten Liturgien vorhanden, angefangen vom Euchologion Serapions und der klementinischen Liturgie[25]). Die Annahme liegt nahe, daß schon die Urkirche das *Sanctus* gesungen hat. Vielleicht ist bei der Entstehung des Brauches das Vorbild der Synagoge irgendwie mitbestimmend gewesen[26]).

---

[23]) Oben I, 38.

[24]) Clemens Rom., Ad Corinth. c. 34. Daß hier nicht das Eucharistiegebet vorschwebt, zeigt W. C. van Unnik, 1 Clement 34 and the ‚Sanctus': Vigiliae christianae 5 (1951) 204—248. — Eine ähnlich unbestimmte Andeutung auch bei Tertullian, De or. 3 (CSEL 20, 182); vgl. Dekkers, Tertullianus 43 f. Etwas deutlicher Origenes, De princ. I, 3, 4; IV, 3, 14 (GCS Orig. V, 52 f. 346); vgl. G. Dix, Primitive Consecration Prayer: Theology 37 (1938) 261 bis 283.

[25]) Oben I, 44. 47. Eine Ausnahme bildet vielleicht das zweite der Eucharistiegebete, von denen ein arianischer Verfasser Ausschnitte zitiert in den Bruchstücken, die herausgegeben sind von G. Mercati, Antiche reliquie liturgiche (Studi et Testi 7), Rom 1902, 52 f. Vgl. P. Alfonso, L'eucologia romana antica, Subiaco 1931, 101—104.

[26]) Für die Herübernahme des *Sanctus* aus der Synagoge s. A. Baumstark, Trishagion und Qeduscha: JL 3 (1923) 18—32; Lietzmann, Messe und Herrenmahl 128 ff. 258 f; W. O. E. Oesterley, The jewish background of the Christian liturgy, Oxford 1925, 144—147. — Das im heutigen Synagogengottesdienst sogar an mehreren Stellen gebräuchliche Dreimalheilig, die Qeduscha, war darin sicher mindestens im zweiten nachchristlichen Jahrhundert schon vorhanden, und zwar als Lobgesang, den nicht nur nach Is 6, 2 die Seraphim einander zurufen, sondern an dem alle Engel (alle seine Diener) beteiligt sind, ähnlich wie dies jetzt in den christlichen Liturgien in der Regel vorausgesetzt wird, allerdings ohne daß einzelne Engelchöre hervorgehoben würden; s. den hebräischen Text bei

Jedenfalls fügt sich dieser an Worten so sparsame, aber an Gewicht so gewaltige Hymnus aus der Vision des Propheten, zumal in der gegebenen Verknüpfung, aufs beste in den Bau des Eucharistiegebetes. Alle Wohltaten und Gnadenerweise Gottes, für die wir zu danken haben, sind schließlich nur Offenbarungen seines innersten Wesens, das ganz Licht und Klarheit ist, unantastbar und ohne Makel, vor dem das Geschöpf sich nur in tiefster Ehrfurcht beugen kann — seiner Heiligkeit. Darum ist auch das erste Wort, das der Herr uns in seinem Gebet gelehrt

---

W. Staerk, Altjüdische liturgische Gebete, 2. Aufl. (Kleine Texte 58), Berlin 1930, 5; deutsche Übersetzung u. a. bei R. Stapper, Die Messe im Abendmahlssaale und in der urchristlichen Kirche (Schöninghs Sammlung kirchengeschichtlicher Quellen 5), Paderborn 1925, 22 f. — Beachtenswert ist die Tatsache, daß sich das Dreimalheilg als Lobspruch eines Engelheeres auch im VII. Buch der Apostolischen Konstitutionen findet innerhalb des als nur oberflächlich verchristlichte jüdische Gebetssammlung erwiesenen Abschnittes c. 33—38 (VII, 35, 3; Funk I, 430). Und hier ist, worauf Baumstark a. a. O. 22 ff besonderes Gewicht legt, als Antwort der übrigen Chöre der Engel Ez 3, 12 angeschlossen: Εὐλογημένη ἡ δόξα κυρίου ἐκ τοῦ τόπου αὐτοῦ, der Lobspruch, der das Dreimalheilig auch im späteren jüdischen Gottesdienst begleitet und dem in den christlichen Liturgien außerhalb Ägyptens ein ohne Zwischentext auf das Dreimalheilig folgendes *Benedictus* entspricht. Letzteres hat in der klementinischen Liturgie die Form: Εὐλογητὸς εἰς τοὺς αἰῶνας. Ἀμήν (Const. Ap. VIII, 12, 27; Funk I, 506; Quasten, Mon. 220); in den übrigen Liturgien lautet es mit geringen Varianten so wie in der römischen Messe, d. h. es ist der Ruf der Volksscharen Mt 21, 9 mit doppeltem *Hosanna* verwendet. Dieser *Hosanna-Benedictus*-Ruf müßte früh, noch auf palästinensischem Boden, im bewußten Gegensatz zur engnationalen jüdischen Formel mit dem Dreimalheilig verbunden worden sein (Baumstark 23 ff). — Gegen diese, besonders von Baumstark vertretene Annahme ist geltend gemacht worden, daß das christliche *Hosanna-Benedictus*, abgesehen von dem kurzen, kaum hieher gehörigen Spruch Const. Ap. VIII, 12, 27, erst spät nachweisbar wird, im Orient erst im 8. Jh., während es gerade die ältesten palästinensischen und antiochenischen Quellen (Cyrillus von Jerusalem, Chrysostomus, Theodor von Mopsvestia) in diesem Zusammenhang nicht anführen (in der Peregrinatio Aetheriae c. 31 erscheint es in ganz anderem Zusammenhang, als responsorialer Prozessionsruf des Volkes und ohne *Hosanna)*. Dazu kommt die starke Verschiedenheit des Dreimalheilig selbst und besonders auch der zu ihm überleitenden Sätze, die in der jüdischen Fassung nur ganz im allgemeinen von den Scharen der Engel sprechen, während die christlichen Texte stets einzelne Chöre nennen, Unterschiede, die auch der polemische Gegensatz nicht zu erklären vermag. Hanssens, Institutiones III (1932) 402 f. 404; E. Peterson, Das Buch von den Engeln, Leipzig 1935, 115—117. — Doch hält Baumstark, Liturgie comparée (1939) 55 f. 92 f, auch weiterhin an seiner These fest, allerdings ohne auf die erhobenen Einwände Bezug zu nehmen. Wahrscheinlich bleibt, wie Hanssens III, 404 anmerkt, daß für die Christen, als sie das *Sanctus* aus Is 6, 2 f in ihr Eucharistiegebet einfügten, das Beispiel der Juden irgendwie die Anregung gebildet hat.

hat: *Sanctificetur nomen tuum*[27]). Daß der Ruf dreimal erschallt, wird, auch wo eine ausdrückliche trinitarische Deutung zunächst nicht vorgenommen wurde, durch den Anklang an das tiefste Geheimnis des Christentums die Freude der Christen an diesem Gesang nur noch verstärkt haben[28]).

Auffallend ist, daß der Text des Dreimalheilig bei aller Kürze doch gegenüber dem biblischen Grundtext — und auch gegenüber dem von der Synagoge gebrauchten Text — eine Reihe von Abweichungen aufweist. Den biblischen Grundtext lesen wir in der Vulgata wie folgt: *Sanctus, sanctus, sanctus Dominus Deus exercituum, plena est omnis terra gloria eius.* Auch hier ist das Wort *Deus* bereits eine Erweiterung, die übrigens schon in der altlateinischen Bibel vorhanden war[29]). Der liturgische Text läßt das *sabaoth* unübersetzt. Gott ist der Herr der „Heere", der „Scharen". Es ist dabei nicht nur an die Scharen der Engel zu denken, sondern an das „gesamte Heer" der

---

[27]) Die Parallele, die hier zum Dreimalheilig vorliegt, hat schon Tertullian, De or. 3 (CSEL 20, 182) vermerkt: Darum sprechen wir das *Sanctificetur*, wie er folgert, als *angelorum candidati*.

[28]) Der Ansatz einer trinitarischen Deutung liegt schon vor Jo 12, 41, wenn es von Isaias mit Bezug auf Christus heißt, er habe seine Herrlichkeit gesehen. Sie spielt eine Rolle im Kampf gegen den Arianismus; s. z. B. das den Arianern entgegengestellte Bekenntnis der katholischen Bischöfe bei Victor von Vita, Hist. pers. Afric. II, 80. 100 (CSEL 7, 59. 70 f). — In späterer Zeit lassen die westsyrischen Anaphoren den Priester nach dem *Sanctus* das Gebet regelmäßig mit einer trinitarischen Paraphrase des *Sanctus* fortsetzen. In schlichtester Form ist diese schon bezeugt bei Theodor von Mopsvestia, Sermones catech. VI (ed. Rücker, Ritus bapt. et missae 30): *Sanctus Pater, sanctus quoque Filius, sanctus quoque Spiritus Sanctus.* — Im Abendland hat man später, als die *Sanctus*melodien sich bereicherten, für die diesen unterlegten Tropen vorwiegend, aber nicht durchwegs, Texte trinitarischen Inhalts gewählt; s. Blume-Bannister, Tropen n. 250 f. 253. 256 f usw. Die trinitarische Deutung auch des dreimaligen Sanctusrufes selbst findet sich regelmäßig bei den Liturgieerklärern des Mittelalters, zugleich mit dem Hinweis, daß in dem *Dominus* oder *Deus* die Einheit des göttlichen Wesens zum Ausdruck komme; so schon Remigius von Auxerre, Expositio (PL 101, 1255); Sicard von Cremona, Mitrale III, 6 (PL 213, 123 B). Auch das wird in scholastischen Kreisen hervorgehoben, daß im Gesang nach dem Brauche von Paris vom gleichen Halbchor, der das dritte *Sanctus* singt, das *Dominus Deus* angefügt werde, damit nur eine *trina prolatio* erfolge. A. Landgraf, Scholastische Texte zur Liturgie des 12. Jh. (Eph. liturg. 1931) 213.

[29]) P. Sabatier, Bibliorum sacrorum latinae versiones antiquae II, Reims 1743, 528; Baumstark, Trishagion und Qeduscha 28. — Auch in syrischer Liturgie; vgl. Dix, The shape of the liturgy 538, der darum auch das *Sanctus* von Syrien herleiten möchte.

Wesen, die Gott im Sechstagewerk erschaffen hat (Gen 2, 1)[30]. Damit stimmt auch das angeschlossene Sätzchen überein, in dem der Engelruf verkündet, daß die Herrlichkeit Gottes die ganze Erde erfüllt. Der liturgische Text hat sodann den Ruf in die Anredeform gesetzt und damit den Gebetscharakter verstärkt: *gloria tua*[31].

Bedeutsamer ist, daß im Lobgesang zur Erde der Himmel hinzugekommen ist: *coeli et terra,* und zwar in allen christlichen Liturgien[32] und nur in diesen[33]. Diese Besonderheit steht hier auf einer Linie mit der Überleitung zum Sanctusruf, in der gleichfalls alle christlichen Liturgien eine gewaltige Ausweitung vorgenommen haben[34]: Nicht mehr über dem Tempel von Jerusalem ertönt das Dreimalheilig, und es sind auch nicht mehr nur die Seraphim, die es sich zurufen, sondern der Himmel ist der Schauplatz geworden[35] und alle Chöre der seligen Geister, die ganze *militia coelestis exercitus,* sind darin vereinigt; *socia exultatione* rufen sie den Preisgesang und sie rufen ihn *sine fine.*

Noch eindrucksvoller ist das Bild, das an gleicher Stelle orientalische Liturgien entwerfen, so die ägyptische Markusanaphora, wo die Szene sich öffnet und tausendmal tausend und zehntausendmal zehntausend Engel[36] und Chöre von Erzengeln vor Gott stehen und die sechsflügeligen Cherubim „mit unermüdetem Munde und mit nie schweigenden Gottespreisungen" einander den dreimalheiligen Siegeshymnus zurufen und ihn „vor deiner großen Herrlichkeit singen, rufen, preisen, tönen und sprechen"[37].

Die Wandlungen können nicht zufällig sein[38], so wenig sie einem

---

[30]) B. N. Wambacq, L'épithète divine Jahvé Seba'ôt, Paris 1947, bes. S. 199 ff. 277 ff.

[31]) So mit geringen Ausnahmen in allen christlichen Liturgien und nur in diesen, wenn man auch den immerhin verchristlichten Text Const. Ap. VII, 35, 3 einbeziehen darf. Baumstark, Trishagion und Qeduscha 27 f.

[32]) Baumstark 28 f; Const. Ap. VII, 35, 3 zeigt auch hierin schon die Verchristlichung. Vgl. auch Serapion (oben I, 44).

[33]) Peterson, Das Buch von den Engeln 115 f.

[34]) Peterson 39—81; 113—133.

[35]) Dafür bildete das Dreimalheilig Apok 4, 8 einen Anhaltspunkt.

[36]) Dn 7, 10.

[37]) Brightman 131 f. Vgl. auch schon die Beispiele aus dem 4. Jh. oben I, 44. 47. Siehe die Übersicht über die verschiedenen Formen der Überleitung zum *Sanctus* bei Cagin, Te Deum ou illatio 65—72. Auch die gallikanischen Liturgien zeigen einen großen Reichtum des Ausdruckes, ebd. 83—95. Insbesondere sind hier vielfach neben den Engeln die Heiligen in den Lobgesang einbezogen.

[38]) Peterson 43 ff.

bewußten Plan entsprungen sein müssen. Die Ausweitung des Bildes entspricht der Sprengung der nationalen Enge des Judentums und seines an den Tempel gebundenen Kultes. Die „Herrlichkeit des Herrn“, die einst im Tempel gewohnt hat, hat auf neue, ungleich großartigere Weise in der Menschwerdung des Gottessohnes auf Erden ihr Zelt aufgeschlagen (Jo 1, 14), aber nicht mehr, um in den Grenzen eines Landes eingeschlossen zu bleiben, sondern um ein Licht zu sein zur Erleuchtung der Völker und — vollends nach der Himmelfahrt — um das Haupt zu sein, unter dem Erde und Himmel zusammengefaßt sind. Von diesem Haupt aus sollte der Geist sich ergießen über den Erdkreis hin als neue Offenbarung der göttlichen Gnade und der göttlichen Herrlichkeit[39]). Darum ist seit der Erhöhung des Gottmenschen der eigentliche Ort der Lobpreisung das himmlische Jerusalem, wo die irdische Kirche ihre Heimat hat, nach der sie pilgert, und es gehört zur Würde ihrer Liturgie, daß sie schon jetzt Teilnahme ist an den nimmer endenden Lobgesängen der Gottesstadt[40]).

Der neutestamentliche Grundton, der im Engelhymnus zum Durchbruch gekommen ist, findet seinen volleren Ausdruck im angeschlossenen Benedictusruf, der vom doppelten *Hosanna* umrahmt ist; so ertönt der Lobpreis auch hier „dem, der auf dem Throne sitzt, und dem Lamme“ (Apok 5, 13). Das *Benedictus* scheint zuerst auf gallischem Boden mit dem *Sanctus* verbunden worden zu sein[41]). Jedenfalls muß

---

[39]) In christlicher Deutung deckt sich also das *Pleni sunt coeli et terra gloria tua* zum guten Teil mit dem pfingstlichen *Spiritus Domini replevit orbem terrarum.* Die im Heiligen Geist geschenkte Gnade ist zugleich Anfang der Himmelsglorie für den Menschen und damit Anfang der endgültigen Offenbarung göttlicher Herrlichkeit. Vgl. M. Steinheimer, Die δόξα τοῦ θεοῦ in der römischen Liturgie, München 1951, 95 f. — Diese Auffassung der δόξα im Sanctusruf als Gnade des Heiligen Geistes bekunden auch die ägyptischen Liturgien, wenn sie nach dem πλήρης ὁ οὐρανός . . . mit der πλήρωσον-Epiklese weiterfahren. So schon das Euchologion des Serapion (Quasten, Mon. 61; oben I, 45); vgl. weiter Brightman 132 und Parallelen (unten 185).

[40]) Vgl. Chrysostomus, In illud ‚Vidi Dominum‘ hom. 6, 3 (PG 56, 138): „Nachdem Christus die Zwischenwand zwischen Himmel und Erde niedergelegt hat, . . . hat er uns diesen Lobgesang vom Himmel gebracht.“

[41]) Während das *Benedictus* im Orient erst seit dem 8. Jh. nachweisbar ist (vgl. oben Anm. 26), muß es in der römischen Messe mindestens im 7. Jh. schon üblich gewesen sein. Es ist nämlich in den meisten Hss des römischen Kanons, nicht in allen, vorhanden; s. Botte, Le canon 30 Apparat. Die früheste Bezeugung liegt für Gallien vor bei Cäsarius von Arles († 540), s. oben Anm. 8. Das *Benedictus* gehört denn auch zum festen Bestand der gallikanischen Messe. Es wird

der Gedanke bestimmend gewesen sein, daß die Herrlichkeit des Herrn, von der Himmel und Erde erfüllt sind, auf Erden doch erst in ihrem vollsten Glanze erstrahlt ist, als der Gottessohn im Fleische zu uns kam. Darum war sein Kommen schon in Bethlehem umklungen vom Gloriagesang der Engel und darum haben ihn zu Jerusalem die Volksscharen gepriesen mit dem Psalmenwort eben als den, „der da kommt im Namen des Herrn“[42]).

Im evangelischen Grundtext ist das *qui venit* (ὁ ἐρχόμενος) jedenfalls präsentisch gemeint: das Volk begrüßte den, der eben kam. Man könnte fragen, ob es in der Liturgie perfektisch zu verstehen sei: *qui vēnit.* Die Frage ist natürlich unabhängig davon, ob das *Benedictus* vor oder nach der Wandlung steht; denn der Lobpreis müßte dann in beiden Fällen doch auf den bezogen werden, der einst in seiner Menschwerdung zu uns herabgestiegen ist. Doch dürfte die genannte Umdeutung unnötig sein. Christus ist immer noch der Kommende. Wir beten auch immer noch um das Kommen seines Reiches, und selbst wenn wir in der Weihnachtszeit seines *adventus* gedenken, geht unser Blick ebensosehr in die

---

nämlich vorausgesetzt durch das *Post-Sanctus*, das häufig beginnt: *Vere sanctus, vere benedictus Dominus noster Jesus Christus;* Muratori II, 518. 526. 534 usw. Dazu mit vorangestelltem *Osanna in excelsis* ebd. II, 529, oder mit Wiederholung des *Benedictus* ebd. 699. Dieselbe Erscheinung auch schon in den wohl noch dem 6. Jh. entstammenden Moneschen Messen (PL 138, 866 C. 868 C. 875 B). An anderer Stelle, nämlich schon innerhalb des Kommunionteiles der Messe, in der Antwort auf das Τὰ ἅγια τοῖς ἁγίοις, wird das *Benedictus* (Mt 21, 9 und Ps 117, 26) allerdings schon gebraucht Const. Ap. VIII, 13, 13 (Quasten, Mon. 230).

[42]) Die unmittelbare Vorlage des liturgischen Textes ist wohl Mt 21, 9 mit der einen Abweichung, daß das erste *Hosanna* bei Mt lautet: *Hosanna filio David.* Für diese Fassung ist im liturgischen Text auch an erster Stelle der Wortlaut des zweiten *Hosanna* eingetreten, das tatsächlich als Lobpreis Gottes eine bessere Überleitung ergibt. Dabei wird die Form des Grundtextes Ps 117, 25 f eingewirkt haben: *O domine salvum me fac ... benedictus qui venit in nomine Domini.* In diesem Psalmenwort ist das Kommen des festlichen Zuges zum Tempel gemeint. Aber inzwischen war „der da kommt“, selbst ohne den Beisatz „im Namen des Herrn“, schon längst zu einem Namen für den Messias geworden, s. Mt 11, 3. Vgl. J. Schneider, ἔρχομαι: Theol. Wörterbuch z. N. Test. II, 664—672, bes. 666 f. Das im Psalmenwort noch in seiner ursprünglichen Bedeutung genommene *hoša-nnah* = „hilf doch“ hat im Munde der Volksscharen bereits den Sinn eines Huldigungsrufes: „Heil!“, wie besonders das *Hosanna filio David* erkennen läßt und wohl auch der Zusatz *in excelsis* zeigt; vgl. *Gloria in excelsis.* Es ist ein Lobpreis des in den Höhen Wohnenden, ein Lobpreis Gottes angesichts seiner Hulderweise, ähnlich wie es mehrfach von denjenigen, die Zeugen eines Wunders Jesu waren, heißt: sie lobten und priesen Gott. Vgl. in der byzantinischen Messe an zweiter Stelle die Fassung Ὡσαννὰ ὁ ἐν τοῖς ὑψίστοις; Brightman 385.

Zukunft wie in die Vergangenheit[43]). So ist auch seine Nähe im Sakrament ein fortgesetztes Kommen, das erst am jüngsten Tage seine Krönung findet.

Während das *Sanctus* mit dem *Benedictus* im Missale Romanum noch als ein einziger Gesang erscheint und auch in den Choralkompositionen als ein Gesang behandelt wird, sieht schon das 1600 erschienene Caeremoniale episcoporum vor, daß das *Benedictus* erst *elevato sacramento* gesungen werde[44]), eine Regel, die in jüngster Zeit zur allgemeinen Direktive erhoben worden ist[45]). Es liegt hier offenbar eine Anpassung an die Verhältnisse des polyphonen Gesanges vor, in dessen reicheren Melodien sich das *Sanctus*, das noch in durchaus annehmbarer Weise das erste *Hosanna* an sich zieht, von selbst bis zur Wandlung hin erstreckt, während das *Benedictus* mit dem zweiten *Hosanna* den Rest des Kanons ausfüllt; mit anderen Worten, es ist hier für die mit Gesang gefeierte Messe die Kanonstille völlig aufgegeben und es ist der Raum freigegeben nicht zwar für das laute Beten des Priesters, wohl aber für den Gesang des Chores, der im Grunde nur die alte Dominante des Hochgebetes, Dank und Lobpreis, weiter festhält und für das Ohr der Teilnehmer über den Kanon hin musikalisch entfaltet.

Entsprechend dem anbetenden Charakter des Doppelgesanges und dem *supplici confessione dicentes* der gewöhnlichen Überleitung zu ihm spricht der Priester — und sprechen gegebenenfalls mit ihm die beiden Leviten — das Dreimalheilig in verbeugter Haltung. Der

---

[43]) Diese zugleich oder vorwiegend futurische Bedeutung hat es offenbar auch, wenn das *Benedictus qui venit in nomine Domini* als Grabinschrift verwendet wurde, so griechisch auf dem Portal eines syrischen Felsen-Hypogäums; siehe C. M. Kaufmann, Handbuch der christlichen Archäologie, 3. Aufl., Paderborn 1922, 148. Übrigens setzen mehrere orientalische Liturgien für das einfache *qui venit* einen Doppelausdruck, der vergangenes und künftiges Kommen nebeneinanderstellt: „der gekommen ist und kommen wird". Hanssens, Institutiones III, 394 f.

[44]) Caeremoniale episc. II, 8, 70 f. — In der Pariser Kathedrale ist die gleiche Zerlegung schon 1512 bezeugt; s. unten 269. — In der Messe, die Luther 1523 vor Augen hat, wird das *Benedictus* gesungen, während Hostie und Kelch erhoben werden, was er bestehen lassen will; M. Luther, Formula missae et communionis (1523) n. 21 (Kleine Texte 36, S. 16). A. Gastoué, Le Sanctus et le Benedictus: Revue du chant grégorien 38 (1934) 163—168; 39 (1935) 12—17; 35—39, sucht von der musikalischen Seite her nachzuweisen, daß das *Benedictus* schon früher hinter die Wandlung abgedrängt gewesen sein müsse. (Nach JL 14 [1938] 549 f.)

[45]) Dekret vom 14. I. 1921, womit zugleich die betreffende Rubrik im Graduale Romanum abgeändert wurde; Decreta auth. SRC n. 4364.

Brauch ist sehr naheliegend und uralt. Nach alter römischer Überlieferung verblieb im Hochamt die Assistenz in dieser verbeugten Haltung bis zum Schluß des Kanons[46]). Nur der Zelebrant richtete sich auf, wenn der Gesang verklungen war, und setzte das Gebet fort. Nach dem vom Missale Romanum festgelegten heutigen Brauch richtete er sich schon auf, wenn er das *Benedictus* beginnt[47]). Das wird damit zusammenhängen, daß er zum *Benedictus* über sich das Kreuzzeichen bildet, von dem seit dem 11. Jahrhundert die Rede ist[48]). Bekreuzung und Segnung begleiten auch in orientalischen Liturgien auf verschiedene Weise den Lobgesang[49]).

5. *Kanongebräuche*

Wenn das Dreimalheilig vorüber war, fuhr nach ursprünglichem römischen Brauch der zelebrierende Priester im Vortrag des Hochgebetes fort mit lauter Stimme, aber, wie wir annehmen müssen[1]), nun ohne Melodie, im schlichten Rezitationston. Das Bild änderte sich mit der Ver-

---

[46]) Ordo Rom. I n. 16 (Andrieu II, 96; PL 78, 945). Nach dem vom Capitulare eccl. ord. (Andrieu III, 103 f) bezeugten römisch-fränkischen Brauch begann die Assistenz (abgesehen von den Subdiakonen) die Verbeugung schon beim *adorant dominationes.* — Vgl. Jungmann, Gewordene Liturgie 126 ff.

[47]) Ritus serv. VII, 8.

[48]) Bernardi Ordo Clun. I, 72 (Herrgott 264), wo der Priester beim Kreuzzeichen jedoch noch verbeugt bleibt und sich erst beim *Te igitur* aufrichtet. — Regel der Kanoniker von St. Victor in Paris c. 67: Martène, De ant. eccl. ritibus, Appendix (III, 791). Das Kreuzzeichen bezeugt um die gleiche Zeit, ebenfalls in Paris, Joh. Beleth, Explicatio c. 45 (PL 202, 53), der als Grund angibt: weil das *Benedictus* aus dem Evangelium genommen ist. Danach stünde das Kreuzzeichen in Parallele zu dem von Beleth gleichfalls besprochenen Kreuzzeichen am Beginn der Evangelienlesung.

[49]) In den ägyptischen Liturgien macht der Priester, wenn vom Volk das *Sanctus* gesungen wird, über sich selbst, über die Altardiener und über das Volk das Kreuzzeichen. Der armenische Ritus kennt ein begleitendes dreifaches Kreuzzeichen über Kelch und Patene. Im westsyrischen deckt der Priester während des *Sanctus* mit den Händen Kelch und Patene, worauf bei den Maroniten noch deren Bekreuzung folgt; Hanssens, Institutiones III, 395 f. — Es liegt diesen Bekreuzungen wohl der oben Anm. 39 berührte Gedanke zugrunde, daß die sich nahende Herrlichkeit Gottes für das Geschöpf Segen bedeutet oder bedeuten möge, und daß sie es ist, die die Gaben wandeln muß. In diesem Sinne überträgt schon Severian von Gabala († nach 408), De mundi creatione II, 6 (PG 56, 446 f), die Aufeinanderfolge bei Is 6, 3—7, daß der Engel zuerst das *Sanctus* singt und dann erst die feurige Kohle vom Altar nimmt, auf die Eucharistie (feurige Kohle = Hostie nach der Konsekration; vgl. oben 47 Anm. 39).

[1]) Vgl. oben 131.

pflanzung der römischen Messe auf fränkischen Boden und unser heutiger Ritus ist weithin von den hier erwachsenen neuen Gebräuchen geprägt. *Surgit solus pontifex et tacito intrat in canonem,* dieses Wort, in das eine karolingische Bearbeitung des Ersten römischen Ordo die ältere Norm umgeschmolzen hat[2]), kann als Programm gelten, nach dem von da an der Ritus im innersten Kreise der Meßfeier umgestaltet und ausgestaltet wurde.

Der Priester betritt nun allein das Heiligtum des Kanons. Bisher war er umdrängt von der Volksmenge, deren Gesänge ihn zumal in der Vormesse begleitet haben. Die Gesänge sind seltener geworden und haben nun nach dem steilen Anstieg des Hochgebetes im Dreimalheilig ihr Ende gefunden. Es herrscht heiliges Schweigen; Schweigen ist eine würdige Bereitung für die Nähe Gottes. Gleich dem Hohenpriester des Alten Bundes, der einmal im Jahr mit dem Blut der Opfertiere allein das Allerheiligste betreten durfte (Hebr 9, 7), löst sich der Zelebrant nun vom Volk und tritt vor den heiligen Gott hin, um ihm das Opfer darzubringen[3]). Er tut es in der frühmittelalterlichen Messe nicht, ohne selbst zuvor in einer demütigen Apologie seine Unwürdigkeit bekannt[4]) oder um Gottes Hilfe gebeten zu haben[5]). Auch eine Händewaschung ist

---

[2]) Vgl. oben 131.

[3]) Diese Allegorese wird mit wachsender Breite entwickelt von den karolingischen und nachkarolingischen Erklärern: Florus Diaconus, De actione miss. n. 42 f (PL 119, 43); Remigius von Auxerre, Expositio (PL 101, 1256); besonders Ivo von Chartres, De conven. vet. et novi sacrif. (PL 162, 554), der die Parallele zu Hebr 9, 7 durchführt (der Priester betritt das Heiligtum mit dem Blute Christi, d. i. mit dem Gedächtnis seines Leidens); Hildebert von Le Mans, Versus de mysterio missae (PL 171, 1183); Isaak von Stella, Ep. de off. missae (PL 194, 1889—1896); Robertus Paululus, De caeremoniis II, 23—30 (PL 177, 425—430); Sicard von Cremona, Mitrale III, 6 (PL 213, 125 B); Durandus IV, 36, 5.

[4]) Die an Apologien besonders reiche Missa Illyrica setzt an dieser Stelle dafür drei Formeln an, mit denen der Zelebrant beginnt, während noch das *Sanctus* gesungen wird. Die dritte lautet: *Facturus memoriam salutaris hostiae totius mundi, cum illius dignitatem et meam intueor foeditatem, conscientia torqueor peccatorum. Verum quia tu Deus multum misericors es, imploro ut digneris mihi dare spiritum contribulatum, qui tibi gratum sacrificium revelasti, ut eo purificatus vitali hostiae pias manus admoveam, quae omnia peccata mea aboleat et ea deinceps in perpetuum vitandi mihi tutelam infundat omnibusque fidelibus vivis et defunctis, pro quibus tibi offertur, praesentis vitae et futurae salutis commercia largiatur. Qui vivis.* Martène 1, 4, IV (I, 512 E); weitere Beispiele ebd. 1, 4, 7, 9 (I, 398). Vgl. auch Ebner 396 f.

[5]) Seit dem 11. Jh. erscheint manchmal an dieser Stelle das heute dem Brevier angehörende *Aperi.* Sakramentar von Moissac: Martène 1, 4, VIII (I, 539 E).

hier zeitweise geübt worden[6]). Die ganze Versammlung fällt auf die Knie[7]), oder, soweit Sonn- und Festtage dies verbieten, verharrt in verbeugter Haltung[8]). In vielen Kirchen des 11. und 12. Jahrhunderts beginnt der Chor der umgebenden Kleriker, im Sinn der *Orate*-Bitte des Priesters mit lauter Stimme für ihn Psalmen zu sprechen[9]). Ein förmliches Offizium begleitenden Bittgebetes, vergleichbar den orientalischen Ektenien, legte sich so vorübergehend als äußere Hülle über das leise

---

Vgl. auch die Angaben bei Leroquais I, 158 und im Register (III, 339 f). In Italien mehrfach nachgewiesen bei Ebner 396. Für Spanien s. ebd. 206 und Ferreres S. XXVIII. XXXIII. XLVIII f. Auch das *Munda cor meum* kommt hier vor (XLIX: Gerona, 14. Jh.). — In zwei Meßordines mit beneventanischer Schrift des 11./12. Jh. (Ebner 149. 329) folgt auf das *Sanctus* ein dreimaliges *Christe audi nos,* das im zweiten Fall mit weiteren, meist biblischen Bittrufen verbunden ist. Bittrufe ähnlicher Art aus späterer Zeit erwähnt Bona II, 11, 1 (745). Vgl. auch Missale von Hereford (um 1400): Maskell 111.

[6]) Oben 97 f.

[7]) Dieses Niederfallen dürfte der Anlaß gewesen sein, hier *(post offertorium et ante canonem)* ein Notgebet gegen die Tatarengefahr einzuschalten, wie es eine Synode von Mainz 1261 (Hartzheim III, 611) tut, mit Ps 78, *Pater noster* und Friedensoration; Franz 205 f. Der Fall scheint vereinzelt zu sein. Ähnliche Notgebete werden wir sonst meistens vor oder nach dem Embolismus eingefügt finden.

[8]) Zeugnisse seit dem 9. Jh.; Jungmann, Gewordene Liturgie 126 ff (vgl. oben I, 314). — Über die allmähliche Umdeutung dieses Brauches von der anbetenden Huldigung an Gott zur Verehrung des Sakramentes s. ebd. 127—131. Die verbeugte Haltung während des Kanons entspricht schon alter Überlieferung, s. oben I, 95. — Demütiges Sichbeugen vor Gottes Majestät wird wohl auch der ursprüngliche Sinn des Brauches sein, der heute noch aus verschiedenen Ländern (u. a. Polen, Portugal, Mittelamerika) gemeldet wird, daß die Gläubigen beim *Sanctus* dreimal an die Brust klopfen; Kramp, Meßgebräuche der Gläubigen in den außerdeutschen Ländern (StZ 1927, II) 359. 362. 364. 366. Vgl. auch Kramp, Meßgebräuche der Gläubigen in der Neuzeit (StZ 1926, II) 215. 217.

[9]) Vgl. oben 110. — Es war dafür eine bestimmte Ordnung ausgebildet, die in ihrer vollständigsten Form u. a. vorliegt in der Missa Illyrica: Martène 1, 4, IV (I, 513 A): Wenn der Bischof das *Te igitur* beginnt, sollen die *ministri,* bis das *Te igitur* (d. i. offenbar der Kanon) zu Ende ist, die Psalmen 19. 24. 50. 89. 90 beten. Darauf folgen eine Reihe Versikel, dann eine Oration *pro sacerdote: Gaudeat Domine,* und eine weitere *communis* (an anderer Stelle überschrieben: *pro omnibus): Precibus nostris.* Dieselbe Ordnung kehrt wieder, jedoch z. T. so, daß der 89. oder der 90. Psalm oder die zweite Oration oder die genaue Angabe des Zeitpunktes in der Rubrik fehlt, im Sakramentar von Séez: PL 78, 249; in den Meßordnungen von Lüttich und Gregorienmünster: Martène 1, 4, XV. XVI (I, 592. 599 f); in italischen Meßordnungen des 11. bis zum beginnenden 13. Jh.: Ebner 306 f. 313. 323. — In dem vor 1174 geschriebenen Sakramentar von Modena (Muratori I, 92) werden noch die Gradualpsalmen (Pss 119—133)

Kanongebet des Zelebranten[10]). Es ist nicht überraschend, wenn vereinzelt das Bestreben hervorgetreten ist, vollends auch die sichtbare Erscheinung des Priesters den Blicken zu entziehen[11]).

Anderseits erscheint im feierlichen Pontifikalamt nun nach jüngeren und heute noch geltenden Vorschriften ein Zug von Klerikern mit brennenden Wachsfackeln, die sich vor dem Altare symmetrisch verteilen[12]). Es gilt, in Weiterführung der inzwischen in Übung gekommenen Wandlungsgebräuche, zum Empfang des großen Königs bereit zu sein. In einzelnen Kirchen kam hinzu, daß zwei Kleriker rechts und links vom Altar von da an bis zur Kommunion beständig inzensierend das Rauchfaß schwangen[13]). Außerhalb des Pontifikalamtes sollten es beim Hochamt mindestens zwei Wachsfackeln sein, die angezündet werden[14]). Im gleichen Sinn wurde es schon im 13. Jahrhundert an vielen Orten üblich, möglichst bei jeder Messe die sogenannte Sanctuskerze anzuzünden[15]), ein Brauch,

---

und vor den Versikeln *Kyrie el., Christe el., Kyrie el., Pater noster* eingefügt. — Hierher gehört auch die Angabe im Ordo ‚Postquam' der Bischofsmesse (Andrieu II, 360 Z. 10; PL 78, 993 B), Diakon und Subdiakon sollen nach dem *Orate pro me* des Bischofs *quindecim grad.* singen.

[10]) Das Verschwinden des Brauches scheint zusammenzuhängen mit dem Reicherwerden der Sanctusmelodien (vgl. oben 164) und dann wohl auch mit der nun in Übung kommenden Erhebung der heiligen Hostie.

[11]) In diesem Sinn Durandus IV, 39, 1: *In quibusdam ecclesiis ... quasi tegitur et velatur.* Es ist aber auch in diesen, offenbar nicht häufigen Fällen eher ein symbolisches Verhüllen *(quasi)* gewesen, da eine wirkliche Verhüllung des Priesters mindestens seit dem 13. Jh. durch das Zeigen der Hostie bei der Wandlung ausgeschlossen wurde. Auch früher sind zwar verschiedentlich Altarvorhänge bezeugt, aber sie waren nur seitlich angebracht und dienten dem Schmuck, besonders bei Altären mit darübergebautem Ziborium, wo sie rechts und links zwischen den Säulen befestigt waren. Braun, Der christliche Altar II, 133—138; 166—171.

[12]) Caeremoniale episc. II, 8, 68: *quattuor, sex aut ad summum octo ministri.* An ihrer Spitze geht der Thurifer.

[13]) Ordinarium von Laon (13./14. Jh.): Martène 1, 4, XX (I, 608 D). Ähnlich im späten Mittelalter zu Lyon; Buenner 258. Auch in Paris und in Lüttich ist derselbe Brauch nachgewiesen; Atchley, A History of the use of Incense 265.

[14]) Missale Rom., Ritus serv. VIII, 8. So auch schon im Ordinarium von Laon (a. a. O.) für die sonntägliche Messe. — Zum gegenwärtigen Brauch s. Eisenhofer II, 163.

[15]) Reiches Material darüber bei P. Browe, Die Elevation in der Messe (JL 1929) 40—43. Abbildung aus dem 13. Jh. bei Ch. Rohault de Fleury, La messe I, Paris 1883, Tafel XX; Abbildungen aus späterer Zeit bei F. Falk, Die deutschen Meßauslegungen von der Mitte des 15. Jh. bis zum Jahre 1525, Köln 1889, 28. 30. 33. 37. 46.

der vom Missale Romanum[16]) zur Vorschrift erhoben wurde, die aber durch gegenteilige Gewohnheit fast überall wieder ihre Geltung verloren hat[17]).

Durch solche Riten wurde in der Messe des späteren Mittelalters ohne Zweifel eine lebhafte Ahnung für das Geheimnis geweckt, das sich in der Konsekration nun als neue Epiphanie des Gottmenschen vollziehen sollte. Dagegen dachte niemand mehr daran, den Gebetsworten des Priesters zu folgen, die ja meist nur mehr in der Stille geflüstert wurden, und deren Gedanken auch in ganz andere Richtung gingen. Ja sie sollten grundsätzlich für Laien unzugänglich bleiben.

Was für die Gläubigen vom liturgischen Geschehen des Kanons erreichbar blieb, war lediglich das äußere Tun des Priesters, und dieses beschränkte sich, bis im 13. Jahrhundert die Erhebung der Gestalten in Übung kam, so ziemlich auf die Ausbreitung der Arme, auf Verbeugung und Altarkuß und auf die Kreuzzeichen, die er über die Gaben bildete. Wir müssen also unser Augenmerk noch auf diese äußeren Riten richten, soweit sie im Verlauf des Kanons mehrfach wiederkehren.

Es versteht sich von selbst, daß die Grundhaltung des Priesters bei diesem aus ältester Überlieferung überkommenen Gebet ebenso wie schon in der Präfation eben die altüberlieferte Orantenhaltung blieb. Diese gleiche Haltung haben ursprünglich auch die umgebenden Kleriker und wohl auch die Gläubigen eingenommen[18]), bis für sie die Verbeugung oder das Niederknien zur vorherrschenden Regel wurde. Nur der Priester bleibt auch weiterhin mit ausgebreiteten Armen aufrecht stehen. Im Mittelalter war es da und dort üblich, beim *Communicantes* die Arme

---

[16]) Rubr. gen. XX; vgl. Ritus serv. VIII, 6.

[17]) Diese gegenteilige Gewohnheit wurde übrigens von der Ritenkongregation anerkannt (9. VI. 1899); Decreta auth. SRC n. 4029, 2. Der Brauch der Sanctuskerze ist aber noch lebendig in Spanien und Mittelamerika; ebenso an vielen Orten der Schweiz, in einzelnen Pfarreien der Diözesen Rottenburg und Würzburg, im Freiburger Münster. Kramp, Meßgebräuche der Gläubigen in der Neuzeit (StZ 1926, II) 218; derselbe, Meßgebräuche der Gläubigen in den außerdeutschen Ländern (StZ 1927, II) 352 Anm. 2; 364. Krömler 58. In Vorarlberg bestand der Brauch bis zum ersten Weltkrieg in den meisten Pfarreien; L. Jochum, Religiöses und kirchliches Brauchtum in Vorarlberg: Montfort 1 (Bregenz 1946) 280 f. Auch die Kartäuser haben ihn bewahrt; Ordinarium Cart. (1932) c. 29, 14; 32, 13. Ebenso die Dominikaner; G. Sölch, Die Liturgie des Dominikanerordens (Angelicum 1950) 32.

[18]) Oben I, 313. Vgl. die Abbildungen (9.—11. Jh.) bei Righetti, Manuale III, 357. 361, und auch die späten Überreste des Brauches bei der Wandlung, unten 263.

höher zu heben, der triumphierenden Kirche entgegen[19]). Weit verbreitet aber war der Brauch, wenigstens nach der Wandlung die Arme bis zur Kreuzesform weit auszustrecken, wie dies heute noch u. a. bei den Dominikanern üblich ist; beim *Supplices te rogamus* pflegte man sie dann vor der Brust zu kreuzen[20]), beides ein Hinweis auf den Gekreuzigten, den das ältere Christentum übrigens auch schon in der Orantenhaltung selbst erblickt hat[21]).

Die ehrfurchtsvolle Verbeugung, die nach den römischen Ordines vom umgebenden Klerus während des Kanons beibehalten wurde, machte der Zelebrant ursprünglich nur, wie wir sahen, beim *Sanctus* mit. Nach fränkischem Brauch beugte er sich nach der Wandlung noch einmal nieder, wo er die demütige Annahmebitte zu sprechen begann, beim *Supra quae*[22]) oder, so wie heute, wenigstens beim *Supplices*[23]) bis zum Schluß dieser Bitte. Die textliche Analogie der einleitenden Annahmebitte im *Te igitur* wird in der Folge dazu geführt haben, daß er sich auch schon nach dem *Sanctus* noch einmal niederbeugte[24]), um die Worte zu sprechen: *rogamus ac petimus, uti accepta habeas... haec dona.* Während dieser Brauch im 13. Jahrhundert bereits feststeht, ist die vorbereitende Gebärde des Ausbreitens, Erhebens und Schließens der Hände[25]) und im allgemeinen auch der die Verbeugung beschließende Altarkuß um dieselbe Zeit noch unbekannt[26]).

---

[19]) Peters, Beiträge 77.

[20]) Die Nachweise s. unten 274 f. 294. — Der Kartäuserritus verlangt die weit ausgestreckten Arme auch vor der Wandlung; Ordinarium Cart. (1932) c. 27, 2. Doch erscheint die Vorschrift erst im Missale von 1679 (Mitteilung aus der Kartause von Valencia).

[21]) Vgl. Dölger, Sol salutis 318 mit Anm. 4.

[22]) Capitulare eccl. ord. (Andrieu III, 104).

[23]) Vgl. Amalar, Liber off. III, 25, 5—7 (Hanssens II, 341 f). Belege aus späterer Zeit bei Sölch, Hugo 95.

[24]) Minoritenmissale des 13. Jh.: Ebner 314; vgl. Ordinarium O. P. von 1256 (Guerrini 241); Liber ordinarius von Lüttich (Volk 94). — Wenn er nicht in der beim *Sanctus* eingenommenen Haltung verharrte: Liber usuum O. Cist. c. 53 (PL 166, 1425); vgl. Sölch 88 Anm. 20. — Weil eine solche Annahmebitte, obgleich in besonderem Zusammenhang, auch im *Hanc igitur* vorliegt, finden wir im späteren Mittelalter vielfach auch hier die Verbeugung bezeugt; s. unten 233.

[25]) Es liegt offenbar derselbe Gedanke vor wie bei Beginn von *Gloria* und *Credo* und bei den Gebetsaufforderungen *Oremus* und *Gratias agamus:* ein Anfangsgestus zum Eintritt in die Gebetshaltung an wichtiger Stelle, vergleichbar dem melodischen Initium der Verse in der feierlichen Psalmodie. — Vor dem *Te igitur* hat der Gestus eine gewisse Selbständigkeit und bildet so eine voraus-

Wenn der Priester sich von dieser ersten Verbeugung nach dem *Sanctus* aufrichtet, bildet er drei Kreuzzeichen über die Opfergaben. Es sind die ersten Kreuzzeichen innerhalb des Kanons und zugleich die ältesten. Sie sind erstmalig zu Beginn des 8. Jahrhunderts bezeugt[27]). Weitere Bekreuzungen folgen im *Quam oblationem,* im Einsetzungsbericht, im *Unde et memores,* im *Per quem haec omnia.* Auch diese sind nach Ausweis der Handschriften noch im 8. Jahrhundert in Übung gekommen und wir sind Zeugen ihres Vordringens, wenn wir in einem Briefe von Papst Zacharias an den hl. Bonifatius vom 4. November 751 lesen, er habe auf dessen Bitten die Stellen, wo im Kanon ein Kreuzzeichen zu machen sei, in dem Rotulus angemerkt, den er durch Lul gesandt habe[28]). Etwas später kommen noch die Kreuzzeichen bei der Schlußdoxologie hinzu. So ist um 900 von *sex ordines crucium* die Rede[29]).

---

genommene stumme Anrufung. So wenigstens, wenn man die gewöhnliche Auffassung der Rubrik zugrunde legt, daß das *Te igitur* erst nachher, in der verbeugten Haltung, zu beginnen ist. Vgl. Merati bei Gavanti-Merati, Thesaurus II, 8, 1 (I, 284 f). Die Rubrik (Ritus serv. VIII, 1), die übrigens 1897 eine Abänderung erfahren hat, ist nicht eindeutig; s. J. B. Müller, Zeremonienbüchlein, 21. Aufl., Freiburg 1949, 74.

[26]) Sölch, Hugo 88 f. — Der Altarkuß wird vorher nur erwähnt bei Sicard von Cremona, Mitrale III, 6 (PL 213, 125), dessen Bemerkung Durandus IV, 36, 6 wiederholt: *hic osculatur altare in reverentiam passionis.* Ob mit dem letzteren Wort der ursprüngliche Sinn dieses Kusses angegeben wird, darf man bezweifeln. Wahrscheinlich handelt es sich um eine durch das *supplices rogamus* veranlaßte Nachbildung des älteren Altarkusses beim *Supplices te rogamus,* also um eine Gebärde ehrfurchtsvoller Bitte. — Schon wieder eine Weiterbildung dieses Kusses zeigt der Kölner Meßordo des 14. Jh. (Binterim IV, 3, S. 224), der den Kuß des Kreuzigungsbildes und ein Gebetswort (nach Ps 138, 16 a) hinzufügt. — Ganz isoliert steht in so früher Zeit (9. Jh.) die Rubrik im Meßordo von Amiens ed. Leroquais (Eph. liturg. 1827) 442: *Postea osculetur altare et dicat: Te igitur.* Es kann damit nur eine Begrüßung beim „Eintreten" in den Kanon gemeint sein; vgl. die Begrüßung des Altares beim Offertorium in Ordo Rom. I n. 15 (oben I, 406 Anm. 20) und die Parallele im ostsyrischen Ritus (oben II, 99 Anm. 16); hier im syromalabarischen Ritus die weitere Parallele eines wiederholten Altarkusses (zweimal in der Mitte, dann rechts und links) auch während des *Sanctus;* Hanssens, Institutiones III, 395 f.

[27]) In Cod. Reg. 316 des älteren Gelasianums; u. zw. kommt hier und in einzelnen anderen Hss zu den heute üblichen drei Kreuzzeichen ein viertes hinzu, bei *benedicas.* — Vgl., auch zu den folgenden Angaben, den Exkurs über die Kreuzzeichen im Kanon bei Brinktrine, Die hl. Messe 325—333. Einige weitere Einzelheiten bei Eisenhofer II, 171 f.

[28]) Zacharias, Ep. 13 (PL 89, 953 B). Vgl. Botte, Le canon 21.

[29]) Ordo sec. Rom. n. 10 (Andrieu II, 221; PL 78, 974). Ebenso die ungefähr gleichzeitige Expositio ‚Missa pro multis' (unten Anm. 32). — Bei Amalar,

Die Kreuze wurden, abgesehen von der Schlußdoxologie, im allgemeinen in der gleichen Anzahl gebildet wie heute[30]). Etwas jüngeren Datums sind nur die Kreuzzeichen im *Supplices te rogamus*[31]) und — an späterer Stelle — beim *Pax Domini.*

Die Deutung der Kreuzzeichen im Kanon bildete seit der Wende des 9. Jahrhunderts ein Hauptthema der mittelalterlichen Meßerklärungen[32]). Es ist klar, daß die Kreuzzeichen auf das Kreuzesopfer hinweisen sollen, das nun sakramental vergegenwärtigt wird[33]). Des näheren gilt es heute als selbstverständlich, daß das *signum crucis* eben ein Segnen bedeutet, wie dies ja schon die Etymologie des Wortes „segnen" nahelegt.

Liber off. III, 24, 6 (Hanssens II, 338 f), herrscht noch eine gewisse Unsicherheit wenigstens hinsichtlich der jedesmaligen Zahl der Kreuzzeichen.

[30]) Daß aber noch im 11. Jh. keine vollständige Einheitlichkeit bestand, zeigt Bernold von Konstanz, Micrologus c. 14 (PL 151, 986 f), der sich für die von ihm empfohlene Weise (u. a. stets ungerade Zahl) mit Nachdruck auf die Autorität Gregors VII. beruft.

[31]) In einzelnen Fällen treten aber auch hier schon früh die beiden heute üblichen Kreuzzeichen auf, so in dem um 800 geschriebenen Sakramentar von Angoulême, doch fehlen sie des öfteren noch im 11. und 12. Jh.; Brinktrine 328 f.

[32]) Die Expositio ‚Missa pro multis' c. 13 (Hanssens, Amalarii opp. III, 309 f) erklärt die *sex ordines crucium,* die im Anschluß an den Ordo secundum Romanos aufgezählt werden, durch die Beziehung der sechs Weltzeitalter zum Kreuze Christi. Seit dem 11. Jh. holen manche Erklärer für die jedesmalige Anzahl der Kreuzzeichen gerne irgendwelche Zahlensymbolik heran; Franz 415 f. 419. Wieder andere, wie Rupert von Deutz und Innozenz III., bringen einzelne Phasen des Leidens Christi mit ihnen in Verbindung (Franz 418. 455. 662) oder man vermengt alle diese Erklärungsweisen miteinander, wie es Honorius Augustodunensis tut (Franz 424). Oder man spricht, wie Berthold von Regensburg, jedem einzelnen der 25 Kreuzzeichen seine besondere Bedeutung in der Darstellung des Leidens Christi zu, mit dem Grundsatz: „Kurzes Kreuz, kurze Marter, lange Marter, langes Kreuz" (Franz 656; vgl. 695 f), oder man findet wie einer seiner Nachahmer in den 30 Kreuzzeichen (einschließlich der drei Kreuzzeichen beim *Pax Domini* und zweier weiterer im Kanon, wie sie z. B. im Freisinger Missale von 1520 stehen; s. Beck 308) 30 Wunder des Erlösungswerkes angedeutet (662 f). — Vgl. Franz 733: „Die Erklärung dieser Kreuze gewann eine um so größere Bedeutung, als die Belehrung des Volkes über den Kanon sich fast ausschließlich darauf beschränkte."

[33]) Dies betont als Hauptgrundsatz der Erklärung der hl. Thomas, Summa theol. III q. 83 a. 5 ad 3. Danach seien auch die Kreuze nach der Konsekration zu verstehen. Ähnlich schon Ivo von Chartres, De conven. vet. et novi sacrif. (PL 162, 556 C): *Quid est enim inter ipsa mysteria rebus sacratis vel sacrandis signum crucis superponere nisi mortem Domini commemorare?* Er vergleicht die Kreuzzeichen über die Gaben mit der alttestamentlichen Besprengung mit Opferblut.

Obwohl in der Kirche des ersten Jahrtausends im allgemeinen die Handauflegung als Segensgebärde das Übergewicht hatte, scheint doch, besonders auf gallischem Boden, früh das Kreuzzeichen mehr und mehr dafür eingetreten zu sein[34]). An einigen Stellen liegt der Sinn einer Segnung auch offen zutage, dort nämlich, wo das Kreuzzeichen mit Segnungsworten verbunden wird: beim zweimaligen *benedixit* der Wandlung, bei *benedictam, adscriptam, ratam,* bei *sanctificas, vivificas, benedicis.*

Aber es erscheint auch an anderen Stellen. Brinktrine stellt fest, daß die Kreuzzeichen im Kanon seit ältester Zeit nicht bloß dazu dienen, den Begriff des Segnens oder Heiligens zu verstärken, sondern auch um bestimmte heilige Worte hervorzuheben[35]). Das letztere müsse man annehmen bei den beiden Kreuzzeichen, die vor der Wandlung die Worte begleiten: *ut nobis corpus et sanguis fiat,* und bei den fünf Kreuzzeichen im ersten Gebet nach der Wandlung, bei *hostiam puram, hostiam sanctam, hostiam immaculatam, panem sanctum vitae aeternae, calicem salutis perpetuae.* Dazu kämen natürlich mindestens noch die Kreuzzeichen über die konsekrierten Gaben im *Supplices* bei *corpus et sanguinem.* Das Vorhandensein der Kreuzzeichen über die konsekrierten Gaben nach der Wandlung ist schon oft mit Verwunderung festgestellt worden, da sich eben doch unwillkürlich der Gedanke einer Segnung aufdrängt, die damit verbunden würde[36]). Eine Segnung ist an dieser Stelle offenbar nicht

---

[34]) Gregor von Tours († 594), Vitae patrum 16, 2 (PL 71, 1075): Der hl. Martinus erscheint in der ihm geweihten Kirche zu Tours am Fenster der Apsis, steigt herab und segnet das Opfer auf dem Altar, indem er die rechte Hand ausstreckt *iuxta morem catholicum signo crucis superposito.* — In einem Formular der mozarabischen Messe wird nach der Wandlung gebetet: *hanc hostiam . . . per signum crucis sanctifices et benedicas;* Férotin, Le liber mozarabicus sacramentorum S. 321. — Ein auffällig bestimmtes Zeugnis liegt aber auch schon vor von Augustinus, In Joh. tract. 118, 5 (PL 35, 1950): *quid est, quod omnes noverunt, signum Christi nisi crux Christi? Quod signum nisi adhibeatur sive frontibus credentium sive ipsi aquae, ex qua regenerantur, sive oleo, quo chrismate unguntur, sive sacrificio, quo aluntur, nihil horum rite perficitur.* — In der westsyrischen Liturgie spricht bereits Jakob von Edessa († 708) von 18 Kreuzzeichen, die über die Gaben gemacht werden; A. Rücker, Die Kreuzzeichen in der westsyrischen Meßliturgie: Pisciculi F. J. Dölger dargeboten, Münster 1939, 245—251.

[35]) Brinktrine 273. 333.

[36]) So beantragte auf dem Konzil von Trient der Ausschuß zur Behebung der *abusus missae* die Abschaffung der Kreuzzeichen nach der Wandlung; Concilium Tridentinum ed. Goerres. VIII, 917. — Eine Übersicht über die Geschichte der Deutung gibt R. Haungs, Die Kreuzzeichen nach der Wandlung im römischen Meßkanon: Benediktin. Monatsschrift 21 (1939) 249—261. Darnach hat das Mittelalter diesen Kreuzzeichen in der Regel nur kommemorative Bedeutung beigemessen,

angemessen. Aber kann der Hinweis auf die Hervorhebung heiliger Worte als Begründung genügen? Warum sollen gerade diese Worte hervorgehoben werden?

Wir müssen uns vergegenwärtigen, daß der feierliche Prosastil, wie er im römischen Kanon herrscht, die Sprache ist, die in den Rednerschulen des ausgehenden Römerreiches gepflegt wurde. Zum rednerischen Wort gehört die rednerische Gebärde. Zum rednerischen Wort, das einen vor Augen stehenden Gegenstand berührt, gehört die G e b ä r d e d e s H i n w e i s e s auf den Gegenstand, ein Grundsatz, der übrigens jede lebendige Rede und darum auch die noch natürlich und ursprünglich fließende Gebetsrede beherrscht. Obwohl solche Dinge, weil selbstverständlich, nur selten in liturgischen Büchern zur Aufzeichnung kommen, gibt es doch Beispiele dafür, und zwar nicht nur in orientalischer[37]), sondern auch in

---

wie wir eben auch feststellten, während die neuere Zeit mit wenigen Ausnahmen (darunter besonders Maldonat, s. u.) in ihnen mit mancherlei Einschränkungen Segenszeichen erblickt. — Die gleiche Annahme und das gleiche Problem übrigens schon beim Syrer Narsai († um 502); er hilft sich mit dem Hinweis: Der Priester „segnet jetzt (nach der Epiklese) nicht, weil die Geheimnisse der Segnung bedürfen, sondern um mit dem letzten (Kreuz-)Zeichen zu zeigen, daß sie vollendet sind". C o n n o l l y, The liturgical homilies of Narsai 22.

[37]) In der koptischen Cyrillus-Anaphora wird dem Priester vorgeschrieben, wenn er nach den Einsetzungsworten das Pauluswort hinzufügt (1 Kor 11, 26): „So oft ihr von diesem Brote esset und von diesem Kelche trinket ...", soll er zuerst auf das Brot und dann auf den Kelch zeigen. Ähnlich schon bei der ersten Darbringung der Gaben; B r i g h t m a n 148 Z. 17 ff; 177 Z. 29 ff. Daneben betont K y r i l l o s i b n L a k l a k († 1243) im Buch der Anleitung (ed. Graf: JL 4, 122), daß der Priester nach der Wandlung über die Gaben kein Kreuzzeichen mehr machen darf. — In der äthiopischen Apostelanaphora werden die Einsetzungsworte folgendermaßen angeführt: „Nehmet, esset: (zeigend) dies Brot (Verbeugung) ist mein Leib (zeigend) ..." und ähnlich beim Kelch. Im nachfolgenden Anamnese- und Darbringungsgebet (das noch fast unverändert den Text Hippolyts bewahrt hat, s. oben I, 38) heißt es: „und wir bringen dir dar dieses Brot (zeigend) und diesen Kelch, indem wir ..." Dieselbe Geste wird gleich darauf wiederholt bei der Bitte, Gott wolle den Hl. Geist senden „über dieses Brot (zeigend) und über diesen Kelch (zeigend)", worauf dann allerdings noch Kreuzzeichen folgen. B r i g h t m a n 232 f. — Noch deutlicher ist der Zusammenhang in der äthiopischen Markusanaphora ed. T. M. S e m h a r a y S e l i m (Eph. liturg. 1928, 510—531), wo regelmäßig jedesmal vor, während und nach der Wandlung das Demonstrativpronomen *hic (panis)* usw. vom Vermerk *signum* begleitet ist (515 ff). — In der byzantinischen Chrysostomusliturgie ist an ähnlicher Stelle eine Zeigegebärde des Diakons vermerkt. Sowohl bei den Brotworten wie bei den Kelchworten des Einsetzungsberichtes weist er mit dem Orarion hin: δειχνύει . . . τὸν ἅγιον δίσχον, bzw. συνδειχνύει . . . τὸ ἅγιον ποτήριον. Dieselbe Gebärde folgt bei der Epiklese sowohl zur Brotsgestalt wie zum Kelch; B r i g h t m a n 386 f. Übrigens übt, wie auch das συνδειχνύει andeutet, jene

römischer Liturgie[38]). Wir müssen damit rechnen, daß diese hinweisende Gebärde nachträglich, d. h. seit dem 8. Jahrhundert, zum Kreuzzeichen stilisiert worden ist[39]). Für einen solchen Umwandlungsprozeß fehlt es nicht an Beispielen und Parallelerscheinungen[40]).

Wenn wir nun den Text des Kanons daraufhin durchgehen, finden wir tatsächlich, daß jedesmal, wo die Gaben genannt sind, auch das Kreuzzeichen steht, ausgenommen beim *Hanc igitur oblationem,* wo ja schon die Ausbreitung der Hände vorgesehen ist, und ausgenommen vielleicht das Wort: *qui tibi offerunt hoc sacrificium laudis,* mit dem das Opfer nur im Vorübergehen erwähnt wird. Ja vielleicht liegt in der Admonitio synodalis aus dem 9. Jahrhundert ein Dokument vor, das uns den Übergang selber in aller Anschaulichkeit verfolgen läßt[41]). Es drängt sich

---

Zeigegebärde auch der byzantinische Priester (für den es nur wenig geschriebene Rubriken gibt; vgl. J. Doens, De hl. Liturgie van o. H. V. J. Chrysostomus, 3. Aufl., Chevetogne 1950, S. XIV f).

[38]) In den Rekonziliationsorationen, die das im 9. Jh. geschriebene, auf römischen Brauch zurückgehende Pontifikale von Poitiers für den Gründonnerstag bietet, müssen Presbyter, während der Bischof die Orationen spricht, jedesmal, wenn es darin heißt: *hos famulos tuos* usw., mit der rechten Hand *vice pontificis* die daliegenden Büßer berühren; J. Morinus, Commentarius historicus de disciplina in administratione sacramenti paenitentiae, Antwerpen 1682, Appendix S. 67. Das Berühren hat hier allerdings zugleich den Sinn einer Handauflegung.

[39]) Die Annahme, daß das Kreuzzeichen hier nicht zum Segen, sondern zum Zeigen dient, wurde schon vertreten von J. Maldonat S. J. († 1583), De caeremoniis II, 21 (bei F. A. Zaccaria, Bibliotheca ritualis II, 2, Rom 1781, 142 f; vgl. 131 f).

[40]) Es ist hier vor allem hinzuweisen auf die Umwandlung der Handauflegung als Segnungsgebärde in das Kreuzzeichen über das zu segnende Objekt. So verbinden wir mit dem *Indulgentiam* vor der sakramentalen Lossprechung noch heute die Spur einer Handauflegung, wie sie ehemals mit der Formel verbunden war, außerhalb derselben aber nur mehr das Kreuzzeichen; vgl. Jungmann, Die lateinischen Bußriten 263 f. — Aber auch sonst vertritt das Kreuzzeichen gelegentlich schon früh irgendeine deutende Gebärde, so wenn im Ordo Rom. I n. 21 (Andrieu II, 107; PL 78, 947) der Regionalsubdiakon, wenn die Kommunion des Volkes zu Ende ist, dem Leiter der Schola das Zeichen gibt, den Kommunionpsalm mit *Gloria Patri* zu beschließen: *aspicit ad primum scholae, faciens crucem in fronte sua, annuit ei dicere Gloriam.* Der Wink ist zum Kreuzzeichen stilisiert, ähnlich wie die einfache Anrede an das Volk zum religiösen Gruß des *Dominus vobiscum* stilisiert ist. — Übrigens sind wir auch in der Gegenwart Zeugen einer genau parallelen Erscheinung, wenn in der Kunstschrift, mit der religiöse Texte geschrieben werden, vielfach das Kreuzzeichen an die Stelle von Interpunktionen tritt.

[41]) In der Fassung bei Ratherius von Verona († 974; PL 136, 560 A): *Calicem et oblatam recta cruce signate, id est non in circulo et varicatione* (al. *variatione,* PL 135, 1071 D; *vacillatione,* PL 132, 459 A. 461 A) *digitorum, ut plurimi faciunt, sed strictis duobus digitis et pollice intus recluso.* Der Passus fehlt zwar in einem

also die Vermutung auf, daß die ursprüngliche Gebärde innerhalb des Kanons die Zeigegebärde war, die als solche in den liturgischen Texten nicht vermerkt wurde, und zwar nicht nur an den drei oben hervorgehobenen Stellen, sondern mindestens auch im *Te igitur*, wo im Kanon zum erstenmal die Annahmebitte ausgesprochen wird: *uti accepta habeas et benedicas haec dona, haec munera, haec sancta sacrifica illibata.* Durch das *benedicas* veranlaßt, mag dann hier zuerst die Umwandlung in das Kreuzzeichen erfolgt sein[42]), während sich an anderen Stellen zunächst noch die Hinweisgebärde gehalten hat, die als solche unerwähnt blieb.

Wenn wir den Sinn dieser Hinweisgebärde noch näher erwägen, so werden wir sagen müssen: Da es sich um die Darbringung von Gaben handelt, die wir dem unsichtbaren Gott nicht anders übergeben können als durch den zeichenhaften Ausdruck von Wort und Gebärde, so wird diese Hinweisgebärde dort, wo sie die Annahmebitte begleitet *(petimus uti accepta habeas; offerimus praeclarae maiestati tuae)* zum Oblationsgestus. Es ist nicht der einzige Gestus, der die Oblation in sichtbarer Weise zum Ausdruck bringt. Es war schon von der Verbeugung die Rede, die mit der Annahmebitte verbunden wird[43]). Auch die Ausbreitung der Hände über die Gaben enthält die gleiche Symbolik. Wir erinnern uns, daß wir schon bei Hippolyt von Rom die Vorschrift trafen, der Bischof möge das Eucharistiegebet sprechen, indem er die Hände über die Gaben legt[44]). Diese Handauflegung, die den gleichen Gedanken nur mit größerem Nachdruck darstellt, hat sich als dauernde, das ganze Eucharistiegebet begleitende Gebärde nicht durchgesetzt. Sie ist nur im *Hanc igitur* bis heute erhalten geblieben oder vielmehr wieder zur Geltung gekommen. Auch beim *Supra quae propitio* ist sie zeitweise geübt worden[45]). Im übrigen wurden die Hände im Fortgang des Hoch-

Teil der überlieferten Texte (s. über diese H. Leclercq, DACL VI. 576—579), war aber mindestens im 10. Jh. vorhanden. In der gerügten freien Hand- und Fingerbewegung könnte noch die alte rednerische Gebärde vorliegen, die nun durch das Kreuzzeichen abgelöst werden soll. Über die Haltung der Finger beim Segnungsgestus s. Eisenhofer I, 280 f.

[42]) Dem entspricht die Tatsache, daß beim ältesten Vorkommen dieser Bekreuzung auch das *benedicas* ein Kreuz aufweist; s. oben Anm. 27.

[43]) Vgl. oben 178. Vgl. die genau entsprechenden Gebräuche beim Offertorium, oben 60 f. 64 f.

[44]) Oben I, 38. Dieselbe Vorschrift auch im Testamentum Domini I, 23 (Quasten, Mon. 249).

[45]) Balthasar von Pforta O. Cist. bezeugt sie gegen Ende des 15. Jh. als Brauch der Weltpriester in Deutschland. Franz 587.

gebetes für die gewöhnliche Gebetshaltung des Hinstrebens zu Gott freigegeben. Nur wo das Opferwort darnach ruft, weisen sie auf die Gaben hin, die Gott gehören sollen. Von hier aus gesehen erscheint es sodann durchaus nicht sinnwidrig, wenn sich mit dem immer noch deutlichen Hinweis das Zeichen des Kreuzes verbunden hat und wenn so unsere Hingabe schon hier in die Opferhingabe des Herrn am Kreuze sichtbar einmündet. Die hinweisenden Kreuzzeichen sind also nur ein anderer Ausdruck dafür, daß wir die Gaben, die auf dem Altare liegen, Gott in Demut darbringen möchten, und sie stehen mit dieser Bedeutung neben der Auflegung der Hände über die Gaben, neben der Verbeugung, die die Annahmebitte begleitet, und neben dem Emporheben von Kelch und Hostie, das wir mit der Schlußdoxologie verbinden.

6. Te igitur. Die Annahmebitte

Das erste, was uns im Wortlaut des Kanons nach dem *Sanctus* begegnet, ist eine Darbringung der Gaben in der feierlich-demütigen Form der Bitte um gnädige Annahme. Eine solche Darbringung ist an dieser Stelle nicht selbstverständlich. Sie liegt in der Linie des Offertoriums, näherhin der *oratio super oblata*, der Darbringung auch schon der irdischen Gaben, die für die römische Messe bezeichnend ist. Anderen Liturgien ist eine solche Darbringung wie auch die Einschaltung der nun folgenden Fürbitten nach dem *Sanctus* unbekannt. Sie schlagen vielmehr von da auf kürzerem Wege eine Brücke zu den Einsetzungsworten, sei es, daß sie erst hier noch das christologische Thema des Dankgebetes entwickeln, wie die westsyrischen und die byzantinischen Formulare[1]), sei es, daß sie in freierer Weise die Lobpreisung weiterführen, wie es vielfach im *Post-Sanctus* der gallischen Liturgien geschieht[2]), sei es, daß sie eine Epiklese an das *Pleni sunt coeli* anknüpfen, wie dies die ägyptischen Liturgien tun[3]).

---

[1]) Vgl. oben I, 53 f. In der Basiliusliturgie geschieht es in sehr ausführlicher Weise.

[2]) In kurzer und typischer Weise z. B. in der ersten Messe des Missale Gothicum: *Vere sanctus, vere benedictus Dominus noster Jesus Christus Filius tuus, manens in coelis, manifestatus in terris. Ipse enim pridie quam pateretur;* Muratori II, 518. — Es scheint, daß auch in der gallischen Messe die Grundform des *Post-Sanctus* eine christologische Weiterführung des Dankgebetes war; Cagin, Te Deum ou illatio 381—385.

[3]) So die Markusanaphora (Brightman 132): „Wahrhaft voll ist Himmel und Erde deiner heiligen Herrlichkeit durch die Erscheinung unseres Herrn und

Den Übergang vom *Sanctus* zu dieser Darbringung im *Te igitur* hat man unvermittelt und das Wort *igitur*, mit dem die Verbindung äußerlich hergestellt wird, unverständlich gefunden[4]). Dieses Wort hat denn auch bis in die Gegenwart herein recht verschiedene Deutungen erfahren[5]). Allein es handelt sich offenbar nur darum, das nun beginnende darbringende Tun, das in der Annahmebitte zum Ausdruck kommt, anzuknüpfen an das vorausgehende Dankgebet der Präfation, mit dem es im Grunde schon in Gang gesetzt war[6]). Es ist dasselbe *igitur*, das im *Exultet* des Karsamstags nach dem ersten Abschnitt, der *laus cerei*, zur Darbringung überleitet[7]), nur ist die Verbindung an unserer Stelle noch enger und natürlicher. Wir müssen uns daran erinnern, wie nahe beisammen im altchristlichen Denken Danksagen und Darbringen sind. Was bis ins 3. Jahrhundert vorwiegend Danksagung, εὐχαριστία

Gottes und Heilandes Jesus Christus. Erfülle, o Gott, auch dieses Opfer mit deinem Segen durch die Herabkunft deines allheiligen Geistes; denn Er, unser Herr und Gott und Allkönig Jesus Christus, nahm in der Nacht...". Vgl. oben 170 Anm. 39.

[4]) Auf dieser Feststellung ist ein Teil der oben I, 64 Anm. 1 angeführten Kanontheorien aufgebaut; vgl. z. B. P. Drews, Zur Entstehungsgeschichte des Kanons in der römischen Messe (Tübingen 1902, bes. S. 23), der den drei folgenden Gebeten darum ihren Platz anwies nach der Wandlung vor dem *Memento etiam*. — Die Unverständlichkeit des *igitur* wird auch noch beklagt von Fortescue 328 f.

[5]) Die Frage ist: Für welchen Begriff des nun beginnenden Gebetes soll durch das *igitur* auf eine im Vorausgehenden vorhandene Begründung oder Erklärung zurückverwiesen werden? Es wird dafür u. a. genannt die Anrede *clementissime Pater*, da ja auch in der Präfation die Vateranrede gebraucht sei (J. de Puniet, De liturgie der mis, Roermond 1939, 196 f, und schon F. X. Funk, Kirchengeschichtliche Abhandlungen III, Paderborn 1907, 87 f); die Formel *per Jesum Christum*, die auch in der Präfation steht (Brinktrine, Die hl. Messe 185); das *supplices* der Annahmebitte, weil es das *supplici confessione dicentes* wiederaufnehme (Baumstark, Das ‚Problem' des römischen Meßkanons [Eph. liturg. 1939] 241 f); das vertrauensvolle *rogare*, weil durch die Dazwischenkunft der Engel der Weg zu Gott eröffnet ist (J. Bona, De sacrificio missae V, 8 [Bibliotheca ascetica 7, Regensburg 1913, 119]); das *rogamus ac petimus uti accepta habeas*, worin das Oblationsgebet der Secreta wieder aufgegriffen werde (V. Thalhofer, Handbuch der katholischen Liturgik II, Freiburg 1890, 199); endlich das *benedicas*, weil dem heiligen Gott, den wir im Dreimalheilig gepriesen haben, nur heilige Gaben gebühren (Eisenhofer II, 173). Schließlich wird erklärt, das *igitur* sei ohne Bedeutung und nicht zu übersetzen (B. Botte, La Maison-Dieu 23 [1950, IV] 38).

[6]) Vgl. in diesem Sinn Batiffol, Leçons 237. — Ebenso schon bei Odo von Cambrai († 1113), Expositio in canonem missae c. 1 (PL 160, 1055 A).

[7]) *In huius igitur noctis gratia suscipe, sancte Pater, incensi huius sacrificium vespertinum.* Das darnach wieder aufgenommene *praeconium* wird dann ein zweitesmal mit dem gleichbedeutenden *ergo* ins Bittgebet übergeführt: *oramus ergo te Domine.*

geheißen hat, heißt von da an vorwiegend Darbringung, *oblatio*[8]). Die Messe ist eine Danksagung, die in der Darbringung einer heiligen Gabe gipfelt; sie ist eine Darbringung, die aber so geistig ist, daß sie selber nur Dank zu sein scheint. Die Ausdrücke *sacrificium laudis* und *oblatio rationabilis* betonen ja im römischen Kanon selbst diese Geistigkeit des Opfers. Anderseits dürfen wir im *Gratias agamus* nicht lediglich eine Aufforderung zum Dank in Worten hören. Es ist darin selbstverständlich ein christliches *gratias agere,* eine Eucharistia gemeint, eine Danksagung, die opfernd in die Selbsthingabe Christi einmündet. Darum war es auch möglich, daß das *Gratias agamus* gelegentlich im Sinn der Darbringung erweitert wurde[9]), ebenso wie der Ausdruck des Dankes innerhalb der Präfation sich mit Umschreibungen des Opfers verbunden hat. Letztere Erscheinung treffen wir in außerrömischer[10]) wie in römischer Liturgie[11]). Besonders augenscheinlich ist dieses Ineinandergreifen von Dank- und Opferausdrücken im zweiten Eucharistiabruchstück, das in den arianischen Fragmenten zitiert wird[12]) und das zugleich deutliche Anklänge an unser *Te igitur* enthält:

---

[8]) Oben I, 31 ff. 225 ff. — Im Keim war die Idee einer Darbringung auch schon in der jüdischen Berachah mitgegeben; D i x, The shape of the liturgy 272. Vgl. oben I, 27 Anm. 63.

[9]) Vgl. oben 142 f.

[10]) Vgl. die Basiliusliturgie in ihrer schon vor Basilius anzusetzenden Grundgestalt, oben 158 Anm. 62. Auch in der Markusanaphora geht die Danksagung schon in den Fragmenten des 4. Jh. alsbald in eine Darbringung über ... Ἰησοῦ Χριστοῦ, δι' οὗ σοὶ . . . εὐχαριστοῦντες προςφέρομεν τὴν θυσίαν τὴν λογικήν, τὴν ἀναίμακτον λατρείαν ταύτην; Q u a s t e n, Mon. 44 f; vgl. B r i g h t m a n 126. 165. — Im gallischen Liturgiebereich enthalten den Gedanken des Opfers z. B. zwei Sonntagspräfationen im Missale Gothicum (M u r a t o r i II, 648 f. 652), einem Dokument, in dem die Präfation ja allgemein den Namen *immolatio* trägt, ebenso wie sie in der mozarabischen Messe *illatio* heißt.

[11]) Eine im Leonianum wie in den gelasianischen Sakramentaren (M o h l b e r g n. 27; vgl. die Fundorte S. 293) vorhandene Weihnachtspräfation beginnt: *VD. Tua laudis hostiam immolantes,* worauf nach den alttestamentlichen Vorbildern des christlichen Opfers deren weihnachtliche Erfüllung geschildert wird. Für weitere Beispiele im Leonianum s. M u r a t o r i I, 303 (n. XXIV). 403; vgl. auch oben 154. — Außerdem kennt das Leonianum eine hieher gehörige Formel der Überleitung zum *Sanctus;* sie lautet: (an Märtyrerfesten: ... *quorum gloriam hodierna die recolentes) hostias tibi laudis offerimus, cum angelis etc.* (M u r a t o r i I, 296; ebenso I, 332. 392); oder: ... *hostias tibi laudis offerimus. Per* (ebd. 336. 391. 396. 397); oder auch: ... *hostias tibi laudis offerimus etc.* (ebd. 318).

[12]) G. M e r a t i, Antiche reliquie liturgiche, Rom 1902, 52 f.

Dignum et iustum est... (es folgt die Schilderung des Erlösungswerkes). *Cuius benignitatis agere gratias tuae tantae magnanimitati quibusque laudibus nec sufficere possumus, petentes de tua magna et flexibili pietate accepto ferre sacrificium istud, quod tibi offerimus stantes ante conspectum tuae divinae pietatis, per Jesum Christum Dominum et Deum nostrum, per quem petimus et rogamus.*

Mit dem *Te igitur* und seiner Annahmebitte wird also einfach der Faden in bestimmterer Form, mit dem Blick auf die Gaben, wieder aufgenommen, der in der Präfation begonnen wurde.

Diesem Wiederaufnehmen nach dem Ruhepunkt des *Sanctus* entspricht es, daß sowohl die Anrede wie die Mittlerformel wiederkehrt, die Anrede nicht mehr in der dreigliedrigen, hochfeierlichen Form wie am Beginn der Präfation, sondern in der dem zweiten Glied: *sancte Pater* entsprechenden Fassung: *clementissime Pater.* Diese sonst kaum vorkommende Anrede ist wohl von der Nähe des gnadenreichen Geheimnisses eingegeben[13]). An der Mittlerformel ist hier bemerkenswert, daß sie nicht, wie sonst immer, am Schluß eines Gebetes oder eines Gebetsabschnittes erscheint, sondern an ihrem Anfang. Sie steht hier deutlich als Ergänzung des *rogamus ac petimus:* wir bringen unsere Bitten vor Gottes Thron durch unseren Anwalt und Mittler Jesus Christus. Die Zusammengehörigkeit der Gläubigen mit dem erhöhten Christus steht hier noch so lebhaft im Bewußtsein, daß sie auch ohne den Zwang einer Schlußformel ins Gebet einfließt.

Die Bitte um Annahme ist eine ehrfurchtsvoll zurückhaltende Form der Darbringung, die auch im Worte *supplices* und in der begleitenden tiefen Verbeugung zum Ausdruck kommt. Die Gaben sind noch nicht geweiht, aber wir wissen, daß sie so wie die Annahme auch die Weihe von Ihm empfangen müssen; darum: *uti accepta habeas et benedicas.* In der Segnungsbitte ist, genau genommen, bereits die Bitte um die Verwandlung eingeschlossen. Sie ist insofern schon der Ansatz zu einer Epiklese, ähnlich wie sie in manchen Secretaformeln vorliegt[14]) und wie sie im *Quam oblationem* förmlicher und breiter erscheinen wird. In dieser Bitte um Segnung, die so auf das Dankgebet der Präfation folgt, liegt übrigens die genaue Parallele vor zum *gratias agens benedixit* des

---

[13]) Vgl. im Einsetzungsbericht: *elevatis oculis in coelum ad te, Deum Patrem suum omnipotentem.* Der Vatername ist sonst auch in der älteren römischen Liturgie sehr selten. Vereinzelt kommt er im Leonianum vor: Muratori I, 304 f. 320. 447. Das *clementissime* stammt, wie mich P. Leo Eizenhöfer unter Hinweis u. a. auf JL 14 (1938) 325 f aufmerksam macht, aus der höfischen Sprache.

[14]) Oben 118 f. — Vgl. auch oben 82 ff.

Einsetzungsberichtes[14a]). In beiden Fällen hat man also damals, als der römische Kanon geschaffen wurde, das Bedürfnis gefühlt, neben dem Danken noch ein förmliches Herabflehen der göttlichen Wandlungskraft zum Ausdruck zu bringen. Es war um dieselbe Zeit, als im Orient die Epiklese in Übung kam, und es ist bezeichnend, daß in der georgischen Petrusliturgie, die in ihrem Kern eine im 10. Jahrhundert entstandene Übersetzung des römischen Kanons darstellt[14b]), an dieser Stelle eine eigentliche Epiklese eingeschaltet ist[15]). Die Gaben selbst werden mit einer dreifachen Benennung bezeichnet: *haec dona, haec munera, haec sancta sacrificia illibata.* Man wird in diesen dreigliedrigen Ausdruck nicht zu viel hineinlegen dürfen[16]). Alle drei Benennungen kommen zur Bezeichnung derselben Sache, nämlich der materiellen Gaben, auch in den Formeln der Secreta vor. An unserer Stelle sind sie zur Verstärkung des Ausdruckes aneinandergefügt, entsprechend einem Stilgesetz, das auch sonst im Kanon wirksam ist. Deutlich ist eine Steigerung zu spüren:

[14a]) J. Gassner, The canon of the mass, St Louis 1949, 177—185. Gassner weist noch hin auf die Verstärkung dieser Parallele durch die beidermalige Nennung des himmlischen Vaters und durch den beidermaligen Aufblick zu ihm (185).

[14b]) H. W. Codrington, The liturgy of S. Peter (LQF 30), Münster 1936; J. M. Hanssens, La liturgie romano-byzantine de s. Pierre: Orientalia christ. Periodica 4 (1938) 235—258; 5 (1939) 103—150.

[15]) Codrington 158, wo der georgische Text wie folgt wiedergegeben wird: nous nous prosternons et te prions de recevoir et de bénir ces dons qui sont à toi et d'envoyer ton Esprit-Saint sur ces dons ici présents et sur ce sacrifice, pourque tu l'acceptes avec bienveillance, que nous t'offrons d'abord... Die Meinung von A. Baumstark (Mohlberg-Baumstark, Die älteste erreichbare Gestalt 33*), daß diese Epiklese als ein früh verlorengegangenes Stück des römischen Grundtextes zu betrachten sei, ist nicht mehr haltbar. Es ist vielmehr, wie auch die ziemlich ungeschickte Form der Einfügung bestätigt, ein nachträgliches Einschiebsel, das auf ägyptischen Einfluß zurückgeht und das übrigens im überlieferten griechischen Text der Petrusliturgie fehlt; Codrington 47 f. 182. — Den naheliegenden Gedanken, daß Gott durch den Hl. Geist die Gaben segnen möge *(ut haec spiritu tuo benedicas)*, legt auch Florus Diaconus, De actione miss. c. 44 (PL 119, 44), in die Worte des römischen Kanons hinein; Botte, Le canon 52 f.

[16]) Brinktrine, Die hl. Messe 185 f, möchte darin unter Hinweis auf Ordo Rom. I n. 48 (= zweiten Nachtrag) eine Andeutung der drei Oblaten sehen, die dem einzelnen mitkonsekrierenden Kardinalpriester auf sein Corporale gelegt wurden (worin übrigens nicht die einzige Bezeugung der Dreizahl vorliegt; vgl. oben 55). — Eine andere Deutung bei E. Peterson, Dona, munera, sacrificia: Eph. liturg. 46 (1932) 75—77. Es wird auf eine Parallele der Markusliturgie (Brightman 129 Z. 20 f) verwiesen, wo um Annahme der θυσίαι, προςφοραί, εὐχαριστήρια gebeten wird; dabei seien unter ιαεὐχαριστήρ *(= dona)* Darbringungen für die Toten, unter προςφοραί *(= munera)* solche für die Lebenden und unter θυσίαι *(= sacrificia)* die Oblationen zu verstehen, die konsekriert werden.

während die Gaben mit *dona* nur eben als Gaben bezeichnet sind, wie man sie in verschiedener Weise auch von Mensch zu Mensch zu tauschen pflegt[17]), erscheinen sie mit *munera* schon gekennzeichnet als Leistung nach fester Ordnung, als öffentlicher Dienst[18]), mit *sacrificia* endlich als die heiligen Gaben, die Gott geweiht werden[19]).

Es ist nicht unwahrscheinlich, daß sich in einem ersten Entwurf des römischen Kanons in der Form, die er bis gegen Ende des 4. Jahrhunderts besaß, an die so ausgesprochene Bitte um Annahme der Gaben sogleich das *Quam oblationem* und die Wandlung angeschlossen hat[20]). Diese Linie ist nun durch die Einfügung der Fürbitten durchbrochen worden[21]).

---

[17]) Es ist bezeichnend für das immer stärkere Zurücktreten des Opfers der Kirche vor dem vorwiegend oder allein betrachteten Opfer Christi (vgl. oben I, 120), daß schon Innozenz III., De s. alt. mysterio III, 3 (PL 217, 841 B), unter *dona* nicht mehr Gaben versteht, die wir Gott darbringen, sondern das Geschenk, das Gott uns macht in seinem Sohne (entsprechend dann die Deutung von *munera* und *sacrificia* als Leistung des Judas und der Juden). Die Erklärung wird von späteren wiederholt. Auffallend ist, daß noch Eisenhofer II, 173 *dona* als „Geschenke Gottes" versteht.

[18]) Für eine Gleichsetzung von *munus* mit λειτουργία als öffentlicher Leistung im profanen wie im religiösen Sinn s. O. Casel. λειτουργία — munus: Oriens christianus, 3. Folge 7 (1932) 289—302; H. Frank, Zu λειτουργία — munus: JL 13 (1935) 181—185.

[19]) Für *sacrificium* als Bezeichnung auch der materiellen Gabe s. oben 117. Auch der Ausdruck *sancta sacrificia illibata* erfordert nicht stärker die schon geschehene Konsekration, als die Beifügung beim Opfer des Melchisedech: *sanctum sacrificium, immaculatam hostiam,* für diese eine sakramentale Heiligung in Anspruch nimmt. *Illibata* geht auf die natürliche Unversehrtheit, die man von jeher für eine Opfergabe gefordert hat; vgl. Batiffol, Leçons 238. Immerhin mag der Gedanke an die nun geschehende Verwandlung für die starke Hervorhebung der Heiligkeit mitbestimmend gewesen sein; vgl. etwa Gihr 545.

[20]) Vgl. oben I, 70 Anm. 21. Vermuten müßte man dann allerdings, daß die Annahmebitte nur das *accepta habeas* enthalten habe, da die Bitte um Segnung ja im *Quam oblationem* mit großem Nachdruck ausgesprochen ist. Tatsächlich fehlt *et benedicas* im Sakramentar von Gellone (Botte 32 Apparat), was allerdings eher sekundär sein wird.

[21]) Daß mit *in primis* etwas Neues beginnt, hat man auch später noch gefühlt. Vgl. z. B. bei Ebner 16 die Abbildung des Kanonanfangs aus Cod. 2247 von Bologna (11. Jh.): *In primis* weist in gleicher Weise eine Initiale auf wie *Memento* und *Communicantes.* Hugo von S. Cher († 1263), Tract. super missam (ed. Sölch 27), läßt mit *in primis* den zweiten seiner elf Teile des Kanons beginnen.

7. *Allgemeine Fürbitten*

Um die Wende des 4. Jahrhunderts hat man auch in Rom begonnen, die Fürbitten ins Hochgebet hineinzuziehen, wie es im Orient wohl schon seit dem Beginn des Jahrhunderts üblich war[1]).

Fürbitten haben wir schon nach dem Bericht des Justinus mit der Eucharistiefeier verbunden gesehen[2]), aber sie gingen der Eucharistia voraus und bildeten den Abschluß des Lesegottesdienstes[3]). An gleicher Stelle haben wir bis in die Gegenwart herein das „allgemeine Kirchengebet" vorgefunden, wenn auch schon früh ein starker Schrumpfungsprozeß festzustellen war[4]). Dieser ergab sich eben daraus, daß der Kern des Fürbittengebetes in der römischen wie in anderen Liturgien nun ins innere Heiligtum des Eucharistiegebetes abgewandert war. Nur die gallischen Liturgien haben diesem Zug einer jüngeren Entwicklung widerstanden, die Fürbitten blieben bis zuletzt und bleiben in der mozarabischen Messe noch heute vor den Toren des Eucharistiegebetes, im Kreise der Gabenzurüstung, stehen. In der römischen Messe haben sich die Fürbitten, wie wir sie heute kennen, im Laufe des 5. Jahrhunderts zwischen dem *Sanctus* und der Wandlungsbitte des *Quam oblationem* in neuer Form aufgebaut, wozu dann noch das Gedächtnis der Toten nach der Wandlung gekommen ist.

Wenn wir in den *orationes sollemnes* des Karfreitags das allgemeine Kirchengebet der römischen Frühzeit erblicken dürfen[5]), so fällt der starke Kontrast in die Augen zwischen diesen älteren Fürbitten und dem neuen Aufbau derselben innerhalb des Kanons. Es ist verständlich, daß die Formulierung kürzer sein mußte. Aber wir finden aus ersteren eigentlich nur wieder das Beten *pro ecclesia sancta Dei*, das Beten *pro*

---

[1]) Oben I, 68 ff.

[2]) Oben I, 29 f. — Fürbitten müssen, u. zw. mit Nennung von Namen, auch schon im jüdischen Tempelgottesdienst mit den Opfern verbunden gewesen sein; vgl. 1 Makk 12, 11.

[3]) Allerdings umschreibt Justinus auch das Eucharistiegebet Apol. I, 67, 5 als εὐχὰς ὁμοίως καὶ εὐχαριστίας. Dabei sind aber die εὐχαί im Zusammenhalt mit I, 65, 3 eher als eine Zusammenfassung von αἶνος καὶ δόξα zu verstehen, die an letzterer Stelle vor der εὐχαριστία genannt sind. Außerdem wird auch Justins Eucharistia ein Gebet um fruchtreiche Kommunion umfaßt haben; vgl. oben I, 45. 47 f. Die von Baumstark u. a. JL 1 (1921) 6 vertretene Auffassung, daß bei Justinus schon ein Fürbittengebet innerhalb der Eucharistia anzunehmen sei, ist angesichts der anderweitigen Tatsachen unannehmbar.

[4]) Oben I, 614 ff.

[5]) Oben I, 615 f.

beatissimo papa nostro und das Beten *pro omnibus episcopis* usw., und dieses letztere eigentlich erst in jüngeren Texten, während allerdings das Gebet für die Kirche im Kanon um so deutlicher an jenes Vorbild anklingt, da hier wie dort für sie um Frieden, Schutz und Einheit gebetet wird *toto orbe terrarum.* Die Erklärung wird darin liegen, daß es sich zunächst, wie uns Innozenz I. belehrt, ja nur um die Nennung der Namen innerhalb des Kanons handelte, daß also der Hauptton auf dem *Memento* lag und daß anderseits das allgemeine Kirchengebet vorderhand ja bestehen blieb. Außerdem scheint das Gebet für den Kaiser im 5. Jahrhundert hier tatsächlich noch seine Stelle gehabt zu haben[6]). Das Gebet für die Katechumenen, deren es nur mehr wenige gab, wird man nicht mehr für so zeitgemäß gehalten haben, daß es auch im Kanon hätte Platz finden müssen[7]). Das Gebet für die Häretiker, Juden und Heiden aber war in jenen *orationes sollemnes* ohnehin eine im Vergleich mit anderen Kirchen etwas singuläre Einrichtung Roms; so blieb es weiter auf die *orationes sollemnes* beschränkt. Diese letzteren scheint man aus dem gewöhnlichen Gottesdienst erst gänzlich ausgeschaltet zu haben, als sich dafür ein vollwertiger Ersatz in der Kyrielitanei einstellte[8]). Die *deprecatio Gelasii,* die wir dafür in Anspruch genommen haben, umschließt in ihren 17 Bittrufen denn auch alle neun Nennungen der *orationes sollemnes*[9]).

Im Kanon sollten lediglich mit einem kurzen Begleitwort die entsprechenden Namen genannt werden. Dafür ist als Rahmen das *Memento* vorgesehen mit dem kurzen Vorsatzstück, das mit *in primis* beginnt. Etwas später wächst aus der gleichen Wurzel noch das *Communicantes* heraus und schließlich stellt sich als selbständiges Gebilde noch das *Hanc igitur* daneben. Sollten so im innersten Heiligtum der Liturgie schon Rechte des Individuums Anerkennung finden, so war es billig und recht, daß an der Spitze aller anderen Namen der erste Name der christlichen Gemeinschaft und diese selber stand. Das Opfer, das wir Gott in Demut darbieten und das in erster Linie unser Dank und unser Tribut sein soll an unseren Schöpfer und Vater, es wird auch gerade als Opfer und als dieses Opfer Gottes Huld und Gnade auf uns herabziehen. Möge diese

---

[6]) Oben I, 68.

[7]) Man muß allerdings damit rechnen, daß es ähnlich wie die Erwähnung des Kaisers erst später ausgefallen ist.

[8]) Oben I, 433 ff.

[9]) Auch das Gebet zu Gott *ut cunctis mundum purget erroribus* usw. ist darin enthalten. S. oben I, 434 n. VIII. IX.

vor allem[10]) zugute kommen der ganzen heiligen, katholischen Kirche. Das Gebet für die ganze Kirche ist den Christen der Frühzeit Herzenssache gewesen. Bekannt sind die Gebete der Didache (c. 9, 4; 10, 5). Wo Bischof Polykarp von Smyrna († 155/156) bei seiner Verhaftung sich noch etwas Zeit erbittet, um zu beten, da betet er laut für alle, die er gekannt hat, und „für die ganze katholische Kirche, die über den Erdkreis ausgebreitet ist“[11]). Ein anderer Märtyrerbischof, Fructuosus von Tarragona († 259), antwortet, da er im Begriffe ist, den Scheiterhaufen zu besteigen, einem Christen, der sich seinem Gebet empfiehlt, mit fester Stimme: ich muß der ganzen katholischen Kirche gedenken vom Aufgang bis zum Untergang[12]).

Nur zwei Attribute werden der Nennung der Kirche beigefügt, aber ihre ganze Größe wird darin sichtbar: die Kirche ist heilig; es ist die Versammlung derer, die geheiligt sind im Wasser und im Heiligen Geiste. *Sancta* ist das Beiwort, das man am frühesten mit der Nennung der Kirche zu verbinden sich gewöhnt hat. Und sie ist katholisch; sie ist nach Gottes gnadenreichem Plan für alle Völker bestimmt und sie ist, wie man zur Zeit, da dieses Wort in den Kanon hineingenommen wurde, schon triumphierend sagen konnte, bei allen Völkern verbreitet, *toto orbe terrarum*, ein Ausdruck, der nur das *catholica* unterstreicht[13]). Was wir für sie in aller Welt erbitten, ist der Friede *(pacificare)* oder, negativ ausgedrückt, die Behütung vor drohender Gefahr *(custodire)*, damit sie

---

[10]) Das *in primis* ist von P. Drews, Zur Entstehungsgeschichte des Kanons in der römischen Messe, Tübingen 1902, 5 Anm. 1, als sinnlos bezeichnet worden, „da doch nicht verschiedene Gaben dargebracht werden“. Ähnlich R. Buchwald, Die Epiklese in der römischen Messe (Weidenauer Studien I, Sonderabdr.), Wien 1907, 34 f. Aber das *in primis* will nicht verschiedene Gaben, sondern verschiedene Empfehlungen einleiten, die wir mit den Gaben verbinden. Das *in primis quae* würde also wiederzugeben sein: „vor allem insoferne wir sie ...“. Offenbar schwingt so in den Worten auch eine leise Begründung der Annahmebitte mit: wir bringen die Gaben ja dar „für“ die ganze heilige Kirche, zu ihren Gunsten und auch als ihre geringe Vertretung an dieser Stelle und in diesem Zeitpunkt. Vgl. J. Pinsk, Liturg. Leben 6 (1939) 1 f.

[11]) Martyrium Polycarpi c. 8, 1; vgl. 5, 1.

[12]) Ruinart, Acta martyrum (Regensburg 1859, 266).

[13]) Die Formel wird schon im 4. Jh. im liturgischen Gebrauch bezeugt durch Optatus von Mileve, Contra Parmen. II, 12 (CSEL 26, 47): *offere vos dicitis Deo pro una Ecclesia, quae sit in toto terrarum orbe diffusa.* Optatus setzt mit diesem Hinweis voraus, daß die Donatisten dieses Gebet seit ihrem 312 erfolgten Bruch mit der Kirche beibehalten haben. — Im Kanon mag die Wendung damit zusammenhängen, daß im Ausdruck *catholica* seit dem 4. Jh. der ursprüngliche Sinn mehr und mehr abgeschwächt wurde zu einem Gegensatz gegenüber der Häresie; Botte, Le canon 54.

reiche Frucht bringen, damit der Sauerteig der in ihr wohnenden Gotteskraft alle Schichten der Menschheit durchdringen kann. In ihrem Inneren aber erbitten wir für sie nach dem Beispiele des Herrn selbst (Jo 17, 21) vor allem die Einheit: daß sie bewahrt bleiben möge von Spaltung und Irrlehre, daß sie zusammengehalten werden möge durch die Liebe, das Band der einen Gottesfamilie *(adunare)*, und daß Gottes Geist selber sie leiten und regieren *(regere)* möge[14]).

Das führt weiter zur Nennung derjenigen, durch die Gottes Geist die Kirche leiten und als sichtbare Gemeinschaft zusammenhalten will. Wir finden auch in anderen Riten seit früher Zeit am Eingang des Fürbittengebetes nach der Kirche selbst jenen Namen genannt, der im jeweiligen Gesichtskreis die Leitung der Kirche darstellt[15]). Oft wird der Blick über den eigenen Bischof nicht hinausgereicht haben. Im römischen Kanon stehen an dieser Stelle als altüberlieferter Grundtext die Worte *una cum famulo tuo papa nostro illo*[16]), worauf sofort das *Memento* folgt. Die Worte sind dann außerhalb Roms bald verschiedentlich erweitert worden. Die Bezeichnung *papa* konnte z. B. noch im 6. Jahrhundert im Frankenreich auch einen Bischof meinen[17]); so finden sich erklärende Zusätze,

---

[14]) Die Bitte ist direkt bezeugt durch Papst Vigilius († 555), Ep. ad Justin. c. 2 (CSEL 35, 348): *omnes pontifices antiqua in offerendo sacrificio traditione deposcimus, exorantes, ut catholicam fidem adunare, regere Dominus et custodire toto orbe dignetur.*

[15]) In Antiochia nennt im 4. Jh. der als Zelebrant vorausgesetzte Patriarch nach dem ersten Bittruf für die ganze Kirche an zweiter Stelle seine eigene Person, Const. Ap. VIII, 12, 41 (Quasten, Mon. 225): Ἔτι παρακαλοῦμέν σε καὶ ὑπὲρ τῆς ἐμῆς τοῦ προσφέροντός σοι οὐδενίας καὶ ὑπὲρ παντὸς τοῦ πρεσβυτερίου. In der Jakobusanaphora des 7. Jh. werden an dieser Stelle „unsere Patriarchen N. N." genannt; Rücker 24 f; vgl. Brightman 89 f. — Die Verwandtschaft dieser Fürbitten (namentlich in der Hinzunahme der Diakonallitanei) mit der in Rede stehenden römischen Formel ist besonders von P. Drews für seine Kanontheorie ausgewertet worden; vgl. Fortescue 157 f. 329.

[16]) Botte, Le canon 33. Mehrere der ältesten Handschriften haben *beatissimo famulo tuo.* Das kann die ursprüngliche Lesart sein. Vgl. Brinktrine 188. — Dix, The shape of the liturgy 501, möchte den in Rede stehenden Ausdruck mit dem *Memento* verbinden: *Una cum famulo tuo... memento Domine.* Abgesehen davon, daß die Annahme stilistisch schwer zu vollziehen ist und auch in der Überlieferung keine Stütze hat, spricht dagegen, daß so die Nennung des Papstes als Nebensache aufgefaßt worden sein müßte.

[17]) Gregor von Tours, Hist. Franc. II, 27 (PL 71, 223 A). Anderseits ist *papa* schon 400 auf dem Konzil von Toledo als Benennung des Papstes gebraucht. P. Batiffol, Papa, sedes apostolica, apostolatus: Rivista di Archeologia Cristiana 2 (1925) 99—116, bes. 102; derselbe, Leçons 241 f. Vgl. H. Leclercq, Papa: DACL XIII (1937) 1097—1111.

die eindeutig den römischen Papst bezeichnen[18]). Seit dem 6. Jahrhundert wird nämlich in den Kirchen des Abendlandes die Nennung des Papstes im Fürbittengebet mehr und mehr zur festen Regel. In Mailand und Ravenna bestand der Brauch schon um 500[19]). Im Jahre 519 berichten darüber zwei Bischöfe aus einer Bischofstadt des Epirus[20]). Im Jahre 529 ist er auf Betreiben des hl. Cäsarius von Arles auf dem Konzil von Vaison für den dortigen Bereich vorgeschrieben worden[21]). Papst Pelagius († 561) verlangt die Nennung seines Namens in der Messe von den Bischöfen Toscanas: *quomodo vos ab universi orbis communione separatos esse non creditis, si mei inter sacra mysteria secundum consuetudinem nominis memoriam reticetis*[22]). Auch in Konstantinopel wurde im 6. Jahrhundert der Name des Papstes in den Diptychen genannt, und zwar seit Justinian an erster Stelle[23]).

Besonders in italischen Handschriften ist bis ins 11. Jahrhundert vielfach der Papst allein genannt[24]). Aber der Name des Bischofs konnte außerhalb Roms auf die Dauer nicht fehlen. Er erscheint auch immer regelmäßiger vorgesehen, meist in der Fassung: *et antistite nostro illo*[25]). Die weitere Ergänzung *et omnibus orthodoxis atque catholicae et apostolicae fidei cultoribus* ist in dieser oder in etwas verkürzter Fassung ebenfalls außerhalb Roms, auf gallischem Boden, zuerst nachweisbar[26]), und zwar schon in auffallend früher Zeit[27]).

---

[18]) So im irischen Stowe-Missale (um 800): *sedis apostolicae episcopo.* Ebner 398.

[19]) Ennodius, Libellus de synodo c. 77 (CSEL 6, 311); E. Bishop, The diptychs (Anhang zu Connolly, The liturgical homilies of Narsai) 113 Anm. 2.

[20]) Hormisdas, Ep. 59, 2 (CSEL 35, 672): *nullius nomen obnoxium religionis est recitatum nisi tantum beatitudinis vestrae.*

[21]) can. 4 (Mansi VIII, 727): *Et hoc nobis iustum visum est, ut nomen domini papae, quicumque sedis apostolicae praefuerit, in nostris ecclesiis recitetur.*

[22]) Pelagius I., Ep. 5 (PL 69, 398 C).

[23]) Bishop a. a. O. 111. 104 Anm. 1.

[24]) Ebner 398.

[25]) So schon einige der ältesten Hss. Die Hs des älteren Gelasianums (erste Hälfte des 8. Jh.) hat: *et antistite nostro illo episcopo;* Botte 32. — Auch die Nennung des Abtes kommt vor; s. z. B. Ebner 100. 163. 302; und zwar manchmal ohne gleichzeitige Erwähnung des Bischofs; s. Fiala 192 f. 210; Martène 1, 4, 8, 7 (I, 403 D). — Der zelebrierende Bischof, bzw. der Papst setzt an Stelle der gewöhnlichen Formel ein: *me indigno famulo tuo.* Eisenhofer II, 175.

[26]) Bishop, Liturgica historica 82.

[27]) Im Missale von Bobbio (um 700) hat der ganze Zusatz folgende Form: *una cum devotissimo famulo tuo ill. papa nostro sedis apostolicae et antistite nostro et omnibus orthodoxis atque catholicae fidei cultoribus.* Lowe, The Bobbio missal (HBS 58) n. 11; Muratori II, 777. — Durch Eph. liturg. 61 (1947) 281 f erhalte

Wer ist mit dem Wort *orthodoxi* gemeint? Es könnten damit einfach die „Rechtgläubigen“, die katholischen Christen bezeichnet sein[28]). Derselbe Begriff ist nach dem im Kanon auch sonst beliebten Stilgesetz der mehrgliedrigen Ausdrücke noch einmal umschrieben mit dem gleichbedeutenden *catholicae et apostolicae fidei cultores,* nur mit dem Unterschied, daß damit unmittelbar diejenigen bezeichnet sind, die den katholischen und apostolischen Glauben[29]) hochhalten, die ihn selbstbewußt bekennen[30]). Die erstberufenen *cultores fidei* sind nun offenbar die Hirten der Kirche, und dafür, daß mit dem Doppelausdruck sie, nicht einfach die Gläubigen, gemeint sind, spricht die Konstruktion mit *una cum:* Gott möge die Kirche (die ja schon aus der Gesamtheit der Gläubigen besteht) behüten, zusammen mit dem Papst und allen denen, die als rechtgläubige Hirten an ihrer Leitung Anteil haben[31]). Da man den Ausdruck aber in jüngerer Zeit, als man die so entstehende Tautologie mit *Ecclesia tua* kaum mehr empfand, doch vielfach auf die Gesamtheit der Gläubigen bezog, ist er z. B. im Micrologus als überflüssig bekämpft

---

ich noch Kenntnis von der Studie von B. Capelle, Et omnibus orthodoxis atque catholicae fidei cultoribus: Miscellanea hist. Alb. de Mayer I, Löwen 1946, 137—150. Capelle vertritt die Annahme, daß der Zusatz dem ursprünglichen Kanontext angehört hat, in Rom aber durch Gregor den Großen getilgt worden ist.

[28]) *Orthodoxus* im Gegensatz zu *haereticus* z. B. bei Hieronymus, Ep. 17, 2.

[29]) Der Ausdruck ist im 5. Jh. geläufig. Gelasius, Ep. 43 (Thiel 472): der Papst nennt sich *minister catholicae et apostolicae fidei.*

[30]) Cyprian, Ep. 67, 6 (CSEL 3, 740 Z. 11): *fidei cultor ac defensor veritatis* (von einem Bischof). Der Unterton des stolzen Bewußtseins klingt mit in der Inschrift am Eingang der Basilika der hl. Johannes und Paulus: *Quis tantas Christo venerandas condidit aedes, Si quaeris: cultor Pammachius fidei.* Hier bezeichnet der Ausdruck sicher nicht einen Bischof. — Brinktrine, Die hl. Messe 186, verweist auf den parallelen Ausdruck *cultor Dei,* 2 Makk 1, 19; Jo 9, 31; er hält denn auch an der Deutung unseres Ausdrucks auf alle Gläubigen fest. — Eine mauretanische Inschrift des 3. Jh. hat *cultor verbi* als Bezeichnung des Christen; C. M. Kaufmann, Handbuch der altchristlichen Epigraphik, Freiburg 1917. 127.

[31]) Vgl. Capelle a. a. O., der die sonst sich ergebende Tautologie betont. — Übrigens muß im 5. Jh. auch in Rom so wie anderswo selbst eine namentliche Erwähnung von Bischöfen führender Metropolen üblich gewesen sein, wie aus dem Schreiben von Leo dem Großen an den Patriarchen von Konstantinopel, Ep. 80, 3 (PL 54, 914 f), hervorzugehen scheint. Vgl. Kennedy, The saints 24; Duchesne, Les origines 190. Von Ansätzen zu einer solchen Praxis wird auch im 11. Jh. wieder berichtet; s. Martène 1, 4, 8, 8 (I, 403 E). Die dieser Zeit angehörige Missa Illyrica scheint auch unsere Formel so aufzufassen, wenn sie ihr die Fassung gibt: *et pro omnibus orthodoxis atque apostolicae fidei cultoribus, pontificibus et abbatibus, gubernatoribus et rectoribus Ecclesiae sanctae Dei, et pro omni populo sancto Dei:* Martène 1, 4, IV (I, 513 C).

worden, übrigens mit der wenig glücklichen Begründung, daß ja das *Memento* folge[32]).

Daß der weltlichen Obrigkeit, für die schon Paulus in den Tagen eines Nero mit Nachdruck das Gebet der gläubigen Gemeinde verlangt hatte (1 Tim 2, 2), in der Messe der stadtrömischen Liturgie keine Erwähnung geschieht, ist verständlich für die Zeit, aus der die ältesten erhaltenen Texte stammen; damals war der Papst bereits mindestens tatsächlich auch schon weltlicher Herr im Kirchenstaat. Vom oströmischen Kaisertum war kaum mehr ein Schatten zu spüren[33]). In den vorausgehenden Jahrhunderten dagegen gehörte das Gebet für den Kaiser eindeutig zum Kanon der Messe[34]). In der mailändischen Form des römischen Kanons, die eine wohl schon vor Gregor dem Großen aus Rom übernommene Textform darstellt[35]), ist die Bitte für den Herrscher noch vorhanden[36]), vereinzelt auch in anderen alten Zeugen[37]). Auf die Er-

---

[32]) Bernold von Konstanz, Micrologus c. 13 (PL 151, 985). Die Begründung Bernolds ist darum nicht zutreffend, weil im *Memento* nur für die Darbringer und für die Anwesenden, dagegen hier für die Gläubigen der Gesamtkirche Gebet in Frage kommt; so auch H. Ménard, PL 78, 275 B. — Das Sacramentarium *Rossianum* (10. Jh.; ed. Brinktrine, Freiburg 1930, S. 74) hat im *Memento* der Lebenden nach *famularumque tuarum* den ausdrücklichen Zusatz *omnium videlicet catholicorum.*

[33]) Vgl. jedoch über eine Erwähnung des byzantinischen Kaisers in der römischen Liturgie des 8./9. Jh. Biehl, Das liturgische Gebet für Kaiser und Reich 54. 55 f.

[34]) Vgl. oben I, 68. 70. — Auch schon Tertullian, Apol. c. 39, 3 (Floril. patr. 6, 110), bezeugt das gemeinsame Gebet *pro imperatoribus.* Vgl. J. Lortz, Tertullian als Apologet, Münster 1927, 292 f; Erzb. J. Beran, De ordine missae sec. Tertulliani Apologeticum (Miscellanea Mohlberg II, 7—32) 12 ff.

[35]) Vgl. P. Lejay, Ambrosien (Rit): DACL I, 1421.

[36]) Im Sakramentar von Biasca (9./10. Jh.) lautet der Zusatz: *cum famulo tuo et sacerdote tuo pontifice nostro illo et famulo tuo imperatore illo regibusque nostris cum coniugibus et prole, sed et omnibus orthodoxis.* Ebner 77; A. Ratti-M. Magistretti, Missale Ambrosianum duplex, Mailand 1913, 415. Vgl. eine ähnliche Formulierung in der von J. Pamelius, Liturgica Latina I (Köln 1571) 301, wiedergegebenen Hs: *et famulo tuo N. imperatore sed et regibus.* Der Plural erinnert an das gerade in Mailand von Ambrosianum bezeugte Gebet innerhalb der Messe *pro regibus* (oben I, 68). Es ist also nicht notwendig, an die Herrscher in den karolingischen Teilreichen seit der Reichsteilung von 843 zu denken, wie dies geschieht bei Biehl 57. — Eine von Muratori I, 131 wiedergegebene ambrosianische Hs bietet übrigens lediglich: *et famulo tuo (illo) imperatore.* Die einfache Nennung des Kaisers auch noch im mailändischen Missale von 1751, aber natürlich nicht mehr in dem von 1902; Ratti-Magistretti 240. — Die Auffassung, daß es sich bei der mailändischen Erwähnung des Kaisers um eine aus Rom übernommene ältere Übung handelt, auch bei Kennedy, The saints 21. 48. 189. —

neuerung des Römischen Kaisertums im Jahre 800 folgt die Erwähnung des Kaisers im Kanon zunächst nur ganz vereinzelt[38]). Häufiger erscheint die Nennung des Kaisers erst um das 11. Jahrhundert[39]), und hier wird sie bald wieder in Frage gestellt durch die im Investiturstreit ausgelösten Kämpfe, wie vielfach auch Ausradierungen und Streichungen im Kanontext zeigen[40]). Im allgemeinen blieb sie aber aufrecht. Die Meßerklärer seit dem 12. Jahrhundert erwähnen sie als selbstverständlich[41]). Die Formel lautete bald: *et imperatore nostro*, bald, und zunächst mit gleicher Bedeutung: *et rege nostro*[42]). Dann werden aber auch Kaiser und König nebeneinander genannt oder — ein Anzeichen des aufsteigenden Territorialismus — es wird die alleinige Nennung des Königs auf den Landesfürsten bezogen[43]).

Das Missale secundum usum Romanae Curiae des 13. Jahrhunderts, das in einer Atmosphäre des kirchenpolitischen Kampfes entstanden war, nennt wieder nur Papst und Bischof[44]). Mit seinem Vordringen und mit dem auf ihm aufbauenden Missale Pius' V. kommt die Nennung des

---

Batiffol, Leçons 243 Anm. 2, zeigt mit Hinweis auf das Leonianum, wie sehr das Gebet für das Römische Reich der Haltung der römischen Kirche des ausgehenden Altertums entsprach.

[37]) Biehl 53 f.

[38]) Wie sein Briefwechsel mit Byzanz zeigt (MGH Ep. Karol. Aevi V, 387), scheint Kaiser Ludwig II. seine Nennung *inter sacra mysteria, inter sancta sacrificia* zwar vorauszusetzen, wohl doch nicht nur in der griechischen Kirche; vgl. Biehl 55 f. Wenn der Name des Kaisers jedoch vor dem 10. Jh. in den Sakramentaren vorkommt, wie im Cod. Eligii (PL 78, 26: *et rege nostro ill.)*, so ist dies jedesmal eine große Ausnahme. Bei den Meßerklärern geschieht davon bis auf Bonizo von Sutri († um 1095) überhaupt keine Erwähnung; Biehl 48 ff.

[39]) Ebner 398.

[40]) Ebner 399; Biehl 60 f.

[41]) Biehl 49—53; Sölch, Hugo 89 f. Vgl. auch Wilhelm von Melitona, Opusc. super missam, ed. van Dijk (Eph. liturg. 1939) 333.

[42]) Wie später Egeling von Braunschweig († 1481) erklärt, war unter *rex* zu verstehen der *constitutus in suprema dignitate laicali.* Franz 548.

[43]) So vielfach, aber nicht allgemein, auch von den deutschen Meßerklärern des ausgehenden Mittelalters; Biehl 51 f. 58. Für außerdeutsche Länder vgl. Biehl 58 f; für Spanien Ferreres 146 f.

[44]) Daß dafür nur die Rücksicht auf den Papst als weltlichen Herrscher des Kirchenstaates entscheidend gewesen sei, wie u. a. auch Sölch 90 vermutet, ist schwerlich anzunehmen; der Kaiser wurde ja auch anderswo außerhalb seines Territoriums genannt. — Innozenz III., De s. alt. mysterio III, 5 (PL 217, 844), bemerkt zwar, daß man nur außerhalb Roms auch für den Bischof betet, verlangt aber mit Berufung auf 1 Tim 2, 2 ohne eine solche Einschränkung das Gebet für den weltlichen Herrscher.

Herrschers nun allgemein in Wegfall[45]). Nur auf dem Wege des Privilegs wurde frühzeitig in Spanien[46]) und 1761 in Österreich die Erwähnung des Monarchen im Kanon zugestanden[47]), ein Brauch, der in Österreich bis 1918 fortbestand[48]). Innerhalb der Rahmenformel *una cum,* die nur die Häupter der katholischen Christenheit umfassen kann, ist die Nennung des Herrschers allerdings auch nur in einem christlichen Staate möglich[49]). Im übrigen kommt das große Anliegen der politischen Ordnung als Voraussetzung des ungestörten kirchlichen Lebens wenigstens notdürftig ja in dem vorangehenden *pacificare* zum Ausdruck.

8. Das Memento für die Lebenden

Der entscheidende Grund, weshalb man in der römischen Messe das Hochgebet unterbrach und Fürbitten einschaltete, war, wie wir aus dem Briefe Innozenz' I. ersehen, der Wunsch, die Namen der Darbringer *inter sacra mysteria* zu nennen. Der engere Rahmen für diese Nennung

---

[45]) Das gilt im Bereich dieses Missales. Das Dominikaner-Missale hat heute noch den Zusatz *et rege nostro;* vgl. dazu Sölch 91.

[46]) Guéranger, Institutions liturgiques I, 454 f. Für Frankreich s. ebd. 471 f.

[47]) Biehl 62 f. In Österreich wurde das Privileg bestätigt durch Dekret der Ritenkongregation vom 10. II. 1860, abgedruckt bei Biehl 170—173.

[48]) Die Nennung des Landesfürsten wurde aber auch anderswo vielfach weitergeübt. Verschiedene Moralisten, z. B. noch P. Scavini († 1869), sprechen von einer zu Recht bestehenden *consuetudo;* s. Kössing, Liturgische Vorlesungen 471 Anm. 244. — Ebd. 468—471 erhebt Kössing jedoch Einspruch gegen die These von A. J. Binterim, Über das Gebet für die Könige und Fürsten in der katholischen Liturgie (Sonderdruck aus den Denkwürdigkeiten IV, 2), Mainz 1827, wonach im Missale Pius' V. eine besondere Rubrik, daß außerhalb des Kirchenstaates der Landesfürst genannt werden solle, nur wegen der Selbstverständlichkeit einer solchen Nennung unterblieben sei. In einem Dekret vom 20. III. 1862 hat die Ritenkongregation selbst betont, daß der katholische Landesfürst nur kraft besonderen Indultes genannt werden dürfe; Gihr 550 Anm. 2 (in den Sammlungen nicht enthalten). — Die rückläufige Bewegung kündigt sich unter Pius XII. an durch die Einfügung der Fürbitte für diejenigen *qui nos in potestate regunt* im österlichen *Exsultet;* Acta Ap. Sedis 43 (1951) 133 f.

[49]) Übrigens sind auch in diesem Falle andere Fassungen gewählt worden. Das von U. Chevalier, Sacramentaire et Martyrologe de l'abbaye de S.-Remy (Bibliothèque liturg. 2; Paris 1900), herausgegebene Sakramentar des 10. Jh. fährt nach der Nennung des Bischofs fort: *Memento Domine famulo tuo rege nostro ill. Memento Domine famulorum famularumque tuarum*... (344). — Dieselbe Lösung auch schon um 800 im Sakramentar von Angoulême und als jüngerer Zusatz im Vat. Reg. 316; Botte, Le canon 32 Apparat. Ein Beispiel aus dem 11. Jh. bei Ebner 163.

ist das nun folgende Gebet *Memento Domine* mit dem *Communicantes*[1]). Mit den gleichen Worten Μνήσθητι κύριε setzen auch im Fürbittengebet orientalischer Liturgien eine Reihe von Bitten ein, mit denen einzelne Gruppen von Gläubigen Gott empfohlen werden und die mit der Verlesung von Namen aus den Diptychen im Zusammenhang standen[2]). Im kirchlichen Leben besonders der morgenländischen Christenheit spielten seit dem 4. Jahrhundert die Diptychen eine große Rolle[3]). Im Vordergrunde standen dort die Diptychen der Verstorbenen, neben denen es aber, wenigstens in Konstantinopel, besonders Diptychen der Lebenden gab. Beide wurden anscheinend schon zu Beginn des 5. Jahrhunderts innerhalb des Fürbittengebetes, das auf die Wandlung folgte, mit lauter Stimme verlesen[4]). Von den δίπτυχα τῶν κεκοιμημένων wissen wir, daß sie vor allem die Namen hervorragender Persönlichkeiten des kirchlichen, aber auch des staatlichen Lebens in bestimmter Reihe

---

[1]) Die Zusammengehörigkeit der beiden Formeln wird uns noch beschäftigen; sie erhellt auch daraus, daß erst am Schluß das *Per Christum* folgt. Anderseits wäre es aber doch nicht genügend begründet, auch das *Te igitur*, dem die Schlußformel ebenfalls fehlt, in die gleiche enge Verbindung hereinzunehmen. Das *per Jesum Christum* ist hier eben in den Anfang der Formel eingebaut.

[2]) Jakobusliturgie: Brightman 55 ff; Markusliturgie: ebd. 129 f; byzantinische Basiliusliturgie: ebd. 336 (vgl. 409). An den angegebenen Stellen werden τὰ δίπτυχα, die der Diakon verlesen soll, auch noch ausdrücklich von der Rubrik genannt. Beispiele von orientalischen Diptychentexten aus dem 12., 15. und 19. Jh. bei Brightman 501—503. 551 f.

[3]) E. Bishop, The diptychs, im Anhang zu Connolly, The liturgical homilies of Narsai 97—117; F. Cabrol, Diptyques: DACL IV, 1045—1094. δίπτυχον = = Zweifalt, Doppeltäfelchen. Sie dienten in der Antike als eine Art Notizbuch und wurden in feiner Ausführung von vornehmen Persönlichkeiten zu Geschenkzwecken benützt. Im kirchlichen Leben wurden sie, und zwar öfter auch Stücke profanen Ursprungs, für Namenslisten verwendet. Die Deckel waren außen oft mit Platten aus Edelmetall oder Elfenbein besetzt und trugen vielfach plastischen Schmuck. Manche dieser kostbaren kirchlichen Diptychentäfelchen, darunter auch solche, die auf römische Konsuln zurückgehen, sind später als Buchdeckel für liturgische Bücher verwendet worden und so erhalten geblieben.

[4]) Bishop 109 ff. — Anderswo, wie mehrfach im syrischen Bereich, wurden die Diptychen gelesen, während das Volk den Friedenskuß tauschte; Bishop 108. 111 f. Im ostsyrischen Ritus erfolgt die Lesung der Diptychen, des umfangreichen „Buches der Lebenden und der Toten“, an Sonn- und Festtagen durch den Diakon auch heute noch an dieser Stelle; Brightman 275—281. Die Namen aus der eigenen Gemeinde werden heute aber anscheinend auch im Orient im allgemeinen nicht mehr in diese Listen aufgenommen, die auch nicht mehr auf besonderen Täfelchen stehen. In der byzantinischen Messe geschieht die namentliche Erwähnung der Verstorbenen heute wie in unserem *Memento* durch stilles Gedenken des Priesters; Brightman 388 Z. 23.

enthielten, voran die Namen der früheren Bischöfe der Kaiserstadt[5]). Die Eintragung oder Tilgung eines Namens wurde so manchmal zu einer Angelegenheit, die einen förmlichen Aufruhr des Volkes hervorrufen konnte, wie dies der Fall war, als es sich zu Beginn des 5. Jahrhunderts um den Namen des hl. Johannes Chrysostomus handelte[6]); denn die Aufnahme in die Diptychen bedeutete den Ausdruck der kirchlichen Gemeinschaft mit dem betreffenden und die Anerkennung seiner Rechtgläubigkeit. Darum finden wir auch in orientalischen Diptychen an der Spitze der Namen neben den „Patriarchen, Propheten, Aposteln und Märtyrern"[7]) seit dem 6. Jahrhundert manchmal die Väter der ersten Konzilien, vor allem die „318 orthodoxen Väter" von Nicäa erwähnt[8]).

Im Abendlande und im besonderen in der römischen Liturgie haben die Namennennungen aus dem Kreise der Lebenden das Übergewicht. Von den Verstorbenen ist im öffentlichen Gottesdienst, wie wir noch sehen werden, zunächst nicht die Rede. Das hängt damit zusammen, daß der Ausgangspunkt von Namennennungen hier die Darbringung der Opfergaben durch die Gläubigen war. Ihre Gaben sollten in einem besonderen Gebet Gott anempfohlen werden, was zunächst in der *oratio*

---

5) Vgl. die Ordnung in den Diptychen noch der heutigen armenischen Liturgie. Brightman 441 f. — Wie Dix, The shape of the liturgy 502—504, feststellt, verloren die Diptychen so mindestens in Konstantinopel ihren ursprünglichen „pfarrlichen" Charakter und schließlich auch den Charakter eines Namensverzeichnisses zum Zweck der Fürbitte.

6) Bishop 102 ff.

7) So schon Cyrill von Jerusalem, Catech. myst. V, 9 (Quasten, Mon. 102). Von der Verlesung von Namen ist hier nicht die Rede, wohl aber schon bei Serapion; vgl. oben I, 45. — In der ostsyrischen Messe beginnt die mehrere hundert Namen umfassende Reihe mit „Adam und Abel und Seth"; Brightman 276 ff. — Die Aufnahme in die Diptychen entsprach in der Kirche des ausgehenden Altertums ungefähr unserer Kanonisation, ebenso wie die Streichung der Exkommunikation entsprach.

8) So in der ostsyrischen Messe: Brightman 277 Z. 3; in der äthiopischen Apostelanaphora: ebd. 229 Z. 2. — Die monophysitischen Westsyrer nennen „die drei frommen und heiligen und ökumenischen Synoden": ebd. 94 Z. 3. — Die „vier heiligen Synoden" wurden bei der Diptychenlesung vom Diakon genannt auf der Synode von Konstantinopel unter Mennas (544). Vgl. die Angaben bei Martène 1, 4, 8, 11 (I, 405 B; in den Akten des Konzils von mir vergeblich gesucht). — Auf die Rechtgläubigkeit derjenigen, deren Namen im Kanon verlesen werden, wird auch anderswo streng gesehen. Nach dem Paenitentiale Theodori (England, Ende des 7. Jh.) muß der Priester, bei dessen Messe Namen von Häretikern mitgenannt worden sind, eine Woche Buße tun. H. J. Schmitz, Die Bußbücher und die Bußdisciplin der Kirche, Mainz 1883, 529; Finsterwalder, Die Canones Theodori 258.

super oblata geschah. Darüber hinaus wird nun auch noch innerhalb des Kanons gebetet, Gott möge derer gedenken *qui tibi offerunt hoc sacrificium laudis*. Dabei wurden auch die Namen der Darbringer verlesen. Das ergibt sich aus den Darlegungen Innozenz' I.[9]), wobei wir freilich den Umfang einer solchen Namenverlesung nicht näher bestimmen können. Es konnten nur ausgewählte Namen sein; denn offenbar wäre es weder durchführbar noch sehr sinnvoll gewesen, die Namen sämtlicher Teilnehmer des sonntäglichen Gemeindegottesdienstes vorzulesen[10]). Dagegen war es von selbst gegeben, daß dort, wo die Meßfeier einem bestimmten Kreis von Personen galt, wie es namentlich bei Votivmessen in besonderen Anliegen oder bei besonderen Anlässen der Fall war, die betreffenden Namen verlesen wurden[11]). Das konnte sich in verschiedenen Fällen auch auf den öffentlichen Gottesdienst übertragen. Das ältere Gelasianum bietet ein aufschlußreiches Beispiel am dritten Fastensonntag, wo das erste *scrutinium electorum* stattfand. Es heißt dort:

> *Infra canonem ubi dicit: Memento Domine famulorum famularumque tuarum, qui electos tuos suscepturi sunt ad sanctam gratiam baptismi tui, et omnium circumadstantium. Et taces. Et recitantur nomina virorum et mulierum, qui ipsos infantes suscepturi sunt. Et intras: Quorum tibi fides cognita*[12]).

---

[9]) Oben I, 69. — Schon ein Jahrhundert früher muß ein ähnlicher Brauch in Spanien bestanden haben, wie aus can. 29 von Elvira (Mansi II, 10) hervorgeht; dort wird nämlich bestimmt: wer *energumenus* ist, *neque ad altare cum oblatione esse recipiendum.* Vgl. Bishop 98 f. Beachtenswert ist auch Cyprian, Ep. 62, 5 (CSEL 3, 700 f): Mit einer Geldsendung an numidische Bischöfe übersendet Cyprian auch die Namen der Spender: *in mente habeatis orationibus vestris et eis vicem boni operis in sacrificiis et precibus repraesentetis.* Ep. 16, 2 (CSEL 3, 519) stellt er bezüglich der *lapsi* tadelnd fest: *offertur nomine eorum.* — Was dagegen von Augustinus angeführt wird, betrifft nur die Nennung von Verstorbenen, besonders von Heiligen; Kennedy, The saints 27 f; Srawley 137.

[10]) Vgl. Capitulare eccl. ord. (Andrieu III, 121): am Sonntag dürfen keine Namen von Verstorbenen verlesen werden, *sed tantum vivorum nomina regum vel principum seu et sacerdotum, vel pro omni populo christiano oblationes vel vota redduntur.*

[11]) Ordo ‚Qualiter quaedam' (Andrieu II, 297; vgl. PL 78, 1380 B; Botte 32 Apparat): *Hic nomina vivorum memorentur si volueris* (die Fortsetzung: *sed non dominica die nisi ceteris diebus* muß auf ein Mißverständnis des fränkischen Bearbeiters zurückgehen; s. Andrieu, Les ordines II, 282 f; vgl. vorige Anm.). Ähnlich das Sacramentarium Rossianum (Botte 32 Apparat). Auch Bernold von Konstanz, Micrologus c. 13 (PL 151, 985) bezeugt die Namennennung.

[12]) I, 26 (Wilson 34). Es versteht sich von selbst, daß an dieser Stelle nicht die Namen der Taufkandidaten genannt werden konnten, da von ihnen ja das *qui tibi offerunt* nicht ausgesagt werden konnte. Ihre Namen folgen aber im *Hanc*

Während der Priester innehält, verliest also ein anderer Kleriker mit lauter Stimme die Namen der Taufpaten. Im gewöhnlichen Gemeindegottesdienst wird es sich in der Regel nur um Namen gehandelt haben, die durch eine besondere Oblation über die liturgische Darbringung von Brot und Wein hinaus zu einer Hervorhebung Anlaß gaben[13]). Das ergibt sich aus einer etwas unwirschen Bemerkung des Einsiedlers von Bethlehem, der wohl vom neuen Brauch in Rom gehört hatte: *ut ... glorientur publiceque diaconus in ecclesiis recitet offerentium nomina: tantum offert illa, tantum ille pollicitus est, placentque sibi ad plausum populi*[14]).

Eine ähnliche Verlesung von Namen wie in Rom ist eindeutig bezeugt für das gallische Liturgiegebiet, und zwar sind es auch hier ausdrücklich die Darbringer, die genannt werden. Die gallikanische Messe des 7. Jahrhunderts — und ebenso die mozarabische — hat nach der Opferprozession und dem Eröffnungsgebet eine eigene Priesteroration *Post nomina.* Ihr Wortlaut knüpft vielfach an die soeben stattgehabte Namenverlesung an und geht dann über in eine Fürbitte für Lebende und Verstorbene; so wenn es am Feste der Beschneidung des Herrn heißt: *Auditis nominibus offerentum, fratres dilectissimi, Christum Dominum deprecemur* (es folgt der Hinweis auf den Festgedanken) *... praestante pietate sua, ut haec sacrificia sic viventibus proficiant ad emendationem, ut defunctis opitulentur ad requiem. Per Dominum*[15]).

igitur, wo der Gegenstand des Gebetes zu nennen war. — Daß die Rubrik aus Rom und nicht erst aus der gallischen Heimat der Hs stammt, zeigt der römische Ausdruck *electi* für die Taufkandidaten. Somit dürfen wir das Zeugnis jedenfalls für das 6. Jh. in Anspruch nehmen.

[13]) Vgl. oben 15 f.

[14]) Hieronymus, Comm. in Ezech. (vom Jahre 411) c. 18 (PL 25, 175). — Vgl. Hieronymus, Comm. in Jerem. (vom Jahre 420): *At nunc publice recitantur offerentium nomina et redemptio peccatorum mutatur in laudem.* Der Brauch wurde also als Neuerung empfunden. Daß Hieronymus damit einen abendländischen Brauch meint, ergibt sich auch daraus, daß in orientalischer Liturgie die Namen der *offerentes,* soweit wir sonst Nachricht besitzen, nie eine solche Rolle gespielt haben.

[15]) Missale Gothicum: Muratori II, 533; vgl. 542 f. 554 usw. Eine solche gallikanische *Post-nomina*-Formel ist auch noch in der heutigen römischen Messe vorhanden, in der Secreta, die in der Fastenzeit einzulegen ist: *Deus cui soli cognitus est numerus electorum in superna felicitate locandus.* Vgl. Cabrol, La messe en occident 120. — Ein Zeugnis für die Namenverlesung aus elfenbeinernem Diptychon im 6. Jh. bei Venantius Fortunatus, Carm. X, 7 (MGH Auct. ant. IV, 1, 240): *cui hodie in templo diptychus edit ebur.* Es handelt sich um die Namen von König Childebert und seiner Mutter Brunehildis. Vgl. dazu Bishop 100 Anm. 1.

Die Verlesung selbst nennt unter dem Begriff der *offerentes* aber nicht nur Anwesende, vor allem den hier versammelten Klerus, sondern alle, auf deren Gemeinschaft man Wert legt, indem man das Opfer darbringt. Ja auch die Verstorbenen werden in diesen Kreis der Darbringer einbezogen, sei es, daß die Darbringenden zugleich „für" sie, also in Vertretung, opfern, oder daß sie opfernd ihrer „gedenken". In der mozarabischen Messe ist diese Verlesung, die der Oration *Post nomina* vorausgeht, bis heute erhalten.

Der Priester (ehemals doch wohl der Diakon) beginnt: *Offerunt Deo Domino oblationem sacerdotes nostri, papa Romensis et reliqui pro se et pro omni clero et plebibus ecclesiae sibimet consignatis vel pro universa fraternitate. Item offerunt universi presbyteri, diaconi, clerici ac populi circumadstantes in honorem sanctorum pro se et suis.*

R. (der Chor bestätigend): *Offerunt pro se et pro universa fraternitate.*

Der Priester: *Facientes commemorationem beatissimorum apostolorum et martyrum*[16]). (Es folgen Namen.)

R.: *Et omnium martyrum.*

Der Priester: *Item pro spiritibus pausantium.* (Es wird eine lange Reihe heiliger Bekenner aufgezählt: *Hilarii, Athanasii...)*

R.: *Et omnium pausantium*[17]).

Es ist bemerkenswert, daß das *offerunt* erst im zweiten Satz von den Anwesenden ausgesagt wird, während es im ersten Satz den Repräsen-

[16]) Diese Formel *Facientes* ist mit einer nachfolgenden langen Namenreihe auch erhalten auf dem Diptychon, das auf einen römischen Konsul des Jahres 517, Anastasius, zurückgeht und das in Nordfrankreich in kirchlichem Gebrauch stand. Vgl. H. Leclercq, Diptyques: DACL IV, 1119 f; Kennedy, The saints 65—67.

[17]) Missale mixtum (PL 85, 542 ff). *Pausantes* sind diejenigen, die (vom irdischen Leben) „ausruhen". — Dabei ist zu beachten, daß vor dieser Diptychenformel, allerdings von ihr, wohl erst sekundär, durch eine Oration getrennt, eine Aufforderung des Priesters steht: *Ecclesiam sanctam catholicam in orationibus in mente habeamus ut eam Dominus... Omnes lapsos, captivos, infirmos atque peregrinos in mente habeamus, ut eos Dominus...* (a. a. O. 540). — Eine andere Diptychenformel ist überliefert im Stowe-Missale, wo sie im *Memento* der Verstorbenen der römischen Messe eingefügt ist; sie beginnt: *Cum omnibus in toto mundo offerentibus sacrificium spiritale... sacerdotibus offert senior noster N. presbyter pro se et pro suis et pro totius Ecclesiae coetu catholicae et pro commemorando anathletico gradu...* Es folgen in langer Reihe Heilige des Alten und dann des Neuen Testamentes, Märtyrer, Eremiten, Bischöfe, Priester und dann der Schlußsatz: *et omnium pausantium qui nos in dominica pace praecesserunt ab Adam usque in hodiernum diem, quorum Deus nomina... novit.* Warner (HBS 32) 14—16; vgl. Duchesne 222 f. — Auch die Ordensregel des hl. Aurelian († 551) schließt mit einer ähnlichen Formel (PL 68, 395—398). Das Verlesen der *pausantium nomina* wird auch erwähnt im irischen Poenitentiale Cummeani (um 600) ed. Zettinger (Archiv f. kath. Kirchenrecht 1902) 521.

tanten der großen kirchlichen Gemeinschaft in ehrender Weise zugeschrieben wird. Dabei muß man wohl annehmen, daß in diesem ersten Satz neben den Amtsbezeichnungen ursprünglich auch die Namen der persönlichen Träger, also der führenden Bischöfe in Spanien und des *papa Romensis* ausgesprochen wurden[18]). Im Laufe der Zeit wurde diese Namennennung als unwichtig oder zu umständlich zugunsten der bloßen Formel weggelassen.

Etwas Ähnliches muß im römischen Kanon vor sich gegangen sein, wo die frühesten erhaltenen Handschriften nach den Worten: *Memento Domine famulorum famularumque tuarum,* im allgemeinen ebenfalls keinen Vermerk einer solchen ausdrücklichen Namenverlesung mehr aufweisen[19]). Der Vermerk einer solchen Einschaltung ist dann aber, da die Formel doch offensichtlich darauf hinweist, später in verschiedener Weise erneuert worden, so schon alsbald nach der Übertragung der römischen Messe auf fränkischen Boden. In seiner Admonitio generalis von 789 verfügt Karl der Große: die Namen sollen nicht an einer früheren Stelle der Messe (wie im gallikanischen Ritus) öffentlich verlesen werden, sondern erst im Kanon[20]). Der ausdrückliche Hinweis findet sich dann auch verschiedentlich in Meßbüchern[21]).

Seitdem der Kanon leise gesprochen wird, konnte auch eine solche Namennennung nicht mehr laut und öffentlich sein. Nach einer Nachricht des 11. Jahrhunderts werden die Namen dem Priester, wo er von Assistenz umgeben ist, leise ins Ohr gesagt[22]). Im anderen Falle werden sie vom Priester selbst gesprochen. Manche Meßbücher weisen darum auch im Text des Kanons, wenigstens als Randnotiz, viel-

---

[18]) So A. Lesley, PL 85, 542 CD. Vgl. auch die vorausgehende Anmerkung.

[19]) Eine Ausnahme macht das Stowe-Missale, das vor diesen Worten anmerkt: *Hic recitantur nomina vivorum.* Botte 32; Warner (HBS 32) 11.

[20]) c. 54 (MGH Capit. I, 57). Vgl. auch can. 51 des Konzils von Frankfurt (794): *De non recitandis nominibus antequam oblatio offeratur* (ebd. 78).

[21]) Das Sakramentar des Ratoldus (10. Jh.) spricht von den Subdiakonen, die kurz vorher dem Altare gegenüber *memoriam vel nomina vivorum et mortuorum nominaverunt* (PL 78, 244 A). — Ein Vermerk *Hic nominentur nomina vivorum* erscheint im 11. Jh. wieder in einem mittelitalischen Missale (Ebner 163) und von da an in dieser oder ähnlicher Formulierung öfter bis ins 15. Jh. (Ebner 146. 157. 194. 204. 280. 334 f), auch als jüngerer Zusatz (ebd. 27); s. auch Martène 1, 4, XVII (I, 601). Doch ist der entsprechende Vermerk für die Verstorbenen häufiger.

[22]) In Reims ließ sich der Bischof beim Totenmemento auf solche Weise die Namen seiner Vorgänger in Erinnerung bringen; Fulkwin, Gesta abbatum Lobiensium c. 7 (d'Achery, Spicilegium, 2. Aufl., II, 733). Vgl. Martène 1, 4, 8, 13 (I, 405 f).

leicht auf Grund von Stiftungen, schon bestimmte Namen auf[23]. Oder es ist eine entsprechende allgemeine Formel eingesetzt, die diejenigen umfaßt, die ein Recht auf die Nennung hätten[24]. Manchmal wurde auch das Verzeichnis der Namen auf den Altar gelegt und nur ein entsprechender Hinweis ins *Memento* eingefügt[25], ein Brauch, der ähnlich heute noch im westsyrischen Ritus geübt wird[26].

Diese Einschaltformeln allgemeineren Charakters,

---

[23]) Ein Sakramentar des 11. Jh. aus Fulda (Ebner 208) nennt Namen vom byzantinischen Kaiserhof. An der Spitze steht: *Constantini Monomachi imperatoris* († 1054). — Weitere Beispiele Leroquais I, 14. 33 (9. Jh.; s. weiter im Register III, 389); Ebner 7. 94 („Ränder mit Namen s. X überdeckt"). 149. 196. 249; Martène 1, 4, 8, 10 (I, 404 f). In einer Schenkungsurkunde von 1073 aus Vendôme bedingen sich die Wohltäter der Kirche aus, daß ihre Namen sowohl bei Lebzeiten wie nach dem Tode im Kanon genannt werden. Merk, Abriß 87 Anm. 11; hier noch weitere Belege.

[24]) So lautet im berühmten Cod. Paduanus eine Randglosse des 10. Jh.: *omnium christianorum, omnium qui mihi peccatori propter tuo timore confessi sunt et suas elemosynas... donaverunt, et omnium parentorum meorum vel qui se in meis orationibus commendaverunt, tam vivis quam et defunctis.* Ebner 128; Mohlberg-Baumstark n. 877. Formeln nach diesem Schema erscheinen dann in immer größerer Breite; s. Martène 1, 4, IV. VI. XXXVI (I, 513 C. 533 E. 673 f); Bona II, 11, 5 (756 f); Leroquais I, 103 u. ö.; Ebner 402 f; vgl. auch die Notizen in der Beschreibung der Hss ebd. 17. 53 usw. Eine Formel, die im 15. Jh. in Seckau (Köck 62) und 1539 in Rom bei Ciconiolanus (Legg, Tracts 208) auftaucht, beginnt: *mei peccatoris cui tantam gratiam concedere digneris, ut assidue tuae maiestati placeam, illius pro quo...*

[25]) So als Randglosse schon im Sakramentar bei J. Pamelius, Liturgica Latina II, Köln 1571, 180: *(Memento Domine famulorum famularumque tuarum) et eorum quorum nomina ad memorandum conscripsimus ac super sanctum altare tuum scripta adesse videntur.* Weitere Beispiele bei Martène 1, 4, 8, 15 (I, 406); Ebner 403; vgl. 94; PL 78, 26 Anm. g (aus einer Reimser Hs des 9. Jh.). — Solche Hinweise waren u. a. veranlaßt durch die *libri vitae,* die in den Klöstern auf Grund der Gebetsverbrüderungen angelegt wurden; vgl. A. Ebner, Die klösterlichen Gebetsverbrüderungen bis zum Ausgang des karolingischen Zeitalters, Regensburg 1890, 97 ff. 121 ff. — Auf solche Verzeichnisse wird aber auch hingewiesen, ohne daß sie auf den Altar gelegt waren; s. den Eintrag des 11. Jh. in einem Sakramentar aus Bobbio: *et quorum vel quarum nomina apud me scripta retinentur;* Ebner 81. — Ferreres 147.

[26]) In der westsyrischen Messe werden die Namen der Familien, die in der betreffenden Periode des Kirchenjahres vor der Quadragesima das Gebet für ihre Verstorbenen erbeten haben, auf ein Täfelchen geschrieben, das auf den Altar gelegt wird. Beim Gedächtnis der Verstorbenen legt der Priester die Hand auf die heilige Hostie und macht dann ein dreifaches Kreuzzeichen über das Täfelchen. S. Salaville bei R. Aigrain, Liturgia, Paris 1935, 915 f Anm.; vgl. Hanssens, Institutiones III, 473 f.

die oft noch mit dem genannten Hinweis verbunden waren, wachsen sich dann seit dem 11. Jahrhundert vorübergehend zu bedenklichem Umfang aus und überwuchern nicht nur das *Memento,* sondern auch die vorausgehende Fürbitte für Papst und Bischof[27]). Sehr häufig wird auch noch eine Selbstempfehlung an die Spitze gestellt: *Mihi quoque indignissimo famulo tuo propitius esse digneris et ab omnibus me peccatorum offensionibus emundare*[28]), oder seltener: *Memento mei quaeso* mit verschiedenartiger Weiterführung[29]). Doch entsteht früh eine Gegenbewegung, die im Lauf der Jahrhunderte wieder zur völligen Ausmerzung dieser Zusätze geführt hat[30]). Nur Namen dürfen eingeschaltet werden[31]) oder es soll überhaupt nur ein stilles Gedenken an dieser Stelle stattfinden[32]), zu dem dann wohl auch einmal die Gläubigen eingeladen werden[33]).

---

27) Vgl. z. B. die *Adiuncta Pauli Diaconi intra canonem quando volueris,* bei Ebner 302.

28) Ebner 401; s. auch in der Beschreibung der Hss ebd. passim. Vgl. auch Martène 1, 4, 8, 15 (I, 406 f).

29) Ebner 247; Leroquais I, 40. 84; Ferreres S. C; vgl. Martène 1, 4, 8, 15 (I, 406 f). Eine Formel dieser Art steht sehr häufig vor dem *Memento* für die Verstorbenen; s. unten. — Vereinzelt dürfte der Fall des Missale von Valencia (1492) sein, das dem *Memento* eine Reihe von Anrufungen aus der Litanei vorangehen läßt: *Per mysterium sanctae incarnationis tuae nos exaudire digneris, te rogamus audi nos,* usw. Ferreres S. XCI. Vgl. ebd. S. LXXXVIII die *deprecatio* vor dem *Memento.* Vielfach ist zugleich schon ein Gedächtnis der Verstorbenen hier angeschlossen.

30) Immerhin führt noch Merati († 1744) ein längeres Einschaltgebet an, das der Priester hier *secreto* beten könne; Gavanti-Merati II, 8, 3 (I, 289).

31) Bernold von Konstanz († 1100), Micrologus c. 13 (PL 151, 985), wendet sich gegen diejenigen, die hier *suas orationes* einschalten. Das Kapitel ist überschrieben: *Quid superfluum sit in canone.* — Joh. Beleth († um 1165), Explicatio c. 46 (PL 202, 54 B): *addemus nulli hic* (im Kanon) *concessum esse aliquid vel detrahere vel addere, nisi quandoque nomen illorum, pro quibus specialiter aut nominatim offertur sacrificium.*

32) Dafür werden in den Meßerklärungen des späteren Mittelalters öfter Winke gegeben. So gibt Hugo von S. Cher, Tract. super missam (ed. Sölch 27), die Anweisung, man solle *iuxta ordinem caritatis* vorgehen und zuerst für die eigenen Eltern und Verwandten, dann *pro spiritualibus parentibus* beten, weiter für diejenigen, die sich unserem Gebet empfohlen haben *(commendaverunt;* erst in diesem Wort werden die *offerentes* im überlieferten Sinn, die Geber von Stipendien u. dgl. gemeint sein; vgl. oben 32 Anm. 130), und für die Anwesenden, endlich für das ganze Volk. In anderer Weise zählt acht Gruppen auf das Regensburger Missale um 1500: Beck 273.

33) Der Liber ordinarius von Lüttich (Volk 69 Z. 4) will, wenn jemand krank ist, solle nach dem *Sanctus* ein Zeichen gegeben werden, *ut fratres in suis orationibus infirmi recordentur et dicant psalmum Miserere.*

Im Missale Pius' V. ist der Vermerk einer Namennennung und der entsprechenden Pause stehengeblieben[34]). Für die Auswahl der Namen wird keine Vorschrift gegeben: *orat aliquantulum pro quibus orare intendit.* Dem ursprünglichen Sinn und dem Kontext entspricht es, daß in der durch ein Stipendium veranlaßten Meßfeier vor allem dessen gedacht wird, der auf diesem Wege *offerens* geworden ist[35]).

Der Kreis wird dann aber im Text des *Memento* selbst weiter ausgedehnt. Es werden darin alle Anwesenden einbezogen, die ja dazu gekommen sind, um Gott durch das gemeinsame Opfer zu ehren[36]). Sie heißen *circumstantes* oder in den älteren Texten *circum adstantes*[37]). Stehen ist im ersten Jahrtausend die Grundhaltung, auch während des Kanons[38]). Dabei ist das *circum* nicht so aufzufassen, als ob die Gläubigen jemals schlechthin im Kreise um den Altar gestanden hätten. Es ist vielmehr die Anlage der alten römischen Basiliken vorausgesetzt mit dem Altar zwischen Presbyterium und Mittelschiff, so daß die Gläubigen, besonders dort, wo ein Querschiff vorhanden war, im Halbkreis, im „offenen Ring"[39]) den Altar umgeben konnten.

Von den mit Namen Genannten und von der Gesamtheit der *circum adstantes* wird in einem zweigliedrigen Nebensatz ursprünglich zweierlei ausgesagt. Das eine betrifft die allgemeine seelische Verfassung: ihr

---

[34]) Neben dem älteren *ill.* wird früh auch das heutige *N.* als Andeutung eines einzufügenden Namens verwendet, so bereits um 800 im Stowe-Missale; Warner (HBS 32) 11; vgl. 6. 10. 14. 19 ff.

[35]) Vgl. oben 31 f. 201 ff. So auch Benedikt XIV., De s. sacrificio missae II, 13, 9 (Schneider 167). Die Freiheit an der Stelle, wo von altersher die *offerentium nomina* gelesen wurden, auch andere zu nennen *(quos desideraverit particulariter nominare)*, betont schon Florus Diaconus († 860), De actione miss. c. 51 (PL 119, 47 B), und ähnlich Remigius von Auxerre († um 908), Expositio (PL 101, 1258 B).

[36]) Spanische Meßbücher seit dem 12. Jh. fügen noch hinzu: *(circumstantium) atque omnium fidelium christianorum (quorum tibi)*; Ferreres S. XXXI. LXX ff. CVIII; vgl. XXIV. XXVI. XLVI. XLIX. LII. CXII. Diese letzte Erweiterung des Kreises mit der Beziehung des *qui tibi offerunt* auf Abwesende liegt auf der Linie der erwähnten spanischen Überlieferung; s. oben 204. Derselbe Beisatz in dem um 1240 entstandenen Pariser Missale, das als das älteste Dominikanermissale gilt; W. R. Bonniwell O. P., A history of the Dominican Liturgy, New Yort 1944, 33.

[37]) Ebner 405; Ménard, PL 78, 275 BC.

[38]) Oben I, 312 ff.

[39]) Vgl. R. Schwarz, Vom Bau der Kirche, Würzburg 1938, wo die innere Richtigkeit dieser Anlage deutlich wird. Die Lücke im Ring, in der der Altar steht, deutet die Bewegung an, in der die Gemeinschaft, vom Priester geführt, zu Gott hinstrebt. Vgl. auch oben I, 333 f.

Glaube und ihre fromme Hingabe[40]) ist Dir wohl bekannt[41]). Das andere geht auf ihr gegenwärtiges Tun: sie bringen Dir dies Lobopfer dar, was dann noch weiter umschrieben und bestimmt wird. Der ursprüngliche Text sagte von den Gläubigen hier ebenso wie im ersten Gebet nach der Wandlung ohne besondere Einschränkung die Darbringung des Opfers aus: *qui tibi offerunt hoc sacrificium laudis*[42]). Sie sind nicht müßige Zuschauer und noch weniger profane Menge, sie sind vielmehr alle zusammen Träger des heiligen Tuns, mit dem wir vor Dir stehen. Es ist bezeichnend für eine jüngere Periode, in deren Meßfeier der Priester sich durch Sprache und räumliche Stellung schon viel stärker herausgelöst hat aus dem Volke, das nur mehr aus einer gewissen Entfernung dem Gang der Feier folgt, daß man diese unbefangene Ausdrucksweise anscheinend doch zu kühn fand und vorher die Worte einschob: *pro quibus tibi offerimus vel.* Der Einschub erscheint erstmals in einzelnen Handschriften der von Alkuin besorgten Ausgabe des Gregorianischen Sakramentars[43]) und setzt sich seit dem 10. Jahrhundert rasch durch, wenn auch nicht ohne auf Widerstand zu stoßen[44]). Es wurde damit zum Ausdruck gebracht, daß in erster Linie doch der (von seiner Assistenz umgebene) Priester am Altar das Opfer darbringt. Möglicherweise hat in der Zeit des aufsteigenden Stiftungs- und Stipendienwesens

---

[40]) Vgl. A. Daniels, Devotio: JL 1 (1921) 40—60. Das Wort *devotio*, das sonst in verschiedener Ausprägung vielfach die gottesdienstlichen Handlungen selbst bezeichnet, geht hier auf die ihr entsprechende Gesinnung. *Fides* ist die Grundhaltung, in der man sein ganzes Leben auf Gottes Wort und Verheißung baut, *devotio* die Bereitschaft, sein Tun in rückhaltloser Treue darnach zu ordnen. Die beiden Ausdrüoke finden sich ähnlich verbunden bei N i c e t a s v o n R e m e s i a n a († nach 414), De psalmodiae bono c. 3 (PL 68, 373; Daniels 47): *nullus debet ambigere hoc vigiliarum sanctarum ministerium, si digna fide et devotione vera celebretur, angelis esse coniunctum.*

[41]) F. Rütten, Philologisches zum Canon missae (StZ 1938, I) 43 f, hat für das Wort *(fides) cognita* eine prägnantere Bedeutung in Anspruch genommen: bewährt. Aber es handelt sich doch wohl zunächst nur um eine Verdoppelung des Ausdruckes *nota*, entsprechend dem im Kanon angewandten Stilgesetz; vgl. oben I, 73. Das vorangestellte *tibi* nötigt, bei dieser Auffassung zu bleiben.

[42]) Zum biblischen Ausdruck *sacrificium laudis* vgl. oben I, 31 f; II, 143 Anm. 26. — Es wird damit das christliche Opfer nach seinem geistigen Gepräge und näherhin nach seiner primären Absicht als Verherrlichung Gottes bezeichnet.

[43]) Cod. Ottobon. 313 (erste Hälfte des 9. Jh.), auch im Codex des Pamelius; vgl. Lietzmann n. 1, 20.

[44]) Bernold von Konstanz, Micrologus c. 13 (PL 151, 985 C). — Lebrun I, 369 Anm. a erwähnt u. a. noch ein Zisterziensermissale von 1512, in dem der Einschub fehlt. Das Fehlen des Einschubs war eine allgemeine Eigentümlichkeit des Zisterzienserritus bis 1618; Schneider (Cist.-Chr. 1927) 9 f.

auch die Rücksicht darauf mitgewirkt, daß diejenigen, deren Namen zu nennen waren, sich oft nicht unter den Anwesenden befanden, so daß der Priester auch im engeren Sinn als deren Vertreter tätig war[45]). Der ursprüngliche Gedanke blieb daneben in der Regel aber unverkürzt stehen[46]).

Das opfernde Tun der Gläubigen wird nun nach seiner Absicht näher bestimmt. Sie bringen das Opfer dar für sich und die Ihrigen; die Familienbande dürfen auch im Gebet mitsprechen. Sie bringen es dar und möchten dafür „ihre Seelen erkaufen"[47]); wofür nach des Heilands Wort sonst kein Preis reichen kann, dafür mag dieser wohl genügen.

---

45) Unter Hinweis auf die Parallele beim *Hanc igitur* (vgl. unten 228 ff) erblickt in der Vertretung der Abwesenden den Hauptgrund für die Einschaltung A. Kolping, Der aktive Anteil der Gläubigen an der Darbringung des eucharistischen Opfers (Divus Thomas Frib. 1950) 148—150. Daß das *vel* ursprünglich als Rubrik gemeint gewesen sei, bleibt auch dann noch eine unwahrscheinliche Annahme. — V. Thalhofer, Handbuch d. kath. Liturgik II, Freiburg 1890, 204, und im Anschluß an ihn Ebner 404 möchten das allmähliche Aufhören der Oblation seitens der Gläubigen als Hauptgrund für die genannte Einschaltung betrachten, jedoch zu unrecht. Die Oblation steht in dieser Zeit noch durchaus in Blüte; vgl. oben 12 ff.

46) Nur in einzelnen Fällen hat man es gewagt, die Worte *qui tibi offerunt* auszumerzen. Sie sind radiert u. a. in einem Salzburger Sakramentar des 11. Jh. (Ebner 278). Von Anfang an nicht aufgenommen und erst nachträglich ergänzt sind sie nach Ebner 404 f in der St. Galler Hs 340 (10./11. Jh.; Ebner nennt daneben die Paduaner Hs D 47, was aber, wie mir P. Leo Eizenhöfer O. S. B. auf Grund des Augenscheins mitteilt und auch Mohlberg-Baumstark n. 877 zeigt, irrig ist). — Das zur Überleitung benützte *vel* bedeutet nicht notwendig eine Abschwächung des folgenden *qui tibi offerunt* zu einem nur möglichen Fall, da es um die betreffende Zeit meist im Sinne von *et* gebraucht wird; vgl. H. Ménard, PL 78, 275 D. — Von Petrus Damiani, Opusc. ‚Dominus vobiscum' c. 8 (PL 145, 237 f), wird der ursprüngliche Gedanke auch in der ergänzten Formel kräftig hervorgehoben: *In quibus verbis patenter ostenditur, quod a cunctis fidelibus, non solum viris, sed et mulieribus sacrificium illud laudis offertur, licet ab uno specialiter offerri sacerdote videatur; quia quod ille Deo offerendo manibus tractat, hoc multitudo fidelium intenta mentium devotione commendat.*

47) Es ist hier offenbar angespielt an Ps 48, 8 f: *non dabit Deo... pretium redemptionis animae suae*, d. h. niemand kann seine Seele vom Tode freikaufen. Vgl. Mt 16, 26; Mk 8, 37. Es wird also die Voraussetzung gemacht, daß die Seele in Gefahr ist; aber mit einer kühnen Umkehr des Heilandswortes, ähnlich derjenigen, die das kananäische Weib gebraucht (Mt 15, 27), wird dem das große *sacrificium laudis* entgegengestellt. — Vgl. schon bei Ambrosius, De Elia et iei. c. 22 (PL 32, 2, 463 f): in der Taufe wird die *redemptio animae* gewährt. Später ist oft die Rede von Stiftungen und Schenkungen an die Kirche *pro redemptione animarum suarum* (und ähnlich); so schon um 640 im Liber pontificalis (ed. Duchesne I, 328).

Ihre Seele möchten sie erkaufen, d. h. — so wird es nunmehr erklärend ergänzt — sie möchten das Heil und die Wohlfahrt gewinnen, die sie als Christen hoffen dürfen: *pro spe salutis et incolumitatis suae.* Dabei ist *salus* nach christlichem Sprachgebrauch in der Regel das Heil der Seele, während die *incolumitas* die Wohlfahrt des Leibes mindestens miteinschließen wird[48]).

Das *Memento* schließt mit den Worten *tibique reddunt vota sua aeterno Deo vivo et vero,* womit also eine zweite Aussage angeknüpft wird an die Worte *qui tibi offerunt hoc sacrificium laudis.* Man erwartet dabei eine Weiterführung des Gedankens; doch ist es schwer, sie festzustellen. Obwohl *vota* auch andere Bedeutungen haben kann, ist *reddere vota* doch zweifellos entweder das geschuldete Geben eines Gott gelobten Gegenstandes, wie dies an vielen Stellen in der lateinischen Übersetzung des Alten Testamentes der Fall ist, oder es ist, wie hier, einfach das Geben einer Gabe an Gott, unter Absehung von einer vorausgegangenen Bindung, das Darbringen eines Opfers, nur mit dem verstärkten Unterton eines jeden Opfergedankens, daß es sich um eine geschuldete Leistung handelt[49]). Wir haben in dem auf solche Weise verdoppelten Nebensatz eine deutliche Nachbildung von Ps 49, 14: *Immola Deo sacrificium laudis et redde Altissimo vota tua.* Hinzu kommt nur noch die feierliche Nennung Gottes, die wiederum mit einem Schriftwort geschieht: *Deo vivo et vero*[50]), verstärkt durch das vorangestellte *aeterno.* Es bricht das Bewußtsein durch, daß man gerade im Opfer dem ewigen, lebendigen, wahren Gott gegenübersteht.

Die eben genannte Verdopplung des Ausdruckes bleibt an dieser Stelle aber doch recht auffällig, da der poetische Parallelismus der Glieder, der im Psalmwort vorliegt, ja in keiner Weise mehr zur Geltung kommt. Es liegt nahe, anzunehmen, daß die besprochenen genaueren Umschreibungen des Opfers der Gläubigen erst nachträglich eingefügt worden sind und der ursprüngliche Text gelautet hat: *Memento Domine famulorum famularumque tuarum, qui tibi offerunt hoc sacrificium laudis et tibi reddunt vota sua aeterno Deo vivo et vero.* Die Annahme findet zu-

---

[48]) Belege aus der kirchlichen Sprache für beide Bedeutungen von *incolumitas* bei Batiffol, Leçons 246 f. Auch für *salus* darf man die Wortbedeutung nicht zu stark einengen; der gleiche Doppelausdruck kann in anderem Zusammenhang auch einen schlechthin diesseitigen Sinn gewinnen, wie in einem *Hanc igitur* des Gelasianums I, 40 (Wilson 70): *ut per multa curricula annorum salvi et incolumes munera ... mereantur offerre.*

[49]) Für *votum* = Opfer vgl. Batiffol, Leçons 247.

[50]) 1 Thess 1, 9. Der Ausdruck erklärt sich hier aus dem Gegensatz zu den toten Götzen, von denen sich die Gläubigen abgewandt haben.

nächst eine volle Bestätigung in dem bereits herangezogenen mozarabischen Zitat aus dem römischen Kanon[51]). Aber wie konnte man, als das *Memento* im ersten Glied dann doch die heutige Erweiterung erhielt, das nun weit abgesprengte zweite Glied unverändert stehen lassen?

Zu dieser ersten auffälligen Erscheinung kommt eine zweite. In den ältesten Texten des römischen Kanons fehlt ausnahmslos das anknüpfende *-que* am Beginn dieses zweiten Gliedes; es heißt durchwegs: ... *incolumitatis suae tibi reddunt vota sua* ...[52]). Eine solche grammatische Sorglosigkeit, die zudem durch Jahrhunderte unverändert weitergegeben worden wäre, muß in dem sonst im ganzen doch wohlgeglätteten Text des römischen Kanons ernstlich wundernehmen.

Beide Rätsel lösen sich mit einem Schlag, wenn wir hinter *incolumitatis suae* — wenn nicht schon an früherer Stelle[53]) — einen kräftigen Punkt setzen und darauf einen neuen Satz beginnen lassen: *Tibi reddunt vota sua aeterno Deo vivo et vero communicantes* ...[54]); d. h. es wird

---

[51]) Oben I, 70 Anm. 20.

[52]) Botte, Le canon 34. Von den 19 Textzeugen, die um 700 beginnen, ist ein einziger, der nach Botte von erster Hand *tibique* bietet; es ist der unter Kaiser Lothar I. († 855) in der Gegend von Lüttich geschriebene Cod. Pad. D 47. Wie aber die Druckausgabe dieser Hs zeigt (Mohlberg-Baumstark, Die älteste erreichbare Gestalt n. 877), ist in Wirklichkeit auch hier das *-que* erst von zweiter Hand nachgetragen. — Das *-que* fehlt noch im Cod. Eligii (10. Jh.; PL 78, 26 B) und auch noch im Sakramentar der päpstlichen Hofkapelle um 1290: Brinktrine (Eph. liturg. 1937) 204. — Auf die Erscheinung ist auch hingewiesen bei Ebner 405, der aber keine Erklärung versucht.

[53]) Hinter *sacrificium laudis* möchte den Punkt setzen P. Leo Eizenhöfer O. S. B. (Brief vom 27. 1. 1951), mit Berufung vor allem auf Rücksichten des Rhythmus. Entgegen steht nur das übermäßige Gewicht, das dann die Anfangsworte des neuen Satzes *(Pro se suisque ...)* erhalten würden. Ähnliches ist zu sagen zum Vorschlag von A. Kolping (oben Anm. 45) 83 Anm. 3, der den Einschnitt machen möchte nach *pro se suisque omnibus.*

[54]) Die alten Hss weisen bekanntlich keine oder nur eine sehr dürftige Interpunktion und innerhalb des Kanons anscheinend in der Regel keine Abschnitte auf. Letzteres ist z. B. auch der Fall im Cod. S. Gall. 348 (ed. Mohlberg n. 1551), der außerdem zwar innerhalb des *Communicantes* an drei Stellen rote Anfangsbuchstaben verwendet, das Wort *Communicantes* aber ohne solche Auszeichnung an das vorausgehende Wort anschließt (n. 1552). — Eindeutig liegt, wie auch Botte 55 anmerkt, die bruchlose Verbindung *Deo vivo et vero communicantes* auch vor in zwei der wichtigsten Textzeugen des römischen Kanons: im Bobbio-Missale, ed. Lowe I (HBS 58) n. 11, s. Facsimile (HBS 53) Bl. 12, und im Stowe-Missale, ed. Warner (HBS 32) 11, s. Facsimile (HBS 31) Bl. 25. Auch der oben 204 angeführte Text aus der mozarabischen Messe darf hier als Weiterbildung unseres Kanontextes geltend gemacht werden: *Item offerunt universi* ... *pro se et suis facientes commemorationem.* — Vgl. übrigens eine ähnliche Konstruktion

mit diesen Worten das *tibi offerunt sacrificium laudis* in neuer Fassung wieder aufgenommen, um daran den Gedanken der großen Gemeinschaft anzuknüpfen[55]. Auch die Gemeinschaft mit den Heiligen ist also ursprünglich ebenso wie das Darbringen des Opfers zunächst von den Gläubigen ausgesagt gewesen und beide Aussagen sind um dieselbe Zeit in der neuen Atmosphäre der fränkischen Kirche zwar nicht getilgt, wohl aber etwas verdeckt worden, immerhin nicht so sehr, daß sich nicht auch heute der alte Gedanke als natürlichste Auffassung des Textes darböte.

9. Communicantes

An dem nun folgenden *Communicantes,* das grammatisch keinen selbständigen Satz darstellt, ist die erste Frage die, wohin es zu beziehen sei. Gegenüber anderen Verknüpfungen, die in Vorschlag gebracht wurden[1], erweist sich entschieden als die natürlichste diejenige, die sich uns soeben schon aus dem vorausgehenden Text ergeben hat und an die auch schon früher gedacht worden ist[2]. Das *Communicantes* ist, so wie es geschichtlich als Weiterführung des *Memento* entstanden ist, auch inhaltlich eine Verstärkung der Mementobitte: Gedenke ihrer aller; denn die Gemeinde, die hier opfernd vor dir steht, steht nicht allein, sondern sie gehört zum großen Volk deiner Erlösten, deren vorderste Reihen schon

---

in einer *Hanc-igitur*-Formel des Gelasianums III, 37 (Wilson 254): *pro hoc reddo tibi vota mea Deo vero et vivo maiestatem tuam suppliciter implorans.*

[55]) Grammatisch selbständige Sätze beginnen innerhalb des Kanons ja auch an anderen Stellen: in den beiden *Memento,* im *Supplices,* im *Nobis quoque.*

[1]) Verbindung mit einem Verbum des *Te igitur,* entweder *supplices rogamus ac petimus* (Batiffol, Leçons 248) oder *in primis quae tibi offerimus,* oder (eine evident unmögliche Lösung) mit der Nennung des Papstes: *cum famulo tuo papa nostro illo communicantes,* wogegen in allen Fällen zu beachten ist, daß das *Communicantes* niemals unmittelbar an das *Te igitur* angeschlossen war, da es jünger ist als das *Memento;* vgl. oben I, 70 f. Andere verzichten auf eine grammatische Rückbeziehung und ergänzen *sumus* oder *offerimus* oder *offerunt* (so u. a. Brinktrine 191. 233), oder sie erklären das *communicantes et memoriam venerantes* als gleichwertig einem *communicamus et memoriam veneramur* (so Fortescue, The mass 332), was aber in beiden Fällen eine unnatürliche Isolierung des Gebetes und des darin enthaltenen Gedankens ergibt.

[2]) Sie wurde schon vertreten von Suarez, De sacramentis I, 83, 2, 7 (Opp. ed. Berton 21, 874) ...*ita ut sensus sit: Tibi reddunt vota sua aeterno Deo vivo et vero communicantes, vel inter se tamquam membra corporis tui vel cum sanctis tuis...*

in deine Herrlichkeit eingegangen sind. Es wird auch an dieser Stelle der Zusammenhang mit der triumphierenden Kirche hergestellt, der in anderer Weise schon beim Gesang des *Sanctus* lebendig wurde.

Der Ton liegt auf dem Wort *Communicantes,* auf dem Anschluß an die Heiligen, deren Namen genannt werden sollen[3]). Aber dieser Anschluß wird sofort im Bewußtsein des Abstandes, der uns noch trennt, durch die folgenden Worte *et memoriam venerantes* umgeprägt in einen ehrfurchtsvollen Aufblick zu ihnen[4]) und diese zweite Fassung des Begriffes bleibt dann für die weitere grammatische Konstruktion bestimmend, die sonst hätte lauten müssen: *Communicantes in primis cum*[5]). Der Grundgedanke, daß die Gemeinschaft betont werden soll, erhält damit nur eine bestimmte Färbung. Wir sahen oben[6]), wie stark in orientalischen Liturgien die Lesung der Diptychen seit dem 5. Jahrhundert auf den Gedanken der kirchlichen Gemeinschaft abgestimmt war und wie dieser Gedanke in folgerichtiger Weiterführung in die Gemeinschaft mit den Heiligen des Himmels ausgeweitet worden ist. Aber dabei ist von Gemeinschaft in direkter Form meist gar nicht die Rede, sondern die Nennung derjenigen, „die Gott von Anfang an gefallen haben", wird in unbefangener Weise einfach angeschlossen an die anderen Namen oder Gruppen von Hingeschiedenen aus der irdischen Gemeinde, vielfach mit der gleichen Rahmenformel, die für diese gebraucht wird[7]): „Wir

---

[3]) Die Annahme, daß *communicare* hier im absoluten, kirchenrechtlichen Sinn gemeint sei *(= c. ecclesiae catholicae),* „in der (kirchlichen) Gemeinschaft stehen" (vgl. Batiffol, Leçons 248, mit Hinweis auf Cyprian, De dom. or. c. 18 und Optatus VII, 3. 6), ist im Zusammenhang des Gebetes schwer zu vollziehen. Eher ließe sie sich rechtfertigen, wenn man dabei unmittelbar an die Kirche als *communio sanctorum* dächte, also: sie entrichten dir ihre Gaben als Glieder der heiligen Gemeinschaft und, indem sie das Gedächtnis ehren ... Vgl. Gihr 558. Eine Bedeutung dieser Art wird man dem Worte auf alle Fälle dort zuerkennen müssen, wo in den Festtagsformeln die Verbindung mit dem Nachfolgenden durchbrochen ist: *Communicantes et diem sacratissimum celebrantes ... et memoriam venerantes.* Vgl. Botte 55 f; vgl. unten 222 f.

[4]) Die prägnantere Bedeutung von *memoria:* Grabmal, (Märtyrer-)Grab, die man in Vorschlag gebracht hat, wird hier durch den Zusammenhang ausgeschlossen. Vgl. Botte 56 f; dazu Th. Klauser, JL 15 (1941) 464.

[5]) Es ist übrigens nicht ausgeschlossen, daß das *memoriam venerantes* einmal allein den Anfang der Formel bildete; vgl. die mozarabische Fassung oben 204.

[6]) S. 200 f.

[7]) Aber immerhin in der Regel so, daß die Heiligen von den übrigen Verstorbenen deutlich geschieden sind. Nur in den ostsyrischen Anaphoren ist auch dies nicht der Fall. Hanssens, Institutiones III, 471 f.

bringen das Opfer dar auch für ..."[8]), oder „... zum guten Gedächtnis von"[9]), oder „Gedenke auch ...", „Wolle auch gedenken ..."[10]). Ja in einem noch weniger geklärten Stadium des theologischen Denkens treffen wir sogar die förmliche Bitte, Gott möge ihnen „die Ruhe geben", auch auf die Heiligen angewendet[11]).

Das Hauptgewicht geht aber in allen diesen Fällen auf die Betonung der Gemeinschaft. So ist auch das *memoriam venerantes* aufzufassen.

Daß wir auf dem rechten Wege sind, wenn wir die orientalische Diptychenpraxis heranziehen, gerade um diesen Abschnitt des kirchlichen Gebetes zu beleuchten, findet eine Bestätigung nicht nur darin, daß das *Communicantes* in den Kanon eingeführt worden sein muß ungefähr um die Zeit der Hochblüte jener Praxis im Morgenland, als römische Päpste in Diptychenfragen mit dem Orient korrespondierten[12]), sondern noch unmittelbarer in der sprachlichen Fassung, die das *Communicantes* in seinem weiteren Wortlaut erhalten hat und in der offensichtlich ein Vorbild aus dem syrischen Liturgiebereich wirksam war. Die Formel, mit der die Heiligenreihe beginnt: *in primis gloriosae semper Virginis Mariae Genetricis Dei et Domini nostri Jesu Christi,* findet ihr Gegenstück u. a. in der antiochenschen Jakobusanaphora: ἐξαιρέτως τῆς παναγίας ἀχράντου ὑπερευλογημένης δεσποίνης ἡμῶν θεοτόκου καὶ ἀειπαρθένου Μαρίας[13]). Ebenso hat die Schlußformel: *et omnium sanctorum,*

---

[8]) Const. Ap. VIII, 12, 43 (Quasten, Mon. 225 f): ῎Ετι προσφέρομέν σοι καὶ ὑπὲρ πάντων ἀπ' αἰῶνος εὐαρεστησάντων σοι ἁγίων, πατριαρχῶν, προφητῶν, δικαίων, ἀποστόλων, μαρτύρων ... (vgl. auch Quastens Anmerkungen). Ähnlich noch in der heutigen byzantinischen Chrysostomusliturgie; Brightman 387 f. Vgl. auch das ostsyrische Fragment aus dem 6. Jh.: ebd. 516 Z. 21 ff. Auch das Missale Romanum spricht am 15. Juni von *munera pro sanctis oblata.* Zu der unbestimmten Bedeutung, in der hier ὑπέρ, *pro,* „für" gebraucht wird, s. Jungmann, Die Stellung Christi 234—238.

[9]) Ostsyrische Theodorusanaphora: Renaudot II (1847) 614.

[10]) Jakobusanaphora: Brightman 56 Z. 20: ῎Ετι μνησθῆναι καταξίωσον τῶν ἀπ' αἰῶνός σοι εὐαρεστησάντων; vgl. ebd. 57 Z. 13; 92 f. — Ähnliche Formeln auch in der armenischen Liturgie (Brightman 440 Z. 13), in Ägypten (Brightman 128 Z. 23; 169 Z. 7) und bei den Ostsyrern; vgl. Hanssens, Institutiones III, 471.

[11]) Armenische Liturgie: Brightman 440 Z. 1.

[12]) Leo d. Gr., Ep. 80, 3; 85, 2 (PL 54, 914 f. 923 f); Johannes II. von Konstantinopel an Hormisdas († 523) (CSEL 35, 592).

[13]) Brightman 56. In der heutigen byzantinischen Formel ist noch das Wort ἐνδόξου eingefügt; Brightman 388. Weitere Parallelen bei Kennedy, The saints 36. Das Gedächtnis der Mutter Gottes findet in dieser und auch in der

quorum meritis precibusque concedas, ut in omnibus protectionis tuae muniamur auxilio, ihre Entsprechung in der gleichen Jakobusanaphora[14]) und noch um eine Spur getreuer in der byzantinischen Liturgie: καὶ πάντων τῶν ἁγίων σου, ὧν ταῖς ἱκεσίαις ἐπίσκεψαι ἡμᾶς ὁ θεός[15]), aber auch in der sehr alten ägyptischen Basiliusanaphora: τῶν ἁγίων σου, ὧν ταῖς εὐχαῖς καὶ πρεσβείαις καὶ ἡμᾶς ἐλέησον καὶ σῶσον[15a]).

Bei allem Festhalten am Gedanken der Gemeinschaft wird also hier wie dort am Anfang der Heiligenreihe die unvergleichliche Würde derjenigen gepriesen, die Gottesmutter und allzeit Jungfrau war, und am Schluß das Verhältnis, in dem wir zu den Heiligen überhaupt stehen, genauer umschrieben durch die demütige Bitte, daß ihre Fürsprache uns zugute kommen möge. Durch solche Klarstellungen ist sogar die gelegentlich stehengebliebene alte Formel eines Opferns „für“ sie alle in die rechte Linie gerückt worden, in die Linie des Grundsatzes, den schon Augustinus für die Nennung der Heiligen *ad altare Dei* ausgesprochen hat:

---

byzantinischen Liturgie nicht bloß durch die in schwerem Prunk einherschreitende Formel eine noch stärkere Betonung als in der immer zurückhaltend nüchternen römischen Liturgie; in der Jakobusanaphora wird unmittelbar vor diesem Wort vom Priester auch ein förmliches *Ave Maria* eingeschaltet mit der uns geläufigen Verbindung von Lk 1, 28. 42. In der byzantinischen Chrysostomusliturgie beginnt der Sängerchor, nachdem der Priester unter Inzensierung des Altars mit lauter Stimme das Mariengedächtnis wie oben gesprochen hat, einen besonderen marianischen Gesang, der mit dem Kirchenjahr wechselt, das μεγαλυνάριον, so genannt von dem darin vorkommenden Wort μεγαλύνει *(Magnificat)*; Brightman 388. 600. — Es ist übrigens klar, daß die obige, in allen orientalischen Liturgien verbreitete Formel ursprünglich eine schlichtere Fassung besessen haben muß; in Ägypten muß sie im 6. Jh. noch gelautet haben: τῆς ἁγίας ἐνδόξου θεοτόκου καὶ ἀειπαρθένου Μαρίας, was der römischen Formel sehr nahestünde. Vgl. A. Baumstark, Das Communicantes und seine Heiligenliste: JL 1 (1921) 5—33, bes. 14 f. — Immerhin ist die auf dem Konzil von Ephesus 431 hervorgetretene Begeisterung für die Gottesmutter auch in der römischen Formel zu spüren. Anderseits ist es (entgegen einer oft wiederholten Behauptung) keineswegs ausgemacht, daß der Gottesmuttername der römischen Formel *(Genetricis Dei...)* erst nach dem Konzil von Ephesus entstanden sein könne. Die dabei verwendete feierliche Christusbenennung liegt auch schon bei Cyprian vor, u. a. Ep. 63 ad Caec. n. 1. 14 (CSEL 3, I, 701 Z. 18; 713 Z. 11): *J. C. Dominus et Deus noster;* vielleicht auch umgestellt, De bono pat. c. 6 (CSEL 3, I, 400 Z. 5 mit Apparat): *J. C. Deus et Dominus noster.* Vgl. auch sogar die arianischen Präfationsfragmente, oben 188; endlich das *Quam oblationem* der älteren Kanonüberlieferung (Botte 38): *dilectissimi F. t. Domini Dei n. J. C.*

14) Brightman 48; vgl. 94.

15) Brightman 331 f. 388. 406 f.

15a) Renaudot I (1847) 70.

Iniuria est enim pro martyre orare, cuius nos debemus orationibus commendari[16]).

Die Namenliste des heutigen römischen Kanons umfaßt an dieser Stelle in wohlabgewogener Ordnung die zweifache Zwölfzahl: zwölf Apostel und zwölf Märtyrer, geführt von der Königin aller Heiligen, ähnlich wie die zweite Liste im *Nobis quoque peccatoribus* zweimal eine andere heilige Zahl, die Siebenzahl, umfaßt: sieben Märtyrer und sieben Märtyrinnen, geführt von demjenigen, den der Herr selber den Größten derer genannt hat, die vom Weibe geboren sind (Mt 11, 11). Es wird so ein Doppelchor von Heiligen aufgereiht, wie ihn in ähnlichem Aufbau auch die christliche Kunst darzustellen versucht hat[17]). Das ehrwürdige Alter der Listen erhellt schon daraus, daß sie außer den biblischen Namen nur solche Heilige enthalten, die zu Rom als Märtyrer verehrt wurden; der Kult der Confessores, dessen Anfänge immerhin im 4. Jahrhundert liegen, hat sich an dieser Stelle noch nicht durchgesetzt. Die Ehre, im Hochgebet der Opferfeier genannt zu werden, bleibt jenen Glaubenshelden vorbehalten, die mit Christus den Leidenskampf bestanden haben.

Wenn wir nun die Communicantesliste näher ins Auge fassen, so ist auch innerhalb derselben eine wohldurchdachte Ordnung festzustellen: die zwölf Märtyrer sind in hierarchischer Ordnung aufgereiht: voran stehen sechs Bischöfe, und zwar zuerst fünf Päpste und darauf ein außerrömischer Bischof, Cyprian, der Zeitgenosse des hl. Cornelius, der darum allein aus der sonst eingehaltenen chronologischen Reihe herausgerückt ist, um auch hier an des ersteren Seite zu stehen. Unter den weiteren sechs Märtyrern stehen voran zwei Kleriker: Laurentius und Chrysogonus[18]); es folgen noch Laien: Johannes und Paulus, Cosmas und Damian. Es ist klar, daß hier das Werk einer ordnenden Hand vorliegt. Es sollte im Heiligtum des Hochgebetes gewissermaßen eine wohlgegliederte Vertretung aus den Chören der heiligen Märtyrer erscheinen. Es ist das ein Gedanke, den wir uns auch heute zu eigen machen können und der uns mit der Heiligenreihe des Kanons trotz ihrer Schwächen wohl versöhnen kann, obwohl uns die 2000 Jahre Kirchengeschichte und die Ausweitung des Horizonts über den einer Stadtliturgie ins Universale

---

[16]) Augustinus, Sermo 159, 1 (PL 38, 868); vgl. In Joh. tract. 84, 1 (PL 35, 1847). Neben den Märtyrern wurden übrigens auch die *sanctimoniales* genannt; De s. virginitate c. 45 (PL 40, 423).

[17]) Vgl. z. B. Raffaels „Disputa“.

[18]) Chrysogonus wurde jedenfalls von der Legende als Kleriker hingestellt. J. P. Kirsch, Chrysogonus: LThK II, 949 f.

hinaus zahlreiche andere Namen an die Hand geben möchten. Diesen zweimal zwölf Namen aus der christlichen Frühzeit und aus dem Leben der römischen Mutterkirche werden wir gerne das Vorrecht gönnen, als Vertreter der triumphierenden Kirche am Altare genannt zu werden.

Die Vermutung liegt nahe, daß es sich bei der Heiligenreihe des *Communicantes* — und etwas Ähnliches wird später für die zweite Heiligenreihe festzustellen sein — nicht um einen ersten Wurf handelt. In einzelnen orientalischen Anaphoren ist die Erwähnung der Heiligen innerhalb des Fürbittengebetes auf wenige Namen beschränkt geblieben[19]). Im römischen Kanon, wie er, wohl im 6. Jahrhundert, nach Mailand übernommen worden ist, fehlen noch einzelne Namen unserer heutigen Liste, nämlich die der Päpste Linus und Cletus, und die vorhandenen Namen sind noch nicht in der kunstvollen Anordnung gegeben[20]).

Die ursprüngliche Namenreihe wird jene Heiligen umfaßt haben, die zur Zeit der Einführung des *Communicantes* zu Rom einen besonderen Kult genossen. Das waren im 5. Jahrhundert: Maria, Petrus und Paulus, Xystus und Laurentius, Cornelius und Cyprian[21]). Die Verehrung der Gottesmutter hatte in der Ewigen Stadt bald nach dem Konzil von Ephesus einen prächtigen Mittelpunkt erhalten durch die Einweihung der erneuerten Liberianischen Basilika zu ihren Ehren, S. Maria Maggiore, unter Sixtus III. (432—440). Welche Entfaltung der Kult der Apostelfürsten Petrus und Paulus schon früh gewonnen hat,

---

[19]) Baumstark, Das Communicantes 11 ff. Die Formel der Apostolischen Konstitutionen VIII, 12, 43 (s. oben Anm. 7) wies überhaupt noch keine Namen auf.

[20]) Die ambrosianische Messe hat nach den zwölf Aposteln die Reihe: *Xysti, Laurentii, Hippolyti, Vincentii, Cornelii, Cypriani, Clementis, Chrysogoni, Johannis et Pauli, Cosmae et Damiani,* darauf noch eine längere Reihe von mailändischen Namen. Es scheint, daß hier noch die Reihenfolge zugrunde liegt, in der sich zu Rom die Märtyrerverehrung entwickelt hat, deren Anfänge um die Mitte des 3. Jh. liegen. F. Savio, I dittici del Canone Ambrosiano e del Canone Romano (Sonderdruck aus Miscellanea di storia italiana III, 11), Torino 1905, 4 f; Kennedy 60—64. 191. Für Hippolyt und Vincentius nimmt Kennedy 195 f an, daß sie nur in einzelnen römischen Kirchen, nicht in der päpstlichen Liturgie genannt wurden. Auch müßten die beiden letzten Namenpaare erst nachträglich aus Rom übernommen sein.

[21]) Kennedy, The saints of the canon of the mass (1938) 189 ff. Die folgende Darstellung schließt sich im wesentlichen an die grundlegenden Untersuchungen von Kennedy an. — Verwandt sind die Aufstellungen von H. Lietzmann, Petrus und Paulus in Rom, 2. Aufl., Berlin 1927, 82—93, der die Heiligenliste samt der darin eingehaltenen Reihenfolge aus dem römischen Heiligenkalender des 4./5. Jh. herübergenommen sein läßt. Letztere Annahme wird (gegen Kennedy 195 Anm. 3) auch vertreten von H. Frank, Beobachtungen zur Geschichte des Meßkanons: Archiv f. Liturgiewiss. 1 (1950) 111 f.

bezeugen nicht nur die ältesten Sakramentare mit ihrer Fülle von Meßformularen für ihre Feste, sondern vor allem die Apostelgräber, die schon unter Konstantin ihre Prachtbauten erhalten haben. Papst Xystus, oder wie sein Name später lautet, Sixtus, der zweite des Namens, wurde 258 in der Valerianischen Verfolgung im Cömeterium des Callistus ergriffen und sofort enthauptet. Ihm folgte einige Tage später sein Diakon Laurentius im Martyrium. Die Gedächtnistage der beiden. die von da an alljährlich am 6. und 10. August begangen wurden, gehören zu den ältesten Märtyrerfesten Roms. Papst Cornelius aus dem alten römischen Geschlecht starb nach kurzer Regierung (251—253) in der Verbannung; sein Leichnam wurde bald nach Rom zurückgeholt, sein Grab ist das erste der Papstgräber, das eine lateinische Inschrift aufweist: *Cornelius martyr ep.* Bischof Cyprian von Carthago, der mit Cornelius im Briefwechsel gestanden hatte, eine der großen Gestalten des dritten christlichen Jahrhunderts, erlitt wenig später (258) das Martyrium; sein Gedenktag wurde in Rom schon im 4. Jahrhundert begangen, und zwar zeigen schon die alten Sakramentare Cornelius und Cyprian am 14. September in einer gemeinsamen Feier vereinigt[22]).

Auch die zwölf Apostel als Gesamtheit wurden in Rom schon im 5. Jahrhundert verehrt[23]). Doch scheint nicht sofort die volle Reihe ihrer Namen in den Kanon eingefügt worden zu sein. An der vorliegenden Namenreihe ist nämlich das Auffällige, daß sie von allen biblischen und sonst bekannten Apostelkatalogen abweicht. Am nächsten steht sie der Liste bei Mt 10, 2—4, unterscheidet sich aber auch von ihr (abgesehen von der Einfügung des hl. Paulus und davon, daß die beiden letzten Namen in umgekehrter Ordnung folgen, so wie auch bei Lukas und in der Apostelgeschichte) dadurch, daß nach den Zebedäussöhnen sofort Thomas, Jakobus und Philippus folgen, von denen die beiden letzteren in allen biblischen Katalogen die 9. und die 5. Stelle einnehmen. Ein besonderer Kult des Apostels Thomas ist seit Papst Symmachus (498—514) bezeugt, der ein *oratorium sancti Thomae* einrichtete; ein solcher von Philippus und Jakobus seit Pelagius I. und Johannes III. (556—574), wo ihnen zu Ehren die große Apostelbasilika entstanden ist[24]). Von den in der Liste vorausgehenden Namen hatten die Apostel Johannes und Andreas bereits im 5. Jahrhundert ihre Heiligtümer in Rom. Jakobus der Ältere scheint an dem wenig später bezeugten Fest des

---

[22]) Die näheren Nachrichten bei E. Hosp, Die Heiligen im Canon Missae, Graz 1926.

[23]) Kennedy 109 f.

[24]) Kennedy 102—111.

27. Dezember ursprünglich auch in Rom mit seinem Bruder Johannes zusammen gefeiert worden zu sein[25]), während Zeugnisse für einen Kult der nachfolgenden Apostel fehlen. So ist es wahrscheinlich, daß die Apostelliste im Kanon zunächst nur die Namen umfaßte: Petrus, Paulus, Andreas, (Jakobus?), Johannes, und daß erst nachträglich, aber vielleicht noch im 5. Jahrhundert Thomas, Jakobus und Philippus und schließlich die noch fehlenden Namen bis zur Zwölfzahl eingefügt wurden[26]). Ähnlich muß es bei der Liste der Märtyrer gewesen sein.

Im Laufe des 6. Jahrhunderts tritt in Rom auch eine gewaltig anwachsende Verehrung hervor für Papst Clemens, den ein umfangreiches Schrifttum verherrlichte; für Chrysogonus, den legendenumwobenen Märtyrer, den man mit dem gleichnamigen Gründer einer römischen Titelkirche identifizierte[27]); für Johannes und Paulus, die eine Legende als römische Märtyrer aus der Zeit Julians des Apostaten in Anspruch nahm; für die zwei im Orient hochverehrten Ärzte und Märtyrer Cosmas und Damian, die als unentgeltliche Helfer in Krankheitsfällen, ἀνάργυροι, angerufen wurden. Soweit wird die Liste im 6. Jahrhundert gewissermaßen von selbst gewachsen sein. Der Redaktor, der die Namenreihe in die heutige Ordnung gebracht hat, wird, um die Zwölfzahl wie bei den Aposteln so auch bei den Märtyrern vollzumachen, noch die beiden ersten Nachfolger des hl. Petrus, Linus und Cletus eingefügt haben, die sonst damals wenig genannt wurden[28]). Dieser Redaktor, dessen Tätigkeit um die Wende des 6. Jahrhunderts erfolgt sein muß, kann kaum ein anderer gewesen sein als Papst Gregor der Große. Mit dem Umstand, daß die römische Kirche der Verfolgungszeit, anders als etwa die nordafrikanische Kirche, keine Märtyrerakten geführt hat und so dem Spiel der Legende weithin ausgeliefert war, hängt es zusammen, daß besonders die letzten fünf Namen der Märtyrerreihe stark im Zwielicht stehen und als historischer Kern nicht viel mehr als eben die Existenz von Märtyrern dieses Namens angenommen werden kann[29]).

In den nachfolgenden Jahrhunderten hatte man zunächst nicht das

---

[25]) Lietzmann, Petrus und Paulus in Rom 140 mit Anm. 2; Baumstark, Das Communicantes 23.

[26]) Vgl. Kennedy 105. 110 f (ohne Jakobus). Für die volle Namenreihe noch im 5. Jh. s. Frank, Beobachtungen 111; s. aber auch ebd. 113 f.

[27]) Als historische Gestalt scheint hinter der Legende der Märtyrerbischof Chrysogonus von Aquileja (Beginn des 3. Jh.) zu stehen. J. P. Kirsch, Die römischen Titelkirchen im Altertum, Paderborn 1918, 108—113; Kennedy 129.

[28]) Kennedy 111—117; 128—140.

[29]) Vgl. die Darstellung bei Hosp 110 ff. 222 ff. 238 ff und Kennedy 128 bis 140. Das Urteil über diese Namen lautete noch vor einigen Jahrzehnten

Gefühl, daß mit der Namenreihe, die man im römischen Meßkanon vorfand, eine ein für allemal abgeschlossene Liste gegeben war. Man behielt die zweimal zwölf Heiligen, erlaubte sich aber auch, aus dem jeweils eigenen Gesichtskreis des kirchlichen Lebens weitere Namen hervorragender Gestalten ihnen anzureihen. So fügen schon die ältesten fränkischen Handschriften nicht nur die beiden großen Heiligen Galliens hinzu: Hilarius und Martinus, sondern auch die schon damals hoch verehrten Lehrer der Kirche: (Ambrosius), Augustinus, Gregor, Hieronymus und den Vater des abendländischen Mönchtums, Benedictus[30]). Dazu kamen manchmal noch Heilige der engeren Heimat oder Patrone der eigenen Diözese oder Kirche. So wird im Bereich von Fulda Bonifatius zu den Märtyrern hinzugenommen[31]). Die angefügten Heiligennamen sind in vielen Handschriften wichtige Fingerzeige zur Feststellung von deren Herkunft geworden. Manchmal wurde die Zahl der hinzukommenden Namen ungebührlich lang, so, wenn in einem Sakramentar des 11. Jahrhunderts aus Rouen 23 Namen hinzugefügt sind[32]).

Einen Ausweg, der gestattete, ohne Verlängerung der Liste dem lokalen Bedürfnis Genüge zu tun, hat Papst Gregor III. (731—741) bezeichnet, indem er den Mönchen eines mit Reliquien reich ausgestatteten Oratoriums in der Peterskirche beim *Communicantes* den Zusatz vorschrieb: *sed et diem natalitium celebrantes sanctorum tuorum martyrum ac confessorum, perfectorum iustorum, quorum sollemnitas hodie in conspectu gloriae tuae celebratur, quorum meritis precibusque ...*[33]). Tatsächlich findet sich dieser oder ein ähnlicher Zusatz in zahlreichen Meßbüchern des Mittelalters, meistens freilich als weitere Bereicherung der schon verlängerten Formel, insbesondere als Einbeziehung auch des jeweiligen

---

wesentlich weniger skeptisch als heute nach den einschlägigen Arbeiten von H. Delehaye, P. Franchi de' Cavalieri u. a.

30) Botte 34. Ambrosius erscheint nur in zweien der von Botte gebuchten Hss. — Die Namen kehren in zahlreichen Hss bis ins hohe Mittelalter wieder; Ebner 407 f.

31) Ebner 408. — Vgl. Martène 1, 4, 8, 16 (I, 407 f).

32) Ebner 409. Vgl. die Zusammenstellung aus französischen Hss bei Leroquais, Les sacramentaires III, 353.

33) Duchesne, Liber pont. I, 422. — Walafried Strabo, De exord. et increm. c. 22 (PL 114, 950 A), zitiert dieses Wort mit der Erweiterung: ... *celebratur, Domine Deus noster, toto in orbe terrarum.* — In Meßbüchern des späteren Mittelalters lautet die Formel häufig: *quorum hodie in conspectu tuo celebratur triumphus,* oder ähnlich; s. Ferreres S. 150—152. — Anderseits fügt schon das Bobbio-Missale (Muratori II, 777; Lowe I [HBS 58] n. 11) zum ursprünglichen Text nach *omnium sanctorum tuorum* hinzu: *qui per universo mundo passi sunt propter nomen tuum, Domine, seu confessoribus tuis.*

Tagesheiligen[34]). So erhob sich denn auch gelegentlich entschiedener Widerstand gegen die unnatürliche Belastung der Communicantesformel[35]), bis sie schließlich gänzlich verschwindet[36]).

Bis heute bestehen geblieben ist eine andere Erweiterung des *Communicantes,* die älteste, von der wir wissen, nämlich die Erwähnung des Festgeheimnisses an Weihnachten, Epiphanie, Gründonnerstag, Ostern, Christi Himmelfahrt und Pfingsten. Sie ist an diesen sechs Tagen übereinstimmend in den alten Sakramentaren vorgesehen[37]). Außerdem bieten die vorgregorianischen Sakramentare noch eine weitere Formel für die Pfingstvigil[38]) und das Leonianum an zweien der vorgenannten Tage noch eine von der heutigen abweichende weitere Formel[39]). Diese Erweiterungen sind also mindestens schon um die Mitte des 6. Jahrhunderts vorhanden gewesen. Gerade um diese Zeit, im Jahre 538, scheinen sie auch erwähnt zu sein in einem Schreiben, das Papst Vigilius an Bischof Profuturus von Braga richtet und in dem er die sonstige

---

[34]) Vgl. Ordo ‚Qualiter quaedam' (Andrieu II, 298; PL 78, 1380 B): (nach *Cosmae et Damiani) si fuerit natale sanctorum, hic dicat: Sed et diem natalicii beati illius celebrantes et omnium sanctorum.* — Ebner 409 f.

[35]) Bernold von Konstanz, Micrologus c. 13 (PL 151, 985 f): *Aliorum vero sanctorum nomina* (außer den Namen beim *Memento) annumerare non debemus, nisi quos in canone invenimus antiquitus descriptos.* Merkwürdigerweise macht Bernold dann aber die Einschränkung: *excepto post Pater noster in illa oratione ubi iuxta ordinem quorumlibet sanctorum nomina internumerare possumus.* — Mit scharfen Worten wird die Hinzufügung von Namen im Kanon bekämpft in einer 1435 entstandenen Stuttgarter Hs bei Franz 612 f.

[36]) Endgiltig mit dem Missale Pius' V.; doch zeigt schon das spätere Mittelalter die rückläufige Bewegung; s. Ebner 407 f.

[37]) Gregorianum ed. Lietzmann n. 6, 4; 17, 4; 77, 3; 88, 4; (87, 4); 108, 4; 112, 4; (111, 4). — Dieselben Formeln in den gelasianischen Sakramentaren. Nennenswerte Varianten liegen nur vor an Epiphanie und Christi Himmelfahrt; an ersterer Stelle: *quo Unigenitus tuus... natus Magis de longinquo venientibus visibilis et corporalis apparuit;* Vat. Reg. I, 12 (Wilson 11 f); S. Gall. (Mohlberg n. 99). An Christi Himmelfahrt mit der auffällig altertümlichen Ausdrucksweise: *....unitum sibi hominem nostrae substantiae in gloriae tuae dextrae collocavit;* Vat. Reg. I, 63 (Wilson 107) und auch im Leonianum (Muratori I, 316).

[38]) *Communicantes et diem ss. Pentecostes praevenientes, quo Spiritus Sanctus apostolos plebemque credentium praesentia suae maiestatis implevit, sed et;* Vat. Reg. I, 78 (Wilson 120); S. Gall. (Mohlberg n. 803); Leonianum (Muratori I, 318).

[39]) Nämlich eine zweite Formel an Christi Himmelfahrt (Muratori I, 314) und eine abweichende Formel an Pfingsten (ebd. I, 321). Das Leonianum, das ja erst nach Ostern einsetzt, enthält nur die erwähnten vier Formeln.

Unveränderlichkeit des römischen Eucharistiegebetes betont[40]). Trotz diesem ehrwürdigen Alter[41]) und trotz der in ihnen vorliegenden meisterhaften Umschreibung des Festgeheimnisses kann man diese Formeln nicht als organische Weiterführungen des Kanontextes betrachten. Sie sprengen das Wort *communicantes*, das schon durch das *memoriam venerantes* zu einer Art Anakoluth wird, nun vollständig ab von den zugehörigen Heiligennamen. Diese Einschaltungen gehören, vom Standpunkt des Zusammenhangs aus betrachtet, auf eine Linie mit einem erheblichen Teil der Präfationen des Leonianums, die in der Freude des Neuschaffens sich vom eigentlichen Kerngedanken des Eucharistiegebetes mehr oder weniger weit entfernt und darum auch eine Reform herausgefordert haben. Wenn unsere Festtagseinschaltungen jener Reform entgangen sind, so vielleicht deswegen, weil sie inhaltlich doch wieder eben zum Kerngedanken aller Eucharistiefeier zurückführen und weil man sich wohl schon gewöhnt hatte, dem Wort *Communicantes* einen weiteren Sinn zu geben, so daß der Gedankengang an diesen Tagen etwa zu umschreiben wäre: sie entrichten dir ihre Gaben als Glieder der heiligen Gemeinde im Andenken an das Geheimnis der Erlösung, das wir heute

---

[40]) PL 69, 18: *Ordinem quoque precum in celebritate missarum nullo nos tempore, nulla festivitate significamus habere diversum, sed semper eodem tenore oblata Deo munera consecrare. Quoties vero Paschalis aut Ascensionis Domini vel Pentecostes et Epiphaniae sanctorumque Dei fuerit agenda festivitas, singula capitula diebus apta subiungimus, quibus commemorationem sanctae sollemnitatis aut eorum facimus, quorum natalitia celebramus; cetera vero ordine consueto prosequimur. Quapropter et ipsius canonicae precis textum direximus subter adiectum, quem Deo propitio ex apostolica traditione suscepimus. Et ut caritas tua cognoscat, quibus locis aliqua festivitatibus apta connectes, paschalis diei preces similiter adiecimus.* Unter den *capitula diebus apta* können indes nicht ausschließlich unsere Communicantesformeln oder die weiteren Kanoneinschaltungen gemeint sein; vielmehr ist auch die Präfation mitgemeint, die ja noch mit dem übrigen Kanon ein Ganzes bildet. Denn die von Vigilius erwähnte Berücksichtigung der Heiligenfeste lag auch damals, wie das Leonianum zeigt, innerhalb des Eucharistiegebetes nur in der Präfation vor.

[41]) P. Borella, S. Leone Magno e il Communicantes: Eph. liturg. 60 (1946) 93—101, sucht zu erweisen, daß Rahmenformel und Festtagseinschaltungen von Leo d. Gr. stammen müssen. Ähnlich C. Callewaert, S. Léon, le ‚Communicantes' et le ‚Nobis quoque peccatoribus': Sacris erudiri 1 (1948) 123—164. Wenigstens für drei von diesen Einschaltformeln wird die Herkunft von Leo d. Gr. auch anerkannt von H. Frank, Beobachtungen zur Geschichte des Meßkanons: Archiv f. Liturgiewiss. 1 (1950) 114—119. Der Normaltext *Communicantes et memoriam venerantes* muß also schon damals als stark formelhaft empfunden worden sein.

begehen, und im Aufblick zu deinen Heiligen. Die Einschaltung wäre also zu einer Art Anamnese geworden.

Als Hinweis auf diese Einschaltungen sind im römischen Missale innerhalb des Kanons vor dem *Communicantes* die Worte *Infra actionem* stehengeblieben, die gleichen Worte, die ihrem eigentlichen Sinn entsprechend auch als Überschrift vor dem Text der Einschaltformeln stehen, dort wo dieser meist geboten wird, nämlich im Anschluß an die Präfationen; sie besagen, daß dieser Text „innerhalb der Handlung" einzufügen ist. Das *Infra actionem* stammt aus den gelasianischen Sakramentaren, wo es in der Regel vor den einzuschaltenden *Communicantes*-Formeln — und auch vor den *Hanc-igitur*-Formeln — steht. Es ist dieselbe Sakramentargruppe, die in mehreren Handschriften auch vor dem *Sursum corda* die Überschrift aufweist: *Incipit canon actionis*[42]).

Mit dem *Communicantes* schließt der erste Abschnitt des Fürbittengebetes. Das offenbart sich äußerlich in der Schlußformel *Per Christum Dominum nostrum,* die nun innerhalb des Kanons zum erstenmal erscheint. Unsere Fürbitten und Anempfehlungen sollen wie alles unser Beten Gott nur dargebracht sein „durch Christus unseren Herrn". Darauf besinnen wir uns an diesem vorläufigen Endpunkt unseres Bittens. Dasselbe *Per Christum Dominum nostrum* kehrt dann wieder nach dem *Hanc igitur,* nach dem *Supplices,* nach dem *Memento etiam* und nach dem *Nobis quoque*[43]). Wie ein Wegzeichen, das die große Linie unseres Betens angibt, steht die Formel heute in gemessenen Abständen entlang unserem Kanon. Die Formel gehört an allen diesen Stellen schon dem ältesten überlieferten Kanontext an, freilich erst im Gefolge einer sekundären Erweiterung desselben. Als ursprüngliches Element des Textes erscheint sie ein erstes Mal, und zwar ohne eigentlichen Abschlußcharakter, schon in der Grundform der Präfation: ... *gratias agere per Christum Dominum nostrum,* wo sie aber ebenso wie im Schluß des *Nobis quoque* sofort eine relativische Weiterführung erhält. An den übrigen vier Stellen, wo diese relativische Weiterführung fehlt, hat es das nachkarolingische Mittelalter mehr und mehr selbstverständlich gefunden, daß zum *Per Christum Dominum nostrum* ein *Amen* hinzutreten müsse. In den Handschriften erscheint es ein erstes Mal im 9. Jahrhundert[44]) und dann

---

[42]) Siehe oben 129.

[43]) Remigius von Auxerre, Expositio (PL 101, 1258), will auch schon das erste Kanongebet nach *fidei cultoribus* mit *Per Christum Dominum nostrum* abgeschlossen wissen. Doch scheint er mit dieser Forderung wenig Erfolg gehabt zu haben, und zwar mit Recht; vgl. oben 200 Anm. 1.

[44]) Sakramentar von S. Thierry; Leroquais I, 22.

immer öfter, bis seine Einfügung an allen diesen Stellen seit dem 12. Jahrhundert zur vorherrschenden Regel wird, der aber noch am Ausgang des Mittelalters Ausnahmen gegenüberstehen[45]). Seitdem das *Amen* an der einzigen Stelle, wo es von altersher vom ganzen Volke zu sprechen war, am Schluß des Kanons, seine selbständige Bedeutung verloren hatte, war es einfach zum unerläßlichen Schlußzeichen des Gebetes geworden und mußte also zur christologischen Formel hinzutreten.

In der neugallikanischen Bewegung hat dieses *Amen*, das in das Missale Pius' V. übergegangen war, nachmals noch eine Rolle gespielt. In verschiedenen Diözesen mußten es die Gläubigen mit lauter Stimme sagen[46]). Man glaubte, damit zu einem Brauch der alten Kirche zurückgekehrt zu sein.

10. Hanc igitur

Durch die Schlußformel *Per Christum Dominum nostrum* erweist sich auch das *Hanc igitur* als ein selbständiges Gebet, das nicht zur ursprünglichen Anlage des Kanons gehört hat, sondern erst nachträglich eingefügt worden ist. Der Sinn der Worte scheint auf den ersten Blick klar und eindeutig, so daß kaum viel zu erklären bliebe. Nur ist in der vorliegenden Fassung nicht ohne weiteres ersichtlich, weshalb dieses Gebet hier überhaupt eingeschaltet wurde. Gilt es nur die Bitte um Annahme der Opfergaben, wie manche Missaleübersetzungen dieses Gebet überschreiben[1])? Aber eine solche Bitte ist ja schon früher ausgesprochen worden und wird hier lediglich mit anderen Worten wiederholt. Dafür hätte man schwerlich ein selbständiges Gebet eingefügt. Oder liegt der Ton auf dem Inhalt der angefügten Bitten? Aber warum werden diese

---

[45]) P. Salmon, Les „Amen" du canon de la messe: Eph. liturg. 42 (1928) 496—506. Ebd. 501 Anm. 4 nennt der Verfasser gedruckte Missalien von 1518 und 1523, in denen noch kein *Amen* eingefügt ist. — G. Ellard, Interpolated Amen's in the Canon of the Mass: Theological Studies 6 (1945) 380—391. Darnach sind die *Amen* im 13. Jh. auch schon in Rom nachweisbar (386 ff). Die mittelalterlichen Erklärer, die sich gegen die Einfügung aussprechen, wissen als Grund seit dem beginnenden 13. Jh. anzugeben, daß hier die Engel das *Amen* sagen; so auch, aber doch neben anderen Begründungsversuchen, Durandus IV, 38, 7; 46, 8. Vereinzelt wurde das *Amen* auch am Ende des *Nobis quoque* beigefügt. Salmon 499. 501. — Vgl. auch Sölch, Hugo 91—93.

[46]) Salmon 503—505. Vgl. oben I, 201.

[1]) So Schott, Das Meßbuch der heiligen Kirche, 37. Aufl., Freiburg 1934, 403. Ebenso Brinktrine, Die feierliche Papstmesse 27.

Bitten gerade an dieser Stelle ausgesprochen? Die Vertreter verschiedener Kanontheorien haben gerade um dieses Gebet ihre Hypothesen entwickelt, und eine zusammenfassende Betrachtung hat schließlich gefunden, daß wir hier vielleicht das allerschwierigste Gebet der ganzen Messe vor uns haben[2]).

Geschichtlich ist vor allem bekannt, daß das *Hanc igitur*, das ja wiederum nach allen Textzeugen zum überlieferten Wortlaut des römischen Kanons gehört, seine heutige Fassung erst erhalten hat durch Gregor den Großen, der, wie das Papstbuch berichtet, die letzten Worte hinzugefügt hat[3]). Auch für die frühere Gestalt des Gebetes sind wir nicht auf bloße Vermutungen angewiesen. Wir finden es zwar nirgends in der Form überliefert, daß es einfach, wie der Bericht des Papstbuches anzunehmen nahelegt, in den dem Gregorianischen Zusatz vorausgehenden Worten bestanden hätte: *Hanc igitur oblationem ... quaesumus Domine ut placatus accipias;* wohl aber sind in den vorgregorianischen Sakramentaren eine beträchtliche Anzahl von Formeln vorhanden, in denen diese oder ähnliche Anfangsworte mit einem längeren Nachsatz verbunden und dem betreffenden Meßformular angepaßt sind in ähnlicher Weise, wie auch heute noch für einzelne Gelegenheiten — Gründonnerstag, Ostern, Pfingsten, Bischofsweihe — die heutige Grundformel mit einer Texterweiterung versehen wird. Dabei zeigt sich, daß der Bericht des Papstbuches auch sonst mindestens ungenau ist, da sich die Zusatzformel Gregors nicht als gänzlich neu erweist und umgekehrt auch die vorausgehenden Anfangsworte in den ältesten Texten keineswegs mit dem gleichen Wortlaut wiederkehren, so daß auch bei ihnen erst eine Festlegung stattgefunden haben muß[4]). So lautet das *Hanc igitur* von (Ostern und) Pfingsten im Leonianum:

---

[2]) Fortescue, The mass 333.

[3]) Duchesne, Liber pont. I, 312: *Hic augmentavit in praedicationem canonis: diesque nostros in tua pace dispone, et cetera.* Dieselbe Nachricht bei Beda, Hist. eccl. II, 1 (PL 95, 80).

[4]) In den Anfangsworten fehlt bei den älteren Beispielen in der Regel die Bestimmung: *servitutis nostrae sed et cunctae familiae tuae.* Die Fortsetzung *quaesumus Domine ut placatus accipias* ist nur in einem Teil der alten Texte vorhanden. Mit dem gregorianischen Schlußstück ist mindestens verwandt der Satz im *Hanc igitur* des Leonianums für den Jahrestag der Bischofsweihe (Muratori I, 426): *diesque meos clementissima gubernatione disponas. Per.* — V. L. Kennedy, The pre-Gregorian Hanc igitur: Eph. liturg. 50 (1936) 349—358; Th. Michels, Woher nahm Gregor d. Gr. die Kanonbitte: Diesque nostros in tua pace disponas?: JL 13 (1935) 188—190.

Hanc igitur oblationem, quam tibi offerimus pro his quos ex aqua et Spiritu Sancto regenerare dignatus es, tribuens eis remissionem omnium peccatorum, quaesumus, placatus accipias eorumque nomina adscribi iubeas in libro viventium. Per[5]).

Im allgemeinen zeigt die Formel eine große Wandelbarkeit, und zwar sowohl im Vordersatz wie im Haupttext. Nur die ersten Worte bleiben meist unverändert: *Hanc igitur oblationem.* Die Oblation wird dann aber im Vordersatz in den meisten Fällen hinsichtlich der Darbringer auf verschiedene Weise näher bestimmt. In der Regel wird sie bezeichnet als solche, die „wir" für jemanden darbringen; aber dann erscheint sie auch als solche einer ersten Person, die wir für eine zweite Person darbringen, oder als solche einer ersten Person, die sie für eine zweite darbringt, auch als solche, die einfach der Priester darbringt[6]).

Noch viel größer war die Wandelbarkeit im Hauptsatz, der nun regelmäßig angeschlossen wird. Es scheint, daß dafür überhaupt keine Grundform vorlag, sondern daß nur fallweise einer der Wechseltexte eingesetzt wurde, die sich zudem beliebig vermehren ließen. In diesem Hauptsatz wurde das besondere Anliegen genannt, das mit der betreffenden Opferfeier verbunden wurde. Ein solches kam nicht für jede Messe in Betracht. Die Messe an Sonn- und Festtagen gilt und galt nicht einem besonderen Anliegen, sondern ist einfach der Gottesdienst der Gemeinde. Dem entspricht die Tatsache, daß das *Hanc igitur* im vorgregorianischen Sakramentar nicht der Sonn- und Festtagsmesse, sondern der Messe aus besonderem Anlaß und der Votivmesse angehört, wie besonders deutlich aus dem Zeugnis des älteren Gelasianums[7]) hervorgeht[8]) und wie auch durch das Leonianum bestätigt wird[9]).

---

[5]) Muratori I, 318.

[6]) Die Nachweise bei Kennedy a. a. O. 353 f.

[7]) Im jüngeren Gelasianum scheint die Hs von Rheinau ein ähnliches Bild zu bieten; Ebner 413. — Vgl. auch Mohlberg, Das fränkische Sacramentarium Gelasianum S. LVII—LXVIII.

[8]) Dieses Sakramentar des 6. Jh. ist in drei Bücher gegliedert: 1. Proprium de tempore, 2. Proprium sanctorum, 3. Messen für verschiedene Anliegen und Anlässe. Im ganzen Sakramentar kommen 41 *Hanc-igitur*-Formeln vor, dabei fehlt die Formel vollständig im zweiten Buch. Im ersten Buch fehlt sie im allgemeinen z. B. an allen Tagen der Quadragesima, und erscheint nur, wenn wir einmal vom Gründonnerstag absehen, an Tagen, wo innerhalb der Festfeier eine besondere Gruppe von Gläubigen und damit ein besonderer Anlaß hervortritt: die Täuflinge (n. 26. 45), diejenigen, die den Jahrestag der Taufe *(pascha annotina)* begehen (54), die neugeweihten Diakone oder Priester, der neugeweihte Bischof, der Jahrestag ihrer Weihe (97. 98. 100. 101; vgl. 102), und ebenso die gottgeweihten Jungfrauen und ihr Jahrestag (105. 106), die Einweihung der

Dem entspricht auch die Form des *Hanc igitur* und näherhin die Weise, wie darin bestimmte Personen oder Personengruppen eingeführt werden. Diese erscheinen nämlich, mit oder ohne Namennennung, entweder selbst als Darbringer oder aber, und dies besonders häufig, als solche, für die dargebracht wird, oder es erfolgen Nennungen für beide Funktionen. Eine Darbringung f ü r j e m a n d erweist sich geradezu als charakteristisch für die *Hanc-igitur*-Formel. Sie kommt zum Ausdruck in den Formeln der Totenmesse und in der Skrutinienmesse für die Taufkandidaten, beides Fälle, in denen die betreffenden ja nicht selber darbringen können. Auch einzelne Votivmessen gehören schon entsprechend der Natur der Sache hieher[10]). Aber auch die Neugetauften, die bereits im Besitz aller Rechte des Vollchristen sind, erscheinen nicht selber als Darbringer. Das gleiche gilt von den neugeweihten Diakonen und Priestern[11]) und von der Braut in der Brautmesse[12]). Wir lernen

---

Kirche oder eines Baptisteriums (89. 90. 94), das Gedächtnis des verstorbenen Stifters der Kirche (92). Im d r i t t e n Buch setzt sich diese letztere Linie fort. Nicht alle Votivmessen besitzen eine *Hanc-igitur*-Formel, aber viele: die Messen für den Jahrestag der Priesterweihe (37), für den Tag und für den Jahrestag der Hochzeit (52), für den, der eine Reise antritt (24), für den, der eine Agape veranstaltet (49), die Messe in Kinderlosigkeit (54), die Messe am Geburtstag (53), die Messe für den König (62) und für das Kloster (50), die Messe *pro salute vivorum* (106), sodann (mit einer Ausnahme) die ganze Reihe von Messen für die Verstorbenen (92—96; 98—106).

[9]) Von den zehn *Hanc-igitur*-Formeln dieses Sakramentars fällt je eine auf die Täuflingsmesse der Pfingstnacht (M u r a t o r i I, 318), auf die Jungfrauenweihe (331), auf die Bischofsweihe (421), auf die Brautmesse (446), zwei auf den Jahrestag der Bischofsweihe (426. 434) und vier auf Messen für Verstorbene (451—454).

[10]) Von den beiden *Hanc-igitur*-Formeln der Messe *Ad proficiscendum in itinere* im älteren Gelasianum (III, 24) zeigt die erste den Reisefertigen als Offerenten, die zweite setzt schon einen Vertreter voraus, der für ihn darbringt: *Hanc igitur oblationem, Domine, famuli tui illius, quam tibi offert pro salute famuli tui illius.* — Auch die Messe *pro sterilitate mulierum* (III, 54) läßt die betreffende nicht als Darbringerin erscheinen, wohl um ihr Beschämung zu ersparen *(pro famula tua illa)*.

[11]) I, 24: *Hanc igitur oblationem, quam tibi offerimus pro famulis tuis, quos ad presbyterii vel diaconatus gradus promovere dignatus es*... Die Neupriester haben also in ihrer Ordinationsmesse damals nicht konzelebriert, jedenfalls nicht mitkonsekriert. Dagegen ist für den neugeweihten Bischof eine Messe vorgesehen (I, 100): *quam pro se episcopus die ordinationis suae cantat.* Darum beginnt auch die entsprechende Formel: *Hanc quoque oblationem quam offero ego tuus famulus et sacerdos ob diem in quo me dignatus es*...

[12]) Das betreffende *Hanc igitur* findet sich sowohl im Gelasianum III, 52 wie im Leonianum (M u r a t o r i I, 446) und in anderer Fassung auch noch im Gregorianum (L i e t z m a n n n. 200, 4). Es lautet im Leonianum: *Hanc igitur*

hier ein Stück altchristlicher Etikette kennen. Man muß es sich wohl zur Ehre angerechnet haben, den betreffenden an ihrem großen Tage die Oblationspflicht abzunehmen und „für“ sie, an ihrer Stelle und zu ihren Gunsten, die Darbringung zu leisten[13]).

Schließlich ergibt die nähere Prüfung, daß die Erwähnung derjenigen, für die dargebracht wird, im *Hanc igitur* nur dort fehlt, wo diese mit den Darbringern zusammenfallen, weil jemand für sich selbst und für seine eigenen Anliegen darbringt[14]). Nur in diesen Fällen wird der Darbringer allein genannt, aber nicht als solcher, sondern als Anwärter der Opferfrucht. Besonders lehrreich ist der Fall der schon erwähnten Skrutinienmesse, in deren *Hanc igitur* überhaupt nur die Taufkandidaten genannt werden. Wie schon früher angeführt[15]), wurden darin beim *Memento* der Lebenden die Namen der Paten verlesen, die ja Darbringer sein konnten. Jetzt, beim *Hanc igitur*, folgen die Namen der vor der Taufe stehenden Kinder, für die dargebracht wird[16]). Wenn auch eine

---

oblationem famulae tuae ill., quam tibi offerimus pro famula tua illa, quaesumus Domine, placatus aspicias, pro qua maiestatem tuam supplices exoramus, ut sicut eam ad aetatem nuptiis congruentem pervenire tribuisti, sic consortio maritali tuo munere copulatam desiderata sobole gaudere perficias atque ad optatam seriem cum suo coniuge provehas benignus annorum. Per.

[13]) Das wird deutlich in der Brautmesse des Gelasianums (III, 52), wo offenbar Frauen der Verwandtschaft die Aufgabe übernehmen. Ähnlich (mit einer einzigen Darbringerin) im Leonianum (vorige Anm.). — Der Brauch, daß die Neugetauften erst vom achten Tage an selber eine Oblation darbringen, wird schon bezeugt von Ambrosius, In Ps. 118 prol. 2 (CSEL 62, 4). Die Begründung scheint zu sein, daß sie erst durch die lebendige Teilnahme während der Osterwoche den Ritus lernen müssen: *tunc demum suum munus sacris altaribus offerat, cum coeperit esse instructior, ne offerentis inscitia contaminet oblationis mysterium.* Man möchte indes meine, daß der Opfergang nicht schwieriger war als der damalige Kommuniongang. Die Begründung dürfte allegorisch gemeint sein: *instructior* wird man durch das Geheimnis des „achten Tages“ (achter Tag = Sonntag = Tag der Auferstehung), also nicht durch ein Erlernen, sondern einfach durch das Abwarten dieses Tages.

[14]) So z. B. im ersten *Hanc igitur* der Reisemesse: *Hanc igitur oblationem, Domine, famuli tui illius, quam tibi offert ... commendans tibi Deus iter suum ...* Gelasianum III, 24 (Wilson 245). Ähnlich ist der Fall bei den Jahresgedächtnissen der Taufe, der Ordination und Konsekration. So betet der Bischof am Jahrestag seiner Bischofsweihe sogar in der ersten Person: *Hanc quoque igitur oblationem, quam offero ego tuus famulus et sacerdos ob diem in quo me ...* Gelasianum I, 100 (Wilson 154).

[15]) Oben 202 f.

[16]) Gelasianum I, 26 (Wilson 34): *Hanc igitur oblationem, Domine, ut propitius suscipias deprecamur, quam tibi offerimus pro famulis et famulabus tuis, quos ad aeternam vitam ... vocare dignatus es. Per Christum. Et recitantur nomina electorum. Postquam recensita fuerint dicis: Hos, Domine, fonte baptismate*

solche Verteilung der Namennennung in anderen Fällen nicht bezeugt ist und wiederholt innerhalb des *Hanc igitur* selbst Offerent und Anwärter der Opferfrucht nacheinander genannt sind[17]), so wird von hier aus doch klar, daß der Ton im *Hanc igitur* auf der Nennung des letzteren und auf der Anführung des besonderen Anliegens liegt. Es besteht also zwar wohl eine äußere Parallele zum *Memento* der Lebenden[18]), insofern hier wie dort bestimmte Personen erwähnt und gegebenenfalls auch Namen verlesen werden[19]); aber es handelt sich um keine bloße Verdoppelung des Rahmens für eine solche Erwähnung[20]), sondern um eine weitere Bestimmung der Absicht unseres Tuns, um die Intention der jeweiligen Meßfeier, deren Nennung gerade hier sich passend einfügte. Es war ein sinnvoller und jedenfalls ein menschlich naheliegender Gedanke, unmittelbar vor dem Höhepunkt der heiligen Handlung, nachdem sich die kleine Feiergemeinde in die große Gemeinschaft der irdischen und der himmlischen Kirche ausgeweitet hat, noch

---

innovandos Spiritus tui munere ad sacramentorum tuorum plenitudinem poscimus praeparari. Per.

[17]) Es ist wohl möglich, daß in solchen Fällen, wenigstens in Votivmessen, bei denen andere Offerenten nicht in Betracht kamen, das der Empfehlung der Offerenten dienende *Memento* unterblieb. Auf ein hohes Alter des *Hanc igitur* weist besonders die mit einer *Hanc-igitur*-Formel ausgestattete, mit *sancti Silvestri* überschriebene Messe im Leonianum (Muratori I, 454), die noch als Totenmesse behandelt ist *(in famuli tui Silvestri episcopi depositione)*.

[18]) Enger wäre die Parallele zum *Memento* der Verstorbenen. In zwei allerdings späten Hss der in der Petrusliturgie vorliegenden griechischen Übersetzung des römischen Kanons ist das *Hanc igitur* geradezu als Gedächtnis der Toten behandelt; es ist nämlich die Rubrik beigeschrieben: Ἐνταῦθα ἀναφέρει τοὺς κοιμηθέντας Codrington, The liturgy of Saint Peter 141.

[19]) Die Namensverlesung unterbleibt u. a. dort, wo innerhalb des Gottesdienstes bereits durch frühere Namennennung eine geschlossene Gruppe aus der Gemeinde herausgehoben ist: bei der Taufmesse in der Oster- und Pfingstnacht, bei der Ordination und natürlich auch dort, wo jemand für sich selber darbringt. Eine strenge Regel ist indes nicht ersichtlich. Im Leonianum ist in acht von zehn Fällen eine Namennennung innerhalb des *Hanc igitur* vorgesehen, im älteren Gelasianum in etwas mehr als der Hälfte der 41 Fälle.

[20]) Die Hypothese von Botte, Le canon 59: *Memento* und *Hanc igitur* hätten in gleicher Weise der Nennung der Offerenten gedient und wären vielleicht dadurch unterschieden gewesen, daß ersteres vom Diakon, letzteres vom Priester gesprochen wurde, entbehrt also der Grundlage. Der Diakon wird in beiden Fällen die Namen verlesen haben, soweit es sich um längere Listen handelte; vgl. oben Anm. 16. Die Annahme, daß der Diakon auch das *Memento* zu sprechen hatte, widerspricht dem Geist der römischen Liturgie, die dem Diakon nie ein so starkes Hervortreten verstattet hat. Das *Memento* der Lebenden gehört in allen erhaltenen Sakramentar-Hss zum Gebetstext des Priesters.

Namen und Anliegen zu nennen, die man der göttlichen Gnade besonders empfehlen wollte, die persönliche Darbringung also zu „verbinden" mit dem, was nun am Altar vollzogen wurde[21]).

Bei der starken Differenzierung und fast unbegrenzten Wandelbarkeit der *Hanc-igitur*-Formel mag es für den Zelebranten nicht immer leicht gewesen sein, in der Nennung der Darbringer und derjenigen, zu deren Gunsten dargebracht wurde, und in der Umschreibung des Anliegens jene Form zu finden, die allen Wünschen gerecht wurde. Gespannte Ohren mögen da auf jedes Wort gelauscht haben. Die Schwierigkeit wuchs mit der immer weiteren Entfaltung der Votivmessen, die wir im Gelasianum, also im 6. Jahrhundert, wahrnehmen. Nicht selten mochte die Zumutung der Gläubigen, ihre irdischen und allzu irdischen Anliegen in der heiligen Feier ausdrücklich zu nennen, geradezu peinlich werden. Es ist das die Erfahrung, die auch heutzutage von Seelsorgern überall dort gemacht wird, wo man empfohlene Gebetsanliegen, vom kranken Haustier bis zur drohenden Schulprüfung, genauer zu umschreiben pflegt. So können wir es wohl verstehen, wenn Gregor der Große dem Vielerlei und Allerlei ein Ende gemacht hat mit der geradlinigen Verfügung: Am Altar wird nur mehr das Große und Allgemeine genannt: an Stelle der verschiedenen Darbringer und Empfänger die große christliche Gemeinschaft, bestehend aus Klerus und Volk, in der jede Sondergruppe miteingeschlossen ist: *Hanc igitur oblationem servitutis nostrae*[22]), *sed et cunctae familiae tuae*[23]). Alle opfern für alle. Und an Stelle der verschie-

---

[21]) Die naheliegende Ausdrucksweise steht offenbar hinter der Überschrift, die das *Hanc igitur* der Jungfrauenweihe im Leonianum (Muratori I, 331) aufweist: *Coniunctio oblationis virginum sacratarum.* Über eine weitere verwandte Fundstelle des Ausdrucks *coniunctio* vgl. A. Dold, Eph. liturg. 50 (1936) 372 f. — Ein *Hanc igitur* am Bischofsweihetag ist im Leonianum (Muratori I, 434) überschrieben: *Pro episcopo offerendum;* die Bezeichnung *offerendum* offenbar, weil die Formel auf die Frage Antwort gibt: *pro quo est offerendum?*

[22]) *Servitus nostra* = *nos servi.* Botte, Le canon 37, verweist auf Gelasianum I, 98, wo der Priester an seinem Weihetag betet: *ut tibi servitus nostra complaceat.* Darin ist *servitus* abstrakt gemeint: unser Knechtsdienst. Der Ausdruck setzt den auch sonst nicht seltenen Gebrauch von *servus* für den priesterlichen Amtsträger voraus; vgl. ZkTh 56 (1932) 603 f. Bei Leo d. Gr., Ep. 108, 2 (PL 54, 1012 A), erscheint auch in aller Form *per servitutem nostram* im Sinne von *per nos.* Es ist dieselbe spätlateinische Substantivierung, wie wenn die Gläubigen bei Augustin mit *caritas vestra* oder in Tiroler und Schweizer Diözesen bei Verkündigungen noch heute mit „Euer Lieb und Andacht" angeredet werden.

[23]) Das Gottesvolk wird hier als eine unter Gott als *pater familias* stehende Hausgemeinde aufgefaßt; vgl. Rütten, Philologisches zum Canon missae (StZ 1938, I) 45; Batiffol, Leçons 250.

denen Einzelwünsche die immerwährenden und allgemeinen Interessen der Gesamtheit, in denen alle Sonderanliegen mitenthalten sind: das universale Anliegen für unser Erdenleben: *dies nostros in tua pace*[24]) *disponas,* und das alles entscheidende Anliegen für das endgültige Los: *atque ab aeterna damnatione nos eripi et in electorum tuorum iubeas grege numerari.* Und in dieser Fassung — das müssen wir wohl annehmen als weitere Verfügung Gregors — soll das Gebet nun in jeder Messe gesprochen werden.

Nur wenigen Meßformularien ist auch in der Folgezeit noch das Vorrecht einer Sonderformel erhalten geblieben. Im heutigen Missale ist es die Täuflingsmesse von Ostern und Pfingsten und auffälligerweise auch die Messe des Gründonnerstags[25]). Außerdem enthält das Pontificale Romanum ein besonderes *Hanc igitur* für die Bischofsweihe. Noch das gregorianische Sakramentar Hadrians I. weist darüber hinaus auch noch Sonderformeln aus alter Überlieferung auf für die Priesterweihe, für die Brautmesse und zum Begräbnis eines Bischofs[26]).

Die heute noch vorhandenen *Hanc-igitur*-Formeln sind so gebaut, daß die gregorianische Grundformel in ihrer Gänze auch an diesen Tagen beibehalten und aus dem alten Bestande nur ein Zusatz hineingenommen wird[27]). Dagegen scheint Gregor der Große selbst bei diesen Sonderformeln aus seiner Commune-Fassung nur den Nachsatz aufrecht erhalten, dagegen die Erweiterung der Anfangsworte nicht in allen Fällen angewandt zu haben[28]).

---

24) Der Friede, den Gott gibt, umfaßt auch, aber nicht ausschließlich, den Frieden der Völker. Die beständige Bedrängnis durch die Langobarden mag Anlaß gewesen sein, dieses schließlich für alle Zeiten grundlegende Anliegen hervorzukehren; vgl. Duchesne, Liber pont. I, 312.

25) Vielleicht ist hier wie an so vielen Stellen der Karwochenliturgie vorwiegend das „Gesetz der Erhaltung des Alten in liturgisch hochwertiger Zeit" (Baumstark) wirksam gewesen. Immerhin mag die Formel ursprünglich den Büßern zugedacht gewesen sein, die zum erstenmal wieder ihre Gaben darbringen durften. Im Gelasianum I, 39 f (Wilson 67. 70) lautet die Formel: ... *ut (familia tua) per multa curricula annorum salva et incolumis munera sua tibi Domine mereatur offerre.*

26) Lietzmann. 199, 4; 200, 4; 224, 3.

27) Man vergleiche den heutigen Text in der Täuflingsmesse mit dem ursprünglichen, oben 227. Die Intention für die Neugetauften und für den neukonsekrierten Bischof, die in den vorgregorianischen Texten in der Regel allein genannt wurde — Leonianum (Muratori I, 318. 421); Gelasianum I, 100 (Wilson 154); vgl. oben Anm. 14 —, steht jetzt nur mehr in zweiter Linie; *pro his quoque; etiam pro hoc famulo tuo.*

28) Die Erweiterung *servitutis nostrae sed et cunctae familiae tuae* fehlt in den Formeln der Ordinationsmesse und der Brautmesse; wenigstens das zweite Glied auch in der Formel für den verstorbenen Bischof. Lietzmann a. a. O.

Außerhalb Roms hat übrigens nicht nur durch Alkuins Anhang zu Gregors Sakramentar ein gewisser Bestand älterer *Hanc-igitur*-Formeln noch länger fortgelebt[29]), im Bereich der gallischen Liturgien hat vielmehr vorerst noch ein Wuchern neuer Formeln eingesetzt, wie Beispiele in gallikanischen und irischen Sakramentaren[30]) und auch das Entstehen neuer Formeln noch in karolingischer Zeit[31]) erkennen lassen. Für die römische Messe der Folgezeit ist es aber bei der Reform Gregors geblieben. Die Formulierung der Sonderintention der jeweiligen Meßfeier ist ausgeschaltet, die Formel damit ihrer ursprünglichen und eigentlichen Aufgabe einigermaßen entfremdet worden. Dafür sind aber die immerwährenden Anliegen der ganzen Christenheit, die zugleich die eines jeden einzelnen sind, darin neu verankert worden, vor allem das entscheidende Anliegen der endlichen Beharrlichkeit, einer Gnade, von der es heißt, daß wir sie nur in anhaltendem Gebet erringen können und um die wir nun Tag für Tag unmittelbar vor dem heiligen Augenblick der Wandlung in Demut bitten.

Eine Veränderung ist am *Hanc igitur* nur noch vor sich gegangen in der Ausbildung des äußeren Ritus. Insoweit man darin die Darbringung betonte, lag es nahe, die an anderer Stelle mit Darbringungsgebeten verbundene Verbeugung auch hier anzuwenden. Sie ist beim *Hanc igitur* im Laufe des Mittelalters verschiedentlich bezeugt[32]). Seit

---

[29]) Muratori II, 188. 193. 195. 200. 219—223.

[30]) Hier wird der Vordersatz nun ganz gegen den ursprünglichen Sinn der Formel weitergebildet in Formulierungen, die die Darbringung zu Ehren der Heiligen (mit Namennennung), auch zu Ehren Christi und Gottes, aussprechen. Beispiele bei Kennedy 354—357; Botte 36 Apparat.

[31]) Eine umfangreiche, auf den Patriarchen Paulinus von Aquileja († 802) zurückgehende Formel, die in der Art eines Fürbittengebetes eine lange Reihe von Anliegen nennt, ist näher besprochen bei Ebner 415—417; vgl. ebd. 23. Sie findet sich in ursprünglicherer Fassung auch in einem Missale von Tortosa (11. Jh.): Ferreres 360. — Fünf Formeln ähnlicher Art im Rahmen von ebensoviel Votivmeßformularien, die neben den Orationen jedesmal eigene Präfation und eigenes *Hanc igitur* umfassen, im Sakramentar von S. Thierry (9./10. Jh.): Martène 1, 4, X (I, 552—562). Die Missa Illyrica hat eine *Hanc-igitur*-Formel für den Fall eines Rechtshandels; ebd. IV (I, 513 E). Weitere Beispiele ebd. 1, 4, 8, 17 (I, 408).

[32]) Ordo ‚Qualiter quaedam' (Andrieu II, 298; PL 78, 1380 C): *Hic inclinat se usque ad altare.* — Bernold von Konstanz, Micrologus c. 14 (PL 151, 986 D); Honorius Augustod., Sacramentarium c. 88 (PL 172, 793 B); Liber ordinarius O. Praem. (Waefelghem 71 f); Liber ordinarius von Lüttich (Volk 94). — Durandus IV, 39, 1 bezeugt die Verbeugung *in quibusdam ecclesiis.* Nach Eisenhofer II, 180 auch in „zahllosen" Meßbüchern bis zum 15. Jh. Vgl. auch Lebrun I, 384. Heute noch im Missale O. Carm. (1935) 306.

dem ausgehenden Mittelalter dringt die heute übliche Auflegung der Hände als Begleitritus vor, soweit nicht überhaupt auf einen begleitenden Ritus verzichtet wurde[33]). Es ist ursprünglich wohl ein einfacher Hinweisgestus, veranlaßt durch das Wort *hanc*[34]). Es werden so auch durch die Gebärde die Gaben bezeichnet, die wir Gott darbringen wollen, und insofern ist es auch ein Oblationsritus, und zwar ein so natürlicher, daß er uns in anderer Verbindung schon wiederholt begegnet ist[35]). Der Sinn der Darbringung ist damit noch nicht näher bestimmt. Im Alten Testament ist der Ritus, die Hand auf das Opfertier zu legen, vorgesehen für verschiedene Arten von Opfern, für Brandopfer und Friedopfer[36]), dann allerdings auch für Opfer mit Sühnecharakter[37]), vor allem für das Opfer des Sündenbockes am großen Versöhnungstag[38]). Doch ist es unbegründet, darum der Gebärde gerade diesen letzteren Sinn unterzulegen, zumal im begleitenden Text dafür kein Anlaß gegeben ist[39]).

11. Quam oblationem

Das letzte Gebet vor dem Einsetzungsbericht bildet mit diesem grammatisch bereits eine Einheit. Es ist nur mehr der Auftakt zu ihm, ein letzter Anlauf in menschlichen Worten, bevor die inhaltsschweren Worte des heiligen Berichtes einsetzen, die mit einem einfachen Relativsatz an sie anschließen. Wir haben für dieses einleitende Gebet unseres Kanons bereits Ambrosius als Zeugen, und zwar für das Gebet selbst und für seinen einleitenden Charakter, da es ihm, wo er es anführt, nur auf die

---

[33]) Letzteres ist der Fall im Ordo des Kard. Stefaneschi (um 1311) n. 53 (PL 78, 1166 A) und (nach vorübergehend geübtem Händeausbreiten; s. darüber G. Sölch, Angelicum 1950, 32) wieder im heutigen Dominikanerritus: Missale O. P. (1889) 19.

[34]) Der Meßordo von York (um 1425) hat die Rubrik: *parum tangat calicem dicens: Hanc;* Simmons, The Layfolks Massbook S. 106. Nach Brinktrine, Die hl. Messe 194, wäre die Bedeutung der Gebärde von Anfang an: Mitteilung von Segen. — Die Handauflegung erscheint in Meßbüchern seit dem 14. Jh.; Leroquais II, 210; III, 41. 60. 82. Zahlreiche Beispiele des 15. und 16. Jh. bei Lebrun I, 384 f; vgl. Eisenhofer II, 180.

[35]) Oben I, 38; II, 184 mit Anm. 44. 45.

[36]) Lev 1, 4; 3, 2. 8. 13; 8, 18. 22.

[37]) Lev 4, 4. 15. 24. 29. 33; 8, 14.

[38]) Lev 16, 20 f.

[39]) Der Hinweis auf das Kreuzesopfer ist hinzugenommen, wenn ein Missale von Auxerre (14. Jh.) vorschreibt, die Hände in Kreuzesform aufzulegen; Leroquais II, 262. Der Ritus scheint keine große Verbreitung erlangt zu haben.

so eingeleiteten Worte Christi ankam[1]). In der Eucharistia Hippolyts fehlt noch eine solche Vorstufe. Der Einsetzungsbericht folgt einfach im Fluß des Dankgebetes auf den Lobpreis der Erlösung. Die Besinnung auf das Werk der göttlichen Allmacht und Gnade, das nun geschehen mußte, wird dazu geführt haben, ihm eine förmliche Bitte vorauszuschicken, wie wir ja auch um das tägliche Brot bitten, bevor wir es entgegennehmen.

Das Gebet *Quam oblationem* ist die Bitte um eine letzte Heiligung der irdischen Gabe und schließlich darum, „daß sie uns der Leib und das Blut werde Deines vielgeliebten Sohnes, unseres Herrn Jesus Christus". Der Hauptgedanke ist klar, aber der Ausdruck ist nicht ganz scharf geprägt. In diesem Gebet, dessen heutiger Wortlaut zwar schon dem Sakramentar Gregors des Großen angehört[2]), aber von der durch Ambrosius bezeugten Frühgestalt beträchtlich abweicht, haben altüberlieferte Formulierungen in einem jüngeren Rahmen eine nicht ganz ausgeglichene Zusammenordnung gefunden[3]). Bei Ambrosius lautet es[4]): *fac nobis hanc oblationem adscriptam, ratam, rationabilem, acceptabilem, quod figura est corporis et sanguinis Domini nostri Jesu Christi.* Hier ist der Sinn ziemlich deutlich: es wird gebeten, Gott möge die Gabe zu einem vollgültigen Opfer machen, das[5]) die Darstellung[6]) ist von Christi Leib und Blut[7]). Die Ausdrücke *adscripta* usw. beschreiben hier schon die Opfergabe in ihrem verwandelten Zustand.

---

[1]) Oben I, 67. [2]) Abgesehen davon, daß im heutigen Text das Wort *(Domini) Dei (nostri Jesu Christi)* fehlt. Botte 38.

[3]) Vgl. den Seufzer bei G. Rietschel, Lehrbuch der Liturgik, Berlin 1900, 382, der das Gebet „unverständlich" findet. Auch Suarez meint: *obscurior est reliquis.* De sacramentis I, 83, 2, 9 (Opp. ed. Berton 21, 875).

[4]) Ambrosius, De sacr. IV, 5, 21 (oben I, 67). Die verbesserte Textausgabe von B. Bottte (Sources chrétiennes 25; 1950) 84 liest übrigens: *oblationem scriptam, rationabilen* (ohne *ratam*).

[5]) Das *quod* kann spätlateinisch für *quae* stehen; O. Casel, Quam oblationem (JL 2 [1922] 98—101) 100.

[6]) *Figura* schließt nicht wie unser „Bild" die Wirklichkeit aus, sondern läßt dafür Raum, was einigermaßen in der Übersetzung „Darstellung" ausgedrückt wird. Eine ähnliche Ausdrucksweise kommt bekanntlich bis ins 5. Jh. mehrfach vor. Vgl. die Parallelen bei Quasten, Mon. 160 Anm. 1; s. auch noch Liber ordinum (Férotin 322; oben I, 70 Anm. 20). — Vgl. W. Dürig, Imago (Münchener Theol. Studien II, 5). München 1952, 91 f.

[7]) Diese der Sache nach a. a. O. von ihm vertretene Auslegung wurde später von O. Casel, Ein orientalisches Kultwort in abendländischer Umschmelzung (JL 11 [für 1931] 1—19) 12 f, stillschweigend nicht unmerklich abgeschwächt, indem er nun betont, der Ursinn des Gebetes sei „nicht eine Wandlungsbitte, sondern ein Opfergebet in der Gestalt einer Annahmebitte"; die Kirche bitte um die Annahme ihres Opfers als eines vollgültigen und angenehmen, „weil es ja

Es ist nicht unmöglich, auch den heutigen Wortlaut in gleichem Sinn zu deuten. Im Vordersatz ist nur aus dem *fac* ein *facere digneris* geworden und ein *benedictam* hinzugekommen, was am Sinn nichts ändert. Es ist aus dem viergliedrigen Ausdruck ein fünfgliedriger geworden, der die vorsichtige Rechtssprache des Römers, die hier an den Tag tritt, noch um einen Grad stärker zur Geltung kommen läßt[8]). Im Nachsatz ist gerade durch den Kontrast dazu bemerkenswert, daß sich bei der Nennung des Erlösernamens, hervorgerufen durch die Nähe des gnadenvollen Geschehens, eine Bewegung des Gefühls äußern darf: *dilectissimi*[9]). Bedeutsamer ist, daß hier nach Ausschaltung des mißverständlich gewordenen *figura* aus dem *quod est* ein *ut fiat* geworden ist. Der Übergang in Christi Leib und Blut ist der grammatischen Formulierung nach nun nicht mehr schon mit den Eigenschaften der Opfergabe gegeben, die von Gott erbeten werden, sondern erscheint erst als eine Folge derselben (oder als eine Absicht, auf die jene göttliche Einwirkung hingeordnet ist). Doch kann diese Folge immer noch als mit jener Erhöhung mitgegeben gedacht sein, so daß sie nur im Gedanken als das gesuchte Endergebnis abgehoben wäre: mache die Gabe zu einem vollgültigen Opfer in der Weise, daß sie zu Leib und Blut des Herrn wird.

Der Versuch, auf solche Art den ursprünglichen Sinn in die jüngere Fassung herüberzuretten, wird besonders nahegelegt durch einen Ausdruck, der im Vordersatz stehengeblieben ist: neben den anderen Beschaffenheiten soll unsere Opfergabe r a t i o n a b i l i s werden; *rationabile* ist schon in der Vulgata die Entsprechung des griechischen λογικόν[10]), geistig, geisterfüllt. *Oblatio rationabilis* = λογικὴ θυσία ist gerade das dem Christentum eigene, über die Materie hinausgehobene, geistige

---

identisch ist mit dem Opfer Christi". Zugleich streicht er aus dem obigen Text des Ambrosius das *rationabilem* (10 f), das sich mit dem *fac* nicht verbinden lasse. Aber auch dann noch wird das *fac* ebenso wie das heutige *facere digneris* von ihm so behandelt, als ob *habe, habere digneris* dastünde; vgl. den Übersetzungsvorschlag ebd. 17 Anm. 30: „Diese Opfergabe betrachte ... als gesegnet ...". — In Wirklichkeit ist aber doch von einem Tun Gottes die Rede. Man wird vielleicht sagen müssen, daß das Gebet auch schon bei Ambrosius zwiespältigen Charakter trug, insofern Ausdrücke der Genehmhaltung mit der Bitte um ein Tun verbunden sind; m. a. W. das Gebet ist konzipiert, als ob die Verwandlung schon geschehen wäre, um die dann doch wieder erst gebeten wird.

[8]) Vgl. B a u m s t a r k, Vom geschichtlichen Werden der Liturgie 84. — Ein vorchristliches Beispiel solcher rechtlich-sakraler Häufung des Ausdruckes bietet die Todesweihe der Decier bei L i v i u s VIII, 9, 6—8.

[9]) Nach Mt 3, 17; 17, 5 und Parall.

[10]) Röm 12, 1; 1 Petr 2, 2.

Opfer[11]). Im römischen Kanon, wie ihn Ambrosius anführt, erscheint dasselbe Wort nochmals nach der Wandlung, und zwar umgeben von Ausdrücken, die den angegebenen Sinn vollends ins Licht stellen: *offerimus tibi hanc immaculatam hostiam, rationabilem hostiam, incruentam hostiam*[12]). Um diese entscheidende Aufwertung unseres Opfers ging also schon das Gebet vor der Wandlung: es sollte ein Opfer sein, das Gottes würdig ist: geistig, weil Gott selber geistig ist, frei von Blut und irdischer Befleckung. Die weiteren Ausdrücke erscheinen dann nur wie Unter- und Obertöne, die dem Grundton *rationabilis* die Klangfülle geben, indem sie vor allem die rechtliche Übertragung der Gaben aus der irdischen Sphäre in Gottes Besitz zum Ausdruck bringen; *adscriptam:* unsere Darbringung möge Gott zugeeignet, ihm geweiht sein[13]); *ratam:* sie möge (von ihm) gebilligt und bestätigt sein, und, indem sie geistig ist, möge sie auch endgültiger Annahme würdig sein.

Doch scheint gerade der Sinn des Wortes *rationabilis* zwischen Ambrosius und Gregor dem Großen eine tiefgehende Umformung erfahren zu haben. Schon im Sprachgebrauch Leos des Großen und vollends in dem Gregors hat *rationabilis* seinen christlich-kultischen Gehalt verloren und bezeichnet nur mehr das, was der Vernunft oder dem Wesen der Sache gemäß ist[14]). Es ist wohl möglich, daß der Verfall des Verständnisses für das Kernwort auf unsern Text eingewirkt hat und Mitursache war für die Umbildung des Nachsatzes in einen *ut*-Satz in der Weise, daß das *facere digneris* mit den fünf Adjektiven nur mehr eine Vorstufe bezeichnen sollte, in die Gott die Gabe erheben möge, damit (oder so daß) sie so der endgültigen Wandlung würdig werde[15]). Aber eindeutig liegt dieser Sinn

---

[11]) O. Casel, Oblatio rationabilis: Theol. Quartalschrift 99 (1917/18) 429 bis 438; derselbe, Die λογικὴ θυσία der antiken Mystik in christlich-liturgischer Umdeutung: JL 4 (1924) 37—47. — Vgl. oben I, 31 f.

[12]) Ambrosius, De sacr. IV, 6, 27.

[13]) Das Material des Thesaurus Linguae Latinae II, 772—776 zeigt, daß man vom Verbum *ascribere* (im Sinne von *attribuere)* ausgehen muß, das auch im religiösen Sinn gebraucht wurde: einer Gottheit etwas weihen (s. 774 Z. 47. 53).

[14]) Casel, Ein orientalisches Kultwort in abendländischer Umschmelzung (JL 11, 1931) 15 ff; Chr. Mohrmann, Rationabilis-λογικός: Revue internat. des Droits de l'Antiquité 5 (1950) 225—234.

[15]) Vor der Umprägung zum *ut*-Satz scheint übrigens noch eine solche mit *quae* und Konjunktiv zu liegen, die noch von der irischen und von der mailändischen Kanonüberlieferung geboten wird: *quae nobis corpus et sanguis fiat;* Casel 12; Botte 38. Diese Fassung schließt aber den früheren Sinn noch weniger aus als die heutige mit *ut.* Ohneweiters gegeben ist dieser in den zwei Texten der mozarabischen Liturgie, die *quae* mit dem Indikativ aufweisen; Botte 37; oben I, 70 Anm. 20.

nicht vor; so sind wir jedenfalls nicht an ihn gebunden. Es ist durchaus nicht nötig, daß das Wort *rationabilis,* dessen ursprünglicher Sinn wenigstens durch die Vulgata lebendig erhalten wurde[16]), im geheiligten Raum der Liturgie jenen Sinnverlust miterlitten hat. Kultworte werden manchmal unverständlich; aber wer dann um ihre Bedeutung fragt, dem muß doch mit der ursprünglichen Bedeutung geantwortet werden[17]). So sind wir also wohl berechtigt, dem Wort seinen alten, vollen Sinn zu belassen und dementsprechend die Stelle etwa wie folgt wiederzugeben: Laß diese Gaben, o Gott, in allem gesegnet, geweiht und gebilligt sein, geistig und Deiner würdig, laß sie uns (also) werden Leib und Blut Deines vielgeliebten Sohnes, unseres Herrn Jesus Christus[18]).

Die Absicht der Bitte geht immer noch auf die Wandlung, genauer auf die Verwandlung unserer Opfergabe[19]), wenn auch in einer gewissen Zurückhaltung die Vorstufe in den Vordergrund gerückt ist. Die Formel stellt die Wandlungsbitte oder — auf das Wesen der Sache gesehen — die Wandlungepiklese der römischen Messe dar. Hier ist der gegebene Ort zu einem vergleichenden Ausblick nach dem, was man in anderen Liturgien gewohnt ist Epiklese zu nennen.

An zwei Stellen der Meßfeier greift die sakramentale Welt ins liturgische Tun der Kirche herein: in der Wandlung und in der Kommunion. Gott selbst wird tätig, indem er im sichtbaren sakramentalen Zeichen die

---

[16]) Vgl. oben Anm. 10.

[17]) Auch im Deutschen gibt es viele Ausdrücke, die im Zusammenhang der sakralen Texte ihre alte Bedeutung behalten haben, während diese im profanen Gebrauch längst verlorengegangen ist, z. B. „eingeborner" Sohn; abgestiegen zur „Hölle"; Stunde unseres „Absterbens".

[18]) Für diese Auffassung vgl. B. Botte, ‚Rationabilem': La Maison-Dieu 23 (1950, III) 47—49. Die alte Sinngebung von *rationabilem* auch bei E. Bishop, The moment of consecration (Anhang zu Connolly, The liturgical homilies of Narsai 126—163) 150 f, und im frühen Mittelalter z. B. bei Florus Diaconus († um 860), De actione miss. c. 59 (PL 119, 51), und bei dem ihn wiederholenden Remigius von Auxerre, Expositio (PL 101, 1260): *ille quidem panis et illud vinum per se irrationabile est, sed orat sacerdos ut... rationabilis fiat transeundo in corpus Filii eius.* — Für die von Botte a. a. O. mit philologischen Gründen vertretene Zusammenfassung von *rationabilem acceptabilemque* vgl. 1 Petr 2, 5: *spirituales hostias, acceptabiles Deo per Jesum Christum.*

[19]) Das *nobis,* das ja auch schon im Text des Ambrosius steht, ist nicht ohne Bedeutung. Es kommt darin zum Ausdruck, daß nicht, wie dies einer späteren Frömmigkeitsweise vielleicht genügt hätte, die Gegenwart Christi als solche das Ziel ist, sondern seine Gegenwart als unsere Opfergabe, in der sich unser Opfer vollendet und die schließlich uns selber in sich aufnehmen will. Vgl. P. de Puniet, La consécration (Cours et Conférences VII, Löwen 1929, 193—208) 198 f. 201 ff.

unsichtbare Gnade schenkt. Der Mensch kann hier nichts tun als das Zeichen setzen und — die beginnende Reflexion hat das alsbald geziemend gefunden — das göttliche Wirken erbitten. Es hängt von der Weise des theologischen Denkens ab, in welcher sprachlichen Form die Bitte um die göttliche Einwirkung des näheren geschieht: ob als Anrufung Gottes mit der förmlichen Bitte um jenes Werk oder, mehr in der Linie vorchristlicher Ausdrucksformen, als Herbeirufen der göttlichen Kraft — beides hat man in der christlichen Frühzeit mit ἐπικαλεῖσθαι, ἐπίκλησις bezeichnet, weil in beiden Fällen Gottes Name gerufen und Gottes Kraft herabgezogen wird[20]). Am frühesten finden wir eine Epiklese bezeugt bei der Taufe zur Weihe des Taufwassers[21]), aber auch bei der Eucharistie ist schon früh davon die Rede[22]).

Des näheren konnte man sich damit begnügen, in nüchterner Form von Gott einfach die Wirkung zu erbitten: die Heiligung der Gabe und deren fruchtreichen Genuß, wie es im *Quam oblationem* und im *Supplices* der römischen Messe geschieht. Oder man konnte die wirkende Kraft versuchen mit Namen zu nennen. Die christlichen Namen, die dafür in Betracht kommen konnten, waren: der Geist Gottes, die Kraft oder die Gnade Gottes oder sein Segen, die Weisheit oder das Wort Gottes, der Heilige Geist; auch an einen Engel Gottes konnte man denken[23]). In der christlichen Frühzeit besteht dafür keine feste Regel. Gerade im Griechischen, wo λόγος und πνεῦμα sich im Begriff „Geist" treffen, wo überdies in den theologischen Überlegungen der Gedanke, daß Gott alles durch den Logos geschaffen hat und wirkt, eine große Rolle spielte, war es naheliegend, daß auch einmal der Logos genannt wurde als die Kraft, durch die die Gabe geheiligt wird[24]). In den mystagogischen Katechesen, mit denen nach der gewöhnlichen Ansicht Cyrill von Jerusalem im

---

[20]) Vgl. O. Casel, Zur Epiklese: JL 3 (1923) 100—102; derselbe, Neue Beiträge zur Epiklesenfrage: JL 4 (1924) 169—178.

[21]) Tertullian, De bapt. c. 4 (CSEL 20, 204).

[22]) Im weiteren Sinn ist schon die Eucharistia selbst so wie jedes Weihegebet eine ἐπίκλησις, nämlich ein Nennen des göttlichen Namens über den materiellen Elementen. In diesem Sinn spricht Irenäus, Adv. haer. IV, 31, 4 (al. IV, 18, 5; Harvey II, 205 f), vom Brot, das τὴν ἐπίκλησιν τοῦ θεοῦ empfängt und nun nicht mehr gewöhnliches Brot ist. Vgl. Casel, Neue Beiträge 173 f.

[23]) Vgl. die Frage unten zum *Supplices te rogamus.*

[24]) Euchologion Serapions 13, 15 (Quasten, Mon. 62 f): 'Επιδημησάτω, θεὲ τῆς ἀληθείας, ὁ ἅγιός σου λόγος ἐπὶ τὸν ἄρτον τοῦτον, ἵνα γένηται ὁ ἄρτος σῶμα τοῦ λόγου . . . Weitere Belege bei Quasten, Mon. 62 Anm. 5. — Ebd. 18 Anm. 1 die Literatur zur vielumstrittenen Stelle bei Justinus, Apol. I, 66: das Brot wird zum Leibe Christi δι' εὐχῆς λόγου τοῦ παρ' αὐτοῦ. — Siehe auch die Materialien bei Bishop, The moment of consecration 155—163.

Jahre 348 seine Taufkatechesen abgeschlossen hätte, wird zum erstenmal die Grundform der Epiklese bezeugt, die später für die orientalischen Liturgien typisch geworden ist: „Dann ... rufen wir den gütigen Gott an, daß er den Heiligen Geist sende über die Gaben, damit er das Brot zum Leibe Christi, den Wein zum Blute Christi mache"[25]). Diese Epiklese im engeren Sinn, als Bitte an Gott um die Sendung des Heiligen Geistes, erscheint von da an zunächst in den Liturgien des syrischen Bereiches, und zwar, wie es auch an obiger Stelle schon vorausgesetzt ist, nach den Einsetzungsworten und dem an sie anschließenden Anamnese- und Darbringungsgebet, mit der Zielbestimmung, daß der Heilige Geist die Gaben zu Leib und Blut Christi „mache" (ποιήσῃ: Jakobusliturgie) oder sie als solche „erweise" (ἀποφήνῃ: Apost. Konstitutionen VIII; ἀναδεῖξαι: byzantinische Basiliusliturgie) und daß sie so den Genießenden zum Heil sein mögen[26]). Im letzteren Sinn, als Bitte um den Heiligen Geist, der den Empfängern die Kommunion zur Stärkung im Glauben möchte gereichen lassen, findet sich an gleicher Stelle die Epiklese übrigens auch schon in der Eucharistia Hippolyts. Von der Verwandlung der Gaben ist dabei nicht die Rede[27]). Und auch die orien-

---

[25]) Cyrill von Jerusalem, Catech. myst. V, 7 (Quasten, Mon. 101). Vgl. Bishop, The moment of consecration 126—150. Klar bezeugt ist die Heilig-Geist-Epiklese nach der Wandlung dann erst wieder bei Theodor von Mopsvestia, Sermones catech. VI (Rücker 32 f). — Bishop weist darauf hin, daß noch im Kampf mit den 381 verurteilten Macedonianern um die Gottheit des Hl. Geistes katholischerseits die eucharistische Wandlung nicht als dessen Werk geltend gemacht wird (140 f). Man darf hier angesichts der starken Isolierung des genannten Zeugnisses (immerhin sind die Stellen aus dem 3. Jh. zu beachten, auf die hingewiesen wird bei M. de la Taille, Mysterium fidei, Paris 1921, 449 Anm. 3) wieder an die Frage erinnern, ob wirklich Cyrill und nicht erst Johannes von Jerusalem († 417) der Verfasser jener Katechesen ist; vgl. Quasten, Mon. 70. Daß in der 18. Katechese mystagogische Katechesen angekündigt und in den mystagogischen auf die vorausliegenden Katechesen zurückverwiesen wird, beweist im Grunde wenig, da mystagogische Katechesen ja allgemein auf die Symbolumkatechesen folgten. Die Frage ist mittlerweile unter überlieferungsgeschichtlichem Gesichtspunkt neu geprüft worden durch W. J. Swaans, À propos des ‚Catéchèses Mystagogiques': Le Muséon 55 (Löwen 1942) 1—43; das Ergebnis spricht zu ungunsten Cyrills.

[26]) Kritische Übersicht über die einschlägigen Texte und Analyse derselben bei Lietzmann, Messe und Herrenmahl 68—81; vgl. G. Rauschen, Eucharistie und Bußsakrament, 2. Aufl., Freiburg 1910, 111—130; Hanssens, Institutiones III, 454—463. Zur theologischen Frage zusammenfassend Th. Spáčil, Doctrina theologiae Orientis separati de ss. Eucharistia II (Orientalia christiana 14, 1), Rom 1929, 1—114.

[27]) Oben I, 38.

talischen Liturgien werden an der Stelle der Epiklese ursprünglich nur die Bitte um Annahme und um die Heilsfrüchte der Kommunion aufgewiesen haben[28]), aus der dann die allgemeine Bitte um Segnung mit dem Blick vor allem auf den Wandlungsvorgang werden konnte[29]).

Neben der genannten, von Syrien ausgehenden Wandlungsepiklese nach den Einsetzungsworten steht in der Kirche Ägyptens, und zwar ursprünglich offenbar als einzige[30]), eine Wandlungsepiklese, die den Einsetzungsworten vorausgeht, mit der Grundform: Voll sind Himmel und Erde Deiner Herrlichkeit; erfülle auch diese Gabe mit Deinem Segen[31]). Erst nachträglich ist auch in der ägyptischen Markusliturgie die syrisch-byzantinische Epiklese hinzugekommen.

Wenn demnach die Wandlungsepiklese nach den Einsetzungsworten auch mehr und mehr zum unterscheidenden Sondergut der ganzen Ostkirche geworden ist, und zwar in den von Rom getrennten Kirchen die Wandlungsepiklese einschließlich der vom Wortlaut nahegelegten theologischen Ausdeutung[32]), so stellt sie, vom Gesichtspunkt der Tradition betrachtet, nur eben die Überlieferung des einen der drei großen Patriarchate seit dem 4. Jahrhundert dar, die des antiochenischen, während für die beiden anderen, Alexandria und Rom, von einem mindestens

---

[28]) A. Baumstark, Le liturgie orientali e le preghiere ‚Supra quae' e ‚Supplices' del canone romano. 2. Aufl., Grottaferrata 1913, bes. S. 33; derselbe, Zu den Problemen der Epiklese und des römischen Meßkanons: Theol. Revue 15 (1916) 337—350, bes. 341. Ähnlich Hanssens III, 354 f.

[29]) Man muß beachten, daß in der antiochenisch-byzantinischen Liturgiegruppe der Raum vor den Einsetzungsworten durch die (meist christologische) Weiterführung des Dankgebetes in Beschlag genommen war. So blieb als einzige Möglichkeit für eine Segnungsbitte die Stelle nach den Einsetzungs- und Darbringungsworten. Je stärker man nun den Wandlungsvorgang als hauptsächlichste Wirkung der göttlichen Segens- und Geistverleihung zu sehen begann, um so stärker drängte sich auch hier eine Wandlungsepiklese auf. Vgl. J. Brinktrine, Zur Entstehung der morgenländischen Epiklese: ZkTh 42 (1918) 301—326; 483—518.

[30]) Vgl. Lietzmann 76; Baumstark, Liturgie comparée 27 f. — Skeptisch äußert sich Hanssens III, 462.

[31]) Oben 185. Sie ist außer bei Serapion und in der ägyptischen Markusliturgie noch vorhanden im liturgischen Papyrus von Dêr-Balyzeh (Quasten, Mon. 40; ergänzter Text bei C. H. Roberts-B. Capelle, An early Euchologium, Löwen 1949, 24 f; vgl. 44 f) und in einer 1940 durch L. Th. Lefort bekanntgemachten koptischen Anaphora des 6. Jh. (Roberts-Capelle 25. 44 f).

[32]) Daß die Epiklese neben den Einsetzungsworten zur Wandlung notwendig sei, ist von orientalischen Theologen schon früh, daß sie allein notwendig sei, allgemein erst seit dem 17. Jh. vertreten worden. Vgl. J. Pohle-M. Gierens, Lehrbuch der Dogmatik III, 9. Aufl., Paderborn 1937, 278; s. ebd. 282—286 die dogmatische Beurteilung der Frage.

gleich frühen Zeitpunkt an eine vor den Einsetzungsworten erfolgende Herabrufung der göttlichen Gnadenkraft über die Gaben überlieferte Übung ist[33]). Daß dabei auf die Nennung des Heiligen Geistes mehr und mehr ein besonderer Ton gelegt wurde, hängt mit einem früh hervortretenden Grundzug der orientalischen Theologie zusammen, demzufolge der Heilige Geist als „der Verwirklicher und Vollender jedes göttlichen Werkes" betrachtet[34]) und überhaupt das theologische Denken viel stärker auf das Trinitätsgeheimnis aufgebaut wird[35]).

Daß auch die römische Messe innerhalb des Kanons einmal eine Heilig-Geist-Epiklese als Wandlungsbitte besessen habe, dafür fehlt in den Urkunden der römischen Liturgie jede sichere Spur[36]). Die einschlägige Bemerkung in einem Brief von Gelasius I. ist zwar auffallend, aber nicht eindeutig[37]). Jedenfalls gehörte eine solche Epiklese in Rom

---

[33]) In diesem Sinne O. Heiming, JL 15 (1941) 445—447.

[34]) So der orientalische Theologe B. Ghius, JL 15 (1941) 338 f.

[35]) Daß der Grundgedanke urchristlich ist, erhellt u. a. daraus, daß auch im Apostolischen Glaubensbekenntnis der Hl. Geist an der Spitze der Heilsgüter und als deren Quelle erscheint. Man müßte darum von vornherein erwarten, daß sich auch im Eucharistiegebet frühzeitig ein ähnlicher trinitarischer Aufbau geltend gemacht hätte, als Gebetsaufschwung zu Gott, dem Vater, mit dem Dank für das Werk des Sohnes und der Bitte um dessen Vollendung durch den Heiligen Geist. Vgl. oben I, 41 Anm. 17. Die Eucharistia Hippolyts zeigt auch tatsächlich diese Anlage, für die in der Gegenwart wieder der anglikanische Liturgiker W. H. Frere (s. ebd.) geworben hat.

[36]) Zu dem ehemals immer wieder genannten Zeugnis der georgischen Petrusliturgie vgl. oben 189 Anm. 15.

[37]) Gelasius I., Ep. fragm. 7 (Thiel I, 486): *quomodo ad divini mysterii consecrationem coelestis Spiritus invocatus adveniet, si sacerdos et qui eum adesse deprecatur, criminosis plenus actionibus reprobetur?* Zur Erklärung der Stelle vgl. Casel, Neue Beiträge 175—177; Geiselmann, Die Abendmahlslehre 217—222; J. Brinktrine, Der Vollzieher der Eucharistie nach Gelasius: Miscellanea Mohlberg II (1949) 61—69. — Nach ihrem nächstgelegenen Sinn schließen die Worte gewiß eine ausdrückliche Nennung des Hl. Geistes in sich, die, wie Eisenhofer II, 169 annimmt, in einer vorübergehenden Erweiterung des *Quam oblationem* bestanden haben könnte, z. B.: *Quam oblationem ... acceptabilemque facere eique virtutem Sancti Spiritus infundere digneris, ut nobis.* Man könnte mit C. Callewaert, Histoire positive du Canon romain (Sacris erudiri 1949) 95—97, auf einzelne Secretaformeln des Leonianums hinweisen, die den Hl. Geist nennen. Allein Gelasius, der die (vielleicht in einem umfassenderen Sinn verstandene) Konsekration in Parallele setzt mit der vom Hl. Geist bewirkten Inkarnation, konnte das Herabrufen des Hl. Geistes auch gegeben sehen im Kanon als Ganzem mit seinen Segensbitten, ohne ausdrückliche Nennung der dritten göttlichen Person. Vgl. Botte, Le canon 60 f; derselbe, Bulletin de théol. anc. et méd. 6 (1951) 226.

nicht zur alten Überlieferung, und auch für die Folgezeit ist vor der Wandlung die schlichte Form einer einfachen Bitte um Segnung der Gaben ebenso maßgebend geblieben wie nach der Wandlung die Bitte um die Fülle des Segens für alle, die die Gabe des Altares empfangen.

Diese Segnung hat dann auch durch die Segnungsgeste noch einen verstärkenden Ausdruck erhalten, indem die ersten drei der fünf erbetenen Attribute der Opfergaben mit je einem Kreuzzeichen bedacht werden, zu denen noch je ein hinweisendes Kreuzzeichen bei der Nennung von Leib und Blut des Herrn hinzukommen[38]).

12. Die Wandlung. Die Worte des Einsetzungsberichtes

Den Kern der Eucharistia und damit der ganzen Messe bildet in allen bekannten Liturgien der Einsetzungsbericht mit den Wandlungsworten[1]). Da ist vor allem die auffällige Erscheinung festzustellen, daß die Texte des Einsetzungsberichtes und darunter mit besonderer Deutlichkeit die ältesten, wie sie entweder überliefert sind oder aus dem vergleichenden Studium hervorgehen, nirgends schlechthin einen biblischen Text wieder-

---

[38]) Vgl. oben 179. Es mag auffallen, daß nicht jedes der fünf Attribute mit einem Kreuzzeichen ausgestattet worden ist. Eine Antwort gibt Bernold von Konstanz, Micrologus c. 14 (PL 151, 987): *ut quinarium numerum non excederemus et quintam crucem super calicem quasi quinti vulneris indicem... faceremus.*

[1]) Eine Ausnahme bildet hier die ostsyrische Apostelanaphora, in deren Hss der Einsetzungsbericht ausgelassen ist. Dasselbe scheint der Fall zu sein auch schon in einem aus dem 6. Jh. stammenden syrischen Anaphorafragment (Brightman 511—518), das aber eine kurze Paraphrase enthält. Der Fall ist so singulär, daß selbst Lietzmann, Messe und Herrenmahl 33, annimmt, es könne nur die Scheu vor der Profanierung der heiligen Worte das Motiv gewesen sein. Anders A. Raes S. J., Le recit de l'institution eucharistique dans l'anaphore chaldéenne et malabare des Apôtres: Orientalia christ. Periodica 10 (1944) 216—226, der mit der Möglichkeit rechnet, daß der Einsetzungsbericht nach dem nestorianischen Abfall (431) verlorengegangen ist, also zu einer Zeit, in der auf syrischem Boden auch schon die übertriebene Einschätzung der Epiklese eingesetzt hatte (vgl. oben 240 f). Ähnlich B. Botte, L'anaphore chaldéenne des Apôtres: ebd. 15 (1949) 259—276, der die Entstehung der Anaphora ins 3. Jh. zurückverlegen möchte, aber zugleich Anzeichen namhaft macht für das ursprüngliche Vorhandensein des Einsetzungsberichtes. — In neuerer Zeit fügen auch die Nestorianer einen anderswoher entnommenen Einsetzungsbericht in die Apostelanaphora ein (vgl. Brightman 285), was im syromalabarischen Ritus schon seit dem 16. Jh. geschieht. Über die Art der Einfügung oder vielmehr Anfügung s. Raes, Introductio 91. 98 f.

geben[2]). Sie gehen auf vorbiblische Überlieferung zurück. Wir stehen hier vor der Auswirkung der Tatsache, daß die Eucharistie schon lange gefeiert worden ist, bevor die Evangelisten und ein Paulus zur Feder gegriffen haben[3]). Das starke Auseinandergehen der biblischen Texte selbst gerade an diesem Punkt erklärt sich ja aus der gleichen Tatsache[4]). Wir haben in ihnen offenbar Ausschnitte aus dem liturgischen Leben der ersten Generation.

In der Folgezeit, da liturgische Texte noch immer stark im Flusse waren, hat sich dann an den Einsetzungsberichten eine Entwicklung nach drei Richtungen vollzogen[5]): Die beiden Abschnitte um Brot und Kelch werden mehr und mehr symmetrisch gestaltet. Eine solche symmetrische Anlage, zu der das Interesse des lauten, wohlabgewogenen Vortrags geführt haben wird, liegt z. B. bereits für die Herrenworte vor in dem sonst noch ganz schlichten Einsetzungsbericht bei Hippolyt[6]): *Hoc est corpus meum quod pro vobis confringetur — Hic est sanguis meus qui pro vobis effunditur.* Schon weiter gediehen ist die Parallelisierung in der um ein gutes Jahrhundert jüngeren Liturgie des Serapion, wo der Bericht in zwei selbständige, parallel gebaute Einzelberichte zerlegt ist, zwischen denen sogar ein Gebet eingeschaltet erscheint[7]). Ein Höhepunkt endlich ist erreicht in der Grundgestalt der orientalischen Hauptliturgien, der Markus-, der Jakobus- und der Basilius-Anaphora vor der Mitte des 5. Jahrhunderts, wo z. B. je an beiden Stellen gesetzt ist: εὐχαριστήσας, εὐλογήσας, ἁγιάσας, und wo die von Mt 26, 28 gebotene Beifügung zum Kelchwort εἰς ἄφεσιν ἁμαρτιῶν jedesmal auch zum Brotwort hinzugenommen ist[8]). Dann setzt der zweite Vorgang ein, der unter Aufgabe der Symmetrie mehr und mehr die wörtliche Anlehnung an die biblischen Berichte sucht, deren Ausdrucks-

---

[2]) Siehe die textkritische und motivengeschichtliche Untersuchung von F. Hamm, Die liturgischen Einsetzungsberichte im Sinne vergleichender Liturgieforschung untersucht (LQF 23), Münster 1928. — Eine gute Übersicht über das Verhältnis der Texte bei P. Cagin, L'Eucharistia canon primitif de la messe, Paris 1912, wo S. 225—244 in 80 Spalten die vier biblischen und 76 liturgische Einsetzungsberichte nebeneinander gedruckt sind, wobei im Einsetzungsbericht 79 jeweils sic. entsprechende Textglieder unterschieden werden.

[3]) Vgl. auch Hanssens, Institutiones III, 440.

[4]) Vgl. oben I, 10.

[5]) Hamm 33.

[6]) Oben I, 38.

[7]) Oben I, 45; Hamm 94.

[8]) Hamm 16 ff. 21 f. 25 f. 95. Weitere Beispiele in vergleichender Gegenüberstellung bei Hanssens, Institutiones III, 417 f.

elemente mit den überlieferten heimischen Texten verwoben werden. Endlich geht daneben her als dritte Erscheinung die schmückende Ausgestaltung, die das Bild plastischer zu formen, theologische Gedanken stärker auszuprägen[9]) und der ehrfurchtsvollen Teilnahme größeren Raum zu verschaffen bemüht ist. Dabei werden öfter Momente des lokalen Tischbrauches[10]) oder der kultischen Wiederholung[11]) in den biblischen Vorgang zurückprojiziert.

Auf solchem Hintergrund betrachtet, zeigt der Einsetzungsbericht unserer römischen Messe[12]) einen verhältnismäßig altertümlichen Charakter. Die Parallelisierung und Biblisierung ist weithin durchgedrungen, die weitere Ausgestaltung bleibt aber in bescheidenen Grenzen. Die Parallelisierung äußert sich darin, daß beide Male die ausschmückenden Worte wiederkehren: *in sanctas ac venerabiles manus suas* und die weiteren: *tibi gratias agens benedixit deditque discipulis suis dicens: accipite,* von denen nur das *gratias agens dedit dicens* biblisch und nur das *dedit dicens* auch schon im biblischen Text (von Mt und Lk) Parallelwort ist; weiters noch das *ex hoc omnes* und das *enim,* die beide nur Mt 26, 28 beim Kelchwort stehen.

Auch die Hereinnahme des biblischen Wortlautes ist nahezu vollständig. Aus dem gesamten Bestande der biblischen Berichte fehlt in unserem Kanon, abgesehen vom Wiederholungsbefehl, der bei Paulus-Lk schon nach den Brotworten steht, und der Bemerkung bei Mk 14, 23: *et biberunt ex illo omnes,* nur ein einziges Textstück, und zwar auffälligerweise ein recht inhaltvolles, nämlich bei den Worten *Hoc est corpus meum* der paulinisch-lukanische Beisatz: *quod pro vobis datur.*

---

[9]) Von dieser Art ist es besonders, wenn neben die Bestimmung „zur Vergebung der Sünden" in orientalischen Liturgien noch andere Umschreibungen des Sinnes der Hingabe treten: „zur Sühnung der Vergehen", „zum ewigen Leben", „für das Leben der Welt", „für alle, die an mich glauben". Cagin 231 ff. 235 ff. Auch die den Händen des Herrn gegebenen Attribute und das Wort ἁγιάσας = *consecrans* gehören der theologischen Reflexion an.

[10]) Orientalische Liturgien erwähnen öfter das Mischen (κεράσας) und auch das Kosten (γευσάμενος, πίων). Die Meinung, daß der Herr als Gastgeber zuerst selbst aus dem Kelch getrunken habe, schon bei Irenäus; daß er auch vom Brote gekostet habe, mehrfach bei den Syrern. Hanssens III, 444; Hamm 51. 59.

[11]) Hieher gehört das Aufblicken, das Bekreuzen *(benedixit)* der Gaben.

[12]) Der heutige Text ist auch schon der der ältesten Sakramentarüberlieferung mit dem Unterschied, daß darin vielfach an drei Stellen die Verba ohne Bindewort aneinandergefügt waren; sie sind ergänzt worden: *et (elevatis oculis)* und zweimal *(dedit)que;* statt *postquam* steht in den Sakramentaren *posteaquam.* Andere Abweichungen liegen nur in einzelnen Hss vor; s. Botte 38—40.

Das Fehlen dieses Beisatzes ist um so merkwürdiger, als er in der Form: *quod pro vobis* (bzw. *pro multis) confringetur* ja den beiden älteren Texten der römischen Überlieferung angehört hat; er muß also zwischen dem 4. und dem 7. Jahrhundert aus einem uns nicht mehr bekannten Grunde bewußt gestrichen worden sein[13]). Demgegenüber läßt der älteste bekannte Text der römischen Messe bei Hippolyt im übrigen fast die Hälfte des biblischen Textbestandes vermissen[14]). Es fehlen beim Brot: *benedixit, fregit, deditque discipulis suis.* Es fehlen beim Kelch: *postquam coenavit, gratias agens, bibite ex hoc omnes,* weiter bei den Wandlungsworten des Kelches außer dem *enim* und dem *multis* aus Mt noch: *calix, novum testamentum* und *in remissionem peccatorum.* Der Text im Meßkanon bei Ambrosius steht in der Mitte, insofern er die erweiterten Kelchworte noch nicht aufweist[15]).

Auffällig ist in unserem römischen Kanontext auch der Anfang des Kelchwortes: *Hic est enim calix sanguinis mei novi (et aeterni) testamenti.* Es ist mit der schlichten Formel *Hic est sanguis meus* der älteren römischen Überlieferung das paulinisch-lukanische *calix* verbunden, und es ist in der Weise von Mt-Mk der Bundesgedanke hinzugenommen worden[16]). Ist die Formel grammatisch so auch etwas schwer beladen[17]), so ist doch ein doppelter Gewinn erreicht worden: durch die Nennung des Kelches wird das Blut des Herrn sofort als Trank gekennzeichnet; durch die Erwähnung des Bundes wird ein weiter Ausblick eröffnet auf das Werk der Erlösung, das nach alttestamentlichem Vorbild durch das Blut des Herrn vollzogen worden ist, und zwar als „Bund“, als neue Gottesordnung zwischen Himmel und Erde[18]).

---

[13]) Botte 61 spricht die Vermutung aus, daß die Unterdrückung zusammenhängen könne mit der Vereinfachung des Brechungsritus. Die Wahrscheinlichkeit ist gering.

[14]) Vgl. oben I, 38.

[15]) Oben I, 67. — Indes liegt, wie Hamm 95 betont, der Text bei Ambrosius und unser Kanontext nicht einfach auf einer Entwicklungslinie. In einigen Punkten ist ersterer sogar weiter fortentwickelt als unser Kanontext, nämlich durch das zweimalige *ad te sancte Pater omnipotens aeterne Deus* und *apostolis et discipulis suis.* Außerdem hat er *fregit fractumque* und das schon erwähnte *quod pro multis confringetur.*

[16]) Die gleiche Kombination auch in syrischen Texten. Hamm 74 Anm. 145.

[17]) Die Empfindung davon wird der Grund sein, weshalb die Worte *sanguinis mei* in einzelnen Fällen fehlen. Sakramentar des 13. Jh. des Cod. Barberini XI, 179 (Ebner 417); Missale von Riga um 1400 (v. Bruiningk 85 Anm. 1).

[18]) Angesichts der an diesem Punkte stark auseinandergehenden Überlieferung bei Paulus-Lk einerseits und bei Mk-Mt anderseits erhebt sich die Frage, welches der wirkliche Wortlaut im Munde des Herrn gewesen ist. Die Entscheidung der

Die weitere Ausgestaltung hat in unserem römischen Text des Einsetzungsberichtes nur einen geringen Umfang angenommen. Es wird der Zeitpunkt angegeben: *Pridie quam pateretur.* Diese Art der Zeitbestimmung ist für die abendländischen Texte ebenso charakteristisch wie für die morgenländischen im allgemeinen die paulinische Angabe: „In der Nacht, da er überliefert wurde", wozu des öfteren in theologischer Vertiefung ein Hinweis tritt auf die Freiwilligkeit des Leidens[19]). Auch der abendländische Text kennt eine Erweiterung, die den erlösenden Sinn des Leidens hervorhebt: *qui pridie quam pro nostra omniumque salute pateretur.* Diese Erweiterung ist heute nur mehr am Gründonnerstag vorhanden, ist aber in gallischen Texten auch für andere Gelegenheiten bezeugt[20]). Sie hat möglicherweise einmal, so wie heute noch in Mailand, zum alltäglichen Textbestand gehört und wollte vielleicht ursprünglich gegenüber einer düsteren Prädestinationslehre, die im 5./6. Jahrhundert um sich griff, den allumfassenden Charakter der Erlösung betonen[21]).

Das ehrfürchtige Staunen hat sich Bahn gebrochen, indem das *accepit* erweitert wurde durch die Worte *in sanctas ac venerabiles manus suas.* Das gleiche Motiv ist frühzeitig in orientalischen Texten aufgetreten und zwar, besonders in Ägypten, in noch ungleich reicherer Ausgestaltung[22]), aber in der Regel nur beim Brote, weil damit eine darbringende Gebärde zum Ausdruck kommen sollte, die dem Brote entsprach: Der Herr nimmt das Brot auf seine heiligen Hände, schaut auf zum himmlischen Vater

---

Exegeten neigte bisher der Fassung bei Mk 14, 24 zu: Τοῦτό ἐστιν τὸ αἷμά μου τῆς διαθήκης τὸ ἐκχυννόμενον ὑπὲρ πολλῶν, „wegen ihrer Übereinstimmung mit Ex 24, 8, das wohl dem Herrn vorschwebte". Arnold, Der Ursprung des christlichen Abendmahls 176 f. Vgl. nun aber zugunsten von Lk 22, 20 H. Schürmann, Die Semitismen im Einsetzungsbericht bei Markus und bei Lukas: ZkTh 73 (1951) 72—77.

[19]) Im jüngeren Text der Chrysostomusliturgie und der Jakobusanaphora: τῇ νυκτὶ ᾗ παρεδίδοτο, μᾶλλον δὲ ἑαυτὸν παρεδίδου; Brightman 51 Z. 24; 385 Z. 23. Vgl. Hamm 39—42.

[20]) Hamm 38 f; Botte 61 f.

[21]) So G. Morin, Une particularité inaperçue du ‚Qui pridie' de la messe romaine aux environs de l'an DC: Revue Bénéd. 27 (1910) 513—515.

[22]) Ägyptische Markusanaphora: ἄρτον λαβὼν ἐπὶ τῶν ἁγίων καὶ ἀχράντων καὶ ἀμώμων (monophysitische Texte fügen noch hinzu: καὶ μακαρίων καὶ ζωοποιῶν) αὐτοῦ χειρῶν; Hamm 16. 69 f. — Die armenische Normalanaphora sagt: „in seine heiligen, göttlichen, unsterblichen, makellosen und schöpferischen Hände"; Brightman 436 f. Die Häufung der auszeichnenden Attribute entspricht dem monophysitischen Bestreben, die Gottheit Christi mit möglichstem Nachdruck hervorzuheben.

(ἀναβλέψας) oder zeigt es ihm: ἀναδείξας σοὶ τῷ θεῷ καὶ πατρί[23]). Das Aufschauen ist auch in unserem römischen Text erwähnt: *elevatis oculis*, und es wird auch hier auf den gleichen Gedanken der Darbringung zurückgehen[24]). Es stammt nicht aus den biblischen Abendmahlsberichten, sondern ist, so wie in manchen Liturgien des Orients, sinngemäß von anderen Stellen des Neuen Testamentes herübergenommen[25]). Dabei klingt die Haltung des Gebetes, die auch den Bericht beherrscht und ihm die kultische Note mitteilt, darin durch, daß die Richtung nicht einfach durch Nennung des himmlischen Vaters angegeben ist, sondern in der Anrede an den himmlischen Vater: *ad te Deum Patrem suum omnipotentem.* In der feierlichen Fassung des Gottesnamens wird irgendwie die feierliche Gebetsanrede vom Beginn der Präfation wiederaufgenommen. Das verhaltene Pathos kommt dann wieder in einem einzigen Wort zum Durchbruch bei der Nennung des Kelches: *accipiens et hunc praeclarum calicem.* Der Ausdruck ist aus Ps 22, 5 genommen[26]). Daß die ehrwürdigen Hände wieder genannt sind, ist durchaus natürlich, verlangte ja der Mahlritus das Emporheben des Bechers[27]). Die orientalischen Hauptliturgien erwähnen hier noch die Mischung, und zwar stellen sie meist das Mischen des Kelches dem Nehmen des Brotes gegenüber: Ὁμοίως καὶ τὸ ποτήριον κεράσας ἐξ οἴνου καὶ ὕδατος, εὐλογήσας . . .[28]). Die Heiligung des

---

[23]) So vor allem in der syrischen Überlieferung, auch schon im Grundtext der Jakobus- und der Basiliusanaphora; H a m m 21. 25. 66 ff. Hieher gehört wohl auch die vielerörterte Stelle bei B a s i l i u s, De Spiritu Sancto c. 27 (PG 32, 187 B), von den Worten der Anrufung bei der ἀνάδειξις des Brotes und des Kelches. — Die westsyrische Anaphora des Dioskur von Gazarta umschreibt die mit ἐπὶ χειρῶν gegebene Vorstellung genauer: *accepit panem et super manus suas sanctas in conspectu turbae et societatis discipulorum suorum posuit* (H a m m 67 Anm. 124). Vgl. E. P e t e r s o n, Die Bedeutung von ἀναδείκνυμι in den griechischen Liturgien: Festgabe Deißmann, Tübingen 1927, 320—326; vgl. dazu JL 7 (1927) 273 f. 357. — Im heutigen westsyrischen Ritus legt der Priester zuerst ein Hostienbrot auf die Handfläche der linken Hand, bekreuzt es dreimal und faßt es dann mit beiden Händen; H a n s s e n s, Institutiones III, 422.

[24]) Vgl. H a m m 67 f.

[25]) Mt 14, 19; Jo 11, 41; 17, 1. — Außerdem gehörte ja ein solcher Aufblick zum Himmel im christlichen Altertum zur Gebetsordnung der Christen. D ö l g e r, Sol salutis 301 ff.

[26]) Zur eucharistischen Deutung des Psalmverses vgl. J. D a n i é l o u, Le psaume XXII et l'initiation chrétienne: La Maison-Dieu 23 (1950, III) 54—69, bes. 60 ff.

[27]) Oben I, 27 Anm. 63. Die kritischen Bemerkungen bei H a m m 68 dürften also nicht zutreffen.

[28]) H a m m 28; 52—55. Es ist bezeichnend, daß in der Bearbeitung der Jakobusanaphora bei den streng monophysitischen Armeniern die Erwähnung des Wassers durch das καὶ ὕδατος getilgt worden ist; vgl. oben 50.

Kelches, die allgemein wie beim Brot schon durch ein ἁγιάσας ausgesprochen wurde, findet in einem Teil der griechischen Texte nach dem allgemeinen Konzil von 381 noch einen verstärkten Ausdruck durch ein πλήσας πνεύματος ἁγίου[29]. Es ist eine Parallelerscheinung zur Entwicklung der Heilig-Geist-Epiklese.

Am auffälligsten ist im römischen Text die Erweiterung der Wandlungsworte des Kelches. Die Erwähnung des Neuen Bundes wird zum Bekenntnis seiner ewigen Dauer: *novi et aeterni testamenti*[30]. Mitten im heiligen Text steht dann aber noch das rätselhafte, viel besprochene *mysterium fidei*. Die in volkstümlichen Darstellungen verbreitete Auffassung, daß es sich um einen Ruf des Diakons handle, mit dem dieser der Gemeinde verkündet habe, was eben an dem durch Vorhänge verhüllten Altar geschehen sei, ist leider nur Poesie, nicht Geschichte[31]. Die Einschaltung liegt schon in den ältesten Sakramentartexten vor, auch schon in den Textzeugen aus dem 7. Jahrhundert[32]. Sie fehlt nur in einigen jüngeren Urkunden[33].

Über den Sinn der Worte *mysterium fidei* ist man sich durchaus nicht

---

29) Hamm 52.

30) Das *testamentum aeternum* wird im Alten Bund wiederholt genannt: Ps 110, 9; Ekkli 17, 10; 45, 8. 19.

31) Der Gedanke geht zurück auf A. de Waal, Archäologische Erörterungen zu einigen Stücken im Kanon der hl. Messe, 3. Die Worte ‚mysterium fidei': Der Katholik 76 (1896) I, 392—395; s. dazu Braun, Der christliche Altar II, 169 Anm. 11a. — Ältere Erklärungsversuche sind gebucht bei K. J. Merk, Der Konsekrationstext der römischen Messe, Rottenburg 1915, 5 25. Auch die von Merk selbst vorgetragene Erklärung, ebd. 147—151, wonach die Worte die Epiklese ausschließen und betonen wollten, daß die Konsekration durch die vorausgehenden Worte schon vollzogen ist, entbehrt der Begründung. Nicht besser steht es mit der Erklärung von Th. Schermann, Liturgische Neuerungen (Festgabe A. Knöpfler zum 70. Geburtstag, Freiburg 1917, 276—289) 283 f, wonach das *mysterium fidei* ursprünglich nur der Taufmesse angehört hätte, „um den Neugetauften auf die für ihn völlig neue Handlung aufmerksam zu machen".

32) Wie die Expositio der gallikanischen Messe (ed. Quasten 18) zeigt, war sie im 7. Jh. schon in der Kelchformel enthalten, die aus der römischen in die gallikanische Liturgie herübergenommen war. Einer solchen Allgemeinheit der Verbreitung entspricht nur römischer Ursprung; vgl. auch Wilmart, DACL VI, 1086.

33) Im mailändischen Sakramentar von Biasca (9./10. Jh.); im Gründonnerstagskanon des Ordo Romanus Antiquus, d. h. jedenfalls in der von M. Hittorp wiedergegebenen, wohl dem 11. Jh. angehörigen Hs (Köln 1568, S. 57; die von M. Andrieu, Les ordines I, 27 usw. beschriebenen weiteren Hss wären erst noch zu überprüfen). Im Sakramentarium Rossianum (10. Jh.) fehlt der ganze Passus *novi et aeterni testamenti mysterium fidei;* Brinktrine, Die hl. Messe 205.

einig. Eine entfernte Parallele liegt vor in den Apostolischen Konstitutionen, wo dem Herrn bei der Wandlung des Brotes die Worte in den Mund gelegt werden: „Dies ist das Mysterium des Neuen Bundes, nehmet davon, esset, das ist mein Leib“[34]). Wie hier vom Brote in Form eines Satzes, so würde in unserem Meßkanon vom Kelch in Form einer Apposition das Mysterium ausgesagt. Muß man die inhaltliche Verwandtschaft noch enger nehmen, so daß auch in unserm Wandlungstext zusammenzulesen wäre: *novi (et aeterni) testamenti mysterium (fidei)?* Die Auffassung ist vertreten worden[35]), sie ist aber kaum zu vollziehen[36]), besonders wegen des nachfolgenden *fidei*[37]), aber auch weil dann das ganze vom *mysterium* abhängige Wortgefüge innerhalb der konsekrierenden Herrenworte als menschliches Gebilde dastünde. *Mysterium fidei* ist eine selbständige Erweiterung, die zum vorausgehenden in sich geschlossenen Wortkomplex hinzutritt[38]).

Dabei wird man um die Wende des christlichen Altertums nicht so sehr an das Dunkel des Geheimnisses gedacht haben, das hier verborgen liegt und das nur dem (subjektiven) Glauben irgendwie zugänglich

---

[34]) Const. Ap. VIII, 12, 36 (Quasten, Mon. 222): Τοῦτο τὸ μυστήριον τῆς καινῆς διαθήκης. Auch einzelne äthiopische Anaphoren haben an gleicher Stelle ähnliche Erweiterungen: *admirabile prodigium,* oder *potus vitae verus.* Cagin 231 ff Spalte 27. 33. 35.

[35]) Hamm 75 f.

[36]) Es bleibt nämlich trotz allen philologischen Möglichkeitsnachweisen doch schwierig, den Genitiv *novi et aeterni testamenti* von dem nun folgenden *mysterium,* das ohnedies einen Genitiv bei sich hat *(fidei),* abhängig zu denken, wo nicht bloß Paulus-Lk dem Sinn nach, sondern Mt-Mk auch in aller Form zusammenfassen: *sanguis (meus novi) testamenti.* — Eine gewisse Stütze erhält die Auffassung nur durch die Erscheinung, daß gerade diese ganze Wortgruppe im Sacramentarium Rossianum fehlt (oben Anm. 33).

[37]) Tatsächlich empfindet auch Hamm 76 Anm. 147 das *fidei* als Belastung.

[38]) Das Eindringen einer solchen Erweiterung in den innersten Kern der Wandlungsworte wäre eher erklärlich, wenn sie ähnlich wie das *aeterni (testamenti)* als Schriftwort erschiene. Der Ausdruck findet sich tatsächlich 1 Tim 3, 9, wo die Diakone gemahnt werden, sie sollen das Geheimnis des Glaubens in einem reinen Gewissen bewahren: *habentes mysterium fidei in conscientia pura.* Zu solcher Schriftverwendung vgl. Chr. Mohrmann, Vigiliae christianae 4 (1950) 3 Anm. 6. Verbindungslinien sucht herzustellen J. Brinktrine, Mysterium fidei: Eph. liturg. 44 (1930) 493—500: man habe die Stelle manchmal auch eucharistisch verstanden, und die Nennung der Diakone, denen der Kelch zugehörte, habe auf die Kelchformel führen können. Übrigens hat schon Florus Diaconus, De actione miss. c. 62 (PL 119, 54), 1 Tim 3, 9 zur Erklärung herangezogen.

wird[39]), als vielmehr an das gnadenreiche *sacramentum,* in dem der ganze (objektive) Glaube, die ganze in Christus gegebene Heilsordnung zusammengefaßt ist[40]). Der Kelch des Neuen Bundes ist das lebenspendende Wahrzeichen, das Heiligtum unseres Glaubens[41]). Welcher äußere Anstoß zur tatsächlichen Einschaltung dieses Wortes geführt hat, wird sich schwerlich feststellen lassen[42]).

Die Worte des heiligen Berichtes schließen mit dem Wiederholungsbefehl, der aus Paulus herübergenommen ist, wobei in der ganzen römischen Überlieferung seit Hippolyt an Stelle des paulinischen „so oft ihr trinken werdet“ ein „so oft ihr dies tun werdet“ steht. In irgendeiner Form wird der Auftrag des Herrn in fast allen liturgischen Formularen ausgesprochen[43]). Wo er fehlt, ist er vorausgesetzt. Es liegt im Wesen christlicher Meßliturgie, daß der Einsetzungsbericht eben nicht als bloßer historischer Bericht vorgetragen wird wie andere Ausschnitte aus den Evangelien; er wird ja über Brot und Kelch gesprochen und steht dem Herrenwort entsprechend bereits im Dienste jener Wiederholung. Ja die Wiederholung vollzieht sich zum wesentlichen Teil im Sprechen jenes Berichtes.

---

[39]) Diese heute allgemein vertretene Deutung schon bei Durandus IV, 42, 20 und auch bei Florus a. a. O.

[40]) Daß die Gleichung *mysterium* = *sacramentum* für die in Betracht kommende Zeit zu Recht besteht, erhellt allein schon daraus, daß die Katechesenreihe des hl. Ambrosius über denselben Gegenstand das eine Mal *De mysteriis,* das andere Mal *De sacramentis* heißt. Dabei werden über die genauere Umgrenzung des Begriffes *mysterium* die Meinungen auseinandergehen. O. Casel, der JL 10 (1931) 311 Hamm zugestimmt hatte, möchte JL 15 (1941) 302 f auch das „Mysterium des Glaubens“ fassen als das neue Mysterium, im Gegensatz zum Mysterium der Gnosis. Aber es ist doch fraglich, ob die Gnosis in der Zeit, die für die Einschaltung in Betracht kommt, noch in Rechnung gestellt werden kann.

[41]) Vgl. Binterim II, 1 (1825) 132—137.

[42]) Th. Michels, ‚Mysterium fidei‘ im Einsetzungsbericht der römischen Liturgie: Catholica 6 (1937) 81—88, verweist auf Leo d. Gr., Sermo 4 de Quadr. (PL 54, 279 f), wonach damals die Manichäer wohl bisweilen den Leib des Herrn empfingen, aber es vermieden, „das Blut unserer Erlösung zu trinken“. Er vermutet, Leo habe ihnen gegenüber gerade den Kelch durch die Beifügung *mysterium fidei* noch besonders hervorheben wollen.

[43]) Hamm 87 f. — In der römischen Liturgie wird bis zum Missale Pius' V. ein Schwanken festgestellt, ob die Worte *Haec quotiescumque* noch über den Kelch oder erst während oder nach der Erhebung des Kelches gesprochen werden sollen. Lebrun I, 423 f.

13. Die Wandlung. Die begleitenden Handlungen

Daß die Worte des heiligen Berichtes schon unter dem Wiederholungsauftrag des Herrn stehen, kommt deutlich zum Ausdruck in den Handlungen, die sie begleiten.

Während der Priester die Handlungen des Herrn der Reihe nach nennt, vollzieht er sie auch selbst in dramatischer Nachbildung. Er spricht die Worte am Tisch, auf dem Brot und Wein bereitstehen. Er nimmt das Brot in seine Hände und ebenso den Kelch; eine Darbringungsgebärde, die in diesem Nehmen verborgen zu liegen scheint[1]), wurde und wird vereinzelt durch die Handlung noch verdeutlicht[2]). Er erhebt die Augen betend zum Himmel, „zu Dir, dem allmächtigen Vater". Beim *gratias agens* verneigt er sich, genau so wie beim huldigenden *gratias agamus* und *gratias agimus*, das er selbst gesprochen hat; beim *benedixit* bildet er, in jüngerer Interpretation des biblischen Wortes, das Kreuzzeichen[3]). Bei den Westsyrern und den Kopten wird auch zum *fregit* das Brechen nachgebildet. Das Hostienbrot wird durchgebrochen, jedoch so, daß die Teile nicht getrennt werden[4]). Dieses Nachbilden der Handlungen, das so deutlich als möglich zum Ausdruck

---

[1]) Es ist wahrscheinlich, daß in dem oben 248 erwähnten ἀναδείξας und dem damit verbundenen „Emporzeigen" orientalischer Liturgien ein palästinensischer Tischbrauch fortlebt, den auch der Herr selber beobachtet hat. Ebenso muß das Nehmen des Bechers ein Erheben desselben gewesen sein; vgl. oben I, 27 Anm. 63. Vgl. J. A. Jungmann, Accepit panem: Zeitschrift f. Aszese u. Mystik 18 = ZkTh 67 (1943) 162—165.

[2]) Auch in der römischen Liturgie wurde, bevor die Erhebung der konsekrierten Hostie aufkam, um sie dem Volke zu zeigen, das Nehmen und Erheben an dieser Stelle im Sinne der Darbringung verstanden; s. Honorius Augustod., Sacramentarium c. 88 (PL 172, 793 D): *Exemplo Domini accipit sacerdos oblatam et calicem in manus et elevat, ut sit Deo acceptum sicut sacrificium Abel...*

[3]) Im biblischen Text (bei Mt und Mk) steht εὐλογήσας ohne *gratias agens.* Es besagt den kurzen Segensspruch, der über das Brot zu sprechen war. Ebenso steht beim Kelch εὐχαριστήσας ohne *benedixit* an der Stelle des üblichen längeren Tischgebetes; vgl. oben I, 11.

[4]) Hanssens, Institutiones III, 422. 424; vgl. Brightman 177 Z. 1; 232 Z. 20. Eine Andeutung des Brechens auch bei den Maroniten, Hanssens III, 423. Bei den jakobitischen Westsyrern ist dieses Brechen schon bezeugt durch Moses bar Kepha († 903) in seiner Meßerklärung, ebd. 447. — Auch innerhalb der römischen Liturgie ist der Brauch seit dem 13. Jh. nachweisbar, besonders in England und Frankreich, wo verschiedene Meßbücher die Rubrik aufweisen: *Hic faciat signum fractionis* oder *fingat frangere,* oder wenigstens: *Hic tangat hostiam;* s. darüber den Exkurs bei Legg, Tracts 259—261. Auch im Ordinale der Karmeliten (um 1312) ed. Zimmerman 81 und noch im Missale O. Carm. (1935) S. XXX.

bringt, daß der Priester jetzt den Auftrag des Herrn erfüllen will, zu tun, was Er getan hat, fehlt im Orient fast ganz nur im byzantinischen Ritus und scheint auch hier einmal so wie anderswo vorhanden gewesen zu sein[5]).

So wie das *dedit discipulis suis* erst in der Kommunion und zumeist auch das *fregit* in einem der Kommunion vorausgehenden Brechungsritus zur Darstellung kommt, so ist das *gratias agens* in seiner breiteren Ausführung schon vorweggenommen worden[6]) und auch das *accepit* ist schon an früherer Stelle entfaltet worden. Aber der Kern jenes Vorganges erneuert sich in diesem Augenblick. Der Bericht von dem, was gewesen ist, geht über in das gegenwärtige Ereignis. Im Priester steht Christus selber am Altar und nimmt Brot und ergreift „diesen herrlichen Kelch“ (Ps 22, 5), *hunc praeclarum calicem*[7]). In dieser Sprech-

---

[5]) Hanssens III, 446 spricht die Vermutung aus, daß die Beseitigung geschehen sei, um die ausschließliche Konsekrationskraft der Epiklese zu betonen. Auch die segnenden Kreuzzeichen bei εὐχαριστήσας, εὐλογήσας, ἁγιάσας fehlen nur im byzantinischen Ritus, ebd. 447. Doch hat die byzantinische Messe den Brauch, daß der Diakon, während der Priester das Λάβετε, φάγετε bzw. Πίετε ἐξ αὐτοῦ πάντες spricht, mit dem Orarion auf den Diskus, bzw. auf den Kelch hinweist. Auch der Priester nimmt an diesem Zeigeritus teil; vgl. oben 182 Anm. 37. Eine auch bei Brightman 386 mitabgedruckte Anmerkung orthodoxer Textausgaben verleugnet allerdings den offenkundigen Sinn dieser Hinweisgebärde.

[6]) Oben 145 ff. — Hanssens III, 353 ff. 425 ff vertritt die Meinung, als Erfüllung des Auftrags Christi habe man von Anfang an nur den über Brot und Wein gesprochenen Einsetzungsbericht mit den Worten Jesu und den zugehörigen Handlungen betrachtet, das Dankgebet sei nicht die Nachbildung der von Christus gesprochenen εὐλογία-εὐχαριστία; das von ihm mit dem Kelch verbundene Dankgebet lebe eher in den Dankgebeten nach der Kommunion fort. — Einer solchen Betrachtungsweise mag eine gewisse Berechtigung zukommen, wenn man ausschließlich die äußere Reihenfolge ins Auge faßt, schwerlich aber, wenn man auf Sinn und Absicht der Stücke sieht. Auf ein Dankgebet nach der Kommunion wird z. B. bei Justinus kein Gewicht gelegt. Dagegen ist es kaum denkbar, daß die bei Justinus und in der ganzen Überlieferung nach ihm und auch vor ihm im Vordergrunde stehende Eucharistia ohne Beziehung zu dem vom Herrn gesprochenen Dankgebet entstanden sein sollte. Durch die von den Verhältnissen geforderte Zusammenschiebung der Konsekrationen und die Voranstellung des Dankgebetes ist das Wesen des letzteren nicht verändert worden; vgl. oben I, 21. Die von Hanssens III, 355 f angenommene späte und sekundäre Entstehung des Dankgebetes wird schon durch das vorausgehende, doch wohl aus der Urgemeinde stammende *Gratias agamus* ausgeschlossen.

[7]) Der gleiche Gedanke in der äthiopischen Anaphora des Gregor von Alexandrien (Cagin 233, Spalte 35): *Similiter respexit super hunc calicem, aquam vitae cum vino, gratias agens*... Vgl. auch im gleichen Sinn die hinweisenden Gebärden in der äthiopischen Liturgie, oben 182 Anm. 37.

weise kommt besonders deutlich zum Ausdruck, daß Christus selbst nun tätig wird und daß sich in den folgenden Worten durch die Kraft, die von ihm kommt, die Wandlung vollzieht[9]).

Auch manche Gebräuche in orientalischen Riten werden nur von der gleichen Anschauung aus verständlich. So, wenn das ganze Eucharistiegebet bis zu dieser Stelle, vom gemeinsam gesungenen *Sanctus* abgesehen, vom Priester leise gesprochen wird und erst die Worte „nehmet hin und esset, dies ist mein Leib" und die entsprechenden Kelchworte mit lauter Stimme ausgerufen, ja in feierlicher Melodie gesungen werden, und zwar über das in den Händen gehaltene Brot und den mit den Händen gefaßten Kelch[10]). In der Jakobusanaphora der Westsyrer ertönt beide Male, wenn die Worte des Priesters verklungen sind, ein *Amen* des Volkes[11]). Das war schon fester Brauch im 9. Jahrhundert, als Moses bar Kepha dagegen vergeblich ankämpfte, weil er darin mit gutem Grund ein Bekenntnis der schon geschehenen Verwandlung erblickte, für die nach ihm noch die Epiklese nötig war[12]). Auch in der byzantinischen und in der armenischen Messe ist dieses *Amen* vorhanden[13]). In der heutigen äthiopischen Liturgie ist es je ein drei-

---

[9]) Im Abendland ist es bekanntlich besonders Ambrosius, der mit vollendeter Klarheit die Überzeugung ausspricht, daß die Wandlung durch die Wiederholung der Worte Christi geschieht; s. oben I, 67. Vgl. Ambrosius, De mysteriis 9, 52; In Ps 38 enarr. c. 25 (PL 14, 1052): *etsi nunc Christus non videtur offerre, tamen ipse offertur in terris, quando Christi corpus offertur; immo ipse offerre manifestatur in nobis, cuius sermo sanctificat sacrificium quod offertur.* Im allgemeinen herrscht im christlichen Altertum und bis tief hinein ins Mittelalter kein besonderes Interesse für eine nähere Festlegung des Augenblickes der Wandlung, oft wird nur auf das Ganze des Eucharistiegebetes verwiesen. In der Karolingerzeit ist es Florus Diaconus, De actione miss. c. 60 (PL 119, 52 f), der die Bedeutung der Konsekrationsworte mit Nachdruck hervorhebt: *ille in suis sacerdotibus quotidie loquitur.*

[10]) Griechische Jakobusanaphora: Brightman 51 f. Das laute Singen der Worte ebenso in der byzantinischen Liturgie auch schon des 9. Jh.: ebd. 328.

[11]) Brightman 52; vgl. Hanssens, Institutiones III, 420 f.

[12]) So nach dem Bericht von Dionysius bar Salabi, ed. Labourt (Corpus script. christ. orient. 93) 62. 77. Nunmehr hat O. Heiming, Orientalia christ. Periodica 16 (1950) 195, ein Palimpsestfragment des 8. Jh. mit einem vor dem 8. Jh. gebrauchten Anaphoratext bekanntgemacht, das ebenfalls das *Amen* aufweist.

[13]) Vom Chor, bzw. von den Klerikern gesprochen; Brightman 385 f. 437. Aus dem syrisch-byzantinischen Bereich muß das *Amen* in die mozarabische Messe gelangt sein. Das *Amen* des Chores erfolgt hier dreimal, nach dem Wiederholungsbefehl, der den Brotworten und den Kelchworten folgt, und nach dem paulinischen *Quotiescumque manducaveritis,* das am Ende beigefügt wird; Missale mixtum (PL 85, 552 f). Die Übernahme muß, was für das Alter des Brauches im Orient von

maliges *Amen*, beide Male mit angeschlossenem Bekenntniswort[14]). In der koptischen Liturgie ist die Dramatik noch gesteigert dadurch, daß dieses dreifache *Amen* beide Male schon zwischen die einleitenden Worte des Priesters hineingerufen wird: „Er nahm das Brot... und dankte" — Amen; „segnete es" — Amen; „heiligte es" — Amen; und nach den Worten der Wandlung folgt, noch immer in griechischer Sprache, also als Überlieferungsgut mindestens des 6. Jahrhunderts, beide Male das Bekenntniswort: Πιστεύομεν καὶ ὁμολογοῦμεν καὶ δοξάζομεν[15]).

Im Vergleich damit muß man von der römischen Liturgie des ersten Jahrtausends sagen, daß in ihr das Bestreben fehlt, den geschehenen Vollzug des Sakramentes sofort zu Bewußtsein zu bringen oder rituelle Folgerungen daraus zu ziehen[16]). Im 11. Jahrhundert melden sich, Hand in Hand mit der gesteigerten Sorgfalt für alles, was das Sakrament betrifft[17]), die ersten Anzeichen einer geänderten Haltung. Nach den um 1068 vom Mönche Bernhard aufgezeichneten Cluniazenser Gewohnheiten soll der Priester bei der Wandlung die Hostie

---

Bedeutung ist, vor der Mitte des 7. Jh. geschehen sein, d. h. bevor die Araber den Verkehr über das Mittelmeer unmöglich machten; vgl. H. Pirenne, Geburt des Abendlandes, o. O. u. J. (1939), 160 ff. — Das von Augustinus, Serm. VI, 3 Denis, bezeugte *Amen*, das Roetzer 124 hieher bezieht, gehört zum Schluß des Kanons.

[14]) Brightman 232 f. Nach den Worten über das Brot: „Amen, Amen, Amen, wir glauben und bekennen, wir preisen dich, unser Herr und Gott, dies ist wahr, wir glauben".

[15]) Brightman 176 f; vgl. Hanssens, Institutiones III, 421. — Weitere Einzelheiten bei Spáčil (s. oben 240 Anm. 26) 108—111.

[16]) Für die entscheidende Bedeutung der Einsetzungsworte muß aber besonders in der irisch-keltischen Überlieferung ein sehr lebhaftes Gefühl vorhanden gewesen sein. Das Stowe-Missale, ed. Warner (HBS 32) 37. 40, betont: Wenn der Priester beginnt: *accepit Jesus panem*, dürfe nichts ihn stören oder ablenken; darum nenne man dies auch die *periculosa oratio*. Das Poenitentiale Cummeani (7. Jh.) bestimmte für den Priester, der an der Stelle *ubi periculum adnotatur* einen Fehler begeht, drei Doppelfasttage als Buße (nach einer anderen Fassung sogar *quinquaginta plagas)*; vgl. Jungmann, Gewordene Liturgie 94 f. 117 Anm. 232. Eine Erinnerung daran lebt noch im Pontificale Romanum fort, wenn nach der Priesterweihe die Mahnung an die Neugeweihten, sich den Ritus der Messe *(hostiae consecrationem ac fractionem et communionem)* wohl einzuprägen, beginnt: *Quia res, quam tractaturi estis, satis periculosa est.* Vgl. Pontifikale des Durandus (Andrieu III, 372 f); Durandus, Rationale IV, 42. 19. — Neben dieser Scheu den Konsekrationsworten gegenüber ist es auffällig, daß in den Meßbüchern eine Hervorhebung des Konsekrationstextes durch die Schriftart anscheinend erst seit dem 14./15. Jh. üblich wird. P. de Puniet, La consécration: Cours et Conférences VII, Löwen 1929, 193.

[17]) Vgl. schon die Riten um die Bereitung der Hostien, oben 44 f.

fassen *quattuor primis digitis ad hoc ipsum ablutis*[18]). Manche Priester fingen an, nach der Wandlung, selbst bei ausgebreiteten Armen, die Finger geschlossen zu halten, mit denen sie den Leib des Herrn berührt hatten[19]), oder man tat dasselbe schon von der mit dem Offertorium verbundenen Händewaschung angefangen[20]), eine Vorsicht, die in dieser oder jener Form bald zur allgemeinen Regel geworden ist[21]). Doch treten auch im 12. Jahrhundert besondere Ehrenbezeigungen vor dem Sakrament zuerst nicht hier, sondern an anderer Stelle hervor[22]).

Aber nun drängt das Volk sich heran. Eine religiöse Bewegung hat die Gläubigen erfaßt, die sie dazu antreibt, das heilige Sakrament, das man zu empfangen kaum sich unterfängt, wenigstens mit den leiblichen Augen zu schauen[23]). Dieses Schauverlangen konzentriert sich

---

18) I, 72 (Herrgott, Vetus disciplina monastica 264).

19) Dagegen wendet sich nämlich Bernold von Konstanz, Micrologus c. 16 (PL 151, 987 C): *Non ergo digiti sunt contrahendi semper, ut quidam prae nimia cautela faciunt ... hoc tamen observato, ne quid digitis tangamus praeter Domini corpus.* Das Fresko in der Unterkirche von S. Clemente in Rom, das einen Priester am Altar am Ende des Kanons darstellt, zeigt ihn noch ohne diese *nimia cautela;* Abbildung bei O. Ursprung, Die kath. Kirchenmusik 27.

20) Udalrici Consuet. Clun. II, 30 (PL 149, 717 ff); Wilhelm von Hirsau, Const. I, 84. 86 (PL 150, 1012 f. 1017).

21) Sie wird im 13. Jh. eingeschärft von Durandus IV, 31, 4; IV, 43, 5: Daumen und Zeigefinger dürfen nach der Wandlung nur mehr geöffnet werden *quando oportet hostiam tangi vel signa* (Kreuzzeichen) *fieri.* Dieselbe Regel im Ordo Stefaneschis (um 1311) n. 53 (PL 78, 1166 B). Ähnlich im Liber ordinarius von Lüttich und auch schon in dessen um 1256 datierter dominikanischer Quelle (Volk 95 Z. 5); an beiden Stellen wird außerdem noch nach dem *Lavabo* verlangt: *Cum digitis, quibus sacrum corpus tractandum est, folia non vertat nec aliud tangat* (Volk 93 Z. 22). — Nach dem Missale Rom., Rit. serv. VIII, 5, bilden auch die *signa* keine Ausnahme mehr, die Finger bleiben geschlossen. — In orientalischen Liturgien scheinen ähnliche Vorschriften nur innerhalb der unierten Gemeinschaften zu bestehen; s. Hanssens, Institutiones III, 424 f.

22) Um 1178 berichtet der Zisterzienser Herbert von Sassari, De miraculis III, 23 (PL 185, 1371), von einer vorgeschriebenen Verneigung vor dem heiligen Sakrament nach der Brechung: *Et Agnus Dei iam dicto, cum iuxta illius ordinis consuetudinem super patenam corpus Domini posuit et coram ipso modice inclinando caput humiliasset ...* Über das Werk Herberts vgl. jetzt B. Grießer, Herbert von Clairvaux und sein Liber miraculorum: Cist.-Chr. 54 (1947) 21—39; 118—148.

23) Über die weiteren Zusammenhänge dieser Bewegung s. oben I, 158 ff. Die Geschichte der Elevation selbst ist zuletzt dargestellt worden durch E. Dumoutet, Le désir de voir l'hostie, Paris 1926; P. Browe, Die Verehrung der Eucharistie im Mittelalter, München 1933, 26—69 (= 2. Kap.: „Die Elevation", zuerst veröffentlicht JL 9 [1929] 20—60). Vgl. auch Franz, Die Messe im deutschen Mittelalter 32 f. 100—105.

auf den Augenblick, wo der Priester die Hostie in die Hände nimmt, sie etwas emporhebt und sie segnet, um dann die Wandlungsworte darüber zu sprechen; das darbringende Emporheben, das wir in orientalischen Liturgien deutlicher ausgeprägt fanden, war damals auch in der römischen Messe ein betonter Ritus geworden[24]). Gegen Ende des 12. Jahrhunderts[25]) werden Visionen berichtet, die man in diesem Augenblick gehabt haben will: die Hostie erstrahlt wie die Sonne[26]); ein kleines Kind erscheint in der Hand des Priesters, da er die Hostie segnet[27]). Während der Priester an manchen Orten die Hostie, nachdem er sie mit dem Kreuze bezeichnet, wieder auf den Altar legte, um dann erst die Konsekration zu vollziehen, hielt er sie anderswo hoch erhoben, wenn er die Wandlungsworte sprach[28]). So war es den Gläubigen nicht zu verargen, wenn sie ohne weitere Unterscheidung die Hostie verehrten, sobald sie sichtbar wurde.

Dieser Unzukömmlichkeit trat um 1210 der Bischof von Paris entgegen durch die Verfügung, der Priester solle die Hostie vor der Konsekration nur bis zur Brusthöhe und erst nach den Wandlungsworten so hoch erheben, daß sie von allen gesehen werden kann[29]). Damit ist zum ersten-

---

[24]) Dieses Emporheben war im 12. Jh. so weit ausgebildet, daß Radulphus Ardens († 1215), Homil. 47 (PL 155, 1836 B), in ihr bereits die Erhöhung Christi am Kreuz dargestellt sieht. Weitere Belege bei Browe, Die Verehrung 29 f; vgl. Dumoutet 47.

[25]) Ein von Dumoutet 46 f u. a. herangezogenes Beispiel schon aus Wibert von Nogent († um 1124), De pignoribus sanctorum I, 2, 1 (PL 156, 616), kann sich auch auf die Erhebung am Schluß des Kanons beziehen.

[26]) Cäsarius von Heisterbach, Dialogus miraculorum (um 1230 geschrieben) IX, 33 (Dumoutet 42 Anm. 3): Vision der Nonne Richmudis. Der Gewährsmann fügt bemerkenswerterweise hinzu: *necdum puto factam fuisse transsubstantiationem.*

[27]) Magna vita Hugonis Lincolnensis V, 3 (Dumoutet 42 Anm. 2): es handelt sich um ein Ereignis bei der Messe des 1200 verstorbenen Bischofs. Die Vita stammt von seinem Kaplan.

[28]) Für die letztere Weise s. Hildebert von le Mans († 1133), Versus (PL 171, 1186); Stephan von Baugé († um 1140), De sacr. altaris c. 13 (PL 172, 1292 D). — Browe, Die Verehrung 30. — Der Brauch bestand noch lange fort, wie zahlreiche Meßbücher bis ins 15. Jh. beweisen; Dumoutet 42 f. Daneben wurde aber auch der heutige Brauch geübt; vgl. Meßordo von York (um 1425; Simmons 106): das *Qui pridie* wird gesprochen *inclinato capite super linteamina.*

[29]) Unter den Praecepta synodalia von Bischof Odo († 1208) c. 28 (Mansi XXII, 682): *Praecipitur presbyteris, ut cum in canone missae inceperint: Qui pridie, tenentes hostiam, ne elevent eam statim nimis alte, ita quod possit ab omnibus videri a populo, sed quasi ante pectus detineant, donec dixerint: Hoc est corpus meum, et tunc elevent eam, ut possit ab omnibus videri.* Vgl. dazu V. L. Kennedy,

mal mit Sicherheit die uns heute geläufige Weise der Erhebung der heiligen Hostie bezeugt[30]).

Der Brauch hat sich rasch ausgebreitet. Bei den Zisterziensern scheint sich bereits eine Verordnung vom Jahre 1210 darauf zu beziehen[31]), bei den Kartäusern liegt eine solche vor um 1229[32]). Seit dieser Zeit bis um die Mitte des 13. Jahrhunderts ist von ihm auf verschiedenen Synoden die Rede als von einer schon vorhandenen Übung[33]). Gleichzeitig und auch noch im 14. und 15. Jahrhundert kämpfen andere Synoden verschiedentlich an gegen die Erhebung der Hostie schon vor der Wandlung, „damit nicht ein Geschöpf statt des Schöpfers angebetet werde", wie eine Synode von London schon um 1215 sagt. Die großen Theologen der Hochscholastik erwähnen die Erhebung der heiligen Hostie schon als allgemeinen Brauch der Kirche[34]). Damit war aber noch nicht gegeben, daß auch der Kelch in gleicher Weise emporgehoben wurde. Die

---

The date of the Parisian decree on the Elevation of the Host: Mediaeval Studies 8 (Toronto 1946) 87—96. — Die oben angegebene Erklärung der Maßnahme wird vertreten von Dumoutet 37 ff und Browe 31 ff gegen H. Thurston, der in mehreren Veröffentlichungen auf die Lehrmeinung von Petrus Comestor († 1178) und Petrus Cantor († 1197) hingewiesen hatte, denen zufolge die Verwandlung des Brotes erst eintrete, wenn auch die Kelchworte gesprochen sind. Um diese Lehre auszuschalten, sei die Erhebung der Hostie sofort nach den über sie gesprochenen Worten angeordnet worden. Wie nun V. L. Kennedy, The Moment of Consecration and the Elevation of the Host: Mediaeval Studies 6 (1944) 121—150, eingehend zeigt, kann die Kontroverse nur insofern auf das Dekret eingewirkt haben, als entsprechend der nun vorwiegenden Lehre die aus anderen Gründen gewünschte Erhebung sofort nach den Worten über das Brot vorgeschrieben wurde.

30) Es ist nicht ausgeschlossen, daß der Brauch anderswo schon vor 1200 in Übung war. Im Jahre 1201 kam Kardinal Guido O. Cist. als päpstlicher Legat nach Deutschland und erließ in Köln die Verfügung: *Ut ad elevationem hostiae omnis populus in ecclesia ad sonitum nolae veniam peteret.* Der Kardinal scheint hier nur das Niederknien und vielleicht das Glockenzeichen neu verordnet zu haben. Cäsarius von Heisterbach, Dialogus miraculorum IX, 51; vgl. Browe, Die Verehrung 35; Franz 678.

31) Browe, Die Verehrung 34 f. Anders Kennedy, The date 93 f.

32) Mitteilung des Historikers der Kartäuserliturgie in der Kartause von Valencia. Aus seinen Angaben ergibt sich, daß die Nennung des Jahres 1222 bei Browe 35 auf einer Verwechslung fußt mit der Erhebung vor den Wandlungsworten bei C. Le Couteulx, Annales O. Cart. III (1887/91) 469.

33) Browe 35 ff.

34) Browe 36. — Doch kennt der Ritus der päpstlichen Kapelle um 1290 den Brauch noch nicht; dafür ist die darbringende Erhebung vor den Wandlungsworten noch deutlich betont: *levet eam* (sc. *hostiam*), *levet calicem;* Brinktrine (Eph. liturg. 1937) 204 f.

Erhebung des Kelches kommt zwar vereinzelt noch im 13. Jahrhundert in Übung[35]); aber sie dringt, besonders außerhalb Frankreichs, nur sehr allmählich durch[36]). Noch die römischen Missaliendrucke von 1500, 1507 und 1526 erwähnen sie nicht. Es stand hindernd im Weg die Furcht vor dem Verschütten, außerdem aber der Brauch, den Kelch immer mit dem rückwärtigen Teil des Corporale, der nach vorne geschlagen wurde, bedeckt zu halten[37]), vor allem aber die Erwägung, daß man das heilige Blut im Kelch ja doch nicht sehen könne[38]). Aus diesem letzteren Grunde wurde die Erhebung des Kelches, wo sie durchdrang, vielfach nur angedeutet: man erhob den Kelch nur etwa bis zur Höhe der Augen[39]), bis sich auch hierin die Angleichung an die Erhebung der heiligen Hostie mit dem Missale Pius' V. durchsetzte.

Das Verlangen, den Leib des Herrn zu schauen, das war die Kraft, die seit dem 12. Jahrhundert es zustande gebracht hat, mitten im Kanon der Messe, der doch schon längst als unantastbares Heiligtum betrachtet wurde, einer sehr beträchtlichen Neuerung zum Durchbruch zu verhelfen. Die darbringende Erhebung vor den Wandlungsworten ist zurückgedrängt worden[40]) und das Zeigen der heiligen Hostie nach denselben ist zu

---

[35]) Durandus IV, 41, 52 kennt sie.

[36]) Die Geschichte dieses Vordringens bei Browe 41—46.

[37]) Es war also ein zweites Corporale oder die später daraus entwickelte Palla erfordert, um den bedeckten Kelch emporheben zu können; vgl. Braun, Die liturgischen Paramente 210 f. — Doch kennt schon Durandus in seinen Constitutiones synodales (ed. Berthelé 69) auch die Erhebung des unbedeckten Kelches; Browe 40. Beide Weisen bestanden noch im 14./15. Jh.; Browe 47.

[38]) Durandus IV, 41, 52.

[39]) Browe 47; vgl. Franz 105 Anm. 1 — Die Kartäuser kennen bis heute nur diese beschränkte Erhebung des Kelches; Ordinarium Cart. (1932) c. 27, 6. — Jedoch hielt man vielfach den Kelch erhoben bis zum *Unde et memores*. So nach italischen Meßbüchern des 13. Jh.: Ebner 315. 329. 349.

[40]) Genau genommen ist die darbringende Erhebung auch heute noch da, da der Priester ja die Hostie in die Hände „nimmt". Ja, auch bei der zeigenden Erhebung nach der Wandlung ist der ursprüngliche Gedanke nicht ausgeschaltet; die darbringende Erhebung geschieht jetzt nur an der verwandelten Gabe statt an der unverwandelten, und sie geschieht so, daß sie weithin sichtbar ist. Doch ist dieser Gedanke seit dem 12. Jh. im allgemeinen nicht mehr gepflegt worden. Spuren der älteren Auffassung sind aber noch in der Neuzeit vorhanden. Von den Reformatoren ließ Karlstadt die Elevation nicht bloß weg, sondern hielt sie für einen Ausdruck des Opfers und daher für verwerflich und sündhaft; L. Fendt, Der lutherische Gottesdienst des 16. Jh., München 1923, 95. Vgl. auch Berthold von Chiemsee, Keligpuchel, München 1535, c. 20, 7: „Wenn der Priester eleviert, d. i. die Hostie... sacramentlich opffert..." Ähnlich noch Martin von Cochem, Medulla missae germanica c. 29 (3. Aufl., Köln 1724, 441): „O was für ein für-

einem neuen Mittelpunkt geworden. Dem Durchbruch mußte die weitere Ausgestaltung folgen. Es war im Grunde nur eine fromme Meinung, die das Schauen der Hostie, das Erfassen der Gestalt mit dem Gesichtssinn, schon als eine Teilnahme am Sakrament und an seiner Gnadenkraft, ja als eine Art Kommunion wertete. Aber es war eine rechtmäßige Folgerung aus der bewußten Erfassung des Augenblickes, in dem die Wandlung eintrat, daß dem Leibe und Blute des Herrn von diesem Augenblicke an alle Verehrung gebühre. Diese Folgerung haben wir ja auch in orientalischen Riten wirksam gesehen[41]). Die weitere Regelung des neuen Brauches mußte also darauf gerichtet sein, das Schauverlangen in den rechten Grenzen zu halten[42]) und für die Verehrung mehr und mehr einen angemessenen Ausdruck zu schaffen. Das ist denn auch im wesentlichen geschehen.

Das Schauverlangen findet zunächst in verschiedener Weise seine kirchliche Bestätigung und Förderung. Man kommt ihm nicht nur durch die Bestimmung entgegen, daß der Leib des Herrn so hoch erhoben werden soll, daß die Gläubigen ihn sehen können, daß er also dem Volke wirklich gezeigt wird, wie noch heute die Rubrik besagt: *ostendit populo.* Man neigte dazu, das Zeigen noch stärker zu betonen, indem man eine Weile innehielt oder indem man sich nach rechts und links wendete. Doch werden solche Bestrebungen, die einen allzu starken Bruch in den Verlauf der Handlung bringen würden, bald überwunden[43]). Dann hören wir aber, besonders aus französischen und englischen Kirchen, vom Brauch, daß vor der Wandlung ein Vorhang aus dunklem Stoff hinter dem Altar vorgezogen wird, damit die weiße Brotsgestalt sich davon deutlich abhebe[44]). Auch die

---

treffliches geschenck präsentirt der Priester alsdan der allerheiligsten Dreyfaltigkeit, wan er die göttliche Hostien in die höhe hebt." Vgl. auch Balth. Fischer, Liturgiegeschichte und Verkündigung (Die Messe in der Glaubensverkündigung 1—13) 11 f.

[41]) Oben 254.

[42]) Es soll an dieser Stelle nur Erwähnung finden, was für die Entwicklung des heutigen Brauches von Bedeutung ist. Über anderweitige Erscheinungen und Gebräuche s. oben I, 157 ff.

[43]) Ordinarium O. P. von 1256 (Guerrini 242): *Ipsam* (sc. *hostiam) vero non circumferat nec diu teneat elevatam.* Ebenso im Liber ordinarius von Lüttich (Volk 94 f). Weitere Belege bei Browe, Die Verehrung 63. Nur in der Papstmesse hat sich die Wendung nach rechts und links bei der Erhebung bis in die Gegenwart erhalten; Brinktrine, Die feierliche Papstmesse 27.

[44]) Der Brauch wurde in Chartres, in Rouen und an anderen französischen Kathedralen noch um 1700 beobachtet; de Moléon 226 f. 367 f. 433. 435; Dumoutet 58—60. In Spanien bestand der Brauch vereinzelt noch im 19. Jh.; Legg, Tracts 234 f.

Wandlungskerze, aus der an vielen Orten die Sanctuskerze hervorgegangen ist, war ursprünglich dazu bestimmt, in der Frühmesse, wo es noch dunkel war, zum gleichen Zweck vom Diakon oder Meßdiener hinter dem Priester angezündet und emporgehalten zu werden, *ut corpus Christi ... possit videri*[45]). Wir hören von Mahnungen an den Thurifer, darauf zu achten, daß er nicht durch seine Weihrauchwolken den Blick auf die Brotsgestalt behindere[46]). In Klosterkirchen ließ man die Türen des Chores, die sonst geschlossen blieben, bei der Wandlung öffnen[47]). Auch das Glockenzeichen, das nun zur Wandlung ertönt, wird aus ähnlichen Überlegungen hervorgegangen sein. Es ist schon bezeugt um 1201 in den Kirchen von Köln[48]). Es erscheint zunächst als Zeichen während der Erhebung der Hostie und begleitet dann entsprechend auch die Erhebung des Kelches[49]). Bald begegnet es auch als Zeichen, das schon vorher gegeben wird, wenn der Priester Hostie und Kelch bekreuzt[50]). Doch will das Glockenzeichen nicht bloß hinlenken auf den Augenblick des Schauens, es will auch rufen zur Verehrung des Sakramentes. Darum kommt zum Zeichen, das man mit dem

---

45) So eine Bestimmung der Kartäuser um die Mitte des 13. Jh. DACL III, 1057. Noch nach dem Meßordo des Johannes Burchard (1502) sollte die Kerze erst beim *Hanc igitur* angezündet und nach der Erhebung des Kelches wieder ausgelöscht werden; Legg, Tracts 155. 157; vgl. Dumoutet 57. Schweizer Kirchenbücher des 15.—17. Jh. sprechen in diesem Sinn von „hebkertzen", „kertzen der ufhebung" u. dgl.; Krömler 57. Anderswo wurde die Kerze schon vorher angezündet oder auch erst nach der Kommunion ausgelöscht. Es war also eine Ausdrucksform der Verehrung des Sakramentes daraus geworden; s. zu dieser Entwicklung Verwilst 25 f. Über die Geschichte der Wandlungskerze s. P. Browe, Die Elevation in der Messe (JL [1929] 20—66) 40—43.

46) Ordinale der Karmeliten von 1312 (Zimmermann 81 f). Vgl. Browe, Die Verehrung 56. Die Inzensierung des Sakramentes bei der Wandlung ist an Festtagen bereits vorgesehen im Ordinarium O. P. von 1256 (Guerrini 241 f). Doch war sie lange Zeit nicht allgemein üblich; s. die näheren Angaben bei Atchley, A History of the use of Incense 264—266.

47) Browe, Die Verehrung 55 f.

48) Vgl. oben Anm. 30. Vgl. Braun, Das christliche Altargerät 573—575. Gegen die Annahme eines Glockenzeichens schon 1152 s. Browe, Die Verehrung 34 Anm. 38.

49) Durandus IV, 41, 53.

50) Liber ordinarius von Lüttich (Volk 94 Z. 29). Weitere Einzelheiten über Wandlungsglocken bei Browe, Die Elevation (JL 9) 37—40. Nach manchen Nachrichten scheint es, als ob auch das Läuten zum *Sanctus* nur dem gleichen Zweck dienen sollte, *ut populus valeat levationis sacramenti ... habere notitiam,* wie es in einer 1399 zu Chartres gemachten Stiftung vom Läuten zum *Sanctus* heißt; Du Cange-Favre VII, 259. Vgl. oben 165 Anm. 22.

Glöckchen[51]) gibt, schon gegen Ende des 13. Jahrhunderts vielfach noch das Zeichen mit der großen Kirchenglocke[52]): auch die Abwesenden, die in Haus und Feld beschäftigt sind, sollen in diesem Augenblick innehalten, sich zur Kirche hinwenden und den Herrn im Sakrament anbeten.

Daß man das heilige Sakrament, wenn es emporgehoben wurde, verehren soll, war von Anfang an eine selbstverständliche Forderung, dies um so mehr, als ja die Häresie den Glauben an das Sakrament angefochten hatte[53]). Kleriker und Gläubige sollten niederknien, so mahnten schon die ersten Verfügungen und Synoden, die sich mit den neuen Wandlungsbräuchen befaßten[54]), oder es wurde wenigstens eine demütige Verneigung gefordert, wie in einer Bestimmung Honorius' III. vom Jahre 1219[55]) und auch in manchen jüngeren Vorschriften[56]). Besonders die Kanoniker einzelner Kathedralkirchen hielten noch lange, in Chartres bis ins 18. Jahrhundert hinein, an ihrer altüberlieferten Verneigung fest[57]). Auch daß man

---

[51]) Ein solches war in der Regel an der Chorwand befestigt. Handglöckchen, die der Ministrant am Altar bedient, sind erst seit dem 16. Jh. allgemeiner nachweisbar. Erst seit dieser Zeit werden, wie es scheint, auch bei Privatmessen regelmäßig die Glockenzeichen gegeben. Braun, Das christliche Altargerät 573—580, bes. 576.

[52]) Einschlägige Bestimmungen von Synoden des 13.—15. Jh. bei Browe, Die Elevation 39 f. Beispiele vielgestaltigen heutigen Brauches aus der Schweiz s. bei Krömler 33 f.

[53]) Oben I, 157.

[54]) Die älteste Nachricht ist die Verfügung des Kardinals Guido vom Jahre 1201, oben Anm. 30. Weitere Nachrichten bei Browe, Die Verehrung 34—39, in den Anmerkungen. — Das Niederknien ist aber auch schon bezeugt um 1208 zur älteren Erhebung bei *Accepit panem;* Kennedy, The Moment of Consecration 149.

[55]) Gregorii IX. Decretales III, 41, 10 (Friedberg II, 642); vgl. dazu Browe, Die Verehrung 37.

[56]) P. Browe, L'atteggiamento del corpo durante la messa (Eph. liturg. 50 [1936] 402—414) 408 f. — Als ein Mindestmaß an Ehrenbezeigung erwartete man, daß diejenigen, die nach damaliger Gewohnheit am Boden kauerten, sich erhoben. Auch dies verweigerten mancherorts die Begarden und Beginen, was zum Einschreiten auf dem Konzil von Vienne (1311/12) Anlaß gab; Denzinger-Umberg, Enchiridion n. 478. Ebenso unterließen es die Geißler nach einem Bericht aus Flandern vom Jahre 1349, bei der Wandlung die Kopfbedeckung abzunehmen. Browe a. a. O. 403; vgl. 411. — Umgekehrt wurde besonders in Klöstern vielfach eine volle *prostratio* üblich; s. z. B. die Statuten der Kartäuser: Martène 1, 4 XXV (I, 633 C). Vgl. auch die Abbildung aus S. Marco in Venedig bei Ch. Rohault de Fleury, La Messe I, Paris 1883, Tafel XVIII.

[57]) Browe, L'atteggiamento 409 f. In der Baseler Diözese wurden die Kanoniker von St. Ursitz 1581 erst mit Androhung von Kirchenstrafen bei der Wandlung in die Knie gezwungen (ebd.). — Für französische Kathedralen vgl. Cl. de Vert, Explication simple I, Paris 1706, 238 ff; Martène 1, 4, 8, 22 (I, 414 D);

im Knien die Arme ausbreite und die Hände erhebe, wird da und dort verlangt oder berichtet[58]). Die Regel blieb aber das einfache Niederknien. Nach einem römischen Ordo des 13. Jahrhunderts sollte der Chor der Kleriker dann, wenn nicht Festtag oder Festzeit das Stehen gebot, auf den Boden hingestreckt verharren *quousque sacerdos corpus et sanguinem sumat*[59]). Nach der heute geltenden Chorregel, in der neben der Rücksicht auf die Ehrung des Sakramentes auch die Erinnerung an das ehemals durch verbeugtes Stehen geehrte Heiligtum des Kanons wirksam ist, läßt sich der Chor meist schon beim *Te igitur* auf die Knie nieder. Und auch im Volke ist vielfach die Anschauung maßgebend geworden, daß man nicht nur bei der Wandlung, sondern womöglich schon vom *Sanctus* an knien und bis zur Kommunion auf den Knien bleiben soll[60]). Die

de Moléon 230. — Dieses konservative Festhalten des älteren Brauches erklärt sich aus der Erinnerung daran, daß Knien von altersher nur das Bitt- und Bußgebet begleitete, vgl. oben I, 314 f. Noch Durandus VI, 86, 17 betont, daß man an Sonn- und Festtagen und in der Pentecoste nur vor dem Sakrament niederknie.

[58]) Konstitutionen der Kamaldulenser von 1233, c. 2, bei Browe, Die Verehrung 53 Anm. 160. — In Frankreich läßt um 1220 der Dichter der „Queste del saint Graal" den Helden, da der Priester den Leib des Herrn zeigt, ihm die Hände entgegenstrecken mit dem Ruf: „Biaus douz pères, ne m'oubliez mie die me rente!" Dumoutet 45 Anm. 1. In England wird der Christ im 13. Jh. zur Wandlung belehrt: „hold up bothe thi handes"; The Layfolks Massbook ed. Simmons 38. Ein Sakramentar des 14. Jh. aus St. Peter in Rom bei Ebner 191 stellt im Kanonbild den Priester bei der Wandlung dar und „vier sitzende Gestalten, rechts eine knieende, welche die Hände zum Altare emporheben." Dasselbe Emporheben der Hände auch in einer Miniatur des Cod. 82 (14. Jh.) der Heidelberger Universitätsbibliothek, fol. 158 (Photographie durch Prof. Balth. Fischer). Gabriel Biel, Canonis expositio, lect. 50, empfiehlt unter den Wandlungsreverenzen: *manus suas in coelum tendere*. Eine Ablaßverleihung Sixtus' IV. von 1480 ist daran geknüpft, daß man zur Wandlung fünf Pater und Ave *flexis genibus et elevatis manibus* bete; Browe, Die Verehrung 55. Es ist jedoch nicht sicher, daß es sich in allen diesen Fällen um die ausgebreiteten Hände handelt; es könnte auch ein Gestus gemeint sein, der die Teilnahme an der Darbringung ausdrücken sollte; vgl. Balth. Fischer, Liturgiegeschichte und Verkündigung (Die Messe in der Glaubensverkündigung 1—13) 12 Anm. 14, wo (nach O. Rainaldus, Annales eccl. XIV, Köln 1694, 204) als Wandlungsbrauch des englischen Königs Heinrich I. († 1272) erwähnt wird: *manum sacerdotis tenere*. — Die Ausbreitung der Arme nach der Wandlung (in der Weise wie unten 275 Anm. 15) ist noch heute in der Klostergemeinde der Kapuziner gebräuchlich. Beim Aufblick zur Hostie wird das Ausbreiten der Arme als gegenwärtiger Brauch aus einer südslawischen Gegend berichtet; Kramp, Meßgebräuche der Gläubigen in den außerdeutschen Ländern (StZ 1927, II) 360.

[59]) Caeremoniale Gregors X. († 1276) n. 19 (PL 78, 1116).

[60]) Die Anschauung scheint in verschiedenen außerdeutschen Ländern stärker eingelebt zu sein als auf deutschem Boden; vgl. Kramp, Meßgebräuche der Gläubigen

Verehrung des Sakramentes, die zu diesem Knien geführt hat, hat nach dem Ausgang des Mittelalters bald über das Schauen das Übergewicht erhalten[61]), und zwar so sehr, daß es am Beginn des 20. Jahrhunderts fast in allen Ländern üblich war, bei der Wandlung auch noch im Knien sich zu verneigen, und daß man selbst im Augenblick der Erhebung fast nirgends mehr daran dachte, zur heiligen Hostie aufzublicken[62]), bis Pius X. 1907 dazu wieder anregte, indem er das dabei zu sprechende Gebet „Mein Herr und mein Gott!" mit Ablässen bedachte[63]).

An den Ehrenbezeigungen für das heilige Sakrament sollte sich auch der Priester selbst beteiligen. Das geschah aber lange Zeit nur durch eine Verneigung, die er nach den Wandlungsworten vor dem Leibe des Herrn machte, bevor er ihn erhob[64]). Da und dort begann der Priester die Hostie mit einem Kuß zu begrüßen[65]); aus dem 13. Jahrhundert stammt ja auch die Vermehrung der Altarküsse[66]). Dem gutgemeinten Versuch sind schon damals Verbote entgegengetreten[67]), die später wiederholt wurden[68]). Unsere Kniebeugung als Niederfallen auf ein Knie und sofortiges Wiederaufstehen war als religiöse Gebärde nicht

---

in den außerdeutschen Ländern 356 f. — Geschichtliche Einzelheiten bei Browe, L'atteggiamento 412—414. Hier 413 f der Hinweis auf Versuche, auch beim Volke nach der Wandlung eine volle *prostratio* einzuführen. Vgl. oben Anm. 56.

[61]) Dumoutet 73 f.

[62]) Kramp, Meßgebräuche der Gläubigen in der Neuzeit (StZ 1926, II) 215 f; Meßgebräuche der Gläubigen in den außerdeutschen Ländern (ebd. 1927, II) 356.

[63]) Browe, Die Verehrung 68 f.

[64]) Liber ordinarius von Lüttich (Volk 94 Z. 31): *aliquantulum inclinans;* ebenso in der um 1256 abgeschlossenen dominikanischen Vorlage des Werkes (Guerrini 242). — Auch der um 1311 entstandene Ordo des Kard. Stefaneschi n. 53 (PL 78, 1166 BC) läßt den Priester nur vor der Erhebung der Hostie *inclinato capite* und ebenso vor der Erhebung des Kelches *inclinato paululum capite* die Verehrung leisten. Zahlreiche weitere Belege aus dem 13. bis 16. Jh. bei Browe, Die Elevation 44—47.

[65]) Missale von Evreux-Jumièges (14./15. Jh.): Martène 1, 4, XXVIII (I, 644 E). Weitere Beispiele bei Browe, Die Verehrung 65. Vgl. auch unten Anm. 67.

[66]) Oben I, 408 f. An manchen Orten wurde es auch üblich, die Hostie und den Kelch vor den betreffenden Konsekrationsworten zu küssen; Browe, Die Verehrung 65. Einen Kuß des Kelches vor den Worten *Accipite et bibite* vermerkt im 13. Jh. ein Pontifikale von Laon: Leroquais, Les Pontificaux I, 167.

[67]) Synode von Sarum (1217) can. 37 f (Mansi XXII, 1119 f); Bonaventura, Speculum disciplinae ad novitios I, 17 (Opp. ed. Peltier XII, Paris 1868, 467). Browe, Die Verehrung 37.

[68]) Beispiele bis ins 17. Jh. bei Browe 65 f.

bekannt und wurde darum auch an dieser Stelle zunächst nicht geübt[69]). Bei der Wandlung mit beiden Knien niederzuknien, wurde zwar frühzeitig vom Diakon und Subdiakon verlangt, für den Priester schien es aber nicht wohl tunlich, es sei denn, daß man ein längeres Gebet einschalten wollte, wie es nach dem *Pater noster* manchmal geschah[70]). Eine kurze Kniebeugung mit einem Knie vor dem Sakrament nach den Wandlungsworten ist zum erstenmal als Brauch mancher Priester bezeugt durch Heinrich von Hessen († 1397), der in Wien Theologie lehrte[71]), aber noch im 15. Jahrhundert ist die bloße Verneigung vorherrschend und vielfach war sie auch noch in Meßordnungen des 16. Jahrhunderts vorgesehen[72]). In römischen Meßbüchern erscheint die Kniebeugung seit 1498, und zwar alsbald in der heutigen Anordnung, vor und nach der Erhebung der Gestalten[73]). Sie wird hier durch das Missale Pius' V. 1570 endgültig vorgeschrieben.

Wenn der Priester das Knie beugt, hält der Meßdiener den Rand der Kasel. Bei der Form, die die Kasel seit dem Ausgang des Mittelalters angenommen hat, ist der genauere Sinn dieser kleinen Zeremonie nicht mehr ersichtlich. Sie macht heute etwa den unbestimmten Eindruck einer Geste zuvorkommender Dienstfertigkeit, die dem heiligen Augenblick wohl irgendwie angemessen sein mag. Die nähere Begründung, die wohl gegeben wird, es geschehe, damit der Zelebrant (bei der Kniebeugung) nicht behindert werde[74]), wäre vielleicht verständlich unter der

---

[69]) Dagegen war sie geläufig als Huldigungsakt vor weltlichen Herren. Berthold von Regensburg († 1272) betont in einer Predigt diesen Unterschied und mahnt zum Niederknien auf beide Knie vor dem Sakrament; Berthold von Regensburg, Predigten ed. Pfeiffer I (1862) 457.

[70]) Browe, Die Elevation 47 f. Jedoch ist das Niederknien *utroque genu* noch im heutigen Missale von Braga (1924) 316 ff vorgesehen je vor und nach der Erhebung sowie an drei weiteren Stellen: vor dem *Per ipsum,* vor der Brechung, vor der Kelchkommunion.

[71]) Browe 48 f.

[72]) So u. a. im Ordinarium von Coutances von 1557; in einer Meßordnung der Zisterzienser von 1589; s. Browe, Die Elevation 46 f. 50. — Das Ordinarium Cart. (1932) c. 27, 5 f. 9 f. 12 schreibt auch heute noch die bloße Verneigung vor (verbunden mit einer leichten Beugung der Knie, *non tamen usque ad terram;* vgl. oben 65 Anm. 48).

[73]) Browe 49 f. — An manchen Orten war es aber üblich, dann auch schon während der Kniebeugung die Hostie emporzuheben; Browe, Die Verehrung 63. Vgl. die Miniatur der Legenda aurea aus Brüssel bei Braun, Der christliche Altar II, Tafel 44.

[74]) Vgl. Ph. Hartmann, Repertorium rituum, 11. Aufl., Paderborn 1908, 773. — Nach einer u. a. in Tirol noch manchmal weitergegebenen volkstümlichen Erklärung bedeutet die Kaselzeremonie die Teilnahme des Volkes am Opfer.

Voraussetzung, wie sie noch um die Wende des Mittelalters zutraf, daß die Kasel rückwärts bis an die Fersen herabreichte[75]). Doch wird um jene Zeit nicht diese Begründung gegeben[76]), sondern eine andere, dieselbe, die noch heute im Römischen Missale steht: der Meßdiener soll den Rand der Planeta halten, *ne ipsum Celebrantem impediat in elevatione brachiorum*[77]). Diese Begründung ist freilich heute noch weniger einsichtig. Daß sie aber den wirklichen ursprünglichen Grund angibt, erhellt daraus, daß dieselbe Leistung dem Diakon auch schon vorgeschrieben wurde, bevor von einer Kniebeugung die Rede war[78]). Im 13. Jahrhundert war sie durchaus am Platz. Damals herrschte nämlich noch die unverkürzte Glockenkasel, deren Rückenteil bei der Erhebung der Arme, von denen die Kasel herabfloß, unschön emporgezogen wurde, wenn nicht eine helfende Hand entgegenkam. Mit der Rückkehr der breiten, faltenreichen Kasel beginnt die alte Zeremonie übrigens wieder ihren vollen Sinn und damit ihre Verständlichkeit zurückzugewinnen.

Sollte sich die Verehrung des Sakramentes auch in Gebeten und Gesängen aussprechen? Daß während der Wandlung laut gebetet oder gesungen wurde, war nicht selbstverständlich. Das Gesetz der Kanonstille war im 13. Jahrhundert zwar schon vielfach durchbrochen, aber nicht völlig entkräftet. Jedenfalls durfte der zelebrierende Priester nur mit leiser Stimme besondere Gebete sprechen[79]). Daß er dies tat, war für mittelalterliche Verhältnisse nichts Besonderes. Freilich war das Wuchergewächs der Apologien, das sich überall zwischen die alten Gebetstexte eingedrängt hatte, im 13. Jahrhundert im wesentlichen schon aus den Meßbüchern verschwunden, und Mahnungen, wie sie Bernold von Konstanz ausgesprochen hatte, daß man zum Kanon nichts hinzufügen

---

[75]) Vgl. Braun, Die liturgischen Paramente 110, der als durchschnittliches Längenmaß um 1400 angibt 1,40 m, um 1600 noch 1,25 m.

[76]) Immerhin finden sich Darstellungen aus dem ausgehenden Mittelalter, auf denen der Meßdiener während der Kniebeugung des Priesters die Kasel hebt; s. die oben Anm. 73 erwähnte Miniatur. Eine weitere bei Dumoutet, Le Christ selon la chair et la vie liturgique au moyen-âge, Paris 1932, S. 108/109.

[77]) Ritus serv. VIII, 6. — Ebenso bei A. Castellani, Sacerdotale Romanum (zuerst erschienen 1523), Venedig 1588, 68.

[78]) Liber ordinarius von Lüttich (um 1285; Volk 94 Z. 25): *diaconus retro sacerdotem levans eius casulam*. Liber ordinarius der Essener Stiftskirche (2. Hälfte des 14. Jh.; Arens 19): *levabit casulam presbyteri aliquantulum, ut eo facilius levet sacramentum*. — Abbildung aus einem französischen Missale des 14. Jh. bei Leroquais IV, Tafel LXVII, 1.

[79]) Über Versuche im 15. und 16. Jh., daß der Priester auch mit lauter Stimme vor dem Volke Gebete sprach, s. Browe, Die Verehrung 54.

dürfe[80]), waren nicht ohne Wirkung geblieben. Aber ein kurzer Gebetsspruch gleich nach der Wandlung schien immer noch zulässig zu sein und wurde von vielen empfohlen und geübt[81]), während andere allerdings jede Einschaltung verpönten[82]), auch schon bevor das Meßbuch Pius' V. erschien[83]).

Jedenfalls aber wurden die Gläubigen zum Gebete gemahnt, zu einem Beten, das allerdings auch sie zunächst still für sich verrichten sollten. Um 1215 spricht Wilhelm von Auxerre in der Summa aurea von diesem Beten und versichert: *Multorum petitiones exaudiuntur in ipsa visione corporis Christi*[84]). Nach Berthold von Regensburg sollten die Gläubigen in diesem Augenblick um drei Dinge bitten: um Verzeihung der Sünden, um reumütigen Empfang des Sakramentes am Lebensende, um die ewige Freude[85]). Zum äußeren Ausdruck ihres Gebetes mochten sie an die Brust klopfen oder sich mit dem Kreuze bezeichnen[86]). Als mündliches Gebet

---

[80]) Vgl. oben 207 Anm. 31.

[81]) Wilhelm von Melitona, Opusc. super missam ed. van Dijk (Eph. liturg. 1939) 338, läßt ebenso wie schon sein Vorgänger, Alexander von Hales, den Priester sprechen: *Adoro te Domine Jesu Christe Salvator, qui per mortem tuam redemisti mundum, quem credo esse sub hac specie quam video.* Auch Durandus rät als Bischof in seinen Constitutiones synodales den Priestern Gebete dieser Art an; Browe, Die Verehrung 40. 53. Eine Reihe ähnlicher Gebete in einem Meßbuch von Valencia vor 1411 (Ferreres 154 f). Vgl. Dumoutet, Le Christ selon la chair 170—173. Vom hl. Franz Xaver wird berichtet, daß er nach der Wandlung ein von ihm selbst verfaßtes Gebet zur Bekehrung der Heiden einzuschalten pflegte; G. Schurhammer, Der hl. Franz Xaver, Freiburg 1925, 151.

[82]) Die Meßerklärung einer Stuttgarter Hs des 15. Jh. bei Franz 611 bedroht jene Priester mit dem Kirchenbann, die bei der Erhebung der hl. Hostie Gebete einschalten, z. B.: *Deus propitius esto mihi peccatori,* oder *Propitius esto peccatis nostris propter nomen tuum Domine,* oder *O vere digna hostia.*

[83]) Übrigens gibt noch Ph. Hartmann, Repertorium rituum, 11. Aufl., Paderborn 1908, 380 f, dem Zelebranten bei der Erhebung der heiligen Hostie (und des Kelches) die Anweisung: „er bete dabei: *Dominus meus et Deus meus.*" Ein Dekret der Ritenkongregation vom 6. XI. 1925: Acta Ap. Sed. 18 (1926) 22 f, verbietet nunmehr ausdrücklich derartige Zusätze.

[84]) Dumoutet, Le désir de voir l'hostie 18.

[85]) Berthold von Regensburg, Predigten ed. Pfeiffer II, 685 (Franz 656); vgl. I, 459, wo er in ähnlichem Sinn auch den Wortlaut eines Gebetes angibt. — Umfangreiche Gebete zur Darbringung und zum Gedächtnis des Leidens bietet Berthold von Chiemsee, Keligpuchel, München 1535, c. 20, 7. 8.

[86]) Gabriel Biel, Canonis expositio, lect. 50, empfiehlt neben anderen Reverenzen: *pectora tundere.* — Ein schon sehr entwickelter Ritus äußerer Reverenzen wird von Durandus († 1296) in seinem Pontifikale (Andrieu 646; Martène 1, 4, XXIII [I, 620 A]) dem Bischof vorgeschrieben, der der Messe eines

wurden den Gläubigen manchmal nur die sonst geläufigen Formeln[87]) oder aber eine einfache Begrüßung oder Anrufung empfohlen. Eine solche Begrüßung, die in verschiedener Abwandlung lateinisch und in der Volkssprache in vielen Gebetbüchern um die Wende des Mittelalters wiederkehrt, ist: *Ave salus mundi, verbum Patris, hostia vera*[88]). Eine andere Begrüßung lautete: *Te adoro, te verum corpus Christi confiteor*[89]). Andere, schon weiter ausgebaute Formeln werden vorwiegend in Klöstern heimisch gewesen sein, so eine 14gliedrige Anrufung, die mit den Versen beginnt: *Ave principium nostrae creationis, ave pretium nostrae redemptionis, ave viaticum nostrae peregrinationis*[90]). Auch das *Adoro te devote*[91]), das *Anima Christi*[92]) und das *Ave verum corpus*[93]) dienten zur Begrüßung des Sakramentes bei der Wandlung[94]).

Priesters beiwohnt. Wenn der Leib des Herrn erhoben wird, soll er vor seinem Betstuhl auf dem Boden knien, nach anbetendem Aufblick dreimal an die Brust klopfen und darauf den Boden oder den Betstuhl küssen. Bei der Erhebung des Kelches soll er nach dem Aufblick das Kreuzzeichen machen und einmal an die Brust klopfen. — Man erkennt hier schon den Anfang jener unnatürlichen Häufung von Gebetsgebärden, die heute an vielen Orten bei der Wandlung üblich ist.

[87]) Es werden Ablässe darauf verliehen, daß man während der Wandlung ein Pater und Ave oder fünf Pater und Ave spricht. Browe, L'atteggiamento 411 f. Vgl. oben 256 Anm. 58. — *Pater noster* und *Credo* empfiehlt dem Beter im 13. Jh. das Layfolks Massbook (Simmons 40); es ist aber auch ein Reimgebet beigegeben. — Auch das *Te Deum* wird genannt; s. den Hinweis JL 3 (1923) 206 (nach M. Frost).

[88]) Dumoutet, Le Christ selon la chair 151—154; Beispiele seit dem 14. Jh. Bereits um 1212 nachgewiesen durch V. L. Kennedy, The Handbook of Master Peter Chancellor of Chartres: Mediaeval Studies 5 (1943) 8. — Vgl. auch Wilmart, Auteurs spirituels 24. — In Deutschland wird diese Anrufung im 15. Jh. als Distichon in der Form bezeugt: *Salve lux mundi, verbum Patris, hostia vera, viva caro, deitas integra, verus homo;* Franz 22; auch deutsch ebd. 703. Ein Wandlungsgebet mit dem Anfang *Salve lux mundi* auch in England, in den Meditations von Longforde (15. Jh.): Legg, Tracts 24. — Ein deutsches Reimgebet in zwölf Versen, beginnend: „Got, vatir allir cristinheit", in einer Weingartner Hs des 13. Jh. bei Franz 23 Anm. 1. — Vgl. auch den Ruf Parzivals in der „Queste del saint Graal", oben Anm. 58.

[89]) Dumoutet, Le Christ selon la chair 166 f, mit Parallelformeln in französischer Sprache aus dem 14./15. Jh.

[90]) Zu Anfang des 13. Jh. bezeugt in einer englischen Nonnenregel (Browe, Die Verehrung 19; vgl. auch ebd. 53 Anm. 160) und bei Peter dem Kanzler von Chartres (Kennedy, a. a. O. 9). Vgl. auch Wilmart, Auteurs spirituels 22 f.

[91]) F. J. Mone, Lateinische Hymnen des Mittelalters I, Freiburg 1853, 275 f. Der Hymnus erscheint zuerst im 14. Jh., und zwar als Gebet zur Wandlung. Die Herkunft vom hl. Thomas ist nicht sicher; s. Wilmart, Auteurs spirituels 361 bis 414, bes. 399 ff, aber auch die Hinweise Bulletin Thomiste 7 (1943/46) n. 122 f.

Wohlgeformte Texte dieser Art luden von selbst dazu ein, auch gemeinsam gesprochen und gesungen zu werden, wenn sie nicht von vornherein dafür bestimmt waren. Um die Wende des Mittelalters gehörte eine feierliche Begrüßung des Sakramentes im Augenblick seiner Erhebung zum Ritus des Hochamtes. Nach einer Straßburger Stiftung von 1450 sollte bei bestimmten Gelegenheiten *in elevatione immediate post Benedictus* die Antiphon *O sacrum convivium* mit Versikel und Oration gesungen werden[95]). Eine 1512 durch Ludwig XII. veranlaßte Bestimmung setzte für das tägliche Hochamt in Notre-Dame in Paris das *O salutaris hostia* fest, das *in elevatione corporis Christi* zwischen *Sanctus* und *Benedictus* zu singen war. Eine Pariser Stiftung von 1521 sieht das *Ave verum* vor[96]). Auch andere Gesänge werden für die gleiche Gelegenheit erwähnt[97]). Man muß gestehen, daß diese Gesänge im allgemeinen wahrhaft edle Formen aufweisen, Formen, die sich auch theologisch gut ins Gefüge der Meßliturgie einordnen. Die Unterbrechung, die schon durch das Erheben und Zeigen der Gestalten im Gange der ganz auf Gott hin gerichteten Gebets- und Opferbewegung eintritt, ist durch diese Begrüßungshymnen sinnvoll gestaltet und ausgebaut worden, in ähnlicher Weise, wie am Gründonnerstag nach der Weihe der heiligen Öle sogar auch diesen eine ehrfurchtsvolle Begrüßung gewidmet wird.

Die letzten Strophen *(Pie pelicane)* wurden manchmal mit der Erhebung des Kelches verbunden; Dumoutet, Le Christ selon la chair 165—169, bes. 168 Anm.

92) Dumoutet a. a. O. 160—165; P. Schepens, Pour l'histoire de la prière Anima Christi: Nouvelle Revue théol. 62 (1935) 699—710. Weitere Angaben bei Balth. Fischer, Das Trierer Anima Christi: Trierer Theol. Zeitschrift 60 (1951) 189—196; F. veröffentlicht einen mittelhochdeutschen Text aus dem beginnenden 14. Jh., der möglicherweise den Urtext darstellt.

93) Dumoutet a. a. O. 169 f. Der Titel lautet in den Hss vielfach *In elevatione corporis Christi.* Mone, a. a. O. I, 280. Weitere Hymnen auf das Sakrament mit ähnlicher Zuweisung *(In elevatione Corporis, Quando elevatur calix* u. ä.) ebd. 271 f. 281—293.

94) Weitere Angaben bei Browe, Die Verehrung 53. — Dumoutet, Le Christ selon la chair 164, spricht von mehr als 50 Gebeten zur Elevation, die aus dem Mittelalter überliefert sind. Kurze Anrufungen des Leibes und Blutes Christi waren auch schon früher vor der Kommunion des Priesters üblich (s. unten). Einzelne sind von dort zur Elevation herübergenommen worden; ebd. 158 f.

95) Browe, Die Verehrung 53 Anm. 161.

96) Dumoutet, Le désir de voir l'hostie 60—62. — Beide Gesänge wahlweise auch bei den Zisterziensern; so noch in einer Vorschrift von 1584; s. J. Hau, Statuten aus einem niederdeutschen Zisterzienserinnenkloster (Cist.-Chr. 1935) 132.

97) *Gaudete flores:* Dumoutet, Le désir 61. Auch das *Benedictus* wurde im gleichen Sinn angestimmt, oben 172 Anm. 44.

Bald nach dem Ausgang des Mittelalters ist mit dem Entschwinden der gotischen Geisteshaltung das schlichte Schauverlangen und auch der Eifer, im Augenblick der Wandlung zur heiligen Hostie aufzublicken, merkwürdig rasch dahingeschwunden[98]). Damit sind auch die Gesänge verstummt, die zum Sakrament emportönten[99]). Die Zeremonie der Erhebung bleibt weiter bestehen, aber sie vollzieht sich nun in lautloser Stille. Meist wird nicht einmal das leise Orgelspiel hörbar, das die bestehenden Dekrete gestatten würden; das Glöckchen des Meßdieners ist der einzige Laut, der vernehmbar ward. Nur in stillem Gebet sollen die Gläubigen die heiligen Gestalten auch weiter begrüßen und verehren[100]). Doch hat sich in einzelnen Ländern der Brauch erhalten oder neu gebildet, daß das Volk mit lauter Stimme bestimmte Gebete spricht. So ist in manchen spanischen Kirchen die Begrüßung üblich: „Mein Herr und mein Gott, wir beten dich an, du Leib unseres Herrn Jesus Christus, weil du durch dein heiliges Kreuz die Welt erlöst hast"; „Mein Herr und mein Gott, wir beten dich an, du heiligstes Blut unseres Herrn Jesus Christus, das am Kreuze für das Heil der Welt vergossen worden ist"[101]).

---

[98]) Dumoutet, Le désir de voir l'hostie 72—74.

[99]) Augsburger Synoden aus den Jahren 1548 und 1567 sprechen schon vom *altissimum silentium* (Hartzheim VI, 369), vom *altum sanctumque silentium* (ebd. VII, 172), das nicht ohne Grund durch Gesänge unterbrochen werden sollte. Anderswo erhielten sich diese jedoch noch länger. In den 1718 erschienenen Voyages liturgiques von de Moléon wird es noch als eine Besonderheit vermerkt, daß in einzelnen französischen Kathedralen zur Erhebung der Hostie nicht gesungen, sondern nur still angebetet wird (117. 142. 147). Bei den Prämonstratensern wurde die Vorschrift eines solchen Gesanges *(O salutaris hostia)* erst 1628 und dann wieder 1739 in den Liber ordinarius aufgenommen; sie ist hier bis heute in Geltung geblieben. Waefelghem 122 Anm. 2. — Auch nach römischen Bestimmungen blieben Gesänge während der Wandlung zunächst weiterhin erlaubt. Die Anfrage, *An in elevatione ss. sacramenti in missis sollemnibus cani possit ‚Tantum ergo etc.' vel aliqua antiphona tanti sacramenti propria,* wurde am 14. IV. 1753 *affirmative* beschieden; Decreta auth. SRC n. 2424 ad 6. Eine spätere Entscheidung vom 22. V. 1894 läßt jedoch solche Gesänge nur mehr zu *peracta ultima elevatione,* sobald das *Benedictus* gesungen ist; Decreta auth. SRC n. 3827 ad 3.

[100]) Das „Ablaßbuch. Neue amtliche Sammlung der von der Kirche mit Ablässen versehenen Gebete und frommen Werke", Regensburg 1939, enthält dafür u. a. in n. 106 f eine dreigliedrige Begrüßung „Sei gegrüßt, Du Opferlamm unseres Heils ..." und das von Pius X. wieder aufgegriffene Wort „Mein Herr und mein Gott!" Übereinstimmend Enchiridion indulgentiarum, Rom 1950, n. 132 f.

[101]) Kramp, Meßopfergebräuche der Gläubigen in den außerdeutschen Ländern (StZ 1927, II) 361. — In Portugal wird gebetet: „Hier ist Leib, Blut, Seele und Gottheit unseres Herrn Jesus Christus, so wirklich und vollständig wie im Himmel"; „Hier ist Blut, Leib, Seele und Gottheit ..."; ebd. 362. — In Columbien wird vielfach gebetet: „Mein Herr und mein Gott!" Ebd. 365.

Bildungen ähnlicher Art entsprechen so sehr der Natur der Sache, daß sie — nunmehr wenigstens außerhalb des Hochamtes — auch anderswo bald da, bald dort zutage treten[102]).

14. Unde et memores

Während der Priester im Sprechen des Einsetzungsberichtes wortmäßig nur aussagt, was damals geschehen ist, und nur durch die begleitende Handlung und die anschließende Verehrung sichtbar andeutet, daß gleiches sich aufs neue vollzogen hat, ist das erste, was in der Wiederaufnahme des Hochgebetes nach der Wandlung folgt, der interpretierende Ausdruck des so vollzogenen Geheimnisses. Das Bindeglied ist die Berufung auf den Auftrag des Herrn, mit dem der Bericht soeben geschlossen wurde, durch das begründende *Unde*[1]). Was ist das also, was wir auftraggemäß am Altare vor Gott tun?

Es ist in fast allen Liturgien ein Doppelbegriff, mit dem das Geheimnis nun betend umschrieben wird, wobei die beiden Elemente verschieden gegeneinander abgewogen sind. Es ist Gedächtnis oder Anamnese und es ist Darbringung, Opfer[2]). Vereinzelt steht die Darbrin-

---

[102]) Vgl. die ägyptischen Liturgien oben 254 f. — Eine ähnliche Begrüßung wie in Spanien, nur theologisch sorgfältiger abgewogen, ist bis in die Gegenwart herein in deutschen Katechismen enthalten; sie beginnt: „Mein Herr und mein Gott! Sei gegrüßt, Du wahrer Leib Jesu Christi, der für mich am Kreuze geopfert worden ist.“ Sie ist z. B. in der Diözese St. Pölten auch in das Diözesangesangbuch aufgenommen (Heiliges Volk, 2. Aufl., St. Pölten 1936, 67 f) und wurde bei gemeinsamen Meßandachten gebraucht. — In Deutschland haben in den letzten Jahren unter dem Gesichtspunkt der Kindergottesdienste einschlägige Erörterungen stattgefunden, u. a. in den „Katechetischen Blättern“ 40 (1939) und 41 (1940). Die Aussprache ging zum Teil von der Voraussetzung aus, es müsse in den Gebeten unbedingt der Opfergedanke, vielleicht sogar mit der Anrede an Gott den Vater, zum Ausdruck kommen; sie neigte aber zu Lösungen wie den oben angedeuteten. — Mit der Regelung der Wandlungsgebete hängt zusammen eine gewisse Neuordnung der äußeren Gebärden. Als allgemeine Regel wird man sagen dürfen, daß außer dem Aufblick zum Sakrament am ehesten noch ein Kreuzzeichen angemessen ist.

[1]) Eine ähnliche Verknüpfung *(igitur, ergo)* in den älteren römischen Formularien, oben I, 38, 67, und auch meistens (τοίνυν, οὖν), aber nicht ausnahmslos, in den orientalischen; Lietzmann, Messe und Herrenmahl 50—55. Die Verknüpfung fehlt meist in den gallischen Texten, die aber nicht selten eine enge Verbindung dadurch herstellen, daß sie das Schlußwort des Auftrages *(... facietis,* oder ähnlich) aufgreifen: *Haec facimus, Hoc agentes* u. ä.; ebd. 60—68.

[2]) Ausnahmsweise fehlt die Feststellung des Anamnesecharakters der Feier (meist kurz auch selbst Anamnese geheißen); so im Euchologium Serapions 3, 13

gung an erster Stelle, so in der armenischen Messe, wo der Priester nach den Einsetzungsworten den Wiederholungsbefehl erweiternd anführt, dann die Gaben in seine Hände nimmt und spricht: *Et nos igitur, Domine, secundum illud mandatum, offerimus istud salutiferum sacramentum corporis et sanguinis Unigeniti tui, commemoramus salutares eius pro nobis passiones* ...[3]). In der Regel aber wird zuerst das Gedächtnis genannt, aber in partizipialer Form, so daß dann doch der Hauptton auf die mit einem *offerimus*, προςφέρομεν, ausgesprochene Darbringung fällt[4]).

Das eine wie das andere wird in gleicher Weise aus dem Auftrag des Herrn abgeleitet: so treten wir also, o Gott — das ist der Grundgedanke — vor dich hin mit der dankbaren Erinnerung an das Erlösungswerk des Herrn und bringen dir dar dessen Leib und Blut.

Das eine wie das andere enthält ein objektives und ein subjektives Moment: was wir in Händen haben, ist schon ein Gedächtnis[5]) und es

---

(Quasten, Mon. 62; s. oben I, 45), während die Darbringung darin sogar zweimal ausgesprochen ist, nach der Konsekration des Brotes und nach der des Kelches. Immerhin ist im ersteren Falle angedeutet, daß das Opfer zugleich Todesgedächtnis ist: διὰ τοῦτο καὶ ἡμεῖς τὸ ὁμοίωμα τοῦ θανάτου ποιοῦντες τὸν ἄρτον προςηνέγκαμεν; vgl. O. Casel, JL 6 (1926) 116 f. — Dagegen ist in gallikanischen Formularen häufig entweder die Anamnese oder die Darbringung vollständig ausgefallen; vgl. z. B. im Missale Gothicum: Muratori II, 518. 522. 526. 544. 548 usw.

[3]) Text nach Chosroe, Explicatio precum missae (um 950) ed. Vetter, Freiburg 1880, 32 f. Den heutigen Text s. Brightman 437: We therefore, o Lord, presenting unto thee.., do remember the saving sufferings... — Zum begleitenden Ritus s. Hanssens, Institutiones III, 452.

[4]) Die ältere byzantinische Liturgie (Brightman 328 f) hatte auch das Darbringen nur in partizipialer Form: Μεμνημένοι οὖν . . . τὰ σὰ ἐκ τῶν σῶν σοὶ προςφέροντες, (das Volk:) σὲ ὑμνοῦμεν. Offenbar sprach der Zelebrant den Ruf des Volkes mit.

[5]) Die Zeugnisse für den realen Charakter des Gedächtnisses sind aus liturgischen und außerliturgischen Quellen gesammelt von O. Casel, Das Mysteriengedächtnis der Meßliturgie im Lichte der Tradition: JL 6 (1926) 113—204, wobei die von Casel vertretene Interpretation des realen Gedächtnisses noch Gegenstand der Kontroverse ist; vgl. oben I, 242 f. Daß aber in irgendwelcher Weise ein objektives Gedächtnis vorliegt, lassen einzelne liturgische Formulare deutlich hervortreten, so wenn es in der ostsyrischen Nestoriusanaphora vor den Einsetzungsworten heißt: *Et reliquit nobis commemorationem salutis nostrae, mysterium hoc, quod offerimus coram te;* Renaudot II, 623. Vgl. auch das Euchologion Serapions, oben I, 45. Deutlich sind weiter viele Aussagen der Väter, so wenn Chrysostomus, In Hebr. hom. 17, 3 (PG 63, 131), sagt: Wir opfern jeden Tag, indem wir das Gedächtnis seines Todes vollziehen (ἀνάμνησιν ποιούμενοι τοῦ θανάτου αὐτοῦ), oder Theodoret von Cyrus, In Hebr. 8, 4 (PG 82, 736): Es ist klar, daß wir nicht ein anderes Opfer darbringen (als es Christus dargebracht hat), sondern jenes

ist schon ein Opfer. Aber sowohl Gedächtnis wie Opfer müssen auch in uns selbst gedenkend und darbringend verwirklicht werden; erst dann kann daraus im vollen Sinne die „Anbetung im Geist und in der Wahrheit" zu Gott emporsteigen.

Das Gedenken findet an dieser Stelle meist nur eine kurze Zusammenfassung. Denn grundsätzlich ist das ganze Dankgebet schon Gedenkgebet gewesen, besonders in seinem christologischen Abschnitt[6]). Ja schließlich waren schon die vorausgegangenen Lesungen der Vormesse, besonders das Evangelium, dazu bestimmt, die Erinnerung an den Herrn, an sein Wort und an sein Werk lebendig werden zu lassen[7]), und auch der Kreislauf des kirchlichen Festjahres will im Grunde nichts anderes als Raum schaffen, um einen desto größeren Reichtum dieser Erinnerung auszubreiten. Das Grundthema war, gerade auch im Festjahr, die *passio Domini*, die in Tod und Auferstehung gewirkte Erlösung. In den Worten der Anamnese wird dieses Thema nur mehr kurz genannt, aber sein Inhalt nicht mehr eigentlich im subjektiven Erinnern auseinandergelegt, da dieser bereits als in der Seele lebendig vorausgesetzt wird. Es wird nur mehr festgestellt, daß mit dem sakramentalen Vollzug der Auftrag des Herrn erfüllt wird, dies zu tun „zu seinem Gedächtnis" (Lk 22, 19; 1 Kor 11, 24 f), und daß damit geschieht, was näherhin Paulus gefordert hat: Ihr sollt „den Tod des Herrn verkündigen" (1 Kor 11, 26). Immerhin erfährt der Begriff vom Opfertod des Herrn eine gewisse Entfaltung, indem weitere Teilbegriffe daraus hervorgehoben werden, in ähnlicher Weise, wie es in den alten Glaubens-

---

eine und heilbringende Gedächtnis begehen (μνήμην ἐπιτελοῦμεν). — Im 9. Jh. sagt Florus Diaconus, De actione miss. c. 63 (PL 119, 54 D): *Illius ergo panis et calicis oblatio mortis Christi est commemoratio et annuntiatio, quae non tam verbis quam mysteriis ipsis agitur.*

[6]) Vgl. oben 146 f. Bezeichnend ist in dieser Hinsicht, daß in den Apostolischen Konstitutionen VIII, 12, 35 schon kurz vor dem Einsetzungsbericht die vorausgegangene Schilderung des erlösenden Leidens mit dem gleichen μεμνημένοι οὖν (εὐχαριστοῦμέν σοι) zusammengefaßt wird, mit dem nach den Einsetzungsworten die eigentliche Anamnese beginnt: μεμνημένοι τοίνυν (προσφέρομέν σοι). Vgl. oben I, 47. — In der armenischen Normalanaphora wird das Dankgebet, das vor dem Einsetzungsbericht bis zum Leiden Jesu weitergeführt wurde (ähnlich wie bei Hippolyt), nach demselben durch die Erwähnung des Abstieges zur Unterwelt und des Zerbrechens ihrer Tore (unter diesem Bilde wird im Orient mit Vorliebe der Ostersieg dargestellt) zu Ende geführt; Brightman 437.

[7]) Vgl. auch R. Guardini, Besinnung vor der Feier der hl. Messe II, Mainz 1939, 111 f. — Für die zentrale Bedeutung der Anamnese, der ständigen Rück-

bekenntnissen geschieht[8]). Der Tod des Herrn, das ist sein siegreiches Sterben, das ist sein Triumph über den Tod. Die gallische Messe scheint urprünglich bloß das Leiden genannt zu haben[9]). Schon bei Hippolyt ist die Auferstehung hinzugenommen: *Memores igitur mortis et resurrectionis eius*[10]). Im Kanontext des hl. Ambrosius ist auch die Himmelfahrt hinzugetreten und die *passio* oder vielmehr die Dreiheit der mit ihr beginnenden Stufen ist als *gloriosissima* bezeichnet[11]).

Auf dieser Linie steht auch der Text unserer heutigen römischen Anamnese[12]). Das Attribut *gloriosa* ist zur Himmelfahrt gezogen, während die *passio* das Beiwort *tam beata* erhalten hat: wir haben wahrlich allen Grund, das Leiden als Wurzel unseres Heils selig zu preisen[13]). Das spätere Mittelalter hat insbesondere die Erinnerung an das Kreuz auch durch die Gebärde zu unterstützen gesucht, indem das Anamnese-

---

besinnung auf die Heilsereignisse, in Verkündigung und Gottesdienst des ältesten Christentums vgl. N. A. Dahl, Anamnesis: Studia theologica 1 (Lund 1948) 69—95.

[8]) Lietzmann, Messe und Herrenmahl 50 ff.

[9]) Lietzmann 61. Vgl. die erste Messe im Missale Gothicum (Muratori II, 518): *Haec facimus Domine ... commemorantes et celebrantes passionem unici Filii tui Jesu Christi Domini nostri, qui tecum.* Ähnlich auch manche mozarabische Messen; Lietzmann 63. Im übrigen zeigen gerade die Anamnesen der gallischen Liturgien, soweit sie nicht überhaupt in Wegfall gekommen sind, schon eine weit fortgeschrittene Verwilderung; vgl. Lietzmann 62 f. Lediglich eine allgemeine Erwähnung des Mysteriums unserer Erlösung auch in der ostsyrischen Theodorusanaphora; Renaudot II (1847) 613.

[10]) Oben I, 38.

[11]) Oben I, 67. — Mozarabische Parallelen s. Lietzmann 63.

[12]) Der Wortlaut, den die älteren Sakramentare bieten, zeigt nur unbedeutende Varianten: nach *Unde et memores* die Einschaltung eines *sumus*, das aber die Konstruktion stört, übrigens bei Hippolyt und bei Ambrosius fehlt und wohl durch Alkuin wieder gestrichen worden ist (Lietzmann 59). — Nach *Domini* hat ein Teil der alten Zeugen noch eingefügt: *Dei (nostri J. C.).* Das heute noch vorangestellte *eiusdem (Christi F. t.)* haben erst die Humanisten des 16. Jh. hineingesetzt; Botte 40 Apparat. Das *eiusdem* fehlt nämlich noch im Missale Romanum von 1474 ed. Lippe (HBS 17) 207 und wird auch für die folgenden Ausgaben nicht vermerkt; s. Lippe (HBS 33) 111.

[13]) Dafür, daß der Begriff *passio* den Tod mit umfaßt, s. Chr. Mohrmann, Vigiliae christianae 4 (1950) Anm. 21. — An das *tam* sind textkritische Vermutungen angeknüpft worden, als ob hier ein *quam* verlorengegangen sein müsse; sie sind nicht stichhältig; s. dazu Botte 63. Wir haben darin lediglich eine Verstärkung, die in ähnlicher Weise dem Affekt Ausdruck verleiht wie in orientalischen Anaphoren am Beginn der Präfation das Ὡς (ἀληθῶς ἄξιον); s. oben 158 Anm. 59. Ähnlich bietet eine mozarabische Anamnese: *Habentes ante oculos ... tantae passionis triumphos;* Férotin, Le liber mozarabicus sacramentorum S. 250.

gebet und manchmal auch noch das *Supra quae*[14]) mit weit ausgestreckten Armen gesprochen wurde[15]).

Eine breitere Ausführung hat die Anamnese in den meisten orientalischen Formularen erhalten, jedoch ist in den Hauptliturgien davon nicht abgegangen, daß immer nur der Erlösungsvorgang entfaltet wird. Die drei Stufen: Leiden, Auferstehung und Himmelfahrt, sind der Dreiklang, um den sich alles Weitere anordnet. Aber zum Leiden ist z. B. in der byzantinischen Basiliusliturgie „das lebenspendende Kreuz und die dreitägige Grabesruhe" oder in der Jakobusanaphora das „beseligende Kreuz und der Tod und die Grabesruhe" hinzugenommen, und nach der Himmelfahrt wird in beiden Fällen — und ähnlich in den meisten anderen — noch das Sitzen zur Rechten des Vaters und „die glorreiche und furchtbare zweite Wiederkunft" genannt[16]). Erst die Schilderung der Wiederkunft fällt mehrfach aus dem Rahmen der eigentlichen Anamnese, besonders in westsyrischen Formularen, so wenn schon im 4. Jahrhundert beigefügt wird: „wenn er kommt mit Herrlichkeit und Macht zu richten die Lebendigen und die Toten und jedem zu vergelten nach seinen Werken"[17]), eine Umschreibung, die dann immer reicher

---

[14]) Ein von Gerbert, Vetus liturgia Alemannica I, 363, angeführtes Missale Ursinense hat vor dem *Supra quae* sogar den Vermerk: *Hic extende brachia quantumcumque potes.*

[15]) Ende des 12. Jh. bei den Prämonstratensern (Waefelghem 78); Ordinarium O. P. von 1256 (Guerrini 242); Liber ordinarius von Lüttich (Volk 95). Der Brauch war von da an stark verbreitet; vgl. Franz 612; Sölch, Hugo 93 f; Leroquais I, 315; II, 182. 262 usw. Er wird verteidigt bei Thomas von Aquin, Summa theol. III, 83, 5 ad 5. Der erste Ansatz dazu bei Bernold von Konstanz, Micrologus c. 16 (PL 151, 987); vgl. Luykx (Anal. Praem. 1946/47) 68 f. 89. Der Brauch wird heute noch geübt von Dominikanern, Karmeliten und Kartäusern sowie in Mailand. Entgegen den von andern wiederholten Behauptungen bei Lebrun I, 428 muß er auch in Rom längere Zeit geherrscht haben; das zeigt die auffällige Ausdrucksweise in Ordo des Kard. Stefaneschi (um 1311) n. 71 (PL 78, 1189 A), die allerdings über n. 53 (1166 D) hinausgeht: *Hic ampliet manus et brachia,* und ebenso die von Lebrun a. a. O. selbst zitierte römische Rubrik vom Jahre 1524: *extensis manibus ante pectus more consueto,* was einer Abschaffung gleichkommt. — Über den Versuch, auch Auferstehung und Himmelfahrt im Gestus anzudeuten, s. oben I, 142.

[16]) Lietzmann 50—57. Noch etwas schlichter ist die Form in den Apostolischen Konstitutionen; s. oben I, 47. — Für die syrischen Formulare sind bezeichnend die schmückenden Beiwörter, z. B. in der Jakobusanaphora (Brightman 52 f): Μεμνημένοι . . . τῶν ζωοποιῶν αὐτοῦ παθημάτων, τοῦ σωτηρίου σταυροῦ, . . . τῆς δευτέρας ἐνδόξου καὶ φοβεροῦ αὐτοῦ παρουσίας.

[17]) Const. Ap. VIII, 12, 38 (Quasten, Mon. 223).

und furchterregender wird[18]) und der schon in der griechischen Jakobusanaphora ein Bittruf um Schonung beigegeben ist[19]). Erst jüngere westsyrische Formulare haben dann auch andere Momente aus dem Lebensgang des Herrn hineingenommen[20]). So wird auch im Abendland erst in spätkarolingischen Meßbüchern seine Geburt genannt[21]).

Der Nennung verschiedener Phasen im Erlösungsgeschehen, denen das Gedächtnis gilt, entspricht in orientalischen Liturgien mehrfach auch schon eine wohl nachträglich vollzogene Erweiterung des Wiederholungsauftrages. Es wird zunächst das Pauluswort dem Herrn selbst in den Mund gelegt[22]). Dann ist aber auch Auferstehung[23]) oder Auferstehung und Himmelfahrt hinzugefügt worden, besonders in ägyptischen Liturgien: „So oft ihr dieses Brot esset... sollt ihr meinen Tod verkünden und meine Auferstehung und Aufnahme bekennen, bis ich komme"[24]). Ähnliche Bildungen sind im gallischen Liturgiebereich durchgedrun-

---

[13]) In einzelnen westsyrischen Anaphoren späteren Ursprungs sind die Schrecken der Wiederkunft mit grellen Farben gemalt. Die Schilderung umfaßt manchmal eine halbe, ja selbst über eine ganze Druckseite. Renaudot II (1847) 147. 165. 190 f. 205. 216 f usw.

[19]) Brightman 53 Z. 3: .'.. κατὰ τὰ ἔργα αὐτοῦ· φεῖσαι ἡμῶν, κύριε ὁ θεὸς ἡμῶν. Darauf folgt noch ein ähnlicher Bittruf des Volkes; s. unten Anm. 31.

[20]) Die Ignatiusanaphora nennt Geburt und Taufe (Renaudot II, 216), die Markusanaphora Empfängnis, Geburt und Taufe (ebd. II, 178), die Marutasanaphora Geburt und Liegen in der Krippe, Taufe, Fasten und Versuchung, sowie einzelne Züge aus der Leidensgeschichte (ebd. 263).

[21]) Botte 40 Apparat: *admirabilis nativitatis.* Die Beiwörter wechseln. Die *nativitas* wird übrigens auch schon bei Amalar, Liber off. III, 25, 1 (Hanssens II, 340), in den Text hineingelesen. Bernold von Konstanz, Micrologus c. 13 (PL 151, 985 C), bekämpft diese Erweiterung. Sie erhält sich aber bis ins späte Mittelalter; s. Leroquais III, 420; Ebner 418. — Zur Frage, ob schon ein Zitat von Arnobius d. J. (um 460), In Ps. 110 (PL 53, 497 B; Botte 41), den Beisatz in der römischen Messe voraussetze, s. Botte, 63 f. Die Wahrscheinlichkeit ist sehr gering. Eher könnten gallikanische Messen schon damals die Geburt genannt haben. Der Sache nach ist sie jedenfalls im 7. Jh. vorhanden im Missale Gothicum (Muratori II, 522): *Credimus, Domine, adventum tuum, recolimus passionem tuam.* Mozarabische Beispiele, die das *venisse, incarnatum fuisse* hervorheben, bei Lietzmann 65 f. — Auch die *incarnatio* erscheint gelegentlich gleichfalls in römischen Meßbüchern des Mittelalters, so im Missale von Lagny (11. Jh.; Leroquais I, 171): *incarnationis, nativitatis.*

[22]) So schon Const. Ap. VIII, 12, 37 (Quasten, Mon. 223): ... τὸν θάνατον τὸν ἐμὸν καταγγέλλετε, ἄχρις ἂν ἔλθω. — Weitere Nachweise und nähere Analysen auch zum folgenden bei Hamm 90 f.

[23]) Jakobusanaphora (Brightman 52); byzantinische Basiliusliturgie (ebd. 328); Papyrus von Dêr-Balyzeh (Quasten, Mon. 42).

[24]) Ägyptische Markusanaphora (Brightman 133).

gen[25]); so lautet die Formel in Mailand: *Haec quotiescumque feceritis, in meam commemorationem facietis, mortem meam praedicabitis, resurrectionem meam annuntiabitis, adventum meum sperabitis, donec iterum de coelis veniam ad vos*[26]).

Das Gedächtnis soll nicht nur im Priester, sondern in der ganzen versammelten Gemeinde lebendig sein. Wie dies in der römischen Messe dadurch zum Ausdruck kommt, daß als Subjekt der Anamnese bezeichnet sind *nos servi tui, sed et plebs tua sancta,* so kommt dies in Ägypten schon früh noch lebhafter dadurch zur Geltung, daß ein Ruf des Volkes als unmittelbare Antwort auf den Wiederholungsauftrag dem Beten des Priesters vorangestellt ist, und zwar genau entsprechend dem erweiterten Wortlaut des Wiederholungsbefehls. Noch heute enthält die koptische Messe diesen Anamneseruf des Volkes, und zwar in griechischer Sprache, also als Erbe mindestens des 6. Jahrhunderts: Τὸν θάνατόν σου, κύριε, καταγγέλλομεν καὶ τὴν ἁγίαν σου ἀνάστασιν καὶ ἀνάλημψιν ὁμολογοῦμεν.[27]). Auch die Anamnese im Gebet des Priesters selbst hat in Ägypten durch die paulinische Formulierung des Auftrags ein eigenes Gepräge erhalten: die ägyptischen Hauptliturgien beginnen nicht mit einem *Memores,* Μεμνημένοι, sondern das in der Folge vielfach erweiterte Schema ist hier: Indem wir seinen Tod verkünden (καταγγέλλοντες), seine Auferstehung ... bekennen (ὁμολογοῦντες), seine Wiederkunft erwarten (ἀπεκδεχόμενοι), bringen wir dir dar[28]).

Das zweite, was im *Unde et memores* ausgesprochen und was dann in den nachfolgenden Gebeten weiter entfaltet wird, ist das Darbringen. Wir stehen vor dem zentralen Opfergebet der ganzen Meßliturgie, vor dem primären liturgischen Ausdruck der Tatsache, daß die Messe ein Opfer ist. Dabei ist bemerkenswert, daß ausschließlich vom Opfer die Rede ist, das die Kirche darbringt. Der *principalis offerens,* der hinter der Kirche steht, Christus, der Hohepriester, bleibt völlig im Hintergrund.

---

[25]) Hamm 91 f.

[26]) Hamm 91.

[27]) Brightman 177. Vgl. auch in der äthiopischen Liturgie: ebd. 232 f. — In noch etwas ursprünglicherer Form (es fehlen κύριε, ἁγίαν σου und καὶ ἀνάλημψιν im Papyrus von Dêr-Balyzeh (Quasten, Mon. 42). Daß es sich auch hier um einen Ruf des Volkes handelt, erhellt aus der Christusanrede. Wenn die Weiterführung nach ὁμολογοῦμεν lautet: καὶ δεόμεθα, so ist dies mit dem entsprechenden Ruf des Volkes in der äthiopischen Messe (Brightman 233 Z. 1) zu vergleichen.

[28]) Brightman 133. 178. — Verwandte Formulierungen erscheinen auch in gallikanischer und besonders in mozarabischer Liturgie, wo Anamnesen beginnen mit *nuntiamus, praedicamus,* mit *credimus, confitemur,* bzw. mit *(venturum) praestolamur.* Lietzmann 60—67.

Nur in den Zeremonien der Wandlung, in denen der Priester mit einem Male Zug um Zug das Tun des Herrn darzustellen begann, dessen Mund er in den Wandlungsworten wurde, ist für einen Augenblick der Schleier von dieser tieferen Region des Geheimnisses weggezogen worden. Nun ist es wieder die Kirche, die anwesende Gemeinde, die spricht und handelt, und zwar ganz konkret und in ihrer Gliederung deutlich erkennbar, diese Gemeinde, die aus den „Dienern" Gottes und dem „heiligen Volk" aufgebaut ist und die ja schon als Trägerin auch des Gedenkens in der Anamnese aufgetreten ist. Dabei ist es für das Selbstbewußtsein der Kirche bedeutsam, daß das Volk in diesem großen Augenblick als *plebs sancta* bezeichnet und damit letztlich seine priesterliche Würde im Sinne von 1 Petr 2, 5. 9 hervorgehoben wird[29]).

In orientalischen Liturgien fehlt im Priestergebet eine so eindeutige Aussage, daß Gedächtnis und Opfer in gleicher Weise von Priester und Volk getragen seien. Aber dafür liegen wie für das Gedächtnis so auch für die Darbringung Zurufe des Volkes vor, mit denen das Volk schon an dieser Stelle — nicht nur durch das urchristliche und gemeinchristliche *Amen* am Ende des Kanons — das darbringende Tun des Priesters bestätigt. In der byzantinischen Messe hat der Priester Gedenken und Darbringung in partizipialer Form ausgesprochen: Μεμνημένοι . . . προσφέροντες; das Volk vollendet den Satz durch den Ruf: σὲ ὑμνοῦμεν, σὲ εὐλογοῦμεν, σοὶ εὐχαριστοῦμεν, κύριε, καὶ δεόμεθά σου, ὁ θεὸς ἡμῶν[30]). Es ist eine Darbringung zum Lobe und zum Preise, zur Danksagung und zur Bitte. Auch die westsyrische Messe teilt dem Volke nach der Darbringung einen Bittruf zu[31]), der in allen westsyrischen Anaphoren wiederkehrt.

---

[29]) Der Ausdruck *ordo et plebs* für Klerus und Volk bei Tertullian, De exhort. cast. c. 7 (CSEL 70, 138 Z. 18); vgl. Rütten, Philologisches zum Canon missae (StZ 1938, I) 44 f. — Zu *plebs sancta* vgl. die Anrede an das Volk *sanctitas vestra* beim hl. Augustinus, aber auch die Bezeichnungen *sacrata plebs, populus sanctus Dei* an anderen Stellen der römischen Liturgie. Siehe auch die Belege bei Botte 64 f. — Auch die Selbstbezeichnung des Klerus mit *servi* gründet in der Schrift, vor allem in der Sprache des Alten Testamentes: *servi Domini* für die Leviten (z. B. Ps 133, 1), vielleicht auch in den Gleichnissen des Herrn vom *fidelis servus.* Der Plural *servi* entspricht nicht nur den Verhältnissen etwa des römischen Stationsgottesdienstes, sondern auch schon der Regel, daß der Priester wenigstens mit einem Diakon zelebrieren mußte; vgl. oben I, 273 f.

[30]) So schon im Text des 9. Jh.: Brightman 329 (als Ruf des Volkes); vgl. 386 (nun dem Chore zugeteilt). Der Spruch ist auch auf die übrigen Liturgien des Orients übergegangen.

[31]) Der Priester: „Wir bringen dir dieses furchtbare und unblutige Opfer dar, daß du nicht nach unseren Sünden mit uns verfahrest . . „ denn dein Volk und

Die Darbringung selbst wird in der römischen Messe mit wenigen gewaltigen Worten ausgesprochen. Bei Hippolyt steht die Wortkargheit darin wie auch in der Anamnese an der äußersten Grenze des eben Möglichen: *Memores igitur mortis et resurrectionis eius offerimus tibi panem et calicem.* Im heutigen römischen Kanon ist der Ausdruck nur leise aufgeblüht, erst in den letzten Worten mit der fünfgliedrigen Umschreibung der Opfergaben wird er vom Schwung des Lobpreises erfaßt: *offerimus praeclarae maiestati tuae de tuis donis ac datis hostiam puram, hostiam sanctam* ... Mit der Anrede *maiestas tua,* die uns auch in der Präfation begegnet ist, tritt die göttliche Größe in unseren Blick, vor der der Mensch in Nichts zusammenschwindet. Dem entspricht es, daß auch die Gaben, die wir ihm zu bieten uns unterfangen, nur seine eigenen Geschenke sein können; sie sind *de tuis donis ac datis.* Es ist, umgeprägt in die Sprache des Römers[31a]), ein biblischer Gedanke (1 Chr 29, 14), der auf Stifterinschriften des christlichen Altertums in verschiedenster Fassung häufig wiederkehrt. Während der heidnische Stifter eines Heiligtums oder eines Denkmals selbstbewußt auf den Stein meißeln läßt: *de suo fecit,* bekennt sich der christliche Spender in Demut selber von Gott beschenkt: *ex donis Dei* ist eine Stiftung[32]). So ist auch jede Opfergabe, die wir Gott bieten können, vorher „eine Gabe und ein Geschenk", das er uns verliehen hat. Das gilt freilich in hervorragendem Sinne von der Gabe unserer Altäre. Dabei wird noch der Gedanke mitklingen, den Irenäus mit dem Blick auf die materielle Komponente unserer Opfergabe gegen die Gnosis so stark betont hat, daß wir nicht einem schöpfungsfremden Wesen opfern, sondern vielmehr dem Herrn der Schöpfung das darbringen, was er selbst geschaffen hat[33]).

Ähnliche Gedanken finden auch in der byzantinischen Messe einen feierlichen Ausdruck, wenn der Priester, nachdem er leise die Anamnese zu Ende gesprochen hat, mit lauter Stimme fortfährt: τὰ σὰ ἐκ τῶν σῶν σοὶ προςφέροντες κατὰ πάντα καὶ διὰ πάντα, worauf der schon genannte

---

deine Kirche (ὁ γὰρ λαός σου καὶ ἡ ἐκκλησία σου, al. καὶ ἡ κληρονομία σου) bittet dich"; das Volk: „Erbarme dich unser, Gott, allmächtiger Vater!" Brightman 53. 88; Rücker, Die syrische Jakobosanaphora 18 f.

31a) Vgl. Chr. Mohrmann, Le latin liturgique (La Maison-Dieu 1950, IV) 17 f.

32) So trägt ein Evangeliar zu Monza die Inschrift: *Ex donis Dei dedit Theodelenda reg(ina) in basilica quam fundavit.* Mit weiteren Beispielen bei H. Leclercq, Donis Dei (de): DACL IV, 1507—1510.

33) Irenäus, Adv. haer. IV, 18, 5 (Quasten, Mon. 347): προςφέρομεν αὐτῷ τὰ ἴδια. Vgl. oben I, 31.

Ruf des Volkes folgt[34]). Der Spruch ist hier wohl ebenso alt wie das römische *de tuis donis ac datis.* Er kehrt ebenfalls, und zwar sogar in unveränderter Fassung, auf Inschriften wieder: So schmückt er schon einen am Orontes gefundenen Silberkelch des 6. Jahrhunderts. Später stand er am Altar der Hagia Sophia in Konstantinopel zu lesen[35]). Hier wie dort werden wir als Sinn der Worte anzusprechen haben nicht nur das Bekenntnis, daß alles von Gott kommt, was wir ihm geben können, das Himmlische und das Irdische, sondern zugleich den Ausdruck der stolzen Freude, daß wir für die heiligen Gaben, die nun auf dem Altare liegen, das sichtbare Kleid aus unserer irdischen Welt haben nehmen dürfen[36]).

Dann werden aber die Gaben selbst genannt, so wie sie jetzt in unseren Händen sind, und die Bezeichnung wird zu einem kurzen Hymnus auf das heilige Sakrament. Dieses wird zuerst in drei Gliedern umschrieben, die die makellose Reinheit und Heiligkeit des Opfers betonen: *hostiam puram, hostiam sanctam, hostiam immaculatam*[37]). Unser Opfer ist nicht wie das der Heiden oder auch wie das der Juden, die Gott nur stoffliche und blutbefleckte Opfer zu bieten vermochten; es ist ein vergeistigtes und schon darum reines Opfer. Was sein positiver Inhalt ist, wird zunächst nur leise angedeutet durch das Wort *hostia,* das ursprünglich ein lebendes Wesen voraussetzt, und auch die folgenden Worte bleiben in der Andeutung[38]), indem sie entsprechend der Doppel-

---

34) Brightman 329. Aus der byzantinischen Liturgie ist der Spruch in die ägyptische und in die armenische übergegangen; ebd. 133 Z. 30; 178 Z. 15; 438 Z. 9.

35) Nachweise bei Rücker, Die syrische Jakobosanaphora 19 Apparat.

36) Vgl. auch Gihr 600. Ähnlich auch schon Benedikt XIV., De s. sacrificio missae II, 16, 1 (Schneider 203 f). — Ähnliche Ausdrücke in Secretaformeln des Leonianums: *Deus ... accipe propitius quae de tuis donis tibi nos offerre voluisti* (Muratori I, 368); *Offerimus tibi, Domine, munera quae dedisti* (ebd. 370). Es ist also mindestens sehr unwahrscheinlich, daß mit *de tuis donis ac datis,* wie die meisten Erklärer meinen, nur die konsekrierten Gaben als solche gemeint sind.

37) Weniger wohlklingend, aber theologisch schärfer wurde das christliche Opfer an gleicher Stelle gekennzeichnet im Kanontext des Ambrosius (s. oben I, 67): *immaculatam hostiam, rationabilem hostiam, incruentam hostiam.* Mit *rationabilis* war die Geistigkeit des Opfers ausgesagt (vgl. oben I, 31 f), die in negativer Formulierung ebenso im *incruenta* (ἀναίμακτος) enthalten ist, das auch sonst gern das erstere Wort erklärend begleitet; Casel, Ein orientalisches Kultwort (JL 11, 1931) 2 f.

38) Wenn H. Elfers, Theologie u. Glaube 33 (1941) 352 f, meint, der ganze Ausdruck gehe noch „auf die zu verwandelnden Gaben", so ist das eine Annahme, die im Text nicht begründet ist und gegen die Ambrosius — hier wohl ein zuständiger Zeuge — ja mit aller Entschiedenheit protestiert (vgl. oben I, 67). —

gestaltigkeit der Gaben in einem Doppelausdruck die Köstlichkeit derselben aus der Wirkung ihres Genusses, die ins ewige Leben hinüberreicht[39]), erkennen lassen: *panem sanctum vitae aeternae et calicem salutis perpetuae*[40]).

In der Eucharistia Hippolyts schließt sich an die Darbringung im Bewußtsein, daß das Darbringendürfen solcher Gaben höchste Gnade ist, ein Wort des Dankes an: *gratias tibi agentes quia nos dignos habuisti adstare coram te et tibi ministrare*[41]). Auch einige Formulare des Orients enthalten an gleicher Stelle diesen Dank[42]). Sie gehen dann, oder auch schon sofort nach der Darbringung, über zur Epiklese. Die römische Messe dagegen verweilt, ohne auf diesen Nebengedanken einzugehen, weiter beim Hauptthema, bei der Darbringung.

Auch die orientalischen Liturgien begnügen sich in diesem Oblationsgebet regelmäßig damit, das Opfer als „rein", „unblutig", „furchtbar" zu bezeichnen; vgl. Hanssens, Institutiones III, 451, der diese Ausdrucksweise *vaga et obscura* nennt. Ist es nicht im Grunde vielmehr ehrfürchtige Zurückhaltung, was solche Redeweise diktiert hat?

[39]) Vgl. Jo 6, 51 ff.

[40]) Der Doppelausdruck, aber in einfacherer Form, auch im Kanontext des Ambrosius; s. oben I, 67. — Vielleicht noch ursprünglicher ist der Text, den an gleicher Stelle die 5. Sonntagsmesse des Missale Gothicum bietet (Muratori II, 654): *... offerimus tibi, Domine, hanc immaculatam hostiam, rationalem hostiam, incruentam hostiam, hunc panem sanctum et calicem salutarem.* Die Bezeichnung des Kelches hier nach Ps 115, 13; sie liegt offenkundig auch dem römischen Text zugrunde. Vgl. Casel a. a. O. 13 mit Anm. 26.

[41]) Vgl. oben I, 38. Auch griechisch erhalten Const. Ap. VIII, 12, 38 (Quasten, Mon. 223): ἐφ' οἷς κατηξίωσας ἡμᾶς ἑστάναι ἐνώπιόν σου καὶ ἱερατεύειν σοι. Das Wort ἱερατεύειν bedeutet natürlich priesterlichen Dienst. Damit steht aber noch nicht fest, daß dieses ἱερατεύειν nur vom Bischof und seinen Presbytern ausgesagt ist, die mit ihm die Hände über die Opfergaben breiten (oben I, 38), und noch weniger, daß, wie Elfers, Die Kirchenordnung Hippolyts 203 ff, weiter folgert, auch das *offerimus* und schließlich überhaupt das Dankgebet nur eine Leistung der Kleriker ist. Denn wozu wäre dann das *Gratias agamus* an alle gerichtet und von allen beantwortet worden? Das ἱερατεύειν ist der Dienst der ἱερεῖς. Unter den Begriff der ἱερεῖς faßt aber nicht nur Justinus, sondern mit besonderem Nachdruck auch noch Origenes, der Hippolyt so nahestand, mit Vorliebe das ganze Gottesvolk. Vgl. E. Niebecker, Das allgemeine Priestertum der Gläubigen, Paderborn 1936, 18—27; St. v. Dunin Borkowski, Die Kirche als Stiftung Jesu (Religion, Christentum, Kirche, hrsg. von Esser und Mausbach, II, Kempten 1913) 55—70.

[42]) Außer Const. Ap. VIII, 12, 38 (vorige Anm.) die byzantinische Basiliusliturgie (Brightman 329 Z. 14) und die armenische Liturgie (ebd. 438 Z. 16). In diesen letzteren Texten ist es deutlich der Dank der priesterlichen Amtsträger, die sich im Gebet nun aus der Gesamtgemeinde herausheben.

15. Supra quae und Supplices

Es ist eine gewaltige Kühnheit, daß der Mensch, und sei es auch die christliche Gemeinde, Gott Gaben darbringen soll, und seien es auch die heiligsten. Darum wird die Darbringung noch auf andere Weise und in Worten umschrieben, die zum Ausdruck bringen, daß es nur Gottes Gnade ist, von der wir die Annahme der Gaben aus unseren Händen erwarten.

Was wir können, ist nur das Darbieten: *offerimus.* Gottes Sache ist es nun, seinen Blick huldvoll[1]) darauf ruhen zu lassen *(respicere)* und sie so genehm zu halten *(accepta habere).* Die räumlich-bildliche Sprechweise fortsetzend, wird noch ein weiteres als Gottes Sache bezeichnet: daß er die Gaben hinaufnehme, emportragen lasse auf seinen himmlischen Opfertisch[2]). Der damit bezeichnete Gedankengang fließt leicht und natürlich aus dem, was vorausgeht[3]), und er gehört denn auch zum ältesten Bestande nicht allein der römischen Liturgie[4]). Und doch gibt er Anlaß zu mehr als einer Frage.

Da fällt zunächst auf, daß diese Gebete ganz beim äußeren Vorgang des Opfers verweilen, dessen Stufen sie betend verfolgen. Sie sind darauf bedacht, daß das Zeichen richtig vollzogen und von Gott auch anerkannt wird. Dem Bezeichneten, der Opfergesinnung, aus der unser Tun hervorgehen muß und die in unserer heutigen religiösen Betrachtung und in der pastoralen Hinführung zum Meßopfer mit Recht eine große und vielleicht immer noch nicht genügend große Rolle spielt, der gänzlichen Unterwerfung des Geschöpfes unter den Schöpfer, dem immer volleren Einklang unseres Willens mit Gottes Willen, dem immer restloseren Aufgehen unserer Gesinnung in derjenigen, „die in Christus Jesus war" — all dem wird hier keine besondere Aufmerksamkeit geschenkt. Doch darf diese Erscheinung nicht befremden. Denn das alles

---

1) *propitio ac sereno vultu:* geneigten („vorstrebenden") und heiteren Angesichtes. Dasselbe Bild Ps 30, 17: *illustra faciem tuam;* Ps 66, 2: *illuminet vultum suum.*

2) Im Kanontext des Ambrosius kommt nur der letztere dieser beiden Gedanken zum Ausdruck; s. oben I, 67. Er ist also der ursprünglichere.

3) Eine gewisse Unebenheit des grammatischen Ausdruckes, der von der Kanonkritik ausgenützt wurde (Fortescue, The mass 153; vgl. 348), steht dem nicht entgegen. Es müßte allerdings heißen: *Supra quae... respicere et quae accepta habere digneris,* doch wäre diese „richtigere" Satzform allzusehr schleppend. Eine ähnliche Verkürzung des Ausdrucks trafen wir ja auch am Anfang des *Communicantes.*

4) Vgl. Const. Ap. VIII, 12, 39 (Quasten, Mon. 223): das προσφέρομεν wird auch hier fortgesetzt: καὶ ἀξιοῦμέν σε ὅπως εὐμενῶς ἐπιβλέψῃς. — Vgl. oben I, 47 f.

liegt als vorausgesetzte, vielleicht noch nicht erreichte, aber doch erstrebte seelische Verfassung des einzelnen im Hintergrund der hier fälligen, von der Gemeinschaft getragenen Opferhandlung. Nicht dem von Seele zu Seele wechselnden subjektiven Streben, sondern dem für alle gültigen objektiven Geschehen soll Ausdruck verliehen werden.

Weiter mag wundernehmen, daß, nachdem die Gaben verwandelt sind, überhaupt noch eine Annahmebitte ausgesprochen wird. Es handelt sich doch um die heiligsten Gaben und zudem um das Opfer, das Christus selbst *ministerio sacerdotum* darbringt. Dessen Annahme kann nicht erst erfleht werden müssen; es ist von vornherein vollgültig. Dagegen war alles, was nun aus dem Alten Testament genannt wird, das Opfer von Abel und Abraham und Melchisedech, nur irdischer Schatten seiner himmlischen Erhabenheit.

Tatsächlich hat die reformatorische Polemik gegen die Messe und gegen den Kanon auch an diesem Punkte angesetzt: der Priester unterfange sich, den Mittler zwischen Christus und Gott zu spielen. Die einschlägigen Ausführungen neuerer Meßerklärungen sind darum bis heute meist auf den Ton der Apologie gestimmt[5]). Sowie man aber darauf achtet, daß das Opfer des Neuen Bundes als kultisches Opfer wesentlich den Händen der Kirche übergeben ist, die sich an das Opfer Christi anschließt, wird sofort klar, daß wir darin trotz der Erhabenheit seines Wesenskernes doch nur ein äußeres Zeichen haben, mit dem die Kirche, und zwar zunächst diese Gemeinde, Gott huldigt und das Gott als Huldigungsgabe aus ihren Händen tatsächlich nur dann annehmen kann, wenn wenigstens ein Mindestgrad von innerem Hingabewillen der Beteiligten die äußere Darbringung begleitet und beseelt. In diesem Sinne ist es durchaus denkbar, daß sogar die harten Prophetenworte, in denen Gott die nur äußerlich und seelenlos dargebrachten Opfer seines Volkes zurückweist[6]), auch einmal dem Opfer des Neuen Bundes gelten, wenn

---

[5]) Siehe etwa die zusammenfassende Darstellung bei Benedikt XIV., De s. sacrificio missae II, 16, 10—22 (ed. Schneider 208—216). Der gelehrte Papst weist u. a. hin auf Bellarmin, Controv. II, 6, 24 (= De sacrif. Missae II, 24; ed. Rom. 1838: III, 802), der ausführt: Im *Supra quae* beten wir nicht *pro reconciliatione Christi ad Patrem,* sondern für unsere Schwachheit; *etsi enim oblatio consecrata ex parte rei quae offertur et ex parte Christi principalis offerentis semper Deo placeat, tamen ex parte ministri vel populi adstantis, qui simul etiam offerunt, potest non placere.* Ähnliche Gesichtspunkte bei Gihr 602 bis 607. Die Bekämpfung der Realität des Meßopfers hatte in der reformatorischen Kontroverse das Opfer Christi als solches in den Vordergrund treten lassen. Erst die Betrachtung der liturgischen Texte führt wieder zum Opfer der Kirche zurück. Vgl. oben I, 238 ff.

[6]) Is 1, 11; Jer 6, 20; Amos 5, 21—23; Mal 1, 10.

es von unwürdigen Priesterhänden dargeboten wird, und daß auch von diesem heiligsten Opfer nicht viel mehr übrigbleibt als eben ein neues *hic et nunc* des längst vollbrachten Opfers Christi, ein *hic et nunc*, das seiner heilsökonomischen Bedeutung entbehrt, da es entgegen seiner Bestimmung nicht mehr der Ausdruck opferwilliger Christengesinnung ist, nicht mehr in der Erde wurzelt, sondern beziehungslos in der Luft schwebt[7]).

Da der gebrechliche und sündeverhaftete Mensch des großen und heiligen Gottes niemals genugsam würdig ist, so bleibt die demütige Bitte um Gottes Gnadenblick in jedem Fall begründet. Sie wird verbunden mit einem vertrauensvollen Hinweis auf die leuchtenden Gestalten des Alten Bundes, deren Opfer Gottes Wohlgefallen gefunden hat. Die erhebendsten Vorbilder aus der alten Heilsgeschichte treten damit zugleich ermutigend vor die Seele, und ein stolzes Hochgefühl erfaßt uns, indem wir unser Tun an das Tun jener biblischen Gottesfreunde anreihen. Drei Gestalten werden herausgehoben: der unschuldvolle Abel[8]), der von den Erstlingen seiner Herde opfert (Gen 4, 4) und selber dem Haß seines Bruders erliegt — unsere Gabe ist „das Lamm Gottes", der Erstgeborene der ganzen Schöpfung[9]), der den Tod, den ihm sein Volk bereitet, zum erlösenden Opfer wandelt. Weiter Abraham, der als Stammvater aller, die „aus dem Glauben sind"[10]), „unser Patriarch" genannt wird, der Held des Gehorsams gegen Gott, der bereit ist, seinen Sohn zu opfern, ihn aber lebend zurückerhält (vgl. Hebr 11, 19) — auch unser Opfer, der vollkommenste Ausdruck des Gehorsams bis zum Tode, ist auferstehend zum Leben zurückgekehrt. Endlich Melchisedech, der als Priester des höchsten Gottes[11]) Brot und Wein darbringt[12]) — von Brot und Wein

---

[7]) Dieser äußerste Fall ist jedoch sogar bei unwürdiger Zelebration des Priesters nicht ganz gegeben, solange wenigstens ein Teilnehmer in der gebührenden Verfassung teilnimmt.

[8]) Das Beiwort *iustus* wird Abel von Christus selbst gewidmet, Mt 23, 35; vgl. Hebr 11, 4. *Pueri tui* = deines Dieners, jedoch wie bei παῖς mit einem Einschlag väterlich-kindlichen Verhältnisses. In diesem Sinne ist das Wort bei Lk 1, 54 auch auf Israel angewendet. — Vgl. auch J. Hennig, Abel's place in the liturgy: Theological Studies 7 (New York 1946) 126—141.

[9]) Vgl. Hebr 1, 6; Kol 1, 18; Röm 8, 29.

[10]) Gal. 3, 7; vgl. Leo d. Große, Sermo 53, 3 (PL 54, 318): *nos spiritale semen Abrahae.* Batiffol, Leçons 268.

[11]) Der Kanon nennt ihn Hohenpriester. Zu der auf diese Benennung gegründeten Hypothese von Baumstark vgl. oben I, 65 Anm. 6.

[12]) Der biblische Text Gen 14, 18 spricht unmittelbar nur vom „Herbeibringen" durch Melchisedech (auch Vulgata: *proferens).* Der Hinweis auf das Priestertum begründet indes eine in jenem Herbeibringen enthaltene Opferhandlung. Vgl. den

ist auch unser Opfer genommen[13]). Möge Gott — das ist die Bitte — mit ähnlichem Wohlwollen auf unsere Darbringung herabsehen, wie er auf die Darbringung dieser Männer herabgesehen hat; *respexit Dominus ad Abel et ad munera eius,* heißt es vom Erstgenannten unter ihnen[14]). Die Bitte wird erfüllt werden, wenn die Darbringung aus ähnlich reiner Gesinnung hervorgeht wie die ihre, und wenn der unvergleichlichen Heiligkeit unseres Opfers auch die Verfassung unseres Herzens einigermaßen entspricht[15]).

Die Zusammenschau des christlichen Opfers mit den Opfern des Alten Bundes und insbesondere mit dem Opfer der genannten Vertreter desselben ist dem christlichen Altertum auch sonst nicht fremd. Der Blick auf das Alte Testament als vorausgehenden Schatten des Neuen ist wie überhaupt der Gedanke von der Kontinuität der Heilsgeschichte gerade der christlichen Frühzeit selbstverständlich gewesen. Das Opfer Abrahams gehört bekanntlich zu den Lieblingsgegenständen der altchristlichen Ikonographie, und zwar erscheint es mindestens seit dem 4. Jahrhundert vorwiegend als Typus des Kreuzesopfers, also wenigstens mittel-

---

Exkurs über die Frage bei P. Heinisch, Das Buch Genesis, Bonn 1930, 222, und J. E. Coleran, The sacrifice of Melchisedech: Theological Studies 1 (New York 1940) 27—36. — Es wird ein ähnliches Verhältnis zwischen Darbringung an Gott und Speisung der Versammelten vorliegen wie im späteren jüdischen Mahlritus; vgl. oben I, 27 Anm. 63; II, 252 Anm. 1.

[13]) Die Übereinstimmung der Opfergaben, die bekanntlich im Hebräerbrief beim Vergleich zwischen Christus und Melchisedech nicht erwähnt wird, ist im christlichen Altertum doch immer wieder hervorgehoben worden, so von Cyprian, Ep. 63, 4; Ambrosius, De myst. VIII, 45 f; Augustinus, De civ. Dei XVI, 22. — Vgl. auch G. Wuttke, Melchisedech der Priesterkönig von Salem. Eine Studie zur Geschichte der Exegese (Beihefte z. Zeitschrift f. d. neutest. Wiss. 5), Gießen 1927, 46 f; J. Daniélou, La catéchèse eucharistique chez les Pères de l'Eglise: La messe et sa catéchèse (Lex orandi 7), Paris 1947, 33—72, bes. 45 f; derselbe, Bible et Liturgie (Lex orandi 11), Paris 1951, 196—201. — Prof. Balthasar Fischer neigt auf Grund seiner Psalmenstudien zur Annahme, daß auch Ps 109 als uralter Anfangspsalm der Sonntagsvesper durch das mit v. 4 verbundene Brot- und Wein-Motiv veranlaßt ist (Brief vom 18. II. 1949).

[14]) Gen 4, 4; vgl. Dt 26, 15. — Der Ausdruck ist bekanntlich in den Orationen sehr geläufig: *Respice quaesumus Domine* usw.

[15]) Es ist bemerkenswert, daß in der Prophetie des Malachias vom Kult der Zukunft neben der Ankündigung des neuen, reinen Speiseopfers, durch das der Name Gottes groß sein wird unter den Völkern (1, 11), auch die Ankündigung eines geläuterten Priestertums steht: „Er reinigt die Söhne Levis, wie Gold und Silber läutert er sie, daß sie dem Herrn rechte Opfer darbringen. Dann wird den Herrn wieder freuen das Opfer Judas und Jerusalems..." (3, 3 f). — Vgl. Gihr 604 f.

bar auch des eucharistischen Opfers[16]). Unmittelbar auf die Eucharistie weisen mit der Darstellung der drei im Kanon genannten Typen zwei große Mosaikbilder im Chor von San Vitale in Ravenna: das eine zeigt Abel und Melchisedech, von denen ersterer ein Lamm, letzterer Brot und Wein zum Altare bringt, das zweite zeigt in einer Doppeldarstellung Abraham, das eine Mal im Begriff, seinen Sohn zu opfern, das andere Mal die drei geheimnisvollen Gäste bewirtend[17]). Mag zu diesen Darstellungen in Ravenna wohl schon der Wortlaut des römischen Kanons den Anstoß gegeben haben[18]), so führt in eine viel frühere Zeit gemeinsamer römisch-ägyptischer Liturgieübung hinauf die gleichsinnige Nennung von Abel und Abraham im ägyptischen Opfergebet[19]), in dem ursprünglich vielleicht auch Melchisedech genannt wurde[20]).

Im römischen Kanon folgt auf die Nennung des Melchisedech noch ein erklärendes Wort: *sanctum sacrificium, immaculatam hostiam.* Es ist eine Beifügung, die das Papstbuch auf Leo den Großen zurückführt: *Hic constituit ut intra actionem sacrificii diceretur: sanctum sacrificium et cetera*[21]). Ältere Erklärer haben diese Erweiterung mehrfach als Aussage

---

16) Vgl. Th. Klauser, Abraham: RAC I, 18—27, bes. 25.

17) Vgl. Beissel, Bilder 170 f. 178; vgl. ebd. 189 über die verwandte Darstellung in S. Apollinare in Classe.

18) Eine Parallele dazu bietet in S. Apollinare nuovo zu Ravenna die Darstellung einer Reihe von Heiligen, die die Heiligenliste des *Communicantes* wiedergibt, und zwar in ihrem Zustand in der ersten Hälfte des 6. Jh.: Kennedy 197. — Gebetsformeln mit Abel, Abraham und Melchisedech, die auf den römischen Kanon zurückgehen, liegen auch vor im mozarabischen Liber sacramentorum (Férotin S. 262) und im Leonianum (Muratori I, 470); s. Botte, Le canon 43.

19) Brightman 129. Das Gebet steht jetzt innerhalb des Fürbittengebetes und begleitet eine Inzensierung. Wie im Kanontext des Ambrosius (oben I, 67) sind die Namen auch hier verbunden mit der Bitte um die Übertragung auf den himmlischen Altar. Vgl. A. Baumstark, Le liturgie orientali e le preghiere ‚Supra quae' e ‚Supplices' del canone romano, 2. Aufl., Grottaferrata 1913, 4 ff; derselbe, Das ‚Problem' des römischen Meßkanons (Eph. liturg. 1939) 229—231.

20) Baumstark, Das ‚Problem' 230 f. — In loserer Verbindung mit dem Opfergedanken erscheint Melchisedech, der immerhin ἀρχιερεὺς σῆς λατρείας genannt wird, neben anderen Namen der biblischen Urgeschichte, darunter auch Abel und Abraham, in Const. Ap. VIII, 12, 21—23 (Quasten, Mon. 218). Eine Annahmebitte unter Hinweis u. a. auf Abel, Noe und Abraham auch in der byzantinischen Basiliusliturgie (Brightman 319 f); ebenso in der Jakobusanaphora (ebd. 41; vgl. 32. 48). Die betreffenden Gebete stehen noch vor der Wandlung. Vgl. die Übersicht bei Lietzmann, Messe und Herrenmahl 81—93; Fortescue 349 f.

21) Duchesne, Liber pont. I, 239. — Daß die Worte Zusatz sind, erhellt auch aus der Verwertung des *Supra quae* in der mozarabischen Liturgie, wo eben

über das christliche Opfer verstanden, das mit *(Supra) quae* gemeint ist, so daß die dazwischen liegenden Worte *sicuti . . . Melchisedech* als Parenthese aufzufassen wären[22]). Der Sinn der Worte verlangt indes die Beziehung auf das Opfer des Melchisedech. Darum fehlt auch jedes begleitende Kreuzzeichen[23]). Freilich möchte uns eine solche Ergänzung heute überflüssig erscheinen. Sie war es nicht im 5. Jahrhundert, wo immer noch stoffeindliche Irrlehren ihr Unwesen trieben, wo insbesondere der Gebrauch des Weines noch den manichäischen Angriffen ausgesetzt war[24]) und der Verzicht auf die Kelchkommunion den Verdacht manichäischer Gesinnung weckte[25]).

Die Darbringung wird dann noch in einer dritten Weise ausgesprochen: im *Supplices.* Eine Gabe hat erst dann völlig Annahme gefunden, wenn sie nicht bloß einen freundlichen Blick auf sich gezogen hat, sondern auch ins Besitztum des Empfängers hinübergenommen ist. In einem kühnen Bilde wird nun diese abschließende Phase einer menschlichen Geschenküberreichung übertragen auf unsere Opfergabe und auf Gott, dem wir sie bieten. In der Apokalypse 8, 3—5 ist von einem Altar im Himmel die Rede, auf den der Engel Räucherwerk und die Gebete der Heiligen niederlegt: „Ihm wurde viel Räucherwerk gegeben, damit er es mit den Gebeten aller Heiligen auf den goldenen Altar vor dem Throne lege[26]).“ Es ist ein Bild für einen geistigen Vorgang, ebenso wie es ein Bild ist,

---

diese Worte fehlen; Férotin, Le liber mozarabicus sacramentorum S. 262; Missale mixum (PL 85, 491 B).

[22]) Näheres darüber bei Benedikt XIV., De s. sacrificio missae II, 16, 16 f. 21 f (ed. Schneider 211 f. 214 f), der selbst zu dieser Auslegung hinneigt.

[23]) Vereinzelt ist ein (zweifaches) Kreuzzeichen jedoch beigefügt worden, so im Sakramentar des 10. Jh. von Trier; Leroquais I, 84.

[24]) Duchesne a. a. O. läßt den Zusatz gegen den Manichäismus gerichtet sein, dem wenig früher ja sogar ein Augustinus angehangen hatte. Die Manichäer verurteilten u. a. den Weingenuß. Das Wort steht also in einer Linie mit dem *de tuis donis ac datis* des vorausgehenden Gebetes als neues Zeugnis für die Erdverbundenheit christlichen Opferdenkens.

[25]) Leo d. Gr., Serm. 4 de Quadr. (PL 54, 279 f); Gelasius I., Ep. 37, 2 (Thiel 451 f).

[26]) Der himmlische Altar auch Is 6, 6. Ebenso erscheint er bei Hermas, Pastor, Mand. X. 3, 2 f; Irenäus, Adv. haer. IV, 31, 5 (al. IV, 19, 1; Harvey II, 210). — Weitere Stellen u. a. bei Righetti, Manuale III, 336. — Das apokalyptische Bild hat nichts zu tun mit der theologischen Frage, ob im Himmel ein Opfer bestehe. Denn ausgesprochenermaßen handelt es sich in der biblischen Stelle nicht um sichtbare Gaben, sondern um Gebete, die von den Gläubigen dargebracht und die in dem vom Altar aufsteigenden Weihrauch nur symbolisch dargestellt werden.

wenn vom Throne Gottes gesprochen wird. Dieses Bild dient aber als Einkleidung im dritten Gebet, in dem die Darbringung unseres Opfers nun als Bitte um dessen endgültige Annahme zum Ausdruck kommen soll.

Daß es sich um die Annahmebitte handelt, erhellt deutlich aus dem Wortlaut der älteren Fassung bei Ambrosius: *petimus et precamur, ut hanc oblationem suscipias in sublimi altari tuo per manus angelorum tuorum, sicut suscipere dignatus es*...[27]). In unserem heutigen Text ist das Bild gegenüber der Sache stärker zur Geltung gebracht: es wird um Entsendung eines heiligen Engels[28]) gebeten, der die Gaben[29]) auf den himmlischen Altar überträgt, der vor dem Angesichte der göttlichen Majestät errichtet ist[30]). Eine solche Sprechweise, bei der vom himmlischen Altar die Rede ist, kommt in den östlichen Liturgien seit früher Zeit an verschiedenen Stellen vor[31]).

---

[27]) Ambrosius, De sacramentis IV, 6 (oben I, 67).

[28]) Das Beiwort *sancti (angeli)* liegt zwar schon in der irischen Überlieferung des römischen Kanons vor, fehlt aber in den übrigen älteren Texten. Botte 42.

[29]) Diese werden nun lediglich mit *haec* bezeichnet. Das ist noch auffälliger als das *(Supra) quae* des vorausgehenden Gebetes, das immerhin als Zusammenfassung von *panem sanctum* usw. gelten kann. Es scheint sich in dieser nur andeutenden Bezeichnung jene religiöse Scheu zu offenbaren, die religionsgeschichtlich in zahlreichen Formen auftritt und die auch eine der Wurzeln der Arkandisziplin ist; vgl. W. Havers, Neuere Literatur zum Sprachtabu (Sitzungsber. d. Akademie d. Wiss. in Wien, Phil.-hist. Kl. 223, 5), Wien 1946, 189 f. — Im hohen Mittelalter erscheint übrigens vereinzelt die Lesart: *iube hoc*, wobei dieses *hoc* von der irdischen Kirche verstanden wurde; Sölch, Hugo 94 f.

[30]) So nach dem heutigen Text. An gleicher Stelle lesen einzelne ältere Hss *in conspectum*. Übrigens fehlt die Wendung nicht bloß bei Ambrosius, sondern auch noch im Cod. Rossianus, ist also wohl erst eine jüngere Erweiterung; siehe Brinktrine, Die hl. Messe 216.

[31]) Const. Ap. VIII, 13, 3 (Quasten, Mon. 228): es wird zum Gebet aufgefordert, daß Gott die Gabe hinaufnehmen möge (προςδέξηται) εἰς τὸ ἐπουράνιον αὐτοῦ θυσιαστήριον. Die griechische Jakobusliturgie hat den Ausdruck zu wiederholten Malen (Brightman 36. 41. 47. 58 f), ebenso die Markusliturgie (ebd. 115. 118. 122. 123 f) und die byzantinische Liturgie (ebd. 309. 319. 359). In den nichtgriechischen Liturgien ist der Ausdruck seltener. Er steht in den westsyrischen Anaphoren des Timotheus und des Severus (Anaphorae Syriacae, Rom 1939/44, 23. 71), die aber gleichfalls ursprünglich griechisch waren. — In mehreren Fällen steht das ὑπερουράνιον θυσιαστήριον in Beziehung zur Darbringung von Weihrauch. Doch geht es zu weit, wenn Lietzmann, Messe und Herrenmahl 92 f, die Entstehung des Ausdruckes von der Aufnahme auf den himmlischen Altar erst mit der (auch von ihm erst um 360 angesetzten) Einführung des Weihrauches in die christliche Liturgie des Orients verbinden will. Der Ausdruck erscheint ja nicht bloß im Orient schon um 380, sondern zur gleichen Zeit auch schon im Abendland im Kanontext des Ambrosius, den ja nicht erst Ambrosius geschaffen hat.

In der römischen Liturgie, wo das *Supplices* des Kanons der einzige Fall blieb, wurde dem himmlischen Altar im Vollzug des Opfers von manchen mittelalterlichen Erklärern eine sehr weitgehende Bedeutung zugeschrieben. Das hing zumeist mit der unvollkommenen Sakramententheologie jener Zeit zusammen. Remigius von Auxerre hält nach der Vergegenwärtigung von Christi Leib und Blut in den Einsetzungsworten noch einen zweiten Akt für nötig, mit dem der nun jeweils an verschiedenen Orten gegenwärtige sakramentale Herrenleib mit dem erhöhten Herrenleib zur Einheit verbunden wird. Dieser Vorgang würde erbeten und vollzogen im *Supplices*[32]). In anderer Weise sieht um 1165 der Zisterzienserabt Isaak von Stella erst im *Supplices* unser Opfer zur Vollendung kommen: auf einer ersten Stufe, die dem Brandopferaltar des alten Tempels entspricht, haben wir zerknirschten Herzens Brot und Wein dargebracht als Sinnbild des eigenen Lebens; auf der zweiten, die mit dem goldenen Rauchopferaltar verglichen wird, haben wir Leib und Blut des Herrn geopfert; auf der dritten, die dem Allerheiligsten entspricht, wird unser Opfer durch Engelshände mit dem verherrlichten Christus im Himmel vereinigt und so vollendet[33]). Wie die Weihrauchwolke, so führt ein anderer Erklärer den Gedanken weiter, in der der Hohepriester am großen Versöhnungstag vor die Bundeslade trat, ihm den Blick verdunkelte, so vermögen die irdischen Augen des Priesters auf dieser Stufe nichts mehr zu erkennen, es bleibt nur die Bitte an die Engel, das Opfer hinaufzutragen vor Gottes Angesicht[34]). Auch andere Theologen dieser Periode finden in der Übertragung des Opfers auf den himmlischen Altar einen realen Vorgang angedeutet, in dem das Opfer erst zum Abschluß kommt[35]). Durch das *Supplices* soll dieser Vorgang erfleht werden. Man macht aus dem Gebet also, nicht ohne Nachwirkung der gallischen Liturgie, eine Art Epiklese[36]), und es wird ja tatsächlich

---

[32]) Remigius von Auxerre, Expositio (PL 101, 1262 f); dazu Geiselmann, Die Abendmahlslehre 108—111. Eine verwandte Auffassung findet Geiselmann 99 ff schon in der Meßerklärung ‚Quotiens contra se' (um 800).

[33]) Isaak von Stella, Ep. de off. missae (PL 194, 1889—1896).

[34]) Robert Paululus, De caeremoniis II, 28 (PL 177, 429 D); Franz, Die Messe 440—442.

[35]) Paschasius Radbertus († 856), De corp. et sang. Domini VIII, 1—6 (PL 120, 1286—1292); Odo von Cambrai († 1113), Expositio in canonem missae c. 3 (PL 160, 1067 A). Vgl. A. Gaudel, Messe III: DThC X, 1034 f. 1041.

[36]) B. Botte, L'ange du sacrifice et l'épiclèse de la messe romaine au moyen-âge: Recherches de théologie ancienne et médiévale 1 (1929) 285—308. — Von orientalischer Seite hat man übrigens schon auf dem Konzil von Florenz unser

auch hier eine Begegnung der göttlichen Kraft mit unserer Opfergabe gesucht, allerdings in umgekehrter Richtung, nicht durch die Herabkunft des Geistes, sondern durch das Emportragen der Gabe[37]).

Damit hängt es irgendwie zusammen, daß man schließlich beginnt, auch im Engel mehr als einen geschaffenen Engel zu erblicken; es sei Christus selbst, der unser Opfer entgegennimmt und es auf dem himmlischen Altar als *magni consilii angelus*[38]) niederlegt. Dieser Gedanke wird besonders um das 12. Jahrhundert von mehreren Erklärern wiederholt[39]), und er ist auch in unserer Zeit im Zusammenhang mit der Annahme eines himmlischen Opfers, in das unser irdisches Opfer aufgenommen würde, vertreten worden[40]). Schließlich ist unter dem Ge-

---

Supplices geltend zu machen versucht als eigentliche Epiklese, mit der die Konsekration erst vollendet würde. F. Cabrol, Anamnèse: DACL I, 1892.

[37]) Vgl. Duchesne, Origines 192 f.

[38]) Is 9, 6 in der Textform des Introitus der dritten Weihnachtsmesse.

[39]) Er erscheint zuerst bei Ivo von Chartres († 1116), De conven. vet. et novi sacrif. (PL 162, 557 C), und zwar wird die Deutung hier aus dem Zusammenhang verständlich. Ivo sieht im Kanon die Gebräuche des großen Versöhnungstages sich erneuern (vgl. oben I, 146), zu denen auch gehörte, daß der Sündenbock, mit den Sünden des Volkes beladen, in die Einsamkeit der Wüste enteilte; so kehre Christus, mit unseren Sünden beladen, in den Himmel zurück. — Die Deutung auf Christus auch bei Honorius Augustodunensis, Alger von Lüttich, Sicard von Cremona u. a.; s. Botte, L'ange du sacrifice et l'épiclèse 301—308.

[40]) M. de la Taille, Mysterium fidei, Paris 1921, 281. 446—449; derselbe, Esquisse du mystère de la foi, Paris 1924, 79—96. Bericht über eine anschließende Diskussion s. JL 4 (1924) 233 f. Nach de la Taille ist Christus im Himmel im Zustand des Opfers; unter dem *perferri* sei die Transsubstantiation zu verstehen, in der unser Opfer am Altar in das himmlische Opfer übergeht. Unter diesen beiden, freilich nur schwach begründeten Voraussetzungen ergibt sich die Deutung auf Christus allerdings von selbst. — Einer Deutung des Engels auf Christus zeigt sich im Rückblick auf eine hypothetische Urform des Gebetes geneigt auch J. Barbel, Der Engel des ‚Supplices': Pastor bonus 53 (1942) 87—91. Er vermutet nämlich, daß der von Ambrosius bezeugten pluralischen Fassung *(per manus angelorum tuorum)* eine singularische vorausgegangen sei, in der der *angelus* nach frühchristlicher Weise tatsächlich von Christus zu verstehen gewesen wäre, bis arianische Mißdeutung den Plural und damit die Beziehung des Wortes auf die Engelwelt veranlaßt habe. Vgl. auch J. Barbel, Christos Angelos. Die Anschauung von Christus als Engel und Bote in der gelehrten und volkstümlichen Literatur des christlichen Altertums, Bonn 1941. Wenn man nicht das *perferri* mit de la Taille auf die Wandlung beziehen will, dürfte freilich ein Anlaß zur genannten Umdeutung nicht gegeben sein; denn daß wir unsere Annahmebitte durch Christus darbringen (und also unser Opfer durch ihn dargeboten werden soll), wird ja durch das sofort nachfolgende *Per Christum Dominum nostrum* ausgesprochen.

sichtspunkt einer Wandlungsepiklese, als welche das *Supplices* bei äußerlicher Parallelisierung mit orientalischen und gallischen Meßformularen erscheinen kann, in dem emportragenden Engel auch der Heilige Geist erblickt worden[41]).

Da diese Deutungen alle in bestimmten Voraussetzungen gründen, die mindestens sehr fragwürdig sind, besteht kein Grund, vom natürlichen Wortsinn abzugehen, der zudem durch den Kanontext bei Ambrosius *(angelorum)* und durch die Parallelstellen in orientalischen Liturgien gestützt wird[42]): wie die Gebete der Gläubigen durch den Engel der Apokalypse auf den himmlischen Altar „niedergelegt" werden, so möge dasselbe durch den heiligen Engel mit unserem Opfer geschehen[43]). Ohne Zweifel ist damit irgendeine Beteiligung der Engelwelt an unserer Darbringung ausgesprochen. Das ist nach dem von Erde und Himmel gemeinsam gesungenen *Sanctus* nicht weiter auffällig. Es ist bekannt, wie etwa Chrysostomus in seinen Schilderungen des „furchtbaren Geheimnisses" den Altar von Engeln umschwebt sieht. Gregor der Große sieht zur Stunde des Opfers den Himmel sich öffnen und Chöre der Engel niedersteigen[44]). Es entspricht auch dem Zusammenhang der christlichen Heilsordnung, daß die Engel, die ja der Erlösung der Menschheit nicht gleichgültig gegenüberstehen, auch am Opfer der Erlösung irgendwie Anteil nehmen. Diese Anteilnahme näher umschreiben oder gar die beteiligten Engel mit Namen nennen zu wollen, wäre ungebührlicher Vorwitz[45]).

---

[41]) L. A. Hoppe, Die Epiklesis der griechischen und orientalischen Liturgien und der römische Consekrationskanon, Schaffhausen 1864, 167—191; P. Cagin, L'antiphonaire ambrosien (Paléographie musicale 5 [1896]) 83—92; vgl. Cagin, Te Deum ou illatio 221. — Die Begründung dafür, daß das *Supplices* als Epiklese zu betrachten sei, sucht Hoppe im wesentlichen darin, daß es die Stelle einnimmt, an der im Orient die Epiklese steht. Hoppe konnte noch nicht sehen, daß die Heilig-Geist-Epiklese auch im Orient erst relativ späten Datums ist; s. oben 239 f. — Cagin weist auf gallikanische Engelepiklesen hin. Dabei wäre zu beachten, daß zumal ein vortheologisches Denken selbst in der Epiklese nicht notwendig unter Engel gerade den Heiligen Geist verstanden haben muß; vgl. oben 86 Anm. 151 und unten Anm. 43.

[42]) In der Markusanaphora wird die Übertragung der Gaben auf den himmlischen Altar erbeten διὰ τῆς ἀρχαγγελικῆς σου λειτουργίας. Brightman 129.

[43]) B. Botte, L'ange du sacrifice: Cours et Conférences VII, Löwen 1929, 209—221. Hier S. 219 f auch Beispiele aus lateinischer Liturgie, in denen der Engel, dessen Dazwischenkunft beim Opfer erbeten wird, offenkundig als geschaffener Engel gedacht ist. Weitere Beispiele bei Lietzmann, Messe und Herrenmahl 103. 109. Siehe auch die Hinweise bei Batiffol, Leçons (1927) S. XXIX f.

[44]) Gregor d. Gr., Dial. IV, 58 (PL 77, 425 f).

[45]) Anregende Betrachtungen zum Gegenstand bei Gihr 607—612.

In seiner zweiten Hälfte nimmt das *Supplices* eine neue Wendung: die Aufnahme unseres Opfers auf den himmlischen Altar soll sich auswirken — darum wird nun weiter gebeten — im fruchtreichen Empfang der heiligen Gabe durch die versammelte Gemeinde. Der Blick geht damit schon auf den Schlußakt in der Feier der Eucharistie, auf die Kommunion. Die Kanonkritik der vergangenen Generation hat in diesem Übergang eine Bruchstelle finden wollen, die ihr Raum bot für kühne Theorien[46]). Daß hier zwar ein Fortschreiten des Gedankens, aber ein durchaus natürlicher und ungebrochener Übergang vorhanden ist, zeigt der Vergleich mit der Eucharistia Hippolyts, wo ebenfalls die Darbringung auf kurzem Wege in die Kommunionbitte übergeht[47]). Übrigens könnte man das in Rede stehende Gebet an beiden Stellen, bei Hippolyt und im heutigen Kanon, tatsächlich auch als Epiklese bezeichnen. Es ist aber nicht eine Wandlungs-, sondern eine Kommunionepiklese, wobei es, auf das Wesen der Sache gesehen, ohne Bedeutung ist, daß die Nennung des Heiligen Geistes, die bei Hippolyt mit der Kommunionbitte verbunden wird, in unserem *Supplices* fehlt[48]). Die Kommunion ist

---

[46]) R. Buchwald, Die Epiklese in der römischen Messe (Weidenauer Studien I, Sonderabdr.), Wien 1907, 34 f; vgl. Fortescue 152 ff. 352. Nach Buchwald müßte an dieser Stelle eine Wandlungsepiklese gestanden haben, die dann mit der Bitte um eine gnadenreiche Kommunion abgeschlossen worden wäre. Er verweist u. a. auf den Ausdruck *ex hac altaris participatione*, der als Nennung des irdischen Altars etwas Auffallendes habe, nachdem soeben vom himmlischen Altar die Rede war. Wir kommen auf diesen Ausdruck sogleich zurück. — Ähnliche Gedankengänge auch schon bei F. Probst, Die abendländische Messe vom 5. bis zum 8. Jh., Münster 1896, 177—180. — Zugunsten einer hier ausgefallenen Wandlungsepiklese ist auch darauf verwiesen worden, daß die Gaben erst jetzt als „Leib und Blut" des Gottessohnes bezeichnet werden; doch ist, wie Batiffol, Leçons 270, mit Recht bemerkt, die Verwandlung schon in den Worten *panem sanctum* des ersten Gebetes deutlich genug vorausgesetzt.

[47]) Oben I, 38. Die Wandlungsepiklese orientalischer Liturgien ist eine spätere Einschaltung, wie gerade diesem Grundtext gegenüber sowohl Const. Ap. VIII, 12, 39 (Quasten, Mon. 223 f) wie die äthiopische Apostelanaphora (Brightman 233) augenfällig zeigt; vgl. die Tabellen bei Cagin, L'eucharistia S. 148/149.

[48]) Oben 239. — Daß das *Supplices* den Charakter einer Epiklese besitzt, hat J. Brinktrine, Zur Entstehung der morgenländischen Epiklese: ZkTh 42 (1918) 301—326; 483—518, durch Vergleich vor allem mit den gallischen *Post-pridie-* und *Post-secreta-*Gebeten zu zeigen versucht, die sichtlich die Stelle einer Epiklese einnehmen und die bald um Annahme der Gaben (wie das *Supplices)*, bald um Heiligung derselben bitten. Daß diese Annahme und Heiligung den fruchtreichen Genuß sichern soll, gehört nach Brinktrine zum Begriff jeder Epiklese, die er aus älteren Segnungsgebeten hervorgehen läßt, wie sie auch über verschie-

ja das zweite große Geschehen, das die Feier der Eucharistie in sich schließt, das zweite Hereingreifen Gottes in das Tun der Kirche. Das christliche Opfer ist eben von der Art, daß die darbringende Gemeinde von vornherein auch zum Opfermahl geladen ist. Der Ausblick auf dieses ergibt sich darum ohne weiteres, sobald die Darbringung vollzogen ist, und daß dieser Ausblick auch hier zur demütigen Bitte wird, ist durchaus angemessen.

Daß alle, die nur wollen, den Leib und das Blut des Herrn entgegennehmen, wird zunächst als etwas Selbstverständliches eingeführt. Wir empfangen diese Doppelgabe *ex hac altaris participatione,* aus dieser Teilhabe am Altar. Wenn die Gaben dieses unseres heutigen Opfers auf den himmlischen Altar hinaufgenommen, d. h. von Gott angenommen sind, dann gibt uns diese Teilhabe, die damit begründete Zugehörigkeit zum himmlischen Tische Gottes, auf dem unsere Gaben ruhen, die Möglichkeit, wahrhaftig als Gottes Tischgäste Leib und Blut des Herrn entgegenzunehmen[49]) und so nicht nur die sichtbare Erscheinung der Geheimnisse, sondern auch ihre innerste Kraft zu empfangen[50]). Einfacher war der Gedanke in der Textform der irischen und der mailändischen Kanonüberlieferung, in der es heißt: *ex hoc altari sanctificationis*[51]), womit der irdische Altar bezeichnet ist, auf dem die Gaben geheiligt wurden. Doch ist diese größere Einfachheit des Gedankens nicht auch eine Gewähr seiner Ursprünglichkeit. Es ist nicht wahrscheinlich, daß das Wort Altar im gleichen Atemzug zuerst vom himmlischen und dann vom irdischen Altar gebraucht ist. Eher muß man sagen, daß der irdische Altar in der biblischen Sprache unseres Gebetes den Blicken entschwunden und in den himmlischen aufgenommen ist, der allein noch Geltung hat.

Was wir erbitten, ist, daß der Empfang uns zum Heile sein möge, so

---

dene Nahrungsmittel gesprochen wurden (489 f). — Es dürfte sich indes empfehlen, in dem oben 238 f entwickelten Sinn zwischen Wandlungs- und Kommunionepiklese zu unterscheiden.

49) Daß der Wortlaut des heutigen Kanontextes auf den himmlischen Altar geht, hebt auch Batiffol, Leçons 271, hervor. Die von ihm für die *participatio altaris* angezogenen Stellen 1 Kor 9, 13; Hebr 13, 10 bilden freilich nur entfernte Parallelen. Vgl. auch Lebrun I, 446 f.

50) Vgl. etwa die Postcommunio am Feste Christi Himmelfahrt: *ut quae visibilibus mysteriis sumenda percepimus, invisibili consequamur effectu.*

51) Botte 42; Kennedy 52. — Eine Vermischung beider Lesarten schon um 700 im Bobbio-Missale (Botte 42): *ex hoc altari participationis.* — Das Sakramentar von Rocarosa (um 1200) liest vereinfachend: *ex hac participatione;* Ferreres S. CXII.

daß wir mit allem Himmelssegen und aller Gnade erfüllt werden. Der Himmelssegen entspricht noch einmal dem himmlischen Altar. In der verhaltenen Begeisterung des Ausdrucks klingen Wendungen aus dem Eingang des Epheserbriefes an (1, 3).

Während die vorausgehenden Gebete nur wenig von Zeremonien begleitet waren — es sind heute lediglich die Kreuzzeichen bei *hostiam puram* usw. — kommt mit dem *Supplices* wieder Bewegung in die Haltung des Priesters. Die Verbeugung des Körpers, die nach altem Brauch meist mit dem demütigen Darbringen verbunden war und darum einstmals an dieser Stelle bereits mit dem *Supra quae* begonnen wurde[52]), wird durch das *Supplices te rogamus* geradezu gefordert. Sie ist hier von altersher gebräuchlich[53]). Zur tiefen Verbeugung kommt noch der Kuß des Altares hinzu. Der Kuß ist hier wohl veranlaßt durch das *Supplices* als Ausdruck ehrfurchtsvoll-inniger Bitte[54]). Die darauf

---

[52]) Oben 178. Später wird beim *Supra quae* manchmal ein Aufblick des Priesters vermerkt (benevent. Hs des 11./12. Jh.: Ebner 330). Im 15. Jh. ist es nach Balthasar von Pforta in Deutschland Brauch der Weltpriester, beim *Supra quae* die Hände über die heilige Hostie auszubreiten; Franz 587. So auch die Vorschrift im Missale von Toul: Martène 1, 4, XXXI (I, 651 D), und in prämonstratensischen Quellen seit dem 14. Jh.: Waefelghem 79 Anm. 1.

[53]) Oben 178. — Seit dem 12. Jh. verbeugt man sich hier vielfach mit vor der Brust gekreuzten Händen *(cancellatis manibus)*. Liber ordinarius O. Praem. (Waefelghem 79); ein Pariser Missale der ersten Hälfte des 13. Jh.: Leroquais II, 66; vgl. ebd. 163. 232 usw.; Ordinarium O. P. von 1256 (Guerrini 242) und Lütticher Liber ordinarius (Volk 95). Für Köln s. Peters, Beiträge 78; für England Frere, The use of Sarum I, 81; Maskell 146 f; auch schon im Sarum-Missale des 13. Jh. (Legg, The Sarum Missal 232). Auch in Rom hat der Brauch Eingang gefunden: Ordo Stefaneschis n. 71 (PL 78, 1189 B). Er steht meist neben dem Ausstrecken der Arme zur Kreuzesform beim *Unde et memores;* vgl. oben 274 f. — In Paris blieb die *cancellatio* üblich bis 1615 (Lebrun I, 442); vgl. auch de Moléon 288. Sie ist es noch im heutigen Ritus der Dominikaner, Kartäuser und Karmeliten. — Der zugrunde liegende Gedanke wird die Darstellung des Gekreuzigten gewesen sei. Ein Lyoner Missale von 1531 erklärt das *manibus cancellatis* mit derselben Wendung wie die Ausbreitung der Arme nach der Wandlung: *quasi de seipso crucem faciens.* Martène 1, 4, XXXIII (I, 660 BC); vgl. Durandus III, 44, 4. — Merkwürdig ist die Vorschrift im Pontifikale Christians von Mainz (1167—1183): *Hic* (zum *Supplices) inclinet se ad dexteram;* Martène 1, 4, XVII (I, 601 E). Ebenso ein Missale Ursinense des 13. Jh. bei Gerbert, Vetus liturgia Alemannica I, 363: *inclina te ad dextrum cornu altaris.* Die Erklärung gibt letzteres Dokument beim *Te igitur* (a. a. O. 341): *Hic deoscula angulum corporalis et patenam illi suppositam simul.*

[54]) Die Antike scheint eine Doppelgebärde der Huldigung durch Verneigung und Kuß gekannt zu haben; vgl. K. Mohlberg, Theol. Revue 26 (1927) 63. — Dieser Altarkuß erscheint zuerst (und noch ohne den Altarkuß beim *Te igitur;*

folgende Nennung der heiligen Gaben legt wieder die hinweisende Gebärde nahe, die in der Form eines doppelten Kreuzzeichens zu *corpus et sanguinem* hinzutritt. Sie ist vereinzelt schon in karolingischen Texten angemerkt, ist aber erst allmählich durchgedrungen und fehlt noch in Handschriften des 13. Jahrhunderts[55]). Ebenso hat sich erst gegen Ende des Mittelalters die Selbstbekreuzung bei *omni benedictione coelesti* durchgesetzt[56]), die die Bitte um den himmlischen Segen auch durch die Handlung andeutet. Es ist also eine sekundäre, wenn auch nicht unzulässige Deutung, wenn man der Bekreuzung der Gaben den Sinn gibt, daß wir von ihnen den Segen auf uns herüberleiten möchten[57]).

Nachdem die Darbringung vollzogen und die Kommunionbitte gesprochen ist, folgt nach ältestem Plane sofort der Abschluß der Eucharistia mit einer feierlichen Doxologie und dem *Amen* des Volkes[58]). In unserer römischen Messe steht indes an dieser Stelle nur ein vorläufiger Abschluß: das *Per Christum Dominum nostrum,* das dann noch zweimal den nun folgenden Einschaltungen beigegeben wird. Unser Beten und Opfern steigt zu Gott empor durch unseren Hohenpriester, als dessen sichtbarer Vertreter sein Diener am Altar ja soeben die Worte der Wandlung gesprochen hat.

16. Das Memento für die Verstorbenen

Die erste der drei Einschaltungen, die der Doxologie noch vorausgehen, ist das *Memento* für die Verstorbenen. Daß jedenfalls in letzterem eine nachträgliche Einschaltung vorliegt, geht nicht nur

vgl. oben 178) im Cod. Casanat. 614 (11./12. Jh.): Ebner 330, und in einem stadtrömischen Sakramentar des 12. Jh.: ebd. 335; s. weiter Innozenz III., de s. alt. mysterio V, 4 (PL 217, 890 C), und ebenso aus dem 12./13. Jh. Martène 1, 4, XVII. XXV (I, 601. 633). Seit dem 13. Jh. (wenn wir von dem isolierten Fall im Ordo Cluniacensis des Bernhard absehen; s. oben I, 409 Anm. 36) erscheinen dann auch beide Altarküsse im Kanon; s. Ebner 314 f. 349 f. Vgl. Sölch, Hugo 89. 95. — Denkbar wäre allerdings auch, daß die Nennung des Altars den ersten Anlaß zum Altarkuß gebildet hätte.

55) Brinktrine, Die hl. Messe 328 f. Diese Zurückhaltung wird sich daraus erklären, daß bei den Worten das Demonstrativpronomen fehlt.

56) Ein diesbezüglicher Vermerk erscheint schon in Hss des 12. Jh. (s. Ebner 330. 335), fehlt aber oft noch in viel späterer Zeit. Noch in der 1494 erschienenen Meßerklärung des Balthasar von Pforta hören wir, daß wenigstens in Deutschland der Brauch nicht einheitlich sei. Franz, Die Messe 587.

57) Diese Umdeutung u. a. bei Brinktrine, Die hl. Messe 217.

58) Oben I, 30. 38.

daraus hervor, daß es in der Eucharistia der Frühzeit keine Entsprechung hat[1]), sondern auch daraus, daß es in einem beträchtlichen Teil der älteren Handschriften fehlt, z. B. auch in dem Sakramentar, das Papst Hadrian I. an Karl den Großen gesandt hat[2]), und selbst noch in einzelnen Textzeugen bis ins 11. Jahrhundert[3]), und daß es dort, wo es erscheint, dann und wann auch an anderer Stelle als der heutigen eingefügt ist[4]). Dieses ungleichmäßige Auftreten des Totengedächtnisses wird sich schwerlich damit erklären lassen, daß es auf einem besonderen Täfelchen, dem Diptychon, stand[5]); denn dann müßten ähnliche Überlieferungsverhältnisse auch beim *Memento* der Lebenden vorliegen. Es hängt vielmehr damit zusammen, daß das Totenmemento, wie verschiedene Nachrichten erkennen lassen, durch lange Zeit in der Messe der Sonn- und Festtage, also im eigentlichen öffentlichen Gottesdienst, keine Stelle hatte. Ein allgemeines Gedächtnis der Verstorbenen war seit der Wende des 5. Jahrhunderts in der Kyrielitanei vorhanden[6]). Eine eigene Erwähnung innerhalb des Kanons betrachtete man wohl als eine Besonderheit der Messe, die auf irgendeine Weise für Verstorbene gehalten wurde und nicht Sache der Gesamtgemeinde, sondern des betreffenden Verwandten-

---

[1]) Die ersten Beispiele eines Totengedächtnisses in der Messe liegen aus dem 4. Jh. vor: Euchologion Serapions (s. unten 299 f) und Const. Ap. VIII, 13, 6. Nachrichten auch bei Cyrill von Jerusalem, Cat. myst. V, 9, und bei Chrysostomus, In Phil. hom. 3, 4 (PG 62, 204), der im Totengedächtnis der Messe allerdings schon einen apostolischen Brauch erblickt. Über Augustinus s. Roetzer 125 f; vgl. unten 299. — Botte 45. Ohne besondere Formulierung innerhalb des Eucharistiegebetes ist die Darbringung für Verstorbene allerdings schon in viel früherer Zeit bezeugt; s. oben I, 285 f.

[2]) Botte, Le canon 44. In die von Alkuin besorgte Ausgabe ist das *Memento etiam* aufgenommen; Lietzmann n. 1, 28 Apparat.

[3]) Ebner 7. 247. 421; Leroquais, Les sacramentaires (s. die Liste III, 389); Ménard (PL 78, 280 n. 70); auch in zwei von A. Dold herausgegebenen Urkunden: dem Mainzer Palimpsestsakramentar (Texte u. Arb. I, 5, S. 40) und in den Zürcher und Peterlinger Meßbuchfragmenten (ebd. I, 25, S. 16); ebenso in der auf einer lateinischen Grundlage des 9./10. Jh. ruhenden griechischen Petrusliturgie (Codrington 109. 125 usw.).

[4]) Im Anschluß an das *Memento* der Lebenden (Beispiele aus dem 8. und 10. Jh. bei Ebner 421 f), nach dem *Nobis quoque* (ein Fall aus dem 10. Jh. ebd. 43. 423).

[5]) So L. Delisle, Mémoire sur d'anciens sacramentaires, Paris 1886, 174; Duchesne, Origines 193 Anm. 1; H. Lietzmann, Auf dem Wege zum Urgregorianum (JL 9, 1929) 136.

[6]) Oben I, 435, n. XIV.

kreises war[7]). Seine Stellung war ähnlich derjenigen des vorgregorianischen *Hanc igitur,* das ja in vielen Fällen in besonderer Fassung gleichfalls für Verstorbene eingeschaltet wurde[8]). In einzelnen Dokumenten, die das *Memento* der Verstorbenen in den Kanon aufgenommen haben, wird auch ausdrücklich gesagt, daß es nur an Wochentagen zu gebrauchen sei[9]), daß es an Sonn- und Festtagen nicht zu verwenden sei[10]). Die alte Regel ist noch im 14. Jahrhundert nicht ganz dem Bewußtsein entschwunden gewesen. Die Melker Meßerklärung aus dem Jahre 1366 bezeugt noch die Praxis mancher Priester, am Sonntag das *Memento* für die Verstorbenen auszulassen; auch der Verfasser selbst tritt dafür ein, obwohl er keine authentischen Aussprüche dafür anzuführen wisse[11]).

---

[7]) Im Capitulare eccl. ord. (Andrieu III, 121 f) wird folgendes als Brauch der römischen Kirche bezeichnet: *In diebus autem septimanae, de secunda feria quod est usque in die sabbato, celebrantur missas vel nomina eorum commemorant. Die autem dominica non celebrantur agendas mortuorum nec nomina eorum ad missas recitantur, sed tantum vivorum nomina regum vel principum seu et sacerdotum* ... Wenn dennoch am Sonntag ein Begräbnisgottesdienst notwendig sei, so solle der Priester *cum parentibus ipsius defuncti usque ad horam nonam* fasten und dann *oblatio* und Begräbnis halten. — Vgl. dazu Bishop, Liturgica historica 96 ff, bes. 99; M. Andrieu, L'insertion du Memento des morts au canon romain de la messe: Revue des sciences relig. 1 (1921) 151—154; derselbe, Les ordines II, 274—281.

[8]) Im Wormser Missale des 10. Jh., dessen Kanon kein Totenmemento enthält, ist für die Totenmesse ein eigenes *Hanc igitur* angegeben; Leroquais I, 62 f.

[9]) Ordo ‚Qualiter quaedam' (Andrieu II, 301; PL 78, 983) bemerkt zum *Memento* der Verstorbenen: *Hic orationes duae dicuntur, una super dipticios, altera post lectionem nominum, et hoc quotidianis vel in agendis tantummodo diebus.* Daß der erste Teil *super dipticia* und der zweite *post lectionem* zu sprechen sei, sagt auch das Gregorianum an der Stelle, wo das *Memento etiam* erscheint, nämlich in der Messe für einen verstorbenen Bischof; Lietzmann n. 224, 4. 5. Dieselben Überschriften noch teilweise in Sakramentar-Hss des 10./11. Jh.; Ebner 105. 213. 214. 289. Das gregorianische Sakramentar von Padua hat zwar das Totenmemento in den Kanon aufgenommen, stellt aber die Rubrik voran: *Si fuerint nomina defunctorum, recitentur dicente diacono: Memento.* Mohlberg-Baumstark n. 885.

[10]) Ein Florentiner Sakramentar des 11. Jh. hat vor dem *Memento* die Rubrik: *Haec non dicit in dominicis diebus nec in aliis festivitatibus maioribus:* Ebner 34, der die Rubrik irrtümlicherweise auf das vorausgehende Gebet bezieht (418). Auch die angelsächsischen Canones Theodori (7./8. Jh.; Finsterwalder 273, vgl. 265) stellen fest: *Secundum Romanos die dominica non recitantur nomina mortuorum ad missam.*

[11]) Franz, Die Messe 510. Als Begründung führen jene Priester den Sonntagsfrieden an, der den Seelen im Fegefeuer ohnehin gewährt sei. Über diesen mittelalterlichen Volksglauben s. Franz 147. 452. Die gleiche Begründung wird bei

Anderseits gehört das *Memento* für die Verstorbenen zu den ältesten Texten unseres Meßbuches. Die irische Kanonüberlieferung, darunter das schon um 700 entstandene Bobbio-Missale, enthält es bereits. Gerade in letzterem Fall ist das Vorhandensein des Totenmemento nach der angedeuteten Erklärung nicht verwunderlich. Das Bobbio-Missale ist eines der ersten Meßbücher, in denen die Bedürfnisse der klösterlichen Privatmesse im Vordergrund stehen. Der römische Kanon erscheint darin zudem im Rahmen eines mit *missa Romensis cottidiana* überschriebenen, also nicht für den Sonntag bestimmten Meßformulars[12]). Es wird also auch in Rom wohl schon früh zur *missa cotidiana* gehört haben, die ja auch schon damals am öftesten den Verstorbenen gewidmet war[13]).

Auffällig bleibt, daß das Gedächtnis der Verstorbenen an dieser Stelle und nicht im Zusammenhang der Fürbitten vor der Wandlung eingeschaltet wird, wo es mit dem Gedächtnis der Lebenden oder mit der Erwähnung der Heiligen des Himmels hätte verbunden werden können[14]) oder wo auch eine stehende *Hanc-igitur*-Formel derselben Aufgabe hätte genügen können. Dies gilt um so mehr, wenn wir im *Nobis quoque* nicht ebenfalls ein Bestandstück des Fürbittengesetzes, sondern ein Gebet eigener Art vor uns haben sollten, so daß das Totenmemento allein zu stehen kommt und wie ein abgesprengtes Stück des vor der Wandlung eingefügten Gebetsblockes erscheinen möchte.

Richtig ist, daß im Orient außerhalb Ägyptens das Gedächtnis der Verstorbenen nicht nur tatsächlich in Verbindung mit den übrigen Fürbitten nach der Wandlung angesetzt ist, sondern daß diese Stellung desselben auch mit Betonung hervorgehoben und begründet wird. So heißt es in den Mystagogischen Katechesen von Jerusalem: „Dann gedenken wir auch der Entschlafenen, zuerst der Patriarchen und Propheten ... und überhaupt aller, die unter uns entschlafen sind, weil wir glauben,

---

Sicard von Cremona, Mitrale III, 6 (PL 213, 132), dafür angeführt, daß der Priester am Sonntag im Totenmemento keine Namen nennen solle, während er es an Wochentagen tun darf. Dem entspricht ein Vermerk aus dem 13. Jh. in einer mittelitalischen Sakramentar-Hs (Ebner 204): *Hic recitentur nomina defunctorum non dominico die.*

[12]) Vgl. in diesem Sinn auch Batiffol, Leçons 225. — In dem gleichfalls um 700 entstandenen Missale Gallicanum vetus ist das *Memento etiam* bereits zu einer gallikanischen *Post-nomina*-Formel verarbeitet; Muratori II, 702.

[13]) Vgl. oben I, 285 f; Andrieu, Les ordines II, 276 f. — Auch die sprachliche Formulierung weist auf das altchristliche Rom hin; s. die Untersuchung von E. Bishop im Anhang zu A. B. Kuypers, The book of Cerne, Cambridge 1902, 266—275.

[14]) Vgl. die einschlägigen Erwägungen bei Kennedy 28 f. 35 f. 189 f.

daß dies für die Seelen, für die das Gebet dargebracht wird, während das heilige und furchtbare Opfer vor uns liegt, zum größten Nutzen ist[15])." Derselbe Gedanke erscheint bei Chrysostomus: „Wenn ... das schauererregende Opfer auf dem Altare liegt, wie sollten wir da nicht durch unsere Fürbitten für sie (die Verstorbenen) das Herz Gottes erweichen[16])?" Vorausgeht, sowohl in der Jakobusliturgie von Jerusalem wie in der byzantinischen Liturgie, die Bitte um fruchtreichen Empfang (μετέχειν, μεταλαμβάνειν) der Eucharistie durch die Gemeinde[17]). Man muß wohl annehmen, daß der Gedanke an das Sakrament der Gemeinschaft mehr oder weniger bewußt dafür mitbestimmend geworden ist, gerade hier der Verstorbenen zu gedenken: die sakramentale Bestätigung ihrer Zugehörigkeit zur Gemeinschaft der Heiligen ist ihnen nicht mehr zugänglich[18]); so soll ihnen ein gewisser Ersatz dafür geboten werden dadurch, daß die Lebenden in diesem Augenblicke ihrer gedenken. Gerade dieser Gedanke ist es, den auch Augustinus andeutet, wenn er bemerkt, daß der Verstorbenen am Altare gedacht werde *in communicatione corporis Christi,* weil sie ja auch nicht getrennt seien von der Kirche[19]).

Eine beachtenswerte Bestätigung dieser Vermutung liegt darin, daß sogar in Ägypten, das die Fürbitten in den überlieferten Hauptliturgien allgemein schon vor der Wandlung ansetzt, das älteste Meßformular, das

---

[15]) Cyrillus von Jerusalem, Cat. myst. V, 9 (Quasten, Mon. 102).

[16]) Chrysostomus, In Phil. hom. 3, 4 (PG 62, 204).

[17]) Brightman 54 Z. 14; 330 Z. 13. In der byzantinischen Messe, und zwar sowohl in der Chrysostomus- wie in der Basiliusliturgie folgt das Gedächtnis der (Heiligen und aller) Entschlafenen (332 Z. 3) unmittelbar auf die Kommunionbitte, mit der die Epiklese schließt.

[18]) Die Vorstellung, daß die Hingeschiedenen selbst noch nach dem Sakrament verlangen, scheint bei den Syrern besonders gepflegt worden zu sein, vgl. die kühne Fassung derselben bei Jakob von Batnä († 521), Gedicht über die Messe für die Verstorbenen (BKV 6, S. 312): die Hingeschiedenen werden vom Priester herbeigerufen, „und an der Auferstehung, die der Leib des Sohnes Gottes ausströmen läßt, atmen die Verstorbenen Tag für Tag das Leben ein und werden dadurch gereinigt".

[19]) Augustinus, De civ. Dei XX, 9 (CSEL 40, 2, S. 451 Z. 15). Ähnlich serm. 172, 2, 2 (PL 38, 936): Es sei in der Gesamtkirche alter Brauch *ut pro eis, qui in corporis et sanguinis Christi communione defuncti sunt, cum ad ipsum sacrificium loco suo commemorantur, oretur ac pro illis quoque id offerri commemoretur.* Vgl. Roetzer 125 f. Diese Äußerungen Augustins lassen auf eine ähnliche Stellung des Totengedächtnisses schließen wie in der römischen Messe: am Ende der Darbringung, wo von der *communicatio (participatio)* die Rede ist.

des Serapion, gleichfalls nach der Wandlung der Toten gedenkt[20]), und zwar hier wiederum im unmittelbaren Anschluß an die etwas weiter ausgeführte Bitte um fruchtreiche Kommunion[21]):

„... und gib, daß alle, die teilnehmen (κοινωνοῦτες) eine Arznei des Lebens empfangen zur Heilung jeder Krankheit und zur Stärkung jeden Fortschrittes und jeder Tugend, nicht zur Verdammnis, o Gott der Wahrheit, und nicht zur Anklage und zur Schande. Denn dich, den Ungewordenen, haben wir angerufen durch den Eingeborenen im Heiligen Geist: es möge Erbarmen finden dieses Volk, es möge ihm Fortschritt gewährt werden; Engel mögen entsandt werden, daß sie dem Volke beistehen zur Vernichtung des Bösen und zur Festigung der Kirche. Wir rufen auch (Παρακαλοῦμεν δὲ καὶ) für alle Entschlafenen, derer auch gedacht wird. (Nach der Verlesung der Namen:) Heilige diese Seelen, denn du kennst sie alle. Heilige alle, die im Herrn entschlafen sind, und zähle sie hinzu zu allen deinen heiligen Scharen und gib ihnen Ort und Wohnung in deinem Reich."

So verschieden die sprachliche Formulierung ist, so eng ist die Verwandtschaft in Aufbau und Gedankengang zwischen diesem und dem römischen Totengedächtnis: in beiden Fällen der unmittelbare Anschluß an die Kommunionbitte, die Zweiteilung des Totenmemento, die Verlesung von Namen zwischen beiden Gebetsabschnitten, worauf sich die Bitte *omnibus in Christo quiescentibus* zuwendet und mit dem räumlich gefaßten Bild des jenseitigen Lebens schließt. Daß hier nicht ein zufälliges Zusammentreffen, sondern gemeinsame Überlieferung vorliegt, ergibt sich aus der Tatsache der engen Beziehungen zwischen ägyptischer und römischer Liturgie, die früher festgestellt wurde[22]). Während in Ägypten später[23]) das *Memento* der Verstorbenen an dieser Stelle verschwunden ist, ist es in Rom zunächst außerhalb des Sonntagsgottesdienstes erhalten geblieben und dann überhaupt zum vollen Durchbruch gekommen.

Im Wortlaut des Totengedächtnisses fällt zunächst die Anknüpfung mit *etiam* auf. Man betrachtet dieses *etiam* meist als Klammer, die die Verbindung mit dem *Memento* der Lebenden herstellt, auf das es einmal unmittelbar gefolgt sein soll[24]). Die eben angeführte ägyptische Parallele

---

[20]) Die gleiche Ausnahme übrigens auch noch in dem aus Ägypten stammenden arabischen Testamentum Domini ed. Baumstark (Oriens christ. 1 [1901] 1—45) 21 und in einem Papyrus des 6. Jh., über den berichtet wird von O. Heiming, Archiv f. Liturgiewiss. 1 (1950) 354.

[21]) Euchologion Serapions 13, 15 (Quasten, Mon. 63).

[22]) Oben I, 71 f.

[23]) Immerhin auch schon in der vielleicht noch dem 4. Jh. angehörigen Form der Markusanaphora der Papyrusfragmente, wo bereits vor dem *Sanctus* für die Verstorbenen gebetet wird (Quasten, Mon. 46).

[24]) Fortescue, The mass 354 f.

zeigt, daß diese Annahme unnötig ist. Der Gedanke ist vielmehr dieser: Wenn wir durch die Kraft des Sakramentes „mit allem himmlischen Segen" erfüllt werden, so gedenke auch derer, die am Sakrament keinen Anteil mehr haben können. Und der Gedanke wird weitergeführt: Wenn sie auch das heilige Brot nicht mehr essen können, sie sind doch mit dem Siegel des Glaubens hinübergegangen, *praecesserunt cum signo fidei.*

Das *signum fidei,* σφραγὶς τῆς πίστεως, ist nicht das „Zeichen des Glaubens" in einem unbestimmten und allgemeinen Sinn, sondern es ist das Siegel, das in der Taufhandlung dem in drei Gliedern erfragten und in drei Gliedern geleisteten Bekenntnis des Glaubens aufgedrückt worden ist; es ist darum die Taufe selbst[25]). Die Taufe ist die Vollendung, die sakramentale Besiegelung des Glaubens. Sie ist zugleich das Kennmal, mit dem Christus die Seinen bezeichnet hat, und sie ist darum sowohl Sicherung gegen die Gefahren der Finsternis wie stolzer Schmuck der Christusbekenner[26]). Das *signum fidei* sichert den Zutritt zum ewigen Leben, vorausgesetzt, daß es unverletzt bewahrt ist[27]). Jeden-

---

[25]) F. J. Dölger, Sphragis. Eine altchristliche Taufbezeichnung, Paderborn 1911, bes. 99—104; K. Prümm, Der christliche Glaube und die altheidnische Welt II, Leipzig 1935, 401—405; vgl. Dekkers, Tertullianus 189—197. — Genau genommen ist die Taufe das Siegel (vgl. Hermas, Pastor, Sim. IX, 16, 4: „Das Siegel ist das Wasser") und das Getauftsein der Siegelabdruck, der eingeprägte χαρακτήρ. In der Entlassungsformel am Schluß der Jakobusliturgie der syrischen Jakobiten werden die Gläubigen genannt „stamped with the sign of holy baptism"; Brightman 106 Z. 15. Man könnte *signum fidei* mit Taufcharakter wiedergeben, wenn bei letzterem Wort die Taufgnade mitverstanden würde. — Seit dem 3. Jh. wurde im Abendlande *(con)signare,* σφραγίζειν vorwiegend von der Firmung verstanden (Dölger 179—183). In der Verbindung *signum fidei* lebt aber offenbar die ältere Bedeutung fort.

[26]) Seine Bedeutungsfülle hat das Wort σφραγίς, bzw. *signum* (das uns geläufigere *sigillum* ist nur eine Deminutivform von *signum), signaculum,* von der Rolle, die die Besiegelung *(signatio)* in der gleichzeitigen profanen Kultur spielte. Mit einem Kennmal (σφραγίς, *signum)* wurden nicht nur die Tiere einer Herde und die Sklaven, sondern im besonderen auch die zu einer Truppe gehörigen Soldaten bezeichnet; letztere erhielten auf der Hand oder am Unterarm oder auf der Stirne das Zeichen ihres Imperators (Dölger 18—37), was nun ohne weiteres auf Christus übertragen werden konnte; man war ja gewohnt, das Christenleben als *militia Christi* aufzufassen. Vor allem aber wurde die Taufe verglichen mit dem in Wachs oder Siegelerde eingedrückten Siegelabdruck, der, auf einem gefährdeten Gegenstand angebracht, unverletzt erhalten bleiben mußte (ebd. 7—14; 109—111). Dabei gingen auf diesen Siegelabdruck Prädikate des schmückenden Siegelringes über; so wenn Bischof Aberkius in seiner Grabinschrift die Gemeinde von Rom nennt: „das Volk mit dem strahlenden Siegel" (ebd. 80—88).

[27]) Darum nennt schon Irenäus, Epideixis c. 3 (BKV 4, 585), die Taufe das „Siegel des ewigen Lebens"; vgl. Dölger 141—148.

falls haben diejenigen, für die wir bitten, ihre Taufe nicht verleugnet, das Siegel Christi strahlt auf ihrer Seele[28]). Darum sind ja auch die Grabstätten der Christen in den Katakomben ebenso wie die altchristlichen Sarkophage mit den allegorischen Darstellungen der Taufe geschmückt[29]). Der Hinweis auf die Taufe war im Zeitalter der Erwachsenentaufe auf dem christlichen Grab ein ebenso natürlicher Ausdruck der christlichen Hoffnung, wie es in unserer Zeit der Hinweis auf den Empfang der Sterbesakramente ist. Es entspricht darum unseren Verhältnissen, wenn wir heute unter der sakramentalen Besiegelung des Glaubens, dem *signum fidei,* mit dem unsere Brüder hinübergegangen sind, die Sakramente überhaupt verstehen, in deren Empfang sich ja das Festhalten der Taufe bekundet.

Die Fürbitte, die hier für die Verstorbenen geschieht, gilt also zunächst nur denjenigen, die als Christen hinübergegangen sind. Dem entspricht die Praxis der Kirche, die von altersher das Opfer nur darbringt für diejenigen, die in ihrer Gemeinschaft gestanden haben, und die damit ein Recht haben auf ihre Gnadengüter. Jedenfalls können nur sie namentlich genannt werden. Wenn dann aber der Umkreis erweitert wird: *et omnibus in Christo quiescentibus,* so sind damit doch schließlich alle umfaßt, die noch im Jenseits ihre endgültige Läuterung erleiden dürfen, weil niemand unter ihnen ist, der anders als „in Christus" sein Heil hätte finden können.

Wie in dem Wort vom *signum fidei,* so vernehmen wir auch in den weiteren Wendungen dieser kurzen Sätzchen Klänge aus den ersten christlichen Jahrhunderten. *Praecessit in pace, praecessit nos in pace* ist ein Ausdruck, der auch in Grabschriften begegnet[30]). Nach dem Beispiel des

---

[28]) Auch in der ostsyrischen Messe werden die hingeschiedenen Christgläubigen bezeichnet als solche „that have been signed with the living sign of holy baptism"; Brightman 287 Z. 13. Umgekehrt bemerkt Chrysostomus, In Phil. hom. 3, 4 (PG 62, 203), jene Toten müsse man beweinen, die ωρὶς σφραγῖδος hinübergegangen sind.

[29]) Hieher gehören u. a. mindestens die Darstellungen von Noe, Moses am Quell, Jonas, Susanna, der Taufe Jesu, der Heilung des Blinden und des Gichtbrüchigen (Vergebung der Sünden). — Die Kontroverse über den Sinn der altchristlichen Kunst geht heute doch immer mehr in die Anerkennung ihrer symbolischen Bedeutung über; vgl. etwa J. P. Kirsch, Der Ideengehalt der ältesten sepulkralen Darstellungen in den römischen Katakomben: Röm. Quartalschrift 36 (1928) 1—20. Allerdings dürfte dabei die Taufe eine stärkere Berücksichtigung verdienen, als ihr meist geschenkt wird.

[30]) E. Diehl, Lateinische altchristliche Inschriften, 2. Aufl. (Kleine Texte 26/28), Bonn 1913, n. 14. 71; vgl. 20.

Herrn[31]) nennt die alte Kirche den Tod der Gerechten, von dem sie ja nach einer kleinen Weile wieder erstehen sollen, einen Schlaf[32]), und es ist ein Schlaf des Friedens, nicht nur weil Kampf und Streit des Erdenlebens vorüber sind, sondern auch weil erst jetzt der Friede, den Christus bringen wollte, endgültig gesichert ist: *et dormiunt in somno pacis*[33]). Zahllos sind die Grabinschriften, die das Wort vom Frieden gebrauchen: *requiescit in pace*[34]), *in somno pacis*[35]), *praecessit in somno pacis*[36]). Eine Inschrift aus S. Prassede in Rom aus dem Jahre 397 beginnt: *Dulcis et innoces hic dormit Severianus XP in somnio pacis. Qui vixit annos p. m. L, cuius spiritus in luce Domini susceptus est*[37]).

Die hinübergegangenen Gläubigen sind die *in Christo quiescentes*, im gleichen Sinn wie die Schrift spricht von *mortui qui in Christo sunt* (1 Thess 4, 17) und von denjenigen *qui in Domino moriuntur* (Apok 14, 13). Sie sind dem Leibe Christi nun für immer eingefügt, von seinem Leben durchströmt. Aber die Vollendung haben diejenigen, für die wir beten, doch noch nicht erlangt. Der Staub der irdischen Pilgerschaft haftet noch an ihren Füßen. Sie haben noch nicht eingehen dürfen *in locum refrigerii, lucis et pacis*. Das Wort *refrigerium* diente in den heißen Ländern des Südens schon früh zur Bezeichnung des Zustandes der Seligen, denen Kühlung geworden ist[38]). Das Wort vom Licht, das schon gemeinmenschlich der Inbegriff der Freude ist, ist durch die Bilder der Apokalypse (21, 23 f; 22, 5) noch besonders nahegelegt[39]).

---

[31]) Mt 9, 24 u. Parall.; Jo 11, 11.

[32]) Im Worte *coemeterium* (κοιμητήριον) für Friedhof lebt die Ausdrucksweise bis heute fort. Inwieweit das Bild vom Schlaf auf die Vorstellung, die man sich im christlichen Altertum vom Zustand der Verstorbenen meist machte, eingewirkt hat, ist hier nicht zu untersuchen.

[33]) Daß die *pax* als Friede mit der Kirche im Gegensatz zu Häresie und Exkommunikation zu verstehen sei, wie Gihr 616 f annimmt, ist ebenso im ursprünglichen Sinn ausgeschlossen wie im Wortlaut nicht begründet.

[34]) Diehl n. 2. 37. 41. 43 usw.

[35]) Diehl n. 34. 42. 81. 116. 173.

[36]) Diehl n. 96 (aus Spoleto, um 400).

[37]) Diehl n. 166.

[38]) A. Parrot, Le ‚refrigerium' dans l'au-delà, Paris 1937. Ursprünglich geht der Ausdruck *refrigerium* auf die Wasserspende, durch die man den Hingeschiedenen glaubte Kühlung verschaffen zu können (170). Der Gebrauch des Wortes im Sinne von Mahl, Totenmahl ist davon abgeleitet. Vgl. oben I, 286.

[39]) Offenbar ist als Hintergrund unseres Gebetes noch nicht die klare Vorstellung vorauszusetzen, daß es sich nur um den Übergang vom Ort der Reinigung zur seligen Anschauung Gottes handeln kann, sondern eher der unbestimmtere Gedanke, daß allgemein für die Geretteten die in jeder Hinsicht endgültige Vollendung nicht schon

Ähnlich wie mit dem *Memento* der Lebenden wird auch mit dem der Verstorbenen wohl von jeher eine Nennung der Namen verbunden gewesen sein. Ein Hinweis darauf liegt in der Textform, die die irische Überlieferung des römischen Kanons bietet: *Memento etiam Domine et eorum nomina qui nos praecesserunt* ...[40]). Der zelebrierende Priester wird bei der Messe für bestimmte Verstorbene an Stelle des Wortes *nomina* oder auch nach *in somno pacis* deren Namen eingesetzt haben. Die wohl erst jüngere Textform mit *famulorum famularumque tuarum,* die in der außeririschen Überlieferung des römischen Kanons vorliegt[41]), hatte ursprünglich keinen solchen Vermerk für eine Namennennung. An der Stelle des heutigen *N. et N.* bietet ein gleichwertiges *ill. et ill.* erst die Sakramentarüberlieferung, die auf Alkuin zurückgeht, der ja das Totengedächtnis in das Hadrianische Sakramentar als festen Bestandteil hineingenommen hat[42]). Da man um diese Zeit anfing, den Kanon halblaut oder still zu sprechen, mußte eine solche Namennennung, wenn sie wirklich geschah[43]), ebenso wie das *Memento* selbst nunmehr auch an Sonn- und Festtagen nichts Auffälliges mehr haben.

Doch ist zunächst außerhalb der Sonn- und Festtagsmesse auch der Brauch einer förmlicheren Verlesung der Namen Verstorbener mit Zu-

---

sofort gegeben ist. Vgl. A. Michel, Purgatoire (DThC XIII, 1163—1326) 1212 ff; P. Bernard, Ciel (DThC 2474—2511) 2483 ff; J. de Vuippens, Le paradis terrestre au troisième ciel, Freiburg (Schw.) 1925, 17 ff.

[40]) Botte 44 (wohl zu Unrecht nur im Apparat). — Das Wort *nomina,* das im Sacramentarium Rossianum fehlt, muß ursprünglich Rubrik gewesen sein. Es ist gleichwertig dem später üblichen *N. et N.* Das erhellt aus dem Stowe-Missale ed. Warner (HBS 32) 14, wo hier gleichfalls *nomina* steht, während die Singularform regelmäßig mit *N.* bezeichnet ist; vgl. oben 205 Anm. 19. In der Druckausgabe des Missale Francorum bei Muratori II, 694 ist das Wort *nomina* in Klammern gesetzt. — Die gleiche Textfassung auch noch in späteren Zeugen: Ordo ‚Qualiter quaedam' (Andrieu II, 280 f. 301; PL 78, 983 C); Bernold von Konstanz, Micrologus c. 23 (PL 151, 994). Einige Beispiele bei Gerbert, Vetus liturgia Alemannica I, 367 f.

[41]) Kennedy 52.

[42]) Auffälligerweise hat Botte 44 dieses *ill. et. ill.* in seinen kritischen Text eingesetzt, obwohl dafür von seinen 19 Textzeugen nach Abzug der Textlücken und der Varianten (auch Cod. Pad. hat die irische Fassung) nur der eine Cod. Ottobon. (d. i. der Vertreter der Alkuinschen Ausgabe) als Zeuge übrigbleibt. — Lebrun I, 453 Anm. b nennt noch französische Missalien von 1702 und 1709, die das *N. N.* nicht im Text haben.

[43]) Für die Gegenwart merkt Gihr 615 Anm. 2 an, daß der Priester nicht bei den Buchstaben *N. et N.*, sondern nach *in somno pacis* „einige Hingeschiedene ausdrücklich in Erinnerung bringen" soll. Vgl. Fortescue 355.

hilfenahme von Diptychen bezeugt, und zwar auch schon für die vorkarolingische römische Liturgie. Die Verlesung geschah dann durch den Diakon[44]), und zwar in diesem Fall in der Regel nicht schon an der Stelle des heutigen *N. et N.*, sondern zwischen den beiden Sätzen des Gebetes, dort, wo auch heute das stille Gedenken verlangt wird[45]).

Bis ins späte Mittelalter findet sich hier nicht allzu selten die Rubrik: *Hic recitentur nomina defunctorum*[46]). Weniger häufig ist die Überschrift *Super diptycia* vor dem *Memento etiam*[47]). Soweit diese Namenverlesung nun doch in den öffentlichen Gottesdienst vordrang, wird es sich, wie in

---

[44]) Sakramentar von Padua (Mohlberg-Baumstark n. 885): *Si fuerint nomina defunctorum, recitentur dicente diacono.* Daß mit dieser vielleicht ins 7. Jh. zurückgehenden Rubrik, die dem *Memento etiam* vorangestellt ist, auch dieses selbst dem Diakon zugeteilt wird, wie Baumstark, Das ‚Problem' (Eph. Liturg. 1939) 237 Anm. 51 (ebenso Liturgie comparée 53 Anm. 4), annimmt, ist im Text nicht notwendig enthalten und würde der uns sonst bekannten römischen Auffassung vom Amt des Diakons gänzlich widerstreiten. In einem Sakramentar des 9./10. Jh. aus Tours, von dem Martène 1, 4, 8, 23 (I, 415 B) berichtet, kehrt die Rubrik in der Fassung wieder: *Si fuerint nomina defunctorum, recitentur; dicat sacerdos: Memento.* Vgl. Leroquais I, 49. Ebenso (statt *dicat: dicet)* ein Sakramentar des 10. Jh. aus Lorsch: Ebner 248. — Ein nur äußerlich ähnlicher Fall ist es, wenn ein Bischof von Amiens 1574 testamentarisch bestimmt, daß der Diakon nach seinem Ableben dem Zelebranten zurufen soll: *Memento Domine animarum servorum tuorum Johannis et Antonii de Crequy.* Anderswo hatte ein Chorknabe die gleiche Aufgabe; Martène 1, 4, 8, 24 (I. 416). Vgl. de Moléon 195. 374.

[45]) Schon das Missale von Bobbio hat an dieser Stelle den Vermerk: *commemoratio defunctorum;* Botte 44. Als damaliger Brauch der römischen Kirche (im Gegensatz zur fränkischen) wird die Namenverlesung *ex diptychis* an dieser Stelle erwähnt von Florus Diaconus († um 860), De actione miss. c. 70 (PL 119, 62 C). Dasselbe wiederholt Remigius von Auxerre, Expositio (PL 101, 1264 A).

[46]) Beispiele seit dem 9. Jh. bei Leroquais I, 44. 84. Beispiele aus dem 10.—15. Jh. aus Italien bei Ebner 17. 27. 109. 137. 149. 163. 204. 280. 292. 330. 335. Derselbe Vermerk im Ordo ‚Qualiter quaedam' (Andrieu II, 301; PL 78, 983 C; vgl. oben Anm. 9): *Et recitantur nomina. Deinde, postquam recitata fuerint, dicit: Ipsis.* Ähnlich Bernold von Konstanz, Micrologus c. 23 (PL 151, 994). — Auch die förmliche Eintragung des Namens in das Sakramentar beim Totengedächtnis hat man sich manchmal in mittelalterlichen Stiftungen ausbedungen; Martène 1, 4, 8, 24 (I, 416 D). Es finden sich denn auch nicht selten Namen in den Handschriften beigeschrieben. Beispiele aus dem 9.—13. Jh. bei H. Ehrensberger, Libri liturgici Bibliothecae Apost. Vaticanae, Freiburg 1897, 394. 401. 409. 412. 451. — Vgl. auch oben 206.

[47]) Siehe oben Anm. 9.

der Diptychenverlesung des Orients, um Namen hervorragender Persönlichkeiten oder besonderer Wohltäter gehandelt haben[48]). Die Rolle des Diakons wird dabei nicht lange gedauert haben. Es wurden dann mehr oder weniger umfängliche Einschaltformeln ausgebildet, die vom Priester selbst mit der Namennennung zu verbinden waren[49]) oder die auch an ihre Stelle treten konnten[50]), wenn nicht die nähere Erwähnung oder Nennung der Verstorbenen schon mit einer ähnlichen Formel zum Gedächtnis der Lebenden verbunden wurde[51]). Schließlich blieb an Stelle aller dieser Einschaltungen ein persönliches Gedenken des Priesters nach seinem freien Ermessen[52]) wie beim *Memento* der Lebenden[53]), und wie

---

[48]) Martène 1, 4, 8, 23 (I, 415 D) erwähnt eine Hs, die nach dem *ill. et ill.* des Kanontextes beifügt: *episcoporum praesentis ecclesiae.* Ebd. 24 (I, 415 f) Nachrichten aus dem 9.—12. Jh. und der Text eines Totendiptychons aus Amiens vom Jahre 1120. Die Einschaltung einer Reimser Bischofsliste (bis um 1100) bei Andrieu, Les ordines I, 147. Vgl. auch das Beispiel von Arezzo in der folgenden Anmerkung.

[49]) Ein Sakramentar des 11. Jh. aus Arezzo schaltet nach *in somno pacis* ein: *illorum et omnium fidelium catholicorum qui tibi placuerunt, quorum commemorationem agimus, quorum numerum et nomina tu solus, Domine, cognoscis et quorum nomina recensemus ante sanctum altare tuum.* Vor dem *Memento* stehen auf Rasur nach einer Apologie (an Stelle einer älteren Namenliste?) 19 Namen des Domklerus von Arezzo. Ebner 225. 419. 421. — Hieher gehört auch die vierte Mementoformel in der Missa Illyrica: Martène 1, 4, IV (I, 514 D). — Zahlreiche weitere Beispiele bei Leroquais (s. Register III, 389). — Daß schon im 10. Jh. der Priester selbst solche Einschaltungen sprach, zeigt eine Einfügung dieser Zeit im Meßordo von Amiens ed. Leroquais (Eph. liturg. 1927) 443: nach Nennung einiger Bischöfe und geistlicher Gemeinschaften folgt: *patris mei et matris* usw.

[50]) Meßordines aus dem Bereich von Montecassino fügen ein (an der Stelle von *N. et N.): quorum vel quarum nomina scripta habemus et quorum vel quarum elemosinas accepimus, et eorum qui nos praecesserunt.* Ebner 203. 421; Fiala 211. Ähnlich ein Fragment des 9./10. Jh. ed. Dold: Archiv f. Liturgiewiss. 1 (1950) 121. — Ein Sakramentar des 11. Jh. aus Echternach nennt die Wohltäter des Gotteshauses und diejenigen, *quorum corpora in hoc loco requiescunt et in circuitu ecclesiae istius;* Leroquais I, 123. — Weitere Beispiele ebd. (s. Register III, 389 f); Ebner 420. Vgl. auch die zweite Formel in der Missa Illyrica: Martène 1, 4, IV (I, 514 B). — Eine lange Einschaltformel, die aber in ein gallikanisches Fürbittengebet übergeht, auch schon im Stowe-Missale; s. oben 204 Anm. 17; Botte 44 Apparat.

[51]) Ebner 401—403. 421 f; vgl. oben 206 Anm. 24.

[52]) So in der spätmittelalterlichen Meßordnung von Bec: Martène 1, 4, XXXVI (I, 674 B).

[53]) So ausdrücklich Hugo von S. Cher, Tract. super missam (ed. Sölch 40); vgl. oben 207 Anm. 32.

bei diesem wurden auch bei dem für die Verstorbenen wieder eigene Formen geschaffen, die man dafür gebrauchen konnte[54]).

Wie der Bereich des letzteren, so hat sich auch der Umkreis des Totengedächtnisses früh als ein Boden erwiesen, auf dem auch sonst mancherlei Einschaltungen wuchern konnten. Weit verbreitet war an dieser Stelle eine Apologie, die meist vor dem *Memento* eingefügt wurde[55]). Es wurden auch schon Einschaltungen vorgenommen im vorausgehenden *Supplices*[56]) oder vor demselben[57]). Alt und weit verbreitet war eine Rubrik, die nach den Worten *Supplices te rogamus* eine Pause

[54]) Das Directorium divinorum officiorum des Ciconiolanus von 1539 hat die Formel: *Memento etiam, Domine, famulorum famularumque tuarum illius vel illorum vel illarum, pro quo vel qua vel quibus specialiter orare teneor, parentum, propinquorum, amicorum, benefactorum, et omnium fidelium defunctorum, quibus aeternam requiem donare digneris. Qui nos praecesserunt.* Legg, Tracts 211. Noch nähere Bezeichnung im Regensburger Missale um 1500: Beck 273.

[55]) In ursprünglicher Fassung ist sie am Rande des Cod. Ottobon. des Gregorianums (Lietzmann n. 1, 28 Apparat) eingetragen: *Memento mei, quaeso Domine, et miserere, et licet haec sacrificia indignis manibus meis tibi offeruntur, qui nec invocare dignus sum nomen sanctum tuum, quaeso iam quia in honore gloriosi Filii tui Domini Dei nostri tibi offeruntur, sicut incensum in conspectu divinae maiestatis tuae cum odore suavitatis accendantur*... Auch im Sakramentar von Metz (9. Jh.): Leroquais I, 17, und bereits in verderbter Form um 800 im Sakramentar von Angoulême (ed. Cagin, Angoulême 1919, S. 118; Botte 44 Apparat). Weitere Fundorte seit dem 9. Jh. bei Leroquais I, 48 f. 54. 63 usw. (s. Register: III, 390); Fundorte des 10.—12. Jh. nebst Besprechung bei Ebner 419 (mit Anm. 1—3); s. auch Ferreres 155 f; Gerbert, Vetus liturgia Alemannica I, 364; Martène 1, 4, 8, 24 (I, 416 E) und ebd. IV. V. IX (I, 514 C. 527 C. 547 E). — In der Missa Illyrica eine zweite *Memento*-Apologie: ebd. IV (I, 514 A). Auch bei Ebner 420 eine weitere hieher gehörige Formel, halb Apologie, halb Darbringung vom Typ der oben 57 ff beschriebenen *Suscipe*-Formeln, hier beginnend: *Omnipotens s. D. dignare suscipere;* dieselbe Formel weniger verderbt bei Bona II, 14, 1 (788 f). — Ein kürzerer Ausdruck des gleichen Gedankens liegt vor, wenn ein unteritalisches Sakramentar des 12. Jh. vor dem *Memento etiam* dreimal beten läßt: *Deus omnipotens, propitius esto mihi peccatori;* Ebner 149. 420. Es liegt darin eine Einwirkung der byzantinischen Messe vor; s. Brightman 354 Z. 41; 356 Z. 17; 378 Z. 26; 393 Z. 7. — Mit dem 12. Jh. sind diese apologieartigen Einschaltungen auch hier verschwunden. Durandus III, 45, 1 kennt die Formel *Memento mei quaeso* nur *in antiquis codicibus.*

[56]) Ein Beispiel mit Fürbitten bei Ebner 418 f.

[57]) Ein unteritalisches Missale des 12. Jh. läßt den Priester hier sich verbeugen und dreimal sagen: *Deus omnipotens, propitius esto mihi peccatori.* Ebner 149. 418. Vgl. oben Anm. 55.

gestattete: *Hic orat apud se quod voluerit. Deinde dicit: iube*...[58]). Die Einschaltung persönlicher Anliegen hat also früh eingesetzt.

Das Totengedächtnis schließt wieder mit *Per Christum Dominum nostrum*[59]). Der Priester begleitet die Worte an dieser Stelle mit einer Verneigung. Das ist ungewöhnlich. Man sucht die Erklärung u. a.[60]) darin, daß diese Verneigung zum vorausgehenden *deprecamur* oder zur demütigen Selbstanklage des nachfolgenden *Nobis quoque peccatoribus* gehöre oder aber, daß sie dem Worte „Christus" gelte. Letztere Annahme kann sich auf einzelne Parallelen seit dem 15. Jahrhundert berufen[61]). Aber warum ist die Verneigung gerade nur hier Vorschrift geblieben[62])? Wir haben darin offenbar eine Auswirkung der allegorischen Auffassung der Meßliturgie, derselben Denkweise, die im späteren Mittelalter zur symbolischen Darstellung des Gekreuzigten durch die Ausbreitung der Arme nach der Wandlung und durch die Kreuzung der Hände beim *Supplices* geführt hat. Sie hat gegen Ende des Kanons auch dem Augenblick, da der Heiland sterbend sein Haupt geneigt hat, einen Ausdruck schaffen wollen[63]).

---

[58]) Ordo ‚Qualiter quaedam' (Andrieu II, 300; PL 78, 983 C). Weitere Angaben s. Brinktrine, Die hl. Messe 216; Gerbert, Vetus liturgia Alemannica I, 363 f.

[59]) Seit dem Zeitalter der Humanisten: *Per eundem Chr. D. n.;* s. Botte 44.

[60]) L. Brou, L'inclination de la tête au ‚Per eundem Christum' du Memento des morts: Miscellanea Mohlberg I (1948) 1—31; hier werden S. 3—9 elf Erklärungsversuche aufgeführt.

[61]) Das Missale der Bursfelder Kongregation und der Meßordo Burchards kennen eine Verneigung beim *Per Christum D. N.* der Präfation; das Dominikanermissale hat seit 1705 eine solche nach dem *Communicantes;* Brou 9—13.

[62]) Sie erscheint erstmalig im Missale Pius' V., und zwar in der Antwerpener Druckausgabe von 1571; Brou 2 f. 28 f.

[63]) Diese (von Brou zu Unrecht abgelehnte) Erklärung u. a. bei Gihr 620. — Die führenden mittelalterlichen Erklärer sprechen merkwürdigerweise nicht näher von der kleinen Zeremonie. Doch sucht schon Amalar, Liber off. III, 25, 7 (Hanssens II, 342), und später Bernold von Konstanz, Micrologus c. 16 (PL 151, 987 D) nach einem liturgischen Ausdruck dafür, daß Christus *inclinato capite* den Geist aufgab, und sie finden ihn, wohl noch in Ermanglung einer anderen gleichartigen Zeremonie, in der Verbeugung beim *Supplices;* vgl. oben I, 119. Ebenso Honorius Augustod., Gemma an. I, 46 (PL 172, 558). Durandus IV, 7, 6 f hält die von ihm festgestellten 13 *inclinationes* des Priesters am Altar mit entsprechenden Handlungen im Leben und Leiden des Herrn zusammen, darunter auch damit, daß er seinen Geist dem Vater zurückgab. Doch nennt er dafür keine bestimmte Verneigung. Vgl. auch die weiteren Feststellungen unten 321 f.

17. Nobis quoque

Im heutigen Kontext des römischen Kanons schließt sich an das Gedächtnis der Verstorbenen, ohne daß wir den Eindruck eines Sprunges hätten, das letzte größere Gebet an, das *Nobis quoque*. Nachdem wir für die Verstorbenen um den Ort des Lichtes und des Friedens gebetet haben, bitten wir auch für uns selbst um einen Anteil mit den Heiligen des Himmels. So einfach und natürlich der gedankliche Übergang uns zunächst erscheint, so stößt eine nähere Betrachtung doch sofort auf verschiedene Fragen. Warum folgt hier überhaupt noch dieses Gebet? Ist sein Hauptgedanke nicht schon im *Supplices* ausgesprochen worden mit der Bitte um „allen himmlischen Segen"? Die Frage wird noch drängender, wenn wir auf den textgeschichtlichen Befund achten, demzufolge das Totengedächtnis ja überhaupt nicht zum festen Bestande des Kanons gehörte, während das *Nobis quoque* von allen Textzeugen geboten wird, und also einmal unmittelbar auf das *Supplices* gefolgt ist.

Daß unser Gebet als Fortsetzung des *Supplices* entstanden und demgemäß zu erklären sei, ist denn auch die nächstliegende Annahme, und sie ist trotz den angedeuteten Schwierigkeiten noch in jüngster Zeit vertreten worden[1]). Ein Fortschritt des Gedankens liegt im zweiten Gebet immerhin vor, da nicht nur um Segen und Gnade vom Himmel, sondern um die Himmelsseligkeit selber in der Gemeinschaft der Apostel und Märtyrer gebetet wird. Zudem kann noch auf orientalische Parallelen verwiesen werden, die ebenfalls die Bitte um die Heilsfrüchte der Kommunion als Bitte um die himmlische Seligkeit weiterführen[2]) und so den biblischen Gedanken der Verbindung von Eucharistie und ewigem Leben (Jo 6, 48—51) aufgreifen. In einem Fall geschieht das sogar mit Worten, die an Wendungen unseres *Nobis quoque* anklingen[3]).

Anderseits bleibt es doch recht auffällig, daß für eine so geringfügige Weiterführung eines im wesentlichen schon ausgesprochenen Gedankens,

---

[1]) Von Baumstark, Das ‚Problem' des römischen Meßkanons (Eph. liturg. 1939) 238 f.

[2]) Baumstark a. a. O. 239. Baumstark betont besonders die Wendung in der Markusliturgie (Brightman 134): die Kommunion möge den Empfängern gereichen εἰς κοινωνίαν μακαριότητος ζωῆς αἰωνίου, das er mit dem *societatem* des römischen Textes zusammenhält.

[3]) In der ägyptischen Basiliusanaphora (Renaudot I [1847] 68), auf die mich P. Leo Eizenhöfer (Brief vom 6. I. 1942) hinweist, heißt es im unmittelbaren Anschluß an die Epiklese: Mach uns würdig, an deinen Mysterien teilzunehmen, ἵνα . . . εὕρωμεν μέρος καὶ κλῆρον ἔχειν μετὰ πάντων τῶν ἁγίων.

für deren Ausdruck es genügen würde, zu den Worten: *omni benedictione coelesti et gratia repleamur,* hinzuzufügen: *et vitam aeternam consequamur,* das schwere Rüstzeug des als selbständiger Satz gebauten und recht umständlich formulierten *Nobis quoque* aufgeboten wird. Daß dies der ursprüngliche Plan sein sollte, scheint nahezu ausgeschlossen durch die Tatsache, daß gerade das *Supplices,* anders als die vorausgehenden Gebete, die abschließende Formel *Per Christum Dominum nostrum* aufweist. Dazu kommt das rätselhafte *quoque,* das durchaus verständlich ist, wenn das Totengedächtnis vorhergeht, und wenn nun „auch" für uns eine ähnliche Bitte folgt wie für die Verstorbenen, das aber mit der Ausschaltung des Totengedächtnisses seinen Beziehungspunkt verliert, da doch auch schon „wir" als Empfänger der im *Supplices* erbetenen Gnade genannt sind[4]).

Doch ist auch noch eine andere Betrachtungsweise möglich und vielleicht notwendig, bei der das *quoque* einen erträglichen Sinn erhält. Ist es denn sicher derselbe Personenkreis, von dem im *Supplices* und im *Nobis quoque* die Rede ist? Mit *nos peccatores* oder richtiger *nos peccatores famuli tui*[5]), „wir, deine sündigen Knechte", könnte an und für sich gewiß die Gesamtgemeinde bezeichnet sein, wie dies viele Erklärer stillschweigend und manche auch ausdrücklich[6]) annehmen. Aber es wäre

---

[4]) P. Leo Eizenhöfer macht mit Brief vom 5. IX. 1943 auf die Möglichkeit aufmerksam, das *quoque* im Spätlatein mit einem bloßen *-que* gleichzusetzen, wofür er verweist auf Stolz-Schmalz, Lateinische Grammatik, 5. Aufl., von Leumann-Hofmann, München 1928, 662. Damit wäre allerdings die Schwierigkeit des „auch" beseitigt, aber ein anknüpfendes *-que* ist ausgeschlossen durch die vorausgehende Schlußformel *Per Christum Dominum nostrum,* die von allen Textzeugen, das Stowe-Missale ausgenommen (Botte 42), geboten wird und die schwerlich als jüngerer Zusatz betrachtet werden kann. — Baumstark a. a. O. 239 f deutet das *quoque* in der Weise, daß gebeten würde, Gott möge neben den (erst zu nennenden und tatsächlich erst nach mehreren Zwischenwendungen genannten) Aposteln und Märtyrern auch uns einen Anteil gewähren; die Apostel und Märtyrer würden also schon von vornherein dem Geiste vorschweben. Dafür fehlt aber ein genügender Anlaß im vorausgehenden Text.

[5]) Rütten, Philologisches zum Canon missae (StZ 1938, I) 46, mit dem Hinweis, daß das Missale bis heute kein Komma vor *famulis* hat. Ein ganz ähnlicher adjektivischer Gebrauch von *peccatores* liegt z. B. vor bei Augustinus, Sermo 215, 4 (PL 38, 1074): Gott ist Mensch geworden *pro reis et peccatoribus servis,* und ebd. nochmals: *pro peccatoribus servis,* aber auch im Leonianum (Muratori I, 329): *famuli peccatores* (Hinweise von P. Leo Eizenhöfer).

[6]) Duchesne, Origines 193; Baumstark, Das ‚Problem' 238 f; auch Brinktrine, Die hl. Messe 222, mit der allerdings schwachen Begründung, daß das Sacramentarium Rossianum (11. Jh.) den Beisatz habe: *(famulis) et famulabus* — eine ganz alleinstehende Lesart; s. Botte 44.

unter den Tausenden von Beispielen, die wir in den Sakramentaren für die Bezeichnung der vom betenden Priester vertretenen Gesamtgemeinde besitzen, der einzige Fall dieser Art[7]). Dagegen war *peccator* wohl als Selbstbezeichnung und besonders als Selbstbezeichnung des Klerikers früh gebräuchlich. Tertullian bittet am Schluß seiner Taufschrift: *ut cum petitis, etiam Tertulliani peccatoris memineritis*[8]). Es war durch Jahrhunderte in Kleriker- und Mönchskreisen Brauch, bei Unterschriften zum eigenen Namen das Wort *peccator* hinzuzufügen[9]). So müssen wohl auch hier mit den *peccatores famuli* die Kleriker gemeint sein, der zelebrierende Priester mit seiner Assistenz[10]). Wenn dem so ist, dann erhält auch die Anknüpfung mit *quoque* sogar unmittelbar nach dem *Supplices* einen annehmbaren Sinn; das *quoque* bedeutet dann etwa: „im besonderen auch". Zur Bitte für alle fügen wir noch eine besondere Bitte hinzu auch für uns arme Sünder selbst.

Eine Selbstempfehlung, eine Bitte für die eigene Person, die zugleich mit dem Bekenntnis der eigenen Unwürdigkeit verbunden wurde, hat wenigstens im Orient schon im 4. Jahrhundert zum Fürbittengebet gehört[11]). In der Jakobusliturgie Syriens wird sie gleich zu Anfang eingeschaltet[12]), während sie in Ägypten gegen Ende der Fürbitten erscheint[13]). In der griechischen Markusliturgie von Alexandria ist sie sogar zweigliedrig: „Gedenke o Herr in Gnade und Erbarmen auch unser, deiner sündigen und unwürdigen Diener, (καὶ ἡμῶν τῶν ἁμαρ-

---

[7]) Dieser Eindruck wird bestätigt, wenn man z. B. die im Wortregister zum Gregorianum bei Lietzmann S. 159 s. v. *peccator* gebuchten Fälle prüft.

[8]) Tertullian, De baptismo c. 20 (CSEL 20, 218).

[9]) Siehe z. B. aus dem 6. Jh. die Unterschriften bei Mansi IX, 867 ff. — In griechischen Urkunden wurde im gleichen Sinn manchmal abgekürzt das Wort τ(απεινός) beigefügt, aus dem bekanntlich das Kreuz hervorgegangen ist, das Bischöfe und Äbte bei der Unterschrift vor ihren Namen setzen. — Vgl. auch die allerdings späteren *peccator*-Formeln im *Orate fratres*, oben 104.

[10]) Aus dem Wort *famuli* würde sich dasselbe noch nicht erschließen lassen, wie dies allerdings P. Maranget, La grande prière d'intercession: Cours et conférences VII, Löwen 1929, 188 Anm. 19, versucht. Denn *famuli tui* ist nicht gleichwertig mit *servi tui, servitus tua,* das an zwei früheren Stellen des Kanons steht; vgl. oben 231. 277.

[11]) Const. Ap. VIII, 12, 41 (Quasten, Mon. 225): καὶ ὑπὲρ τῆς ἐμῆς τοῦ προσφέροντος οὐδενίας.

[12]) Brightman 55: Μνήσθητι, κύριε, κατὰ τὸ πλῆθος τοῦ ἐλέους σου καὶ τῶν οἰκτιρμῶν σου καὶ ἐμοῦ τοῦ ταπεινοῦ καὶ ἀχρείου δούλου σου . . . .; vgl. ebd. 90. Über die zahlreichen Varianten s. Rücker, Die Jakobosanaphora 27.

[13]) Brightman 130. Ebenso in der byzantinischen Basiliusliturgie, während die byzantinische Chrysostomusliturgie die Bitte nicht hat.

τωλῶν καὶ ἀναξίων δούλων σου) und unsere Sünden tilge, guter und menschenfreundlicher Gott; gedenke Herr auch meiner, deines geringen und sündigen und unwürdigen Dieners..."[14]). Die Ähnlichkeit des Ausdruckes ist überraschend. Angesichts der schon mehrfach festgestellten Zusammenhänge im besonderen zwischen Ägypten und Rom kann diese Ähnlichkeit kaum zufällig sein. Wir werden also auch in der römischen Messe den in den orientalischen Texten eindeutig gegebenen Sinn einer Selbstempfehlung anzunehmen haben. Dieser Sinn ist dem *Nobis quoque* übrigens auch schon von mittelalterlichen Erklärern gegeben worden[15]).

Damit ist für die Möglichkeit Raum gewonnen, daß sich das *Nobis quoque* ursprünglich an das *Supplices* angeschlossen hat. Die Tatsache ist damit noch lange nicht gesichert. Ja es wäre sehr auffällig, wenn einzig, um diese Selbstempfehlung anzubringen, vor Schluß des Kanons die Darbringungsgebete abgeschlossen und noch einmal mit einem besonderen Gebete eingesetzt worden wäre[16]). Ein solcher Neueinsatz war dagegen leichter zu vollziehen, wenn zuerst das Totengedächtnis einzufügen war, das an das vorausgehende Gebet, wie wir sahen, sehr gut anschließt, und wenn nun, wie „eine Art Embolismus"[17]), das *Nobis quoque* folgte[18]). In der heutigen Aufeinanderfolge der beiden Gebete würde also nur der ursprüngliche Zustand wiederhergestellt sein. Wir müssen dann allerdings annehmen, daß beide Gebete zunächst der Sonn- und Festtagsmesse fremd waren. Als man um die Wende des 6. Jahrhunderts daranging, die ursprünglich geringe Zahl von Heiligennamen im *Nobis quoque* zur heutigen wohlgeordneten Doppelreihe auszubauen und der des *Communicantes* bewußt an die Seite zu stellen, mußte schon die Parallele ein Grund sein, das *Nobis quoque* als festen Bestandteil in den Kanon hineinzunehmen.

Auch verwandte Erscheinungen in Ägypten sprechen für eine

---

14) Brightman 130. — Der koptische Text ist auf andere Weise erweitert, ebd. 173. — Vgl. auch den verwandten Wortlaut der von Baumstark herausgegebenen ägyptischen Messe im arabischen Testamentum Domini: Oriens christ. 1 (1901) 23; Quasten, Mon. 256 Anm. Dabei wird vermerkt, daß der Priester diese Bitte *secreto* sprechen soll.

15) Thomas von Aquin, Summa theol. III, 83, 4. Ein Hinweis darauf noch bei Gihr 621 Anm. 4.

16) Die Segnung von Naturalien, die dann noch gefolgt ist, hat schwerlich jemals einen festen Bestandteil jeder Messe gebildet; s. unten 323 ff.

17) Botte 69.

18) Für diese Annahme entscheiden sich außer Botte auch Kennedy 34 f; Fortescue 160 f. 355; Eisenhofer II, 190—192.

solche Verbindung mit dem Gedächtnis der Verstorbenen. Es ist nämlich beachtenswert, daß auch dort ein Gebet, das merkwürdig stark an das *partem aliquam et societatem cum sanctis apostolis et martyribus* unserer römischen Formel erinnert, mehrfach[19]), zwar nicht als Selbstempfehlung des Klerus, wohl aber als Bitte für die Gemeinde, an das Totengedächtnis angeschlossen wird, und dies schon im 4. Jahrhundert.

In dem aus dieser Zeit stammenden Papyrusfragment der Markusanaphora heißt es gegen Ende der Fürbitten: „(1) Gib den Seelen der Entschlafenen die Ruhe, (2) gedenke derer, (für die) wir am heutigen Tage das Gedächtnis halten, (3) und derjenigen, deren Namen wir sagen und deren Namen wir nicht sagen, (4) (vor allem) unserer rechtgläubigen heiligen Väter und Bischöfe überall, (5) und laß uns Anteil und Los erhalten (μερίδα καὶ κλῆρον ἔχειν) (6) mit (der Versammlung von) deinen heiligen Propheten, Aposteln und Märtyrern“[20]).

In den jüngeren ägyptischen Texten kehrt dieser Wortlaut wieder, aber erweitert und mit einigen Umstellungen[21]). Übrigens kennt auch die west-

---

[19]) Es ist nicht ausschließlich der Fall; s. oben Anm. 3, wo jedoch die textliche Verwandtschaft mit dem *Nobis quoque* nicht so eng ist wie in dem sofort anzuführenden Wortlaut.

[20]) Quasten, Mon. 46—49. Vgl. die Erstausgabe von M. Andrieu und P. Collomp, Fragments sur papyrus de l'anaphore de S. Marc: Revue des sciences réligieuses 8 (1928) 489—515, und den Kommentar der Herausgeber zur Stelle S. 511 f.

[21]) Im Textus receptus der griechischen Markusanaphora finden sich von den sechs Gliedern des angeführten Textes vier in der Reihenfolge 1. 2. 5. 4 wieder (Brightman 128—130). Nach n. 1 ist, anscheinend als Ersatz für n. 6, eingeschaltet: Gott möge „gedenken der Vorväter von Anbeginn, der Väter, Patriarchen, Propheten ...“ (1 a), nach n. 2 ist die Nennung des hl. Markus und der Gottesgebärerin hinzugekommen, worauf die „Diptychen der Entschlafenen“ und die nochmalige Bitte um die Himmelsseligkeit folgen. Zwischen n. 5, das die einfache Form hat: δὸς ἡμῖν μερίδα καὶ κλῆρον ἔχειν μετὰ πάντων τῶν ἁγίων σου, und n. 4 stehen noch Darbringungsgebete und eine Bitte für Patriarchen und Bischöfe. — Noch etwas getreuer kehrt der alte Bestand wieder in der koptischen Fassung (Brightman 169 f), wo die Textstücke 1. 1 a. 4. 5. 2. 3 (und zuletzt noch einmal 5) aufeinanderfolgen, allerdings unter Zwischenschaltung zahlreicher Erweiterungen. In n. 1 a sind die Namen von Maria, Johannes dem Täufer, Stephanus und einer Reihe von Bischöfen und Äbten hinzugetreten. Die Diptychen stehen zwischen n. 2 und n. 3. Eine noch etwas einfachere Gestalt der koptischen Überlieferung bei H. Hyvernat, Fragmente der altcoptischen Liturgie: Röm. Quartalschrift 1 (1887) 339 f, mit der Abfolge der Textstücke: 1. 1 a. 5. 4. 2. 3. 5. — Andrieu-Collomp 512 sind geneigt, besonders für das uns vor allem interessierende Textstück n. 5. 6 im Papyrusfragment den ursprünglichen Text zu sehen.

syrische Messe eine ähnliche Weiterführung des Totengedächtnisses[22]). So könnte auch im römischen Kanon das zum Totenmemento hinzutretende Gebet ursprünglich einfach begonnen haben: *Nobis quoque partem aliquam et societatem donare digneris cum tuis sanctis apostolis et martyribus* ...[23]). Doch ist offenbar schon gleichzeitig, entsprechend der zuerst angeführten orientalischen Parallele (der Anknüpfung einer Selbstempfehlung an das vorausgehende Fürbittengebet) die Einschränkung der Bitte auf den engeren Kreis der Kleriker durch das Wort *peccatoribus famulis* erfolgt.

Mit diesem Gebet sind wohl schon von Anfang an auch einzelne Namen verbunden gewesen. Das Auffällige ist nämlich, daß die beiden ersten Namen des römischen Gebetes, Johannes und Stephanus, auch in Ägypten, und zwar im entsprechenden Gebet der koptischen Messe erscheinen, wenn auch mit einer kleinen Verschiebung der Einfügungsstelle und mit dem Unterschied, daß ihnen noch der Name der Gottesmutter vorausgeht[24]). Es ist sehr wahrscheinlich, daß diese zwei oder die

---

[22]) In der Jakobusanaphora gilt die letzte der mit Μνήσθητι κύριε eingeleiteten Bitten des Priesters, die auf die Verlesung der Diptychen im Fürbittengebet nach der Wandlung folgt, den Verstorbenen, „deren wir gedacht haben und deren wir nicht gedacht haben", Gott möge ihnen die Ruhe gewähren in seinem Reiche, wo kein Schmerz mehr ist; „uns aber gib", so lautet die Fortsetzung, „ein christliches, wohlgefälliges und sündeloses Lebensende im Frieden, Herr, Herr, und führe uns zusammen zu Füßen deiner Auserwählten, wann du willst und wie du willst, nur ohne Beschämung und ohne Verfehlung". Brightman 57; stark erweitert im jakobitischen Text, ebd. 95 f; in anderer Fassung in den jüngeren jakobitischen Anaphoren.

[23]) Die Ausdrucksweise klingt an biblische Wendungen an: Kol 1, 12; Apg 20, 32. Einige der ältesten Sakramentar-Hss haben übrigens: *partem aliquam societatis* (Botte 46), womit wohl eine noch stärkere Anlehnung an Kol 1, 12 versucht ist. — Vgl. übrigens auch schon Polykarp, Ad Phil. 12, 2 (Funk-Biehlmeyer I, 119; griechischer Text nicht erhalten): *det vobis sortem et partem inter sanctos suos.*

[24]) Der Wortlaut des in Anmerkung 21 mit n. 1. 1a angedeuteten Gebetsstückes ist hier: „Unseren Vätern und unseren Brüdern, die entschlafen sind, deren Seelen du hingenommen hast, gib Ruhe, gedenkend aller Heiligen, die dir wohlgefallen haben, seit die Welt begonnen hat, unserer heiligen Väter, der Patriarchen, der Propheten, der Apostel, der Evangelisten, der Prediger, der Märtyrer, der Bekenner, aller gerechten Seelen, die im Glauben vollendet sind, und vor allem ihrer, die die heilige, glorreiche Mutter Gottes und allzeit Jungfrau ist, der heiligen Gottesgebärerin Maria, und des hl. Johannes des Vorläufers und Täufers und Märtyrers, und des hl. Stephanus, des ersten Diakons und ersten Märtyrers ...". Die Fortsetzung (n. 4. 5) ist hier: „Gedenke, Herr, unserer heiligen rechtgläubigen Väter und Erzbischöfe, die entschlafen sind vor Zeiten, die das Wort der Wahrheit recht verwaltet haben, und gib auch uns Anteil und Los mit ihnen." Brightman 169.

drei Namen zu einem frühen Zeitpunkt in Ägypten zum Wortlaut des angeführten Gebetes des Papyrusfragmentes hinzugetreten sind[25]) und daß das Totengedächtnis mit dem so erweiterten Nachsatz schon im 4. Jahrhundert zum alten Grundstock des gemeinsamen Gebetsgutes der römischen und der alexandrinischen Kirche gehört hat[26]). Die Gesamtbezeichnung *cum tuis sanctis apostolis et martyribus* ist römisch und entspricht genau der Bezeichnung *beatorum apostolorum ac martyrum tuorum* im *Communicantes.* Es wird dann aber im Gefühl, daß von den folgenden Namen der erste über die gemachte Ankündigung hinausgeht, noch einmal neu angesetzt: *cum Joanne,* auch ein Anzeichen dafür, daß bereits eine Gruppe von bestimmten Namen gegeben war[27]).

Solange noch auf der Gebetsbitte als solcher der Hauptton lag, konnten es nur wenige Namen sein, die wie im Vorübergehen zur Erwähnung der „heiligen Apostel und Märtyrer" hinzugenommen wurden. Auch hier kamen zunächst nur Heilige in Betracht, die in Rom schon eine bevorzugende Verehrung genossen. Dann setzt in der Zeit der Hochblüte der Märtyrerverehrung wie bei der Heiligenliste des *Communicantes* so auch hier ein rasches Wachstum ein. Um die Wende des 5. Jahrhunderts besaßen aus der heutigen *Nobis-quoque*-Liste eine solche Verehrung, abgesehen von Johannes dem Täufer und Stephanus, die römischen Märtyrer: Petrus und Marcellinus, deren Grab an der Via Lavicana Papst Damasus mit Versen geschmückt hat, und deren Fest am 2. Juni die Sakramentarien enthalten; Agnes, über deren Grab an der Via Nomentana schon Kaiser Constantins Tochter, Constantia, eine Basilika errichtet hat; Cäcilia, deren Grab in der Callistus-Katakombe früh verehrt wurde, deren Verehrung allerdings erst ihre gewaltige Höhe erreichte, als am alten Titulus Caeciliae in Trastevere um die Wende des 4. Jahrhunderts eine neue Basilika errichtet und ihr geweiht wurde, und schließ-

---

[25]) Zu n. 6, vor der Umstellung, durch die daraus n. 1a geworden ist, und zunächst in schlichterer Form, als sie der in voriger Anmerkung zitierte Text aufweist. Für diese Herleitung s. auch Kennedy 144. 148.

[26]) Vgl. oben I, 71 f. — Kennedy 34 ff. 189 f. 197 möchte das *Nobis quoque* (zusammen mit dem Totengedächtnis) in gleicher Weise wie das *Communicantes* erst von Gelasius I. (492—496) in den Kanon eingefügt sein lassen. Seine These ist für das *Communicantes* angefochten worden. Sie ist auch für das *Nobis quoque* nicht haltbar; denn in so später Zeit ist eine Übertragung von Ägypten nach Rom wenig wahrscheinlich, und um eine solche muß es sich handeln, da in Ägypten ja schon ein älterer Text ohne die Namen vorliegt.

[27]) Diese Annahme hat mehr für sich als die Vermutung von Baumstark, Das ‚Problem' 218, der im neuen Ansatz mit *cum* ein Anzeichen dafür erblickt, daß die Namen in den römischen Text später eingefügt worden seien.

lich Stifterin und Märtyrin identifiziert wurden; weiter eine Römerin Felicitas, über deren Grab Papst Bonifaz I. († 422) ein Oratorium errichtet hat und deren Fest in den ältesten Sakramentaren so wie heute am 23. November gefeiert wird[28]). Wieder bietet, ähnlich wie beim *Communicantes,* so auch hier die Heiligenliste der mailändischen Messe eine Bestätigung unserer Feststellung. Die römischen Märtyrer stehen darin offenbar noch in ihrer historisch gewachsenen Reihe; sie zeigen nämlich die Abfolge: Petrus, Marcellinus, Agnes, Cäcilia, Felicitas, worauf erst weitere Namen folgen[29]).

Von den übrigen Namen des römischen *Nobis quoque* kommt Alexander in den römischen Märtyrerlisten des 4. Jahrhunderts mindestens dreimal vor. Für zwei Träger des Namens ist in den Sakramentaren auch ein Jahresgedächtnis verzeichnet, ohne daß sie im übrigen eine besondere Verehrung genossen. Es scheint sich im Kanon um den Alexander aus der Gruppe der sieben Blutzeugen zu handeln, deren Gedächtnis von altersher am 10. Juli begangen wird, und die durch die spätere Legende als sieben Brüder mit der hl. Felicitas in Verbindung gebracht worden sind; seit dem 6. Jahrhundert tritt von dieser Gruppe Alexander in den Vordergrund[30]). Von den beiden Märtyrerjungfrauen aus Sizilien, Agatha und Lucia, ist erstere im 5. Jahrhundert, wo der Gote Ricimer ihr zu Ehren eine Kirche baute, letztere um das 6. Jahrhundert auch zu Rom Gegenstand einer Verehrung geworden, die sie beide in ihren Heimatstädten Catania und Syracus wohl schon zuvor besessen hatten. Die reichen Besitzungen der römischen Kirche auf Sizilien werden zu dieser Übertragung des Kultes geführt haben[31]). Zu Felicitas ist Perpetua

---

[28]) Kennedy, The saints of the canon of the mass 141—188. 197. — Insbesondere für Cäcilia und Felicitas s. auch J. B. Kirsch, Der stadtrömische christliche Festkalender im Altertum (LQ 7/8), Münster 1924, 89 f.

[29]) Kennedy 62. Voraus gehen in der mailändischen Liste: *Johannes et Johannes, Stephanus, Andreas.* Die Namen Matthias, Barnabas, Ignatius, Alexander fehlen im mailändischen Text.

[30]) Kennedy 151—158. Der Alexander aus der Gruppe des 4. Mai tritt um dieselbe Zeit allerdings stärker hervor, aber nur auf Grund der von der Legende vorgenommenen, sicher irrigen Identifizierung mit Papst Alexander I. († 115), der nicht Märtyrer war, und der in unserer Heiligenliste auch darum nicht gemeint sein kann, weil er als Bischof von Rom sicher vor Ignatius stünde. Ebd. 155 f. Aus dem gleichen Grunde ist auch die Vermutung von Baumstark, Das ‚Problem' 238, nicht annehmbar, es müßte von vornherein der Papst gemeint gewesen sein, weil man das Martyrium des vor ihm genannten Ignatius in seine Regierungszeit verlegt haben könnte.

[31]) Kennedy 169—173.

hinzugetreten. Es wird wohl der Name der römischen Märtyrin den der großen Afrikanerin nach sich gezogen haben, deren Passio, eines der kostbarsten Dokumente der Märtyrergeschichte, auch in Rom früh bekannt war. Daß mit den beiden Namen jedoch nicht die beiden afrikanischen Märtyrinnen, Perpetua und ihre Sklavin Felicitas, gemeint sind[32]), ergibt sich aus der Reihenfolge der Namen, die sonst wohl in ihrer geläufigen Ordnung belassen worden wären[33]). Anastasia ist die Märtyrin von Sirmium, deren Leib um 460 nach Konstantinopel verbracht wurde und deren Verehrung in Rom wohl zur Zeit der byzantinischen Herrschaft ihren Aufstieg vollzogen hat[34]).

Ausdrücklich besagt eine glaubwürdige Nachricht bezüglich der beiden Märtyrerjungfrauen aus Sizilien, daß Gregor der Große sie in den Kanon gesetzt habe[35]). Aber auch die übrigen Namen der jüngeren Schicht können nicht viel früher in den Kanon gelangt sein. Für Alexander könnte an Papst Symmachus (498—514) gedacht werden, der für dessen Gedächtnisstätte Aufwendungen gemacht hat, wie übrigens auch für diejenigen von Agatha, Agnes und Felicitas[36]). Dagegen konnten Matthias und Barnabas, die als Vertreter der „heiligen Apostel“ erscheinen[37]), zu dieser Rolle offenbar erst gelangen, als die zwölf Apostel bereits alle in der *Communicantes*reihe standen. Für die genannten zwei Apostel liegt in der stadtrömischen Liturgie des ersten Jahrtausends eine eigentliche Verehrung nicht vor und ebensowenig für Ignatius, den Märtyrerbischof von Antiochien, trotz dessen Beziehungen zu Rom[38]). Dennoch kann ihre Aufnahme in den Kanon angesichts der handschriftlichen Bezeugung[39]) auch nicht wesentlich später erfolgt sein. So spricht alles dafür, daß

---

[32]) Diese Annahme noch bei Hosp 189—205; s. bes. 204 f.

[33]) Kennedy 161—164. In der Reihenfolge Perpetua und Felicitas stehen die beiden Märtyrinnen zu Rom schon in der um 336 niedergelegten Depositio martyrum. Eine besondere Verehrung kam ihnen aber nicht zu.

[34]) Kennedy 183—185.

[35]) Aldhelm († 709), De laud. virg. c. 42 (PL 89, 142; Kennedy 170): *Gregorius in canone... pariter copulasse (Agatham et Luciam) cognoscitur, hoc modo in catalogo martyrum ponens: Felicitate, Anastasia, Agatha, Lucia.*

[36]) Batiffol, Leçons 229.

[37]) Auch Barnabas wird Apg 14, 4. 13 mit Paulus zusammen Apostel genannt.

[38]) Ihre Gedenktage erscheinen erst auf fränkischem Boden, für Ignatius seit dem 9. Jh., für Matthias seit dem 10., für Barnabas seit dem 11. Jh.; s. Baumstark, Missale Romanum 210. 212. 219.

[39]) Die handschriftliche Überlieferung ist ziemlich einheitlich, abgesehen von zwei Zeugen der irischen Gruppe, dem Stowe-Missale und dem Bobbio-Missale, die u. a. die Namen der sieben Märtyrinnen gänzlich, aber ohne sichtbares Prinzip, umgruppiert haben. Botte 46 Apparat.

Gregor der Große wie im *Communicantes* so auch hier die Neuordnung vorgenommen hat[40]). Es sind, unter Vermeidung der gleichen Namen, dieselben Grundsätze der Anlage eingehalten wie dort: eine überragende Gestalt an der Spitze, Johannes der Täufer[41]), darauf zweimal eine biblisch geheiligte Zahl: sieben Männer und sieben Frauen; unter den heiligen Männern wieder die hierarchische Ordnung: zuerst die Apostel (mit Stephanus), dann der Märtyrerbischof Ignatius, darauf Alexander, der von der Legende als Priester (oder Bischof) gekennzeichnet war; ebenso das sonst mehrfach in der Reihenfolge Petrus und Marcellinus genannte Märtyrerpaar, der Legende gemäß hierarchisch umgestellt: Marcellinus, der Presbyter, und Petrus, der Exorzist. Unter den Frauen ist nur eine gewisse räumliche Zusammenordnung zu erkennen. Für das erste Paar werden die Namen der beiden Afrikanerinnen bestimmend gewesen sein, dann folgen die zwei Blutzeuginnen aus Sizilien, Agatha und Lucia, dann die zwei Römerinnen Agnes und Cäcilia, endlich die aus dem Morgenland kommende Anastasia.

Wie schon aus dem Gesagten ersichtlich, sind es, abgesehen von den biblischen Gestalten, von Ignatius, dem Bischof von Antiochien und Verfasser der sieben Briefe († um 107), und von der Afrikanerin Perpetua († 202/3), lauter Blutzeugen, von denen nicht viel mehr als der

---

[40]) Kennedy 198.

[41]) Daß der Täufer gemeint ist, den Christus selbst über alle anderen hinaushebt (Mt 11, 11 u. Parall.), ergibt sich schon aus der Gegenüberstellung zur Gottesmutter. Dazu kommt das sichtliche Bestreben, gegenüber der Communicantesliste Wiederholungen zu vermeiden, da nicht einmal Maria herübergenommen ist, während der Täufer dort offenbar zurückbehalten wurde; weiter das Fehlen eines besonderen Grundes für eine so ausnehmende Bevorzugung des Zebedäiden, und nicht zuletzt die Parallele der östlichen Liturgien, nicht nur der ägyptischen mit ihrer Verbindung von Johannes dem Täufer und Stephanus. Vgl. z. B. das Fürbittengebet der Jakobusliturgie, von der der griechische Text die Reihe hat: Maria, Johannes der Täufer, Apostel, Evangelisten, Stephanus (Brightman 56 f), der syrische: Johannes, Stephanus, Maria (ebd. 93; Rücker 35), der armenische: Maria, Johannes, Stephanus, Apostel (Rücker 35 Apparat). Weitere Belege bei Kennedy 37 f; vgl. auch Fortescue 356 f. — Die mittelalterliche Meßerklärung hat allerdings in diesem Johannes vorwiegend den Evangelisten erblickt; Durandus IV, 46, 7. In neuerer Zeit hat sich Baumstark, Liturgia Romana e liturgia dell' Esarcato (Rom 1904) 144 f, im Zuge seiner Kanontheorie für den Evangelisten erklärt, hat ihn aber später, nach deren Aufgabe, wieder zugunsten des Täufers fallen lassen (Das ‚Problem‘ des römischen Meßkanons 238). Die Ritenkongregation hat sich, wegen der Verneigungen am zugehörigen Fest befragt, am 27. III. 1824 für den Täufer ausgesprochen (Martinucci, Manuale decretorum SRC n. 485. 1166), hat aber dieses Dekret in der Sammlung der Decreta authentica von 1898 ff nicht aufrecht erhalten.

Name, der Schauplatz ihres Bekenntnisses und — durch die jährliche Gedächtnisfeier ihres Todes — vielleicht der Todestag, aber weder Jahr, noch Leidensgeschichte, noch Lebensschicksale bekannt sind. Erst spät hat die Legende von ihnen ein Bild gezeichnet[42]). Es sind die rechten Vertreter der unbekannten Glaubenshelden der ersten christlichen Generationen, deren irdisches Fortleben in ihrem glorreichen Sterben für Christus begründet ist. Aber ihr Sterben für Christus war zugleich der Triumph mit Christus und das genügt, daß ihre Namen zum Ausdruck des seligen Loses dienen können, an dem wir auch zusammen mit unseren Dahingeschiedenen einmal einen geringen Anteil von Gottes Gnade erflehen.

Wie beim *Communicantes* hat das Mittelalter auch im *Nobis quoque* die Heiligenreihe gelegentlich mit eigenen Namen ergänzt, besonders durch Beifügungen am Ende der Liste. Doch halten sich die Ergänzungen in der Regel in bescheidenen Grenzen[43]).

Der Parallelismus mit dem *Communicantes* und seiner Heiligenreihe erstreckt sich übrigens auch auf das Gesamtbild der beiden Gebete. In beiden Fällen handelt es sich um eine Fortführung des *Memento*, die in der Weise geschieht, daß eine Beziehung zu den Heiligen des Himmels hergestellt wird. Doch ist diese Beziehung beide Male verschieden. Nach dem *Memento* der Lebenden handelte es sich um den Hinweis, daß die versammelte Gemeinde ihr Opfer darbringt in Gemeinschaft mit den Heiligen und im demütigen Aufblick zu ihnen; es war nur die Verbindung gemeint, die durch die Zugehörigkeit zum einen Reiche Gottes schon jetzt gegeben ist. Nach dem *Memento* der Verstorbenen steigt der Gedanke um eine Stufe höher und erbittet den endgültigen Anteil an der Seligkeit der Auserwählten. Im Sakrament, im *pignus futurae gloriae*,

---

[42]) Die näheren Angaben bei Hosp, Die Heiligen im Canon Missae 103 ff. 128 ff. 205 ff. 254 ff.

[43]) Hss aus Fulda nennen die hl. Lioba. In Italien sind es öfter Eugenia und Euphemia. Ebner 423 f; Botte 46 Apparat. — Mehrere Namen sind hinzugefügt im mailändischen Text. Am reichlichsten scheinen die Zusätze in Frankreich gewesen zu sein. Es erscheinen hier u. a. Dionysius, Martinus, Genovefa. Martène 1, 4, 8, 25 (I, 416 f); Ménard: PL 78, 28 Anm. f. Leroquais, Les sacramentaires III, 394, vermag allein für französische Meßbücher eine Liste von 36 verschiedenen Namen zusammenzustellen. — Spanische Meßbücher des 13.—15. Jh. aus Gerona haben nach *omnibus sanctis tuis* den Zusatz: *vel quorum sollemnitas hodie in conspectu tuae maiestatis celebratur, Domine Deus noster, toto in orbe terrarum;* Ferreres 156. Ebenso in zwei Hss des 11./12. Jh. aus Vich; ebd. S. CCIII. Vgl. auch oben 221. — Das Stowe-Missale setzt an die Spitze, allerdings zusammen mit Petrus und Paulus, den hl. Patricius. Kennedy 62.

dürfen wir ja schon jetzt diesen Anteil vorwegnehmen. Da haben wir noch für die Verstorbenen gebetet, Gott möge auch ihrer gedenken und ihnen Zutritt gewähren zu jenem Ort des Lichtes und des Friedens. Diesen Ort des Lichtes und des Friedens, gesehen als Wohnort der Heiligen, diese Wirklichkeit nach der sakramentalen Verhüllung, erbitten wir nun auch für uns selber, *nobis quoque peccatoribus famulis tuis.*

Am weiteren Wortlaut des Gebetes ist nur noch bemerkenswert, daß der mit dem Worte *peccatores* angeschlagene Ton bescheidenen Zurücktretens und demütigen Schuldbekenntnisses der Grundton bleibt, auf den das ganze Gebet gestimmt ist. Nur im Vertrauen auf die Fülle des göttlichen Erbarmens wird die Bitte ausgesprochen[44]) und sie erfleht nur, Gott möge *partem aliquam* gewähren, aber auch dies nicht in Erwägung vorhandener Verdienste, sondern lediglich als Spender der Gnade (vgl. Ps 129, 3). Das alles ist wohl angemessen in einem Gebet, das man vor der Gemeinde für die eigene Person einschaltet, während es als Gebet im Namen der Gemeinde ungewöhnlich klänge.

Die Worte *Nobis quoque peccatoribus* hebt der Priester aus der Stille des Kanons durch hörbares Sprechen heraus und er klopft dabei an die Brust. Das Klopfen an die Brust ist schon im 12. Jahrhundert an einzelnen Stellen bezeugt und ist dann bald allgemein üblich geworden[45]). Seit dem 13. Jahrhundert wird auch ein dreimaliges Klopfen an die Brust mancherorts erwähnt[46]).

Weiter zurück reicht das laute Sprechen der Anfangsworte. Wir hören davon bereits im 9. Jahrhundert[47]) und es ist seit dieser Zeit ein fast allgemein geübter Brauch geblieben[48]). Dagegen liegt

---

[44]) Die Verwendung des biblischen *de multitudine miserationum tuarum* (Ps 50, 3 u. ö.) hat übrigens auch ihre orientalische Entsprechung in der Selbstempfehlung der Jakobusliturgie (oben Anm. 12) und in derjenigen der byzantinischen Basiliusliturgie (Brightman 336 Z. 14). Zu den Schlußworten *intra quorum nos consortium* usw. s. die Parallele bei Ps.-Hieronymus, oben I, 66 Anm. 9.

[45]) Innozenz III., De s. alt. mysterio V, 15 (PL 217, 897); ein Sakramentar des 12. Jh. aus Rom bei Ebner 335. Belege aus der Folgezeit bei Sölch, Hugo 97 f.

[46]) Sölch 98. — Dagegen hören wir nichts davon, daß auch die Umstehenden an die Brust klopfen sollen, während die Beteiligung an anderen Gebetsgebärden des Priesters, etwa beim Evangelium, wohl betont wird. Ist das darin begründet, daß man auch im Mittelalter das Gebet nur als Selbstempfehlung des Priesters betrachtete?

[47]) Amalar, Liber off. III, 26, 14 (Hanssens II, 347 f).

[48]) Die Belege für den Brauch und für einzelne Ausnahmen (u. a. blieben die Kartäuser beim Leisesprechen auch dieser Worte) bei Sölch 96 f.

vor dieser Zeit keine Nachricht vor von einer solchen Gepflogenheit, was sich ohne weiteres daraus erklärt, daß ja der ganze Kanon mit lauter Stimme gesprochen wurde, die Worte also ohnehin vernehmbar waren. Doch wozu müssen gerade diese Worte hervorgehoben werden? Was heute als geltender Sinn für das Hervortreten dieser Worte angegeben wird, ist nicht von Bedeutung[49]). Der zureichende Grund muß in vergangenen Verhältnissen gesucht werden und das Fortbestehen der Gepflogenheit ist ein typischer Fall für das große Beharrungsvermögen liturgischer Gewohnheiten auch dort, wo ihre Wurzel längst abgestorben, ja überhaupt nur kurze Zeit lebendig gewesen ist.

In den römischen Ordines des 7./8. Jahrhunderts war vorgesehen, daß die Subdiakone, die zu Beginn der Präfation dem Zelebranten gegenüber auf der Gegenseite des freistehenden Altares eine Reihe gebildet und während des Kanons tief verbeugt dagestanden hatten, sich beim *Nobis quoque* aufrichten und an ihre Plätze begeben sollten, um sogleich nach Schluß des Kanons zur Hilfeleistung bei der Brechung der Brotsgestalt bereit zu sein[50]). Diese Vorschrift, die ja nur beim großen Pontifikalamt Bedeutung hatte, wurde auch beibehalten, als es um die Wende des 8. Jahrhunderts Brauch wurde, den Kanon leise zu sprechen. So mußte der Zelebrant, um den Subdiakonen zum hergebrachten Zeitpunkt das Zeichen zu geben, diese Worte mit hörbarer Stimme sprechen: *aperta clamans voce*[51]). Dieser Zusammenhang ist in den Römischen Ordines ein Jahrhundert später noch sichtbar[52]). Der einmal eingeführte Brauch blieb dann auch weiterbestehen, obwohl die Subdiakone nunmehr nach römisch-fränkischer Liturgie vielfach ihre Plätze erst nach der Schlußdoxologie zu wechseln hatten[53]) und obwohl mit der Einführung des ungesäuerten Brotes und schließlich der kleinen Partikeln überhaupt die Brechung und damit die Hilfeleistung der Subdiakone überflüssig wurde. Er wurde gestützt durch die allegorische Deutung auf das Bekenntnis

---

[49]) Eisenhofer II, 191 nimmt die Worte heute als „Ermahnung für die Umstehenden, sich in Reue an das Gebet des Priesters anzuschließen“, ein dem Gang des Kanons schwerlich entsprechender Gedanke. — An manchen Orten ist es alter Brauch, daß die Meßdiener bei diesem Zeichen von der Stelle, wo sie zur Wandlung knieten, an ihre Plätze zurückkehren.

[50]) Ordo Rom. I n. 16 (Andrieu II, 95 f; PL 78, 944 f); Capitulare eccl. ord. (Andrieu III, 103 f).

[51]) Ordo sec. Rom. n. 10 (Andrieu II, 222; PL 78, 974 B).

[52]) Ordo sec. Rom. a. a. O.; vgl. Ordo ‚In primis‘ der Bischofsmesse (Andrieu II, 334; PL 78, 988 C).

[53]) Amalar, Liber off. III, 26, 19 (Hanssens II, 349 f); Ordo ‚Postquam‘ der Bischofsmesse (Andrieu II, 360; PL 78, 993 C).

des Hauptmannes unter dem Kreuze[54]), und so übertrug er sich sogar nicht nur auf das ohne höhere Assistenz gefeierte Amt, sondern auch auf die Privatmesse.

Von hier aus wird auch das Klopfen an die Brust noch besser verständlich. Mittelalterliche Erklärer berufen sich schon seit dem 11. Jahrhundert neben dem Ausruf des Hauptmannes auf das Wort bei Lk 23, 48, daß alles Volk an die Brust schlug und heimkehrte[55]), und schließlich fällt von hier aus noch einmal Licht auf die rätselhafte Verneigung bei den unmittelbar vorausgehenden Worten am Schluß des Totengedächtnisses[56]): es ist eben der Augenblick lebendig geworden, da der Herr sein Haupt neigte und starb.

18. *Abschließende Doxologien*

Der Kanon schließt mit zwei Formeln, von denen nicht bloß die zweite als eigentliche Schlußdoxologie *(omnis honor et gloria)*, sondern auch die erste schon in ihrer sprachlichen Formulierung *(haec omnia)* die Tendenz der Zusammenfassung und des Abschlusses erkennen läßt. Es sind auch beides nicht mehr Gebete im gewöhnlichen Sinn einer Bitte oder einer Darbringung wie die vorausgehenden Formeln, sie zeigen vielmehr das Gepräge einer rühmenden Aussage, einer Prädikation: du schaffst, es ist. Es nimmt also auch die erste, schon rein äußerlich gesehen, am Charakter einer Doxologie teil, den die zweite an der Stirne trägt. In ihrem Wortlaut aber zeichnet die erste den Strom der göttlichen Gaben, wie er durch Christus von oben auf uns herabkommt, während die zweite zum Ausdruck bringt, wie durch ihn nun alle Ehre und Ver-

---

[54]) So schon Amalar, Liber off. III, 26 (Hanssens II, 344 f. 347); Bernold von Konstanz, Micrologus c. 17 (PL 151, 988 A). — Später wird manchmal gleichzeitig das Bekenntnis des rechten Schächers in die Deutung hineingenommen; Durandus IV, 46, 1. 2. — Auch Stellung und Platzwechsel der Subdiakone wird ähnlich gestützt und längere Zeit forterhalten durch die allegorische Deutung ihrer Rolle auf die frommen Frauen, die zum gekreuzigten Erlöser aufblicken, bis er sein Haupt neigt und stirbt, und die dann wieder seinen Leib im Grabe (Patene für die Brechung) suchen. Diese gleichfalls von Amalar a. a. O. vorgetragene Deutung ist noch wirksam bei Johannes von Avranches († 1079), De off. eccl. (PL 147, 35 f).

[55]) Johannes von Avranches, a. a. O. (36). Vgl. aber auch schon Amalar, a. a. O. (345). — Durandus IV, 46, 2. Weitere Nachweise bei van Dijk (Eph. liturg. 1939) 340 Anm. 294.

[56]) Vgl. oben 308.

herrlichung aus der Schöpfung zu Gott emporsteigt. Das *admirabile commercium*, das am Altar soeben von neuem Wirklichkeit geworden ist, findet so seinen Ausdruck auch in den Worten des Kanons und gibt ihnen ihren würdigen Ausklang.

Wenn wir uns der ersten der zwei Formeln zuwenden: *Per quem haec omnia*, so ist auf den ersten Blick nicht ganz klar, worauf der Ton liegt, und welcher Gedanke diese Lobpreisung an dieser Stelle ausgelöst hat, das Schaffen und Segnen Gottes oder das Wirken Christi, mit dem an den Schluß des *Nobis quoque* angeknüpft wird. Jedenfalls ist das *Per Christum Dominum nostrum* zum Anlaß genommen, um nun rückschauend die göttliche Gnade zu ermessen, die uns in dieser Stunde „durch Christus" wieder geworden ist und wird. Er ist der unsichtbare Hohepriester, der wieder seines Amtes gewaltet hat und waltet, durch den Gott wieder diese Gaben geheiligt hat und sie nun — es war ja schon vom Empfang *ex hac altaris participatione* die Rede — uns spenden will. Wir müssen nun prüfen, wie dieser zutage liegende Hauptgedanke näher zu bestimmen ist.

Für die Klarstellung des genaueren Sinnes der Worte ist vor allem die Tatsache von Bedeutung, daß in der Frühzeit des römischen Kanons und herauf bis ins späte Mittelalter, ja darüber hinaus, bei verschiedenen Gelegenheiten an dieser Stelle Naturalien gesegnet wurden[1]). Wir finden in den ältesten Sakramentaren eine Segnung von Wasser, Milch und Honig gelegentlich der feierlichen Taufe[2]), eine Segnung von frischen Trauben am Fest des hl. Xystus (6. August)[3]), die auch

---

[1]) Der Brauch einer besonderen Segnung innerhalb des Kanons scheint auf die römische Liturgie beschränkt geblieben zu sein. Die ägyptische Messe hat zwar an ähnlicher Stelle, nämlich innerhalb des Fürbittengebetes, eine Empfehlung der von den Gläubigen dargebrachten Gaben und eine Fürbitte für die Geber, aber keine förmliche Segnung der Gaben. Brightman 129. 170 f. 229.

[2]) In der Taufmesse von Pfingsten (ebenso für Ostern vorauszusetzen) im Leonianum (Muratori I, 318); als *benedictio lactis et mellis* auch im Pontifikale Egberts ed. Greenwell (Surtees Society 27, Durham 1853) 129; ebenso, zusammen mit der Segnung von Fleisch, Eiern, Käse, in einem ungarischen Pontifikale des 11./12. Jh.: Morin, JL 6 (1926) 59, und ähnlich noch in einem Missale des 14. Jh. aus Zips: Radó 72.

[3]) Gregorianum ed. Lietzmann n. 138, 4. Der Brauch, an dieser Stelle Trauben zu segnen, muß sich im karolingischen Bereich früh eingelebt haben, da Amalar, Liber off. I, 12, 7 (Hanssens II, 69), die Stelle der Ölweihe am Gründonnerstag mit den Worten erklärt: *In eo loco ubi solemus uvas benedicere.* Noch vorhanden z. B. im Regensburger Missale von 1485 (Beck 244). Man gebrauchte an diesem Tage auch für die Konsekration neuen Wein, Durandus VII, 22, 2; oder man mischte sogar Traubensaft in den konsekrierten Kelch, ein Mißbrauch, den 1535 Berthold von Chiemsee bekämpft. Franz 726. — Ein steirisches

als Formel *ad fruges novas benedicendas*[4]) und als *benedictio omnis creaturae pomorum*[5]), insbesondere aber als Segnung von Bohnen (als früher Frucht) erscheint[6]). Auch das „Osterlamm" wurde am Ostersonntag an dieser Stelle gesegnet[7]). Im ausgehenden Mittelalter wurde manchmal auch die Segnung anderer Naturgaben, die bei bestimmten Gelegenheiten üblich war, hieher verlegt: die Segnung von Brot, Wein, Früchten und Sämereien am Feste des hl. Blasius, von Brot am Feste der hl. Agatha, von Futter für das Vieh am Feste des hl. Stephanus, von Wein am Feste des Evangelisten Johannes[8]). Bis heute ist an dieser Stelle verblieben die Weihe des Krankenöls durch den Bischof am Gründonnerstag[9]). In allen diesen Fällen weist das Gebet am Ende eine Nennung Christi auf und fährt dann ohne eigene Schlußformel fort mit unserem *Per quem haec omnia*, das also mit dem betreffenden Segnungsgebete offenkundig eine Einheit bildete.

Die Frage drängt sich auf, ob das *Per quem haec omnia* nicht überhaupt nur die gleichbleibende Schlußwendung des mehr oder weniger wechselnden Segnungsgebetes war, sei es nun, daß dieses mit zum Plan des Meßkanons gehört hätte, sei es, daß beide Formeln zusammen ursprünglich nur als gelegentliche Einschaltung aufgetreten wären. Die bejahende Antwort ist in jüngerer Zeit besonders von Duchesne vertreten worden[10]), der dabei betont, daß ohne ein solches

---

Missale des 14. Jh. verlangt, daß die Trauben nach der Wandlung auf den Altar gestellt werden, so nahe, daß der Priester die Kreuzzeichen darüber machen kann. Köck 48; vgl. ebd. 2. 47. — Zahlreiche Einzelheiten über den in Frankreich um 1700 z. T. noch lebendigen Brauch bei de Moléon, Register S. 360, s. v. raisin.

[4]) Älteres Gelasianum III, 63. 88 (Wilson 107. 294).

[5]) Missale von Bobbio (Muratori II, 959). Der Text ist stark verändert.

[6]) Am Feste Christi Himmelfahrt im älteren Gelasianum I, 63 (Wilson 107).

[7]) Als *benedictio carnis* im Sakramentar des Ratoldus (10. Jh.; PL 78, 243 D); vgl. Missale von Bobbio (Muratori II, 959); Pontifikale Egberts ed. Greenwell (s. oben Anm. 2) 129. — Der Brauch wurde als judaisierend scharf bekämpft von Walafried Strabo, De exord. et increm. c. 18 (PL 114, 938 f).

[8]) Sacerdotale Romanum von Castellani (zuerst erschienen 1523), u. zw. noch in der Ausgabe Venedig 1588, S. 158 ff. — Wie Brinktrine, Die hl. Messe 224 Anm. 2, unter Hinweis auf Rituale Warmiense 270 vermerkt, wird in der Diözese Ermland noch heute am Feste der hl. Agatha an dieser Stelle das sogenannte Agathabrot und das Agathawasser geweiht. Der Brauch scheint in Polen verbreitet zu sein; s. Thalhofer-Eisenhofer, Handbuch der katholischen Liturgik II, Freiburg 1912, 191.

[9]) Bereits im Gelasianum I, 40 (Wilson 70) und im Gregorianum (Lietzmann n. 77, 4 f).

[10]) Duchesne, Origines 193—195; vgl. Liber pont. ed. Duchesne I, 159.

Segnungsgebet ein Hiatus vorliege zwischen unserer Formel und dem, was im Kanon vorausgeht, und daß besonders das *omnia* kaum einfach von den konsekrierten Opfergaben verstanden werden könnte[11]).

Ein weiteres Moment für eine solche Annahme gibt uns die Kirchenordnung Hippolyts von Rom an die Hand. Darin ist uns nicht nur schon früher[12]) jener Brauch noch in lebendiger Übung begegnet, von dem die Segnung von Wasser, Milch und Honig nur ein später Rest ist, wir finden darin auch im unmittelbaren Anschluß an den Text der Eucharistia eine Rubrik, die von Naturaliensegnungen spricht: Wenn jemand Öl bringt, so soll der Bischof mit entsprechender Änderung ein ähnliches Dankgebet sprechen wie bei Brot und Wein, und ebenso, wenn jemand Käse oder Oliven bringt. Für beide Fälle wird ein kurzer Gebetstext geboten zur geistigen Deutung der materiellen Gabe und ebenso wird die trinitarische Doxologie angegeben, mit der geschlossen werden soll[13]). Es scheint sich zunächst allerdings um liturgische Gebilde zu handeln, die selbständig dastehen sollten; diese Segnungen werden nämlich zunächst nur im äußerlichen Anschluß an die Messe besprochen. Vielleicht sind sie aber auch von jeher im Anschluß an die Messe vorgenommen worden. Jedenfalls sind sie in der ägyptischen Messe in den Kanon hineingezogen[14]). Wenigstens in diesem Falle ist derselbe Vorgang eingetreten, den wir allenthalben bei den Fürbitten festgestellt haben, die vor der Opfermesse standen und dann in den engeren Kreis der letzteren hineingezogen wurden: auch die Segnungen, die auf die Opfermesse folgten, sind schließlich noch in den engeren Rahmen des Meßkanons hereingeholt worden. Derselbe Prozeß hat sich aber offenkundig auch in der römischen Messe abgespielt. Das zeigen die merkwürdigen, sogar wörtlichen Anklänge an den Hippolytischen Grundtext, die in der lateinischen Liturgie Roms das Ölweihe-

---

[11]) Ohne ganz zu überzeugen, bestreitet das Vorhandensein dieses Hiatus C. Callewaert, La finale du Canon de la Messe: Revue d'histoire ecclés. 39 (1943) 5—21, bes. S. 7 ff. Das *omnia* erkläre sich aus dem damals größeren Quantum der Opfergaben; mit dem *haec* sei das *iube haec perferri* wieder aufgenommen. Der Hiatus wird geringer, wenn man mit J. Brinktrine, Über die Herkunft und die Bedeutung des Kanongebetes der römischen Messe ‚Per quem haec omnia': Eph. liturg. 62 (1948) 365—369, annimmt, daß die Formel einst unmittelbar auf das *Supplices* gefolgt ist.

[12]) Oben I. 38.

[13]) Dix 10 f; Hauler 108.

[14]) In der äthiopischen Überlieferung von Hippolyts Eucharistia folgt unmittelbar auf die Hippolytische Schlußdoxologie die einschlägige Rubrik mit dem Segnungsgebet, darauf aber noch der in Ägypten vom Volk gesprochene Kanonschluß mit *Sicut erat* (vgl. unten Anm. 79). Brightman 190; vgl. 233 Z. 23.

gebet[15]) und auch das Gebet zur Segnung von Trauben, bzw. neuen Früchten[16]) aufweist. Sie stellen die geradlinige Weiterführung des bei Hippolyt vorliegenden Brauches dar.

Die Entwicklung muß also tatsächlich so verlaufen sein, daß zuerst Naturaliensegnungen vor Schluß des Kanons eingeschaltet wurden, und dann erst sich unser *Per quem* ergeben hat. Die Einschaltung geschah an dieser Stelle, weil man diese kirchlichen Segnungen anlehnen wollte an die große Segnung, die Christus selbst verordnet hatte, und in der er (und Gott durch ihn) irdischen Gaben die höchste Heiligung und Gnadenfülle verleiht. Dieser Zusammenhang wurde durch die Schlußwendung hervorgehoben: *Per quem haec omnia* — die eucharistischen Gaben sind nun mit eingeschlossen — *semper bona creas.* Die rückschauende Betrachtung führt, indem die Antithese gegen Gnosis und Manichäertum nochmals aufgegriffen wird, zur lobpreisenden Aussage, daß es gottgeschaffene Gaben sind, die hier geheiligt vor uns liegen, und daß Gott alles gut geschaffen hat und immer schafft[17]). Er tut es durch den Logos,

[15]) Hippolyt, Trad. Ap. (Dix 10): *Si quis oleum offert... gratias referat dicens: Ut oleum hoc sanctificans das, Deus, sanitatem utentibus et percipientibus, unde unxisti reges, sacerdotes et prophetas, sic...* In der Ölweihe noch des heutigen Pontificale Romanum heißt es: *Emitte quaesumus Domine, Spiritum Sanctum... ut tua sancta benedictione sit omni hoc unguento coelestis medicinae peruncto tutamen... unde unxisti sacerdotes, reges, prophetas et martyres... in nomine Domini nostri Jesu Christi. Per quem.* Das Gebet auch im älteren Gelasianum I, 40 (Wilson 70) und im Gregorianum (Lietzmann n. 77, 5). — Über den Weg, auf dem dieses Gebet erhalten geblieben ist, vgl. Jungmann, Beobachtungen zum Fortleben von Hippolyts ‚Apostolischer Überlieferung': ZkTh 53 (1929) 583—585.

[16]) Hippolyt bietet gegen Schluß der Schrift noch eine vollständige Formel der von ihm geforderten Danksagung über Früchte; es beginnt (Dix 54): *Gratias tibi agimus, Deus, et offerimus tibi primitivas fructuum quos dedisti nobis ad percipiendum...* Die Traubensegnung des Gregorianums (Lietzmann n. 138, 4) lautet: *Benedic Domine et hos fructus novos uvae* (im Bobbio-Missale: *et hos fructus novos ill.) quos tu Domine... ad maturitatem perducere dignatus es et dedisti ea ad usus nostros cum gratiarum actione percipere in nomine Domini nostri Jesu Christi. Per quem.*

[17]) Gegenüber der landläufigen Übersetzung von *haec bona* mit „diese Güter" betont Rütten, Philologisches zum Canon missae (StZ 1938, I) 47, mit Recht als Sinn der Worte: Gott hat diese (Gaben) „als gute" geschaffen. Eine Bestätigung dafür bietet die erweiterte Fassung im mozarabischen Missale mixtum (PL 85, 554 A): *quia tu haec omnia nobis indignis servis tuis valde bona creas, sanctificas...* Vgl. auch Callewaert, La finale 10 f. Augustinus, De civ. Dei XV, 22 (CSEL 40, 2, S. 108), zitiert aus einer von ihm verfaßten *laus Cerei* die Worte: *Haec tua sunt, bona sunt, quia tu bonus ista creasti.* — Allerdings muß

durch den alles geworden ist[18]), und durch ihn, der selber Mensch geworden ist und ein Glied dieses irdischen Kosmos, heiligt er auch alles: seine Inkarnation war schon die große Weihe der Schöpfung[19]). Aber eine neue Welle der Heiligung ergießt sich über die Dinge überall dort, wo die Kirche die ihr von ihm verliehene Macht der Heiligung anwendet. Das *vivificas*[20]) und *benedicis* ist wohl nur gedacht als Verstärkung des *sanctificas:* die Heiligung ist schon Vorbote des neuen und ewigen Lebens, an dem auch die irdische Schöpfung Anteil hat; ja die Konsekration von Brot und Wein hat diese Gestalten mit dem höchsten Leben erfüllt[21]). Der Hauptton liegt schließlich auf dem *benedicis.* Eine Segnung war eingeschaltet und auf sie wird mit diesem Worte Bezug genommen. Diese Segnung hatte nun in ihren Hauptformeln die Fassung: *Benedic et has tuas creaturas fontis ...*[22]); *Benedic Domine et hos fructus novos*[23]), d. h. auch das, was vorausgeht, der Vollzug der Eucharistia, war schon eine solche Segnung, nur von unvergleichlich höherer Art; wurde ja auch im *Te igitur* die Bitte ausgesprochen *uti accepta habeas et benedicas,* ebenso wie sie im *Quam oblationem* enthalten war und nicht selten schon vorweggenommen wurde in der Oratio super oblata[24]). Den Ausklang gibt das *praestas nobis*[25]) mit dem Hinweis,

---

früh auch die gegenteilige Auffassung mit dem Text verbunden worden sein; vgl. die Post-Secreta-Formel des Missale Gothicum (Muratori II, 534; unten Anm. 25), in der das *bona* fehlt.

[18]) Jo 1, 3; Hebr 1, 2; 2, 10. Die Formulierung, die das Schaffen auf Christus bezieht, näherhin nach Kol 1, 16 f. Vgl. Callewaert 9 f.

[19]) Vgl. das Martyrologium des Heiligen Abends: *mundum volens adventu suo piissimo consecrare.* In anderer Form liegt der Gedanke schon vor 1 Kor 8, 6; Kol 1, 15 f.

[20]) Wie Sicard von Cremona, Mitrale III, 6 (PL 213, 133 f), berichtet, schalteten manche Priester nach *vivificas* noch das Wort *mirificas* ein.

[21]) Vgl. an früherer Stelle den Ausdruck *panem sanctum vitae aeternae.* — In mozarabischen Post-Pridie-Formeln wird die Konsekration vereinzelt als Belebung umschrieben: *vivificet ea Spiritus tuus Sanctus.* Missale mixtum (PL 85, 605 A; vgl. 205 A. 277 D).

[22]) Muratori I, 318.

[23]) Oben Anm. 16.

[24]) Vgl. P. Alfonso, L'Eucologia romana antica, Subiaco 1931, 83. — Es ist also Willkür, von diesem *et* auf eine ehemals vorausgegangene, dann ausgefallene römische Epiklese schließen zu wollen, die begonnen haben müßte: *Benedic Domine has creaturas panis et vini.* So R. Buchwald, Die Epiklese in der römischen Messe (Weidenauer Studien I, Sonderabdr.), Wien 1907, 31.

[25]) Die mailändische Messe hat am Gründonnerstag hier wie in der nun folgenden Schlußdoxologie des Kanons eine namhafte Variante: ... *benedicis et nobis famulis tuis largiter praestas ad augmentum fidei et remissionem omnium peccatorum*

daß alle Heiligung und Segnung, die von Christus ausgeht, darauf hinzielt, uns zu beschenken. Die Kommunion, zu der wir uns nun bereiten, ist nur das herrlichste Beispiel davon.

So wird ersichtlich, daß die Worte des *Per quem haec omnia* ihre volle Geltung zunächst besaßen im Anschluß an das vorausgehende Segnungsgebet und daß sie also in der vorliegenden Form offenbar ihm ihre Entstehung verdanken. Anderseits konnte man sie in der Betrachtungsweise, die uns nun schon zu wiederholten Malen begegnet ist, daß nämlich auch in den verwandelten Gaben der Zusammenhang mit der irdischen Schöpfung nie aus dem Auge gelassen wird, ohne weiteres auch ohne eine solche Gabensegnung als Lobpreis des Erlösers im Text des Kanons belassen[26]), obwohl das *omnia* jetzt, wo nur mehr die Gestalten von Brot und Wein vor Augen stehen, nicht mehr seinen vollen Klang hat. Die Worte sind das Gegenstück zur Wandlungsbitte des *Quam oblationem*, der Wandlungsdank an Gott und an unseren Hohenpriester, durch den er alles wirkt und durch den er alles spendet[27]); sie sind das doxologische Bekenntnis, daß alle Gnade durch Christus zu uns herabsteigt, und damit ein Vorklang zu der nun folgenden großen Schlußdoxologie, zum Bekenntnis, daß durch Christus auch aller Lobpreis und alle Verherrlichung zu Gott zurückströmt.

Es ist eine alte Regel des öffentlichen Gebetes, daß es mit einer Lobpreisung Gottes schließen und damit zur Grundfunktion allen Gebetes zurückkehren soll, in der sich das Geschöpf vor seinem Schöpfer beugt. Schon die Gebete der Didache sind so gebaut, und in den orien-

---

nostrorum. Missale Ambrosianum (1902) 154. Vgl. Muratori I, 134. — Eine Post-Secreta-Formel des Missale Gothicum (Muratori II, 534) schließt mit folgender Variation des römischen Textes: ... *Unigeniti tui, per quem omnia creas, creata benedicis, benedicta sanctificas et sanctificata largiris, Deus.*

[26]) Daß bei einer solchen Gabensegnung auf jeden Fall eine deutliche Trennungslinie gegenüber den eucharistischen Gaben gewahrt werden müsse, ist wohl der Sinn von can. 23 des Konzils von Hippo (oben 14); vgl. Botte 49. 69. Die betreffenden Gaben werden in der Regel beim Opfergang dargebracht worden sein. Auch der Kanon von Hippo spricht für die von ihm gestattete Ausnahme — Honig und Milch in der Ostermesse — von einem *offerri*, das sogar *in altari* stattfindet, während in Rom für die Oblationen des Volkes doch besondere Tische bereitstanden. Die Trennungslinie wird dann dadurch sichergestellt, daß für die Gaben eben eine besondere Segnung vorgesehen ist.

[27]) Es ist wohl nicht nötig, mit C. Ruch (Cours et Conférences VII, Löwen 1929, 93) nach der Loslösung der Formel vom Segnungsgebet eine Umdeutung des Wortes *creas* vorauszusetzen, insofern auch der Wandlungsakt auf eine Schöpfung hinauskommt. Das Wort *omnia* behält nämlich auch nach einer solchen Umdeutung eine gewisse Härte.

talischen Liturgien findet sich kaum ein Gebet des Priesters ohne den Ausklang in eine feierliche Doxologie: „Denn du bist ein guter und menschenfreundlicher Gott und dir senden wir den Lobpreis empor, dem Vater und dem Sohne und dem Heiligen Geist, jetzt und immer und in alle Ewigkeit", so heißt es etwa in der byzantinischen Liturgie. In der römischen Liturgie ist diese Regel zwar wie in der übrigen Christenheit seit alters in den Psalmen eingehalten, wo das *Gloria Patri* regelmäßig den Schlußvers bildet. Die Schlußformel der priesterlichen Orationen dagegen ist freier gefaßt, indem sie die Mittlerschaft des Erlösers in den Vordergrund rückt, allerdings so, daß ein doxologischer Hinweis auf seine ewige Herrschaft in die Formel aufgenommen ist. Nur das Hauptgebet aller Liturgie, das Hochgebet der Messe, hat auch in der römischen Weise eine Lobpreisungsformel bewahrt, und zwar eine Formel, die Einfachheit und Größe auf das glücklichste verbindet. Ihre heutige Fassung ist auch die der ältesten Kanonüberlieferung. Sie erweist sich noch dadurch als Formel von ältestem Gepräge, daß sie nicht nur eine Lobpreisung Gottes ausspricht, sondern diesen Lobpreis auch durch Christus dargebracht sein läßt, ein Zug, der den meisten orientalischen Liturgien in den arianischen Wirren nicht bloß an dieser Stelle, sondern allgemein in ihren Gebetsabschlüssen verlorengegangen ist[28]).

Tatsächlich berührt sich die Schlußdoxologie des römischen Kanons auch enge mit derjenigen, in die die Eucharistia Hippolyts ausklingt. Der Zusammenhang wird deutlich durch eine Gegenüberstellung (mit einer geringfügigen Umstellung im heutigen Kanontext):

Per ipsum et cum ipso et in ipso	*Per quem*
est tibi	*tibi*
omnis honor et gloria	*gloria et honor*
Deo Patri omnipotenti	*Patri et Filio cum Sancto Spiritu*
in unitate Spiritus Sancti	*in sancta Ecclesia tua*
per omnia saecula saeculorum.	*et nunc et in saecula saeculorum*[29]).

Der Hauptunterschied liegt darin, daß die trinitarischen Namen, die bei Hippolyt in der Anrede nebeneinander erscheinen, in unserem Kanontext, der christlichen Heilsökonomie entsprechend, in den Stufenbau des Lobpreises selbst hineingezogen sind. Die „Einheit des Heiligen Geistes"

---

[28]) Vgl. Jungmann, Die Stellung Christi im liturgischen Gebet, bes. S. 151 ff.

[29]) Oben I, 38. — Eine namhafte Erweiterung der römischen Fassung stellt die mailändische Form der Kanonschlußdoxologie dar (Kennedy 53; bei Botte 46 auffallenderweise beiseitegelassen): *Et est tibi Deo Patri omnipotenti ex ipso et per ipsum et in ipso omnis honor virtus laus gloria imperium perpetuitas et potestas in unitate Spiritus Sancti per infinita saecula saeculorum.*

der heutigen Messe ist nur ein anderes Wort für die „heilige Kirche" des Hippolytischen Textes. Die Kirche ist ja zur Einheit und Gemeinschaft zusammengeführt im Heiligen Geist: *Sancto Spiritu congregata*[30]), und sie ist geheiligt durch seine Einwohnung. Sie ist die Einheit des Heiligen Geistes[31]). Aus ihr steigt alle Ehre und Verherrlichung zu Gott, dem allmächtigen Vater, empor[32]) und sie steigt empor „durch ihn". Denn Christus ist das Haupt der erlösten Menschheit, ja der ganzen Schöpfung, die in ihm zusammengefaßt ist (Eph 1, 10). Er ist ihr Hoherpriester, der vor dem Vater steht. Das *per ipsum* wird darum näher erklärt und bestimmt durch das *cum ipso* und das *in ipso*. Er steht nicht vor dem Vater als einsamer Beter, wie er während seines Erdenlebens in stillen Nächten auf dem Berge allein gebetet hat, sondern seine Erlösten sind um ihn; sie haben gelernt, mit ihm den Vater zu preisen, der im Himmel ist. Ja sie sind in ihm, aufgenommen in den lebendigen Verband seines Leibes und darum auch einbezogen in die Glut seines Betens, so daß sie nun wirklich imstande sind, den Vater anzubeten „im Geiste und in der Wahrheit". *In ipso* und *in unitate Spiritus Sancti* bezeichnen also denselben alles umfassenden Quellbezirk der Verherrlichung des himmlischen Vaters, das eine Mal gesehen von Christus aus, dessen mystischen Leib die Erlösten bilden, das andere Mal vom Heiligen Geiste aus, von dessen Lebensodem sie beseelt sind[33]).

---

[30]) Oration am Freitag in der Pfingstwoche.

[31]) Im Gegensatz zur Schlußformel der Oration, wo die *unitas Spiritus Sancti* durch den Zusammenhang auf die himmlische Kirche eingeschränkt ist (oben I, 490), behält der Begriff hier seine volle Weite, irdische und himmlische Kirche umspannend. Vgl. J. Pascher, Eucharistia, Münster 1947, 146—152. Zu den Einwendungen von B. Botte, In unitate Spiritus Sancti: La Maison-Dieu 23 (1950, IV) 49—53, s. meine Antwort ZkTh 72 (1950) 481—486.

[32]) Vgl. Eph. 3, 21. — Siehe die Entfaltung des Gedankens im Kapitel „In der Einheit des Heiligen Geistes" bei Jungmann, Gewordene Liturgie 190—205.

[33]) Jungmann, Die Stellung Christi 178—182. Den dort 181 f gemachten Versuch, das mailändische *ex ipso et per ipsum et in ipso* (oben Anm. 29) als genau gleichbedeutend mit der römischen Fassung zu interpretieren, möchte ich nicht aufrechterhalten, da die mailändische Form offenkundig sekundär ist. Das *cum ipso* ist darin verlorengegangen. — Von der Geschichte der Doxologien her gesehen, ist jedenfalls unmöglich die Auslegung der römischen Schlußdoxologie, wie sie u. a. bei Eisenhofer II, 193 und ähnlich bei Brinktrine 226 f (hier gegenüber der früheren Auflage von 1934 um den Versuch einer Begründung erweitert) geboten wird, derzufolge das *cum ipso* Vater und Sohn verbinden und das *in ipso* von der trinitarischen Perichorese verstanden werden soll. Während das *cum ipso* allerdings an und für sich nicht bloß die erlöste Welt mit Christus, sondern ebensogut den Vater mit dem Sohne verbinden könnte, ist der Sinn des *in ipso*

Diese Lobpreisung steht nicht umsonst am Ende des Eucharistiegebetes und sie hat auch nicht umsonst die indikativische Form *(est)*, nicht die konjunktivische, wünschende[34]). Hier, wo die Kirche versammelt ist, und zwar um den Altar, auf dem das Sakrament ruht, und zwar versammelt, um Christi Leib und Blut in Ehrfurcht darzubringen, empfängt Gott tatsächlich alle Ehre und Verherrlichung. Es erfüllt sich in diesem Augenblick das Wort des Malachias (1, 11): Der Name des Herrn ist groß bei den Völkern.

Dieser Zusammenhang wird auch durch den Ritus dargestellt. Der Priester faßt Kelch und Hostie und hält sie empor. Es ist die sogenannte „kleine Elevation" — klein nicht, als ob sie von geringer Bedeutung oder als ob sie nur der Rest einer größeren wäre, sondern klein, weil es sich darin ja nicht, wie bei der jüngeren Schwester, der „großen Elevation", darum handelt, die heiligen Gaben dem Volke zu zeigen, sondern darum, sie zu Gott darbringend emporzuheben[35]). Dieses Emporheben kann seiner Natur nach nur ein symbolisches Erheben sein, wie wir es ja auch bei anderen Gelegenheiten schon vorgefunden haben[36]), wie sehr es immerhin ein sichtbares Erheben sein muß.

Diese Erhebung geschieht heute nur während der Worte *omnis honor et gloria.* Hier liegt eine gewisse Schrumpfung vor. Sie hat eine lange Geschichte.

Die ursprüngliche und volle Gestalt des Ritus begegnet uns in ungebrochener Deutlichkeit zuerst[37]) in der stadtrömischen Liturgie des

---

(und damit durch den Zusammenhang auch der des *cum ipso)* durch die mailändische Parallele und auch schon durch Eph 3, 21 eindeutig gegeben. Jene Auslegung scheitert außerdem daran, daß *in unitate Spiritus Sancti* mehr ist als *cum Spiritu Sancto,* also nicht einfach die Beigesellung des Heiligen Geistes im Empfang der Verherrlichung bedeuten kann. Vgl. oben I, 490 Anm. 37.

[34]) Vgl. oben I, 423 Anm. 41; 451.

[35]) Amalar, Liber off. III, 26, 18 (Hanssens II, 349), umschreibt den Sinn des Ritus in unmittelbarem Anschluß an die Doxologie: *Hoc ipsum volendo tibi omni nisu monstrare tota fide me ita tenere, elevo praesentia munera ad te.* Der Cod. Ratoldi des Gregorianums (10. Jh.) sagt vom Diakon: *sublevans calicem in conspectu Domini* (PL 78, 244 A). Zum Darbringungscharakter des Ritus vgl. auch Andrieu, Les ordines II, 147, der sogar die Bezeichnung *offertorium* für das vom Diakon dabei gebrauchte Tuch davon herleitet.

[36]) Oben I, 27 Anm. 63; II, 53 Anm. 4; 73. 257.

[37]) Eine weniger eindeutige, aber doch wohl hieher gehörige Nachricht liegt schon im Leben des gallischen Bischofs Evurtius von Orleans (4. Jh.) vor: *in hora confractionis panis coelestis, cum de more sacerdotali hostiam elevatis manibus tertio Deo benedicendam offerret, super caput eius velut nubes splendida apparuit.* F. Cabrol, Elévation: DACL IV, 2662. 2666. — Dagegen

7. Jahrhunderts. Der assistierende Archidiakon, der sich bei den Worten *Per quem haec omnia* von der verbeugten Haltung aufgerichtet hat, faßt bei den Worten *Per ipsum*[38]) mittels eines Linnentuches[39]) den Kelch bei den Henkeln und hält ihn empor, während der Papst gleichzeitig die Brotsgestalt, d. h. die beiden aus seiner Oblation stammenden konsekrierten Hostienbrote zur Höhe des Kelchrandes hebt und, diesen mit ihnen berührend, die Doxologie zu Ende spricht[40]). Dann wird aber der Ritus mehr und mehr verdunkelt und durchbrochen durch das Vordringen der Kreuzzeichen, die eine wachsende Wertschätzung finden. Zuerst und bis ins 11. Jahrhundert hinein werden öfter nur die drei Kreuzzeichen erwähnt, die bei *sanctificas, vivificas, benedicis* je über Hostie und Kelch gemacht werden[41]) und die auch den Vorgang bei der Doxologie noch nicht stören. Dann erscheinen vereinzelt und nach der Jahrtausendwende immer allgemeiner auch die Kreuzzeichen, die mit der Hostie bei *Per ipsum et cum ipso et in ipso* gezeichnet werden. Zuerst

---

gehört die Erhebung der Gestalten, wie sie in den orientalischen Liturgien seit alters in Verbindung mit dem Ruf Τὰ ἅγια τοῖς ἁγίοις geübt wird, ihrem ganzen Sinne nach nicht hieher — trotz Baumstark, Liturgie comparée 147 —, da sie nicht doxologisch und darbietend an Gott, sondern zur Kommunion einladend an das Volk gerichtet ist. Daran ändert selbstredend die Tatsache nichts, daß im späteren Mittelalter vorübergehend auch unser abendländischer Ritus da und dort eine ähnliche Deutung erfahren hat; s. unten 360. Größer ist die Verwandtschaft mit der ὕψωσις τῆς παναγίας, auf die Brinktrine, Die hl. Messe 231 Anm. 2, verweist.

38) Nach Ordo ‚Qualiter quaedam' (Andrieu II, 302; PL 78, 983 f) erhebt der Archidiakon den Kelch schon beim *Per quem haec omnia,* u. zw. *contra domnum papam,* d. h. er befindet sich auf der Gegenseite des freistehenden Altares.

39) Andere Meßordnungen lassen den Diakon vorher die Hände waschen (so auch Durandus IV, 44, 5) und dann ohne Tuch den Kelch fassen. — Vgl. oben 97 f.

40) Ordo Rom. I n. 16 (Andrieu II, 96; PL 78, 945 A): *Cum dixerit ‚Per ipsum et cum ipso', levat (archidiaconus) cum offertorio calicem per ansas et tenet exaltans illum iuxta pontificem. Pontifex autem tangit a latere calicem cum oblatis dicens, ‚Per ipsum et cum ipso' usque ‚Per omnia saecula saeculorum'.* Mit anderen Worten die gleichen Vorschriften im Capitulare eccl. ord. (Andrieu III, 104), dessen jüngere Rezension (ebd.; vgl. III, 182) von der Erhebung des Kelches sagt: *sublevans eum modice.* — Die zwei Hostienbrote (vgl. oben 10) sind ausdrücklich genannt im Ordo ‚Qualiter quaedam' (Andrieu II, 302; PL 78, 984 B): *Hic levat domnus papa oblatas duas usque ad oram calicis et tangens eum de oblationibus.*

41) Ordo ‚Qualiter quaedam' (Andrieu II, 302; PL 78, 983 f). Der Diakon hält dabei bereits den Kelch erhoben. — Eine Anzahl von Sakramentar-Hss, die nur diese Kreuzzeichen aufweisen, nennt Brinktrine, Die hl. Messe 330. Weitere Beispiele ohne Kreuzzeichen bei *Per ipsum* bis ins 11. Jh. bei Leroquais I, 62. 71. 97. 118. 123; ebd. I, 209 auch noch ein Sakramentar des 12. Jh.

sind es des öfteren nur zwei[42]), dann aber regelmäßig deren drei, so wie heute[43]). Seit dem 11. Jahrhundert setzt sich endlich ein viertes und nicht viel später schließlich ein viertes und fünftes Kreuzzeichen durch, die beiden nämlich, die heute mit den Worten *Deo Patri* und *in unitate Spiritus Sancti* verbunden werden[44]).

Während der Sinn der Kreuzzeichen, die die Segnungsworte begleiten, klar ist — sie sind zwar keine Betätigung der Segnungsgewalt, aber sie illustrieren doch die Aussage des *sanctificas, vivificas, benedicis* — findet man über die Bedeutung derjenigen, die zur Doxologie hinzutreten, selbst im Bereich ihres Ursprunges keinen unmittelbar überzeugenden Aufschluß. Noch einigermaßen aus dem Zusammenhang verständlich ist das dreifache Kreuzzeichen, das zum dreimaligen *ipse* hinzutritt. Es handelt sich wohl auch hier um Verstärkung und Stilisierung der zeigenden Gebärde, die schon in der Erhebung liegt und die so beim Wort *ipse* noch ihre Akzente erhält[45]).

Dunkler ist die Herkunft der letzten Kreuzzeichen. Sie gehen auf symbolische Überlegungen zurück. Der Ansatzpunkt lag offenbar in der alten Rubrik, derzufolge der Priester mit der heiligen Hostie den vom Diakon erhobenen Kelch berühren sollte: *tangit a latere calicem*[46]). Diese rätselhafte Berührung, die ursprünglich wohl nur die Zusammengehörigkeit der beiden Gestalten ausdrücken wollte, lockte zu weiteren Andeutungen. Es wird daraus eine Berührung des Kelches nach allen vier

---

42) Bei Amalar, Liber off. III, 26, 10 (Hanssens II, 346), sind überhaupt nur diese zwei Kreuzzeichen, die übrigens *iuxta calicem* gemacht werden, erwähnt ohne die vorausgehenden drei. In anderen Fällen kommen zu diesen drei die zwei hinzu. Ordo sec. Rom. n. 10 (Andrieu II, 222; PL 78, 974 B); ebenso schon im Sakramentar von Angoulême (um 800) und in einzelnen späteren Hss; s. Brinktrine a. a. O. — Ebd. 229 die Vermutung, daß der Grund dieser Zweizahl die Zweizahl der Hostien war; s. aber unten Anm. 53. Amalar a. a. O. gibt nur einen symbolischen Grund an: weil Christus für Juden und Heiden gestorben ist.

43) Brinktrine 330. — Beispiele für diese drei (ohne die weiteren) Kreuzzeichen auch bei Leroquais I, 84. 86. 96. 100. 103. 108. 120. Im Ritus der Kartäuser nach den Statuta antiqua (vor 1259): Martène 1, 4, XXV (I, 634 A): die Hostie bleibt während der folgenden Worte über dem Kelch bis *Per omnia,* wo Kelch und Hostie erhoben werden.

44) Belege bei Brinktrine 330 f; Sölch, Hugo 99 f.

45) Vgl. oben 182 ff. Die anfängliche Zweizahl dieser Kreuze bleibt allerdings auch so noch dunkel. Wahrscheinlich war auch mit ihnen die Ergänzung von vorhergehenden drei Kreuzzeichen bei *sanctificas* usw. zur Fünfzahl beabsichtigt.

46) Oben Anm. 40. — Vgl. Ordo sec. Rom. n. 10 (Andrieu II, 222; PL 78, 974): *tangit e latere calicem cum oblatis duas faciens cruces.*

Richtungen[47]). Das Zeichen des Kreuzes, das so entsteht, deutet zugleich an, daß der Gekreuzigte aus allen vier Winden die Menschen an sich ziehen will[48]). Wenn zum *Per ipsum* bereits drei Kreuzzeichen hinzugetreten sind, ist damit ein viertes gegeben — die Vierzahl der Weltgegenden wird also auch noch durch die Vierzahl der Kreuzzeichen dargestellt. Das System der vier Kreuzzeichen war jedenfalls bis zum Missale Pius' V. weit verbreitet[49]). Im 13. Jahrhundert wird mit ihm noch ein viergliedriges Augustinuswort über die Unendlichkeit Gottes verbunden und weitergegeben[50]), das seinerseits wieder für die Ausgestaltung des Ritus der vier Kreuzzeichen bestimmend wurde[51]). Mindestens das vierte

---

[47]) Johannes von Avranches († 1079), De off. eccl. (PL 147, 36 B): *Sacerdos ‚Per ipsum' dicendo oblata quattuor partes calicis tangat.* — Amalar, Liber off. III, 31, 2 (Hanssens II, 362), bezeugt denselben Ritus bei der Mischung.

[48]) Ivo von Chartres († 1116), Ep. 231 (PL 162, 234): *quod vero cum hostia iam consecrata intra vel supra calicem signum crucis imprimitur a latere calicis orientali usque ad occidentale et a septentrionali usque ad australe, hoc figurari intelligimus, quod ante passionem Dominus discipulis suis praedixit: Cum exaltatus fuero a terra, omnia traham ad meipsum.*

[49]) Brinktrine 331 (mit Anm. 1) nennt dafür Hss des 11.—14. Jh. Das vierte Kreuzzeichen steht bald bei *Deo Patri,* bald bei *in unitate.* Die Vierzahl auch bei den Zisterziensern des 12. Jh. und im älteren Dominikanerritus; siehe Sölch, Hugo 99 f, wo außerdem noch auf das Ordinarium von Coutances (nicht Konstanz) von 1557 (Legg, Tracts 64) hingewiesen wird.

[50]) Es wird von Hugo von S. Cher als Begründung seiner Lokalisierung der Kreuzzeichen (s. nächste Anm.) in der Form zitiert: *Deus est extra omnia non exclusus, ... super omnia non elatus, ... intra omnia non inclusus, ... infra omnia non depressus;* Sölch 101 f. In etwas anderer Fassung bei Wilhelm von Melitona, Opusc. super missam ed. van Dijk (Eph. liturg. 1939) 341 f; hier weitere Zitationen und Nachweis des Fundortes bei Augustinus, De Gen. ad lit. 8, 26 (PL 34, 391 f); vgl. Ep. 187, 4, 14 (PL 33, 837). Es handelt sich um sehr freie Wiedergaben oder vielmehr um Umbildungen von Worten des Kirchenlehrers.

[51]) Im älteren Dominikanerritus werden von den vier Kreuzzeichen drei über den Kelch gemacht, aber jedes folgende in geringerer Höhe, das dritte innerhalb des Kelches, das vierte endlich vor dem Kelch; Sölch 100. — Diese Lokalisierung ist auch beibehalten worden, als im jüngeren Dominikanerritus (seit 1256) das fünfte Kreuzzeichen hinzukam, das nun vor dem Kelchfuß gezeichnet wurde; Sölch 101. Derselbe Ritus im Liber ordinarius von Lüttich: Volk 95. — Die ersten drei in verschiedener Höhe gezeichneten Kreuze wurden später auch auf den am Kreuze erhöhten, vom Kreuze abgenommenen, im Grabe ruhenden Christus gedeutet. So sieht darin M. de Cavaleriis, Statera sacra missam iuxta ritum O. P.... expendens, Neapel 1686, 408, eine Verherrlichung Christi, die den Ausfall der *elevatio* kompensiere; Sölch 106. Vgl auch Verwilst 30 f. — Anderswo machte man aber die ersten drei Kreuzzeichen in gleicher Höhe über dem Kelch; Sölch 100.

mußte nun entsprechend dem Leitwort: *Deus infra omnia non depressus,* beim Fuß des Kelches gemacht werden.

Auf die genannte Rubrik von der Berührung des Kelches geht sodann eine zweite Deutung zurück, die zu den fünf Kreuzzeichen geführt hat. Es war in jener Rubrik eine Berührung des Kelches *a latere* verlangt. In einer Zeit, die allenthalben und besonders gegen Schluß des Kanons Erinnerungen an das Leiden Christi fand, mußte dieses Wort den Gedanken an die Seitenwunde, also an die fünfte der fünf Wunden wecken[52]). Um die Darstellung der fünf Wunden zu vollenden, mußten also zu den vorhandenen drei Kreuzzeichen[53]) noch zwei hinzutreten. Diese ergänzenden zwei Kreuzzeichen erscheinen in den Handschriften seit der Wende des 11. Jahrhunderts[54]). Gerade um diese Zeit vernehmen wir auch ausdrückliche Stimmen für die Deutung auf die fünf Wunden und wir hören von Meinungsverschiedenheiten über die Art und Weise, die letzten Kreuzzeichen, näherhin die Darstellung der Seitenwunde auszuführen[55]). Da der Kelch nach weitverbreitetem Brauch rechts von der Hostie stand, war es mindestens für das letzte Kreuzzeichen doppelt naheliegend, es seitlich vom Kelch zu zeichnen[56]). So wurde es auch gehalten, bis schließlich das Gesetz der Symmetrie über die Symbolik die Oberhand gewann.

---

[52]) Vgl. oben I, 144 u. ö.

[53]) Wo nicht schon die drei Kreuzzeichen bei *Per ipsum* in Übung gekommen waren, konnten auch diejenigen bei *sanctificas* usw. zugrunde gelegt werden. Wahrscheinlich erklärt sich daraus die mehrfach bezeugte Zweizahl der Kreuzzeichen bei *Per ipsum* (oben Anm. 42).

[54]) Das früheste sichere Beispiel ist Cod. 614 der Bibliotheca Casanatensis (11./12. Jh.): *Hic faciat duas cruces in latere calicis cum oblata tangens illum.* Ebner 330. Häufiger werden diese Kreuzzeichen erst mit dem 13. Jh.; Brinktrine 330 f. Vielleicht gehört hieher aber auch schon um 1068 Bernardi Ordo Clun. I, 72 (Herrgott 265 Z. 13: *duas cruces imprimit* statt *dum crucem imprimit).* — Bemerkenswert das Pontifikale des Christian von Mainz (um 1170): Martène 1, 4, XVII (I, 602 A): drei Kreuze verschieden hoch über dem Kelch, *alias duas in labro calicis dicens: Per ipsum ... Spiritus Sancti. Hic tangat calicem cum hostia ad dexteram partem.*

[55]) Bernold von Konstanz († 1100), Micrologus c. 17 (PL 151, 988 A): *Postea cum corpore dominico quattuor cruces super calicem facimus dicendo: ‚Per ipsum et cum ipso et in ipso‘, et quintam in latere calicis, videlicet iterum vulnus Domini(ci) lateris significando.* Die Fünfzahl der Kreuzzeichen steht für Bernold bereits fest. Er fährt dann mißbilligend fort: *Multi tamen tres tantum cruces super calicem et duas in latere eius faciunt;* das sei unrichtig, da Christus nur eine Seitenwunde gehabt habe, auch habe Papst Gregor (VII., † 1085), wie er sicher wisse, die erstere Weise vertreten.

[56]) Doch gibt der Liber ordinarius O. Praem. (12. Jh.) an: *quintam ante oram calicis;* Lefèvre 12; Waefelghem 80.

Übrigens findet auch das System der fünf Kreuzzeichen schon im 12. Jahrhundert noch eine andere, eine christologisch-trinitarische Ausdeutung[57]) und demgemäß die entsprechende Ausformung, bei der auch die Größe der Kreuzzeichen eine Rolle spielte[58]). Dabei erhielten auch die beiden letzten Kreuzzeichen, von denen besonders der Ort des vorletzten schwankte, nicht nur ihre genaue Lokalisierung, sondern auch ihre feste Verbindung mit dem Text. Denn, wie aus dem Gesagten ersichtlich, war eine Beziehung zum Text bei ihnen zunächst nicht gesucht[59]). Jetzt wurde sie hergestellt, obwohl im übrigen die theologisch-trinitarische Ausdeutung nie alleinherrschend wurde[60]). So wie zur Nennung des Sohnes mit dem *ipse* schon das dreifache Kreuzzeichen trat, so wurden nun die beiden letzten Kreuzzeichen mit der Nennung von Vater und Geist verbunden.

---

[57]) Richard von Weddinghausen, O. Praem., De canone mystici libaminis c. 8 (PL 177, 465 f): das erste Kreuzzeichen bedeutet die Ewigkeit des Sohnes zusammen mit dem Vater, das zweite die Gleichheit, das dritte die Wesenseinheit, das vierte denselben *modus existendi utriusque et ante mundi constitutionem et post mundi consummationem,* das fünfte die Einheit des Hl. Geistes mit Vater und Sohn. — Zur Verfasserfrage vgl. Franz 418 f.

[58]) Richard von Weddinghausen a. a. O. (466 A): *Prima quidem crux ex utraque parte ultra calicem protenditur. Secunda calici coaequatur. Tertia infra calicem coarctatur. Quarta eadem est cum prima. Quinta ante calicem depingitur.* Diese Regel, die der Liber ordinarius O. Praem. (vorletzte Anm.) übrigens noch nicht kennt, ist u. a. in England maßgebend geworden: Missale von Sarum, Legg, Tracts 13. 225. 263 f; Martène 1, 4, XXXV (I, 669 B); vgl. Maskell 152 f. Ebenso in Schweden: Missale von Upsala von 1513: Yelverton 19. Mit noch genauerer Fassung der Rubrik im Missale D von Preßburg (15. Jh.): Jávor 117. — Diese Ordnung der Kreuzzeichen gilt noch heute im Ritus der Karmeliten; Missale O. Carm. (1935) 311.

[59]) Das wird deutlich sichtbar im Meßordo der päpstlichen Kapelle um 1290 ed. Brinktrine (Eph. liturg. 1937) 206, wo es lediglich heißt: *Hic cum ipsa hostia bis inter se et calicem signet,* ohne daß im Text selber das sonst übliche Kreuz eingezeichnet wäre. — Die gleiche Erscheinung im Sarum Ordinary des 14. Jh. (Legg, Tracts 13), wo eine Rubrik vor dem *Per ipsum* sogar für die fünf folgenden Kreuzzeichen nur die Anweisung gibt, ohne das sonst angewandte Zeichen im Text. In dem etwas jüngeren Sarum-Missale bei Martène 1, 4, XXXV (I, 669) sind die Kreuzzeichen an der heute üblichen Stelle eingezeichnet. Dabei verbindet schon Robert Paululus († um 1184), De caeremoniis II, 37 (PL 177, 434), die beiden letzten mit der Nennung von Vater und Hl. Geist und sieht darin auch den Grund, weshalb sie außerhalb des Kelches gemacht werden müssen.

[60]) Es blieben neben ihr die früher angegebenen Deutungen in Kraft, aber auch z. B. eine Passionsdeutung, wie sie vertreten wird von Innozenz III., De s. alt. mysterio V, 7 (PL 217, 894): Die ersten zweimal drei Kreuzzeichen bedeuten die Kreuzigung durch die Juden und durch die Heiden, die beiden letzten die Scheidung der Seele vom Leibe.

Aus dem Gesagten ergibt sich die Feststellung, daß der alte Begleitritus der Schlußdoxologie mit seiner schlichten Größe gegen das spätere Mittelalter hin von den Kreuzzeichen stark überwuchert worden ist[61]). Einigermaßen versöhnen mag uns damit die Tatsache, daß die nunmehr zur Fünfzahl vermehrten Kreuzzeichen schließlich nur die Nennung Christi *(ipse)* noch weiter verstärken wollen durch den Hinweis auf das Geheimnis des Kreuzes, in dem letztlich „alle Ehre und Verherrlichung" zu Gott emporsteigt.

Im Mittelalter ist aber der doxologische Begleitritus durch die Kreuzzeichen vielfach auch völlig aufgesogen worden[62]) oder aber es ist daraus ein Zeigeritus geworden[63]), der dann übrigens in vielen Fällen von seiner ursprünglichen Stelle verdrängt wurde; wir werden nämlich der alten Zeremonie beim *Pater noster* wieder begegnen. Wo nicht ein Diakon mitwirkte, mußte die Erhebung des Kelches nun ja notwendig so weit hinausgeschoben werden, als der Zelebrant noch mit den Kreuzzeichen beschäftigt war, also bis zu den Schlußworten der Doxologie, und bald schrumpfte auch im Hochamt die Hilfeleistung des Diakons zusammen, so daß nur ein Stützen des Armes[64]) oder ein begleitendes Berühren des

---

[61]) Es wurde damals übrigens nicht nur den Kreuzzeichen und ihrer vorschriftsmäßigen symbolischen Verteilung vielfach ein ganz übermäßiges Gewicht beigelegt; die Bewegungen mit der hl. Hostie wurden manchmal auch noch gesteigert, es wurden Kreisbewegungen hinzugefügt. Dagegen kämpft Ludovicus Ciconiolanus in einem besonderen Kapitel seines 1539 in Rom erschienenen Directorium divinorum officiorum (Legg, Tracts 210). Aber auch schon Heinrich von Hessen († 1397) wendet sich in seinen Secreta sacerdotum gegen die Priester, die *cruces longas* machen, damit das Volk sie sehe, ebenso wie gegen den Brauch, beim *omnis honor et gloria* die Hostie so wie bei der Wandlung emporzuheben. Die Zeremonie hieß darum in England auch ‚second sakering' (sacring = Wandlung). Die englischen Reformatoren gossen ihren Spott aus über den „tanzenden Gott" der römischen Messe; s. den Exkurs bei Legg, Tracts 263 f.

[62]) Der Dominikanerritus kennt diese Elevation seit der Mitte des 13. Jh. nicht mehr. Ebenso fehlt sie im Ritus von Sarum. Sölch, Hugo 105; Legg, Tracts 225. 262—264; Legg, The Sarum Missal 224. Vgl. auch Volk 95.

[63]) Ein Statut aus Xanten um 1400 muß verbieten, daß man sich nach dem *Per ipsum* umwende, um dem Volke den Leib des Herrn zu zeigen; zitiert von P. Browe, JL 9 (1929) 36. Vgl. oben Anm. 61.

[64]) Zu den frühesten Zeugnissen für diese Weise gehört Johannes von Avranches († 1079), De off. eccl. (PL 147, 36 B): *uterque calicem levent et simul ponant.* Dagegen unterbleibt schon nach dem ersten Nachtrag zum Ordo Rom. I (Andrieu II, 115; PL 78, 948) im Falle, daß nicht der Papst selbst zelebriert, das Erheben des Kelches gänzlich; vgl. Ordo von S. Amand (Andrieu II, 169 Z. 14). — Betont wurde besonders das gemeinsame Niedersetzen des Kelches,

Kelchfußes[65]) übrigblieb, während anderseits dieser Dienst des Diakons in Aufnahme höfischer Umgangsformen mit einem Kuß auf die Schulter des Zelebranten beschlossen wurde[66]), bis auch diese Formen dienender Gefälligkeit wieder in Wegfall kamen[67]). So finden wir denn schon beim ersten Auftreten der vollen Zahl der heutigen Kreuzzeichen im 11. Jahrhundert bereits vorgesehen, daß der Priester den Kelch nur erhebt, während er die Worte *Per omnia saecula saeculorum* spricht[68]). Das blieb der vorherrschende Brauch im hohen Mittelalter, den auch die alten Ordensliturgien vertraten[69]) und der erst mit dem Missale Pius' V. aufhörte. Er hatte den Vorteil, daß der Ritus mit den Schlußworten des Kanons verbunden blieb, die laut gesprochen und unmittelbar mit dem altehrwürdigen *Amen* beantwortet wurden, so daß er sein Gewicht weithin behalten und deutlich ins Bewußtsein treten konnte. Nur wenig später erscheint daneben auch die heutige Weise, die die verbleibende Erhebung mit den Worten *omnis honor et gloria* verbindet, wobei aber die Schlußworte *Per omnia saecula saeculorum* erst gesprochen werden, wenn Kelch

---

weil man darin die Abnahme vom Kreuze durch Joseph von Arimathäa und Nikodemus dargestellt sah. Hugo von S. Cher, Tract. super missam (ed. Sölch 45); vgl. Sölch, Hugo 106.

[65]) Rituale von Soissons: Martène 1, 4, XXII (I, 612 C).

[66]) Der Schulterkuß erscheint, soviel ich sehe, erstmalig im Pontifikale des beneventanischen Cod. Casanat. 614 (11./12. Jh.; Ebner 330), bei dem verschiedene Anzeichen auf normannische Herkunft deuten, hier noch, nachdem der Diakon selber den Kelch erhoben hat. Er ist weiter bezeugt u. a. im Ordo eccl. Lateran. (Fischer 85); bei Sicard von Cremona, Mitrale III, 6 (PL 213, 134 C); Innozenz III., De s. alt. mysterio V, 13 (PL 217, 895); Hugo von S. Cher (a. a. O. 45). In manchen Kirchen wurde dieser Schulterkuß auch vor und nach der Hilfeleistung des Diakons gegeben; er war auch teilweise üblich bei der nachfolgenden Überreichung der Patene an den Zelebranten, wo heute ein Handkuß vorgeschrieben ist. Sölch 107—109. — Vereinzelt wurde wie im Ordinarium von Chalon: Martène 1, 4, XXIX (I, 647 C), noch jedesmal ein Altarkuß mit dem Schulterkuß verbunden.

[67]) Das heute noch verbliebene Abdecken und Wiederbedecken des Kelches durch den Diakon ist bereits dessen Leistung geworden im Ordo eccl. Lateran. (um 1140) (Fischer 85); vgl. auch das Ordinarium von Bayeux (13./14. Jh.): Martène 1, 4, XXIV (I, 629 C), wo es sich noch um ein Zurückschlagen des Corporales handelt.

[68]) Bernardi Ordo Clun. I, 72 (Herrgott 265); Bernold von Konstanz, Micrologus c. 17. 23 (PL 151, 988 B. 994 D); ebenso um 1140 im Ordo der Laterankirche (Fischer 85).

[69]) Die Nachweise bei Sölch 104. — So auch noch in Drucken des römischen Missale aus dem 16. Jh., zuletzt noch Venedig 1563; s. Lebrun I, 467 Anm. c.

und Hostie wieder an ihrer Stelle sind[70]). Dieser Brauch wurde in Rom erst im 15. Jahrhundert maßgebend[71]). Damit wurde erreicht, daß die Erhebung der Gaben den eigentlichen Höhepunkt der Doxologie auszeichnet. Daß die Schlußworte nicht einbezogen, sondern davon getrennt wurden — nämlich durch das Niedersetzen von Kelch und Hostie[72]), wozu zuletzt, seit dem 15./16. Jahrhundert, noch die Kniebeugung gekommen ist[73]) — war freilich ein Nachteil nach zwei Seiten hin: die Elevation bleibt noch einmal im Schatten und die losgetrennten Worte *Per omnia saecula saeculorum,* die durch ihr Hervortreten den eigentlichen Schluß des Kanons bezeichnen wollen, erscheinen durch die Verbindung mit dem sofort nachfolgenden *Oremus,* mit dem das *Pater noster* eingeleitet wird, wie ein zu diesem gehöriges Anfangsstück[74]). In manchen Gegenden, z. B. in Frankreich, pflegt man das *omnis honor et gloria* samt seinem Begleitritus durch ein Zeichen mit dem Altarglöckchen hervorzuheben[75]). Das Laacher Altarmissale von 1931 hat dem Gesamttext der Schlußdoxologie durch künstlerische Anordnung und vor allem durch die Größe der Lettern etwas von ihrem ursprünglichen Gewicht zurückzugeben versucht.

An der Wucht dieser Worte hat auch das *Amen* teil, mit dem nach ältestem Brauch das ganze Volk nun bestätigend und bekräftigend einfällt. Wir haben schon gesehen[76]), welche Bedeutung diesem *Amen* in

---

[70]) Der früheste Zeuge ist Stephan von Baugé († 1136), De sacr. altaris c. 17 (PL 172, 1301). Weitere Nachweise bei Sölch 104.

[71]) Durch Johannes Burchard; s. Legg, Tracts 159 f. — Vgl. P. Salmon, Les ‚Amens' du canon de la messe (Eph. liturg. 1928) 501 f. 506.

[72]) So z. B. deutlich schon der Ordo des Kard. Stefaneschi (um 1311) n. 53 (PL 78, 1167 C).

[73]) Diese fehlt z. B. noch im Ordinarium von Coutances von 1557 (Legg, Tracts 64).

[74]) Der Mißstand wäre behoben, wenn die Kniebeugung erst auf den Schluß der Doxologie folgte. Zum gleichen Vorschlag kommt M. Del Alamo, La conclusión actual del Canon de la Misa: Miscellanea Mohlberg II (1949) 107—113.

[75]) J. Kreps, La doxologie du canon: Cours et Conférences VII, Löwen 1929, 223—230, bes. S. 230, mit dem Hinweis auf eine zustimmende Äußerung der Ritenkongregation vom 14. V. 1856. Prof. Balthasar Fischer, der den Brauch auch für die Trierer Diözese meldet, vermutet dessen Ursprung mit gutem Grund in der (oben 329 erwähnten) Entwicklung zum Zeigeritus (Brief vom 18. II. 1949). — Lebrun I, 465 berichtet aus französischen Kathedralen auch die Anwendung von Inzens sowie den Brauch, daß Diakon und Subdiakon rechts und links am Altar anbetend niederknien. — Nach dem Stowe-Missale des 9. Jh. wurde die ganze Doxologie, von *Per quem* angefangen, dreimal gesungen: *ter canitur;* Warner (HBS 32) 16 f.

[76]) Oben I, 30. 309.

der Frühzeit beigemessen wurde. Im 3. Jahrhundert vernehmen wir eine Stimme, die als besonderes Vorrecht des christlichen Volkes in einem Atem aufzählt: das Eucharistiegebet anhören, das *Amen* mitrufen, am Tische stehen und die Hände zum Empfang der heiligen Speise ausstrecken[77]). Mit diesem *Amen* gibt das Volk seine Unterschrift[78]). Es ist offenkundig, daß noch in der Karolingerzeit die Schlußworte des Kanons nur deswegen nicht in die Kanonstille einbezogen wurden, damit dieses *Amen* laut erschallen konnte[79]).

---

[77]) Dionysius von Alexandrien († 264/65), bei Eusebius, Hist. eccl. VII, 9 (PG 20, 656). — Auch Chrysostomus, In I. Cor. hom. 35, 3 (PG 61, 300), spricht von diesem *Amen.* Weitere Zeugnisse bei F. Cabrol, Amen: DACL I, 1554—1573, bes. 1556 ff.

[78]) Augustinus, Serm. Denis 6, 3 (PL 46, 836; Roetzer 124): *Ad hoc dicitis Amen. Amen dicere subscribere est.*

[79]) Das ist um so deutlicher, als wirklich nur die allerletzten Worte *Per omnia saecula saeculorum* laut gesprochen werden, die für sich keinen selbständigen Sinn ergeben. Seitdem der Kanon leise gesprochen wird, ist indes kein Versuch bekannt, den lauten Vortrag etwa bei *Per ipsum* beginnen zu lassen, wie man es unter dem Gesichtspunkt des Textes erwarten und mit *Del Alamo* (s. Anm. 74) wohl auch wünschen müßte und wie es der Vorbeter in Gemeinschaftsmessen manchmal hält. — Dagegen setzt in orientalischen Liturgien, in denen ja ebenfalls auf weite Strecken das stille Beten durchgedrungen ist, der Lautspruch in solchen Fällen regelmäßig mindestens mit dem Beginn der Doxologie ein. Das gilt auch vom Schluß des Kanons, wo z. B. schon in der byzantinischen Messe des 9. Jh. die ἐκφώνησις beginnt: „und laß uns mit einem Munde und mit einem Herzen loben und preisen deinen ehrenvollen und herrlichen Namen, des Vaters und des Sohnes und des Heiligen Geistes, jetzt und allezeit und in alle Ewigkeit", worauf das Volk das *Amen* sagt (Brightman 337). Nur in der armenischen Messe ist die eigentliche Kanonschlußdoxologie samt dem zugehörigen *Amen* des Volkes im Stillgebet des Priesters aufgegangen, worauf allerdings eine laut gesprochene Segnungsformel mit dem *Amen* der Kleriker folgt (Brightman 444). Umgekehrt ist in der ägyptischen Messe das *Amen* des Volkes in der Weise erweitert, daß das Volk schon in die Doxologie des Priesters einfällt mit dem Ὥςπερ ἦν (entsprechend unserem *Sicut erat* im Psalmengesang), das auch in der koptischen Liturgie noch in griechischer Form gebraucht wird (Brightman 134. 180). Dieselbe Antwort des Volkes ist früh auch bei den syrischen Jakobiten üblich geworden (Brightman 96), da sie schon Jakob von Edessa († 708) bezeugt (ebd. 493; Hanssens, Institutiones III, 476). Vgl. Hanssens III, 481.

3.

DER KOMMUNIONKREIS

1. Anfänge eines Kommunionkreises

Es ist mit dem Begriff des Opfers nicht von selbst gegeben, daß die Darbringer nach dessen Vollzug als Gottes Gäste zu Tisch geladen sind. Wohl aber ist das Opfer der Christenheit von vornherein so eingesetzt; denn es ist ja die Feier der Gottesfamilie, derjenigen, die zu Christus gehören und mit ihm kraft der Taufe zu engster Gemeinschaft verbunden sind. So stehen sie als heiliges Volk vor Gott. Die *communio sanctorum*, die die heilige Kirche ist, soll in der *sacra communio* des Sakramentes ihren Ausdruck finden[1]). Daß allermindestens der zelebrierende Priester die Kommunion empfangen müsse, ist zu allen Zeiten als Erfordernis jeder Meßfeier betrachtet und eine gegenteilige Übung wiederholt als Mißbrauch verurteilt worden[2]).

In den biblischen Texten steht der Mahlcharakter der Eucharistie so sehr im Vordergrund, daß man den Opfercharakter erst beweisen muß. Die Darbringung ist zwar auch in der jungen Kirche offenbar nicht eine bloße Einleitung zum heiligen Mahl; sie ist aber ein erster Schritt, auf den sofort der zweite, eben das Mahl, folgt, oder vielmehr beide bilden so sehr eine Einheit, daß eine Teilnahme am einen ohne die Beteiligung am anderen zunächst undenkbar schien. Damit hängt es auch zusammen, daß die Ausschließung derjenigen, die des Sakramentes nicht würdig

---

[1]) Das Wort *communio* bezeichnet also auch in seiner Anwendung auf das Sakrament, ebenso wie das damit wiedergegebene κοινωνία, in erster Linie nicht die „Vereinigung" des einzelnen mit Christus — dann müßte es mindestens *co-unio* heißen —, sondern vielmehr das hohe Gut, das die Gemeinschaft der Gläubigen zusammenhält. Dieser Sinn des Wortes ist noch deutlich bewußt bei Bernold von Konstanz († 1100), Micrologus c. 51 (PL 151, 1014 D): *Nec proprie communio dici potest, nisi plures de eodem sacrificio participent.* Ebenso noch bei Thomas von Aquin, Summa theol. III, 73, 4 corp.

[2]) Die 12. Synode von Toledo (681) can. 5 (Mansi XI, 1033) wendet sich gegen jene Priester, die bei mehrmaliger Messe an einem Tage nur in der letzten kommunizieren. In den folgenden Jahrhunderten scheint die Unterlassung der Kommunion ziemlich häufig gewesen zu sein bei Priestern, die mit beschwertem Gewissen aus irgendeinem Grunde zelebrierten. Zahlreiche Verordnungen richten sich dagegen bis ins 10., einzelne noch bis ins 14. Jh. Franz 77 f; P. Browe, Messa senza consecrazione e communione: Eph. liturg. 50 (1936) 124—132.

sind, nicht bloß der Ungetauften, sondern vielfach auch der Büßer, schon am Beginn der Opfermesse geschieht[3]) und daß schon vor Beginn des Dankgebetes noch einmal die warnende Stimme des Diakons erschallt gegen alle, die nicht reinen Herzens sind[4]). Insbesondere steht in den orientalischen Riten noch heute der Friedenskuß bereits am Eingang der Opfermesse, während die abendländische Weise im Laufe der Zeit eine Verlegung vorgenommen hat. Doch ist in allen Riten schließlich ein Gebetskreis geschaffen worden von vorbereitenden und nachfolgenden Gebeten und Gebräuchen, die die Kommunion umrahmen.

Nach den ältesten Nachrichten bildete die Kommunion einfach den Schluß der Eucharistiefeier, ohne daß sie noch von besonderen Gebeten begleitet war[5]); die Gebetsvorbereitung lag eben in der dankenden Darbringung an Gott. Im 4. Jahrhundert begegnen uns jedoch im Bereich der griechischen Kirche schon mehrere Meßordnungen, die der Kommunion mindestens ein Gebet des Zelebranten mit der Bitte um würdigen Empfang, wenn nicht auch ein eigenes Gebet zur Segnung der Empfänger, vorausgehen und mindestens ein Dankgebet folgen lassen[6]). Auch andere Einzelheiten der späteren morgenländischen Kommunionordnung werden

---

[3]) Oben I, 606 ff.

[4]) Oben 143. — Die Tendenz, die ausschließende Warnung auf den Kommunionkreis zu beschränken, ist aber auch im Orient fühlbar. In den Canones Basilii c. 97 (Riedel 274) gehen die Warnungsrufe, die sonst manchmal vor der Anaphora stehen, der Kommunion voraus.

[5]) Oben I, 29 f. 38. — Der Wertung nach liegt eine ähnliche Auffassung auch noch in der gallikanischen Kirche des 6. Jh. vor, wenn man die Kommunion *peractis sollemnibus, expletis missis* u. ä. geschehen läßt. Nickl, Der Anteil des Volkes 55; vgl. 65.

[6]) Das Euchologion Serapions n. 14—16 (Quasten, Mon. 64—66) weist vor der Kommunion ein Gebet auf, das zur Brechung hinzutritt (ἐν τῇ κλάσει εὐχή) und ein Segnungsgebet (χειροθεσία) über das Volk, sowie ein mit Εὐχαριστοῦμέν σοι beginnendes Dankgebet nach der Kommunion. — Dieselbe Anlage ist vorausgesetzt bei Theodor von Mopsvestia, Sermones catech. VI (Rücker 34—38); ebenso liegt sie vor in der als Ägyptische Kirchenordnung bekannten ägyptischen Rezension von Hippolyts Apostolischer Überlieferung (äthiopische Fassung: Dix 11 f; Brightman 190—193; vgl. die koptische Fassung: Funk II, 101 f) mit dem Unterschied, daß das der Segnung vorausgehende Gebet verdoppelt ist, und daß auch nach dem Dankgebet noch einmal ein Handauflegungsgebet über das Volk folgt. — Die Apostolischen Konstitutionen VIII, 13—15 (Quasten, Mon. 227—233) schicken der Kommunion nur ein mit einer Litanei eingeleitetes Gebet des Bischofs voraus, sie lassen ihr aber ebenfalls Danksagung und Segnungsgebet nachfolgen. — Nur je eine einzige eigentliche Gebetsformel vor und nach der Kommunion bietet das Testamentum Domini (Quasten, Mon. 258 f). Eine Segnung des Volkes am Ende der Anaphora auch bei Gregor von Nazianz, Or. 18, 29 (PG 35, 1021 A). — Das Vaterunser erscheint in keiner dieser Liturgien.

in den gleichen Dokumenten schon sichtbar, insbesondere der Ruf Τὰ ἅγια τοῖς ἁγίοις, den der Priester nach dem vorbereitenden Gebete erhebt, und der Psalmengesang, der die Kommunion begleitet. Gleichfalls noch vor der Wende des 4. Jahrhunderts erscheint dann in einzelnen griechischen Quellen das Gebet, das von da an alsbald in allen Meßliturgien zum festen Bestande der Kommunionvorbereitung gehört, ja ihren Schwerpunkt bildet, das *Pater noster*[7]).

2. *Pater noster*

Auch im lateinischen Bereich wird das *Pater noster* bereits seit dem 4. Jahrhundert bezeugt[1]). Wiederholt kommt Augustinus darauf zu sprechen[2]). Für die römische Messe liegt zwar außerhalb der eigentlichen

[7]) Die älteste Bezeugung läge wieder vor in den Mystagogischen Katechesen V, 11—18 (Quasten, Mon. 103—107), wenn sie wirklich von Cyrill von Jerusalem gehalten worden wären, wogegen die alten Bedenken (oben 240 Anm. 25) aufstehen; sein Zeugnis würde im Osten wieder für ein halbes Jahrhundert isoliert dastehen, was angesichts der gegenteiligen Stimmen, die gerade aus dem syrischen Bereich noch aus späterer Zeit vorliegen (s. vorige Anmerkung), mehr als auffallend ist. Die nächstältesten deutlichen Zeugnisse aus der östlichen Kirche sind die Äußerungen bei Chrysostomus, In Gen. hom. 27, 8; In Eutrop. hom. 5; Faustus von Byzanz, Hist. Armeniae (um 400) V, 28. Vgl. die Angaben bei Hanssens, Institutiones III, 491—493.

[1]) Optatus von Mileve, Contra Parmen. (verfaßt 366) II, 20 (CSEL 26, 56), wo er den donatistischen Bischöfen die ihrer Bußlehre widersprechende Praxis vorhält, in der sie Sündennachlaß gewähren und dann selbst die Vergebungsbitte für sich sprechen: *mox ad altare conversi dominicam orationem praetermittere non potestis et utique dicitis: Pater noster qui es in coelis, dimitte nobis debita et peccata nostra.* Zur Einordnung des afrikanischen Rekonziliationsritus in die Messe vgl. Jungmann, Die lateinischen Bußriten 32. 300 f. Wenn, wie kaum zu bezweifeln ist, hier eine mit den Katholiken gemeinsame Praxis vorausgesetzt wird, sieht man sich gedrängt, deren Anfang schon vor den Ausbruch des donatistischen Schismas (311) zu setzen. Ob bereits Tertullian, De or. c. 11. 18, das *Pater noster* an gleicher Stelle bezeugt (so Dekkers, Tertullianus 59 f), ist zweifelhaft; s. G. F. Diercks, Vigiliae christianae 2 (1948) 253. — Ambrosius, De sacramentis (um 390) V, 4, 24 (Quasten, Mon. 168): *Quare ergo in oratione dominica, quae postea* (= nach den Wandlungsworten) *sequitur, ait: Panem nostrum?* — Hieronymus, Adv. Pelag. (um 415) III, 15 (PL 23, 585); vgl. In Ezech. 48, 16 (PL 25, 485) und In Matth. 26, 41 (PL 26, 198).

[2]) Augustinus, Serm. 227 (PL 38, 1101): *ubi peracta est sanctificatio, dicimus orationem dominicam.* — Ep. 149, 16 (CSEL 44, 362) sagt er vom Hauptgebet der Messe: *quam totam petitionem fere omnis Ecclesia dominica oratione concludit.* Das *fere* zeigt, daß Augustin Ausnahmen kennt. — Weitere Stellen bei Roetzer 128—130; vgl. auch unten Anm. 30. 34 ff.

Kanonüberlieferung kein direktes Zeugnis vor, aber es wäre sehr merkwürdig, wenn das Vaterunser damals nicht auch hier in Übung gekommen wäre[3]). Nur für Spanien ist noch in später Zeit ein Schwanken bezeugt, insofern das 4. Konzil von Toledo (633) erst einschärfen mußte, daß das Gebet des Herrn alle Tage, nicht nur am Sonntag, zu sprechen sei[4]).

Das *Pater noster* steht in der römischen Messe an der Spitze der Vorbereitungen auf die Kommunion. Das ist nicht selbstverständlich und in anderen Liturgien liegt auch tatsächlich eine andere Anordnung vor. In den nichtbyzantinischen Liturgien des Ostens geht in der Regel mindestens die Brechung der Gestalten dem Vaterunser voraus[5]). Auch in den nichtrömischen Riten des Westens geht die Brechung dem *Pater noster* voran[6]). Es werden also zuerst die Gaben zur Austeilung bereitgemacht, der Tisch wird fertiggedeckt und dann erst beginnt das Gebet.

Die heutige Ordnung der römischen Messe geht in diesem Punkt auf Gregor den Großen zurück. Ihm wurde, wie er uns selbst berichtet, vorgeworfen, daß er griechische Bräuche einführe; im besonderen

---

[3]) Hieronymus, Adv. Pelag. (um 415) III, 15 (PL 23, 585), erblickt in der Haltung der Pelagianer, die das Vaterunser vor der Kommunion als überflüssig betrachten müssen, bereits eine Abweichung vom allgemeinen Brauch. Dabei scheint er, wie Srawley 170 anmerkt, gerade römische Übung vor Augen zu haben *(audeant loqui: Pater noster)*, über die er auch in Bethlehem durch die zahlreichen Priester-Pilger aus dem Westen genügend Gelegenheit hatte, auf dem laufenden zu bleiben. Übrigens haben wir allen Grund, das Zeugnis bei Ambrosius, De sacr. V, 4, 24, für die römische Messe in Anspruch zu nehmen. — Daß das *Pater noster* jedenfalls vor Gregor d. Gr. in der römischen Messe stand, was Batiffol, Leçons 278, bezweifelt, erhellt schon daraus, daß eine Messe des Leonianums (Muratori I, 359) bereits zwischen Präfation und Postcommunio einen Embolismus aufweist: *Libera nos ab omni malo propitiusque concede, ut quae nobis poscimus relaxari, ipsi quoque proximis remittamus. Per.*

[4]) can. 10 (Mansi X, 621).

[5]) Siehe die Übersicht bei Hanssens, Institutiones III, 504. Ursprünglich scheint außer in Byzanz auch in Ägypten die Brechung erst nach dem Vaterunser stattgefunden zu haben; ebd. 517. — Anderseits sind besonders umständlich schon die dem Vaterunser vorausgehenden Vorbereitungen in der ostsyrischen Messe. Sie beginnen mit Dank- und Bußgebeten des Priesters, zu denen u. a. der Psalm *Miserere* gehört; es folgt unter weiteren Gebeten eine Selbstlustration des Priesters durch Händewaschung und durch Weihrauch und darauf die zeremonienreiche Brechung nebst der *consignatio*. Erst dann wird nach Litanei und Vorbereitungsgebet das Vaterunser gesprochen. Brightman 288—296.

[6]) Missale mixtum (PL 85, 558); Missale Ambrosianum (1902) 179. Für die gallikanische Messe s. die Zusammenstellung bei H. Lietzmann, Ordo missae Romanus et Gallicanus, 4. Aufl. (Kleine Texte 19), Berlin 1935, 27. Die gleiche Ordnung dürfte auch für Afrika gelten; s. Augustinus, Ep. 149, 16 (CSEL 44, 362).

wurde ihm entgegengehalten: *orationem dominicam mox post canonem dici statuistis.* Er verteidigt sich in seinem Briefe an Bischof Johannes von Syrakus:

> *Orationem vero dominicam idcirco mox post precem*[7]) *dicimus, quia mos apostolorum fuit, ut ad ipsam solummodo orationem oblationis*[8]) *hostiam consecrarent. Et valde mihi inconveniens visum est, ut precem, quam scholasticus composuerat, super oblationem diceremus et ipsam traditionem, quam Redemptor noster composuit, super eius corpus et sanguinem non diceremus*[9]).

Gregor will sagen: Die Messe der Apostel bestand lediglich darin, daß sie mit der *oratio oblationis* konsekrierten, alles andere ist spätere Zugabe; wenn schon ein weiteres Gebet über die konsekrierten Gaben gesprochen werden soll, so kommt dafür vor allen menschlichen Erzeugnissen[10]) doch in erster Linie das Gebet des Herrn in Betracht. Dieses wird seit Gregor nun sofort nach dem Kanon, also noch *super oblationem,* über die noch auf dem Altar liegenden Opfergaben, gesagt, während es früher wohl erst unmittelbar vor der Kommunion gesprochen wurde, nachdem die konsekrierten Brote schon vom Altare weggenommen und gebrochen waren[11]). Dazu mag für Gregor der Vorgang bei den Griechen, wie er ihn in Konstantinopel kennengelernt hatte, die Anregung gebildet haben[12]). Doch ist Gregor über sein Vorbild noch hinausgegangen.

[7/8]) Sowohl *prex* wie *oratio oblationis* sind Benennungen für den Kanon; s. oben 128.

[9]) Gregor d. Gr., Ep. IX, 12 (PL 77, 956 f). Die Geschichte der Irrungen um diesen Text und doch wohl die endgültige zusammenfassende Aufhellung seines Sinnes bei Geiselmann, Die Abendmahlslehre 209—217. Eine nähere Erörterung des Textes in anderer Richtung bei Batiffol, Leçons 277 f. C. Lambot, Revue Bénéd. 42 (1930) 265—269 — und mit ihm B. Capelle, ebd. 60 (1950) 238 f — vertritt die Auffassung: es war Brauch der Apostel, die *oblationis hostia* zu konsekrieren unter dem (*ad* nicht im instrumentalen, sondern im konkomitanten Sinn; aber die geforderte Bedeutung wäre: mit angeschlossenem) Gebet des Herrn.

[10]) Die *prex quam scholasticus composuerat* und an deren Stelle nun das *Pater noster* getreten ist, wird von der Art gewesen sein, wie die oben 342 Anm. 6 erwähnten Gebete vor der Kommunion oder wie das *prooemium fractionis,* das in der koptischen Messe der Brechung und dem Vaterunser vorausgeht (vgl. Hanssens, Institutiones III, 486 f). Auf einen bestimmten Text aus römischer Überlieferung glaubt hinweisen zu können Baumstark, Missale Romanum 13 f.

[11]) E. Bishop-A. Wilmart, Le génie du rit romain, Paris 1920, 84—87. So nun auch F. Cabrol, The clergy Review 1 (1931) 364—366.

[12]) Doch tritt eine ähnliche Auffassung auch hervor in einem Fragment, das G. Morin, Revue Bénéd. 41 (1929) 70—73, um 500 in Nordafrika entstanden sein läßt: *non poteris per orationem dominicam mysterii sacramenta complere, ut dicas ad plenitudinem perfecti holocausti orationem dominicam*; PL 125, 608 B; vgl. ebd. 610 B.

Während in Byzanz, wie übrigens in fast allen Riten des Ostens, dem neuen Gebetsabschnitt, der nach der Schlußdoxologie des Kanons beginnt, nicht nur eine neue Aufforderung zum Gebet, sondern vor dieser auch ein neuer Segensgruß an das Volk vorhergeht[13]), verzichtet die römische Ordnung auf einen solchen Gruß und begnügt sich mit dem *Oremus*. Der Gebetsaufruf steht also noch unter dem *Domnius vobiscum* und *Sursum corda* des Hochgebetes. Der Anschluß an den Kanon ist also ziemlich eng. Dadurch kommt das Gewicht der wuchtigen Worte, die das Vaterunser bilden, stärker zur Geltung. Der Priester spricht es in derselben Weise am Altar, wie er den Kanon gesprochen hat. Der erste Teil des Herrengebetes bildet ja auch tatsächlich gewissermaßen eine Zusammenfassung des vorausgehenden Eucharistiegebetes. Das *Sanctificetur* ist die Summe des dreifachen Sanctusrufes; das *Adveniat regnum tuum* ist wie eine Zusammenfassung der beiden Epiklesen, *Quam oblationem* und *Supplices*[14]), und das *Fiat voluntas tua* spricht den Grundgedanken hingebenden Gehorsams aus, aus dem alles Opfer hervorgehen muß. Die Gesinnung und Haltung, in der der Herr selber sein Opfer dargebracht hat und die wir aus dem Mitvollzug desselben schöpfen sollen, könnte kaum treffender ausgedrückt werden. Die reichere Melodie dieses ersten Teiles scheint den genannten Inhalt noch besonders betonen zu wollen.

Dennoch wäre es verfehlt, anzunehmen, das Vaterunser habe mit dieser neuen Stellung gleich nach dem Kanon eine wesentlich andere Funktion erhalten und die der Kommunionvorbereitung aufgegeben. Gewiß hat Gregor den Zusammenhang des Herrengebetes mit dem Kanon verstärkt, aber er hat darum aus ihm noch nicht ein Stück Kanon gemacht[15]). Der Kanon bleibt eine Größe für sich, weshalb er ja auch

---

[13]) In Byzanz in feierlicher Form: Καὶ ἔσται τὰ ἐλέη τοῦ μεγάλου θεοῦ καὶ σωτῆρος ἡμῶν Ἰησοῦ Χριστοῦ μετὰ πάντων ὑμῶν, worauf die gewöhnliche Antwort des Volkes folgt: Καὶ μετὰ τοῦ πνεύματος σοῦ (Brightman 337). Ähnlich in anderen Riten, und zwar anscheinend seit frühester Zeit, wie aus Const. Ap. VIII, 13, 1 (Quasten, Mon. 227) hervorgeht. Nur die ägyptischen Liturgien begnügen sich mit dem gewöhnlichen Gruß ans Volk: Εἰρήνη πᾶσιν. Brightman 135. 180.

[14]) Eine biblische Variante zu Lk 11, 2 setzt für die Bitte um das Kommen des Reiches die um das Kommen des Hl. Geistes ein: ἐλθέτω τὸ ἅγιον πνεῦμά σου ἐφ' ἡμᾶς καὶ καθαρισατω ἡμᾶς.

[15]) Brinktrine, Die hl. Messe 249—251, meint allerdings, Gregor betrachte in der angeführten Äußerung das Vaterunser (das er in der Wendung *ad ipsam solummodo orationem consecrarent* gemeint sein läßt) als Konsekrationsgebet, zwar nicht im Sinne der Wandlung, wohl aber im Sinne einer weiteren Segnung der gewandelten Gaben. Er folgt damit den mittelalterlichen Erklärern, mit denen

vorher mit der Doxologie abgeschlossen wird, das Vaterunser aber bleibt, nur nun in engerer Verknüpfung mit dem Kanon, das Kommuniongebet, als das es sich in allen Liturgien erweist[16]).

Daß das Vaterunser im Leben der alten Kirche, sogar auch abgesehen von der Meßliturgie, in enger Beziehung zur Kommunion gestanden hat, zeigt die Behandlung der Brotbitte in den Vaterunsererklärungen und sonstigen einschlägigen Äußerungen der Väter. Die Lateiner beziehen, angefangen von Tertullian, die Brotbitte allgemein auf die Eucharistie; dasselbe tut ein Teil der Griechen[17]). Das ist bei einem Text, dessen Literalsinn doch offensichtlich das materielle Brot meint, sehr auffällig. Es setzt den Brauch voraus, daß die Gläubigen beim Empfang des Sakramentes das Vaterunser sprachen, auch schon bevor es in den liturgischen Denkmälern als Teil der Liturgie erscheint. Das wird man bei der täglichen Hauskommunion, aber auch bei der Kommunion in der Kirche im Anschluß an die Eucharistia so gehalten haben. Das erste Gebet, das die Neugetauften im Schoß der Gemeinde vor ihrer ersten

---

er auch die Anwendung des erweiterten Begriffes der Konsekration u. a. auf Brechung und Mischung gemein hat. Brinktrine bezieht darum sogar noch *Agnus Dei* und Friedenskuß in den zweiten Hauptteil der Messe, die „eucharistische Konsekration“, ein. Dem ursprünglichen Sinn der betreffenden Gebräuche kommt man auf solchem Wege nicht näher. — Dix, The shape of the liturgy 131, sieht eine gewisse Einbeziehung des *Pater noster* noch in das Eucharistiegebet darin gegeben, daß es nicht vom Volk, sondern im wesentlichen vom Priester gesprochen wird. Doch entspricht diese Lösung nur der allgemeinen Zurückhaltung der römischen Liturgie dem Volksgebet gegenüber.

16) Gewisse Anzeichen für eine Einbeziehung des Vaterunser noch in das Eucharistiegebet liegen vor bei Cyrill von Jerusalem, Catech. myst. V, 18; Ambrosius, De sacr. VI, 5, 24; Augustinus, Ep. 149, 16. Sie halten aber einer näheren Prüfung nicht stand; s. I. Cecchetti, L'Amen nella Bibbia e nella Liturgia (Sonderabdr. aus Bollettino Ceciliano, Bd. 37), Vatikanstadt 1942, 21 ff Anm. 28.

17) J. P. Bock, Die Brotbitte des Vaterunsers, Paderborn 1911. — Für den eucharistischen Sinn der Brotbitte werden angeführt Tertullian, De or. c. 6; Cyprian, De or. Dom. c. 18; Juvencus, Ev. hist. I, 595; Chromatius, In Matth. tr. 14, 5; weiter eine Reihe von Stellen bei Hilarius, Ambrosius, Augustinus (Bock 110 ff). Eine deutliche Ablehnung des eucharistischen Sinnes findet sich auch bei den Griechen nur bei Gregor von Nyssa (100 f). — Das vielerörterte Wort (τὸν ἄρτον ἡμῶν τὸν) ἐπιούσιον, das sowohl bei Mt 6, 11, wie bei Lk 11, 3 steht, wird bekanntlich von den Vätern seit Origenes, wohl erst unter dem Eindruck der praktischen Verwendung des Herrengebetes, vielfach dahin erklärt, daß es sich um ein Brot handle, das der οὐσία, der geistigen Natur des Menschen, angemessen ist. Ambrosius, De sacr. V, 4, 24 gibt es wieder mit *supersubstantialem ... qui animae nostrae substantiam fulcit.* — Zur philologischen Diskussion s. Quasten, Mon. 169 Anm. 1; W. Förster, ἐπιούσιος: Theol. Wörterbuch z. N. T. II (1935) 587—595; Th. Soiron, Die Bergpredigt Jesu, Freiburg 1941, 348—352.

Kommunion sprachen, scheint schon in früherer Zeit das Vaterunser gewesen zu sein, das wenigstens bei dieser Gelegenheit von allen gemeinsam und laut gebetet worden sein muß[18]). In den ersten Meßerklärungen sodann, die das Vaterunser erwähnen, in den mystagogischen Katechesen von Jerusalem und in denen des Bischofs von Mailand, wird die Brotbitte mit Betonung im sakramentalen Sinn erklärt[19]); es wurde also auch in diesem Sinn gebetet. Ambrosius knüpft an die betreffenden Hinweise längere Ausführungen, in denen er zum täglichen Empfang mahnt[20]).

Daß man das Vaterunser als Kommuniongebet betrachtet hat, und zwar in der römischen Liturgie des frühen Mittelalters ebenso wie in den außerrömischen Liturgien des Abendlandes und in denen des Morgenlandes, ersieht man besonders deutlich daraus, daß es unter den vorbereitenden Gebeten, ja als wichtigstes derselben, auch dort erscheint, wo nur eben die Kommunion gefeiert wird[21]); das ist der Fall in der *missa praesanctificatorum*, die nichts anderes ist als eine Kommunionfeier[22]), und in den meisten Riten der Krankenkommunion[23]).

---

[18]) Dölger, Antike u. Christentum 2 (1930) 148 ff, u. a. mit Berufung auf Röm 8, 15; Gal 4, 6. Vgl. die ganze Abhandlung „Das erste Gebet der Täuflinge in der Gemeinschaft der Brüder": ebd. 142—155; A. Greiff, Das älteste Pascharitual der Kirche, Paderborn 1929, 126—130.

[19]) Oben 343 Anm. 7 und 1.

[20]) Ambrosius, De sacr. V, 4, 24—26 (Quasten, Mon. 168—170).

[21]) Vgl. das Kapitel „Das Pater noster im Kommunionritus" bei Jungmann, Gewordene Liturgie 137—164.

[22]) Nach der ältesten lateinischen Umschreibung der (aus dem Orient kommenden) *missa praesanctificatorum* des Karfreitags im älteren Gelasianum I, 41 (Wilson 77) soll der Priester, nachdem er das Kreuz geküßt, sagen: *Oremus, et sequitur: Praeceptis salutaribus moniti. Et oratio dominica. Inde: Libera nos Domine quaesumus. Haec omnia expleta adorant omnes sanctam crucem et communicant.* Die ganze Gebetseinkleidung besteht ursprünglich also aus dem *Pater noster.* Die Beweiskraft dieser Tatsache wird nicht berührt durch den Hinweis von Brinktrine, Die hl. Messe 276, es sei nicht zu verwundern, daß in der Präsanktifikatenliturgie auch das christliche Hauptgebet gesprochen wird. Daß das *Pater noster* dabei zugleich die Funktion einer Segnung hatte, ist eine für das Abendland zwar nicht bewiesene, aber immerhin mögliche Annahme.

[23]) Jungmann a. a. O. 146 ff. In der römischen Liturgie stammen die ältesten überlieferten Ordnungen der Krankenkommunion erst aus dem 9. Jh. Unter diesen sind aber auch solche mit dem *Pater noster* als Kern der Vorbereitung. Sie setzen sich fort bis ins 16. Jh. In manchen Fällen, wie in einem Pontifikale des 11. Jh. aus Narbonne, dient auch einfach der Kommunionteil einer Vollmesse, angefangen von *Oremus. Praeceptis salutaribus moniti,* zur nächsten Vorbereitung in der Krankenkommunion; Martène 1, 7, XIII (I, 892). Als Spur des älteren Brauches ist das *Pater noster* auch noch im heutigen Rituale Romanum an einer

Auch im Orient bestätigt die Art und Weise, wie das Gebet des Herrn in die Messe eingebaut ist, seine Rolle als Kommuniongebet. Es ist hier in der Regel in einen schon älteren Bestand von Gebeten eingefügt. Zu diesen gehört allgemein ein Gebet mit der Bitte um würdigen Empfang des Sakramentes und das Inklinationsgebet zur Segnung der Gläubigen. Das Vaterunser ist nun regelmäßig an das erste dieser beiden Gebete angeschlossen[24]); es gehört also zur Vorbereitung auf die Kommunion. Dabei ist das genannte Bittgebet allerdings mehrfach in der Weise umgebildet, daß die Reinigung der Herzen, die für den Empfang der himmlischen Speise erbeten wird, nun zugleich die Bereitung sein soll, um das Gebet des Herrn selbst würdig zu sprechen[25]). Oder aber es wird, wie in den griechischen Hauptliturgien, wenigstens mit einem Lautspruch ähnlichen Inhaltes zum Vaterunser übergeleitet: „Und mach uns würdig, Herr, daß wir mit Vertrauen, ohne Vorwurf es wagen (τολμᾷν) können, dich, den Gott des Himmels, als Vater anzurufen und zu sagen: ...[26])." Wir lernen so die Hochschätzung näher kennen, die man dem Herrengebet entgegengebracht hat. Die Verselbständigung des Vaterunsers, die wir hier sich anbahnen sehen, ist vollends durchgedrungen in den nichtgriechischen Liturgien des syrischen Bereiches, wo das Vaterunser zwar an gleicher Stelle folgt, nachdem sich der Blick bereits auf die Kommunion gerichtet hat, wo es aber nun allein den Inhalt eines vorausgehenden Vorbereitungsgebetes bestimmt. In der ostsyrischen Apostelanaphora lautet das Gebet:

Stelle (V, 2, 12) vorhanden, nämlich am Schluß der Krankenölung, wo es ehemals eben die Kommunion einleitete. Als Einleitung zur Kommunion des Kranken ist es in der 1950 approbierten Collectio rituum ad instar appendicis Ritualis Romani pro omnibus Germaniae dioecesibus III, 1, 6; 2, 15 (Regensburg 1950, 34. 59) wieder aufgelebt.

[24]) Vgl. die zusammenfassenden Feststellungen bei Baumstark, Die Messe im Morgenland 156 f.

[25]) So in der Markusliturgie (Brightman 135 f): „...erleuchte die Augen unseres Geistes, daß wir ohne Schuld an der unsterblichen und himmlischen Speise teilnehmen können, und heilige uns gänzlich an Seele, Leib und Geist, daß wir mit deinen heiligen Jüngern und Aposteln dir dieses Gebet sagen", worauf der Priester an dieses leise gesprochene Gebet leise das Vaterunser anfügt, dann aber in einem Lautspruch mit der nochmaligen Bitte um würdige Verfassung zum gemeinsamen Vaterunser des Volkes überleitet.

[26]) So in der byzantinischen Messe (Brightman 339). In erweiterter Fassung in der Markusliturgie und in der Jakobusliturgie (ebd. 135 f. 59); ähnlich in der armenischen Messe (ebd. 446). — Eine verwandte Einleitung geht dem Vaterunser auch voraus in syrischen Taufordnungen; s. H. Denzinger, Ritus orientalium I, Würzburg 1863, 278. 308. 315.

„Laß deine Ruhe, Herr, unter uns wohnen und deinen Frieden in unseren Herzen, und möge unsere Zunge deine Wahrheit verkünden, dein Kreuz der Wächter unserer Seelen sein, da wir unseren Mund zu neuen Harfen machen und eine neue Sprache sprechen mit feurigen Lippen. Mach uns würdig, Herr, mit dem Vertrauen, das von dir stammt, dieses reine und heilige Gebet vor dir zu sagen, das dein lebenspendender Mund deine treuen Jünger gelehrt hat, die Kinder deiner Geheimnisse: wenn ihr betet, sollt ihr so beten und bekennen und sagen: ...[27])."

Die Begeisterung für die Größe dieses Gebetes, die aus solchen Worten klingt, spricht in mehr verhaltener Form auch aus den Einleitungsworten unserer römischen Messe[28]). Für den Menschen aus Staub und Asche bedeutet es jedenfalls eine Kühnheit *(audemus)*, ein solches Gebet sich zu eigen zu machen, in dem er dem großen Gott naht wie das Kind dem Vater[29]). Das Wort von der Kühnheit ist uns ja soeben auch in den Liturgien des Orients begegnet. Es kehrt im Munde der Väter des öfteren wieder, wenn sie vom Vaterunser sprechen[30]). Wir verstehen diese Ehrfurcht vor dem Gebet des Herrn noch besser, wenn wir uns daran erinnern, daß es damals nicht nur vor den Heiden geheimgehalten wurde, sondern auch den Katechumenen vorenthalten blieb bis kurz vor dem Zeitpunkt, da sie in der Taufe Kinder des himmlischen Vaters wurden. Dem Getauften ist jene Kühnheit aber verstattet; er hat

---

[27]) Brightman 295. Von ähnlicher Stimmung ist eine in den Anfangsworten stark erweiterte Fassung des Vaterunsers im ostsyrischen Taufritus; G. Diettrich, Die nestorianische Taufliturgie, Gießen 1903, 4.

[28]) Auch die gallischen Liturgien schicken dem Vaterunser eine Einleitungsformel voraus, die aber dem Wechsel der Formulare unterworfen ist und auch inhaltlich stark schillert. Im Missale Gothicum bildet jedoch das *audere*, das vertrauensvolle Gehorchen, öfter gleichfalls den Grundton. Muratori II, 522. 526. 535 usw.

[29]) A. v. Harnack (bei A. Hahn, Bibliothek der Symbole, 3. Aufl., Breslau 1897, 371) macht darauf aufmerksam, daß bei Hermas (Vis. III, 9, 10; Sim. V, 6, 3, 4; IX, 12, 2) nur die Kirche und der Sohn Gottes Gott Vater nennen; s. auch Ambrosius, De sacr. V, 19 (Quasten 168): *Solius Christi specialis est pater, nobis omnibus in commune est pater ... Ecclesiae contuitu et consideratione te ipse commenda: Pater noster.* Vgl. Const. Ap. VII, 24, 2 (Funk I, 410): Sprecht so (das Vaterunser) dreimal am Tag und macht euch dazu bereit, daß ihr würdig seid der Kindschaft des Vaters, damit ihr nicht, wenn ihr unwürdig ihn Vater nennt, von ihm zurechtgewiesen werdet wie Israel (folgt Mal 1, 6).

[30]) Hieronymus, Adv. Pelag. III, 15 (PL 23, 585): *Sic docuit apostolos suos, ut quotidie in corporis illius sacrificio credentes audeant loqui: Pater.* — Augustinus, Sermo 110, 5 (PL 38, 641): *audemus quotidie dicere: Adveniat regnum tuum.* — Hinweis auf verwandte Äußerungen griechischer Väter bei O. Rousseau, Le ‚Pater' dans la liturgie de la messe (Cours et Conférences VII, Löwen 1929, 231—241) 233 f.

die παρρησία (Eph 3, 12), das freie Hintreten vor den unendlichen Gott als seinen Vater[31]). Es ist Heilandswort[32]), es ist Gottes Weisung, was uns dazu ermuntert. Und die Haltung und Gesinnung, die in diesem Gebet niedergelegt ist, geziemt uns ja gerade in der Stunde, da wir das Opfer in Händen halten, mit dem der Sohn selber vor den himmlischen Vater hingetreten ist und hintritt.

Außer der Brotbitte ist aber im Vaterunser noch eine zweite Stelle, auf der bei seinem Gebrauch in der Messe ein besonderer Ton liegt. Es ist die Bitte um Vergebung der Sünden. Schon Optatus von Mileve hebt vor allem diese Bitte hervor[33]). Mit großem Nachdruck hat Augustinus auf sie innerhalb des Vaterunsers hingewiesen: „Warum wird es gesprochen, bevor man Leib und Blut Christi empfängt? Aus folgendem Grund: Wenn, wie es menschliche Gebrechlichkeit mit sich bringt, etwa unser Denken Ungehöriges auffaßte, wenn unsere Zunge etwas Unrechtes herausredete, wenn unser Auge sich auf Unziemliches richtete, wenn unser Ohr etwa Unnötiges wohlgefällig anhörte... dann wird es getilgt durch das Gebet des Herrn an der Stelle: Vergib uns unsere Schulden, damit wir beruhigt hinzutreten und wir nicht das, was wir empfangen, uns zum Gerichte essen und trinken.“[34]) Das Vaterunser ist ihm wie ein Waschen des Gesichtes, bevor man zum Altare hinzutritt[35]). Darum war es in Hippo Brauch, daß alle, Priester und Gläubige, an die Brust schlugen, wenn man die Worte sprach: *dimitte nobis debita nostra*[36]). Daß auch in der römischen Messe den mit diesen Worten

---

[31]) Über die παρρησία im Gebet des Christen zunächst nach Gregor von Nyssa s. J. Daniélou, Platonisme et théologie mystique, Paris 1944, 119 f.

[32]) Es ist nicht unwahrscheinlich, daß *praeceptis salutaribus* zu verstehen ist im Sinne von *pr. Salvatoris,* in Parallele zu *divina institutione = Dei inst.,* obwohl dem entgegenzustehen scheint Cyprian, De dom. or. c. 2 (CSEL 3, 267), der von Christus sagt: *Qui inter cetera salutaria sua monita et praecepta divina, quibus populo suo consulit ad salutem, etiam orandi ipse formam dedit.* Siehe Bonifatius Fischer O.S.B., Praeceptis salutaribus moniti: Archiv f. Liturgiewiss. 1 (1950) 124—127.

[33]) Oben Anm. 1.

[34]) Augustinus, Serm. Denis 6 (Miscell. Aug. I, 31; Roetzer 129).

[35]) Augustinus, Serm. 17, 5, 5 (PL 38, 127).

[36]) Augustinus, Serm. 351, 3, 6 (PL 39, 1541); Ep. 265, 8 (CSEL 57, 646). Das gleiche verlangt im 15. Jh., wohl durch Augustinus angeregt, der Augustiner-Eremit Gottschalk Holden; Franz 22. — Eine ähnliche Betonung der Vergebungsbitte beim hl. Benedikt, Regula c. 13; doch spricht Benedikt nicht von der Messe, sondern von Laudes und Vesper, wo man das *Pater noster* laut sprechen solle wegen der Worte *dimitte nobis sicut et nos dimittimus,* um sich so von den Verstößen gegen die Liebe zu reinigen.

beginnenden Schlußbitten eine besondere Bedeutung beigemessen wird, zeigt der Nachsatz, der sogenannte Embolismus[37]), der in allen Liturgien, die byzantinische ausgenommen, sein Gegenstück hat[38]).

In den außerbyzantinischen Liturgien des Ostens hebt dieser Nachsatz regelmäßig nicht nur die letzte, sondern die beiden letzten Bitten heraus, bald fast nur die Worte wiederholend[39]), bald in starker Erweiterung; so läßt die Jakobusanaphora den Priester fortfahren mit den Worten: „(Ja, Herr, unser Gott), führe uns nicht in eine Versuchung, die wir nicht zu ertragen vermöchten, (sondern gib mit der Versuchung auch den Ausgang, daß wir bestehen können, und) erlöse uns von dem Bösen"[40]), worauf noch wie in allen orientalischen Texten eine Doxologie folgt. Es wird also die Weiterführung der Vergebungsbitte aufgegriffen und, nun mit dem Blick auch in die Zukunft, gebeten um Bewahrung vor allem vor jenem Übel, das uns den Zutritt zum heiligen Mahl versperren könnte.

Der gleiche Gedanke liegt auch vor, wenn, wie im Abendland regelmäßig, nur die letzte Bitte aufgegriffen wird. In den gallischen Liturgien ist die betreffende Formel wieder dem Wechsel des Meßformulars unterworfen. Ihr Grundriß ist aber meist und mit verschiedenartiger Erweiterung derselbe, wie er in schlichtester Form in einer Sonntagsmesse des Missale Gothicum erscheint: *Libera nos a malo, omnipotens Deus, et custodi in bono. Qui vivis et regnas*[41]). Auch die römische Form des Embolismus ist nicht anders zu beurteilen. Daß es sich bei der Bitte um Befreiung *ab omnibus malis* vor allem um das Übel in der sittlichen Ordnung handelt, zeigt der Beisatz: *praeteritis, praesentibus et futuris.* Nur die sittlichen Übel liegen, auch wenn sie schon „vergangen" sind,

---

[37]) ἐμβολισμός (von ἐμβολή, ἐμβάλλειν) = Einlage. — Der Ordo sec. Rom. n. 11 (Andrieu II, 223; PL 78, 974) spricht vom Gebet des Herrn *cum emboli.*

[38]) Die byzantinische Messe beschließt das Vaterunser nur mit einer Doxologie; s. unten Anm. 49.

[39]) So in der ostsyrischen und in der armenischen Messe; Brightman 296. 446.

[40]) Rücker, Die syrische Jakobosanaphora 49. Die Klammern deuten an, was, wie das Zitat 1 Kor 10, 13, vermutlich jüngere Zugabe ist. In der griechischen Jakobusanaphora derselbe Grundtext mit anderen Erweiterungen, in denen besonders der Böse als persönliches Prinzip umschrieben wird: ἀπὸ τοῦ πονηροῦ καὶ τῶν ἔργων αὐτοῦ καὶ πάσης ἐπηρείας καὶ μεθοδείας αὐτοῦ; Brightman 60. Der Nachsatz der syrischen Jakobusanaphora ist mit weiterer Bereicherung übernommen in die koptische Cyrillusanaphora: ebd. 182. — Hieronymus sagt an zwei Stellen: wir beten im Gebet des Herrn: *ne nos inducas in tentationem, quam ferre non possumus.* In Ezech. c. 48, 16 (PL 25, 485 C); In Matth. c. 26, 41 (PL 26, 198). Der Zusatz war auch sonst weit verbreitet; s. Brightman 469 f.

[41]) Muratori II, 649.

noch weiterhin schwer auf der Seele. Es wird also mit dem *praeteritis* zugleich die Vergebungsbitte noch einmal unterstrichen, so wie in dem *futuris* die Bitte um Bewahrung vor allzu schwerer Prüfung nachklingt. Dann wird aber in positiver Wendung ein alles umfassendes Gut in die Bitte hineingenommen, dasselbe, das auch schon im *Hanc igitur* genannt wurde: *da propitius pacem in diebus nostris.* Die Ordnung der irdischen Belange ist für das Gottesreich nicht gleichgültig. Wenn der rechte Friede innen und außen uns umfängt, dann wird daraus, so hoffen wir, leichter von selbst ein Doppeltes erwachsen: daß wir von Sünde frei bleiben und daß wir gegen alle Verwirrung und Verirrung gesichert sind. Das wird dann die rechte Verfassung sein, um in gedeihlicher Weise das himmlische Brot zu essen.

Die Bitte wird, ähnlich wie wir dies in den Orationen der römischen Heiligenfeste gewohnt sind, verstärkt durch den Hinweis auf die Fürbitte himmlischer Helfer. Dabei wird außer der Gottesmutter und den Beschützern der römischen Gemeinde, Petrus und Paulus, der Apostel Andreas genannt. Andreas folgt zwar auch in der Communicantesliste als erster auf die Apostelfürsten, ebenso wie er in zwei biblischen Apostelkatalogen (Mt 10, 2; Lk 6, 14) unmittelbar hinter Petrus steht; aber daß sein Name allein nun mitgenannt wird, ist doch ungewöhnlich. Es ist bekannt, daß das Neu-Rom am Bosporus im Wettbewerb mit dem alten Rom früh den Apostel Andreas, den Petrusbruder und „Erstberufenen" (πρωτόκλητος)[42]), als Begründer seiner Kirche in Anspruch genommen hat. Damit hängt auch die Verehrung dieses Apostels in Rom zusammen; die Betonung derselben, immerhin nach Petrus und Paulus, war halb Gegenzug, halb Entgegenkommen gegen Byzanz. Daß wir hier auf der richtigen Spur sind, zeigt die verwandte Erscheinung im Befunde der Präfationen des Gregorianums, wo außer für die Apostelfürsten nur für zwei Heilige noch eine besondere Präfation vorgesehen blieb, nämlich für die gleichfalls in Byzanz hochverehrte Anastasia und eben für Andreas[43]). Man hat für die Beifügung *atque Andrea* an Gregor den Großen gedacht, der vor seiner Papstwahl in Rom selbst ein Andreaskloster gegründet und als Abt geleitet hatte[44]). Aber die Einfügung kann

[42]) Jo 1, 35—40. — N. Nilles, Kalendarium manuale utriusque ecclesiae I, 2. Aufl., Innsbruck 1896, 338. Im Jahre 357 wurden die Reliquien des hl. Andreas und zugleich diejenigen des hl. Lukas — also die des Petrusbruders und des Paulusbegleiters — nach Byzanz übertragen. B. Kraft, Andreas: LThK I, 410 f.

[43]) Oben 150 Anm. 26.

[44]) H. Grisar, ZkTh 9 (1885) 582; 10 (1886) 30 f. — Gegen Gregor spricht einigermaßen, daß die Einfügung nicht unter den gegen ihn erhobenen Vorwürfen genannt wird.

auch früher geschehen sein, da in Rom nicht nur jenes etwas schwierige Verhältnis zu Byzanz, sondern auch eine ausdrückliche Verehrung des Apostels Andreas bereits im 5. Jahrhundert gegeben war[45]). Das Mittelalter hat auch hier nicht selten weitere Namen hinzugefügt, besonders auch in späterer Zeit, da der Micrologus gerade für diese Stelle Freiheit gewährte[46]). Schließlich hat man sich aber mit dem Beisatz *cum* (später: *et) omnibus sanctis* begnügt, der ursprünglich fehlte, aber schon in einzelnen frühen Handschriften erscheint[47]).

Den Abschluß bildet die gewöhnliche Formel *Per Dominum nostrum*[48]). Sie beschließt nicht nur den Embolismus, sondern auch das im Embolismus weitergeführte *Pater noster*. Sie steht also in genauer Parallele zur Doxologie, die in den meisten orientalischen Liturgien an gleicher Stelle auf das Vaterunser, bzw. auf dessen Nachsatz folgt[49]). Es

---

[45]) J. Beran, Hat Gregor d. Gr. dem Embolismus der römischen Liturgie den Namen des hl. Andreas beigefügt?: Eph. liturg. 55 (1941) 81—87. Andreasheiligtümer in Rom gehen zurück auf die Päpste Simplicius (468—483), Gelasius I. (492—496) und Symmachus (498—514). — Denkbar wäre übrigens für das *atque Andrea* und noch mehr für jene Bevorzugung ausschließlich nur der genannten zwei Präfationen auch ein Zeitpunkt erst im vorgerückten 7. Jh., wo die Einwirkungen des Orients wieder stärker wurden. Die älteste Hs mit *atque Andrea* ist das Gelasianum des Vat. Reg. (Anfang des 8. Jh.). Die Worte fehlen u. a. in den Hss, die die irische Kanonüberlieferung darstellen (Botte 13. 50). Es ist nicht wahrscheinlich, daß sie erst nachträglich gestrichen wurden. Daß es im 6. Jh. eine Embolismusfassung ohne Heiligennamen gab, zeigt das Beispiel des Leonianums (oben Anm. 3).

[46]) Bernold von Konstanz, Micrologus c. 23 (PL 151, 994 D): *Hic nominat quotquot sanctos voluerit*. Dieselbe Weisung auch schon im Ordo ‚Qualiter quaedam' (Andrieu II, 304; PL 78, 984). Anderswo erscheint sie ebenfalls schon früh in der Form eines Beisatzes: *et beatis confessoribus tuis illis;* Botte 50 Apparat; Ebner 425—428, woselbst eine große Zahl von Beispielen hier genannter Namen aus verschiedenen Ländern. Es sind besonders häufig Michael, Johannes der Täufer, Benedikt, außerdem jeweils die betreffenden Diözesan- oder Klosterpatrone. Vgl. auch Ferreres 165. Zahlreiche Namen verzeichnet Leroquais III, 382.

[47]) Botte 50.

[48]) Mit der älteren Stellung des Wortes *Deus* in allen alten Textzeugen: *qui tecum vivit et regnat Deus*. Botte 50. Vgl. oben I, 491 Anm. 38.

[49]) Diese fehlt nur in der äthiopischen Messe. Im übrigen sind zwei Fassungen vorhanden. Vorherrschend ist die Form, die auch in manche Bibeltexte bei Mt 6, 10 eingedrungen ist und (ohne ἡ βασιλεία) schon in der Didache c. 8, 2 steht: ὅτι σοῦ ἐστιν ἡ βασιλεία καὶ ἡ δύναμις καὶ ἡ δόξα εἰς τοὺς αἰῶνας. Genau diesen Wortlaut bietet die armenische Messe; Brightman 446. Die griechischen Anaphoren des Jakobus und des Markus, die ostsyrische und die byzantinische Messe weisen Erweiterungen auf; die byzantinische Doxologie, die übrigens ohne Zwischentext

kommt darin zum Ausdruck, daß wir auch im Gebet des Herrn, und in diesem nicht zuletzt, unser Beten durch Christus an den himmlischen Vater richten, so wie wir es ja, von ihm ermutigt, *praeceptis salutaribus moniti,* gesprochen haben.

Wenn das Vaterunser in der Messe dazu bestimmt war, der Vorbereitung des versammelten Volkes auf den Empfang der Kommunion zu dienen, mußte dies auch in der Vortragsweise zum Ausdruck kommen. Tatsächlich wurde das Gebet des Herrn in der Messe vielfach vom ganzen Volke, jedenfalls aber stets mit lauter Stimme gesprochen. Das war im christlichen Altertum nicht ganz selbstverständlich; stand das Gebet des Herrn doch unter der Arkandisziplin. So wäre ein lautes Sprechen des Vaterunsers etwa in der Vormesse ausgeschlossen gewesen. Außerhalb der Messe scheint man es, getreu dem Gebot, es als heiliges Geheimnis zu hüten und es auch nicht einmal aufzuschreiben, ähnlich wie außerhalb der Taufe das Symbolum, nur leise gesprochen zu haben[50]. Innerhalb der heiligen Handlung, bei der nur Vollbürger des Reiches Gottes anwesend sein konnten, stand dem lauten Vortrag nichts im Wege. Es war hier nur die Frage, von wem es gesprochen werden sollte: ob ähnlich wie das *Sanctus* von allen Versammelten oder wie die übrigen Gebete im Ordo Missae vom Zelebranten im Namen der Gläubigen. Da es sich um die Bereitung des einzelnen zum Empfang des Sakramentes handelte, lag es allerdings nahe, auch jeden einzelnen und damit das

---

auf das Vaterunser folgt, hat in den Schlußworten die erweiterte Form: ... δόξα τοῦ Πατρὸς καὶ τοῦ Υἱοῦ καί τοῦ ἁγίου Πνεύματος νῦν καὶ ἀεὶ καὶ εἰς τοὺς αἰῶνας τῶν αἰώνων. Brightman 339 f. — Die zweite Fassung, die bei den Kopten und den syrischen Westsyrern erscheint, schaltet als Zwischenglied eine Christusnennung ein und fährt dann mit der in diesem Bereich üblichen griechischen Doxologie des 4. Jh. fort: δι'οὗ καὶ μεθ'οὗ σοὶ πρέπει δόξα ... Rücker, Die Jakobosanaphora 49; Brightman 100. 182. Diese letztere Fassung steht also dem römischen *Per Dominum nostrum* nahe. — Vermutungen, die freilich kaum stichhalten, über eine ursprüngliche Identität dieser Doxologie mit der Schlußdoxologie des Kanons bei F. Probst, Liturgie des vierten Jahrhunderts und deren Reform, Münster 1893, 198. 264 f. Vgl. dagegen Srawley 163 f.

[50]) Daraus erklärt sich der noch bestehende Brauch, Vaterunser und Symbolum am Beginn des Offiziums (vor der Matutin und vor der Prim) und am Schluß desselben leise zu sprechen; vgl. Jungmann, Gewordene Liturgie 167 ff. Ebenso gehört hieher wohl auch der weitere Brauch, innerhalb der Preces oder des entsprechenden Wechselgebetes vor einer Oration nach dem *Kyrie eleison* nur Anfang und Schlußworte laut zu sprechen. Diese letztere Weise wird erstmalig bezeugt vom hl. Benedikt, Regula c. 13, der als Ausnahme anordnet, daß bei Laudes und Vesper das ganze Vaterunser laut gesprochen werde, sonst aber nur der letzte Teil, *ut ab omnibus respondeatur: Sed libera nos a malo.*

ganze Volk unmittelbar am Gebet des Herrn zu beteiligen, zumal es ja jedem einzelnen völlig geläufig war.

Diese Lösung ist denn auch im Orient maßgebend geworden. Überall wird das Vaterunser von den Rubriken dem Volke zugeteilt[51]), ausgenommen in der armenischen Liturgie, wo die Kleriker es mit ausgebreiteten Armen singen sollen[52]). Immerhin ist es auch in der byzantinischen Messe griechischer Sprache üblich geworden, daß der Chor oder auch daß nur einer aus dem Chor es spricht[53]), der so aber doch noch als Vertreter des Volkes erscheint. Auch in der alten gallikanischen Liturgie wurde das Vaterunser vom ganzen Volke gemeinsam gesprochen[54]), im übrigen Abendland dagegen sprach es der zelebrierende Priester. Das wurde schon in der afrikanischen Kirche Augustins so gehalten[55]), allerdings auch hier mit dem Anspruch lebhafter innerer und auch ritueller Beteiligung des Volkes[56]). In der altspanischen Messe kam diese Beteiligung dadurch zum Ausdruck, daß nach jedem Abschnitt mit *Amen* respondiert wurde[57]).

Auch in der römischen Messe fehlt es nicht an einem Ausdruck dafür, daß das Vaterunser dem Volke zugehört: es wird zwischen Priester und Volk aufgeteilt, wenn auch zu etwas ungleichen Teilen. Während

---

[51]) In der westsyrischen Liturgie geschieht es in der Weise, daß der Zelebrant die ersten Worte spricht: „Vater unser, der du bist in dem Himmel", und das Volk dann fortfährt; Brightman 100. Dieselbe Ordnung bei den Maroniten; Hanssens, Institutiones III, 489.

[52]) Brightman 446. — Die Praxis scheint auch hier nicht ganz einhellig zu sein. In der von G. Avedighian besorgten italienischen Übersetzung: Liturgia della messa armena, 4. Aufl., Venedig 1873, 53 heißt es: Il popolo a braccia stese canta il Pater noster.

[53]) Mercenier-Paris I, 244. Die griechischen Rubriken nennen aber auch in der heutigen Liturgie wie in der älteren das Volk: ὁ λαός. Brightman 339. 391. — In der byzantinisch-slawischen Liturgie wird das Vaterunser allgemein vom Volk gesungen (Mitteilung von Dom Irenäus Doens O. S. B.).

[54]) Gregor von Tours, De mir. s. Martini II, 30 (PL 71, 954 f): eine stumme Frau wurde wunderbar geheilt eines Sonntags im Augenblick, da man das *Pater noster* begann, das sie nun mitsprach: *coepit sanctam orationem cum reliquis decantare.* — Vgl. Gregor von Tours, Vitae Patrum 16, 2 (PL 71, 1076), und auch Cäsarius, Serm. 73 (Morin 294 f; PL 39, 2277).

[55]) Augustinus, Serm. 58, 10, 12 (PL 38, 399; Roetzer 129): *ad altare Dei quotidie dicitur ista dominica oratio et audiunt illam fideles.*

[56]) Oben 351.

[57]) Das *Amen* steht in der mozarabischen Messe des Missale mixtum (PL 85, 559) an fünf Stellen. Nach der Brotbitte lautet die Antwort anstatt dessen: *Quia tu Deus es,* und nach der Versuchungsbitte wird respondierend abgeschlossen: *Sed libera nos a malo.*

die älteren Sakramentare und die meisten Ordines über diese Aufteilung keine Andeutung enthalten[58]) und Gregor der Große in seinem mehrfach genannten Briefe nur kurzerhand sagt, das Gebet des Herrn werde in Rom im Gegensatz zum Brauch der Griechen *a solo sacerdote* gesprochen[59]), erfahren wir mindestens aus der römisch-fränkischen Liturgie schon des 8. Jahrhunderts, daß es geschlossen wurde *respondentibus omnibus: Sed libera nos a malo*[60]). Grundsätzlich wird es also auch hier vom Volke mitgesprochen[61]). Es ist das Kommuniongebet der ganzen Gemeinde[62]).

Im Munde des Priesters erfährt der Vortrag des Herrengebetes die Auszeichnung einer besonderen musikalischen Gestaltung, die es an den Gesang der Präfation heranrückt. Die Entstehung unserer *Pater-noster*-Melodien, deren handschriftliche Bezeugung erst im hohen Mittelalter einsetzt, wird aus inneren Gründen im Hinblick auf die Eigenart ihrer Kadenzen schon in das 5.—7. Jahrhundert verlegt, wobei die reichere Melodie als die frühere gilt[63]). Sie hat also vielleicht schon in den Tagen Gregors des Großen die Würde dieses Gebetes hervorgehoben.

---

[58]) Auffälligerweise auch nicht der Codex Pad. des Gregorianums, der sonst die Antworten des Volkes sorgfältig angibt. Auch er fügt die Schlußbitte ohne Bemerkung an. Mohlberg-Baumstark n. 891; vgl. dagegen n. 874. 893.

[59]) Gregor d. Gr., Ep. IX, 12 (PL 77, 957).

[60]) Capitulare eccl. ord. (Andrieu III, 105). Das Schweigen der Sakramentare wird sich daraus erklären, daß der Priester auch selbst die Schlußbitte mitzusprechen hatte und das Sakramentar lediglich den Text für ihn bot, gleichviel ob auch das Volk daran beteiligt war. Darum fehlt in den Sakramentaren auch beim *Sanctus* ein das Volk betreffender Vermerk.

[61]) Es geht also jedenfalls zu weit, wenn es Brinktrine, Die hl. Messe 250, „dem Priester reserviert", „zum feierlichen Opfergebet erhoben" sein läßt. Die vom Volk gesprochene Schlußbitte kann nicht wie ein bloßes *Amen* gewertet werden (das übrigens auch hier, nach dem Embolismus, noch hinzutritt).

[62]) Es ist darum eine durchaus gesunde Lösung, wenn das Vaterunser nach einer längeren Periode, die die genannte Funktion desselben stark aus dem Auge verloren hat, in der heutigen Gemeinschaftsmesse wieder meist zur Gänze auch vom Volk gesprochen wird. Ellard, The Mass of the future 203 f, berichtet auch von Papstmessen in St. Peter (5. IX. 1921; 26. V. 1922), bei denen das Volk das *Pater noster* mitsprechen durfte.

[63]) Neben den heutigen Melodien des römischen Missale erscheinen in mittelalterlichen Hss noch verschiedene weitere. Meßbücher des 11. Jh. aus Montecassino bieten deren drei; Ebner 101; Fiala 193. 223. Ein 1513 gedrucktes Missale von Minden enthält vier *Pater-noster*-Melodien; F. Cabrol, Le chant du Pater à la messe III: Revue Grégorienne 14 (1929) 1—17; vgl. JL 9 (1929) 304 f. — Im Gegensatz zu den feierlichen Präfationsmelodien (s. oben 136) hat die *Pater-noster*-Melodie die im 12. Jh. einsetzende Entwicklung zu einer doppelten Tuba nicht mitgemacht. Ursprung, Die kath. Kirchenmusik 58 f.

Der laute Vortrag wurde, wie sich von selbst versteht, auch beim angeschlossenen Embolismus fortgesetzt[64]). Jedoch geschah dies in der römischen Messe[65]) nun nicht mehr in der feierlichen Melodie des *Pater noster,* sondern in einfachem Rezitationston, im gleichen Ton, dessen Anwendung wir im Kanon vom *Te igitur* ab erschlossen haben. Diese Vortragsweise ist im Mailänder Ritus[66]) und in dem von Lyon[67]) und ebenso in der *missa praesanctificatorum* unserer Karfreitagsliturgie bis heute erhalten geblieben. Außerhalb des Karfreitags ist man in der römischen Messe um die Jahrtausendwende zum Stillbeten des Embolismus übergegangen[68]). Es scheint dafür die Auffassung bestimmend gewesen zu sein, daß der Embolismus noch innerhalb jenes Abschnittes der Messe liege, in dem das Leiden Christi zur Darstellung kommt. Den Endpunkt für die Darstellung des Leidens bildet nämlich die Auferstehung, die man seit dem 9. Jahrhundert immer einhelliger in der Mischung versinnbildet sah[69]), während die ihr vorausgehende Brechung in der Folge noch auf das Leiden gedeutet wurde[70]). Dieser ganze Abschnitt, der Kanon im mittelalterlichen Sinn, der ja auch *secreta* genannt wurde, sollte soweit möglich in der Stille verbleiben. Die Stille wurde zwar unterbrochen durch Präfation und Pater noster, für die der Gesang von altersher vorgeschrieben war, aber es ergab sich so das um so geheimnisvollere Bild einer dreifachen Stille: während der Secreta, vom *Te igitur* an und während des Embolismus, die auf die drei Tage der Grabesruhe hinzuweisen schien[71]).

---

[64]) Amalar, Liber off. III, 29 (Hanssens II, 355—359); Ordo sec. Rom. n. 11 (Andrieu II, 223; PL 78, 975 A); Meßerklärung des Clm. 14690 (10. Jh.): Franz 411.

[65]) In der mozarabischen Messe hat der (wechselnde) Embolismus die Melodie des *Pater noster:* Missale mixtum (PL 85, 559 f).

[66]) Missale Ambrosianum (1902) 180 f.

[67]) Missale von Lyon (1904) 315 f.

[68]) Der Übergang ist nicht überall zur gleichen Zeit erfolgt. Am frühesten ist er bezeugt im Poenitentiale Sangallense tripartitum (Hs des 9. Jh.): H. J. Schmitz, Die Bußbücher und das kanonische Bußverfahren, Düsseldorf 1898, 189. Auch nach dem Ordo ‚Qualiter quaedam' (Andrieu II, 302; PL 78, 984) wird der Embolismus gesprochen *interveniente nullo sono.* Bonizo von Sutri († um 1095), De sacr. (PL 150, 862 C), läßt das Stillbeten des Embolismus bereits von Gregor dem Großen eingeführt sein. Ausnahmsweise ist es im Ordo eccl. Lateran. (Fischer 58) auch am Karfreitag durchgedrungen.

[69]) Unten 395.

[70]) Lepin, L'idée du sacrifice de la messe 113—121. 154 f. — Jungmann, Gewordene Liturgie 106. 133 f. Vgl. oben I, 244 Anm. 30.

[71]) Jungmann, Gewordene Liturgie 106 f.

Nach dem *Sed libera nos a malo* des Volkes erscheint erstmalig in der Sakramentarrezension Alkuins und dann allmählich allgemein ein *Amen*[72]). Es wird aus dem biblischen Vaterunsertext der Vulgata übernommen sein; der griechische Urtext kennt dieses *Amen* nicht. Es war nun die Frage, wer dieses *Amen* zu sprechen habe. Es wurde manchmal zur Antwort des Volkes hinzugenommen und dann laut gesprochen[73]), schließlich aber, wohl auf Grund der sich festigenden Praxis, daß das laut gesprochene *Sed libera nos a malo* in der römischen Liturgie regelmäßig ohne das *Amen* bleibt[74]), an den Priester abgegeben, der es leise vor seinem leise zu sprechenden Embolismus sagt[75]).

Das *Pater noster* war im späteren Mittelalter auch von einzelnen äußeren Riten begleitet, auch abgesehen von denjenigen, die heute zum Embolismus hinzutreten[76]). Weit verbreitet war der Brauch, die Erhebung von Kelch und Hostie, die von der Schlußdoxologie durch die Kreuzzeichen abgedrängt worden war[77]), nun mit dem Gebet des Herrn zu verbinden. Es geschah auf verschiedene Weise: nur nach den Worten *Fiat voluntas tua*[78]) oder während der ganzen Dauer der ersten drei Bitten bis zu den Worten *sicut in coelo et in terra*[79]). Während in diesen

---

[72]) Lietzmann n. 1, 31; Brinktrine, Die hl. Messe 252 Anm. 1.

[73]) Layfolks Massbook (13. Jh.) ed. Simmons 46. Auch bei Joh. Beleth, Explicatio c. 47 (PL 202, 54), ist das *Amen* mit der Antwort verbunden. — Daß der Beter selbst das *Amen* zu seinem Gebete hinzufügt, war auch in der älteren christlichen Überlieferung nicht unerhört; vgl. gerade für das Vaterunser schon Cyrill von Jerusalem, Catech. myst. V, 18 (Quasten, Mon. 107).

[74]) Ausgenommen in der Taufliturgie; vgl. Eisenhofer I, 175. — Es handelt sich bei diesem *Amen* des *Pater noster* zwar um eine nunmehr klar geregelte Ordnung, aber nicht um ein überzeugendes Prinzip, das darin durchgeführt wäre.

[75]) So schon Wilhelm von Hirsau († 1091), Const. I, 86 (PL 150, 1018); Ordinarium O. P. von 1256 (Guerrini 243); Liber ordinarius von Lüttich (Volk 95).

[76]) Über Kreuzzeichen und Patenekuß beim Embolismus s. unten 381. — Der heute vorgeschriebene Blick auf die Hostie während des Herrengebetes ist nicht diesem als solchem zugeordnet; vgl. Ordinarium Cart. (1932) c. 27, 8, wo dieser Blick, soweit möglich, von der Wandlung bis zur Kommunion gewünscht wird.

[77]) Oben 332 ff.

[78]) So noch heute nach dem Missale von Lyon (1904) 314, wobei der Meßdiener schellt (ebd. S. XXXII); ebenso in Vienne, Martène 1, 4, 8, 27 (I, 418 A): der Priester behält die hl. Hostie über dem Kelch während der ersten Vaterunserbitten und erhebt beide bei den Worten *sicut in coelo*. Vgl. de Moléon 11. 58. — Das Zeigen der Hostie *cum incipit Pater noster* erscheint 1562 im ersten Verzeichnis der *abusus missae*. Concilium Tridentinum ed. Goerres. VIII, 919.

[79]) Hugo von S. Cher, Tract. super missam (ed. Sölch 44); vgl. Sölch, Hugo 103. Als Grund dieser länger ausgedehnten Erhebung gibt Hugo an, die

beiden Fällen der doxologische Sinn der Zeremonie deutlich sichtbar blieb, traf dies weniger zu, wenn anderswo die Erhebung während des ganzen *Pater noster* fortgesetzt wurde[80]). Es wurde damit wohl bewußt einer neuen Sinngebung Ausdruck verliehen; aus dem darbringenden Emporheben ist, wie dies um die Wende des Mittelalters manchmal auch eine Rubrik selbst beim *omnis honor et gloria* anordnet, ähnlich wie bei der Wandlung ein Zeigen geworden für das Volk[81]). Diese neue Sinngebung kommt noch deutlicher zum Ausdruck, wenn an einzelnen Orten die Erhebung mit den Worten *Panem nostrum* verbunden wurde[82]): hier ist das Brot, um das wir bitten. Manchenorts, besonders im nordfranzösischen Bereich, bestand der verwandte Brauch, daß der Kleriker, der die Patene trug, oder der sie übernehmende Subdiakon diese emporhob, wie es einmal heißt, *in signum instantis communionis*[83]). Ander-

---

ersten drei Bitten gehörten *ad vitam aeternam*, während die folgenden, bei denen Kelch und Hostie wieder auf dem Altare sind, *ad vitam praesentem* gehören. — Derselbe Brauch im Ordinarium von Chalon-sur-Saône: Martène 1, 4, XXIX (I, 647 C); Durandus IV, 46, 23; 47, 8. Im 16./17. Jh. auch bei den Prämonstratensern: Lentze (Anal. Praem. 1950) 129.

[80]) Missale des 12. Jh. aus Amiens: Leroquais I, 225. — Ebenso unklar bleibt der Sinn der Erhebung, wenn diese in einem Pontifikale des 13. Jh. aus Laon vom *Per omnia s. s.* bis zum *audemus dicere* dauert; Leroquais, Les pontificaux I, 168.

[81]) Lyoner Klostermissale von 1531: Martène 1, 4, XXXIII (I, 660 D): *Ostendat populo hostiam*. Ähnlich im Ordinarium von Coutances von 1557: Legg, Tracts 64. Weitere Beispiele s. Browe, Die Verehrung 64; Dumoutet, Le désir de voir l'Hostie 63—65. Das heutige Missale von Braga (1924) 321 läßt den Priester zwischen *Oremus* und *Praeceptis salutaribus* die hl. Hostie erheben *ut in prima elevatione*, und noch bei seiner Kommunion soll er eine kleine Wendung machen, *ut circumstantes sacram hostiam videre et adorare possint* (ebd. 328). — Vgl. auch in der mozarabischen Messe die Erhebung des Leibes Christi während des Glaubensbekenntnisses, das zwischen Kanon und *Pater noster* gesprochen wird; Missale mixtum (PL 85, 556 A): *Et elevet sacerdos corpus Christi, ut videatur a populo*. — Hieher gehört noch der Brauch unserer Karfreitagliturgie, demzufolge die hl. Hostie nach dem Embolismus erhoben wird, *ut videri possit a populo*. An gleicher Stelle innerhalb der gewöhnlichen Messe, nämlich nach der Brechung, verlangt das Ordinarium Cart. (1932) c. 27, 11 eine (d. i. eine dritte) kleine Erhebung *(parum)* von Kelch und Hostie; der Brauch stammt aus dem frühen 13. Jh. (Mitteilung aus der Kartause von Valencia).

[82]) Prämonstratenser-Missale von 1578: Legg, Tracts 241. Später noch so in Langres; de Moléon 58.

[83]) So nach einem Pariser Missale, mit dem jüngerer Prämonstratenserbrauch übereinstimmt. Die Erhebung geschah in letzterem beim *Panem nostrum*. Siehe den Hinweis JL 4 (1924) 252 (nach K. Dom); vgl. Waefelghem 83 Anm. 2. Der Brauch lebt im Prämonstratenserorden heute noch fort. — Nach dem Ordi-

seits hat seit dem 13. Jahrhundert manchmal auch die doxologische Gebärde, die das *per omnia saecula saeculorum* der Kanonschlußdoxologie begleitete, eine Verdoppelung gefunden, indem bei den gleichen Worten am Ende des Embolismus noch einmal der Kelch und die kleine Hostienpartikel erhoben wurden[84]).

In einzelnen Kirchen wurde die körperliche Gebetshaltung während des *Pater noster* besonders betont, und zwar in der Weise, daß an Tagen ohne Festcharakter von den Gläubigen die *prostratio* verlangt wurde[85]). Eine Meßordnung von Bec verlangt die *prostratio* beim Embolismus sogar vom Zelebranten[86]).

Damit wird zusammenhängen, daß man im hohen Mittelalter an dieser Stelle öfter in bedrängter Zeit Notgebete eingeschaltet hat, zuerst nach dem Embolismus[87]), und dann, als das Gefühl für die Zusammen-

---

narium von Laon: Martène 1, 4, XX (I, 608 E), erhob der Subdiakon die Patene bei den Worten *sicut in coelo et in terra.* Nach dem Missale von Evreux (um 1400): ebd. XXVIII (I, 644 E), erhob sie der Priester selbst beim *Amen* des *Pater noster.* Das Sarum-Missale des späten Mittelalters: ebd. XXXV (I, 669 C), läßt den Diakon die Patene während des ganzen *Pater noster* erhoben halten; vgl. Maskell 154. Ähnlich war der Brauch noch um 1700 zu Rouen; de Moléon 368. Nach dem Lütticher Missale von 1552 erhob der Priester die Patene während des *Libera;* de Corswarem 139.

84) Mainzer Pontifikale um 1170: Martène 1, 4, XVII (I, 602 B). — Statuten der Kartäuser: ebd. XXV (I, 634 C; vgl. Legg, Tracts 102); Meßordnung ‚Indutus planeta' (Legg, Tracts 187). — Auch noch bei Gabriel Biel, Canonis expos. lect. 80, und im Missale von Braga (1924) 325.

85) Capitulare monasticum von 817 n. 74 (PL 97, 392). — Joh. Beleth, Explicatio c. 47 (PL 202, 54): *animadvertere oportet, cum sacerdos ait: Oremus. Praeceptis etc., nos debere prostratos orare usque ad finem orationis dominicae, si dies fuerint profesti.* An Festtagen stand man. — Dasselbe wiederholt Sicard von Cremona, Mitrale III, 6 (PL 213, 134 D). — *Prostratio* oder wenigstens kniende Haltung wurde für die ganze Dauer des Kanons bis zum *Agnus Dei* verlangt auf der Synode von Trier (1549) can. 9 (Hartzheim VI, 600). Vgl. Synode von Köln (1536) can. 14 (ebd. VI, 255).

86) Ebenso wie vorher beim Stufengebet und beim *In spiritu humilitatis* und wie nach der Kommunion beim Gebet *Domine Jesu Christe qui ex voluntate;* Martène 1, 4, XXXVI (I, 674 B; vgl. 672 C. 673 B. 675 B).

87) In einem Sakramentar des ausgehenden 9. Jh. aus Tours (Leroquais I, 53) wird bestimmt, der Diakon solle *antequam Agnus Dei dicatur sacerdote ante altare in terra prostrato* ein längeres, an Christus gerichtetes Gebet für die bedrängte Kirche beten, mit dem Anfang *In spiritu humilitatis.* Dasselbe als *proclamatio antequam dicant Pax Domini* auch unter den Werken des heiligen Fulbert von Chartres († 1029; PL 141, 353 f); auch in Farfa (unten Anm. 89). Als Eintragung des 11. Jh. im Pontifikale des Halinardus: Leroquais, Les pontificaux I, 143. Einen Text aus Verdun (11./12. Jh.) bietet

gehörigkeit desselben mit dem *Pater noster* nicht mehr so lebendig war, schon zwischen *Pater noster* und Embolismus[88]). Da man das Gebet des Herrn immer weniger als Kommuniongebet empfand, wurde das Universalgebet der Christenheit zum Ansatzpunkt, um hier in Notzeiten ein Sondergebet hinzuzufügen. Um 1040 bestimmen die Consuetudines von Farfa: Nach dem *Pater noster* soll man vor dem Altar Kruzifix, Evangelienbuch und Reliquien aufstellen, der ganze Klerus soll sich auf den Boden hinwerfen und Ps 73: *Ut quid Deus repulisti in finem,* mit zugehörigem Gebet sprechen, während der Priester am Altare schweigend innehält[89]). Am Höhepunkt der Kreuzfahrerzeit wurde 1194 bei den Zisterziensern an gleicher Stelle Ps 78: *Deus venerunt gentes,* als Bittgebet für das Heilige Land eingefügt[90]). Eine ähnliche Vorschrift erließ das Generalkapitel der Dominikaner von 1269[91]). Im gleichen Sinn verordnete 1328, eine Bestimmung Nikolaus' III. weiterführend[92]), Johannes XXII., daß in jeder Messe nach dem *Pater noster* Ps 121 — wohl wegen der Schlußverse: *Rogate quae ad pacem sunt Jerusalem*

J. Leclercq, Revue Bénéd. 57 (1947) 224—226. Weiter ausgestaltet (mit Pss 119. 120. 122 und Oration *contra persecutores)* als *clamor in tribulatione* in einer Admonter Hs des 15. Jh., gedruckt bei Franz 206 f. — Vgl. das Kapitel *Quomodo fiat clamor* im Ordo Clun. des Mönches Bernhard I, 40 (Herrgott 231), das Gebet *pro irreligiosis* bei der Provinzialsynode im Römisch-deutschen Pontifikale (Hittorp 155) und schon den *clamor* im mozarabischen Liber ordinum (Férotin 148).

[88]) Diese Verschiebung hat auch den Brautsegen erfaßt, der nach heutiger Vorschrift ebenfalls schon vor dem *Libera nos quaesumus* einzuschalten ist. Im Gregorianum (Lietzmann n. 200, 5) wird dieser Segen gesprochen *ante quam dicatur Pax Domini.* Die Ausdrucksweise des älteren Gelasianums III, 52 (Wilson 266 f) wird dasselbe meinen: *dicis orationem dominicam et sic eam benedicis,* und nach dem Segnungsformular: *Post haec dicis: Pax vobiscum.* Vgl. einen gleichlautenden Sakramentartext des 10. Jh. PL 78, 262 f. Die unklare Formulierung hat wohl zur Verschiebung beigetragen.

[89]) Albers I, 172 f. Das Gebet ist das oben (Anm. 87) erwähnte: *In spiritu humilitatis* (mit Erweiterungen).

[90]) Schneider (Cist.-Chr. 1927) 109. Vgl. ebd. 108—114 das ganze Kapitel „Das Suffragium pro pace nach dem Pater noster".

[91]) E. Martène, Thesaurus novus anecdotorum IV, Paris 1717, 1754. Auch hier soll *cum prostratione* Ps 78 gebetet werden: *Deus venerunt,* darauf Versikel und Oration. — Ebenso zu Sarum im 13.—15. Jh.: Legg, The Sarum Missal 209 f; Frere, The use of Sarum I, 90 f. — Dasselbe Kreuzfahrergebet erscheint dann bei den Karmeliten: Ordinale von 1312 (Zimmerman 86); bei den beschuhten Karmeliten lebt es bis in die Gegenwart fort; B. Zimmerman, Carmes: DACL II, 2171. — Vgl. auch unten 421 mit Anm. 44.

[92]) Bona II, 16, 4 (825): Vor dem *Agnus Dei* Ps 121 und Oration, um den Frieden unter den christlichen Fürsten zu erlangen.

usw. — von den Klerikern und sonstigen *literati* gesprochen werde mit *Kyrie*, dem Versikel *Domine salvos fac reges* und den Orationen *Ecclesiae tuae quaesumus Domine preces* und *Hostium nostrorum*[93]). Ebenso schrieb das Generalkapitel der Franziskaner von 1359 dieses Gebet vor, wobei auch der zelebrierende Priester vor dem heiligen Sakrament niederknien sollte[94]). Bei der Reform des Meßbuches im 16. Jahrhundert kamen diese und ähnliche Zutaten wieder in Wegfall[95]); doch hat sich die Gewohnheit manchenorts noch länger erhalten[96]).

3. *Vorbereitende Handlungen in außerrömischen Liturgien*

Dem Empfang und der Ausspendung der Kommunion gehen in verschiedenen Liturgien, besonders in denen des Ostens, eine Reihe vorbereitender Handlungen und Gebete voraus, die in der römischen Liturgie

[93]) E. Martène, Thesaurus novus anecdotorum II, Paris 1717, 748 f; Corpus Iur. Can., Extrav. comm. III, 11 (Friedberg II, 1284 f). — Dieselben Gebete wurden noch besonders dem Kapitel der Zisterzienser ans Herz gelegt. Clemens VI. hat eine weitere Oration angefügt. Martène, De antiquis eccl. ritibus I, 4, 9, 5 (I, 420). — Auch an der päpstlichen Kurie gehört der Psalm im 14./15. Jh. zum festen Ritus; s. Ordo des Petrus Amelii n. 44 (PL 78, 1295); vgl. die genauen Angaben, wann der Psalm entfällt, ebd. n. 1. 9. 10 usw. (1275. 1278 f usw.). — Bei den Zisterziensern blieben diese Gebete denn auch bis ins 17. Jh., bei den spanischen Zisterziensern ebenso wie bei den Beschuhten Karmeliten noch darüber hinaus, in Übung; Schneider (Cist.-Chr. 1927) 112—114. In französischen Kathedralen gehörten sie noch am Beginn des 18. Jh. zum Ritus des Hochamtes als Gebet für den Frieden und für den König; so in Auxerre (mit Pss 121. 122), in Sens (mit Pss 121. 66), in Chartres (mit Ps 19); de Moléon 159. 169. 230. Vgl. auch das Beispiel aus Sevilla, oben I, 176 Anm. 37.

[94]) Analecta Franciscana 2 (1887) 194. Hinweis bei Browe, JL 9 (1929) 47 f. Anderswo wurden ähnliche Gebete im Anschluß an das *Agnus Dei* verrichtet; s. unten 421.

[95]) Diese Gesänge und Gebete, die anscheinend schon wieder weiterentwickelt waren, sind offenbar gemeint, wenn bei den Reformvorschlägen um die Zeit des Konzils von Trient in Deutschland verlangt wird, man solle die Antiphonen für den Frieden oder gegen die Pest oder die Antiphonen und Gebete um den Frieden und das Gedeihen der Feldfrüchte nicht nach der Wandlung wie bisher, sondern an anderer Stelle ansetzen. H. Jedin, Das Konzil von Trient und die Reform des römischen Meßbuches (Liturg. Leben 1939) 42 f.

[96]) Am 11. VI. 1605 wendet sich die Ritenkongregation gegen eine Anordnung des Bischofs von Huesca, der in allen Konventmessen vor dem *Libera nos quaesumus* Gebete um Regen vorgeschrieben hatte. Decreta auth. SRC n. 182.

teils nicht entwickelt[1]), teils wieder zu sehr bescheidenen Formen zurückgebildet und zwischen dem Embolismus und den engeren Kommuniongebeten zusammengedrängt sind. Schon um den Sinn der verbliebenen Formen besser zu ermessen, wird es von Nutzen sein, sie zuerst in der reicheren Entfaltung außerrömischer Liturgien kurz zu überblicken.

Nach dem Gebet des Herrn wendet sich in den Riten des Ostens der Blick des Zelebranten zuerst der Gemeinde zu. Er spricht über sie ein Segnungsgebet und hebt dann die Brotsgestalt empor mit dem einladenden und zugleich warnenden Ruf: „Das Heilige den Heiligen!" Darauf — oder in einem Teil der Riten schon vor dem Gebet des Herrn — erfolgt die Brechung, zunächst als Zerteilung der Hostienbrote für die Kommunion der Gläubigen, aber dann auch als symbolischer Ausdruck bestimmter Gedanken. Mit dieser symbolischen Brechung verbindet sich eine manchmal recht umständliche Bekreuzung der heiligen Gestalten und endlich ihre Mischung, indem eine Partikel in den Kelch gegeben wird[2]). Nach der nun folgenden Kommunion des Zelebranten ergeht dann zum Teil noch eine förmliche Einladung an die Gläubigen, sie mögen „in Gottesfurcht, Glaube und Liebe herzutreten"[3]).

Die Segnung der Gemeinde vor der Kommunion ist bereits in einzelnen Quellen des 4. Jahrhunderts entwickelt[4]). Ihr ursprünglicher Sinn, „daß wir würdig werden, Gemeinschaft und Anteil zu haben an deinen heiligen Geheimnissen"[5]), ist in einem Teil der orientalischen Formulare eindeutig ausgesprochen. Voraus geht regelmäßig der gewöhnliche Gruß des Zelebranten und der Ruf des Diakons: Τὰς κεφαλὰς ἡμῶν τῷ κυρίῳ κλίνωμεν, der meist mit einem Σοὶ κύριε beantwortet wird[6]). Das Segnungsgebet schließt dann mit der gewöhnlichen Doxologie.

---

[1]) Duchesne, Origines 197 (mit Anm.), vermutet als Grund für das Fehlen entsprechender Gebete in der älteren römischen Messe, daß das Vaterunser allein als eigentliche, der Kommunion unmittelbar vorausgehende Vorbereitung gegolten habe; durch seine Vorverlegung an die heutige Stelle sei hier ein Hiatus entstanden.

[2]) Die Gruppe dieser mit der Brechung verbundenen Riten geht in den außerbyzantinischen Riten des Ostens ganz oder teilweise schon dem Gebet des Herrn voraus. Hanssens, Institutiones III, 503—518; Baumstark, Die Messe im Morgenland 156—162.

[3]) So in der byzantinischen Messe; Brightman 395. Ähnlich bei den Armeniern und den Westsyrern; Baumstark 164.

[4]) Oben 342.

[5]) Jakobusliturgie: Brightman 61 Z. 3. Ähnlich die Markusliturgie: ebd. 137; byzantinische Basiliusliturgie: ebd. 340.

[6]) Westsyrische Liturgie: Brightman 60. 100; vgl. 136. 182.

Dieser Segen ist auch in den gallischen Liturgien vorhanden. Er wurde mit einer feierlichen Formel, die mit jeder Meßfeier wechselte, vom Bischof[7]), mit einer schlichteren, gleichbleibenden auch vom einfachen Priester gespendet[8]). Der Segen wurde hier freilich nicht mehr so sehr als Vorbereitung auf die Kommunion empfunden[9]) denn eher als Ersatz derselben für die Nichtkommunikanten, die sich darauf entfernen durften[10]). Aus der gallischen Liturgie ist der bischöfliche Segen als ein Höhepunkt des feierlichen Pontifikalamtes in den nördlichen Ländern auch in den Rahmen der römischen Liturgie hineingenommen worden[11]), trotz einem Einspruch, den Papst Zacharias 751 an den

---

[7]) Zu den wichtigsten Überresten der alten bischöflichen Benediktionen gehört die aus Freising (7.—9. Jh.) stammende Sammlung von *benedictiones episcopales;* s. G. Morin, Revue Bénéd. 29 (1912) 168—194. Auch die einzelnen Formularien der gallikanischen wie der mozarabischen Messe enthalten meist eine eigene Segnungsformel.

[8]) Die priesterliche Segnungsformel lautet nach der Expositio der gallikanischen Messe (ed. Quasten 22): *Pax, fides et caritas et communicatio corporis et sanguinis Domini sit semper vobiscum.* Daß in Abwesenheit des Bischofs auch der Priester einen solchen Segen spenden durfte, wurde auf der 2. Synode von Sevilla (619) can. 7 (Mansi X, 539) zugestanden und wird auch in anderen gallischen Rechtsquellen seit dieser Zeit vorausgesetzt. J. Lechner, Der Schlußsegen des Priesters in der hl. Messe (Festschrift E. Eichmann zum 70. Geburtstag, Paderborn 1940, 651—684) 652 ff.

[9]) Die Expositio der gallikanischen Messe (ed. Quasten 22) hat, wie ja auch die Formel zeigt (vorige Anm.), noch eine Erinnerung an diese ursprüngliche Bedeutung des Segens bewahrt; er werde gespendet *ut in vas benedictum benedictionis mysterium ingrediatur.*

[10]) So schon bei Cäsarius von Arles († 540), Serm. 73, 2 (Morin 294; PL 39, 2276 f): Wer mit Nutzen an der Messe teilnehmen will, muß ausharren *usquequo oratio dominica dicatur et benedictio populo detur.* Ähnlich Synoden des 6. Jh. Vgl. Nickl, Der Anteil des Volkes 53—55; Lechner 651 f. 673.

[11]) Siehe das Kapitel über die bischöflichen Benediktionen bei P. de Puniet, La sacramentaire romain de Gellone (Sonderabdr. aus den Eph. liturg. 1934—1938) 80—88; dazu Tabellen über deren Vorkommen in den gelasianischen Sakramentaren ebd. 218*—235*. Auch dem Gregorianum hat Alkuin in seiner Ausgabe eine umfangreiche, zum Teil aus mozarabischem Stoff geschöpfte Sammlung von Benediktionen beigegeben, die dann gleichfalls als Anhang oder aufgeteilt auf die Meßformularien in späteren Meßbüchern wiederkehren; Muratori II, 362—380. Bischöfliche Benediktionen aus verschiedenen Quellen: PL 78, 601—636. Weitere Benediktionalien vermerkt Eisenhofer I, 97 f. Die mozarabische Herkunft der Hauptmasse dieser Benediktionen betont G. Manz, Ausdrucksformen der lateinischen Liturgiesprache bis ins 11. Jh. (Texte u. Arbeiten I, 1. Beiheft; 1941) 25. 28. Siehe auch noch die aus Hss des 14. Jh. stammende Sammlung mit 287 zum größten Teil früher nicht nachweisbaren Formeln, die herausgegeben ist von W. Lüdtke, Bischöfliche Benediktionen aus Magdeburg und Braunschweig:

hl. Bonifatius gerichtet hat[12]). Die für den bischöflichen Gebrauch bestimmten Sakramentarien und Ordines des karolingischen Raumes enthalten darum fortan vielfach einen Hinweis auf diese Segenserteilung, die meist auf den Embolismus[13]), in manchen Kirchen später aber auch erst auf das *Pax Domini* folgte[14]). Auch diesem gallischen Pontifikalsegen geht ähnlich wie dem Segen im Orient meist der Ruf voraus: *Humiliate vos ad benedictionem*[15]), der mit einem *Deo gratias* beantwortet wird, worauf der Bischof mit Mitra und Stab sich zum Volke wendet und aus dem vorgehaltenen Benediktionale die Segensformel spricht, bei deren Schlußsatz er dreimal das Kreuzzeichen nach drei Richtungen bildet[16]). Die Segensformel selbst ist regelmäßig in drei

---

JL 5 (1925) 97—122. — Die *benedictiones episcopales* sind schließlich auch nach Italien vorgedrungen, wie Bonizo von Sutri, De vita christiana II, 51 (ed. Perels 60), und Sicard von Cremona, Mitrale III, 7 (PL 213, 138 f), bezeugen. In Rom selbst blieben sie unbekannt. Wie hoch sie in den nördlichen Ländern eingeschätzt wurden, erkennt man, wenn Honorius Augustodunensis, Gemma an. c. 60 (PL 172, 562), die *benedictio episcopi* als sechstes von sieben *officia* der Messe aufführt.

12) Zacharias, Ep. 13 (PL 89, 951 D).

13) Gregorianum des Cod. Ratoldi (PL 78, 244 B); Regensburger Hs (um 825) des Ordo Rom. I (Andrieu II, 97, Anm. zu n. 94); Ordo sec. Rom. n. 11 (ebd. II, 224 Z. 1; PL 78, 975); Ordo ‚Postquam' der Bischofsmesse (Andrieu II, 361; PL 78, 993 f). — Das *Pax Domini* erschien dann als Abschluß des bischöflichen Segens und erhielt wohl auch die Form: *Et pax eius sit semper vobiscum,* so in einem Mainzer Pontifikale um 1300: Martène 1, 4, XVIII (I, 603 D); ebenso im Pontifikale des Durandus (ebd. XXIII [I, 623 C]; Andrieu, Le Pontifical III, 655); vgl. PL 78, 30 Anm. f. — Auch der Abt von Gregorienmünster erteilte an dieser Stelle den Pontifikalsegen; Martène 1, 4, XXXII (I, 656 f). Dasselbe war zu St. Jakob in Lüttich der Fall; Volk 97. Schon im 9. Jh. zeigt eine Miniatur aus Marmoutiers mit der Beischrift: *Hic benedic populum,* Abt Raganaldus den Segen spendend; H. Leclercq, DACL I, 3205; III, 75.

14) Missa Illyrica: ebd. 1, 4, IV (I, 514 f); Meßordnung von Séez: PL 78, 250 A. Es handelt sich in beiden Fällen um dieselbe Rubrik. — Die gleiche Ordnung bezeugt Sicard von Cremona a. a. O.

15) Zuerst im Sakramentar des Ratoldus (PL 78, 244) und im Ordo ‚Postquam' der Bischofsmesse (Andrieu II, 361; PL 78, 993 f). Vgl. aber auch schon Cäsarius von Arles, Serm. 76, 2 (Morin 303; PL 39, 2284); *quotiens clamatum fuerit, ut vos benedictioni humiliare debeatis, non vobis sit laboriosum capita inclinare.*

16) So nach dem Pontifikale des Durandus (Martène 1, 4, XXIII [I, 622 f]; Andrieu, Le Pontifical III, 653—655), wo als Schlußsatz schon hinzugefügt ist: *Et benedictio Dei Patris omnipotentis et Filii et Spiritus Sancti descendat super vos et maneat semper.* Hier auch Angaben für eine weitere Steigerung der Feierlichkeit an den Hochfesten.

Gliedern aufgebaut nach dem Vorbild des großen Priestersegens des Alten Bundes (Num 6, 22—26), der auch selber in den ältesten Sammlungen erscheint[17]). Auf jedes der drei Glieder, die meist eine wohlabgewogene feierliche Periode bilden, wird mit *Amen* geantwortet, worauf noch ein Schlußsatz folgt. Inhaltlich kreisen die meisten Formeln um den jeweiligen Festgedanken[18]). Die ursprüngliche Beziehung auf die Kommunion kam auch in den ältesten lateinischen Formeln nirgends mehr zum Ausdruck. Dieser Pontifikalsegen konnte infolgedessen auch an andere Stelle verschoben werden[19]). Er hat sich aber auch an seiner ursprünglichen Stelle vielfach bis über das Mittelalter hinaus erhalten[20]). In den Kathedralen von Lyon und Autun ist er bis heute lebendig geblieben[21]).

Nach dem Segen ergeht in allen orientalischen Liturgien die Einladung an die Gläubigen: Τὰ ἅγια τοῖς ἁγίοις![22]) Schon in

---

[17]) de Puniet 82.

[18]) Als Beispiel diene die erste der von W. Lüdtke herausgegebenen bischöflichen Benediktionen aus Magdeburg und Braunschweig, JL 5 (1925) 99 f, auf den ersten Adventsonntag: *Omnipotens Deus, cuius Unigeniti adventum et praeteritum creditis et futurum expectatis, eiusdem adventus vos illustratione sanctificet et sua benedictione locupletet. Amen. — In praesentis vitae stadio vos ab omni adversitate defendat et se vobis in iudicio placabilem ostendat. Amen. — Quo a cunctis peccatorum contagiis liberati illius tremendi examinis diem expectetis interriti. Amen. — Quod ipse praestare dignetur cuius regnum et imperium sine fine permanet in saecula saeculorum. Amen.*

[19]) Nach dem spätmittelalterlichen Ordinarium von Laon: Martène 1, 4, XXI (I, 610 B), wurde er nach dem Evangelium gegeben; vgl. oben I, 633. Ihn an den Schluß der Messe zu rücken, haben im 7. Jh. schon *nonnulli sacerdotes* in Spanien versucht, wie das 4. Konzil von Toledo (633) can. 18 (Mansi X, 624) mißbilligend bemerkt. In dem 1417 geschriebenen Pontifikale von Valencia ist er nach dem *Ite missa est* als Schlußsegen angesetzt; Ferreres 172. Ebenso in der Pariser Hs 733 des Pontifikale des Durandus (Andrieu III, 164 f). Das gleiche scheint bis in neuere Zeit auch in Trier der Fall gewesen zu sein, wo heute noch, wie mir mitgeteilt wird, vor dem Pontifikalsegen an dieser Stelle der Ruf des Diakons erhalten ist: *Inclinate vos ad benedictionem.*

[20]) Er ist für Salzburg bezeugt 1535 durch Berthold von Chiemsee (Franz 727). Die Zisterzienseräbte erteilten ihn bis 1618; Schneider (Cist.-Chr. 1927) 136—139. Noch im 18. Jh. trifft ihn in verschiedenen französischen Bischofskirchen de Moléon, Voyage (s. Register s. v. Bénédiction). Weitere Hinweise bei Buenner 278 Anm. 1.

[21]) Buenner 277 f; Schneider 137.

[22]) In dieser Fassung heute noch in der koptischen und in der byzantinischen Messe: Brightman 184. 393. Anderswo etwas variiert; s. Hanssens III, 498.

den Quellen des 4. Jahrhunderts ist dieser Ruf des Zelebranten bezeugt[23]), der vielleicht in ein noch viel höheres Alter hinaufreicht[24]). Die Bedeutung des Momentes wird vielfach, ähnlich wie vor der Lesung des Evangeliums, noch eigens hervorgehoben durch den Aufmerksamkeitsruf des Diakons: Πρόσχωμεν, oder auch noch durch vorbereitende Gebete[25]). Dann erhebt der Priester, ohne sich umzuwenden, den Leib des Herrn, so daß alle ihn sehen können[26]). Das Volk antwortet mit einem Lobpreis, in dessen ältester, heute noch in der byzantinischen Messe erhaltener Form die für den Empfang geforderte Heiligkeit auf den Herrn selber zurückgeleitet wird: „Einer ist heilig, einer der Herr, Jesus Christus, zur Ehre Gottes, des Vaters“[27]). In den übrigen Liturgien des Ostens hat der Antwortruf des Volkes schon früh fast überall eine trinitarische Wendung erhalten[28]), die den Grundgedanken nicht mehr so deutlich hervortreten läßt.

---

[23]) Const. Ap. VIII, 13, 12; Cyrillus von Jerusalem, Catech. myst. V, 19; Theodor von Mopsvestia, Sermones catech. VI (Quasten, Mon. 107. 229). Weitere Bezeugungen s. Hanssens, Institutiones III, 499 ff.

[24]) Vgl. Didache c. 10, 6 (oben I, 16).

[25]) Beides in der byzantinischen und in den übrigen griechischen Liturgien: Brightman 61. 137 f. 341; vgl. Hanssens III, 494 ff.

[26]) Der Brauch ist seit dem 6./7. Jh. vorhanden. Vordem erhob der Priester, wie Chrysostomus, In Hebr. hom. 17, 4 f (PG 63, 132 f), zeigt, nur die Hand: καθάπερ τις κῆρυξ τὴν χεῖρα αἴρων. Hanssens III, 501. — Die Ausführung der Elevation ist heute verschieden. In der byzantinischen Messe hebt der Priester die hl. Hostie auf dem Diskos empor. Bei den Kopten erhebt er eine Partikel über dem Kelch. Bei den westsyrischen Jakobiten findet eine doppelte Erhebung statt: zuerst wird die Hostie auf dem Diskos emporgehoben, darauf der Kelch; ähnlich bei den Maroniten. Bei den unierten Armeniern ergreift der Priester, nachdem er die Hostie erhoben hat, Kelch und Hostie und wendet sich segnend zum Volk; bei den nichtunierten wird anstatt dessen die Hostie ins heilige Blut getaucht und dann noch einmal erhoben. Hanssens III, 494—499.

[27]) Brightman 341. 393; ebenso u. a. bereits Const. Ap. VIII, 13, 13 (Quasten, Mon. 229 f), wo Lk 2, 14 angefügt ist. — Vgl. die Erörterung des *tu solus sanctus*, oben I, 455 f. — Baumstark, Die Messe im Morgenland 158, deutet die Möglichkeit an, daß die Apostelworte I Kor 8, 6; Phil 2, 11 bereits den Nachhall der liturgischen Formel darstellen.

[28]) Diese ist schon bezeugt bei Theodor von Mopsvestia, Sermones catech. VI (Rücker 36): *Unus Pater sanctus, unus Filius sanctus, unus Spiritus sanctus,* wobei in der katechetischen Erklärung, ähnlich wie in manchen jüngeren Texten der Liturgien, nicht mehr die Heiligkeit, sondern die Einheit der göttlichen Natur hervorgehoben wird. Die Formel wird schon hier weitergeführt wie in der späteren westsyrischen Liturgie mit *Gloria Patri et Filio et Spiritui Sancto;* Rücker, Die Jakobosanaphora 73. — Siehe im einzelnen Hanssens a. a. O., besonders 498 f, wo auch die verschiedenen Erweiterungen.

Die Hauptliturgien des Abendlandes weisen in ihrem älteren Bestande, wie er uns überliefert ist, keine Parallele zu dieser zeigenden Erhebung des Sakramentes oder zu den entsprechenden Worten auf[29]. In jüngeren Entwicklungsstufen hat die römische Liturgie ein Gegenstück in zwei Akten ausgebildet: im Emporheben beider Gestalten, das wir mit der Wandlung verbinden, und im Zeigen der Brotsgestalt vor der Kommunionspendung, wo auch die Worte *Ecce Agnus Dei* mit dem darauf folgenden Bekenntnis der eigenen Unwürdigkeit einigermaßen dem *Sancta sanctis* mit seinem Gegenruf entsprechen[30].

Von den vorbereitenden Handlungen, die am Sakrament selber geschehen, ist die älteste und wichtigste, die darum auch in allen Liturgien wiederkehrt, die Brechung des konsekrierten Brotes. Darin setzt sich eine Handlung fort, die nach allen vier neutestamentlichen Berichten der Herr selber beim letzten Abendmahl vorgenommen hat: er nahm das Brot, brach es und gab es seinen Jüngern. Das Brotbrechen ist ja der älteste Name, der für die eucharistische Feier gebraucht wurde. Als nächster Anlaß der Brechung erscheint zunächst einfach das Bedürfnis, die ganzen Hostienbrote für die Kommunion der Gemeinde

[29]) Immerhin weist G. Morin, Revue Bénéd. 40 (1928) 136 f, auf Spuren aus dem 5. Jh. hin, die auf ein lateinisches *Sancta sanctis* und auf die Antwort *Unus sanctus* an einzelnen Stellen schließen lassen. Die Frage ist neu untersucht durch L. Brou, Le ‚Sancta sanctis' en Occident: Journal of theol. studies 46 (1945) 160 bis 178; 47 (1946) 11—29. Nach Brou liegt die einzige sichere Bezeugung des *Sancta sanctis* im Abendland vor beim britannischen Bischof Fastidius (Anfang des 5. Jh.; er bezeichnet es als eine *praefatio*, vgl. oben 143), eine undeutliche Erwähnung bei Nicetas von Remesiana in Dacien († nach 414). Die außerdem irgendwie hiehergehörige (unten 395 Anm. 43 erwähnte) späte mozarabische Mischungsformel weist er u. a. noch nach im Liber ordinum (Férotin 241) und in einigen der von V. Leroquais beschriebenen französischen Meßbücher seit dem 11. Jh. Der mehrfach variierte Grundtext muß nach Brou gelautet haben: *Sancta cum sanctis et coniunctio corporis et sanguinis D. N. J. C. sit edentibus et bibentibus in vitam aeternam. Amen* (a. a. O., 1946, 17). Ist es demnach wohl denkbar, daß das *Sancta sanctis* einst im gallischen Bereich da oder dort mit dem Vollsinn orientalischer Liturgien gebräuchlich war, so wäre eine ähnliche Annahme, wie Brou mit Recht bemerkt, für Rom ausgeschlossen, wo schon die Formel *Si quis non communicat det locum* (unten 424) eine ähnliche Funktion erfüllte. — Die Inschrift *Dignis digna* ist im Fußboden einer nordafrikanischen Apsis ausgegraben worden; J. Sauer, Der Kirchenbau Nordafrikas in den Tagen des hl. Augustinus (Aurelius Augustinus, hrsg. von Grabmann und Mausbach, Köln 1930, 243—300) 296.

[30]) Daß die Erhebung von Kelch und Hostie bei *omnis honor et gloria* nicht hieher gehört, wurde schon oben 331 Anm. 37 betont.

zu zerteilen[31]), und allenfalls auch die Absicht, für den gleich nachfolgenden Mischungsritus eine Partikel zu erhalten[32]). Jedenfalls muß das Beispiel der Brechung im Abendmahlssaale und in der Urkirche dafür bestimmend geblieben sein, daß eben ein Brechen der Brotsgestalt weitergeübt wurde, nicht etwa, wie es sonst doch naheläge, ein Schneiden des Brotes, m. a. W. daß eben die Brotform so gewählt wurde und wird, daß nur ein Brechen in Frage kommt[33]).

Der rituellen Ausgestaltung nach ist die Brechung, die auf die Herstellung der Partikeln für die Kommunion der Gemeinde hingeordnet ist, meist bei einfachen Formen verblieben. Sie scheint in den orientalischen Riten allgemein vom Zelebranten selbst vorgenommen zu werden. Wohl mit Rücksicht auf größere Kommuniontage, an denen sie mehr Zeit in Anspruch nimmt, sind zum Teil längere Gebetstexte vorgesehen, die sie begleiten[34]).

Viel reicher ausgebaut ist die Brechung, die der Symbolik dient und die in der Mischung der beiden Gestalten gipfelt. Es folgen nämlich nacheinander: die Brechung selbst, die an der für den Zelebranten bestimmten Hostie geschieht, die in zwei bis vier Teile zerlegt wird, dann eine besonders in den syrischen Liturgien sehr umständliche Bekreuzung *(consignatio)*, die u. a. über dem Kelch oder im Kelch mit einer Hostienpartikel ausgeführt wird[35]), endlich die Mischung, bei der eine Partikel in den Kelch gegeben wird.

---

[31]) In diesem Sinn wird die Brechung schon erwähnt bei Clemens von Alexandria, Stromata I, 1 (PG 8, 692 B). — Vgl. L. Haberstroh, Der Ritus der Brechung und Mischung nach dem Missale Romanum, St. Gabriel 1937, 11—13.

[32]) Hanssens, Institutiones III, 513—515.

[33]) In der byzantinischen Proskomidie allerdings findet auch das Schneiden Anwendung, wobei das Messer als λόγχη bezeichnet wird; Brightman 356 f; vgl. oben 56.

[34]) In der griechischen Jakobusliturgie sind es Pss 22. 33. 150 (Brightman 63). Auch in der griechischen Markusliturgie wird Ps 150 angestimmt (ebd. 138 Z. 20). — Umfangreiche Gebete begleiten den Vorgang bei den syrischen Jakobiten (ebd. 97—99). Sie kreisen um verschiedene Erinnerungen aus dem Leiden Christi: Durchbohrung mit der Lanze, Kreuz und Auferstehung, unsere Schuld und die Sühne durch Christi Leiden, das Lamm Gottes. — In anderen Meßordnungen, wie in der abessinischen, sind überhaupt keine besonderen Formen für diese Brechung ersichtlich (ebd. 237 f; vgl. jedoch Hanssens, Institutiones III, 512 f), ebenso in der ostsyrischen, wo allerdings die längeren Gebete (u. a. Ps 50; 122, 1—3; 25, 6 mit Händewaschung), die dem symbolischen Brechungsritus vorausgehen, hieher bezogen werden können (Brightman 288 f).

[35]) In den Liturgien syrischer Sprache und ähnlich in den ägyptischen Liturgien wird heute die betreffende Partikel in den Kelch getaucht, worauf mit ihr die

Von einem Versuch, die Entstehung dieses einigermaßen rätselhaften Ritus zu erklären, wird weiter unten die Rede sein. Eine symbolische Deutung dahingehend, daß damit die Einheit des zweigestaltigen Sakramentes dargestellt werde, tritt uns auf syrischem Boden[36]) schon in Zeugnissen des 5. Jahrhunderts entgegen, die Ähnliches auch von der Bekreuzung aussagen[37]). Auch entsprechende Texte, mit denen in einzelnen Liturgien die Mischung begleitet wird, heben das Moment der Vereinigung hervor[38]). Es ist also jedenfalls nicht nötig, für den Brauch eine Begründung aus der rein materiellen Ordnung zu suchen[39]).

Ein Mischungsbrauch eigener Art ist die Beimischung warmen

---

weiteren Bekreuzungen ausgeführt werden. Ähnlich auch in der griechischen Jakobusliturgie, wo zuerst mit der eingetauchten Hälfte die andere und dann mit dieser die erstere bekreuzt wird (Brightman 62, Hs des 14. Jh.; komplizierter in der von Hanssens III, 516 f wiedergegebenen Hs des 10. Jh.). Bei den Maroniten geht eine 18fache Bekreuzung des Kelches der Brechung voraus. In der äthiopischen Messe ist mit Brechung und Bekreuzung ein besonderer Gebetsritus verbunden, bei dem von Priester und Volk in bestimmtem Wechsel 41mal die Anrufung gesungen wird: *Domine miserere nostri Christe;* Hanssens III, 503—513. — Vgl. Haberstroh 13—24; Raes, Introductio 94—103.

36) Die Vermutung, daß der Brechungsritus aus Syrien stammt, ist angedeutet bei Hanssens III, 514.

37) Theodor von Mopsvestia († 428), Sermones catech. VI (Rücker 34): *cum pane signat super sanguinem figura crucis et cum sanguine super panem et coniungit et applicat eos in unum, qua re unicuique manifestetur ea, quamquam duo sunt, tamen unum esse virtualiter et memoriam esse mortis et passionis... Ea de causa fas est deinceps in calicem immittere panem vivificantem, ut demonstretur ea sine separatione et unum esse virtute et unam gratiam conferre accipientibus ea.* — Narsai († um 502), Hom. 17 (Connolly 23): Er vereinigt beides, „damit jedermann bekenne, daß Leib und Blut eins sind". Vgl. Hom. 21 (ebd. 59).

38) Die Jakobusliturgie läßt den Priester gleichzeitig sagen: Ἕνωσις τοῦ παναγίου σώματος καὶ τοῦ τιμίου αἵματος τοῦ κυρίου . . . Ἰησοῦ Χριστοῦ. Darauf noch ein zweiter ähnlicher Text. Brightman 62. Vgl. den Vereinigungsspruch der ostsyrischen Messe (ebd. 292). Er ist begleitet von der Zeremonie der Vereinigung der beiden nun befeuchteten Hostienhälften; eine eigentliche Teilung fehlt.

39) Eisenhofer II, 201 möchte den Ursprung des Mischungsritus in der Notwendigkeit suchen, das (gesäuerte) Brot, das bei längerer Aufbewahrung (Übertragung in fremde Kirchen: *fermentum;* s. unten) leicht verhärtet, aufzuweichen; ähnlich auch schon Lebrun I, 504 f. Allein es handelt sich in den orientalischen Riten offensichtlich um eine Partikel aus der gegenwärtigen Messe. Auch in der römischen Liturgie war die zweite Beimischung derselben Art. Das *fermentum* durfte nur in nahegelegene Kirchen übertragen werden. — Dix, The shape of the liturgy 134, vermutet im orientalischen Brauch der Beimischung einer Partikel aus der eigenen Messe eine Ersatzbildung für den hier früh verschwundenen *fermentum*-Ritus. Vgl. jedoch unten 390 f.

Wassers (ζέον) zum konsekrierten Kelch in der byzantinischen Liturgie[40]). Der Brauch ist alt[41]). Sein Sinn ist aber dunkel; er scheint besagen zu wollen, daß die Fülle des Heiligen Geistes im Sakrament ist oder durch das Sakrament vermittelt wird[42]).

In den genannten syrischen Quellen wird dann aber auch schon der Brechung — diese zunächst im Sinne der Zerteilung für die Kommunion genommen — ein tieferer Sinn unterlegt. In ihr verteilt der Herr seine Gegenwart auf viele, so wie er nach seiner Auferstehung sich vielen kundgegeben „und seine Erscheinungen auf viele verteilt" hat, auf die Frauen, die Emmausjünger, die Apostel[43]). Dagegen tritt die im urchristlichen und vorchristlichen Mahlritus zugrunde liegende Symbolik der Brotbrechung, der Zusammenschluß der Tischgenossen zur Gemeinschaft um das eine Brot[44]), in den erhaltenen liturgischen Quellen nirgends mehr zutage[45]). Auch die Auferstehungssymbolik ist, wenigstens

---

[40]) Brightman 394.

[41]) Er ist seit dem 6. Jh. bezeugt. Hanssens, Institutiones II, 235 f; III, 518 f.

[42]) Die Handlung ist nämlich begleitet von dem Wort: „Glut des Glaubens, voll des Heiligen Geistes"; vgl. Röm 12, 11. Vielleicht ist das unmittelbare Vorangehen der Beimischung der Hostienpartikel, die unter einem ähnlichen Spruch geschieht, bedeutsam, insofern sie die Vereinigung von Leib und Blut zum Ausdruck bringt, aus der die Lebenswärme hervorgeht. K. Burdach, Der Gral, Stuttgart 1938, 148 f, weist hin auf Cyrill von Alexandrien, In Joh. l. IV, 6, 54 (PG 73, 580 A), der die Umwandlung des Kommunikanten vergleicht mit dem Übergang des über das Feuer gestellten kalten Wassers in einen Zustand höherer Energie. — Weiter führt eine Feststellung bei L. H. Grondijs, L'iconographie byzantine du Crucifié mort sur la croix, Brüssel 1941. Darnach muß der Brauch des ζέον entstanden sein im Zusammenhang mit der eben damals von Justinian geförderten Lehre der Aphthartodoketen, derzufolge der Leib Christi auch im Tode unverweslich blieb, also nicht erkaltet ist, dem also wohl auch Blut und Wasser warm entströmt sind (76 f). Indem man später mit Niketas Stethatos an Stelle der physischen Lebenswärme das auch nach dem Tode fortdauernde Innewohnen des Hl. Geistes setzte, das ja Wärme besagt, konnte der symbolische Brauch erhalten bleiben: In der Kommunion empfing man das heilige Blut, dessen Geisterfülltheit durch das ζέον angedeutet wurde, wie man ja auch den Leib des Herrn nicht unter der Gestalt von ἄζυμα-ἄψυχα (s. oben 44 Anm. 19) empfangen wollte. — Als Ausgangspunkt des Brauches ist eine profane Tischsitte vermutet worden; Hanssens II, 235.

[43]) Theodor von Mopsvestia a. a. O. (Rücker 34 f); vgl. Narsai, Hom. 17 (Connolly 23 f), wo die Aufzählung der Erscheinungen fortgesetzt wird: „und jetzt erscheint er, im Empfang seines Leibes, den Söhnen der Kirche".

[44]) Oben I, 14 f. — Vgl. noch 1 Kor 10, 17; Ignatius von Antiochien, Ad Eph. 20, 2.

[45]) Doch weiß A. Beil, Einheit in der Liebe, Kolmar 1941, 53, von einem lettischen Volksbrauch am Weihnachtsabend zu berichten, in dem der gleiche

im Vorgang der Brechung, nicht lange festgehalten worden. Mindestens schon im 6. Jahrhundert beginnt man bei den Griechen in der Brechung weniger die Teilung und Verteilung zu sehen, als vielmehr die gewaltsame Trennung, das Zerbrechen, und damit ein Sinnbild des Kreuzestodes[46]).

In den Gebeten und Gesängen, mit denen die orientalischen Liturgien im Lauf der Zeit den Brechungsritus umgeben haben, kommt der Leidensgedanke mehrfach zum Ausdruck, besonders in denen der westsyrischen Liturgie: „Wahrhaftig also hat das Wort Gottes gelitten im Fleische und wurde geopfert und gebrochen am Kreuze... und seine Seite wurde durchbohrt mit einer Lanze...“[47]). „Vater der Wahrheit, sieh deinen Sohn als Opfer, das dich versöhnt... Sieh sein Blut, das vergossen wurde auf Golgotha“[48]). Insbesondere wird hier die Verbindung hergestellt zum Gedanken vom geopferten Gotteslamm: „Du bist Christus-Gott, dessen Seite für uns durchbohrt wurde auf der Höhe von Golgotha in Jerusalem; du bist das Lamm Gottes, das die Sünde der Welt hinwegnimmt“[49]). Noch enger mit der Brechung verbunden ist der Gedanke in der byzantinischen Messe, wo sie der Priester mit den Worten begleitet: Μελίζεται καὶ διαμερίζεται ὁ ἀμνὸς τοῦ θεοῦ, mit der antithetischen Weiterführung: „Es wird zerteilt und doch nicht zertrennt, es wird immerdar verzehrt und doch nicht aufgezehrt, sondern

---

Grundgedanke zum Ausdruck kommt: der Familienvater reicht der Mutter ein Stück Gebäck, sie brechen es entzwei; der Vater reicht die Hälfte dem ältesten Sohn und sie brechen es in derselben Weise, die Mutter tut das gleiche mit der ältesten Tochter usw. — Dieser Weihnachtsbrauch ist, wie ich inzwischen durch Erkundigungen feststellen konnte, in geringfügiger Abwandlung (Oblatenbrot; der Hausvater beginnt nur die Teilung, die Hausgenossen haben je ihr eigenes Brot, das sie nun ebenfalls teilen) auch in Oberschlesien, Polen und Litauen vorhanden.

[46]) Eutychius († 582), De pasch. c. 3 (PG 86, 2396 A): ἡ κλάσις . . . τὴν σφαγὴν δηλοῖ. Eine Andeutung in gleicher Richtung auch schon bei Chrysostomus, In I. Cor. hom. 24, 2 (PG 61, 200): zum κλῶμεν von 1 Kor 10, 16: Was er am Kreuze nicht erduldete, das erduldet er beim Opfer deinetwegen. — Einzelne Ansätze zu solcher Deutung übrigens auch schon in älterer Zeit. Hieher gehört die erweiternde Variante 1 Kor 11, 24: (τὸ σῶμα τὸ ὑπὲρ ὑμῶν) κλώμενον, die hauptsächlich in ägyptischen Hss vorliegt und die in der Eucharistia Hippolyts (oben I, 38) und im Euchologion Serapions (oben I, 45) wiederkehrt. Vgl. Dix, The shape of the liturgy 81. 132 f.

[47]) Brightman 97. Das Gebet war im 9. Jh. schon vorhanden; Hanssens III, 518.

[48]) Brightman 98. Auch in der äthiopischen Messe; ebd. 239 f.

[49]) Ebd. 99. Ähnlich auch schon in der griechischen Jakobusliturgie (ebd. 62): Ἰδοῦ ὁ ἀμνὸς τοῦ θεοῦ . . . σφαγιασθεὶς ὑπὲρ τῆς τοῦ κόσμου ζωῆς.

heiligt die Teilnehmer"[50]). Dabei ist der Gedanke an die Auferstehung immerhin nicht völllig vergessen worden. Der Ordo communis der westsyrischen Messe sieht in der Brechung das Bild der Kreuzigung, spricht dann aber anscheinend im Hinblick auf die Konsignation auch von der Auferstehung[51]).

Der Leidensgedanke hat sich frühzeitig auch in den gallischen Liturgien mit dem Brechungsritus verbunden; ja er hat hier im Zusammenhang mit der Brechung besondere Pflege gefunden. Die Expositio der gallikanischen Messe aus dem 7. Jahrhundert will schon von einem Fall wissen, daß man, während der Priester die Brechung vornahm, gleichzeitig einen Engel gesehen habe, der die Glieder eines strahlenden Knäbleins zu zerschneiden und dessen Blut aufzufangen begann[52]). Auf dem Konzil von Tours (567) erging eine Mahnung an die Priester, sie sollten bei der Brechung die Partikeln nicht *in imaginario ordine*, sondern in Kreuzesform anordnen[53]). Die Anordnung in Kreuzesform blieb auch in der mozarabischen Messe grundlegend. Doch wurde sie weitergebildet zu einer Darstellung aller Hauptmomente im Erlösungswerk, in ähnlicher Weise, wie wir bei der Anamnese feststellen konnten, daß der Gedanke der *passio* in manchen Fällen alle Erlösungsgeheimnisse um sich versammelt hat. So ergab sich eine zweite Anamnese in der Sprache des Symbols. Es werden neun Partikeln vorgesehen, von denen sieben die Kreuzesform bilden; jede Partikel bedeutet ein Geheimnis, angefangen von Inkarnation und Geburt bis zum glorreichen Herrschen im Himmel[54]). Neben der Passion steht also auch hier die Auferstehung.

---

[50]) Brightman 393. Auf die durchgehende Bezeichnung „Lamm" für das Hostienbrot wurde schon oben 47 hingewiesen.

[51]) Renaudot II (1847) 22.

[52]) Quasten 21. Die Legende ist aus dem Orient übernommen; s. Vitae Patrum c. 6 (ebd. Anm. 4).

[53]) can. 3 (Mansi IX, 793); vgl. auch oben 54 f. Man scheint mit dem Leib des Herrn eine menschliche Figur gebildet zu haben, wogegen schon Papst Pelagius I. um 558 in einem Schreiben an den Bischof von Arles aufgetreten ist; Ph. Jaffé, Regesta pont. Rom. I, 2. Aufl., Leipzig 1885, n. 978; vgl. Duchesne, Les origines 232; P. Browe, JL 15 (1941) 62 Anm. 4.

[54]) Missale mixtum (PL 85, 557). Die Namen der Partikeln sind: 1. *corporatio*, 2. *nativitas*, 3. *circumcisio*, 4. *apparitio*, 5. *passio*, 6. *mors*, 7. *resurrectio*, 8. *gloria*, 9. *regnum*. Sie werden, wie folgt, angeordnet:

	1	
6	2	7
	3	8
	4	9
	5	

Noch viel komplizierter war die Anordnung in der irisch-keltischen Liturgie[55]). Die Brechung war begleitet von einem eigenen Gesang, der in der mailändischen Messe *confractorium* heißt und dem Wechsel des Kirchenjahres unterliegt[56]). In der mozarabischen Liturgie ist die Mischung von der Brechung durch das *Pater noster* getrennt; auch erstere ist von einem kurzen Wechselgesang begleitet[57]). Der Leidensgedanke ist mit der Brechung dann auch bei späteren Liturgieerklärern verbunden geblieben[58]).

Von den geschilderten Riten, die sich in den verschiedenen Liturgien zwischen Kanon und Kommunion ausbreiten, sind in der römischen Messe nur Brechung und Mischung zu einiger Bedeutung gekommen.

4. Die Brechung

Die Brechung findet in der römischen Messe seit Gregor dem Großen ähnlich wie in der byzantinischen Messe erst statt, nachdem das *Pater noster* mit seinem Embolismus gesprochen ist[1]). An hohen Festtagen, an denen das ganze Volk an der Kommunion teilnahm, muß es einstmals ein bedeutsamer Vorgang gewesen sein, der denn auch sorgfältig ge-

---

[55]) Die Zahl der Partikeln richtete sich nach dem Rang der Tagesfeier: an gewöhnlichen Tagen waren es nur fünf Partikeln, an Heiligenfesten 7—11, an Sonntagen und Herrenfesten 9—13, an den Hochfesten Weihnachten, Ostern und Pfingsten waren es 65. Keltisch geschriebener Anhang des 9. Jh. im Stowe-Missale ed. Warner (HBS 32) 41. Vgl. die verwandten Bestimmungen über Zahl und Anordnung der Hostienbrote beim Offertorium, oben 54 f. — Man versteht von hier aus die Mahnung, die der Bischof noch heute nach der Priesterweihe an die Neugeweihten richtet, sie möchten *totius missae ordinem atque hostiae consecrationem ac fractionem et communionem* von wohlunterrichteten Priestern lernen. Die Mahnung ist in den römischen Weiheritus erst durch das Pontifikale des Durandus (Andrieu, Le Pontifical Romain III, 372 f) gelangt, stammt also offenbar aus gallikanischer Überlieferung.

[56]) Dieser Gesang ist auch bezeugt durch die Expositio der gallikanischen Messe (ed. Quasten 21): *Sacerdote autem frangente supplex clerus psallit antiphonam, quia <Christo> patiente dolorem mortis omnia terrae testata sunt elementa.* — In der mozarabischen Messe ist an die Stelle des Brechungsgesanges das *Credo* getreten. Missale mixtum (PL 85, 557 f).

[57]) Missale mixtum (PL 85, 119. 560 f).

[58]) Vgl. unten 396 Anm. 48.

[1]) Die vorgregorianische oder vielmehr die gallische Ordnung ist im 9. Jh. noch im Stowe-Missale zugrunde gelegt, wo die Brechung sofort auf die Schlußdoxologie des Kanons folgt; Warner (HBS 32) 17. Ähnliches gilt vom mailändischen Sakramentar von Biasca; Botte 46 Apparat. — Einigermaßen will-

regelt war und der gegen Ende des 7. Jahrhunderts dazu geführt hat, daß ein besonderer Gesang, das *Agnus Dei,* mit ihm verbunden wurde.

Die älteren römischen Ordines haben den Hergang genau aufgezeichnet. Nachdem das *Pax Domini* gesprochen und der Friedenskuß gegeben ist, nimmt der Papst die beiden von ihm selbst gewidmeten, nunmehr konsekrierten Hostienbrote und legt sie nach Abtrennung eines kleinen Stückchens, das auf dem Altare bleibt[2]), auf die von einem Diakon dargebotene große Patene, worauf er sich zu seiner Cathedra begibt, zu der ihm die Patene folgt. Nun treten Akolythen an den Altar heran und stellen sich zu beiden Seiten desselben auf. Sie haben Schärpen um die Schultern geschlagen, da sie eine kostbare Last zu tragen im Begriffe sind[3]). Sie tragen alle linnene Säckchen[4]), die sie unter Mithilfe der Subdiakone geöffnet bereithalten und in die ihnen der Archidiakon von den Hostienbroten legt, die auf dem Altare liegen. Damit verteilen sie sich sofort nach rechts und links auf die Bischöfe und Presbyter, die nun auf ein Zeichen des Papstes hin die Brechung beginnen. Auch auf der Patene des Papstes nehmen Diakone gleichzeitig die Brechung vor[5]). Diese Patene ist von gewaltigen Ausmaßen;

---

kürlich ist die Vermutung von B. Botte, L'ange du sacrifice (Cours et Conférences VII) 218 f, die Brechung sei ehemals auf die erste Hälfte des *Supplices* gefolgt und die Fortsetzung dieses Gebetes mit *ut quotquot* sei das Schlußstück des Brechungsgebetes gewesen.

[2]) Bis zum Schluß der Messe; Amalar, Liber off. III, 35 (Hanssens II, 367 f). Eine in die ältere Rezension des Ordo Rom. I n. 19 (Andrieu II, 101; PL 78, 946 B) hineingeratene Glosse gibt für den Ritus den nicht sehr einleuchtenden Grund an: *ut, dum missarum sollemnia peraguntur, altare sine sacrificio non sit.* Vgl. B. Capelle, Le rite de la fraction dans la messe romaine (Revue Bénéd. 1941, 5—40) 15 f, der vermutet, daß es sich um das *fermentum* handle (s. unten), das der Papst beiseite legt. Doch spricht dagegen der Umstand, daß nur von einer einzigen *particula* die Rede ist. Vgl. auch Batiffol, Leçons 92.

[3]) Ähnlich treten etwas später andere Akolythen hervor, die größere, becherförmige Hilfsgefäße für die Kelchkommunion *(scyphi)* tragen; Ordo von S. Amand (Andrieu II, 164). In diesem Ordo wird auch die große Patene des Papstes vom ersten der Akolythen getragen (nicht wie im Ordo Rom. I von zwei Subdiakonen) und während der Brechung gehalten. Dieser Akolyth ist ausgezeichnet durch eine seidene Schärpe, die mit einem Kreuze geschmückt ist; vgl Batiffol 88.

[4]) Diese erscheinen als Zeichen ihres Amtes bei der Akolythenweihe im alten römischen Weiheordo n. 1 (Andrieu III, 603; PL 78, 1000 f).

[5]) Dies das Bild nach Ordo Rom. I n. 19 (Andrieu II, 98—100; PL 78, 945 f). Damit übereinstimmend Capitulare eccl. ord. (Andrieu III, 105 f) und Ordo von S. Amand (ebd. II, 164 f), wo aber neben den Bischöfen und Presbytern, wenn nötig, auch Subdiakone bei der Brechung mithelfen dürfen (vgl. ebd. III, 106

darum wird uns im Ersten Ordo einmal gesagt, sie werde von zwei Subdiakonen herbeigebracht, von denen sie offenbar auch während der Brechung gehalten wird. Es fehlte an den großen römischen Basiliken nicht an solchen Riesenpatenen aus Silber und Gold[6]). Man ist geneigt, sich zu verwundern, daß nicht auch an Stelle der linnenen Säckchen Patenen erscheinen. Tatsächlich sind sie in Meßordnungen der spätkarolingischen Zeit durch Patenen[7]) oder, wenigstens wahlweise, auch

---

Z. 22 f). — Nach einer fränkischen Anhangsbemerkung zum Ordo Rom. I vom Ende des 8. Jh. (PL 78, 959 f, n. 50; Andrieu II, 132, n. 4) konnte auch der zelebrierende Bischof selbst an der Brechung teilnehmen; das geschah dann auf dem Altar mit Benützung der Patene, wobei einige von den Presbytern und Diakonen gleichfalls am Altare mithalfen.

[6]) Sie gehören zu den Gegenständen, deren Widmung das Papstbuch, angefangen von Papst Silvester I. und Kaiser Konstantin, fortlaufend verzeichnet; s. die Aufzählung bei Braun, Das christliche Altargerät 216. Am reichsten war die Lateranbasilika von Kaiser Konstantin ausgestattet; sie hatte 7 goldene und 30 silberne Patenen erhalten, von denen jede 30 Pfund = 9,82 kg wog. Bei anderen Patenenwidmungen schwankt das Gewicht zwischen 10 und 35 Pfund; es entsprach also dem unserer heutigen größeren Monstranzen. In manchen Fällen war der Rand mit Edelsteinen besetzt. Erhalten ist eine Silberschüssel aus Tomi (6. Jh.) von 60 cm Durchmesser, die sich durch Inschrift und Figurenschmuck wohl als liturgisch ausweist. In anderen ähnlichen Fällen wird es sich um profane Geräte handeln. Braun 216—218. Die älteren Patenen näherten sich der ursprünglichen Wortbedeutung gemäß *(patena* = πατάνη) der Schüsselform. Gregor von Tours, De gloria martyrum c. 85 (PL 71, 781), erzählt von einem fußleidenden Grafen, der sich die Patene aus der Kirche holen ließ für ein Fußbad, von dem er Heilung erhoffte. Diese Schüsselform der Patene hing mit ihrer Funktion zusammen, die von derjenigen der heutigen Patene verschieden war und eher der unseres Speisekelches entsprach. In kleineren Verhältnissen genügt eine kleine Patene; so verlangt Gregor der Große, Ep. VIII, 4 (PL 77, 909), für die Kirche eines Nonnenklosters in Lucca eine Patene von 2 Pfund und einen Kelch von ½ Pfund. Aus der Zeit seit dem 11. Jh. sind noch einzelne größere Patenen mit Durchmessern bis zu 31 cm erhalten; Braun 219 f. — Da in der byzantinischen Liturgie die Aufteilung in Partikeln auch heute noch eine größere Rolle spielt, ist der dabei verwendete Diskos, der unserer Patene entspricht, bedeutend größer, mit Durchmessern bis gegen 40 cm (222).

[7]) Ordo ‚In primis' der Bischofsmesse (Andrieu II, 334 f; PL 78, 988): nach dem Embolismus nimmt der Bischof vom Diakon die bis dahin von den Akolythen getragenen Patenen entgegen, küßt sie und verteilt auf sie den Leib des Herrn *(dividat inter eas sacrosanctum corpus consecratum)*. Nach dem Friedenskuß übergibt sie der Archidiakon so den Akolythen *iubeatque unam ante presbyteros et aliam diaconibus coram tenere ut frangant scilicet oblatas superpositas*. Es scheint sich hier also zunächst um zwei Patenen zu handeln. Die eine wird darauf für die Kommunion des Bischofs und des Klerus verwendet, die andere ist für die Kommunion des Volkes bestimmt. Doch ist vorgesehen,

durch Kelche[8]) ersetzt worden. Dann aber verliert die Patene mit einem Mal ihre Funktion. Der Einführung des ungesäuerten Brotes sind, wenn auch nicht überall gleichzeitig[9]), so doch meist in nicht allzu großem Abstand, auch die kleinen Hostien gefolgt, durch die der ganze bisherige Brechungsritus und damit auch der bisherige Dienst der Patene überflüssig wurde. Mit dem um 950 in Mainz entstandenen römisch-deutschen Pontifikale ist eine Ordnung der Bischofsmesse verbunden, die bereits den Wandel erkennen läßt[10]). Die Subdiakone beziehen hier schon sogleich nach der Kanonschlußdoxologie und die Diakone nach dem *Pater noster* ihre gewöhnlichen Plätze, da ihr Dienst bei der Brechung entfällt. Der Archidiakon nimmt dann zwar so wie ehemals die Patene entgegen, er reicht sie aber nun einfach nach dem *propitius pacem* dem Bischof *(patenam illi accommodans)* und wir erfahren nicht mehr, daß etwas Besonderes mit ihr geschieht, sondern es folgt der gallische Bischofssegen und der Friedenskuß. Doch erscheint sie wieder neben dem Kelch, von einem Akolythen gehalten, bei der Kommunion, die als erster der Bischof von ihr weg empfängt; die heiligen Partikeln sind also auf sie niedergelegt worden[11]). Ein Jahrhundert später sehen wir

---

daß die Partikeln, die auf ihr liegen, wenn nötig, auf zwei oder drei oder vier Patenen verteilt werden, so viele Priester eben bei der Kommunionspendung tätig sind; n. 11 (ebd. 990). — Über die Verwendung großer Patenen beim Offertorium s. oben 13.

[8]) Eclogae c. 23, 5 (Hanssens, Amalarii opp. III, 254) und darnach Ordo sec. Rom. n. 11 (Andrieu II, 131 f; PL 78, 974): *Subdiaconi... vadunt et praeparant calices sive sindones mundas, in quibus recipiant corpus Domini.* — Auch im zweiten Nachtrag zum Ordo Rom. I (Andrieu II, 131 f; PL 78, 959) wird bestimmt, daß die Akolythen, die sich mit den Hostienbroten für die Brechung zu den Presbytern begeben, drei Kelche erhalten, während die Diakone auf der Patene die Brechung vornehmen.

[9]) Vgl. oben 46.

[10]) Ordo ‚Postquam' der Bischofsmesse (Andrieu II, 360 f; PL 78, 993 f).

[11]) Anderseits fehlt es um diese Zeit noch nicht an Zeugnissen für eine Brotbrechung für die Volkskommunion. Jedenfalls ist im 9. Jh. bei Amalar, Expositionis gem. cod. (Hanssens I, 256; vgl. 263) noch von der *fractio oblatarum* die Rede, noch deutlicher in den Eclogae c. 26 (Hanssens, Amalarii opp. III, 258) und in der Expositio ‚Missa pro multis' c. 16. 18 (ebd. III, 311. 314). In letzterer ist c. 16 überschrieben: *De subdiacono deferente corpus Christi primum ad frangendum, postea ad communicandum.* Vgl. aber auch noch die Nachrichten über *integrae oblatae,* die erst gebrochen werden mußten, aus dem 11. und 12. Jh., oben 46 Anm. 32. Zu Cluny spricht noch um 1085 Udalricus, Consuet. Clun. II, 30 (PL 149, 723), bei der Kommunion des Konventes von der *patena super quam Corpus Domini fractum fuerit,* die sorgfältig auf zurückgebliebene Teilchen geprüft werden müsse. Um dieselbe Zeit erwähnt auch Bernold, Micrologus c. 20 (PL 151, 990 B), eine Brechung, die auf die Mischung folgt.

in der Meßordnung des Johannes von Avranches († 1079) auch diese letztere Verwendung verschwunden. Als Aufgabe der Patene bleibt einzig noch die, Unterlage der großen Hostie zu sein während der Brechung derselben und bis zur Kommunion[12]). Ihre Verwendung reicht nicht mehr über den Altar hinaus. Damit stimmt überein, daß gerade um das 11. Jahrhundert die Ausmaße der Patene rasch zusammenschrumpfen. Es wird nun Regel, daß ihr Durchmesser nur mehr der Höhe des (zunächst sehr niedrigen) Kelches gleichkommt[13]), ja bald, daß er auch diese nicht mehr erreicht.

Eine nachträgliche Bereicherung ihrer Aufgabe erhielt die Patene dann wieder dadurch, daß man begann, auf ihr, wie wir schon sahen, bereits zum Offertorium die Hostie bereitzulegen und diese so darzubringen[14]), was besonders in der Privatmesse dazu führte, Kelch und Patene nun zusammen zum Altar zu bringen, und weiter dazu, ihre Vertiefung genau der Kuppa des zugehörigen Kelches anzupassen, damit man die Patene bequem auf den Kelch legen kann, eine Regel, die schon im 10. Jahrhundert wirksam wird[15]).

Hat so unsere jüngere Patene nur mehr wenig mit dem gleichnamigen Gerät des ersten Jahrtausends gemein, so sind doch von der

---

[12]) Johannes von Avranches, De off. eccl. (PL 147, 36 f). — Anderseits hat die Patene ihre Funktion bei der Kommunionspendung noch um 1140 im Ordo eccl. Lateranensis (Fischer 86 Z. 13). — Da die kleinen Hostien, wenn sie an Kommuniontagen in großer Zahl erfordert waren, nun auch nicht mehr gut wie vordem die Hostienbrote während des Kanons frei auf dem Altare liegen konnten, entsteht das Gefäß, in dem sie aufgestellt, ausgeteilt und dann auch verwahrt werden, die *pyxis* oder der Speisekelch in den verschiedenen Formen; vgl. Braun 280—347. Zwar ist die *pyxis* oder *capsa* als Gefäß zur Aufbewahrung des Sakramentes wohl auch schon früher vorhanden (282 ff), aber erst seit dem 12. Jh. wird sie in den Urkunden häufig erwähnt und sind zahlreiche Beispiele erhalten. Die nunmehrige Benützung auch zur Kommunionspendung wird dazu geführt haben, die *pyxis* seit dem 13. Jh. mehr und mehr mit einem Ständer zu versehen und sie so dem Kelche anzunähern (304 ff). Dabei scheint die älteste Form (Beispiele noch aus dem 12. Jh.) diejenige zu sein, bei der die Kuppa weite Schalenform hatte (314 f) und somit noch irgendwie an die ältere Patene erinnerte. Leider ist bei Braun der Zusammenhang mit dem Wandel in der Liturgie nicht herausgearbeitet.

[13]) Der Durchmesser beträgt nun in der Regel weniger als 20 cm. Aus der Zeit des 10.—12. Jh. sind als Zubehör zu Reiseportatilien neben Miniaturkelchen aber auch Miniaturpatenen von 5—8 cm Durchmesser im Gebrauch. Braun 220.

[14]) Oben 69. — Damit verwandt ist die im Ordo ‚Postquam' der Bischofsmesse (Andrieu II, 358; PL 78, 992) bezeugte Praxis, die (noch nicht verkleinerte) Patene zur Entgegennahme der Opfergaben der Gläubigen zu gebrauchen.

[15]) Braun 211.

rituellen Behandlung des letzteren Erinnerungen auf sie übergegangen. Im Hochamt bleibt sie nach dem Offertorium nicht auf dem Altare liegen[16]), obwohl die verkleinerte Patene auf dem inzwischen verbreiterten Altar schwerlich behindern könnte, sondern der Subdiakon übernimmt sie und hält sie, indem er sie mit den Enden des Schultervelums verhüllt, bis er sie gegen Ende des *Pater noster* abgibt. Es lebt hier also der Akolyth[17]) der päpstlichen Liturgie des 7. Jahrhunderts fort, der zu Beginn der Präfation[18]) mit der Patene erschien, die er aus dem Sekretarium[19]) brachte und mittels des um die Schultern gelegten Tuches vor der Brust hielt, bis er sie *medio canone* weitergab und sie gegen Ende des Embolismus übernommen wurde, um nun bei der Brechung zu dienen. Es dürfte nicht notwendig sein, für die ohne Zweifel von bemerkenswerter Ehrfurcht geleitete Behandlung der Patene in den ältesten Ordines einen von ihrer allgemeinen Bestimmung verschiedenen tieferen Grund vorauszusetzen, als ob einstmals die eucharistische Partikel, die als *sancta* beim Einzug vorgewiesen wurde, auf der Patene müßte gelegen haben[20]). Sowohl daß die Patene schon zu Beginn der Opfermesse da ist, wie daß

[16]) Nach dem Ritus von Vienne wurde sie indes beim *Sanctus* auf den Altar gelegt und beim *Pater noster* wieder vom Subdiakon weggenommen; Martène 1, 4, 7, 8 (I, 397 E). Ähnlich in einigen anderen Kirchen; Lebrun I, 490. Doch blieb dies eine Ausnahme.

[17]) Ein Akolythus behält diesen Dienst auch in den meisten mittelalterlichen Meßordnungen. In manchen Kathedralen übernimmt ihn ein *puer*, der dabei eine eigenartige *cappa* trug; Sölch, Hugo 111 f. Erst seit dem 11./12. Jh. erscheint mehr und mehr an seiner Stelle der Subdiakon. Die ältesten Belege hiefür bei Ebner 313. 328; vgl. Braun, Die liturgischen Paramente 230.

[18]) Ordo Rom. I n. 17 (Andrieu II, 96 f; PL 78, 945): *quando inchoat canonem*, bedeutet nicht, wie Sölch 110 noch annimmt und wie allerdings mittelalterliche Rubrizisten es ausgelegt haben (ebd. 109 f), das *Te igitur*; vgl. oben I, 129 f.

[19]) Amalar, Liber off. III, 27, 2 (Hanssens II, 351): *de exedris*.

[20]) Vgl. oben I, 91 f. — Die Momente, die für die genannte Annahme sprechen, hat Batiffol, Leçons 88. 90 f, gesammelt und in dieser Richtung geltend gemacht. Die gleiche Vermutung bei Eisenhofer II, 142. 199 und Sölch 113. Indes spricht dagegen, daß die *sancta* im Ordo Rom. I zu Beginn der Messe (n. 8) ja in einer verschließbaren *capsa* herbeigebracht werden *(capsas apertas)* und daß sie offenbar eigens zu dem Zweck der Meßfeier in diese *capsa* gelegt worden sind, da nur soviel von den heiligen Gestalten darin vorhanden sein soll, daß nur im Notfall *(si fuerit superabundans)* etwas davon in das *conditorium* zurückgeschickt werden muß. Es ist also kein Grund dafür ersichtlich, daß man die *sancta* nun aus der *capsa* hätte herausnehmen und sie frei auf der Patene tragen sollen. Vgl. auch Capelle, Le rite de la fraction (Revue Bénéd. 1941) 14. Außerdem ist es fraglich, ob man ihrer innerhalb der Meßfeier überhaupt bedurfte; s. ebd. 16 ff.

sie nur mit verhüllten Händen getragen wird, entspricht durchaus der sonstigen Weise, heilige Gegenstände zu behandeln[21]).

Die Ehrenerweise gegen die Patene sind indes nach dem Wegfall ihrer alten Hauptbestimmung, bei der Brechung zu dienen, nicht nur beibehalten, sondern noch vermehrt worden. Der Kuß, mit dem der Diakon sie von jeher verehrte[22]), wird ihr manchmal nun auch noch von anderen erwiesen[23]), vor allem vom Zelebranten selbst[24]). Seit dem 12. Jahrhundert kommt dann ein Kreuzzeichen hinzu, das der Zelebrant mit der Patene über sich macht, manchmal nach dem Kuß[25]), meist aber vor demselben[26]), wie dies auch heute üblich ist[27]).

Im späten Mittelalter ist die so entstandene Segnungszeremonie noch weiter ausgebaut und manchmal bis ins Abergläubische gesteigert worden. Aus dem einen Kreuzzeichen sind deren mehrere geworden[28]) oder

---

[21]) Auch das Evangeliumbuch ist im Ordo Rom. I schon lange, bevor es benötigt wird, nämlich schon beim Einzug, vorhanden und es wird ebenso nicht mit bloßen Händen, sondern nur *super planetas* gehalten (n. 5) und außerdem noch vom Papst geküßt (n. 8), ebenso wie die Patene vom Archidiakon geküßt wird (n. 18), was übrigens gleichfalls eher dafür spricht, daß sie leer ist. Auch der bereitgemachte Kelch wird schon am Ende der Gabenzurüstung nur mittels des *offertorium* angefaßt (n. 15); vgl. auch oben 76 f. Auch heute noch wird die bischöfliche Mitra innerhalb des Gottesdienstes nur mittels eines Velums getragen; es lebt darin übrigens nur eine Tragweise fort, die in der christlichen Archäologie bekanntlich auf Schritt und Tritt begegnet.

[22]) Ordo Rom. I n. 18 (Andrieu II, 97; PL 78, 945).

[23]) Ordo ‚In primis' der Bischofsmesse (oben Anm. 7): die Patenen werden vom Subdiakon und vom Diakon, endlich vom zelebrierenden Bischof geküßt.

[24]) Auch in der Messe ohne Leviten. So erstmals Bernold, Micrologus c. 17 (PL 151, 988). Für das Pontifikalamt s. Ordo eccl. Lateran. (Fischer 85).

[25]) Innozenz III., De s. alt. mysterio VI, 1 (PL 217, 906). Diese Reihenfolge u. a. auch noch im Missale von Sarum des 14./15. Jh. Legg, Tracts 264. — Manchmal hat das Kreuzzeichen den Kuß verdrängt; Ordinarium von Laon (um 1300): Martène 1, 4, XX (I, 608 E).

[26]) Hugo von S. Cher, Tract. super missam (ed. Sölch 46). Durandus IV, 50, 4 kennt beide Weisen. — Zahlreiche Missalien auch späterer Zeit kennen aber noch immer nur den Patenenkuß ohne Kreuzzeichen; s. die Belege bei Sölch, Hugo 114. Der ehemalige Zisterzienserritus kannte weder Kreuzzeichen noch Kuß der Patene; ebd.

[27]) Jedoch ist dabei noch im 13. Jh. nicht unser großes Kreuzzeichen vorauszusetzen, das damals noch fast unbekannt war. Wo die Rubriken nähere Angaben machen, heißt es: der Priester bekreuze sich mit der Patene *in facie sua* oder *ante faciem suam* oder *in fronte.* Sölch 114—117; Lentze (Anal. Praem. 1950) 129.

[28]) Meßordo von York um 1425 (Simmons 112): der Priester zeichnet mit der Patene ein Kreuz *in facie,* darauf eines *in pectore,* darauf noch das heute übliche große Kreuz.

es ist noch eine Berührung des Mundes und der Augen mit der Patene hinzugekommen[29]) oder man berührt mit der Patene vorher noch erst die Hostie[30]) oder auch einmal die Hostie und dreimal den Kelch[31]), Wucherungen, die das Missale Pius' V. wieder beseitigt hat.

Nach diesem Meßbuch folgt auf das Kreuzzeichen sofort der Kuß der Patene, dann noch während der Schlußworte des Embolismus das Aufnehmen der heiligen Hostie und nach einer Kniebeugung sogleich deren Brechung, die aber nun ebenfalls nicht mehr auf der Patene[32]), sondern, damit kein Teilchen verlorengeht, über dem Kelche stattfindet[33]).

---

[29]) So in einem Missale von Soissons (14. Jh.): Leroquais II, 335. Nach dem Sarum-Missale des ausgehenden Mittelalters küßt der Priester die Patene, legt sie an das linke und dann an das rechte Auge und macht darauf mit ihr noch das Kreuzzeichen; Legg, Tracts 264; Martène I, 4, XXXV (I, 669 C); vgl. Maskell 156—158. Ebenso noch im Missale O. Carm. (1935) 314. — Ludovicus Ciconiolanus bekämpft noch in seinem 1539 zu Rom erschienenen Directorium div. officiorum diesen Brauch: es sei nicht nötig bei der Nennung von Petrus und Paulus das rechte und das linke Auge zu berühren, *ut multi faciunt*; Legg 211. Auch in Deutschland war derselbe Brauch verbreitet; s. Franz, Die Messe 111.

[30]) Meßordo der Kartäuser: Legg, Tracts 102. Belege des 14. und 15. Jh. aus Frankreich bei Leroquais II, 233; III, 25. 113. 166. Zwei Meßordines des 15./16. Jh. aus Orleans bei de Moléon 198. 200. Nach den älteren Statuten der Kartäuser I, 43: Martène 1, 4, XXV (I, 634 B), macht der Priester zuerst mit der Patene das Kreuzzeichen, berührt dann die Hostie mit der Patene bei *da propitius* und küßt diese beim Worte *pacem*. Vgl. Ordinarium Cart. (1932) c. 27, 10; Missale von Evreux-Jumièges (14./15. Jh.): Martène 1, 4, XXVIII (I, 644 f).

[31]) Bei den drei Apostelnamen sollte man den Fuß, die Mitte und den Rand des Kelches berühren, worauf Kreuzzeichen und Kuß folgen. Ordinarium von Coutances von 1557: Legg, Tracts 65. Ähnlich das Alphabetum sacerdotum: ebd. 47; Missale von S. Pol de Léon: Martène 1, 4, XXXIV (I, 663 f); vgl. das Lyoner Klostermissale von 1531: ebd. XXXIII (I, 660 E). — Eine ganz ähnliche Berührungszeremonie schon beim Offertorium in einem Pontifikale von Noyon (15. Jh.): Leroquais, Les pontificaux 8, 170. — Die früheste Bezeugung dieser Berührung von Hostie und Kelch beim Embolismus treffe ich in einem ungarischen Missale des 13. Jh.: Radó 62.

[32]) Wie dies noch der Fall ist bei Bernold, Micrologus c. 17 (PL 151, 988 C), und selbst noch im Preßburger Missale D aus dem 15. Jh. (Jávor 118).

[33]) Der Übergang dazu ist sichtbar bei Robert Paululus († um 1184), De caeremoniis II, 39 (PL 177, 436): *Patenam ... de manu diaconi suscipit et in altari, ut fractionem super eam faciat, deponit. Nos tamen hanc fractionem ad cautelam facimus super calicem.* Die Brechung über dem Kelch auch schon im Cod. Casanat. (11./12. Jh.): Ebner 330. — Das spätere Mittelalter sieht in der Brechung über dem Kelch eine symbolische Andeutung dafür, daß das hl. Blut aus den Wunden des Leibes Christi geflossen ist. Gabriel Biel, Canonis expositio, lect. 80. Anderseits hat das auf das Ordinarium Innozenz' III. zurückgehende

Die Brechung wird also nach heutiger Ordnung vorausgenommen und steht nicht nach, sondern vor dem *Pax Domini.* Wir werden darauf noch zurückkommen[34]). Die Beziehung der Patene zur Brechung, die im Pontifikale auch heute noch betont wird[35]), findet also nur noch darin eine Andeutung, daß die Hostie vor der Brechung auf die Patene genommen und die freien Teile dann wieder auf die Patene zurückgelegt werden[36]).

Gebrochen wird die heilige Hostie heute in drei Teile[37]). Auch darin leben alte Erinnerungen fort. Zufolge den römischen Ordines brach der Papst nach dem Friedenskuß von einem der eigenen Hostienbrote *ex*

Sakramentar der päpstlichen Hofkapelle um 1290 (ed. Brinktrine: Eph. liturg. 1937, 206) noch die Brechung auf der Patene. Eine Erinnerung daran auch noch bei Durandus IV, 51, 3. — Beschreibung des Ritus, wie ihn Bonifaz VIII. vollzog, aus einer Avignoneser Hs bei Andrieu, Le Pontifical Romain III, 43.

[34]) Unten 396. — Übrigens besagen einzelne Nachrichten, daß auch die alte stadtrömische Liturgie eine Brechung kannte, die dem Friedenskuß und damit dem *Pax Domini* vorherging. Im älteren Gelasianum I, 40 (Wilson 70—72) heißt es von der *missa chrismalis* des Gründonnerstags, bei der wohl keine große Volkskommunion stattfand: *Ipsa expleta* (d. i. nach dem Embolismus) *confrangis,* dann folgt die zweite Ölweihe, dann: *ponis in ore calicis de ipsa hostia,* darauf der Vermerk, daß das *Pax Domini* ausfällt. Eine Einschaltung bei Rabanus Maurus, De inst. cler. I, 33 additio (PL 107, 325), weiß, daß die *Itali* vor dem *Pax Domini* schon *de sancto pane* (also eine von der eigenen Oblation abgetrennte Partikel?) in den Kelch geben. — Es ist wohl möglich, daß in diesen Fällen eines Mischungsritus mit einer von der eigenen Oblation abgetrennten Partikel bereits eine jüngere Ersatzbildung vorliegt, deren Vorbild die Beimischung des *fermentum* in der nichtpäpstlichen Liturgie (s. unten) war; vgl. Capelle, Le rite de la fraction (Revue Bénéd. 1941) 22 ff. 28.

[35]) Pontificale Rom., p. II, De patenae et calicis consecratione: ... *sanctificet hanc patenam ad confringendum in ea corpus D. N. J. C.*

[36]) Das letztere ist aber z. B. im Dominikanerritus nicht der Fall; vielmehr legt der Priester die Patene, nachdem er sie geküßt, beiseite, *seorsum a corporali,* da sie nicht mehr weiter benötigt wird. Die Teile der Hostie behält er in der linken Hand bis zur *sumptio.* Missale O. P. (1889) 21 f. So auch schon um die Mitte des 13. Jh.; Sölch, Hugo 122. Derselbe Ritus in Sarum: Legg, Tracts 226. 265. Ähnlich im Liber ordinarius von Lüttich, wo der Priester aber zur *sumptio* die Patene wieder zur Hand nimmt, *tenens sub mento;* Volk 96 Z. 21.

[37]) Die Brechung in drei Teile, die schon bei Amalar (s. unten) vorliegt, wurde und wird nicht überall in derselben Weise vorgenommen. Die Brechung geschah z. B. nach Ernulf von Rochester († 1124), Epistola ad Lambertum (d'Achery, Spicilegium III, 472), in manchen Kirchen *trium aequalitate partium,* also in drei gleiche Teile. Anderswo, so noch heute gemäß Missale O. P. (1889) 21 und Missale O. Carm. (1935) 315, geschieht die Brechung zuerst in zwei Hälften. Diese legt der Priester dann quer übereinander und trennt ein überstehendes Stück der einen Hälfte ab, das zur Mischung in den Kelch gegeben wird. Sölch 120—123.

latere dextro zunächst das Stückchen ab, das auf dem Altare verblieb[38]). Bei seiner Kommunion aber trennte er noch einmal ein Stück von seiner Hostie ab, das er in den Kelch gab mit den Worten: *Fiat commixtio et consecratio ...*[39]). Während die zu praktischen Zwecken vorgenommene Brechung, die früher im Vordergrunde gestanden hat, nämlich die Zerteilung für die Kommunion des Volkes, verschwunden ist, haben sich die durch symbolische Überlegung veranlaßten Brechungen wenigstens irgendwie weiter erhalten. Das wird hinsichtlich der zweiten Brechung ohne weiteres schon durch die eben erwähnte, sofort nachfolgende Mischungsformel deutlich; es gilt aber noch unmittelbarer von der ersten. Der Priester soll die Hostie — so wird noch einige Jahrhunderte später gefordert — *ex dextro latere* brechen[40]); die so gewonnene Partikel wird nunmehr für die Mischung bestimmt[41]). Ein zweites Bruchstück, das aus der Brechung hervorgeht, wird für die eigene Kommunion verwendet, ein drittes verbleibt auf dem Altar wie einst, es wird aber nunmehr zugleich als *viaticum morientium* aufbewahrt[42]) oder auch für sonstige Kommunikanten verwendet[43]). Diese drei Teile sind schon bei Amalar festgelegt

---

38) Oben 376.

39) Ordo Rom. I n. 19 (Andrieu II, 101 f; PL 78, 946 C).

40) Bernold, Micrologus c. 17 (PL 151, 988 C). Auch in der Meßordnung des Cod. Casanat. des 11./12. Jh. (Ebner 330).

41) Bernold a. a. O.

42) Bernold a. a. O.

43) Praktisch scheint wenigstens bei den Cluniazensern des 11. Jh., bei denen die Kommunion noch nicht so selten war, diese dritte Partikel in der Privatmesse der Mönche für den Bruder, der zur Messe diente, verwendet worden zu sein; Bernardi Ordo Clun. I, 72 (Herrgott 265): *socium tertia (particula) ... communicat.* Auch Bernold a. a. O. hat offenbar dieselbe Praxis im Auge: *tertiam autem communicaturis sive infirmis necessario dimittit,* doch gibt er als symbolische Bedeutung dieser Partikel an: *tertium (corpus) quod iam requiescit in Christo;* die Partikel wird darum eben *viaticum morientium* genannt. — Nach Johannes von Avranches († 1079), De off. eccl. (PL 147, 36 f), der ebenfalls die dritte Partikel als *viaticum* erklärt, kann neben dieser auch die zweite zur Kommunion für Diakon und Subdiakon sowie für das Volk mitverwendet werden. Vgl. die Verteilung der zweiten Partikel im Ordo eccl. Lateran. (Fischer 85 f). Bischof Ernulf von Rochester († 1124), Ep. ad Lambertum (d'Achery, Spicilegium III, 472), verteilt die drei Partikeln im Hochamt, wo selten jemand kommuniziert, einfach auf Priester, Diakon und Subdiakon in der Weise, daß auf den Priester die Partikel im Kelch entfällt. Dieselbe Verteilung auch bei Honorius Augustod., Gemma an. I, 63 (PL 172, 563 D); vgl. jedoch c. 64. — Diese letztere Weise wird von Johannes von Avranches (a. a. O.) ausdrücklich abgelehnt: *Non autem intincto pane, sed ... seorsum corpore, seorsum sanguine sacerdos communicet;* nur das Volk dürfe *intincto pane* kommunizieren.

und sie haben auch schon bei ihm ihre symbolische Bedeutung: die mit dem heiligen Blut vermischte Partikel weist auf den Auferstehungsleib des Herrn hin, die Partikel der eigenen Kommunion auf seinen Leib auf Erden, die irdische Kirche, die für die Kranken bestimmte Partikel auf seinen Leib in den Gräbern[44]). Diese Deutung auf das *corpus Christi triforme* kehrt in den folgenden Jahrhunderten häufig wieder[45]), wenn sie auch nicht die einzige ist[46]). Sie wird dann aber umgebildet, so daß die drei Teile auf die drei Bereiche der Kirche als streitende, leidende und triumphierende Kirche bezogen werden[47]), eine Gedankenverbindung, die dann zum eisernen Bestand der Meßerklärung des späteren Mittelalters gehört und die auch in die Volkspredigt eingeht[48]). Die Festigung durch solche symbolische Überlegungen wird dazu beigetragen haben, daß die Dreiteilung der Hostie sich erhalten hat, auch nachdem es längst Übung geworden war, daß sich der Priester zur Spendung der Kommunion, insbesondere für die Krankenkommunion, der kleinen Hostien bedient und nun also eine Zweiteilung genügt hätte, sowohl um den in der Brechung selbst liegenden Ritus zu wahren, wie um die Partikel für die *mixtio* zu gewinnen.

5. *Die Mischung*

Auf die Brechung folgt in der heutigen römischen Liturgie sofort die Mischung: die abgetrennte Partikel wird in den Kelch gegeben mit dem begleitenden Gebetswort, das ähnlich schon in der päpstlichen Messe des 8. Jahrhunderts üblich war. Es lebt also in der heutigen Mischungszeremonie auf jeden Fall diejenige irgendwie fort, zu der der zelebrie-

---

[44]) Amalar, Liber off. III, 35 (Hanssens II, 367). Zur näheren Erklärung s. Franz, Die Messe 357 Anm. 1, und nun besonders de Lubac, Corpus mysticum 295—339, wo der dogmengeschichtliche Hintergrund sowohl der Deutung Amalars wie auch der allmählichen Umdeutung in den folgenden Jahrhunderten aufgehellt wird.

[45]) Franz, Die Messe 436. 458; vgl. F. Holböck, Der eucharistische und der mystische Leib Christi in ihren Beziehungen zueinander nach der Lehre der Frühscholastik, Rom 1941, 196—199; Haberstroh 77—82; de Lubac 333 ff.

[46]) Franz 389 f. 417. 435 f. 463 Anm. 6. — Siehe auch die langen Aufzählungen bei Durandus IV, 51, 20—22.

[47]) Zu den ersten Vertretern dieser Deutung gehört das früher Hugo von St. Viktor zugeschriebene Speculum de mysteriis c. 7 (PL 177, 373 B); Franz 437. Das Nähere bei de Lubac 325 ff. 330 ff. 345 ff.

[48]) Franz 435 f. 464 Anm. 1; 669. 692 f. 697; vgl. 654.

rende Papst damals bei seiner Kommunion von der eigenen Hostie ein Stück abtrennte und in den Kelch gab[1]).

Die damalige römische Liturgie kannte aber eine Mischung auch an der Stelle, an der wir sie heute vollziehen, und für die Einfügung des Ritus in den Gang der Meßfeier ist diese entscheidend geworden. Diese zweite Mischung begegnet uns in der stadtrömischen Liturgie um die Wende zum 8. Jahrhundert in zweifachem Zusammenhang. Für den päpstlichen Stationsgottesdienst wird sie vom Ersten römischen Ordo mit den Worten bezeugt: *Cum dixerit: Pax Domini sit semper vobiscum, mittat in calicem de sancta*[2]). Man hat vermutet, diese s a n c t a müßten eine eucharistische Partikel aus einer früheren Messe sein, dieselbe, die uns beim Einzug des Papstes begegnet ist[3]). Auf diese Weise sollte zum Ausdruck kommen, daß es eine und dieselbe Eucharistie ist, die gestern und heute gefeiert wird[4]). Es ist das eine Deutung, die einiges für sich hat, die aber schwerlich den Entstehungsgrund angibt. Der Mischungsritus der päpstlichen Liturgie beim *Pax Domini* ist wohl eher nur eine Nachbildung desjenigen, der an gleicher Stelle in der nichtpäpstlichen Liturgie der Kirchen in der Umgebung von Rom gebräuchlich war[5]).

Für diese sandte der Papst — und ähnlich hielten es die Bischöfe in anderen Städten — durch einen Akolythen eine Partikel der Eucharistie als Ausdruck der kirchlichen Einheit, als Zeichen, daß sie zu seiner *communio* gehörten. Man nannte diese Partikel *f e r m e n t u m*[6]). Sie wurde von den betreffenden Presbytern beim *Pax Domini* in den Kelch

---

[1]) Ordo Rom. I n. 19 (A n d r i e u II, 101; PL 78, 946): *de ipsa sancta, quam* (ältere Rezension: *de qua) momorderat, ponit in calicem.*

[2]) Ordo Rom. I n. 18 (A n d r i e u II, 98; PL 78, 945).

[3]) Ordo Rom. I n. 8 (A n d r i e u II, 82; PL 78, 941); vgl. oben I, 91 f. — Diese Auffassung, die schon J. M a b i l l o n in seinem Kommentar VI, 1 (PL 78, 869 f) vertreten hat, wird auch von den meisten heutigen Erklärern angenommen. D u c h e s n e, Origines 173. 196; B a t i f f o l, Leçons 76 f. 90 f.

[4]) Dieser Gedanke liegt jedenfalls einem Brauch der Nestorianer zugrunde: Dem für die jeweilige Meßfeier eigens nach bestimmtem Ritus bereiteten Hostienteig wird jedesmal ein zurückbehaltenes Stück des für die frühere Feier bereiteten Teiges beigemischt, so daß sich dieselbe Teigmasse gewissermaßen fortpflanzt. Dabei geht die Legende, der hl. Johannes habe beim letzten Abendmahl ein Stücklein des heiligen Brotes zurückbehalten und es dann bei der ersten Eucharistiefeier der Apostel in den dafür bestimmten Brotteig gemischt. H a n s s e n s, Institutiones II, 169—174; W. d e V r i e s, Sakramententheologie bei den Nestorianern (Orientalia christ. anal. 133), Rom 1947, 194—197.

[5]) So auch A n d r i e u, Les ordines II, 63.

[6]) Der Name wird meist davon hergeleitet, daß die gemeinsame Eucharistie die Kirche durchdringt und eint, wie der Sauerteig die Teigmasse (Mt 13, 33). Näher liegt der Gedanke, daß die bischöfliche Partikel den sakramentalen Ge-

gegeben[7]). Der Brauch ist uralt[8]). Er entspricht dem in der alten Kirche so lebhaften Bewußtsein, daß die Eucharistie das *sacramentum unitatis* ist, daß sie es ist, die die Kirche zusammenhält, und daß, wenn es möglich wäre, das ganze einem Bischof unterstehende Gottesvolk auch um den

---

stalten der eigenen Messe beigemischt wird wie der Gärungsstoff der Masse; so auch Batiffol, Leçons 34.

[7]) Darüber bestimmt der erste Nachtrag zu Ordo Rom. I (Andrieu II, 115; PL 78, 948 f) für den Fall, daß der Papst durch einen Bischof — oder, wie zuletzt angedeutet wird, durch einen Presbyter — vertreten wird: *Quando dici debet: Pax Domini sit semper vobiscum, deportatur a subdiacono oblationario particula fermenti quod ab Apostolico consecratum est... ille consignando tribus vicibus et dicendo: Pax Domini sit semper vobiscum, mittit in calicem.* Vgl. Ordo von S. Amand (Andrieu II, 169).

[8]) Irenäus berichtet (bei Eusebius, Hist. eccl. V, 24) von den Bischöfen der quartodezimanischen Osterpraxis, denen der Papst gleichwohl zum Zeichen der kirchlichen Einheit die Eucharistie gesandt habe; vgl. F. J. Dölger, Ichthys II, Münster 1922, 535 Anm. 3. Es könnte bei einem Aufenthalt jener Bischöfe in Rom geschehen sein. Versendung auf weite Entfernung nimmt dagegen an Th. Schermann, Die allgemeine Kirchenordnung II, Paderborn 1915, 419. — Die Eucharistie nach auswärts zu senden, wurde auf dem Konzil von Laodicea (Mitte des 4. Jh.) can. 14 (Mansi II, 566) verboten; Versendung war also auch hier üblich gewesen. — Auch in Rom ist wenigstens später ähnlich verfügt worden. Dem Bischof von Gubbio antwortet Papst Innozenz I. († 417), Ep. 25, 5 (PL 20, 556 f), auf seine Anfrage *de fermento quod die dominica per titulos mittimus:* Da die Priester gerade am Sonntag bei ihren Gemeinden bleiben müssen, erhalten sie das *fermentum* durch Akolythen, *ut se a nostra communione, maxime illa die, non iudicent separatos.* Doch solle das nicht nach auswärts geschehen; in Rom sei diese Versendung nicht einmal für die Cömeterialkirchen üblich, *(quia) presbyteri eorum conficiendorum ius habeant atque licentiam,* was wohl heißen wird: sie haben auch ohne *fermentum* die Ermächtigung zum regelmäßigen Gottesdienst; vgl. dazu de Puniet, Das Römische Pontifikale I, 235. — Im 6. Jh. bietet das Papstbuch zwei einschlägige Notizen, darunter die Bestimmung angeblich von Siricius († 399), kein Presbyter dürfe Woche für Woche die Messe feiern, wenn er nicht von seinem Bischof das *fermentum* erhalten habe; Liber pont. ed. Duchesne I, 216; vgl. 168 und die Bemerkungen des Herausgebers. — In späterer Zeit scheint man die Versendung des *fermentum* auf bestimmte hohe Festtage beschränkt zu haben; vgl. Mabillon, In ord. Rom. comment. VI, 2 (PL 78, 870 f). Gegen Ende des 8. Jh. bezeugt der Ordo von S. Amand (Duchesne, Les origines 491) das *fermentum* noch für den Karsamstag; vgl. Andrieu, Les ordines II, 151. Vgl. außerdem vorige Anm. — Ein Ausläufer des in Rede stehenden Brauches liegt vor in der noch im hohen Mittelalter mehrfach bezeugten Sitte, daß der Bischof bei der Priesterweihe (und ähnlich bei der Bischofsweihe) den Neugeweihten nach der Kommunion eine Anzahl heiliger Partikel übergab, von denen dieser durch acht oder nach einer anderen Regel durch vierzig Tage weiter kommunizieren sollte; vgl. u. a. Fulbert von Chartres († 1029), Ep. 3 (PL 141, 192—195). Auch bei der Jungfrauenweihe bestand eine ähnliche

Altar des einen Bischofs sich versammeln und von seinem Opfertisch das Sakrament empfangen sollte[9]).

Von diesen beiden Formen des Mischungsritus beim *Pax Domini* war der des *fermentum*, abgesehen von der Stationsmesse, wenn sie ein Stellvertreter des Papstes zelebrierte[10]), schon damals beinahe im Verschwinden[11]). Im Frankenreich war er überhaupt unbekannt[12]). Doch las man davon in den aus Rom gekommenen Dokumenten, ohne sich freilich ein klares Bild machen zu können. Der fränkische Redaktor eines weitverbreiteten Ordo jedenfalls glaubte zu wissen, daß in der gewöhnlichen Priestermesse, anders als in der Papstmesse, beim *Pax Domini* immer eine Mischung vorzunehmen sei[13]). So wird man geschlossen haben, daß eben vorher eine Brechung stattfinden müsse, dies um so mehr, als auch einzelne Andeutungen römischer Quellen darauf hinwiesen[14]), daß also eine erste Brechung und Mischung vor dem *Pax Domini*, eine zweite, wie aus dem Ersten römischen Ordo deutlich zu ersehen war,

---

Sitte; vgl. P. Browe, Zum Kommunionempfang des Mittelalters (JL 12, 1934) 163 f. — Über weitere Einzelheiten s. J. A. Jungmann, Fermentum: Colligere fragmenta. Festschrift Alban Dold, Beuron 1952, 185—190.

[9]) Vgl. oben I, 257 f.

[10]) Oben Anm. 7.

[11]) Oben Anm. 8.

[12]) Das gilt wenigstens für die in Frage kommende Zeit. Für eine frühere Zeit ist zu beachten can. 17 der Synode von Orange (441); über den rätselhaften Text vgl. Haberstroh 28.

[13]) Ordo ‚Qualiter quaedam' (Andrieu II, 304; PL 78, 984): *Dum vero dominus Papa dicit: Pax Domini sit semper vobiscum, non mittit partem de sancta in calicem sicut ceteris sacerdotibus mos est.* Der Redaktor hatte offenbar die durch die St. Galler Hs 614 dargestellte Version des Ordo Rom. I (Andrieu II, 98; vgl. ebd. 286 f) vor Augen. Die Rubrik kehrt in angepaßter Fassung auf karolingischem Boden in einer Anzahl Meßordnungen aus dem 11. Jh. für das Pontifikalamt wieder, teilweise stark verstümmelt. Sie scheint am besten erhalten in der Missa Illyrica: Martène 1, 4, IV (I, 515 A): Zuerst wird für die Mischung nach dem *Pax Domini* eine doppelte Formel angegeben: *Haec sacrosancta commixtio* und *Fiat commixtio et consecratio.* Dann heißt es: *Non mittat episcopus in calicem partem oblatae, ut presbyteri solent, sed expectet donec finita benedictione episcopus communicare debeat et tunc accipiens partem, quam antea fregerat, tenensque super calicem immittat dicens: Sacri sanguinis commixtio*... Ähnlich in den Meßordnungen von Lüttich und Gregorienmünster: Martène 1, 4, XV f (I, 592 f. 600); auch in einem Missale des 13. Jh. aus St. Lambrecht (Köck 23). Nur die zweite Hälfte *(finita benedictione...)* in geänderter Form und mit schwer verständlichem Sinn auch in der Meßordnung von Séez (PL 78, 250). — Vgl. auch die Untersuchung dieser Rubrik bei Capelle, Le rite de la fraction (Revue Bénéd. 1941) 32—34.

[14]) Oben 383 Anm. 34.

vor der Kommunion zu geschehen habe[15]). Aber dann beginnt man begreiflicherweise auf eine der beiden zu verzichten. Welche erhalten blieb, darin ist die Praxis zunächst schwankend[16]). Bald aber erhält die erste den Vorzug[17]). Den Ausschlag gab anscheinend die Symbolik; denn so kam die Mischung als Darstellung des vom Kreuzestode zum Leben zurückkehrenden Auferstehungsleibes neben dem Friedensgruß des *Pax Domini* zu stehen. Zuerst ist der Herr ja auferstanden, dann erst hat er Himmel und Erde den Frieden gebracht[18]).

Es liegt hier offenkundig eine neue Deutung des alten Brauches vor, die gleichzeitig mit der Zusammenlegung der beiden Mischungsriten vollzogen wurde. Welches war der ursprüngliche Sinn des zweiten Mischungsritus, der bei der Kommunion stattfand? Eine sorgfältige Prüfung der in den Ordines[19]) vorliegenden Angaben hat erst in letzter Zeit einiges Licht in die dunkle Frage gebracht[20]).

Der Papst ist — nach der Darstellung des Ersten Ordo — nach der Brechung an seine Cathedra zurückgekehrt. Auf einer Patene hat man ihm das konsekrierte Brot gebracht. Er genießt einen Teil einer Partikel und gibt den Rest in den Kelch, indem er den Mischungsspruch sagt.

---

15) Tatsächlich ist die doppelte Mischung — und damit offenbar auch die doppelte Brechung — festgehalten im Ordo sec. Rom. n. 12 f (Andrieu II, 224 f; PL 78, 975), also in einem Ordo, der den Ritus der Papstmesse den Verhältnissen spätkarolingischer Bischofskirchen anpaßte. — Jedoch ist die doppelte Mischung und Brechung auch schon im Capitulare eccl. ord. (Andrieu III, 105 f) vorgesehen, erscheint also bereits in der zweiten Hälfte des 8. Jh. Um dieselbe Zeit wird im zweiten Nachtrag zum Ordo Rom. I (Andrieu II, 125 f. 132; PL 78, 959) die Brechung vor dem *Pax Domini* ausdrücklich eingeschärft.

16) Das Schwanken bezeugt Amalar, Liber off. III, 31, 1 (Hanssens II, 361), der sich die zweimalige Mischung, die er im *libellus Romanus* liest, nicht zu erklären vermag; er neigt dazu, die erste Mischung beizubehalten. Umgekehrt hatte der Ordo von S. Amand diese fallen gelassen (Andrieu II, 164). Die Unsicherheit scheint zur Folge gehabt zu haben, daß man die Mischung auch ganz unterließ; so im Ordo ‚Postquam' der Bischofsmesse (Andrieu II, 361; PL 78, 994).

17) Diese allein ist vorhanden bei Remigius von Auxerre († um 908), Expositio (PL 105, 1270 B); vgl. derselbe, In 1 Tim c. 2 (PL 117, 788 C). Ebenso im fränkischen Auszug aus dem Ordo Rom. I (Andrieu II, 248; PL 78, 981 f).

18) Amalar a. a. O. — Ebenso später u. a. Bernold, Micrologus c. 20 (PL 151, 990 B).

19) Ordo Rom. I n. 19 f (Andrieu II, 101—106; PL 78, 946 f); Ordo von S. Amand (Andrieu II, 165—167).

20) J. P. de Jong, Le rite de la Commixtion dans la Messe romaine: Revue Bénéd. 61 (1951) 15—37. Die Ansätze zu de Jongs Erklärung auch schon bei Andrieu, Les Ordines II, 147—151, und bei Haberstroh 66—68.

Darauf trinkt er vom heiligen Blut. Auffällig ist, was nun folgt. Der Archidiakon gießt etwas vom heiligen Blut und nach der Kommunion der Bischöfe und Priester den ganzen Rest desselben aus dem Kelch (wohl samt der darin enthaltenen Hostienpartikel) in einen dargebotenen, offenbar Wein enthaltenden Kelch *(scyphus)*, aus dem dann dem Volke die Kommunion gespendet wird, wobei übrigens, wenn nötig, Wein nachgegossen werden soll. Dabei ist vorauszusetzen, daß jene Hostienpartikel bis zuletzt im Spendekelch verblieben ist[21]).

Daß diese Voraussetzung tatsächlich gemacht werden muß, erhellt aus der genaueren, offenbar aus römischen Quellen schöpfenden Schilderung des Ordo von S. Amand. Diesem zufolge nimmt ein Subdiakon nach der Kelchkommunion des Klerus mittels eines Löffelchens die Partikel aus dem Altarkelch *(expellit Sancta de calice)* und gibt sie in den ersten der hier in einer Mehrzahl vorgesehenen Spendekelche, die Wein aus der Oblation des Volkes enthalten. Ein Presbyter, der den Mitgliedern der Schola die Kelchkommunion reichen soll, macht mit einer (weiteren) Partikel ein Kreuzzeichen über den betreffenden (wohl ebenfalls Wein enthaltenden) Spendekelch und gibt die Partikel dann in diesen Kelch. Damit verbindet der Ordo die bedeutsame Bemerkung: *similiter et omnes presbyteri faciunt quando confirmant populum*[22]).

Man wird in dem Vorgang mit de Jong tatsächlich den Ritus erkennen dürfen, der schon damals in den Liturgien des Ostens angewendet wurde, wenn man außerhalb der Messe die Kommunion reichen wollte. Da man das Aufbewahren der Gestalt des Weines vermeiden, aber doch auch diese andeuten wollte, hat man nichtkonsekrierten Wein durch die Beimischung einer Hostienpartikel „geheiligt". Es ist wohl diese Heiligung gemeint, wenn in der Laurentiuslegende, wie sie Ambrosius wiedergibt, der heilige Diakon als derjenige erscheint *cui commisisti Dominici sanguinis consecrationem*[23]). Diese Lösung hat man nun in Ägypten auch innerhalb der Messe angewendet[24]). Es kann nicht wundernehmen, wenn wir auch

---

[21]) de Jong 21 f, mit Hinweis auf Ordo eccl. Lateran. (Fischer 86), wo es vom Subdiakon, der zuletzt den Kelch übernimmt, heißt: *sumit totum quod in eo remansit.*

[22]) Andrieu, Les Ordines II, 149 f. 166 f.

[23]) Ambrosius, De off. I, 41 (PL 16, 90). Hieher gehört offenbar auch can. 25 des Konzils von Laodicea (Mansi II, 567), worin den Subdiakonen verboten wird ποτήριον εὐλογεῖν. — Bekanntlich war im Mittelalter durch längere Zeit die Meinung verbreitet, daß durch eine solche *consecratio per contactum* (bei der Krankenkommunion, am Karfreitag) Wein in das Blut Christi verwandelt werde; s. M. Andrieu, Immixtio et consecratio, Paris 1924.

[24]) Andrieu, Immixtio et consecratio 241.

hier wieder ägyptischen Brauch in Rom wiederfinden, wohl aber werden wir damit noch einmal auf das hohe Alter des Brauches hingewiesen. Man wollte auf diese Weise anscheinend den Grundsatz der Konsekration eines einzigen Kelches[25]) mit der Kelchkommunion der ganzen Volksmenge vereinbaren und die darin liegende Symbolik der Einheit des Opfers, dem ja auch der Ritus des *fermentum* diente — die Partikel von der Kommunionhostie des Papstes ließ sogar auch hier an das eine Brot (1 Kor 10, 17) denken — zur Geltung bringen. Vielleicht glaubte man zugleich, so die kaum vermeidbare Gefahr des Verschüttens leichter in Kauf nehmen zu können.

Daß schon der Zelebrant an seinem eigenen das heilige Blut enthaltenden Kelch den Ritus vornahm, ist damit freilich noch nicht erklärt. Immerhin aber kann man annehmen, daß er damit den Mischungsritus eröffnen wollte[26]). Merkwürdig ist daneben aber, daß sich auch im Orient der Ritus innerhalb der Messe findet, vollzogen über dem konsekrierten Kelch, obwohl man dort, abgesehen von Ägypten, anscheinend keine Scheu hatte, mehrere Kelche zu konsekrieren; es ist die schon früher erwähnte Konsignation[27]). An sie zu denken gibt auch die Erscheinung Anlaß, daß mit der Mischung auch in den römischen Quellen nicht nur ein einfaches[28]), sondern alsbald schon ein dreifaches Kreuzzeichen[29]) verbunden wurde.

---

[25]) Vgl. oben 68 Anm. 62.

[26]) Haberstroh 66; vgl. de Jong 30.

[27]) Oben 370.

[28]) Sakramentar des Cod. Pad. (Mohlberg-Baumstark n. 893). Im Ordo von S. Amand (Andrieu II, 165 Z. 12) begleitet ein Kreuzzeichen die (hier allein vorhandene) zweite Mischung; ein solches an gleicher Stelle auch im Capitulare eccl. ord. (ebd. III, 106). — Bei Amalar a. a. O. wird die Bekreuzung zur vierfachen Berührung des Kelchrandes, weil im Kreuze das *hominum genus quattuor climatum* zur Einheit und zum Frieden gelangt ist. Ebenso Eclogae c. 27, 2 (Hanssens, Amalarii opp. III, 260).

[29]) Das dreifache Kreuzzeichen erscheint an unserer Stelle im ersten Nachtrag des Ordo Rom. I (Andrieu II, 115; PL 78, 948), dem Andrieu II, 112 römische Herkunft zuspricht, und ähnlich im zweiten Nachtrag von fränkischer Herkunft (Andrieu II, 132; PL 78, 959); in einem Teil der Überlieferung von Ordo Rom. I n. 18 (Andrieu II, 98; PL 78, 945) und im Capitulare eccl. ord. (Andrieu III, 105; hier u. a. in einer Hs noch des 8. Jh.), mit dem das Breviarium übereinstimmt (ebd. III, 182; s. auch Silva-Tarouca 199). — Im Ordo sec. Rom. n. 13 (Andrieu II, 225; PL 78, 975) begleitet das vierfache Kreuzzeichen die *Fiat*-Formel der zweiten Mischung; ebenso schon in der St. Galler Hs 614 des Ordo Rom. I (Andrieu II, 101 f); ähnlich (ohne die Formel) Ordo ‚Qualiter quaedam' (ebd. II, 305; PL 78, 984).

Auch die begleitende Formel erinnert auffallend an eine orientalische Parallele. Die Formel ist, da sie nicht für den lauten Vortrag bestimmt war, in den älteren Sakramentaren nicht vermerkt, sondern steht nur in den Ordines und lautet hier: *Fiat commixtio et consecratio corporis et sanguinis D. N. J. C. accipientibus nobis in vitam aeternam. Amen*[30]). Es ist zwar eine verlockende Vermutung, daß die Formel in Rom ursprünglich dazu gedient hätte, die Vermischung der Hostienpartikel bzw. des heiligen Blutes mit dem Wein der Spendekelche zu begleiten und zu deuten. Die Worte: *commixtio et consecratio corporis et sanguinis* könnten dann verstanden werden: die Beimischung von Leib und Blut und die damit gegebene Heiligung[31]). Auffallend bleibt dann aber immer noch das *accipientibus nobis* im Munde des Priesters, der doch aus dem Altarkelch das heilige Blut empfängt. In der überlieferten Form kann man der Formel darum nicht mehr den genannten Sinn gegeben haben. Zu beachten ist auch, daß sie in der älteren Fassung des Ordo Romanus I fehlt. Wenn sie aber frühestens um die Wende des 7. Jahrhunderts entstanden ist, fällt die Ähnlichkeit mit der Formel der griechischen Jakobusliturgie ins Gewicht, die einen deutlichen, der Situation entsprechenden Sinn aufweist: Ἥνωται καὶ ἡγίασται καὶ τετελείωται εἰς τὸ ὄνομα τοῦ πατρός ...[32]). Der Mischungsritus wird hier also klar und schlicht als Einigung und Heiligung und Vollendung bezeichnet. Wir sind darum, zumal syrische Beziehungen sehr wohl möglich sind, berechtigt, als Sinn der römischen Mischungsformel und als damit festgelegte nunmehrige Bedeutung des zugehörigen Mischungsaktes den Gedanken zu betrachten, daß beide Gestalten ein Sakrament darstellen und den einen Christus enthalten[33]). Seitdem die Kelchkommunion des Volkes gänzlich verschwunden ist, wäre die vorgeschlagene ältere Sinngebung wenigstens für die Folgezeit ja auch unvollziehbar geworden.

---

[30]) Ordo Rom. I n. 19 (Andrieu II, 102; PL 78, 946). Es folgt hier und ebenso im Ordo sec. Rom n. 13 (Andrieu II, 225; PL 78, 975) ein an den Archidiakon, der den Kelch hält, gerichtetes *Pax tecum*, das dieser in gewohnter Weise beantwortet. Die Mischungsformel fehlt noch in der älteren Rezension des Ordo Rom. I.

[31]) Vgl. de Jong 19.

[32]) Brightman 62; vgl. eine erste Formel oben 371 Anm. 38 und die syrischen Beziehungen beim *Agnus Dei*, die uns noch beschäftigen werden. — In Spanien wird die *coniunctio panis et calicis* nach dem *Pater noster* schon vom 4. Konzil von Toledo (633) can. 4 (Mansi X, 624) als feststehender Ritus vorausgesetzt.

[33]) Vgl. auch Haberstroh 62—70.

Die genannte Formel blieb zunächst unverändert in Übung, besonders in italischen Meßbüchern[34]). Bei der Vorbereitung der Missalereform auf dem Konzil von Trient wurden gegen diese Formel theologische Bedenken laut; denn ihr nächstliegender Sinn war, wenn wir vom Worte *consecratio* einmal absehen, offenbar: es geschehe die Vermischung von Leib und Blut des Herrn, (sie gereiche) uns Empfängern zum ewigen Leben. Diese Formel konnte so aufgefaßt werden, als ob ihr zufolge erst jetzt nach der Mischung, nicht schon in der Konsekration der einen wie der anderen Gestalt, Leib und Blut des Herrn miteinander verbunden wären[35]), so daß die Utraquisten Anlaß hätten, die Kommunion unter einer Gestalt als ungenügend abzulehnen[36]). Es wurde also die Abänderung zum heutigen Wortlaut vorgenommen: *Haec commixtio . . . fiat accipientibus nobis in vitam aeternam,* in der nicht mehr vom Zustandekommen einer Mischung die Rede ist, die vielleicht über den sichtbaren Vorgang hinausging, sondern nur von dieser äußerlich-zeremoniellen Mischung der Wunsch ausgesprochen wird, sie möge uns zum Heile gereichen — die einzige antireformatorische Änderung im Trienter Missale, wie man festgestellt hat[37]). Das Wort *consecratio,* das in der Formel stehengeblieben ist, trotz den auch dagegen erhobenen Einwendungen und obwohl es auch schon in einzelnen mittelalterlichen Texten fehlt[38]), wird man auch weiterhin mit „Heiligung" wiedergeben müssen in dem Sinn, daß durch die Vermischung an den sakramentalen Ge-

---

[34]) Siehe die bei Ebner 299 ff abgedruckten Texte; mit einem vorangestellten *In nomine P. et F. et Sp. S.* ebd. 295. — Auch in steirischen Meßbüchern fast allgemein; Köck 127 ff.

[35]) Nicht eben so weit, aber in diese Richtung geht tatsächlich die Erklärung von Amalar, Liber off. III, 31, 3 (Hanssens II, 362): *Quae verba precantur, ut fiat corpus Domini praesens oblatio per resurrectionem, per quam veneranda et aeterna pax data est, non solum in terra sed etiam in coelo.*

[36]) Concilium Tridentinum ed. Goerres. VIII, 917; Jedin, Das Konzil von Trient und die Reform des Römischen Meßbuches (Liturg. Leben 1939) 46. 58.

[37]) Jedin 58. Die ältere Fassung übrigens noch heute im Missale von Braga (1924) 325 f. — Daß man die Formel auch früher schon im angegebenen Sinn verstanden hat, zeigen manche Varianten, z. B. *Fiat haec commixtio* (Ebner 310. 341. 346; Köck 6 f); vgl. auch die Kontaminierungen mit der Formel *Haec sacrosancta* (unten), z. B. Ebner 348.

[38]) Amalar, Liber off. III, 31, 3 (Hanssens II, 362); Auszug daraus bei Rabanus Maurus, De inst. cler. I, 33 additio (PL 107, 325); Johannes von Avranches, De off. eccl. (PL 147, 36 D); Innozenz III., De s. alt. mysterio VI, 2 (PL 216, 907); steirische Meßbücher: Köck 127. 129.

stalten und mittelbar an Christi Leib und Blut ein heiliges Zeichen, ein Symbol vollzogen wird[39]).

Übrigens war mindestens seit dem 9. Jahrhundert auf karolingischem Boden eine zweite Formel verbreitet, die in etwas wortreicherer Fassung den im Missale Pius' V. unterstrichenen Gedanken zum eigentlichen Inhalt hatte, und die im nördlichen Frankreich und in England bis zur Reform des Missale allgemein gebraucht wurde und heute noch u. a. im Dominikanerritus gebraucht wird; sie lautet[40]): *Haec sacrosancta commixtio corporis et sanguinis D. N. J. C. fiat (mihi) omnibus(que) sumentibus salus mentis et corporis et ad vitam (aeternam promerendam et) capescendam praeparatio salutaris. (Per eundem.)*[41]). Die *consecratio* fehlt hier, und man kann vielleicht sagen, daß die *commixtio* bereits nur mehr im konkreten Sinn verstanden wird: dieses Gemisch[42]), so daß in

---

[39]) Vgl. Gihr 652—654; Brinktrine, Die hl. Messe 262 f. Letzterer verweist auf die allgemeine Tendenz in den Liturgien, Weihungen, wo es sich um ein flüssiges Element handelt, mit einer Beimischung (Salz, Öl) oder, bei festen Gegenständen, mit einer Salbung zu beschließen. Bei der Eucharistie kommt noch die Doppelgestaltigkeit des Sakramentes als Antrieb dazu. Man wird in diesem Falle tatsächlich mit Brinktrine von einem Konsekrationsritus sprechen dürfen, wobei „Konsekration" in einem weiteren Sinne zu verstehen ist.

[40]) In ( ) die Erweiterungen, die vor allem in späten englischen Texten, aber auch im Missale O. P. (1889) 21 f und im Missale O. Carm. (1935) 316, anderseits schon um 1100 in einem Missale von Arles (Lebrun, Explication I, 508 Anm.) erscheinen; s. u. a. die Meßordnungen von Sarum: Legg, Tracts 14. 226.

[41]) Meßordo von Amiens (9. Jh.) ed. Leroquais (Eph. liturg. 1927) 443. Weitere Beispiele aus Frankreich aus dem 10.—15. Jh. u. a. Martène 1, 4, V—VIII. XI. XV. XXVI—XXVIII (I, 527. 534. 537. 540. 567. 592. 638. 641. 645); Lebrun I, 508 Anm. — Auch (z. T. mit *Fiat haec* beginnend) in italischen Meßbüchern: Ebner 323. 330. 335. 348; Fiala 213. — Eine freiere Fassung *(Fiat nobis et omnibus...)* im Sakramentar von Fulda (Richter-Schönfelder n. 22); auch in einem Sakramentar des Fuldaer Typus aus dem 11. Jh. bei Ebner 258. Diese Fuldaer und die gewöhnliche Fassung hintereinander im Missale von Remiremont (12. Jh.): Martène 1, 4, 9, 9 (I, 425 A). Eine verkürzte Gestalt *(Fiat haec)* in den spätmittelalterlichen Missalien von Regensburg und Freising (Beck 268. 308). Ähnliche Kurzfassungen in steirischen Meßbüchern (Köck 10. 13 u. ö.). — Eine alleinstehende Formel *(Commixtio sancti corporis)* im Sakramentar von Le Mans (9. Jh.): Leroquais I, 30. — In Spanien manchmal mit gallischer Schlußformel: *te praestante rex regum...* Ferreres S. XXIX. CVIII. 179; so noch im heutigen Missale von Braga (1924) 325.

[42]) Diese Bedeutung liegt handgreiflich vor, wenn in der Missa Illyrica die Spendung des Kelches *(calicem vero cum sacrosancta commixtione dando)* an die Priester im Hochamt begleitet wird mit der Formel: *Haec sacrosancta commixtio corporis et sanguinis D. N. J. C. prosit tibi ad vitam aeternam:* Martène I, 4, IV (I, 516 C). Bei der Beimischung selbst enthält diese Meßordnung drei Formeln, nämlich neben den beiden oben angeführten noch als dritte für den

keiner Weise mehr eine Deutung des Mischungsvorganges oder ein Hinweis auf denselben vorliegt, sondern nur mehr eine Wunschformel zur Kommunion[43]). Über eine weitergehende Bedeutung der Mischungszeremonie sagt auch die ursprüngliche römische Formel nichts. Aber der Gedanke an die Auferstehung, der schon früh bei den Syrern zuerst mit der Brechung und dann mit der Mischung verknüpft wurde[44]), hat sich auch bei den karolingischen Liturgieerklärern wieder mit letzterer verbunden[45]) und bleibt als ein Element der allegorischen Meßerklärung mit ihr verbunden durch das ganze Mittelalter[46]) und bis in die Gegenwart herauf[47]). Dagegen hat die Brechung im Abendlande erst

---

Mischungsritus des Bischofs: *Sacri sanguinis commixtio cum sancto corpore D. N. J. C. prosit omnibus sumentibus ad vitam aeternam* (515 B). Sie erscheint im übrigen, abgesehen von den oben Anm. 13 angegebenen verwandten Meßordnungen, höchst selten. Einzelne Beispiele aus Italien (11. und 12. Jh.) s. Ebner 164. 297.

[43]) Ein Dominikanermissale des 14. Jh. läßt die Formel denn auch beginnen: *Haec sacrosancta communio;* Ebner 114. Ein nachträglich abgeschwächtes *commixtio et consecratio* liegt offenbar auch der mailändischen Mischungsformel zugrunde: *Commixtio consecrati corporis et sanguinis D. N. J. C. nobis edentibus et sumentibus proficiat ad vitam et gaudium sempiternum;* Missale Ambrosianum (1902) 179. Eine starke Umbiegung zur Segensformel liegt vor in der nicht übermäßig klaren mozarabischen Mischungsformel: *Sancta sanctis et coniunctio corporis D. N. J. C. sit sumentibus et potantibus nobis ad veniam et defunctis fidelibus praestetur ad requiem;* Missale mixtum (PL 85, 561 f); vgl. oben 369 Anm. 29. Das *Sancta sanctis* ist hier wohl nur literarische Reminiszenz an das orientalische Τὰ ἅγια τοῖς ἁγίοις und bedeutet nur mehr: die Gestalt des Brotes zu der des Weines. Deutlich liegt dieser Sinn vor in den von Lesley (PL 85, 561 D) herangezogenen Parallelen aus Angers: *Sanctum (Sancta) cum sanctis.* Vgl. Martène 1, 4, 9, 2 (I, 419).

[44]) Oben 372 ff. Der Gedanke an die Auferstehung lag für antike Vorstellungsweise bei der Mischung um so mehr nahe, als man ja gewohnt war, die Seele an das Blut gebunden zu denken. Mit dem Blut kehrt also auch die Seele zum Leibe zurück. Tatsächlich erwähnt noch Durandus IV, 51, 17 den Gedanken mit Berufung auf Aristoteles.

[45]) Amalar, Liber off. III, 31, 2 f (Hanssens II, 361 f); Expositio ‚Missa pro multis' c. 18 (Hanssens, Amalarii opp. III, 314); Expositio ‚Introitus missae' n. 15 (ebd. III, 320).

[46]) Bernold, Micrologus c. 20 (PL 151, 990); Durandus IV, 51, 17. Vgl. auch oben 384 f die Deutung der drei Teile der Hostie.

[47]) Gihr 651 f. — Im Hinblick auf die mit dem Schlußteil des Kanons verknüpfte und dort auch rituell wirksam gewordene Leiden-Christi-Allegorese (oben 321 f. 335) muß man der Deutung auf die Auferstehung auch tatsächlich eine gewisse Berechtigung zuerkennen. Freilich ist der Gedanke im liturgischen Vorgang kaum vollziehbar, da nicht nur eine Stütze fehlt, sondern in der Überlagerung der Worte und Zeremonien auch kaum ein Raum dafür übrigbleibt.

in etwas jüngerer Zeit ihre Ausdeutung auf das Leiden Christi, auf die Zerbrechung des heiligen Leibes erfahren[48]), eine Sinngebung, auf die spätere und auch noch nachtridentinische Theologen so großes Gewicht gelegt haben.

Nach Amalar, dessen Stellungnahme wohl entscheidend war für die endgültige Vorverlegung der Mischungszeremonie, sollte diese samt dem sie begleitenden Mischungsspruch schon vor dem *Pax Domini,* also in einer auf den Schluß des Embolismus und das *Amen* folgenden kurzen Pause stattfinden, in der vorher auch noch die Brechung der Hostie und die Bekreuzung des Kelches mit der Partikel geschehen mußte; denn erst nach seiner Auferstehung erscheint der Herr den Seinen mit dem Friedensgruß. Die allegorischen Überlegungen sind hier offenbar so stark gewesen, daß sie auch gegen die ausdrückliche Angabe des römischen Ordo: *Cum dixerit: Pax Domini*[49]), wenigstens in einem gewissen Bereich die Oberhand behalten haben[50]). In der Folge ist allerdings nur die Teilung der Hostie vorausgenommen geblieben, und zwar so, daß sie nun unter Vermeidung einer Pause schon mit der Schlußformel *Per Dominum* verbunden wird[51]). Die Bekreuzung begleitet dann das *Pax Domini*[52]). Dieses wurde nämlich mehr und mehr selbst als Seg-

[48]) Deutlich ausgesprochen ist der Gedanke bei Humbert von Silva Candida († 1061), Adv. Graecorum calumnias n. 31 (PL 143, 950 D), und bei Lanfranc († 1089), De corp. et sang. Domini c. 14 (PL 150, 424 A). Vgl. Haberstroh 74—76; Lepin 113 ff. Eine leise, aber isolierte Andeutung auch bei Remigius von Auxerre, In I Cor. c. 11 (PL 117, 572).

[49]) Ordo Rom. I n. 18 (Andrieu II, 98; PL 78, 945). Ebenso der fränkische Auszug (nach Amalar) aus dem Ordo Rom. I (Andrieu II, 248; PL 78, 981). — Dagegen sagt der Ordo ‚In primis' der Bischofsmesse (Andrieu II, 334; PL 78, 988): *dicendo: Pax Domini.* Übrigens haben auch Capitulare eccl. ord. und Breviarium eccl. ord. schon: *mittit in calicem (...) et dicit: Pax Domini* (ebd. III, 105. 182).

[50]) Remigius von Auxerre, Expositio (PL 105, 1270 B): erst auf Grund der Mischung wünscht der Priester der Kirche den Frieden.

[51]) Bernold, Micrologus c. 23 (PL 151, 988 C). Ebenso in der georgischen Petrusliturgie (Codrington 162; vgl. 201), die die lateinische Messe gegen Ende des 10. Jh. im Bereich von Benevent wiedergibt (ebd. 107; vgl. 25 f). Anderseits ist die Pause nach dem *Amen* um die Wende des 11. Jh. noch vorausgesetzt im Cod. Casanat. 614 (Ebner 330) und etwas später vielleicht noch im Ordo eccl. Lateranensis (Fischer 85).

[52]) Expositio ‚Introitus missae' (hsl. seit dem 10. Jh.; nach Amalar) n. 15 (Hanssens, Amalarii opp. III, 320): *Quare panis cum cruce in vinum mittitur dicente sacerdote: Pax Domini...?* In den Sakramentaren stellt Brinktrine, Die hl. Messe 331 f, ein erstes Kreuzzeichen beim *Pax Domini* in einer Hs des 11./12. Jh. (dem ebengenannten Cod. Casanat. 614) fest; erst im 13./14. Jh. wird dieses Kreuzzeichen allgemeiner.

nungsformel aufgefaßt. Darum wurde es auch dort, wo vorher der Pontifikalsegen eingeschaltet wurde, als dessen Schlußsatz behandelt, den der Bischof, nun wieder zum Altar gewendet, anfügt[53]).

Aber nur in einem Teil der spät- und nachkarolingischen Meßordnungen folgt nun sofort die Mischung[54]), eine Weise, die sich dann vor allem auf italischem Boden fortsetzt[55]) und die darum auch im Missale Pius' V. festgelegt worden ist.

Der überwiegende Teil hält zwar nicht an der ursprünglichen römischen Ordnung fest, der zufolge die Mischung erst in Verbindung mit der Kommunion[56]) oder jedenfalls erst nach Friedenskuß und Brechung — soweit letztere noch in Frage kommt — erfolgen sollte[57]). Wohl aber

---

[53]) Oben 366 Anm. 13.

[54]) Fränkischer Auszug aus dem Ordo Rom. I (Andrieu II, 248; PL 78, 981). Mehrfach fällt die Mischung noch mit dem *Pax Domini* zusammen: Ordo ‚In primis' der Bischofsmesse (Andrieu II, 334; PL 78, 988); Johannes von Avranches, De off. eccl. (PL 147, 36 D); Bernold, Micrologus c. 17. 23 (PL 151, 988. 995). Zunächst für die nichtbischöfliche Messe gehört noch hieher die Missa Illyrica und die verwandten Texte, oben Anm. 13.

[55]) Siehe die Beispiele seit dem 11. Jh. bei Ebner 299. 301. 307. 310. 316. 330. 335. 348. Entgegen den Angaben bei Sölch, Hugo 127, vermag ich nur zwei Beispiele zu finden, in denen deutlich etwas anderes, nämlich das *Agnus Dei,* vorangeht: Ebner 297. 335 (Cod. F 18); vgl. 4. — In den nördlichen Ländern erscheint diese Ordnung nach dem 11. Jh. nur selten: Missale von Remiremont (11./12. Jh.): Martène 1, 4, 9, 9 (I, 423); Statuten der Kartäuser: ebd. 1, 4, XXV (I, 634 C); Augsburger Missale von 1386 (Hoeynck 374); Regensburger Meßordo um 1500 (Beck 269); auch Durandus IV, 51, 18 f tritt aus Gründen der Allegorese für diese Lösung ein.

[56]) Diese Ordnung war in der Papstmesse noch im 14. Jh. erhalten; s. Ordo Stefaneschis n. 71 (PL 78, 1191): der Papst faßt mit je zwei Fingern beider Hände die noch vollständige Hälfte der Hostie und spricht das *Domine non sum dignus.* Nach dem Kreuzzeichen mit der Brotsgestalt *reverenter sumat totum illud quod est extra digitos praedictos, et quod infra digitos remanet ponat in calice cum sanguine dicens: Fiat commixtio ...* Vgl. oben Anm. 1.

[57]) Diese Ordnung schwebt als zweite Lösung vor bei Amalar, Liber off. III, 31, 1 (Hanssens II, 361): *(ut) aliqui reservent immissionem, usquedum pax celebrata sit et fractio panis.* Sie ist noch festzustellen im Sakramentar des Ratoldus († 986) (PL 78, 244), wo auch die Mischungsformel zu einer eigentlichen Oration aufgewertet ist: Nach dem *Pax Domini* gibt der Bischof dem *cantor* das Zeichen zum *Agnus Dei: Interim osculetur archidiaconum et ceteros. Inde vertens se ad altare dicat hanc orationem: Dominus vobiscum. Resp. Et cum spiritu tuo. Haec sacrosancta commixtio ... salutaris P. D.* — Auch wo die oben Anm. 13 genannte Rubrik noch fortlebte, geschah die Vermischung wenigstens in der Bischofsmesse erst nach dem Friedenskuß. Vgl. auch die ältere Fassung der griechischen Petrusliturgie als Zeugin mittelitalischer Liturgie des frühen 10. Jh. (Codrington 136).

geschieht die Mischung in Kirchen, in denen es schon Brauch ist, daß auch der Priester das *Agnus Dei* spricht, vielfach erst nach diesem[58]). Die Priester hielten also während des *Agnus Dei* die heilige Partikel in Händen, in der Absicht, wie Durandus sagt[59]), *ut eorum oratio efficacior sit pro eo quod tenentes eam in manibus... oculo corporali et mentali reverenter intuentur*. Es wird sich dabei um eine sekundäre Rückverlegung an den Zeitpunkt des Kommunionempfanges handeln, die aber gleichfalls auf Amalars Lösung aufruht, und die seit 1570 im wesentlichen wieder verschwunden ist.

Indem Amalar dem Mischungsritus seine Stelle beim *Pax Domini* angewiesen hat, dort, wo nach der Gepflogenheit der alten Kirche durch die Beimischung des *fermentum* die raumumspannende Einigungskraft der Eucharistie zur Darstellung kam, hat unser bescheidener Ritus zu seiner eigenen Bedeutung einer Darstellung der inneren Einheit des zweigestaltigen Sakramentes (und darauf weiterbauend allenfalls eines Hinweises auf die Auferstehung) auch noch die Erinnerung an die weiterreichende Sinnfülle des genannten Schwesterritus, an die Symbolik der Gemeinschaft von Kirche zu Kirche hinzugewonnen. Das begleitende *Pax Domini* mag letzteren Gedanken noch stützen. Anderseits freilich hat der Ritus der Brechung und Vermischung in der römischen Messe viel von seinem Gewicht verloren, da er nach dem Verzicht auf die

---

[58]) Meßordo von Amiens (ed. Leroquais: Eph. liturg. 1927, 443); Sakramentar von Fulda (Richter-Schönfelder n. 22); weiter aus dem 10./11. Jh. die Ordines bei Martène 1, 4, V—VIII (I, 527. 533 f. 537. 540), ebenso die meisten späteren Meßordnungen aus Frankreich bei Martène und Leroquais; s. auch Liber ordinarius von Lüttich mit dessen dominikanischer Vorlage (Volk 96). Die gleiche Ordnung gilt auch in Spanien (Ferreres 179 f) und insbesondere in den englischen Meßbüchern des späteren Mittelalters; s. Martène 1, 4, XXXV (I, 669); Legg, Tracts 14. 226. 265; ebd. 47 f. 65 weitere Beispiele aus dem 16. Jh. In Skandinavien hielt sich Upsala an dieselbe Praxis; Segelberg 257. — Der Ritus auch heute noch im Lyoner Missale (1904) 316 f und in dem der Dominikaner (1889) 21. Bei den Zisterziensern ließ der Priester eines der drei Bruchstücke, die er noch in Händen hielt, nach dem *Agnus Dei* in den Kelch fallen, das zweite, für die Kommunion der Leviten bestimmte, legte er nach Erteilung des Friedenskusses auf die Patene, das dritte behielt er bis zur eigenen Kommunion; Schneider (Cist.-Chr. 1927) 139 f. Eine eigenartige Weiterbildung dieses Brauches heute noch bei den kastilischen Zisterziensern; s. B. Kaul, Cist.-Chr. 55 (1948) 224. Über den Prämonstratenserritus s. Lentze (Anal. Praem. 1950) 130. — In einzelnen Fällen geschah die Mischung schon nach dem ersten *Agnus Dei:* Meßordo von Bec: Martène 1, 4, XXXVI (I, 674 C); Sakramentar aus Arezzo (11. Jh.): Ebner 4.

[59]) Durandus IV, 51, 18.

erwähnte Pause im Schatten des Embolismusschlusses und des *Pax Domini* nun lediglich als Begleitritus auftritt, und zwar als Begleitritus zu Texten, die zu ihm keinen unmittelbaren Bezug haben. So wird es nur wenigen Zelebranten möglich sein, den Sinngehalt des ehrwürdigen Ritus innerlich zu vollziehen. Für die weiteren Teilnehmer kommt der Ritus aber kaum zur Geltung, da er ja nur für die nächste Umgebung wahrnehmbar ist, zumal auch der alte Brechungsgesang des *Agnus Dei* nicht zur nunmehrigen Brechung in Beziehung getreten ist, sondern, wie wir noch sehen werden, die Stelle des älteren Brechungsritus behalten hat. Die Durchsichtigkeit des liturgischen Vorganges hat kaum an einer anderen Stelle so stark durch jüngere Schrumpfungen und Zusammenschiebungen gelitten wie im Bereich von Brechung und Mischung, wenn auch die Elemente der alten Überlieferung noch getreulich erhalten sind[60]).

6. Pax Domini und Friedenskuß

Sowohl wenn wir dem Werdegang der römischen Kommunionriten folgen, wie wenn wir uns an das äußere Bild der heutigen Messe halten, in der sofort nach dem Schluß des Embolismus das *Pax Domini* vernommen wird, müssen wir nun vom Friedenskuß handeln. Denn das *Pax Domini* war gedacht als Zeichen und Anruf für die Gläubigen, den Friedenskuß miteinander zu tauschen. Das wird zwar nirgends durch eine ausdrückliche Rubrik ausgesprochen, aber es ergibt sich aus der Parallele in der afrikanischen Liturgie[1]) und aus dem tatsächlichen Vor-

---

[60]) Zu ähnlichen Feststellungen kommt Abt Capelle, Le rite de la fraction (Revue Bénéd. 1941) 5 f. 39 f. Er bezeichnet hier auch einen Weg, auf dem Abhilfe geschaffen werden könnte. Der Priester würde die Friedensoration *Domine J. C. qui dixisti* vor dem *Pax Domini* beten. Nach dem *Pax Domini* würden Brechung und Mischung folgen, begleitet vom Gesang des *Agnus Dei*, das der Priester nach diesen Handlungen auch selber spräche.

[1]) Augustin, Serm. 227 (PL 38, 1101): *Post ipsam* (sc. *orationem dominicam) dicitur: Pax vobiscum, et osculantur se Christiani in osculo sancto.* Enarr. in ps. 124, 10 (PL 37, 1656), wo auch die Antwort des Volkes *Et cum spiritu tuo* bezeugt wird. Weitere Stellen bei Roetzer 130 f. — Übrigens geschieht auf ähnliche Weise die Einladung zum Friedenskuß, allerdings schon vor Beginn des Eucharistiegebetes, auch in den Apostolischen Konstitutionen VIII, 11, 8 f (Quasten, Mon. 210): der Bischof grüßt: Ἡ εἰρήνη τοῦ θεοῦ μετὰ πάντων ὑμῶν; das Volk antwortet: Καὶ μετὰ τοῦ πνεύματος σοῦ, worauf der Diakon noch mit 1 Kor 16, 20 b die ausdrückliche Aufforderung zum heiligen Kusse ausspricht.

gang nach den ältesten Ordines[2]). Auch hören wir noch in späten Quellen, daß am Karfreitag das *Pax Domini* deswegen ausfällt *quia non sequuntur oscula circumadstantium*[3]). Die Ordnung im heutigen Hochamt, wonach der Friedenskuß erst folgt, nachdem das *Agnus Dei* und noch ein Friedensgebet gesprochen wird, ist, wie wir noch sehen werden, erst das Ergebnis jüngerer Entwicklungen.

Mit dem Ansatz des Friedenskusses erst vor der Kommunion nimmt die römische Liturgie zusammen mit der eben genannten afrikanischen eine Sonderstellung ein, da alle übrigen Liturgien ihn schon am Beginn der Opfermesse aufweisen. Die ursprüngliche Stelle des Friedenskusses war übrigens eher am Ende des Gebetsgottesdienstes als am Beginn der Opfermesse. Nach altchristlicher Auffassung bildete er die Besiegelung des vorausgegangenen Gebetes[4]). Die Rücksicht auf die Mahnung des Herrn Mt 5, 23 f über die rechte Gesinnung dessen, der ein Opfer darbringen will, wird nach der Verschmelzung des Lesegottes-

---

[2]) Ordo Rom. I n. 18 (Andrieu II, 98; vgl. ebd. II, 57 f), besonders deutlich Cod. W: *Et cum spiritu tuo. Sed archidiaconus pacem dat episcopo priori, deinde et ceteri per ordinem et populus.* — Capitulare eccl. ord. (Andrieu III, 124; vgl. ebd. 105): *respondentibus omnibus: Et cum spiritu tuo, statim, sicut supra dictum est, debet clerus vel populus inter se pacem facere, ubi stare videntur.* — Ordo von S. Amand (ebd. II, 169). — Der Zusammenhang ist noch klar bewußt in der karolingischen Expositio ‚Dominus vobiscum' (PL 138, 1172 f).

[3]) Ordo Rom. antiquus (Hittorp 67, recte 69). Ebenso Sicard von Cremona († 1215), Mitrale VI, 13 (PL 213, 321). — Vgl. am Gründonnerstag im älteren Gelasianum I, 40 (Wilson 72): *non dicis: Pax Domini, nec faciunt pacem.* Dagegen besagt im heutigen Missale Romanum am Karsamstag die Rubrik: *Dicitur Pax Domini sit semper vobiscum, sed pacis osculum non datur.*

[4]) Justin, Apol. I, 65 (oben I, 29). — Tertullian, De or. 18 (CSEL 20, 191), nennt den Friedenskuß das *signaculum orationis;* man solle damit das gemeinsame Gebet beschließen, selbst wenn man einen Festtag hält; nur an öffentlichen Fasttagen entfällt der Kuß, der ja auch ein Ausdruck der Lebensfreude ist (vgl. die vorige Anm.). Auch Origenes, In Rom. hom. 10, 33 (PG 14, 1282 f), spricht von der durch Röm 16, 16 u. ä. veranlaßten Sitte, *ut post orationes osculo invicem suscipiant fratres.* — Hippolyt, Trad. Ap. (Dix 29): „Wenn das Gebet (nach dem Unterricht) beendet ist, sollen die Katechumenen nicht den Friedenskuß geben, denn ihr Kuß ist noch nicht rein; aber die Getauften sollen einander begrüßen (ἀσπάζεσθαι), Männer die Männer und Frauen die Frauen. Aber es sollen nicht Männer die Frauen begrüßen." Nach der Taufe nehmen die Neugetauften sofort am Gebet der Gläubigen teil und tauschen mit ihnen darauf auch den Kuß (Dix 39). Auch noch nach der Regula des hl. Benedikt c. 53 (Empfang der Gäste) soll mit dem Ankömmling zuerst gebetet und dann erst ihm das *pacis osculum* geboten werden. (Hinweis von Dom Irenäus Doens O. S. B.) — Weitere altchristliche Zeugnisse siehe Quasten, Mon. 16 Anm. 2 und ebd. im Register S. 374 s. v. *osculum.*

dienstes mit der Eucharistiefeier bald dazu geführt haben, den Friedenskuß als Sicherung brüderlicher Gesinnung enger mit dem Augenblick zu verbinden, da man „die Gabe zum Altare bringt"[5]).

Die römische Liturgie ist frühzeitig noch einen Schritt weiter gegangen[5a]). Entgegen der Praxis, der sich der Bischof von Gubbio gegenübersieht, den Friedenskuß schon *ante confecta mysteria* anzusagen, betont Papst Innozenz I. in seinem Antwortschreiben im Jahre 416, er dürfe erst nach Vollendung des Ganzen angekündigt werden; das Volk solle ja damit zu allem, was vorausgeht, seine Zustimmung bekunden[6]). Auf die Funktion der Besiegelung war also auch hier zunächst noch einmal ein Augenmerk gerichtet. Spätestens aber, seitdem infolge der Neuordnung durch Gregor den Großen das *Pater noster* unmittelbar auf den Schluß des Kanons folgte und zum Friedenskuß erst nach dem Embolismus aufgerufen wurde, war es von selbst gegeben, daß er nun vor allem in der Beleuchtung des *sicut et nos dimittimus* erschien, vielleicht hat erst dieses Wort ihn an den Schluß des *Pater noster* gezogen.

Tatsächlich wurde schon zur Zeit Gregors des Großen der Friedenskuß als selbstverständliche Vorbereitung auf die Kommunion betrachtet. Eine Gruppe von Mönchen, die vom Schiffbruch bedroht sind, geben sich noch den Friedenskuß und empfangen dann das Sakrament, das sie mit sich führen[7]). Auch außerhalb des römischen Liturgiebereiches herrscht um dieselbe Zeit die gleiche Auffassung. Sophronius († 638) läßt die hl. Maria von Ägypten dem greisen Mönche, der ihr die Geheimnisse bringt, den Friedenskuß geben, worauf sie den Leib des Herrn empfängt[8]). Für die Ordnung der Krankenkommunion der keltischen Kirche wird um 800 im Dimmabuch festgesetzt: *Hic* (nachdem das Vaterunser mit dem zugehörigen Embolismus gebetet ist) *pax datur ei*

---

[5]) Vgl. Baumstark, Liturgie comparée 145.

[5a]) Noch früher die von Nordafrika; Dekkers, Tertullianus 59 f; Roetzer 130 f.

[6]) Innozenz I., Ep. 25, 1 (PL 20, 553): ... *per quam constet populum ad omnia ... praebuisse consensum ac finita esse pacis concludentis signaculo demonstrentur.*

[7]) Gregor d. Gr., Dial. III, 36 (PL 77, 304 C); vgl. derselbe, In ev. II, 37, 9 (PL 76, 1281 A).

[8]) Sophronius, Vita s. Mariae Aeg. c. 22 (PL 73, 687 B). — Mit der Kommunion verbunden ist der Friedenskuß auch in zwei Zeugnissen, die Mabillon in seinem Kommentar c. 8, 11 (PL 78, 881) herangezogen hat: Hieronymus, Ep. 62 al. 82 (PL 22, 737); Paulus von Merida (7. Jh.), Vitae patrum c. 7 (PL 80, 135 B).

et dicis: Pax et communicatio sanctorum tuorum, Christe Jesu, sit semper nobiscum. R. Amen, worauf sofort die Eucharistie gereicht wird[9]).

Auch im karolingischen Bereich gilt die gleiche Aufeinanderfolge von Friedenskuß und Kommunionspendung sowohl bei der Krankenkommunion[10]) wie im öffentlichen Gottesdienst[11]). Ja der Friedenskuß wird mehrfach auf die Kommunikanten beschränkt. Die Canones des Theodor von Canterbury enthalten in einer Fassung (8. Jh.) die Regel: *qui non communicant, nec accedant ad pacem neque ad osculum in ecclesia*[12]). Die Regel ist auch in der karolingischen Kirche bekannt; doch wird hier daneben eine mildere Auffassung vertreten, die den Kreis des Friedenskusses nicht so eng zieht[13]). Immerhin galt wenigstens in Klöstern noch über die Jahrtausendwende hinaus die Regel, daß man an den Kommuniontagen und nur an diesen auch die *pax* empfängt. Das war so in England sowohl[14]) wie auf dem Festland[15]): der Friedenskuß ist die

---

[9]) F. E. Warren, The liturgy and ritual of the Celtic Church, Oxford 1881, 170. Die angeführte Formel entspricht unserem *Pax Domini;* vgl. die zum Friedenskuß in der Messe gehörige Formel im Stowe-Missale (ebd. 242): *Pax et caritas D. N. J. C. et communicatio sanctorum omnium sit semper nobiscum.* — Die Mailänder Liturgie gebraucht in der Messe: *Pax et communicatio D. N. J. C. sit semper vobiscum,* worauf noch folgt: *Offerte vobis pacem.* Missale Ambrosianum (1902) 181 f.

[10]) Der Krankenordo des 9. Jh. aus Lorsch, hrsg. von C. de Clercq: Eph. liturg. 44 (1930) 103, hat die Rubrik: *Hic pax datur et communicatio* und darauf die Formel: *Pax et communicatio corporis et sanguinis D. N. J. C. conservet animam tuam in vitam aeternam.* — Ähnlich Theodulf von Orleans († 821), Capitulare: Martène 1, 7, II (I, 847 C); vgl. noch den etwas jüngeren Krankenordo von Narbonne: ebd. 1, 7, XIII (I, 892 B).

[11]) Sakramentar des Ratoldus (10. Jh.; PL 78, 245): *Et episcopus communicet presbyteros et diaconos cum osculo pacis.*

[12]) n. 50; P. W. Finsterwalder, Die Canones Theodori, Weimar 1929, 274.

[13]) Walafried Strabo, De exord. et increm. c. 22 (PL 114, 950 C): Die *pax* bleibt denjenigen erlaubt, die nicht *iudicio sacerdotali* von der Kommunion ausgeschlossen und darum nicht *extra communionem* sind. Tatsächlich verlangen mehrere Verordnungen aus der Zeit Karls des Großen die Übung des Friedenskusses von allen; so die Frankfurter Synode von 794 (c. 48; Mansi XIII, App. 194): *omnes generaliter pacem ad invicem praebeant.* Vgl. Nickl, Der Anteil des Volkes 48 f.

[14]) Concordia regularis des hl. Dunstan (PL 137, 483 A. 495 A). Eine Nachricht über Winchester bei G. W. Ritchin, Compotus rolls (1892) 176, zitiert bei Browe, Die häufige Kommunion 65 Anm. 22.

[15]) Capitula monachorum ad Augiam directa (Albers III, 106); Consuetudines Cluniacenses (vor 1048; Albers II, 48; vgl. jedoch S. 38); Consuetudines monasteriorum Germaniae (Albers V, 28). — Liber usuum O. Cist. (12. Jh.) c. 66 (PL 166, 1437): *In die Nativitatis Domini, Coenae, Paschae, Pentecostes*

Vorbedingung der Kommunion[16]) oder wenigstens eine angemessene Vorbereitung auf sie[17]), und umgekehrt bleiben noch lange im Hochamt mindestens Diakon und Subdiakon, die die *pax* erhalten sollen, auch zur Kommunion verpflichtet[18]). Ja bei den Zisterziensern war es auch in der Privatmesse Vorschrift, daß der Meßdiener jedesmal *pax* und Kommu-

---

debent fratres pacem sumere et communicare. — In den jüngeren Consuetudines Cluniacenses des Mönches Udalrich (um 1080) I, 8 (PL 149, 653) u. ö. ist die Verbindung der Kommunion mit dem Friedenskuß bereits etwas gelockert.

[16]) Ein Überrest davon ist die heute noch vielfach geübte Gepflogenheit, daß der Kommunikant dem die Kommunion spendenden Bischof vorher den Ring oder, wie das Caeremoniale episcoporum II, 29, 5 sagt, die Hand küßt. Obwohl ein Handkuß vor der Entgegennahme der Eucharistie auch in der alten Kirche üblich war (s. unten), scheint sich der heutige Brauch doch vom gegenseitigen Friedenskuß herzuleiten, den man am Altare tauschte, oder wenigstens durch ihn angeregt zu sein. Der Übergang zum Handkuß von seiten des Empfängers ist sichtbar bei Johannes von Avranches († 1079), De off. eccl. (PL 147, 37 B): *Dum ergo sacerdos ministris communionem porrigit, unumquemque primitus osculetur et post qui communicandus est, manu sacerdotis osculata, communionem ab eo accipiat.* Den Wegfall des Kusses von seiten des zelebrierenden Bischofs, der ja durch die Darreichung des Sakramentes in Anspruch genommen ist (obwohl nicht er selbst, sondern ein Akolyth die Patene mit den Partikeln trägt), zeigt schon um die Mitte des 10. Jh. der Ordo ‚Postquam' der Bischofsmesse (Andrieu II, 361; PL 78, 994), demzufolge nur mehr Priester und Diakone *episcopum*, die Subdiakone *manum episcopi* küssen. Umgekehrt erwähnt das Sakramentar des Ratoldus († 986) nur den Kuß von seiten des Bischofs (für Priester und Diakone) (PL 78, 245 A). — Anderseits weist die stadtrömische Überlieferung noch längere Zeit für die unmittelbare Assistenz den gegenseitigen Kuß auf. Ordo eccl. Lateran. (Fischer 85 Z. 40; vgl. 86 Z. 23): *(episcopus) communicat diaconum dando ei pacem, illo osculante manum eius.* Nach Innozenz III., De s. alt. mysterio VI, 9 (PL 217, 911 f), reicht der Papst nach der eigenen Kommunion *particulam unam cum osculo* dem Diakon, der Subdiakon erhält den Kuß beim Empfang des hl. Blutes vom Diakon. Auch nach dem nur wenig späteren Pontificale Romanae Curiae (Andrieu, Le Pontifical Romain II, 350) küssen die neugeweihten Priester und Diakone vor der Kommunion die Hand des Bischofs und empfangen dann von ihm Kommunion und Friedenskuß; ähnlich im Pontifikale des Durandus (Andrieu, Le Pontifical Romain III, 348). — Im gleichen Sinn bestimmt noch unser Caeremoniale episc. I, 9, 6; 24, 3 f, daß im Hochamt Diakon und Subdiakon die *pax* nicht mit den anderen erhalten sollen (sofern sie nicht als Priester selbst zelebrieren wollen), sondern erst wenn der Bischof ihnen die Kommunion reicht, von diesem selbst, wobei sie ebenso wie die kommunizierenden Kanoniker *primo manum, deinde faciem episcopi* küssen sollen, während die übrigen Kleriker und die Laien nur die Hand des Bischofs küssen (II, 29, 3. 5); vgl. den Ordo Stefaneschis n. 53. 56. 71 (PL 78, 1168 B. 1172 C. 1191 D), wo der Papst zuerst das Sakrament reicht und dann die *pax* erteilt.

[17]) Jüngere Zeugnisse für diesen Gedanken bei Brinktrine, Die hl. Messe 270.

[18]) S. unten 480 f.

nion empfange[19]), bis Eugen IV. 1437 diese Verpflichtung der *ministri altaris* als gefährlich aufhob[20]). Doch blieb hier die Verbindung von Friedenskuß und Kommunion auch dann noch lange fortbestehen[21]).

Anderswo wird der Friedenskuß allmählich zu einer Art Kommunionersatz[22]). Er wird nicht nur am Altar getauscht, sondern es ist wieder das ganze Volk daran beteiligt. Das bedeutet nach der älteren Weise nicht einmal jene Störung oder Unruhe im Gottesdienst, die wir heute befürchten würden; denn der Friedenskuß wurde nicht von Person zu Person weitergegeben, sondern nur je zwischen Nachbarn gewechselt.

---

[19]) Liber usuum c. 54 (PL 166, 1429): *(minister) pacem et communionem semper accipiat, excepta missa defunctorum, in qua nec pacem sumere nec communicare licet.* — Abgesehen von den Kommunikanten erhielten bei den Zisterziensern nur Gäste den Friedenskuß; Liber usuum c. 57 (PL 166, 1432).

[20]) Browe, Die Kommunionvorbereitung im Mittelalter (ZkTh 1932) 413.

[21]) Nach den Statuten eines niederdeutschen Zisterzienserinnenklosters von 1584, hrsg. von J. Hau (Cist.-Chr. 1935) 132 f, wurde an Kommuniontagen vor der Kommunion der Friedenskuß gegeben, der von der Äbtissin ausging. Siehe auch Rituale Cisterciense, Paris 1689, 93, wonach der Ministrant, wenn er oder sonst jemand kommunizieren will, dem Priester das *instrumentum pacis* reicht, es dann selber küßt und weitergibt. — Vgl. dagegen bei Franz, Die Messe 587, die Angabe von Balthasar von Pforta (1494), wonach in Deutschland die Zisterzienser damals (außer im Falle der Kommunion des Meßdieners?) nur im Hochamt die *pax* gaben, während die Weltpriester sie auch in der Privatmesse dem Ministranten mittels des Kruzifixes erteilten. Die *pax* für den *frater servitor* auch ohne Kommunion wurde in der Privatmesse gleichfalls festgehalten bei den Dominikanern im Ordinarium von 1256 (Guerrini 244); ähnlich im Liber ordinarius von Lüttich (Volk 101 Z. 33).

[22]) Vgl. oben Anm. 13. — Die Consuetudines des Udalricus von Cluny (um 1080) lassen täglich eine Chorhälfte den Friedenskuß geben und empfangen; die Kommunion steht frei (I, 6; PL 149, 652). Joh. Beleth († 1165), Explicatio c. 48 (PL 202, 55 D), nennt einen dreifachen Ersatz, der nach dem Aufhören der jedesmaligen Kommunion eingeführt worden sei: *singulis diebus* der Friedenskuß, an Sonntagen das gesegnete Brot, in der Quadragesima anstatt dessen die *oratio super populum.* Dasselbe wiederholt Durandus IV, 53, 3. — Ähnlich äußern sich auch Sicard von Cremona, Mitrale III, 8 (PL 213, 144), und Hugo von S. Cher, Tract. super missam (ed. Sölch 51). Beleths Einschätzung des Friedenskusses wird auch wörtlich übernommen von Innozenz III., De s. alt. mysterio VI, 5 (PL 217, 909). Weitere Zeugnisse aus dem 12. und 13. Jh. im gleichen Sinnn bei Browe, Die Pflichtkommunion 186. Als Ersatz der Kommunion betrachtet den Friedenskuß auch noch Ludolf von Sachsen († 1377), Vita D. N. Jesu Christi II, 56 (Augsburg 1729: S. 557), und ebenso der Holländer Wilhelm von Gouda (15. Jh.), s. P. Schlager, Über die Meßerklärung des Franziskaners Wilhelm von Gouda: Franziskan. Studien 6 (1919) 335. — In der Übergangszeit um das 11. Jh. muß der Friedenskuß manchen-

Der Erste römische Ordo sagt es deutlich: Wenn das *Pax Domini* gesprochen ist, erteilt der Archidiakon dem ersten Bischof den Friedenskuß, *deinde ceteri per ordinem et populus*[23]). Auf das gegebene Zeichen grüßt man sich also auch im Schiff der Kirche gegenseitig mit dem Kuß. Aber schon ein Großteil der Handschriften dieses Ordo hat eine unscheinbare, aber bedeutsame Änderung angebracht: *deinde ceteris per ordinem et populis*[24]). Der Friedenskuß geht also vom Altar aus und wird wie eine Botschaft, ja wie eine Gabe, die aus dem Allerheiligsten kommt, „an die übrigen und an das Volk" weitergegeben. Eindeutig ausgesprochen wird die neue Regel in einer Meßordnung, die im römisch-deutschen Pontifikale des 10. Jahrhunderts und in seinen Abkömmlingen an den Anfang gestellt ist: *presbyter accipiat pacem ab episcopo eandem ceteris oblaturus*[25]).

Von hier aus gesehen, war es nur folgerichtig, daß der Friedenskuß nun nicht mehr nur vom Diakon, sondern vom Zelebranten selbst ausging, und daß auch dieser ihn zuerst selber in Empfang nahm. Er küßte also zuerst den Altar: *osculato altari dat pacem astanti*[26]). Ja man be-

---

orts auch im Hochamt ganz außer Gebrauch gestanden sein, da er in sonst sehr rubrikenreichen Meßordnungen nicht mehr erwähnt wird, so in der von Séez (PL 78, 250 B). Durandus IV, 53, 8 nennt auch einen Grundsatz, demzufolge Mönche den Friedenskuß nicht übten. Das kann sich auch um diese Zeit (für die frühere Periode vgl. oben Anm. 7 f. 14 f) nur auf eine partikuläre Praxis beziehen, die das weltlich-sinnliche Element des Kusses strenger beurteilte; siehe nähere Nachweise bei Lebrun I, 522—524.

[23]) Ordo Rom. I n. 18 (Andrieu II, 98). Ähnlich Ordo ‚Qualiter quaedam' (ebd. II, 304). *Deinde dat pacem altario vel patenae et sic populus dat sibi pacem.* Die *pax* geht also nicht vom Zelebranten aus. Ausdrücklich wird jede Ortsveränderung und damit eine Weitergabe ausgeschlossen im Capitulare eccl. ord. (oben Anm. 2). Vgl. Nickl, Der Anteil des Volkes an der Meßliturgie 49 f.

[24]) So Mabillon (PL 78, 945 B) mit einer Gruppe jüngerer Hss.

[25]) Ordo ‚Postquam' der Bischofsmesse (Andrieu II, 361; PL 78, 994). — Daß, wie u. a. Sölch, Hugo 129 f, annimmt, schon bei Remigius von Auxerre diese neue Ordnung anzusetzen ist, dürfte nicht zutreffen. — Die ältere Weise ist noch deutlich bezeugt bei Amalar, Liber off. III, 32, 2 (Hanssens II, 364), und im fränkischen Auszug aus dem Ordo Rom. I (Andrieu II, 248 Z. 29; PL 78, 982 A): *...per ordinem ceteri; atque populus osculantur se invicem in osculo Christi.* Vgl. auch noch die Synode von Santiago de Compostela (1056) can. 1 (Mansi XIX, 856): *omnibus intra ecclesiam stantibus pacis osculum sibi invicem tribuatur.*

[26]) Bernold, Micrologus c. 23 (PL 151, 995); Sakramentar von Modena (vor 1174): Muratori I, 93. — Zum Altarkuß vgl. oben Anm. 23. Ein Sakramentar des 11. Jh. aus Arezzo (Ebner 4) läßt den Priester zuerst den Altar küssen, *tunc osculetur omnes.* Ähnlich das Missale von St. Vinzenz (Fiala 213), wo darauf noch die einzelnen die *pax* tauschen. — Die Bestimmung, daß ein Priester die *pax* vom Bischof in Empfang nimmt, auch schon im Ordo ‚Postquam' (vorige Anm.).

gnügt sich nicht damit und glaubt noch eindeutiger die Quelle bezeichnen zu sollen, aus der man den Frieden schöpfen will. Ein unteritalisches Pontifikale läßt bereits um 1100 den Zelebranten erst den Altar, dann das Buch, endlich die heilige Hostie küssen, bevor er dem Diakon den Friedenskuß bietet[27]). Anderswo, wie in Frankreich, wurde in der Regel nur die Hostie geküßt[28]). In England wurde dieser Brauch aber im 13. Jahrhundert als weniger geziemend abgelehnt[29]). Hier und auch teilweise in Frankreich wurde dann an dessen Stelle ein Kuß des Kelchrandes üblich, meist verbunden mit dem Kuß des Corporale oder der Patene[30]), während in Deutschland der Kuß von Altar und Buch vorherrschende Sitte wurde[31]). Auch Altar und Kruzifix werden dafür ge-

---

[27]) Ebner 330 (Cod. Casanat. 614); es geschieht an bestimmten Stellen des Friedensgebetes *Domine Jesu Christe.*

[28]) Joh. Beleth, Explicatio c. 48 (PL 202, 54); Herbert von Sassari, De miraculis (verfaßt 1171) I, 21 (PL 185, 1298 A). Es traten bedeutende Autoritäten für den Hostienkuß ein: Hugo von S. Cher, Tract. super missam (ed. Sölch 49); Albert d. Große, De sacrificio missae III, 21, 5 (Opp. ed. Borgnet 38, 159 f). — Der Brauch blieb in französischen Kirchen über das Mittelalter hinaus bestehen; Ordinarium von Coutances (1557): Legg, Tracts 66; Lebrun I, 518 Anm. c.

[29]) Erstmalig 1217 durch eine Verfügung des Bischofs Richard von Salisbury; Sölch, Hugo 131. — Eine Parallele zu solchen Bedenken bietet die ostsyrische Liturgie, in der zwar auch einmal der Kuß der hl. Hostie angeordnet, aber hinzugefügt wird, daß er ohne Berührung der Lippen, nur andeutungsweise (figuratively) geschehen soll; Brightman 290.

[30]) Meßordo von Sarum (Legg, Tracts 265; Legg, The Sarum Missal 226 Anm. 5); Missale von York (Simmons 112 f). Missale O. Carm. (1935) 317, wo Palla und Kelch geküßt wird. — Nur der Kuß des Kelches ist üblich im jüngeren Dominikanerritus (Guerrini 243); im Liber ordinarius von Lüttich (Volk 96), im Missale von S. Pol de Léon: Martène 1, 4, XXXIV (I, 664). — Vgl. Sölch, Hugo 131 f.

[31]) Dieser Kuß wird angeordnet u. a. im Mainzer Pontifikale um 1170: Martène 1, 4, XVII (I, 602 C); Regensburger Missale um 1500: Beck 269. Vgl. Franz, Die Messe 587 f; Sölch, Hugo 130 ff Anm. 199 u. 207. — Im Norden war es um 1500 mehrfach üblich, Buch und Patene zu küssen; v. Bruiningk 87 Anm. 2; Yelverton 20. Corporale, Patene und Buch nennt das Breslauer Missale von 1476: Radó 163. — Geküßt wurde vor allem die am Schluß des Kanons eingefügte bildliche Darstellung des Herrn (meist das Lamm Gottes), die häufig noch die Spuren dieses Kusses erkennen läßt; Ebner 448 f; Lentze (Anal. Praem. 1950) 132 f. In einem Buchdruckervertrag des Erzbischofs von Upsala vom 23. II. 1508 wird für das Missale eigens ausbedungen: *etiam una crux in margine pro osculo circa Agnus Dei;* J. Freisen, Manuale Lincopense, Paderborn 1904, S. XLVI.

nannt[32]). Die Beteiligung des Volkes blieb, besonders seitdem der Friedenskuß wieder allenthalben über den Kreis der Kommunikanten hinausgriff und zumal seitdem er vom Altare kam, noch durch Jahrhunderte lebendig[33]). Es wird darum die Regel wiederholt, die schon in frühen Quellen begegnet[34]), daß Männer nur Männern und Frauen nur Frauen den Friedenskuß geben dürfen[35]). Diese Regel ließ sich leicht einhalten, wenn, wie es doch meistens der Fall war, in den Kirchen die alte Vorschrift der Trennung der Geschlechter beobachtet wurde[36]).

Dennoch war es, mit unserem Empfinden gemessen, wohl von jeher ein gewagtes Unterfangen, ein Zeichen innigster Vertrautheit, wie es der Kuß ist, nicht bloß im kleinen Kreis einer von hohem Idealismus getragenen jungen Gemeinschaft, sondern als Dauerinstitution in öffentlicher Versammlung anzuwenden. Verhältnisse der antiken Kultur werden dabei in Anschlag zu bringen sein[37]). Jedenfalls hat sich aber in allen christlichen

---

32) Ungarische Missalien des 13. (Radó 62) und des 15. Jh. (Jávor 118); Meßerklärung des Wilhelm von Gouda: Schlager, Franziskan. Studien 6 (1919) 335.

33) Vgl. Franz 587. 594. Im Credo des Armen Hartmann (um 1120) wird Vers 857—859 erwähnt „daz cussen, daz under zwischen zo der misse tunt di lute"; s. R. Stroppel, Liturgie und geistliche Dichtung zwischen 1050 und 1300, Frankfurt 1927, 77 f. — Auch der benediktinische Liber ordinarius von Lüttich (Volk 96) bestimmt wieder: *subdiaconus uni acolythorum (det pacem), ille vero deferat extraneis;* einer *excellens persona* könne der Subdiakon selbst die *pax* überbringen.

34) Oben Anm. 4. Es liegt auf der Hand, daß die alte Regel auch erst auf Grund von Erfahrungen in Aufnahme gekommen ist. Aus einer vorausliegenden Zeit stammt offenbar die Bemerkung bei Tertullian, Ad uxor. II, 4 (CSEL 70, 117), der heidnische Ehemann werde es nicht dulden, daß seine Frau sich irgendeinem Bruder zum Friedenskuß nahe. Vgl. auch oben 401 das Beispiel bei Sophronius, und anderseits die warnenden Bemerkungen schon bei Clemens von Alexandrien, Paedag. III, 81 (GCS Clem. I, 281).

35) So mit besonderem Nachdruck Amalar, Liber off. III, 32, 2 (Hanssens II, 361); aber auch wieder Joh. Beleth, Explicatio c. 48 (PL 202, 54 f); Durandus IV, 53, 9. Die Regel zeigt, daß es sich dabei im allgemeinen um ein wirkliches *osculum oris* gehandelt haben muß. — Die ununterbrochene Übertragung des nun vom Altare kommenden Friedenskusses war damit für Frauen natürlich ausgeschlossen. Nach einem altfranzösischen Brauch gab aber bei der Brautmesse der Priester den Friedenskuß dem Bräutigam, der ihn an die Braut weitergab. P. Doncoeur, Retours en chrétienté, Paris 1933, 119 f.

36) Wie Sölch 133 bemerkt, wurde die Vorschrift schon damals am öftesten in Klosterkirchen durchbrochen.

37) Vgl. J. Horst, Proskynein, Gütersloh 1932, 50 f: Der Kuß hat „in der Antike im allgemeinen eine andere Bedeutung als heutzutage. Er ist unter nichtverwandten Personen viel mehr eine Huldigungsgebärde, keine Zärtlichkeit".

Liturgien im Laufe der Zeit eine Stilisierung durchgesetzt, bei der nur eine diskrete Andeutung des ehemaligen Kusses verblieben ist. Von der byzantinischen Liturgie abgesehen, in der der Kuß auch in der zurückgebildeten Form nur von Zelebrant und Diakon vollzogen wird[38]), ist aber diese andeutende Gebärde in allen Riten des Ostens auch für die Gläubigen beibehalten geblieben. Bei den Ostsyrern ergreift man die Hände des Nachbarn und küßt sie; bei den Maroniten faßt man die Finger des Nächststehenden mit den eigenen Fingern und küßt dann diese. Noch zurückhaltender sind die Kopten, die sich vor dem Nebenmann verneigen und dann dessen Hand berühren, und die Armenier, die sich z. T. mit einer Verbeugung begnügen[39]).

Eine solche Stilisierung liegt nun auch in der gegenwärtigen römischen Liturgie für den Friedenskuß im Hochamt vor, wo er allein noch innerhalb des Klerus geübt wird: als leise Umarmung *sinistris genis sibi invicem appropinquantibus*[40]). Eine andere Stilisierung ist noch für den von der Gesamtgemeinde geübten Friedenskuß von England ausgegangen, das ja auch im Falle des Hostienkusses den feineren Takt bewiesen hat. Es ist der Friedenskuß mittels des *osculatorium*, der oft kostbar ausgestatteten Paxtafel[41]). Sie erscheint zuerst seit 1248 in englischen Diözesanstatuten und verbreitet sich dann allmählich auf dem Festland,

---

[38]) Der Priester küßt die Opfergabe, der Diakon die eigene Stola; Brightman 382 Z. 26. Im Pontifikalritus (und in jedem Falle einer Konzelebration, wie mir Dom Irenäus Doens O. S. B. ergänzend mitteilt) findet aber ein wirklicher Friedenskuß innerhalb des Klerus statt. Man küßt dem Bischof Schultern und rechte Hand, den Archimandriten und Priestern beide Schultern mit den Worten: „Christus ist mitten unter uns“, worauf geantwortet wird: „Er ist es und wird es sein.“ A. v. Maltzew, Liturgikon, Berlin 1902, 232.

[39]) Brightman 584 f; Hanssens, Institutiones III, 317—321. Hier noch weitere Angaben u. a. über die meist etwas reichere Form, in der Zelebrant und Assistenz den Friedenskuß geben, und über begleitende Gebete. — Nach Cl. Kopp, Glaube und Sakramente der koptischen Kirche (Rom 1932) 128, besteht die bei den Kopten heute geübte Form darin, daß jeder nach rechts und links die Hand dem Nachbarn reicht. Nach J. M. of Bute, The Coptic morning service (London 1908) 92, küßt man darauf die eigene Hand. Übrigens scheint die Weise des Friedenskusses im Orient auch sonst nicht nur bei Unierten und Nichtunierten, sondern auch innerhalb der einzelnen Gemeinschaften verschieden zu sein, wie nun ein Vergleich der obigen Angaben mit denen bei Raes, Introductio (1947) 86, anzunehmen nötigt.

[40]) Missale Rom., Ritus serv. X, 8; vgl. Caeremoniale epic. I, 24, 2. — Verschiedene Weisen, wie die angedeutete Umarmung ausgeführt wird, nennt Gavanti-Merati, Thesaurus II, 10, 8 n. XLIII (I, 330).

[41]) Braun, Das christliche Altargerät 557—572; Abbildungen auf Tafel 116—120.

wo aber daneben noch lange die frühere Weise des Friedenskusses in Übung blieb[42]). Karl V. hat sich in seinen Reformbemühungen auch für die Erneuerung des Friedenskusses, *ubi mos eius dandi exolevit,* unter Anwendung der Paxtafel eingesetzt[43]). Der Friedenskuß mit dem *instrumentum pacis* ist dann auch im Missale Pius' V. von 1570 und im Caeremoniale episcoporum von 1600 vorgesehen. Auf diese Weise darf er im Hochamt auch an Laien weitergegeben werden. Außerhalb des Hochamtes, im einfachen Amt wie in der stillen Messe, kommt er sowohl für Kleriker jeden Ranges wie für Laien nur in dieser Form in Betracht[44]). So dürfte der Friedenskuß in den letzten Jahrhunderten ähnlich wie die Inzensierung im Festgottesdienst am öftesten als Ehrenvorrecht von Standespersonen geübt worden sein. Aber gerade in dieser Beschränkung mußte er, da das Prinzip der Weitergabe eine Reihenfolge fordert, zum Anlaß werden, an dem sich unerbauliche Rangstreitigkeiten entzündeten, die mit dem Sinn dieser Zeremonie im grellsten Widerspruch standen. In lebendiger Übung dürfte aus solchen und ähnlichen Gründen der Friedenskuß auch

---

[42]) Das *osculum oris* ist ausdrücklich festgelegt im alten Zisterzienser- und Prämonstratenserritus: *divertat os suum ad diaconum osculans illum ...* Liber usuum c. 53 (PL 166, 1426 C); Waefelghem 87. — Der deutsche Augustiner Joh. Bechofen hat um die Wende des 15. Jh. noch Anlaß, die Paxtafel erst zu empfehlen: *honestior est cautela ut per pacificale sive tabulam imaginem Christi aut sanctorum reliquias continentem fiat, ne sub specie boni aliquid carnalitatis diabolico inflatu surripiat.* Franz, Die Messe 594. Von der nachmaligen Beliebtheit der Paxtafel in Deutschland zeugen u. a. Inventare ermländischer Kirchen, von denen einzelne sechs und acht *pacificalia* aufweisen; Braun 559. — Auch in Rom kam die Paxtafel erst um die Wende des 15. Jh. in Gebrauch, anscheinend durch Johannes Burchard; s. Lebrun 519 f.

[43]) Formula reformationis (1548) tit. 12 (Hartzheim VI, 756; Braun 560). Eingehend besprochen wird der Friedenskuß mittels eines Kreuzes (als Ersatz der Paxtafel) oder eines „Heilthumbs" auch in dem 1535 erschienenen „Keligpuchel" des Bischofs Berthold von Chiemsee. Franz 727.

[44]) Missale Rom., Ritus serv. X, 3; Caeremoniale episc. I, 24, 6. 7. An letzterer Stelle ist zwar nur vom Chor der Kleriker und von den *laici, ut magistratus et barones ac nobiles* als Empfänger der *pax* die Rede; die Bestimmungen des Missale enthalten aber keine Einschränkung. Nach Gavanti-Merati, Thesaurus II, 10, 8 (I, 329), wird das *instrumentum pacis* durch den Subdiakon jenen Laien gereicht, *quos diaconus incensavit,* durch den Akolythen *laicis aliis.* Vgl. oben Anm. 33. — Ph. Hartmann-J. Kley, Repertorium rituum, Paderborn 1940, 477 f, merkt an, daß „wo es Sitte ist, auch die Brautleute, sonst aber nie im Amte Frauen" mittels des Pacificale die *pax* erhalten sollen. Nach dem Ordo des Johannes Burchard (1502) reicht der Ministrant die Kußtafel ohne Einschränkung den *interessentibus missae,* zuerst den Vornehmeren, zuletzt den Frauen. Legg, Tracts 162.

mit der Paxtafel, abgesehen von außerordentlichen Anlässen und einzelnen Gebieten[45]), fast nur mehr in verschiedenen Ordensfamilien sein[46]).

Der Erteilung des Friedenskusses geht heute außer dem *Pax Domini* noch ein besonderes Friedensgebet voraus, das aber von der genannten Ankündigung durch die Mischungsformel und durch das nun auch vom Priester gesprochene *Agnus Dei* getrennt ist. Noch in den karolingischen Quellen des 9. Jahrhunderts folgt der Friedenskuß sofort auf das *Pax Domini*[47]). Das *Agnus Dei* wurde ja noch lange vielfach nur vom Chor gesungen, nicht auch vom Priester gesprochen, bildete also keine Unterbrechung[48]).

Ein Friedensgebet vor der *pax*[49]) fehlt auch in manchen spätmittelalterlichen Meßordnungen noch[50]). Nur die Mischungsformel mußte nach dem *Pax Domini* noch eingeschaltet werden, da letzteres ja mit der vorausgehenden dreifachen Bekreuzung zusammengehen sollte[51]).

---

[45]) Aus der Diözese Valencia in Spanien wird gemeldet, daß sich die Männer noch den „Friedenskuß" geben, den zwei Akolythen vom Zelebranten erhalten und weitergeben. Kramp, Meßgebräuche der Gläubigen in den außerdeutschen Ländern (StZ 1927, II) 361.

[46]) Sölch, Hugo 132, nennt die Dominikaner, Kartäuser und Karmeliten. Auch bei den Kapuzinern ist, wie ich erfahre, die Kußtafel innerhalb der Ordensfamilie in der Messe an Sonn- und Feiertagen in Gebrauch. — In neuerer Zeit ist manchenorts auch bei uns eine Wiederbelebung des Friedenskusses versucht worden; s. etwa Parsch, Volksliturgie 18. 224. — R. B. Witte, Das katholische Gotteshaus, Mainz 1939, 260 f, bespricht unter den Erfordernissen einer Kircheneinrichtung auch das Pacificale.

[47]) Vgl., von Amalar abgesehen, Walafried Strabo, De exord. et increm. c. 22 (PL 114, 950); Expositio ‚Introitus missae quare' n. 15 f (Hanssens, Amalarii opp. III, 320). Auch bei Johannes von Avranches, De off. eccl. (PL 147, 36 f), geht anscheinend nur der Mischungsspruch noch dem Friedenskuß voran.

[48]) Siehe unten.

[49]) Die ursprüngliche Ordnung läßt übrigens meist zuerst den Priester den Altar küssen und dann das Friedensgebet sprechen; s. z. B. die unten Anm. 54 angegebenen Stellen.

[50]) Siehe die steirischen Missalien bei Köck 128. 132; Ordinarium von Coutances (1557): Legg, Tracts 66. — Bei den Dominikanern fehlt es noch heute: Missale iuxta ritum O. P. (1889) 21 f, ebenso wie im Ordinarium von 1256 (Guerrini 243). Das gleiche gilt von den Kartäusern; vgl. auch deren Statuta antiqua: Martène 1, 4, XXV (I, 634 C). — Umgekehrt geht in manchen Meßordnungen nicht nur ein Friedensgebet, sondern auch noch eines der Kommuniongebete dem Friedenskuß voraus; s. z. B. Ebner 299. 338; Martène 1, 4, IV. XV. XXXV f (I, 515. 593. 669. 674).

[51]) Oben 396 f.

Unser Friedensgebet: *Domine Jesu Christe qui dixisti,* erscheint seit dem Beginn des 11. Jahrhunderts, und zwar zuerst auf deutschem Boden[52]); es hat ein älteres Friedensgebet verdrängt[53]), kehrt von da an regelmäßig auch in italischen Meßordnungen wieder[54]) und geht so in das Missale Pius' V. ein. Es ist die erste förmliche Oration des Ordo missae, die sich an Christus wendet. Die Christusanrede, die in anderer Weise auch schon im *Agnus Dei* vorliegt und die sich, offenbar im Hinblick auf die bevorstehende Kommunion, hier durchgesetzt hat, wird auch in den folgenden Kommuniongebeten festgehalten.

Das Friedensgebet ist ein Vorbereitungsgebet des Priesters auf die Erteilung der *pax.* Es setzt bereits den vom Altar ausgehenden und von hier aus sich in der Kirche fortsetzenden Friedenskuß voraus. Darum bittet der Priester den Herrn unter Berufung auf dessen Friedensverheißung (Jo 14, 27), er möge nicht auf seine Sünden sehen, sondern auf die gläubige Gesinnung des zur Kirche versammelten Volkes[55]); er selbst möge ihr ungeachtet der Unwürdigkeit seines Stellvertreters im heiligen Zeichen dieses Kusses Friede und Eintracht schenken. Das Gebet erhält also seinen vollen Klang erst auf dem Untergrund des wirklich vollzogenen Ritus.

Wenn der Friedenskuß ausfiel, so mußte zwar nicht mehr wie ehemals das *Pax Domini*[56]), wohl aber dieses Gebet entfallen[57]). Seitdem die *pax*

---

[52]) Süddeutsches Sakramentar des Cod. 1084 von Bologna, anscheinend aus Regensburg: Ebner 7. Messe des Flacius Illyricus: Martène 1, 4, IV (I, 515 B).

[53]) Dieses tritt zuerst hervor im Sakramentar von S. Amand (Ende des 9. Jh.; Datierung s. Leroquais I, 56. 58; Text s. Netzer 244) und mit besserem Text im Sakramentar von Fulda (10. Jh.), wo es lautet: *Qui es omnium Deus et dominator, fac nos pacificando digne operari in hora ista, amator humanitatis, ut emundatos ob omni dolo et simulatione suscipias nos invicem in osculo et dilectione sancta, in quo manet vera pacificatio et caritas et unitatis coniunctio;* Richter-Schönfelder n. 23. Das Gebet kehrt wieder, zum Teil mit veränderter Anrede (u. a. *Quies omnium)* und mit dem Schluß *Per Christum,* in Meßordnungen des 10. und 11. Jh. aus Frankreich und Italien: Martène 1, 4, VI. VIII. X (I, 534. 540. 551); ebd. 1, 4, 9, 9 (I, 423 D. 425 D); Ebner 4. 301. 338 f; Leroquais I, 162. 171; II, 18. 100. 226. Es ist die schlechte Übersetzung einer Formel aus der griechischen Jakobusliturgie; Brightman 43; vgl. ebd. LIV Z. 18. Eine verkürzte Fassung ist noch heute im Missale von Braga (1924) 326 neben der Formel des römischen Missale zur Wahl gestellt.

[54]) Ebner 297. 299. 301. 307 usw.; Fiala 213.

[55]) Vgl. an früherer Stelle: *quorum tibi fides cognita est* usw.

[56]) Oben 400 mit Anm. 3.

[57]) Diese Regel findet sich so wie heute schon bei Durandus IV, 53, 8 nur auf die Totenmesse angewendet, nicht mehr auf den Gründonnerstag; s. ebd. VI, 75. Vgl. oben Anm. 3.

außerhalb des Hochamtes fast allgemein in Wegfall gekommen ist, stellt das Gebet, mit dem der Priester immer noch um Friede und Eintracht für die Kirche bittet, einen gewissen Ersatz derselben dar. Andere Formulierungen eines solchen Gebetes sind nicht durchgedrungen[58]).

Der Friedenskuß selber geschah noch in karolingischer Zeit, abgesehen vom *Pax Domini*, ohne ein begleitendes Wort[59]). Seitdem er vom Altar ausgeht, ist es dann üblich geworden, daß der Priester mit ihm noch einen besonderen Segenswunsch verbindet. Die älteste Fassung desselben betrachtet den Friedenskuß noch als Vorbereitung auf die Kommunion: *Habete vinculum pacis et caritatis, ut apti sitis sacrosanctis mysteriis*[60]). Die ihn weitergaben und die ihn empfingen, sollten zusammen sagen: *Pax Christi et Ecclesiae abundet in cordibus nostris*[61]). In anderen Fällen wird dieses Wort mindestens als Antwort der *ministri*

---

58) In einigen spätmittelalterlichen Texten spricht der Priester anstatt dessen vor dem Friedenskuß ein Gebet um den äußeren Frieden: *Da pacem Domine in diebus nostris quia non est alius qui pugnet pro nobis nisi tu Deus noster.* Missale von Fécamp (um 1400): Martène 1, 4, XXVII (I, 641); Missale von Barcelona (um 1498): Ferreres S. XXIV. Ebenso im Missale von Evreux-Jumièges (um 1400), wo der Gebetsspruch vorausgeht: *Domine Jesu Christe, qui es vera pax et vera concordia, fac nos tecum participari in hac hora sancta. Amen.* Martène 1, 4, XXVIII (I, 645). Vgl. weiter Alphabetum sacerdotum: Legg, Tracts 48.

59) Nur in der Krankenkommunion, wo der Friedenskuß der Darreichung des Sakramentes unmittelbar vorausging, begegnet manchmal ein Begleitwort, das sich aber von einer unserem *Pax Domini* entsprechenden Einladungsformel herleitet und außerdem zugleich Spendeformel sein könnte; s. die oben 401 f aus dem Dimmabuche angeführte Formel. Im Rituale von St. Florian (ed. Franz, Freiburg 1904, 82) ist die Formel schon bestimmter gefaßt: *Pax et communicatio corporis et sanguinis...* Manchmal folgt eine solche Formel auf die Spendeformel; s. unten 483 Anm. 116. — Im Hintergrunde scheint jene Segnungsformel zu stehen, mit der nach der Expositio der gallikanischen Messe auch der Priester nach dem *Pater noster* das Volk segnen konnte (oben 365 Anm. 8).

60) Missa Illyrica: Martène 1, 4, IV (I, 515 C). Ebenso in verwandten Meßbüchern des 11./12. Jh.: ebd. XV—XVII (I, 593 C. 600 D. 602 C), und in solchen des 11.—13. Jh. aus Italien: Ebner 297. 299. 302. 307. 330 usw. In den nördlichen Ländern scheint man in der Folge vielfach auf eine Formel verzichtet zu haben. Unsere Formel wird hier aber wieder häufig gegen Ende des Mittelalters: Martène XXXII f (I, 657 A. 661 A); Maskell 170 f. So besonders in Skandinavien; Segelberg 257 f. — Im Missale der ungarischen Pauliner-Eremiten (15. Jh.) spricht der Priester nach dem Friedensgebet und vor dem *Habete* noch: *Pax Christi et caritas Dei maneat semper in cordibus nostris. Amen;* Sawicki, De missa conventuali 148.

61) Missa Illyrica: a. a. O. — Ein Salzburger Missale des 12./13. Jh.: Köck 131; für Italien seit dem 11. Jh. s. Ebner 307. 330. 356; Muratori I, 94.

gekennzeichnet[62]) oder es geht auch über in den Mund des Zelebranten, meist verbunden mit dem vorgenannten Wort und mit der Änderung: *in cordibus vestris*[63]). Dann kommt aber das schlichte *Pax tecum* mit der Antwort des Empfängers *Et cum spiritu tuo* mehr und mehr in Übung[64]), der Friedensgruß, wie wir ihn schon aus dem Munde des Heilandes vernehmen.

7. *Agnus Dei*

Wenn die Antwort auf das *Pax Domini* verklungen ist, stimmt nach heutigem Brauch der Chor sofort das *Agnus Dei* an. Der Gesang wird fortgesetzt, während der Priester die folgenden stillen Gebete spricht und während er die Kommunion empfängt, so daß der Eindruck eines Kommuniongesanges entsteht. Anderseits scheint der abschließende Bittruf: *dona nobis pacem,* den Gesang mit dem Friedenswunsch des *Pax Domini* in Verbindung bringen zu wollen. Welches ist der ursprüngliche Sinn des *Agnus Dei?*

---

[62]) Italische Meßordnungen seit dem 11. Jh.: Ebner 299. 302.

[63]) Martène 1, 4, 9, 9 (I, 423 D); ebd. XXXI (I, 652 A); spätmittelalterliche Missalien von Regensburg und Freising: Beck 269. 309. Seit 1510 auch im Augsburger Missale: Hoeynck 375. Ebenso u. a. in Passau: Lentze (Anal. Praem. 1950) 132 f. — Ähnlich in der Meßerklärung des Wilhelm von Gouda: Schlager, Franziskan. Studien 6 (1919) 335.

[64]) Zuerst und als einzige Formel bei Bernold, Micrologus c. 18. 23 (PL 151, 989. 995). Ebenso etwas später in Italien: Ebner 317, um 1290 auch schon an der päpstlichen Hofkapelle: Brinktrine (Eph. liturg. 1937) 207. Sonst meist verbunden mit anderen Formeln (Ebner 336; Köck 131) oder aber in verschiedenen Erweiterungen als Spruch des Zelebranten; so in der dominikanischen Meßordnung von 1256 (Guerrini 243): *Pax tibi et Ecclesiae sanctae Dei;* Missale von Evreux-Jumièges: Martène 1, 4, XXVIII (I, 645 B): *Pax tibi, frater, et universae Ecclesiae Dei.* Ähnlich in Sarum: ebd. XXXV (I, 670 A); vgl. Maskell 170. Auch in nordfranzösischen Meßordnungen des 16. Jh.: Legg, Tracts 48. 66; im Prämonstratenserritus des 16./17. Jh.: Lentze (Anal. Praem. 1950) 133. — In Rouen: *Pax mihi, Domine Jesu Christe, et Ecclesiae sanctae tuae. Et tibi frater.* Martène 1, 4, XXXVII (I, 678 B). — Für eine Erneuerung der *pax* macht A. Beil, Einheit in der Liebe, Kolmar 1941, 106 Anm. 46, den Vorschlag, daß einfach das *Pax tecum* in der Gemeinde weitergesprochen werde. Dabei wäre nach dem oben Gesagten das Weitersprechen auf jeden Fall entbehrlich. Übrigens ist auch die laut gesprochene Antwort auf das *Pax Domini* des Priesters schon eine Zustimmung zum Gedanken des Friedenskusses und ein Friedensgruß mindestens an den Priester.

Über die Einführung des *Agnus Dei* in die römische Messe liegt eine Nachricht des Papstbuches vor: Papst Sergius I. (687—701) habe vorgeschrieben, *ut tempore confractionis dominici corporis ‚Agnus Dei qui tollis peccata mundi miserere nobis' a clero et populo decantetur*[1]). Auch die älteren römischen Ordines lassen den Archidiakon, wenn er die konsekrierten Hostienbrote an die Akolythen verteilt hat und die Brechung beginnen kann, den Sängern das Zeichen zum *Agnus Dei* geben[2]), das die Brechung begleitet[3]).

Das *Agnus Dei* war also ein Brechungsgesang, ein *confractorium*[4]), dazu bestimmt, die mit diesem Vorgang gegebene Pause nach dem *Pax Domini* auszufüllen[5]). Nur am Karsamstag ist es von jeher dafür nicht verwendet worden[6]). Im übrigen behielt es den genannten Charakter, bis die Brechung nach Einführung des ungesäuerten Brotes und der kleinen Partikeln überflüssig wurde. Daß erst Sergius I. diesen Gesang eingeführt haben soll, ist auffällig und ist schon verschiedentlich angezweifelt worden[7]). Sehr viel älter wird das *Agnus Dei* in Rom indes

---

1) Liber pont. ed. Duchesne I, 376.

2) Ordo Rom. I n. 19 (Andrieu II, 101; PL 78, 946); Ordo sec. Rom. n. 13 (Andrieu II, 224; PL 78, 975). Der Zusammenhang ist noch deutlicher im Ordo von S. Amand (Andrieu II, 165): *annuit archidiaconus schola ut dicatur Agnus Dei. Et interim, dum confranguntur, iterum respondent acolythi qui sciffos et amulas tenent: Agnus Dei.*

3) Capitulare eccl. ord. (Andrieu III, 106; vgl. 124): *confrangunt separatim unusquisque in ordine suo, cantantibus omnibus semper: Agnus Dei.* — Zweiter Nachtrag zum Ordo Rom. I (Andrieu II, 131; PL 78, 959): *quod tamdiu cantatur usque dum complent fractionem.*

4) Vgl. oben 375.

5) Nach dem Ordo von S. Amand, in dem das *Agnus Dei* wie sonst als Gesang der Schola vorgesehen ist (oben Anm. 2), sollen außerdem die Priester und Diakone, während sie die Brechung vornehmen, leise Ps 118 beten. — Im Sakramentar des Ratoldus (PL 78, 244 C) und in dem von Echternach (11. Jh.; Leroquais I, 122) erscheint noch ein gallikanisches Brechungsgebet: *Emittere digneris Domine sanctum angelum* ... Vgl. auch Cagin, Te Deum ou illatio 226 ff.

6) Der Grund, der für das Fehlen gewöhnlich angegeben wird, nämlich das hohe Alter der Osternachtmesse, trifft nicht ganz zu. Es ist vielmehr derselbe Grund maßgebend gewesen wie beim Fehlen des *Kyrie* in der gleichen Messe: das *Agnus Dei* ist bereits bei der *litania* gesungen worden; vgl. die alten Karwochenordines XXIV, XXVII und XXVIII (Andrieu III, 296 f. 361. 409; PL 78, 957. 964). — Die Regel ist übrigens nicht überall gehalten, vereinzelt das Gegenteil ausdrücklich vorgesehen worden; s. Breviarium eccl. ord. (Andrieu III, 191); Karwochenordo von Einsiedeln (ebd. III, 273).

7) Z. B. von Silva-Tarouca in der Ausgabe des Ordo „des Johannes Archicantor" (S. 183 f). Silva-Tarouca erwägt die Möglichkeit, daß die Nachricht des Papstbuches lediglich aus einem den Namen von Sergius tragenden, das *Agnus Dei*

nicht sein[8]). Wenn nicht durch Sergius selbst, der syrischer Abstammung war, so wird es doch im späteren 7. Jahrhundert im Zuge der großen Zuwanderung von griechischen Klerikern aus den vom Islam überfluteten Gebieten des Ostens, vor allem Syriens, in die römische Messe gekommen sein[9]); denn, daß wir ein Element aus östlicher Liturgie vor uns haben, liegt auf der Hand. Im Osten ist es seit dem 6. Jahrhundert geläufig geworden, die Brechung der Brotsgestalt als Hinweis auf das Leiden und Sterben des Herrn zu betrachten[10]). Im Osten ist schon seit früher Zeit die Opfergabe der Eucharistie als „Lamm" bezeichnet worden[11]), eine Ausdrucksweise, zu der der Anstoß allerdings schon in der

---

enthaltenden Sakramentar geschöpft sei. — Daß der Verfasser der Mitteilungen über Sergius I. geneigt ist, diesem mehr zuzuschreiben, als ihm zukommt, zeigt seine Angabe, Sergius habe an den vier Marienfesten die Prozessionen eingeführt, während A. Baumstark glaubt feststellen zu können, daß drei von diesen Prozessionen schon früher vorhanden waren. Mohlberg-Baumstark, Die älteste erreichbare Gestalt 155* f. — Für Sergius wird angeführt, daß er das *Agnus Dei* eingeführt haben könnte als Antwort auf das auf der Trullanischen Synode (692) can. 82 (Mansi XI, 977) ergangene Verbot von Darstellungen des Lammes Gottes; vgl. L. Duchesne, Le liber pont. I, 381; K. Künstle, Ikonographie der christlichen Kunst I, Freiburg 1928, 122. 558.

8) Daß ihm in Rom ein anderer Brechungsgesang vorangegangen ist, wie Cagin, Te Deum 231 f. 236. 495, annehmen möchte, ist möglich, läßt sich aber nicht beweisen. Auffällig ist immerhin die oben Anm. 5 erwähnte Verwendung von Ps 118.

9) Vgl. Bishop, Liturgica historica 145 f. — Ein gebürtiger Palästinenser war Papst Theodor I. (642—649).

10) Oben 373 f. Es ist nur die Weiterführung dieses Gedankens, wenn in der byzantinischen πρόθεσις am Beginn der Messe das Herrichten und Zerteilen des Brotes in realistischer Weise als ein θύειν erscheint, bei dem die ἁγία λόγχη gebraucht und außer Jo 1, 29 Worte aus der Leidensprophetie (Is 53, 7. 8) und aus der Leidensgeschichte (Jo 19, 34. 35) gesprochen werden. Brightman 356 f.

11) Oben 47. Diese Ausdrucksweise hängt wohl damit zusammen, daß im Bereich der alten griechischen Kirche dort, wo die lateinischen Väter den generischen Ausdruck *hostia* gebrauchen, leicht das konkretere ἀμνός, ἀρνίον gesetzt wird; das Lamm war ja das gewöhnlichste Opfertier der Antike. Origenes, In Joh. hom. X, 12, al. 17 (PG 14, 336 B): Ist nicht dies (die Eucharistie) das Fleisch des Lammes, das die Sünde der Welt hinwegnimmt? — Gregor von Nyssa, In Christi resurr. hom. 1 (PG 46, 601 C): Isaak war wie Christus Eingeborener und Lamm zugleich. — Chrysostomus, In I Cor. hom. 41, 4 (PG 61, 361): Im Fürbittengebet treten wir hin, indem wir das Lamm bitten, das daliegt. Weitere Stellen bei A. Nägle, Die Eucharistielehre des hl. Johannes Chrysostomus, Freiburg 1900, 153 f. — Passio Andreae (Lipsius-Bonnet, Acta apost. apocrypha II, 1, S. 13 f): Dem allmächtigen, einen und wahren Gott opfere ich täglich ... ein makelloses Lamm, das, wenn das ganze gläubige Volk sein Fleisch gegessen und sein Blut getrunken hat, unversehrt und lebendig fortdauert.

Apokalypse des hl. Johannes gegeben war[12]). Hier, besonders in der Liturgie der Westsyrer, finden sich, wenigstens zum Teil schon aus jener frühen Zeit stammend, liturgische Texte, die im Hinblick auf das Sakrament und namentlich während der Brechung vom Lamm Gottes sprechen, das die Sünde der Welt hinwegnimmt[13]).

Aus dem Gesagten ergibt sich zugleich, daß die Anrede an das Lamm Gottes offenbar nicht Christus schlechthin, sondern den in der Eucharistie als Opfergabe gegenwärtigen Christus meint, in ähnlicher Weise, wie es gemeint ist, wenn der Priester vor der Spendung des Sakramentes dieses vor den Gläubigen erhebt mit den Worten: *Ecce agnus Dei.* Das wäre im Rahmen der stadtrömischen Liturgie des ersten Jahrtausends, die in ihrem ganzen gewaltigen Gebetsschatz kaum in einer einzigen Ausnahme von der Gottesanrede auch nur zur Anrede an den himmlischen Christus herabsteigt, vielleicht verwunderlich, wenn es sich um eine förmliche Oration im Munde des Priesters, nicht um ein hymnisches Element handelte, das zunächst der Gemeinde zukommt. Im Gebetsanteil der Gemeinde hat die römische Messe schon früher das *Kyrie eleison* aufgenommen und in gleicher Zuteilung nimmt sie hier das *Agnus Dei* auf. Es ist an einem Ruhepunkt zwischen Wandlung und Kommunion die huldigende und zugleich demütig bittende Begrüßung dessen, der unter der Brotsgestalt gegenwärtig geworden ist — in ähnlichem Sinn, wie ein halbes Jahrtausend später, getragen von einer neuen Welle eucharistischer Inbrunst, unmittelbar nach dem Augenblick der Wandlung vor der erhobenen Brotsgestalt die Hymnen ertönen, die nun allerdings nicht nur aus lateinischem Sprachgefühl, sondern auch aus einer neuen Haltung dem Sakramente gegenüber entsprungen sind: *Ave verum corpus, O salutaris hostia*[14]). Für die innere Verwandtschaft der beiden Szenen ist es bezeichnend, daß die ersten Anfänge jener jüngeren Riten der Huldigung vor dem Sakrament, die sich dann zu den Wandlungs-

[12]) Apok 5, 6 ff: ἀρνίον ἑστηκὸς ὡς ἐσφαγμένον; vgl. dazu Th. Schermann, Die allgemeine Kirchenordnung II, Paderborn 1915, 403—405, wo von hier aus im Sinne der ältesten Kirche der Opfercharakter der Eucharistie beleuchtet wird.

[13]) Oben 373 f. — Jungmann, Die Stellung Christi 229 f. Die ägyptische Gregoriusanaphora, die um das 6. Jh. auf syrischem Boden entstanden sein muß (ebd. 201), enthält zwischen Eucharistiegebet und Kommunion auch ein Gebet, das mit der Anrede an das Lamm Gottes beginnt: Ὁ ἀμνὸς τοῦ θεοῦ ὁ αἴρων τὴν ἁμαρτίαν τοῦ κόσμου; Renaudot I (1847) 110. Die gleiche Anrede, verbunden mit dem *miserere nobis,* aber ohne Beziehung zur Eucharistie, ist allerdings viel früher auch schon im *Gloria in excelsis* vorhanden, und zwar auch mit Wiederholung desselben Rufes, so daß man von einer Art Litanei sprechen kann, die hier wie im *Agnus Dei* vorliegt; vgl. oben I, 454 f.

[14]) Oben 268 f. — Die Unterschiede betont O. Casel, JL 7 (1927) 183.

gebräuchen entwickelt haben, im 12. Jahrhundert zunächst beim *Agnus Dei* ansetzen[15]). Anderseits ist der Ausdruck huldigender Begrüßung später vielfach beim *Agnus Dei* auch dadurch verstärkt worden, daß der Priester die beiden Hälften der Hostie nach der Brechung nicht niederlegte, sondern bis zur Kommunion über den Kelch erhoben hielt[16]) oder daß er doch nach weitverbreitetem Brauch die für die Mischung bestimmte Partikel während des *Agnus Dei* noch über dem Kelch in Händen hatte[17]).

Das *Agnus Dei* wurde nach dem Papstbuch von Klerus und Volk gesungen. Daß es wenigstens an manchen Orten von jeher auch der Priester gesprochen habe, ist äußerst unwahrscheinlich. Einzelne dahin weisende Anzeichen halten einer näheren Prüfung nicht stand[18]). Die meisten älteren Sakramentare, die ja in der Regel nur die Gebetstexte des Zelebranten bieten wollen, enthalten das *Agnus Dei* nicht. Das ist so noch bis ins 11. Jahrhundert hinein[19]). Erst seit dieser Zeit erscheint es in den Sakramentaren regelmäßig und mit allen Anzeichen, daß es auch

---

15) Oben 256 Anm. 22.

16) Unten 436. — Daß man die Zeremonie auch so verstanden hat, zeigt der Satz aus einer Dominikanerquelle, den Martène 1, 4, 9, 4 (I, 420 B) mitteilt: *Datum est Ordini nostro, ut in missa post Agnus Dei ante communionem tenerent fratres hostiam elevatam super calicem, ut sic adoraretur ab universo populo tamquam verum corpus et sanguis Christi.* — Vom *Agnus Dei* nur durch die Mischungsformel getrennt, enthält das Missale von Westminster ed. Legg (HBS 5) 517 eine hieher gehörige *oratio singulis dicenda* mit dem Anfang: *Adoramus sanctum corpus tuum atque sanctum sanguinem tuum, Domine Jesu Christe, cuius effusione omnes redempti sumus, tibi gloria...*

17) Oben 398.

18) Einzelne Hss des Gregorianums führen am Ende des Kanons nach dem *Pax Domini* auch das *Agnus Dei* an; Botte 50. Doch kann diese Anführung auch lediglich denselben Sinn haben, wie die Aufzählung der einzelnen zur Meßordnung gehörigen Stücke: Introitus, *Kyrie* usw., vor dem Kanontext des Gregorianums; Lietzmann n. 1. — Im Ordo ‚Qualiter quaedam' (Andrieu II, 304 f; vgl. PL 78, 284. 984) ist die Fortsetzung der oben 388 Anm. 13 zitierten Stelle zwiespältig überliefert. Einmal heißt es: *(...mos est.) Dum confringunt, Agnus Dei dicit* (sc. *pontifex;* eine Hs aber: *dicitur),* als ob der zelebrierende Papst das *Agnus Dei* spräche. Daneben steht jedoch, ebensogut bezeugt: *mos est, dum confringunt et Agnus Dei dicunt,* wobei als Subjekt (gegen Andrieu II, 264 Anm. 4 nicht die vorher genannten *ceteri sacerdotes,* sondern) die die Brechung, bzw. den Gesang besorgenden Kleriker vorauszusetzen sind.

19) Die sonst so wortreiche Missa Illyrica erwähnt es nicht: Martène 1, 4, IV (I, 515); ebensowenig die Meßordnung von Séez: PL 78, 250. Auch Bernold, Micrologus c. 23 (PL 151, 995), nennt es nicht unter den Texten, die vom Priester zu sprechen sind. Doch liegen auch vor dem 11. Jh. einzelne Beispiele vor, in denen der Priester das *Agnus Dei* spricht; s. oben 398 Anm. 58.

vom Priester zu sprechen war[20]). Dagegen sprechen die älteren Quellen mehrfach ausdrücklich vom Gesang des Volkes oder des den Altar umgebenden Klerus[21]). Der *chorus* oder, was dasselbe ist, der *clerus* wird naturgemäß in vielen Fällen der Hauptträger gewesen sein, der darum auch schon in der Frühzeit manchmal allein genannt wird[22]).

Es ist schon eine Verfeinerung, die der großen Pontifikalliturgie angehört, wenn nach dem Ersten römischen Ordo die Schola das *Agnus Dei* übernommen hat. Damit ist allerdings noch nicht gesagt, daß sie es allein zu bestreiten hatte, wie dies später der Fall gewesen ist[23]). Es kann sich um ein Anstimmen und um ein Abwechseln mit dem übrigen Klerus und dem Volk handeln, ähnlich wie bei der *litania*[24]), deren Stilform unser Gesang ja teilt, und wie bei dieser konnte der Gemeinde entweder die Wiederholung der ganzen Anrufung oder nur die des jedesmaligen Bittrufes *miserere nobis* zukommen[25]). Jedenfalls ist das *Agnus Dei* außerhalb des päpstlichen Stationsgottesdienstes weithin Volksgesang gewesen.

---

[20]) Vgl. unten Anm. 28. — Dabei verrät sich eine gewisse Unsicherheit, wo der Priester diese inzwischen zum Kommunionlied gewordenenen Worte einzuschalten habe, darin, daß das *Agnus Dei* in einem mittelitalischen Sakramentar des 11. Jh. erst auf die Kelchkommunion folgt (Ebner 299). — Durandus IV, 52, 3 bespricht nur mehr eine Verschiedenheit der dabei eingenommenen körperlichen Haltung: manche sprechen es *manibus super altere depositis,* also mit auf dem Altar ruhenden Händen, andere *manibus iunctis, parum super altare inclinati.* Der in letzterer Haltung liegende Ausdruck demütiger Bitte ist für den Anfang des Gebets auf das Missale Romanum übergegangen. Das Klopfen an die Brust ist jedoch bei Durandus noch nicht erwähnt. Es erscheint im Ordo Stefaneschis (um 1311) n. 71 (PL 78, 1190 C).

[21]) Remigius von Auxerre, Expositio (PL 101, 1270 D): *Inter haec* (Friedenskuß) *cantatur ab omnibus et cantando oratur dicentibus: Agnus Dei.* — Ein mittelitalisches Sakramentar vom Ende des 11. Jh. (Ebner 301): *Interea... chorus sive alii circumstantes dicant Agnus Dei tribus vicibus.* — Sicard von Cremona, Mitrale III, 8 (PL 213, 139).

[22]) Expositio ‚Primum in ordine' (9. Jh.; PL 138, 1185 f); Hildebert von Le Mans, Versus (PL 171, 1192 B). Vgl. Sakramentar des Ratoldus († 986) (PL 78, 244 B): *annuente episcopo dicat cantor Agnus Dei.* In späterer Zeit wird allgemein nur mehr der *chorus* genannt; siehe z. B. Johannes von Avranches, De off. eccl. (PL 147, 37 C); Innozenz III., De s. alt. mysterio VI, 4 (PL 217, 908); vgl. Durandus IV, 52, 3 f.

[23]) Ordo Rom. Benedikts (12. Jh.) n. 40 (PL 78, 1040); vgl. Ordo ‚In primis' der Bischofsmesse (Andrieu II, 335; PL 78, 990).

[24]) Oben I, 433 ff. — Vgl. die Angaben des Capitulare und des Ordo von S. Amand (oben Anm. 2 f).

[25]) Ein Respondieren auf den Gesang der Schola (durch Akolythen) ist ausdrücklich bezeugt durch den Ordo von S. Amand (oben Anm. 2) und ähnlich durch den Karwochenordo von Einsiedeln (Andrieu III, 273).

Darum ist die älteste Singweise, diejenige, die noch heute in Ferial- und Requiemsmessen gebraucht wird, äußerst einfach. Erst seit dem 11./12. Jahrhundert kommen neue, reichere Melodien hinzu[26]), ein Zeichen, daß der schlichte Hymnus nun auf die Sängerschaft übergegangen ist[27]). Bald nach dieser Zeit mehren sich die Nachrichten, daß auch der Priester am Altar das *Agnus Dei* spricht[28]).

Das *Agnus Dei* hat frühzeitig seine ursprüngliche Bestimmung verloren, da die Brechung ja seit dem 9./10. Jahrhundert mehr und mehr in Wegfall gekommen ist. Bis in diese Zeit erscheint es tatsächlich in der genannten Funktion[29]). Um dieselbe Zeit treffen wir es aber an anderen Stellen auch schon als Gesang, der die *pax* begleitet[30]) oder auch kurzerhand schon als Kommuniongesang[31]). Wenn vereinzelt auch später noch eine Brechung geübt wird, steht sie mit dem *Agnus Dei* nicht mehr in innerer Verbindung[32]).

---

[26]) Wagner, Einführung I, 116; Ursprung, Die kath. Kirchenmusik 57.

[27]) Teilweise muß dies schon im 10. Jh. der Fall gewesen sein, da schon hier die ersten *Agnus-Dei*-Tropen einsetzen. Blume-Bannister, Tropen des Missale I (Analecta hymnica 47) S. 373 ff.

[28]) Liber usuum O. Cist. (bald nach 1119) c. 53 (PL 166, 1426 C). Ein Missale aus Köln von 1133 und andere Meßbücher derselben Zeit bei Lebrun, Explication I, 509 f. — Ordinarium O. P. von 1256 (Guerrini 243) und Lütticher Liber ordinarius (Volk 96): außer Diakon und Subdiakon sprechen es hier auch zwei Akolythen mit. Bemerkenswert ist im gleichen Ordinarium O. P. (243 f) die Bestimmung, daß, während das *Agnus Dei* gesungen wird, die *pax* nicht weitergegeben werden soll.

[29]) Breviarium eccl. ord. (Andrieu III, 183); Amalar, Liber off. III, 33, 1 (Hanssens II, 361); Walafried Strabo, De exord. et increm. c. 22 (PL 114, 950); Ordo sec. Rom. n. 13 (Andrieu II, 224; PL 78, 975). Auch noch in der älteren Fassung der griechischen Petrusliturgie (Codrington 136), d. h. gegen die Mitte des 10. Jh. in einer mittelitalischen Vorlage (ebd. 106).

[30]) Rabanus Maurus, De inst. cler. I, 33 (PL 107, 324 B); Florus, De actione miss. c. 89 f (PL 119, 71 C); Remigius von Auxerre, Expositio (PL 101, 1270).

[31]) Breviarium eccl. ord. (Ende des 8. Jh.; Andrieu III, 191): am Karsamstag *ad communionem;* Expositio ‚Quotiens contra se' (Anfang des 9. Jh.; PL 96, 1500 C): *inter communicandum;* Expositio ‚Primum in ordine' (Anfang des 9. Jh.; PL 138, 1185 C); Expositio ‚Dominus vobiscum' (PL 138, 1173 C); Ordines ‚In primis' und ‚Postquam' der Bischofsmesse (9./10. Jh.; Andrieu II, 335. 362; PL 78, 990. 994); revidierte Fassungen der Petrusliturgie (Codrington 144 Z. 3; 153 Z. 15; 162 Z. 20); Ivo von Chartres († 1117), De conven. vet. et novi sacrif. (PL 162, 560 B); Innozenz III., De s. alt. mysterio VI, 4 (PL 217, 909); Durandus IV, 52, 1.

[32]) Das ist der Fall z. B. im Ordo eccl. Lateran. (Fischer 48): an Kommuniontagen sollen die Priester nach dem (ersten) *Agnus Dei* die *oblatae* teilen.

Was den Wortlaut des Gesanges betrifft, der aus dem Zeugnis des Täufers (Jo 1, 29) geschöpft ist, so fällt zunächst die Vokativform *agnus* auf. Sie entspricht einem grammatischen Gesetz, das in vielen Sprachen wirksam ist: religiöse Begriffe neigen dazu, aus einem Gefühl der Ehrfurcht heraus als indeklinabel behandelt zu werden[33]). Für das biblische *peccatum* ist der sachlich darin enthaltene Plural eingesetzt: *peccata* (vgl. Is 53, 5. 7), und wie in anderen Fällen ist mit der Anrede nur die eine, alles umfassende Bitte *miserere nobis,* nun in lateinischer Sprachform, verbunden.

Ursprünglich wurde einfach derselbe eine Vers so lange wiederholt, als es nötig war[34]), ähnlich wie ja auch das *Kyrie eleison,* immerhin zusammen mit dem *Christe eleison,* beliebig lang wiederholt werden konnte[35]). Seitdem das durch die Brechung gegebene Zeitmaß weggefallen ist, kommt für den Gesang, den man doch nicht mehr missen mochte, allmählich die geheiligte Dreizahl in Geltung. Die ersten vereinzelten Zeugnisse dafür beginnen noch im 9. Jahrhundert[36]). So ist ein Hymnus entstanden von wenigen Worten, aber von gewaltiger Wucht, der sich, zumal im Rahmen, in dem er erscheint, wohl mit den Hymnen der Apokalypse messen kann. Das Lamm, das unsere Opfergabe ist und unsere Speise wird, in dem das Paschalamm des Alten Bundes seine Erfüllung und Übererfüllung gefunden hat, ist das triumphierende Lamm der Weltvollendung, das die Schicksalsbücher der Menschheit öffnet, und wie ihm aus der himmlischen Kirche die Dankgesänge der Auserwählten entgegentönen, so steigen zu ihm die Bittrufe empor aus der Gemeinde der Erlösten, die noch auf Erden pilgert. Das alles zeichnet sich noch deutlicher ab, wenn wir den soeben in Brechung und Mischung erfolgten symbolischen Hinweis auf Leiden und Auferstehung des Herrn beachten.

Das Wort der Bitte lautete, so wie noch heute in der Laterankirche, ursprünglich jedesmal unverändert: *miserere nobis.* Vereinzelt im 10.[37])

---

[33]) Hinweis von Prof. W. Havers. Vgl. den Vokativ *Deus,* den Begriff *sancta* (oben I, 92). — Als Ausnahme ist uns oben I, 449 der Vokativ *agne Dei* begegnet.

[34]) Oben Anm. 3.

[35]) Oben, I, 437 f.

[36]) Meßordo von Amiens (2. Hälfte des 9. Jh.) ed. Leroquais (Eph. liturg. 1927) 443. — Weitere Belege aus dem 10./11. Jh. sind gesammelt bei Codrington, The Liturgy of St. Peter 54. — Auch bei Johannes von Avranches, De off. eccl. (PL 147, 37), kann nur ein zweimaliges Wiederholen gemeint sein, also nicht ein zweimaliges, sondern ein dreimaliges Singen.

[37]) *Agnus-Dei*-Tropen mit der Schlußanrufung *dona nobis pacem* in Troparien des 10. Jh. aus S. Martial, aus Winchester und aus Reichenau; Blume-

und immer öfter seit dem 11. Jahrhundert setzt man an dritter Stelle — ausgenommen vielfach am Gründonnerstag[38]) — dafür ein: *dona nobis pacem*[39]). Das Zusammengehen des Gesanges mit dem Friedenskuß[40]) wird den ersten Anstoß zu dieser Änderung gegeben haben. Zeiten äußerer Drangsal, wie sie oft wiederkehren, haben dann wohl zum Festhalten an dieser Friedensbitte geführt[41]). Ja man hat wohl auch das ganze *Agnus Dei* als Friedensruf aufgefaßt und hat so die Bitte um den äußeren Frieden an die Bekräftigung des inneren Friedens, die in der Zeremonie des Friedenskusses lag, angeschlossen[42]) oder man hat an das *dona nobis pacem* noch einen besonderen Gebetsakt zur Erlangung des Friedens angefügt, wie es für eine bestimmte Zeit die Salzburger Synode von 1281 vorschreibt[43]), oder — als Nachhall aus Kreuzfahrerzeiten — ein Gebet um die Befreiung des Heiligen Landes, wie dies in England bezeugt ist[44]). Die eine Abänderung des *miserere* hat bald zu einer

---

Bannister, Tropen des Missale I, S. 373. 385 (n. 385 cod. A. B. C. Y; n. 419 cod. A) usw.

38) Durandus IV, 52, 4. — Spätere Beispiele bei Ferreres S. XXX. 178. Der Grund für das Entfallen des Friedensrufes lag, wie die Rubriken bei Ferreres a. a. O. zeigen, darin, daß hier auch die *pax* ausfiel; vgl. auch Gerbert, Vetus liturgia Alemannica I, 381 f. Im Missale Romanum ist offenbar die Rubrik *Agnus Dei dicitur de more* gegen diese Ausnahme gerichtet.

39) Leroquais I, 162. 197. 232. — Ivo von Chartres († 1117), De conven. vet. et novi sacrif. (PL 162, 560 C). — Ein Meßordo des 11. Jh. aus Bologna und die auf beneventanischen Brauch gegen Ende des 10. Jh. zurückgehende georgische Fassung der griechischen Petrusliturgie hat das *dona nobis pacem* beim zweiten *Agnus Dei;* Codrington 54. 162.

40) Oben 419.

41) Siehe die Begründung bei Innozenz III., De s. alt. mysterio VI, 4 (PL 217, 908 D).

42) Vgl. Missale von Remiremont (12. Jh.): Martène 1, 4, 9, 9 (423 C), wo das Gebet des Priesters zum Friedenskuß als Einleitung zum *Agnus Dei* aufgefaßt ist. Von den zwei dafür vorgesehenen Formeln schließt die erste: ... *et praesta ut cum fiducia audeamus dicere: Agnus Dei.*

43) can. 16 (Mansi XXIV, 402): es soll das betreffende Jahr hindurch überall vom Klerus nach dem dritten *Agnus Dei* Ps 3 mit Vaterunser, Versikeln und der Oration *Deus a quo sancta desideria* gebetet werden. Vgl. die verwandten Einschaltungen vor dem Embolismus, oben 361 ff.

44) Ein Missale von Sarum bei Martène 1, 4, 9, 5 (I, 421): es sollen *a prostratis* Pss 78. 66. 20 mit *preces* und drei Orationen gesprochen werden. Ähnlich, aber schon nach dem *Pater noster* eingeschaltet, in einem St. Lambrechter Missale des 14./15. Jh.; Köck 50. Vgl. oben 362 f. — Ähnliche Gebete nach dem *Agnus Dei* kennt Martène (a. a. O.) in französischen Kirchen des späten Mittelalters.

zweiten geführt. In Totenmessen wird schon im 11. Jahrhundert dafür gesetzt: *dona eis requiem*, an dritter Stelle *requiem sempiternam*[45]).

Daß man bestrebt war, dem Gesang des *Agnus Dei* ein besonderes Gewicht zu geben, kommt auch in der Vorschrift zum Ausdruck, man solle es *non continuo, sed interpolate ac seiunctim cum oratione interposita* singen oder beten[46]). So wurde vielfach[47]) und wird bei den Kartäusern noch heute[48]) nach dem *Pax Domini* nur ein *Agnus Dei* gesungen, das zweite und dritte erst nach der Kommunion. Das *Agnus Dei* wird so, sofern eine Kommunion der Assistenz und des Volkes sich anreiht, in noch höherem Grade zu einem Kommuniongesang, an den sich die Communio des Propriums als Fortsetzung anschließt[49]).

Wie andere Gesänge des Meßordo ist auch das *Agnus Dei*, besonders seit dem hohen Mittelalter, reichlich mit Tropen übersponnen worden, die uns die Gedanken erkennen lassen, die man mit diesem Gesang damals verbunden hat[50]).

---

[45]) Joh. Beleth, Explicatio c. 48 (PL 202, 55). Das *dona eis requiem sempiternam* vermerkt Leroquais I, 162 aus dem Sakramentar von Soissons (11. Jh.).

[46]) Joh. Beleth, Explicatio c. 48 (PL 202, 55 A). Ähnlich eine anscheinend ältere Quelle bei Martène 1, 4, 9, 4 (I, 419 E): *mixtim cum privata oratione.* Der Liber ordinarius von Lüttich (Volk 103) spricht von einem *Pater noster quod a singulis dicitur inter primum et secundum Agnus.*

[47]) Ordo eccl. Lateran. (Fischer 85 f); vgl. auch schon die Aufteilung im Missale von Remiremont (12. Jh.): Martène 1, 4, 9, 9 (I, 423 CD). — In der Kathedrale von Tours mußten nach der Kommunion *clericuli* das (zweite) *Agnus Dei* anstimmen; Martène 1, 4 XIX (I, 606 E); vgl. XXII (612 E). — Nach der Meßordnung des Klosters Bec spricht der Priester zwischen dem ersten und dem zweiten *Agnus Dei* das Mischungsgebet; Martène 1, 4, XXXVI (I, 674 C).

[48]) Vgl. Martène 1, 4, 9, 4 (I, 419 f); ebd. 1, 4, XXV (I, 634 D). Ordinarium Cart. (1932) c. 27, 14. Auch der Zelebrant spricht das zweite und dritte *Agnus Dei* erst nach der Kommunion; ebd. c. 27, 17. — Eine Spur davon auch im Ritus von Lyon (Buenner 256. 281 ff): Einschaltung des *Venite populi* nach dem ersten *Agnus Dei.* Bis 1780 wurde übrigens in der nichtpontifikalen Liturgie von Lyon überhaupt nur ein *Agnus Dei* gesungen; Buenner 280 f.

[49]) Vgl. oben 419. — Ordo eccl. Lateran. (Fischer 86; vgl. 12). So auch schon um 900 der Ordo ‚In primis' der Bischofsmesse (Andrieu II, 335; PL 78, 990 A).

[50]) Blume-Bannister, Tropen des Missale I, S. 373—405. Es werden hier 86 Nummern aufgeführt, meist aus drei Versen, vielfach Hexametern, bestehend, von denen je ein Vers jedesmal zwischen der Anrede und dem Bittruf *miserere nobis,* bzw. *dona nobis pacem* einzufügen war. Demgemäß ist der Inhalt meist eine Erweiterung der Anrede, in der Weise, daß Eigenschaften und Ruhmestitel der Gottheit wie der erlösenden Menschheit in Christus hervorgehoben werden. Ein im 10. Jh. erscheinender weitverbreiteter Tropus lautet:

8. Abschlüsse vor der Kommunion

Mit dem *Agnus Dei* schließt in vielen Sakramentaren des früheren Mittelalters der Meßordo, soweit nämlich nicht schon das *Pax Domini* diesen Schluß gebildet hat. Denn was nach älterer Weise im Gang der Messe an priesterlichen Gebeten noch folgte, war lediglich nach der Kommunion noch die Postcommunio, die als wechselnder Text nicht mehr dem Meßordo angehörte.

Damit bildete das *Agnus Dei* nach der Auffassung jener und der folgenden Zeit zugleich den Schluß des Kanons, den Endpunkt, an dem der Priester aus dem innersten Heiligtum der Opfer- und Gedächtnisfeier wieder hervortrat. Da das *Te igitur* durch lange Zeit erst beginnen durfte, wenn *Sanctus* und *Benedictus* verklungen waren, war das *Agnus Dei* nach dem Beginn des Kanons der erste Gesang, der, von den Schlußformeln und dem *Pater noster* des Priesters abgesehen, wieder die Stille durchbrach. Noch die Trierer Synode von 1549 wendet sich dagegen, daß nach der Wandlung bis an diese Stelle irgendwelche Antiphonen gesungen werden[1]; auch die Orgel soll bis zum *Agnus Dei* schweigen und alle sollen auf den Knien oder auf dem Boden hingestreckt *silenter* des Leidens Christi gedenken[2].

In der Gegend des *Agnus Dei* lag aber oft noch in einem anderen, tiefer greifenden Sinn und schon in früherer Zeit der Schluß der Messe. Als nämlich die allgemeine Beteiligung an der Kommunion nicht mehr selbstverständlich war, dachte anscheinend zunächst niemand daran, die Nichtkommunikanten gleichwohl zum Bleiben während des Kommunionvorganges zu veranlassen. In der gallischen Liturgie bildete der feierliche Segen nach dem *Pater noster* einen deutlichen Schlußpunkt, ja eine Art förmliche Verabschiedung der nichtkommunizierenden Gläubigen, die auch als solche verstanden wurde[3]. Die Formen waren in Rom nüchterner,

---

Agnus Dei... mundi. Qui patris in solio residens per saecula regnas — miserere nobis.

Agnus Dei... mundi. Tu pax, tu pietas, bonitas, miseratio, Christe — miserere nobis.

Agnus Dei... mundi. Singula discutiens cum sederis arbiter orbis — miserere nobis.

Blume 374 (n. 386). — Ein frühestes Beispiel wird schon zitiert in der auf Amalar fußenden Meßerklärung ‚Missa pro multis' c. 18 (Hanssens, Amalarii opp. III, 314): *Qui resurrexisti, Agnus Dei consecratus et vivificatus.*

[1]) Vgl. auch oben I, 164 Anm. 121; 176 Anm. 37.

[2]) can. 9 (Hartzheim VI, 600).

[3]) Vgl. oben I, 308; II, 365.

aber die Anschauungen waren dieselben. Im 6. Jahrhundert war es schon eingelebter Brauch, daß der Diakon vor der Kommunion rief: *Si quis non communicat, det locum*, d. h. die Nichtkommunikanten mögen Platz machen, was praktisch darauf hinauskam, daß sie sich zu entfernen hatten[4]). Denn bei der römischen Weise, die Kommunion nicht vor dem Altar an die herankommenden Gläubigen, sondern im Schiff der Kirche an alle Anwesenden auszuteilen, war eine andere Lösung nur schwer möglich.

Es ist nur eine folgerichtige Weiterführung dieser Ordnung, wenn wir aus anderen römischen Quellen des 7. und 8. Jahrhunderts erfahren, daß man Verkündigungen über den nächsten Stationsgottesdienst, über einfallende Märtyrerfeste und Fasttage und über andere kirchliche Gegenstände nach dem *Pax Domini* vornahm, und zwar entweder überhaupt vor Beginn der Kommunion[5]) oder, nachdem der Zelebrant kom-

---

[4]) Gregor d. Gr., Dial. II, 23 (PL 66, 178 f), erzählt nämlich im Leben des hl. Benedikt von zwei Nonnen, die ihrer Zunge trotz der Drohung des Heiligen, sie von der Kommunion auszuschließen, keine Zügel angelegt hatten und so gestorben und in der Kirche begraben worden waren, und die jemand nun jedesmal, wenn der genannte Ruf erscholl, aus dem Grabe hervorgehen und mit den anderen die Kirche verlassen sah. Die Stelle ist vielfach falsch erklärt worden, als ob es sich hier um eine Büßerentlassung (vor der Opfermesse) handeln müßte; so z. B. F. Probst, Die abendländische Messe vom 5.—8. Jahrhundert, Münster 1896, 115. Auch der Hinweis auf den ähnlich lautenden Ruf: οἱ ἀκοινώνητοι περιπατήσατε, bei Timotheus von Alexandria († 385), Responsa canonica (PG 33, 1301 C), wo vom Entlassungsruf vor Beginn der Eucharistia die Rede ist, betrifft nur eine äußerliche Parallele. Daß es sich in unserem Fall vielmehr um einen Ruf vor der Kommunion an die Nichtkommunikanten handelt, zeigt besonders die Fortsetzung der Erzählung: Als Benedikt für die beiden Nonnen eine Oblation sandte und diese dargebracht war und als nun wieder der Ruf ertönte, *et a diacono iuxta morem clamatum est ut non communicantes ab ecclesia exirent*, blieb der geheimnisvolle Vorgang aus. Vgl. Jungmann, Die lateinischen Bußriten 23 f. — Der Ruf wird bekanntlich im Pontificale Romanum unter den Aufgaben des Exorzisten angeführt. Wie es dazu kam, ist nicht aufgeklärt; s. de Puniet, Das Römische Pontifikale I, 141 f.

[5]) Im jüngeren Gelasianum (Mohlberg n. 1566): *Post haec commonenda est plebs pro ieiuniis primi, quarti, septimi, et decimi mensis temporibus suis, sive pro scrutiniis vel aurium apertione sive orandum pro infirmis vel ad nuntiandum natalicia sanctorum. Post haec communicat sacerdos cum ordinibus sacris et cum omni populo.* Übereinstimmend das ältere Gelasianum III, 16 (Wilson 236). Vgl. die weiteren Hinweise bei Martène 1, 4, 9, 7 (I, 422 C) und bei Mohlberg-Manz n. 1566. Die Formel, die sonst in der fränkischen Überlieferung rasch verschwunden ist, findet sich noch im Sakramentar von Reims aus dem 10. Jh.; U. Chevalier, Sacramentaire et martyrologe de l'abbaye de S.-Remy (Bibliothèque liturg. 7), Paris 1900, 344 f.

muniziert hatte, vor der Kommunion der Gemeinde[6]), also auch vor dem *Agnus Dei*, soweit dies Kommuniongesang geworden war[7]).

Zur Kommunion blieben dann in Rom ebenso wie im gallischen Liturgiebereich nur mehr diejenigen zurück, die wirklich kommunizierten. Versuche, eine strengere Auffassung in die Wege zu leiten und die Anwesenheit des Volkes auch bei der Kommunion zu veranlassen, treten zuerst in Spanien hervor[8]). Diese Auffassung setzt sich dann im Frankenreich durch im Zusammenhang mit der Annahme der römischen Liturgie. In den gelasianischen Sakramentaren, die seit der Wende des 7. Jahrhunderts an die Stelle der gallikanischen treten, fehlte ein Text oder ein besonderer Ansatzpunkt für den gewohnten gallischen Segen nach dem *Pater noster;* es war aber an vielen Tagen nach der Postcommunio ein Gebet *super populum* vorgesehen und überdies wurde im Anschluß an den Meßkanon unter dem Titel *Item benedictiones super populum* noch eine besondere Auswahl von weiteren Formeln einer solchen Segnung geboten[9]). Die gallikanischen Benediktionen nach dem *Pater noster* wagte man nur mehr für das Pontifikalamt teilweise beizubehalten[10]); um so

---

[6]) Ordo Rom. I n. 20 (Andrieu II, 102; PL 78, 946 f); Capitulare eccl. ord. (Andrieu III, 107); Ordo sec. Rom. n. 14 (ebd. II, 225; PL 78, 975). — Nach diesen Quellen geschehen die Verkündigungen, nachdem die Brechung vollzogen und das sie begleitende *Agnus Dei* gesungen ist und nachdem der Papst selbst kommuniziert hat, aber vor der Kommunion von Klerus und Volk. — Das Breviarium (Andrieu III, 183) läßt auch die Kommunion der Kleriker noch vorausgehen, der Ordo von S. Amand (ebd. II, 165) läßt sie wenigstens beginnen. — Noch der Ordo Rom. Benedikts (12. Jh. n. 34 (PL 78, 1038) läßt den Regionarsubdiakon *ante communionem* die Station verkünden, worauf erst der Kommuniongesang angestimmt wird. Auf die Verkündigung wird, wie die drei letztgenannten Quellen und auch eine Variante im Ordo Rom. I n. 20 bemerken, mit *Deo gratias* geantwortet.

[7]) Nach der dem römischen Ordo scrutinii entsprechenden Skrutinienordnung des Clm. 6425 (11. Jh.) soll die Ankündigung der Skrutinien geschehen im sonntägigen Gottesdienst *ante Agnus Dei;* s. die Angaben von H. Mayer, ZkTh 38 (1914) 372. Es handelt sich in diesem Fall ebenso wie in dem des Ordo Rom. Benedikts natürlich nur um einen längst erstarrten Brauch; das erhellt u. a. aus dem mit letzterem gleichzeitigen Ordo eccl. Lateranensis (Fischer 87 Z. 9), demzufolge die Ankündigung der Festtage vor der Postcommunio geschieht.

[8]) Hier stellt die 4. Synode von Toledo (633) can. 18 (Mansi X, 624) einen sich bildenden entgegengesetzten Brauch fest: *Nonnulli sacerdotes post dictam orationem dominicam statim communicant et postea benedictionem in populo dant,* was nunmehr verboten wird.

[9]) Mohlberg n. 1569—1581. Siehe für die verwandten Hss die Konkordanztabelle von Manz, ebd. S. 339, und die weiteren Angaben bei de Puniet, Le pontifical de Gellone (Sonderabdr. aus den Eph. liturg. 1934—1938) 216* f.

[10]) Ein Teil der Hss des jüngeren Gelasianums enthält bereits im Anschluß an die gelasianischen Formeln einen weiteren Anhang von *benedictiones episcopales*

eifriger mußte man nach diesen Benediktionen greifen. So ergab sich von selbst als Sinn der alten Vorschrift in den neuen Verhältnissen, daß die Anwesenheit nach römischer Ordnung bis zu dieser letzten Segensoration, also auch noch während der Kommunion zu fordern war, eine Auslegung, die sich im Laufe eines Jahrhunderts so weit festigen konnte, daß sie auch beim endgültigen Übergang zum gregorianischen Sakramentar, der um 785 begann, nicht mehr erschüttert wurde, obwohl hier die *oratio super populum* außerhalb der Fastenzeit nicht mehr vorhanden war[11]).

9. Kommunion des Priesters. Vorbereitende Gebete

In der Frühzeit der Kirche war es schon mit dem stärker im Vordergrund stehenden Begriffe der Eucharistiefeier als des heiligen Mahles, des δεῖπνον κυριακόν, gegeben, daß sie im Empfang des Sakramentes durch alle Teilnehmer gipfelte. Das ist bei Justinus noch so selbstverständlich,

---

super populum von z. T. gallikanischer Prägung: de Puniet 218*—236*. Vgl. oben 366 f.

[11]) Der Name einer *benedictio super populum* ging jetzt auf die Postcommunio über. So schon in der um 800 entstandenen Expositio ‚Primum in ordine‘ (PL 138, 1186), falls sich nicht unter dieser Bezeichnung das Fortleben einer *oratio super populum* verbirgt. Siehe jedenfalls den ungefähr gleichzeitigen Ordo Angilberti (Bishop, Liturgica historica 323): es sollen alle Kommunikanten *benedictionem sive completionem missae* hören können (die Postcommunio hieß im Gregorianum meist *Ad complendum)*. Vielleicht ist der gregorianische Hintergrund und damit die gleiche Sprechweise auch schon vorauszusetzen in der Forderung der Admonitio generalis Karls des Großen von 789 c. 71 (MGH Cap. I, 59): *ut non exeant ante completionem benedictionis sacerdotalis;* auch in der Capitulariensammlung des Ansegis I, 67 (MGH Cap. I, 403). — Amalar, Liber off. III, 36 f (Hanssens II, 368. 371), nennt die Postcommunio *ultima benedictio,* die *oratio super populum* der Fastenzeit nennt er *ulterior ultima benedictio.* Die Benennung der Postcommunio als *benedictio* auch bei Rabanus Maurus, De inst. cler. c. 33 (PL 107, 324); ebd. Additio de missa (326); Walafried Strabo, De exord. et increm. c. 22 (PL 114, 951). — Nach dem oben Gesagten ist es nicht nötig, bei dieser neuen Benennung der Postcommunio durch die karolingischen Liturgiker mit J. Lechner, Der Schlußsegen des Priesters in der hl. Messe (Festschrift E. Eichmann, Paderborn 1940) 676 ff, von einer „ad hoc zurechtgemachten Ausdeutung“ (677), von einer „gelehrten, künstlich geschaffenen Exegese“ (679) zu sprechen, durch die man sich die Synodalbestimmungen aus dem 6. Jh. von einer Anwesenheit bis zum Segen als Stütze für die Forderung des Verbleibens bis zum Schluß der Messe hätte sichern wollen. Die Neubenennung der Postcommunio als *benedictio* war nach der gelasianischen Zwischenstufe um so leichter möglich, als man ja damals bei allen priesterlichen Orationen dieselbe verbeugte Haltung einnahm wie bei einer Segenspendung; s. oben I, 475 f; II, 178.

daß die Diakone, wie er in jedem seiner beiden Berichte bemerkt, sogar den Abwesenden von der geheiligten Gabe überbringen[1]. In der Reihenfolge des Empfanges herrscht, wie wir etwas später erfahren, eine feste Ordnung: zuerst empfängt der bischöfliche oder priesterliche Leiter der Versammlung, „damit es klar wird, daß er das Opfer nach der festen Ordnung des priesterlichen Dienstes für alle dargebracht hat“[2]; dann folgt der übrige Klerus nach den Stufen des geistlichen Ranges und endlich das Volk[3].

Auch noch nach den ältesten römischen Ordines bildet die Kommunion der versammelten Gemeinde mindestens im Stationsgottesdienst den selbstverständlichen Schlußakt, der als das genaue Gegenstück erscheint zur Darbringung der Gaben durch die Gemeinde am Beginn der Opfermesse. Auch hier empfängt zuerst der Papst selber das Sakrament: er nimmt die Brotsgestalt und erhält vom Archidiakon den Kelch gereicht. Dann spendet er den Bischöfen und Priestern den Leib des Herrn und eröffnet darauf die Austeilung der Kommunion an das Volk, indem er, gefolgt vom Archidiakon mit dem Kelch, zuerst herabsteigt zu den adeligen Herren und darauf hinübergeht zu den adeligen Frauen, um das Sakrament zu spenden[4].

In der weiteren Entwicklung der Meßliturgie, wie sie sich zuletzt auf fränkischem Boden fortsetzt, steht die Kommunion des Zelebranten beherrschend im Vordergrund, so sehr, daß zeitweise fast nur mehr sie als Bestandteil der Liturgie empfunden wird. Ihr Ritus wird mehr und mehr geregelt und mit besonderen Gebeten umgeben, die der Priester leise zu sprechen hat. Auch darin zeichnet sich das Gegenbild zum Offertorium ab, wo sich die gleiche Entwicklung nur in etwas anderm Rhythmus vollzog. Der ursprüngliche Gesamtplan ist aber hier wie dort damit nicht gesprengt worden; er ist auch heute deutlich sichtbar. So wie dort die darbringende Handlung der Gemeinschaft immer noch in dem um sie erwachsenen Offertoriumsgesang festgehalten bleibt und in der sie beschließenden *oratio super oblata* ihren Abschluß findet, so ist auch der die Kommunion des Volkes begleitende Kommuniongesang durch alle

---

[1]) Oben I, 29 f.

[2]) Theodor von Mopsvestia, Sermones catech. VI (Rücker 36).

[3]) Siehe die Aufzählung Const. Ap. VIII, 13, 14 (Quasten, Mon. 230): Priester, Diakone, Subdiakone, Lektoren, Sänger, Mönche (ἀσκηταί), Diakonissen, Jungfrauen, Witwen, Kinder, Volk.

[4]) Ordo Rom. I n. 19 f (Andrieu II, 103—106; PL 78, 946 f). Als Auszeichnung folgt zuletzt noch an der Cathedra des Papstes die Kommunion der Regionarkleriker und bestimmter Hofbeamter.

Schwankungen hindurch erhalten geblieben und so wird auch der Kommunionkreis bis heute und heute erst recht wieder mit dem jener Oration entsprechenden Gemeinschaftsgebet der Postcommunio abgeschlossen.

Die Kommunion des Priesters wird heute eingeleitet durch zwei längere Gebete im Orationsstil, die sich an das Friedensgebet anschließen, und sie wird begleitet von einer Reihe kürzerer Gebetsworte, die sich auch noch nach der Kelchkommunion fortsetzen. Dieser Kreis stiller Gebete ist — genau wie die parallelen Gebilde im Bereich des Offertoriums — der römischen Messe zugewachsen auf dem Boden der gallisch-fränkischen Kirche. Wie jene sind es im wesentlichen Schößlinge, die aus den noch lebendigen Wurzeln der verlassenen gallikanischen Liturgie hervorgegangen sind. Jedoch gehören sie in noch höherem Maße als jene zunächst dem privaten Gebete an, was sich ohne weiteres schon durch die in ihnen zugrunde gelegte Ichform verrät. Wir werden denn auch festzustellen haben, daß sie ursprünglich alle ebensogut der Andacht der übrigen Kommunikanten zu dienen bestimmt waren[5]). Die Erscheinung ist nicht auffällig. Auch die orientalischen Liturgien lassen den Priester zuletzt noch durch privates Gebet sich auf die Kommunion vorbereiten und wenigstens die byzantinische läßt ihn darauf zuerst eine private Danksagung verrichten[6]). Der nichtrömischen Herkunft dieser Gebete entspricht auch die vorherrschende Gebetsanrede an Christus und die zum Teil ungewohnten Schlußformeln[7]).

Die ältesten Texte treten uns wieder entgegen im Sakramentar von Amiens, das noch dem 9. Jahrhundert angehört. Dieses bietet zwei Vorbereitungsgebete, darunter als erstes das noch heute an erster Stelle gebrauchte: *Domine Jesu Christe, Fili Dei vivi*[8]). Daß wir darin aber nicht den Ausgangspunkt aller späteren Kommuniongebete, sondern nur

---

[5]) Unten 456 f. 497 ff.

[6]) Baumstark, Die Messe im Morgenland 163.

[7]) So hat unsere erste Kommunionoration *Domine Jesu Christe* im Sarum-Missale des 13. Jh. (Legg, The Sarum Missal 226 f) den gallikanischen Schluß: *Salvator mundi qui vivis*... Im Missale von Lucca (11. Jh.; Ebner 305) ist das *salvator mundi* in die Anrede hineingenommen. Andere Beispiele s. unten Anm. 11. 14. — An der näheren Form der heutigen Schlußformeln der Kommuniongebete, wie auch des vorausgehenden Friedensgebetes ist nur bemerkenswert, daß sie noch die Wandelbarkeit des Ausdrucks aus dem frühen Mittelalter widerspiegelt, während sie nach jüngerer Regel lauten müßte: *qui vivis et regnas in saecula saeculorum* (allenfalls mit der trinitarischen Erweiterung wie im zweiten Kommuniongebet).

[8]) Leroquais (Eph. liturg. 1927) 444; Sakramentar von Le Mans (ebenfalls noch aus dem 9. Jh.): Leroquais, Les sacramentaires I, 30.

eben Beispiele solcher Bildungen vor uns haben, erhellt daraus, daß das erste Gebet an genannter Stelle bereits eine alleinstehende Variante zeigt[9]), während das andere in der nachfolgenden Überlieferung anscheinend überhaupt nicht mehr wiederkehrt[10]).

Auch unser zweites Vorbereitungsgebet, *Perceptio*, begegnet uns schon im 10. Jahrhundert, und zwar wieder im Nordosten des karolingischen Raumes[11]), wo es beide Male der eben genannten Schwesterformel vorangeht. Im Gegensatz zur ersteren ist darin in der Regel, so wie heute, nur mehr vom Leibe des Herrn die Rede[12]), weshalb es in späterer Zeit am Karfreitag vor der Kommunion unter der Brotsgestalt bevorzugt wird.

Häufig finden sich die beiden eben genannten Formeln, wie schon im Sakramentar von Fulda, begleitet von einer dritten Formel, die sich an Gott den Vater wendet, die öfter auch an ihre Stelle tritt, übrigens schon bei ihrem ersten Auftauchen nicht als Bestandstück des liturgischen, sondern des privaten Gebetes erscheint[13]):

> *Domine, sancte Pater, omnipotens aeterne Deus, da mihi corpus et sanguinem Christi filii tui Domini nostri ita sumere, ut merear per hoc remissionem peccatorum accipere et tuo Sancto Spiritu repleri. Quia tu es Deus et in te est Deus et praeter te non est alius, cuius regnum permanet in saecula saeculorum*[14]).

---

[9]) Nämlich nach *fac me* die eingeschobene Anrede *Domine Deus meus.* — Das Gebet stimmt im übrigen in seiner ersten Hälfte mit dem heutigen Wortlaut überein; die Fortsetzung lautet in den ältesten Texten meist so wie im Sakramentar des Ratoldus (PL 78, 244): *...per hoc sacrum corpus et sanguinem tuum a cunctis iniquitatibus et universis malis meis, et fac me tuis oboedire praeceptis et a te nunquam in perpetuum separari. Qui cum Patre.*

[10]) *Da mihi Domine peccatori...*, inhaltlich mit der heutigen Oration *Perceptio* verwandt.

[11]) Sakramentar von Fulda (Richter-Schönfelder n. 24), mit der Variante *Perceptio corporis et sanguinis tui* und dem gallikanischen Schluß *te donante qui;* Sakramentar des Ratoldus von Corbie (PL 78, 244).

[12]) Die Beifügung *et sanguinis* wie im Sakramentar von Fulda (und in dem von Corbie) auch später gelegentlich, so als Nachtrag im Sakramentar der päpstlichen Hofkapelle des 13./14. Jh.: Brinktrine (Eph. liturg. 1937) 207; im Missale von Riga (Nachtrag des 15. Jh.): v. Bruiningk 87.

[13]) Zuerst faßbar im Gebetbuch Karls des Kahlen († 877) ed. Fel. Ninguarda (1583) 115 f.

[14]) Im 9. Jh. auch noch in einem Sakramentar von Tours (Leroquais I, 49). Im 10. Jh. in den Sakramentaren von Fulda (Richter-Schönfelder n. 26), Chartres (Leroquais I, 76), des Ratoldus (PL 78, 245). Die Formel, von der der gallikanische Schluß *(Quia tu...)* vielfach wechselt, war noch im späten Mittelalter weit verbreitet; sie gehörte u. a. zum festen Bestand des Meßordo in der Normandie und in England: Martène 1, 4, XXVI—XXVIII. XXXV (I, 638. 641. 645. 669); Legg, Tracts 14 f. 66. 226. Sie steht heute noch

Noch eine Reihe anderer Formulierungen eines Vorbereitungsgebetes erscheinen da und dort, ohne eine größere Verbreitung zu erlangen. Manche von ihnen sind gleich den genannten auf den Ton demütiger Bitte gestimmt[15]). Andere haben hymnischen Charakter[16]).

---

im Missale von Lyon (1904) 318 und in dem von Braga (1924) 327. — In erweiterter Fassung in zwei Kommunionandachten von Montecassino von der Wende des 11. Jh., ed. A. Wilmart, Prières pour la communion en deux psautiers du Mont-Cassin (Eph. liturg. 43 [1929] 320—328) 323. 326; vgl. Fiala 213.

[15]) Abgesehen von kürzeren Texten in Wunschform sind zu nennen: Eine Formel *Da mihi Domine corpus*, mit der Bitte um würdigen Empfang jetzt und in der Todesstunde, im Sakramentar des ausgehenden 10. Jh. aus S. Thierry: Martène 1, 4, X (I, 551 D). — Eine Formel *Fiat mihi obsecro Domine* (inhaltlich unserem *Perceptio* entsprechend), u. a. in der Missa Illyrica: Martène 1, 4. IV (I, 515 D); vgl. ebd. XV (I, 593 E). — Eine Formel *Praesta mihi peccatori misericors Christe*, mit der Bitte um fruchtreichen Empfang, im Sakramentar aus Subiaco vom Jahre 1075: Ebner 339. — In mittelitalischen Meßordnungen sind um das 11./12. Jh. Formeln verbreitet mit dem Anfang: *Domine Jesu Christe propitius esto mihi peccatori et ne respicias*, und der Bitte, der Empfang möge nicht zum Gericht werden: Ebner 331; vgl. 101. 102. 183. 341. 346. 348. Dasselbe als Privatgebet in einer Kommunionordnung von Montecassino: Wilmart (vorige Anm.) 326. Ähnlich, mit anderer Weiterführung *(... esto peccatis meis per assumptionem corporis ...)*, im Missale von Remiremont (12. Jh.): Martène 1, 4, 9, 9 (I, 424); auch in einem Vorauer Missale des 15. Jh.: Köck 134; es ist eine Postcommunio des Sakramentars von Fulda (Richter-Schönfelder n. 2185). Ebner vermerkt aus italischen Meßbüchern noch eine Formel mit dem Anfang: *Domine J. C. Fili Dei vivi ne indignum me iudices* (189), und eine andere, beginnend: *Domine J. C. qui in coena* (256). — Öfter finden sich auch längere Formeln mit dem Anfang *Domine non sum dignus;* s. darüber unten 441. — Zwei Missalien von Tortosa (15. u. 16. Jh.) enthalten ein Gebet: *Domine Jesu Christe Fili Dei vivi, pone passionem tuam, crucem et mortem tuam inter iudicium tuum et animam meam*, worauf Bitten und Fürbitten folgen: Ferreres 186; das Gebet erinnert an die „Admonitio morienti" des hl. Anselm (PL 158, 687). — Englische Meßbücher bieten ein Gebet, bei dem der Priester die hl. Hostie in Händen hält: *Deus pater, fons et origo totius bonitatis, qui ... Unigenitum tuum ... carnem sumere voluisti, quam ego hic in manibus meis teneo ...;* Martène 1, 4, XXXV (I, 670 B); Legg, Tracts 15. 227; Ferreres 187. 188; Maskell 174. — Ebendort, aber auch in Frankreich, eine Darbringung von Christi Leib und Blut für die Seelen im Reinigungsorte und für die eigenen Sünden: *Agimus tibi Patri gratias;* Martène 1, 4, 9, 9 (I, 426 B); Legg, The Sarum Missal 227; derselbe, Missale Westmonasteriense (HBS 5) 519. Als Nachtrag des 12./13. Jh. im Missale von St. Vinzenz (Fiala 217. 224). — Ein Vorrat von weiteren Kommuniongebeten, worunter zwei Apologien, in einem Prämonstratenser-Missale des 14. Jh. aus Chotieschau; s. Lentze, Anal. Praem. 27 (1951) 17; vgl. ebd. 26 (1950) 140. Auch schon das Sakramentar von Boldau (um 1195) enthält drei anscheinend alleinstehende umfangreiche Vorbereitungsgebete im Anschluß an seinen Meßordo ed. K. Kniewald: Theologia 6 (Budapest 1939) 25 f.

Übrigens haben manche Meßbücher noch im 10.[17]) und im 11. Jahrhundert keines dieser neuen Kommuniongebete aufgenommen[18]). Anderseits weiß Bernold von Konstanz um 1090 schon von vielen Gebeten, die manche mit dem Friedenskuß und mit der Kommunion verbinden. Er tritt mit anderen Hütern der guten Überlieferung dafür ein, daß man hinsichtlich solcher *privatae orationes,* die *non ex ordine, sed ex religiosorum traditione* im Gebrauch seien, sich der Kürze befleißigen und mit der einen Oration *Domine Jesu Christe qui ex voluntate Patris* sich begnügen solle[19]), die in verbeugter Haltung zu sprechen sei. Tatsächlich

---

[16]) Wenn wir wieder von den kurzen Begrüßungen, die uns noch beschäftigen werden, absehen, so begegnen uns solche hymnische Einlagen besonders, aber nicht ausschließlich, in steirischen Meßbüchern. Nach Meßordnungen aus Seckau (12. u. 14. Jh.) sprach der Priester: *Gloria aeterno Patri et Agno mitissimo qui frequenter immolatur permanetque integer...* Köck 127. 129; vgl. 53. 128. 133 (in Verbindung mit der Ablution). — Ein Meßbuch von St. Lambrecht (14./15. Jh.) bietet an gleicher Stelle ein Gebet in fünf Hexametern mit dem Anfang: *Te veneranda caro,* worauf noch weitere eigene Bildungen folgen (Köck 130). — Ein solches aus Vorau (14./15. Jh.; Köck 133, vgl. 79) hat sofort nach der Kommunion die Hymnen *O vere digna hostia* und *O salutaris hostia.* Ein anderes läßt vor der Kommunion das *Anima Christi* beten (15. Jh.; Köck 76. 132). Eine erweiterte Fassung desselben aus dem 15. Jh. in einem Missale von Cambrai (Wilmart, Auteurs spirituels 21 f). Ein Missale des 13. Jh. aus Stift Schlägl, Cpl. 47/1, verwendet vor der Kommunion den Hymnus *Jesu nostra redemptio* (M. J. van Waefelghem, in den Analectes de l'Ordre de Prémontré 1912, S. 140), der noch in der Spätzeit prämonstratensischer Eigenliturgie neben weiteren Hymnenstrophen und verschiedenen Schriftworten nach dem Empfang in Verwendung stand; Lentze (Anal. Praem. 1950) 144. — Die Meßordnung aus Kloster Bec: Martène 1, 4, XXXVI (I, 674), gibt dem Priester vor der Kommunion *pro animi desiderio* an die Hand den Hymnus *Ave verum corpus* und ein längeres Gebet *O panis angelorum.* — Das Regensburger Missale um 1500 bietet hier das Distichon *Ave salus mundi* (Beck 270); vgl. oben 268. Dasselbe mit dem Anfang *Salve salus mundi* im Ordinale der Karmeliten von 1312 (Zimmerman 83) und noch im heutigen Missale O. Carm. (1935) 318. In einem Passauer Missale des 14. Jh. beginnt ein Gebet: *Salve rex fabricator mundi,* worauf noch das oben erwähnte *O vera digna hostia* folgt; Radó 102. — Ein Missale des 14. Jh. aus Gerona läßt den Priester beten: *Adoro te Domine J. C.... quem credo sub hac specie quam teneo sive video;* Ferreres S. XLVI.

[17]) Leroquais I, 66. 72. 84. 90.

[18]) Aus dem 11. Jh. vgl. Leroquais I, 106. 108. 120. 127; Ebner 7. 53. 65. 105 usw. Selbst noch einzelne Hss des 12. Jh. beschließen den Meßordo mit *Fiat commixtio* oder mit dem *Agnus Dei;* Ebner 36. 89 usw. — Ein mit *Agnus Dei* schließendes Admonter Missale des 13. Jh. bei Köck 3.

[19]) Bernold, Micrologus c. 18 (PL 151, 989); vgl. c. 23. — Ähnlich zurückhaltend äußert sich Sicard von Cremona († 1215), Mitrale III, 8 (PL 213, 141 f). Auch noch Durandus († 1296) IV, 54, 10, der sonst jedes Wort

erscheint diese nicht selten allein[20]). Ihre Beliebtheit bezeugen auch die verschiedenen Varianten[21]).

Aber das Bestreben nach Vermehrung war doch stärker. Manche wollten zuerst ein Gebet an Gott den Vater gesprochen wissen, dann erst das an den Sohn[22]). Endlich, so wurde auch gewünscht, sollte noch ein Gebet an den Heiligen Geist[23]) oder doch ein solches um die Gnade des Heiligen Geistes hinzukommen[24]), oder aber man hielt sich an die Auffassung, daß hier überhaupt freier Spielraum sei für die persönliche Frömmigkeit des Zelebranten. Noch im 16. Jahrhundert wird dieser Standpunkt vertreten und praktisch eingehalten[25]). In den Meßordnungen

---

umständlich erklärt, geht auf die Vorbereitungsgebete überhaupt nicht näher ein, offenbar weil er sie nur als Gegenstand privater Andacht betrachtet. Vgl. Sölch, Hugo 138 f.

20) Missale von Montecassino (11./12. Jh.): Ebner 310; Sakramentar von Modena (vor 1173): Muratori I, 94; Ordinarium O. P. von 1256 (Guerrini 244) und Liber ordinarius von Lüttich (Volk 96); Ordinarium der Kartäuser: Legg, Tracts 102, vgl. Martène 1, 4, XXV (I, 634 C), und hier auch weiterhin: z. B. Missale Cart. (1713) 222; auch in einem Missale itinerantium von Köln 1505: Beck 337.

21) Drei Abwandlungen, darunter eine mit Fürbitten für die Verstorbenen und eine mit Fürbitten für die Lebenden, im Missale von Fécamp um 1400: Martène 1, 4, XXVII (1, 641 f).

22) Diese Ordnung vielfach in nordfranzösischen und englischen Meßbüchern; so schon im Missale des Robert von Jumièges aus dem 11. Jh. ed. Wilson (HBS 11) 47 f. Ebenso auch in der Folgezeit; s. Legg, Tracts 15. 48. 66. 227; Martène 1, 4, XXVI—XXVIII (I, 638. 641. 645); vgl. ebd. 1, 4, 9, 9 (I, 425 C).

23) Ein solches *(Domine Sancte Spiritus)* ist überliefert in drei Meßordungen aus süditalischen Klöstern: Ebner 348. 157; Fiala 214. Im zweiten und dritten Falle (Missale des 15. Jh. aus Monte Vergine; Missale des 12. Jh. von St. Vinzenz) steht es, ebenso wie in der Kommunionandacht des ausgehenden 11. Jh. aus Montecassino ed. Wilmart (Eph. liturg. 1929) 326, tatsächlich nach je einem Gebet an Gott den Vater und an den Sohn. Der Kern der Formel wird von Wilmart (328) auf Petrus Damiani (PL 145, 922 C) zurückgeführt. Im Missale aus Monte Vergine und in der zweiten Fassung der genannten Kommunionandacht (a. a. O. 326 f) folgt auch nach der Kommunion je ein Gebet an jede göttliche Person.

24) Hugo von S. Cher, Tract. super missam (ed. Sölch 49 f), bezeugt, daß manche an dieser Stelle zur Vollendung der trinitarischen Reihe das Gebet *Assit nobis, quaesumus Domine, virtus Spiritus Sancti* oder das *Veni Sancte Spiritus* sprechen. Er selber empfiehlt das nicht. — Vgl. Sölch, Hugo 139—142.

25) Jod. Clichtoveus († 1543), Elucidatorium, Basel 1517, 150 v, bespricht die Kommuniongebete *Domine Jesu Christe* und *Perceptio* und fügt dann hinzu: *Alii vero (quisque pro more suae ecclesiae) alias orationes secundum devotionis suae affectum et recte quidem dicunt.* — Der hl. Franz Xaver schaltete an dieser Stelle ein Gebet um die Bekehrung der Heiden ein. G. Schurhammer, Der hl. Franz Xaver, Freiburg 1925, 241. — Etwas strenger ist Johannes Bechofen

Mittelitaliens, dessen Klöster den Gebetsstoff offenbar von den Schwestergründungen des Nordens übernommen haben, treten schon seit dem 11. Jahrhundert die beiden heute gebräuchlichen Orationen mehr und mehr nebeneinander in den Vordergrund. Eine feste Ordnung beginnt sich abzuzeichnen. Dabei folgt allerdings besonders die erstere derselben, *Domine Jesu Christe,* in diesen und in anderen Fällen des öfteren erst nach dem Empfang[26]), seltener ist dasselbe bei der Formel *Perceptio* der Fall[27]).

Es offenbart sich darin die noch im hohen Mittelalter vorherrschende Haltung gegenüber dem Sakrament, die weniger um eine besondere seelische Vorbereitung als solche, denn um die von Gott zu erbittende vollere Auswirkung des *opus operatum* besorgt war[28]). Seit dem ausgehenden 11. Jahrhundert erscheinen in Italien die beiden Formeln auch das eine oder andere Mal schon in der heutigen Anordnung[29]), die sich auch außerhalb Italiens da und dort bereits vor Pius V. durchgesetzt hat[30]).

In der seither bestehenden Ordnung dienen uns die beiden Gebete zu einer letzten Bereitung für den Empfang des Sakramentes. Eine erste Vorbereitung war, abgesehen vom Hochgebet selbst, gegeben mit

---

(um 1500), der die Beigabe solcher Gebete bei der Kommunion nur gestatten will, wenn man sie bloß in Gedanken, nicht *vocaliter,* spreche; Franz, Die Messe 594 f. Auch Ludwig Ciconiolanus, Directorium div. off., Rom 1539 (Legg, Tracts 211), fügt nach dem *Domine non sum dignus* ein sonst anscheinend nicht vorkommendes Gebet ein *(Domine Jesu Christe, da mihi ...),* das der Priester *submissa voce vel potius mente* sprechen soll.

26) Ebner 5. 20. 101. 102. 305. 311. 331. 334. 339. 349; vgl. 157 f. — Ähnlich in älteren außeritalischen Meßordnungen; s. z. B. Martène 1, 4, IV. V. VIII. XIII. XV (I, 516. 528. 541. 579. 594). Aufzählungen aus Leroquais bei Eisenhofer II, 211.

27) Vgl. jedoch ältere und jüngere Meßordnungen in Frankreich und am Rhein: Martène 1, 4, VIII. XVII. XXVI. XXVIII. XXXII f (I, 541. 602. 638. 645. 657. 661); Leroquais I, 140. 186. 197 usw. — Daß anderseits die Kommuniongebete öfter auch schon vor dem Friedenskuß und den zugehörigen Gebeten einsetzen, wurde schon oben 410 Anm. 50 bemerkt.

28) Übrigens macht Gihr 668 mit Recht darauf aufmerksam, daß das Gebet *Domine Jesu Christe* so allgemein formuliert ist *(per hoc sacrosanctum corpus ...),* daß es nicht ausschließlich auf die Kommunion bezogen werden muß, sondern auch als Bitte um die Frucht des Opfers verstanden werden kann.

29) Ebner 299. 317. 335; Meßordo des Johannes Burchard: Legg, Tracts 162 f.

30) Meßordo ‚Indutus planeta': Legg 187; Freisinger Missale von 1520: Beck 309.

dem Gebet des Herrn, in dem wir den himmlischen Vater um das heilige Brot baten. Auf dieser zweiten Stufe richten wir, in einer ohne Zweifel auch für liturgisches Beten naheliegenden Hinwendung, das Gebet an Christus, jedoch so, daß wir dabei den Gabencharakter des Sakramentes selbst nicht aus dem Auge verlieren; m. a. W. die Gebetsbewegung geht auch hier nicht auf Christus, insofern er in der Brotsgestalt gegenwärtig ist, sondern immer noch auf Christus, der in der himmlischen Herrlichkeit „lebt und herrscht" und der uns „durch diesen seinen hochheiligen Leib und sein Blut" aus Sünde und Elend befreien soll. Der Gedanke an den himmlischen Christus und an seine himmlische Seinsweise ist so stark, daß er auch durch die sakramentale Nähe nicht verdeckt wird. Diese durfte im Hymnus des *Agnus Dei* einmal aufleuchten; aber anders, als es seit dem späten Mittelalter in der volkstümlichen Frömmigkeit vorwiegende Übung geworden ist und als es etwa im vierten Buch der Imitatio Christi und in der nachfolgenden Gebetbuchliteratur zum Ausdruck kommt, wird hier nicht auf der gleichen Linie weitergefahren und dazu übergegangen, im Empfang des Sakramentes den Besuch des Herrn betrachtend zu erfassen[31]), sondern es wird auch weiterhin die Totalsicht der christlichen Glaubenswelt festgehalten und sie wird auch im Augenblick des Empfanges nicht zugunsten einer Teilansicht verlassen[32]).

Diese Totalsicht ist nun gerade im ersten Kommuniongebet, *Domine Jesu Christe*, bei aller Kürze und Knappheit in großartiger Weise entwickelt. Wie man mit Recht gesagt hat: eine ganze Theologie ist in diesem Gebet enthalten. Wir können auch sagen: die großen Gedanken der Anamnese leben darin wieder auf. Es soll noch einmal das Bild dessen vor das geistige Auge treten, dessen Leib und Blut uns nun zur Nahrung

---

[31]) Ein frühes Beispiel dieser Betrachtungsweise bietet Amalar, Ep. ad Guntrad. (PL 105, 1339).

[32]) Die Neigung, auch diesen Übergang zu vollziehen, wird allerdings fühlbar in manchen mittelalterlichen Meßbüchern. So, wenn schon in einem um 1100 datierten Text unsere Oration *Domine Jesu Christe* gekennzeichnet wird als Gebet des hl. Augustin *ad Filium quem ante se tenet;* Martène 1, 4, 9, 9 (I, 425 C). Vom Brauch, das heilige Sakrament während dieser Gebete in Händen zu halten, wurde schon oben 417 berichtet. Er ist aber nicht notwendig mit dieser Weise des Betens verbunden, wie oben Anm. 15 das Kommuniongebet *Deus pater fons* zeigt. Es wird damit nur die Aufmerksamkeit in intensiver Weise auf das Sakrament gerichtet, wie das ähnlich geschieht, wenn wir nach der Vorschrift des Missale Romanum, Ritus serv. X, 3, die auf das *Agnus Dei* folgenden Gebete sprechen *oculis ad sacramentum intentis*. Vgl. zur parallelen Vorschrift beim *Pater noster* oben 359 Anm. 76.

wird. Am Anfang steht der Aufblick zu Christus, den wir in diesem feierlichen Augenblick mit Petrus den Sohn des lebendigen Gottes (Mt 16,16) nennen. Dann folgt der Ausblick nach seinem gewaltigen Werk der Erneuerung und Neubelebung der Welt *(vivificasti)*, das sich nun auch in dem bevorstehenden sakramentalen Empfang an einem kleinen Punkte fortsetzen will, und auf die Ursprünge dieses Werkes im gnadenreichen Ratschluß des himmlischen Vaters[33]) und im Todesgehorsam des Sohnes sowie auf dessen Vollendung im Wirken des Heiligen Geistes. Auch die Bitte ist groß, die wir nun an den Herrn richten im Vertrauen auf seinen hochheiligen Leib und das Blut, die er uns als Opfer gewährt hat und die er nun als Speise uns schenken will: Befreiung von aller Sünde, die Kraft der Treue zu seinen Geboten und — dieselbe Bitte wie im Augenblick vor der Wandlung — die Gnade der endlichen Beharrlichkeit: daß wir niemals von ihm getrennt werden mögen. Die ganze Weltordnung des Christentums wird hier in den großen Linien sichtbar.

Das zweite Gebet, *Perceptio*, holt aus dem ersten in Erinnerung an das ernste Wort des Apostels vom unwürdigen Empfang (1 Kor 11, 29) noch einmal das negative Moment heraus, das Hemmnis der Sünde. Wer diesen Empfang wagen will *(praesumo)*, darf sich keiner schweren Schuld bewußt sein; wer unwürdig ißt, der ißt sich das Gericht. Aber wer ist wirklich würdig? So bleibt für jeden nur die demütige Bitte um die Milde des Herrn *(pro tua pietate)*. Die positive Wendung faßt zusammen, was als erbetene Wirkung des Sakramentes in zahlreichen Formeln der Postcommunio ausgesprochen wird: Schutz für Seele und Leib, Heilung der vielfältigen Schwachheit. Wenn der Leib auch nicht unmittelbar Subjekt der Gnade ist, so ist er doch der Empfänger des sakramentalen Zeichens und berufen, auch die Ausstrahlung der Gnade vom geistigen Zentrum des menschlichen Wesens her in sich aufzunehmen.

10. Kommunion des Priesters. Ritueller Hergang

Wie vor der Kommunion, so kennt die ältere Liturgie auch während der Kommunion des Priesters kein begleitendes Gebet. An einzelnen Stellen hat sich dieser Zustand noch lange erhalten, und zwar nicht selten auch dort, wo daneben schon vorbereitende Gebete aufgenommen waren.

Der Vorgang der Kommunion selbst war von größter Einfachheit, wenn auch nicht überall derselbe. Eine vorausgehende Kniebeugung ist

[33]) Vgl. Eph 1, 5. 9. 11 u. ö.

an dieser wie an anderen Stellen bis in späteste Mittelalter unbekannt[1]). Der Priester bleibt in seiner bisherigen Haltung. Er deckt den Kelch ab[2]) und führt dann die heilige Hostie zum Munde und darauf den Kelch. Ein vorheriges Kreuzzeichen mit der Hostie taucht vereinzelt seit dem 13. Jahrhundert auf[3]). Nach der noch heute bei den Dominikanern beobachteten Weise hielt der Priester die beiden Hostienhälften so wie sie sich bei der Brechung ergeben hatten, noch immer in der linken Hand, während die rechte am Nodus des Kelches ruhte[4]). In diesem Falle geschah und geschieht auch die *sumptio corporis* mit der Linken[5]), worauf sofort der Kelch genommen wird[6]). Anderswo scheint aber das Kreuzzeichen, das man mit dem Leib des Herrn vor dem Genuß über sich machen wollte, beigetragen zu haben, um dem Gebrauch der rechten

---

[1]) Vgl. oben I, 162. — Die beiden heute üblichen Kniebeugungen sind vorgesehen im Meßordo des Johannes Burchard (Legg, Tracts 163 f), doch geschieht die zweite nicht schon nach dem Abdecken des Kelches, sondern erst nach dem darauffolgenden *Quid retribuam.* Die zweite Kniebeugung fehlt auch noch im Klostermissale von 1531 aus Lyon: Martène 1, 4, XXXIII (I, 661 B).

[2]) Noch ein Minoriten-Missale um 1300 läßt die Palla schon vor den Worten *Panem coelestem* wegnehmen. Ebner 351; vgl. ebd. 317.

[3]) Ebner 317. 351; Martène 1, 4, XXXIII. XXXV (I, 661 B. 670 C). Ein Kreuzzeichen mit dem Kelch wird dabei nicht eigens erwähnt. Nur ein solches dagegen ist angegeben in einem Salzburger Meßbuch des 12./13. Jh.: Köck 131. Beide Kreuzzeichen sind angedeutet bei Durandus IV, 54, 11.

[4]) Verwandt ist der Brauch im Preßburger Missale D (15. Jh.), wonach der Priester vor der Oration *Perceptio corporis* den Leib des Herrn nebst der Patene in die Hände nimmt. Jávor 119. — Nach dem Liber usuum O. Cist. c. 53 (PL 166, 1426 D) hielt der Priester bei der *sumptio corporis* schon den erhobenen Kelch in der andern Hand.

[5]) Sölch, Hugo 145 f. Die Kommunion mit der linken Hand ist im 13. und 14. Jh. u. a. auch in der päpstlichen Liturgie bezeugt. Ordo Stefanechis n. 53 (PL 78, 1168); vgl. Sölch a. a. O. — Eine für unser Empfinden befremdliche Form der Ehrfurcht beim Empfang des Sakramentes durch den Priester wird vertreten u. a. in der vor 1244 entstandenen Meßordnung ‚Indutus planeta‘ (Legg, Tracts 187): Der Priester soll die Hostie auf der Patene erheben und sie von dieser nicht mit der Hand, sondern mit der Zunge nehmen. Vgl. auch bei Ebner 151. 166. Der Brauch wird um die Wende des 15. Jh. bezeugt, aber nicht empfohlen von Balthasar von Pforta (Franz 590 Anm. 2). Er erscheint 1562 im Verzeichnis der *abusus missae;* Concilium Tridentinum ed. Goerres. VIII, 923. Über den Ursprung des Brauches berichtet ein Franziskaner-Missale des 13. Jh. (Leroquais II, 129), er sei an der römischen Kurie unter Gregor IX. (1227—1241) eingeführt worden.

[6]) Die Kelchkommunion will Durandus IV, 54, 12 gegenüber dem Trinken der Ablution dadurch hervorgehoben wissen, daß der Priester dabei den Kelch mit beiden Händen faßt und in drei Absätzen trinkt.

Hand, wo er nicht ohnehin üblich war, das Übergewicht zu geben[7]). Wenn wie beim großen Pontifikalamt die Kommunion des Zelebranten nicht am Altar erfolgte, wurde in alter Zeit darauf gesehen, daß er sich dabei, so wie beim feierlichen Gebet, gegen Osten wandte[8]).

Wenn auch in jüngeren Texten manchmal von einem betrachtenden Verweilen des Priesters vor oder nach der *sumptio* die Rede ist[9]), so wurde doch als Grundsatz weitergegeben, der Priester müsse das heilige Mahl so wie die Israeliten beim Auszug *festinanter* nehmen[10]) und dürfe die Teilnehmer nicht durch seine private Andacht aufhalten.

Zu begleitenden Gebetsworten bei der Kommunion des Priesters läßt sich in den Texten des früheren Mittelalters ein dreifacher Ansatz erkennen. Der erste liegt im Verlangen, der Verehrung des heiligen Sakramentes einen huldigenden Ausdruck zu geben. Es ist dasselbe Verlangen, aus dem das *Agnus Dei* und später die Erhebung und Begrüßung des Sakramentes sogleich bei der Wandlung hervorgegangen ist. Die dafür ausgebildeten Texte finden wir am frühesten und am reinsten in dem um 1050 geschriebenen Missale von Troyes[11]), wo auch kein anderweitiger Text hinzukommt.

Zuerst wird ein Wort aus den Märtyrerakten der hl. Agnes aufgegriffen: *Ecce, Jesu benignissime, quod concupivi iam video; ecce, rex clementissime, quod speravi iam teneo; hinc tibi quaeso iungar in coelis, quod tuum corpus et sanguinem, quamvis indignus, cum gaudio suscipio in terris.* Dann folgt eine doppelte Begrüßung des Sakramentes, an die jedesmal ein kurzes Gebetswort angeschlossen ist: *Ave in aevum, sanctis-*

---

7) Vgl. Sölch, Hugo 146 f.

8) So noch der spätkarolingische Ordo ‚In primis' der Bischofsmesse (Andrieu II, 335; PL 78, 989): *qui surgens vertat se ad orientem et communicet.* Man wird mit Mabillon (PL 78, 946 Anm. k) vermuten dürfen, daß auch schon bei der Kommunion des Papstes *ad sedem* im Ordo Rom. I n. 19 (Andrieu II, 101; PL 78, 946) dieselbe Hinwendung vorauszusetzen ist.

9) Vor dem Empfang verlangt ein solches *meditari* Hugo von S. Cher, ähnlich noch das heutige Dominikaner-Missale und (wie mir mitgeteilt wird, doch erst als jüngere Bestimmung) die Statuten der Kartäuser; Sölch 142. Das Missale von Bangor um 1400 (Maskell 182) gibt eine ausdrückliche Anweisung: *Hic debet sacerdos intime meditari de incarnatione, caritate, passione et de dira morte Jesu Christi, quas pro nobis passus est*... Das Missale Rom., Ritus serv. X, 4 verlangt einen solchen Moment der Betrachtung nach der *sumptio corporis.*

10) Franz 518. 610.

11) Martène 1, 4, VI (I, 534). In gleicher Vollständigkeit, aber mit einer Umstellung und mit Hinzunahme anderer Begleitworte, im Missale von Remiremont: ebd. 1, 4, 9, 9 (I, 424).

sima caro, mea in perpetuum summa dulcedo; dazu das der Brotsgestalt entsprechende Gebet *Perceptio*[12]). Darauf zum Kelch: *Ave in aeternum, coelestis potus, mihi ante omnia et super omnia dulcis;* dazu als Gebet: *Cruor ex latere D. N. J. C. mihi indigno maneat ad salutem et proficiat ad remedium animae meae in vitam aeternam. Amen.*

Davon hat nur die doppelte Begrüßung *Ave in aevum, Ave in aeternum* eine größere Verbreitung erlangt[13]) und durch das ganze Mittelalter behalten[14]), meist so, daß sich nun beidemale die betreffende Spendeformel *Corpus D. N. J. C.* usw. unmittelbar anschließt. Das Agnes-Wort kehrt nur selten wieder[15]). Dagegen ist jene Begrüßung des öfteren noch weiter ausgebaut worden. Wie der Brauch und manchmal wohl auch das Wort dieser Begrüßung seit dem 13. Jahrhundert zur Ehrung des Sakramentes bei der Wandlung herangezogen worden ist, so sind umgekehrt auch Formen, die nun bei der Wandlung ausgebildet wurden, später wieder vor der Kommunion gebraucht worden[16]).

Den zweiten Ansatz bilden kurze Schriftworte, die den Vorgang der Kommunion zu begleiten geeignet sind. Da ist vor allem Ps 115, 3 f (12 f), wo sich besonders das Wort *Calicem salutaris accipiam* für die Kelchkommunion, aber auch das *Quid retribuam Domino* als Ausdruck staunenden Dankes für die Kommunion überhaupt darbot. Tatsächlich finden wir es schon seit Beginn des 11. Jahrhunderts im heutigen Umfang und an heutiger Stelle verwendet und auch schon wie

---

[12]) Am Ende gekürzt: ... *tutamentum animae et corporis. Amen.*

[13]) Ebner 63. 336. 338; Leroquais I, 199. 225. 232. 259; Legg, The Sarum Missal 227 f. Eine Anzahl französischer Hss des 12.—16. Jh. bei Wilmart, Auteurs spirituels 20 Anm. 1.

[14]) Aus dem späteren Mittelalter sei erwähnt, für England: Martène 1, 4, XXXV (I, 670 C); Maskell 180 f; vgl. Ferreres 189—191 (nn. 691. 693 f. 696); Frere, The use of Sarum I, 86 f. — Für Frankreich: Lebrun I, 537 Anm. a. — Für Deutschland: Hoeynck 375 (vgl. Franz 753); Beck 270. 309. Für Ungarn: Radó 43. 62. 71. 76. 84. 123. — Auch in Schweden seit dem Ausgang des 14. Jh. in manchen Diözesen: Segelberg 258; Freisen, Manuale Lincopense S. XXX. LI. — Anders gefaßt ist die Begrüßung im Mainzer Pontifikale um 1170: Martène 1, 4, XVII (I, 602 D): *Ave sanguis Christi et sanctissima caro, in quibus salus mundi est et vita.*

[15]) Ebner 336; Leroquais I, 199; II, 54; Radó 71. 84. — Mit der doppelten Begrüßung in mehreren Meßbüchern des 13.—15. Jh. aus Gerona: Ferreres 190; Leroquais III, 98 f. — Wohl aber hat das Wort der Heiligen, wie wir noch sehen werden, dazu angeregt, bei der Ablution weitere Worte aus ihrer Passio zu verwerten. — Die Formel *Cruor ex latere* treffe ich im Sakramentar von Caen (11. Jh.): Leroquais I, 183.

[16]) Vgl. das Material oben 431 Anm. 16.

heute weitergeführt mit Ps 17, 4: *Laudans invocabo Dominum et ab inimicis meis salvus ero.* Auch geht ihm schon hier vor der Brotkommunion die hinzugeschaffene Parallelformel voraus: *Panem coelestem accipiam et nomen Domini invocabo*[17]). Dabei entfernt sich das Schriftwort allerdings weiter als bei seiner ersten und älteren Verwendung, die es bei der Darbringung des Kelches gefunden hat[18]), vom biblischen Literalsinn. Im Psalm spricht der Sänger seinen Entschluß aus, für die Errettung aus großer Not ein Dankopfer darzubringen und dabei, wie es wohl zum Dankopfer gehörte, den Becher zu erheben, um den Herrn zu preisen. Hier enthält der Becher, den wir ergreifen wollen, selbst das Heil und damit den Grund des Dankes und neben dem Becher liegt das Himmelsbrot. Beide sind in diesem Augenblick nicht mehr so sehr die Gabe, die wir Gott opfernd darbringen, als vielmehr das heilige Mahl, zu dem wir nun geladen sind. Aber indem wir davon essen, gilt es wie dort den Herrn zu loben, ihn dafür zu preisen, daß wir als Gäste an seinem Tisch über alle irdische Not hinausgehoben und wohlgeborgen sind, mögen auch Feinde uns ringsum drohen[19]).

Das kombinierte Psalmenwort erscheint in der Folge, mehr oder weniger vollständig, in den meisten deutschen Meßordnungen[20]), auch in der Mehrzahl der italischen, und zwar hier seit dem 11. Jahrhundert[21]), während es in Frankreich seltener ist. In der Normandie und in England bleibt es völlig unbekannt[22]). Manchmal werden allerdings nur Bruchstücke verwendet oder es ist eine andere Anordnung oder eine andere

---

[17]) Meßordo von Séez: PL 78, 250; Missa Illyrica: Martène I, 4, IV (I, 515). — Für *calicem salutaris* wird nach Jo 6, 32 f *panem coelestem*, der im Alten Testament mehrfach (Ps 77, 24; 104, 40; Weish 16, 20) für das Manna gebrauchte Name, eingesetzt. Das Augsburger Missale von 1386 (Hoeynck 375) ergänzt: *(accipiam) de mensa Domini.*

[18]) Oben 69.

[19]) Vgl. denselben Gedanken Ps 22, 5. — Der gleiche Gedanke gestärkter Zuversicht mitten in feindlicher Bedrohung kommt auch zum Ausdruck in einer Antiphon zur Kommunion im Antiphonar von Bangor ed. Warren (HBS 10) 30: *Corpus Domini accepimus et sanguine eius potati sumus. Ab omni malo non timebimus, quia Dominus nobiscum est.*

[20]) Köck 128—132; Beck 270. 309 f; Hoeynck 375; Franz 753.

[21]) Ebner 302. 310 f. 317. 331. 334. 336 usw.

[22]) Vgl. z. B. die Meßordnungen bei Martène 1, 4, XXVI f. XXXV—XXXVII (I, 638. 642. 670. 674. 678); Legg, Tracts 15. 66. 227. — Auch die Meßordnungen der Dominikaner (Guerrini 244) und der Kartäuser (Legg 102) kennen das Psalmenwort nicht.

Weise der Verschränkung mit den übrigen Texten gewählt[23]). In Spanien verbindet sich mit dem *Panem coelestem* gelegentlich das Wort aus Ps 77, 25 vom Brot der Engel[24]). Sonst erscheint aus dem Psalmenbuch auch einmal als letztes Wort vor dem Empfang Ps 50, 11 f[25]) oder Ps 50, 11—14, wobei der Zelebrant an die Brust schlägt[26]). Es ist derselbe Ausdruck der Bußgesinnung, wie er in der Vorschrift unseres Rituale vorliegt, bei der Krankenkommunion unterwegs den Psalm *Miserere* zu sprechen[27]). Es ist damit ein ähnlicher seelischer Vorgang zugrunde gelegt, wie wir ihn vom Apostel Petrus in der Stunde des reichen Fischfanges lesen: vor der Nähe des Gottessohnes entringt sich ihm der Ruf: „Herr, geh weg von mir, ich bin ein sündiger Mensch" (Lk 5, 8).

Ähnliche Ausrufe, in denen aber meist das Schuldbewußtsein mit Vertrauen gemischt ist, werden für den Augenblick der Kommunion, besonders in späterer Zeit, mehrfach aus dem Neuen Testament herangezogen, so das Gebet des Zöllners: *Deus, propitius esto mihi peccatori* (Lk 18, 13)[28]), der Ausruf des verlorenen Sohnes: *Pater peccavi...* (Lk 15, 18 f)[29]) oder die Schonungsbitte des Knechtes: *Patientiam habe in me, Domine, peccavi, et omnia reddam tibi* (vgl. Mt 18, 26)[30]). Aber auch Worte, die nur der Ausdruck rückhaltlosen Vertrauens sind, stellen sich ein, so das letzte Gebet des sterbenden Erlösers (Lk 23, 46): *Pater, in manus tuas commendo spiritum meum*[31]), oder eine kühne Anpassung des Paulus-Wortes 1 Kor 13, 12: *Cognoscam te, cognitor meus, sicut et*

---

[23]) So geht manchmal Ps 17, 4 dem *Quid retribuam* schon voraus (Köck 128. 132; v. Bruiningk 88) oder aber es folgt erst nach den Sumptionsformeln (Ferreres 189). Das *Panem coelestem* fehlt manchmal gänzlich (z. B. Ebner 297) oder es folgt erst nach dem *Domine non sum dignus* (Ebner 302. 334).

[24]) Meßbücher des 15. Jh. aus Valencia; Ferreres 189.

[25]) Kölner Ordo celebrandi (14. Jh.): Binterim IV, 3, S. 225.

[26]) Klostermissale von 1531 aus Lyon: Martène 1, 4, XXXIII (I, 661).

[27]) Rituale Rom. IV, 4, 13. Der Anfang desselben Psalmes auch bei der Besprengung, ebd. IV, 4, 15.

[28]) Steirische Missalien des 15. Jh.: Köck 132. 134; Regensburger Missale um 1500: Beck 270; Rituale der Bursfelder Kongregation (15. Jh.): Martène, De antiquis monach. ritibus II, 4, 3, 17 (De ant. Eccl. ritibus IV, 186). Der Ruf ist in allen genannten Fällen mit dem *Domine non sum dignus* verbunden. — Vgl. die zum längeren Gebet ausgebaute Formel, oben 430 Anm. 15.

[29]) Missale von Evreux-Jumièges (um 1400): Martène 1, 4, XXVIII (I, 645 B).

[30]) Missale von Vorau (15. Jh.): Köck 134.

[31]) Seckauer Missale des 14. Jh.: Köck 129.

a te cognitus sum ...[32]), oder das trinitarische Segnungswort (Mt 28, 19): *In nomine Patris et Filii et Spiritus Sancti*[33]).

Doch das älteste Wort dieser Art, das Demut und Vertrauen zugleich in sich schließt, ist das *Domine non sum dignus* des Hauptmannes von Kapharnaum (Mt 8, 8). Als Ansatz zu längeren Gebeten, die dem Empfang vorausgehen, ist es schon seit dem 10. Jahrhundert verwendet worden[34]). Dann begnügt man sich auch mit kürzeren Fassungen, indem man für die mit *sed tantum* beginnende, nicht unmittelbar anwendbare Fortsetzung des demütigen Bekenntnisses ein anderes Bibelwort einsetzt: *(sed) salvum me fac et salvus ero, quoniam laus mea tu es* (Jer 17, 14)[35]) oder das Wort des Aussätzigen Mt 8, 2: *sed si vis potes me mundare*[36]) oder einen Hinweis auf die Worte der Verheißung (Jo 6,

---

[32]) Sakramentar von Vich (11./12. Jh.): Ferreres 186.

[33]) Alphabetum sacerdotum (um 1500): Legg, Tracts 48; steirische Missalien des 15. Jh.: Köck 77. 132, an letzterer Stelle vor der einen und der anderen *sumptio*. Ebenso schon in dem oben 431 Anm. 16 genannten Missale des 13. Jh. aus Schlägl: a. a. O. 140. Im Sarum-Ritus seit dem Ende des 14. Jh. an die beidesmalige Sumptionsformel angeschlossen: Frere, The use of Sarum I, 86 f; Martène 1, 4, XXXV (I, 670 C).

[34]) Sakramentar von S. Thierry (Ende des 10. Jh.): Martène 1, 4, X (I, 551 C): *Domine ... tectum meum, sed invoco te cum beatae Mariae et omnium sanctorum meritis, quatenus in me venias et mansionem facias, et obsecro, ut non intres ad condemnationem et iudicium, sed ad salutem animae meae et corporis mei ... et libera me per ...* (es folgen Wendungen aus unserer ersten Kommunion-Oration). Ähnlich im Sakramentar von Moissac (11. Jh.): Martène 1, 4, VIII (I, 540 f): *Domine Jesu Christe, non sum dignus te suscipere, sed tantum obsecro, propitius esto mihi peccatori et praesta* (folgt die Bitte ähnlich wie in *Perceptio)*. In der Folge häufig in französischen Meßbüchern, z. T. mit Erweiterungen; s. ebd. 1, 4, 9, 9 (I, 425 B); Leroquais I, 204; II, 25. 32. 315 usw. Ebenso noch im Missale von Braga (1924) 328. Auch mit der Fortsetzung: *propitius esto mihi peccatori per assumptionem ...* (vgl. oben 430 Anm. 15); Leroquais II, 375; III, 73. — Andere freie Weiterführungen in steirischen Meßbüchern: *... tectum meum, sed propter misericordiam tuam libera me a peccatis et angustiis et necessitatibus meis;* Seckauer Missale des 14. Jh. (Köck 129). *... tectum meum, sed propter magnam clementiam tuam veni in cor meum et munda illud ... intra in animam meam, sana et sanctifica eam ... Salvator mundi;* Vorauer Missale des 14./15. Jh. (Köck 133).

[35]) Salzburger Missale des 12./13. Jh.: Köck 131; steirische Missalien des 15. Jh.: ebd. 77. 132; Missale von 1519 aus Aquileja: Weth (ZkTh 1912) 419; Passauer Missale des 14. Jh.: Radó 102; Augsburger Missale von 1386: Hoeynck 375; zwei Missale-Hss des 15. Jh. aus Amiens bei Wilmart, Auteurs spirituels 20 f. Vgl. Leroquais II, 81 (Sens, 13. Jh.).

[36]) Vorauer Missale des 15. Jh.: Köck 134.

55 ff): *sed tu Domine qui dixisti: Qui manducat carnem meam*...[37]). Von einer Wiederholung des Spruches ist dabei nicht die Rede. Daneben beginnt man in italischen Meßordnungen das Wort des Hauptmanns, so wie es liegt, zu gebrauchen, unter dreimaliger Wiederholung, entweder ohne jede Änderung[38]) oder indem man sich mit der ersten Hälfte begnügt[39]) oder schließlich, indem man in der Fortsetzung, so wie es uns heute geläufig ist, das *puer meus* durch ein *anima mea* ersetzt[40]). Außerhalb Italiens kommt dieses kürzere *Domine non sum dignus* vor Pius V. übrigens nur selten vor[41]), am öftesten in deutschen Meßordnungen[42]). Auch in Italien hat es sich erst allmählich durchgesetzt[43]). Dabei an die Brust zu klopfen scheint erst spät üblich geworden zu sein[44]).

---

[37]) Französische Meßbücher seit dem 12. Jh.: Leroquais I, 261. 328; II, 17. 60.

[38]) Endend mit *puer meus:* Sakramentar von Modena (vor 1174): Muratori I, 94; Sakramentar von St. Peter in Rom (um 1200): Ebner 336; Sakramentar der päpstlichen Hofkapelle (um 1290): Brinktrine (Eph. liturg. 1937) 208; Missale von St. Lambrecht (Anfang des 13. Jh.): Köck 23.

[39]) ...*sub tectum meum.* Früheste Bezeugung (mit dreimaliger Wiederholung) in einem mittelitalischen Kloster-Sakramentar des 11. Jh.: Ebner 302; vgl. ebd. 331. 334. 339. 348. Vgl. auch Missale von Bayeux (12. Jh.): Leroquais I, 237. Ohne Andeutung einer Wiederholung als Gebetsspruch des Kommunikanten in den Enarrationes in Matth. c. 8 (PL 162, 1321), die jetzt meist dem Gottfried von Babion (um 1100; vgl. jedoch W. Lampen, Antonianum 19 [1944] 144—149) zugeschrieben werden. Vgl. auch unten 457.

[40]) In einem unteritalischen Sakramentar des 12./13. Jh.: Ebner 323, gleichfalls mit dreimaliger Wiederholung. Die Spur führt hier wieder zurück in die Normandie, wo ein Missale des 12. Jh. das *anima mea* bietet; Leroquais I, 241; vgl. II, 135. — Das oben (431 Anm. 16) erwähnte Missale des 13. Jh. aus Schlägl beschließt die Formel: *sanabitur et mundabitur corpus et anima mea* (Waefelghem a. a. O. 140).

[41]) Doch kennt es Durandus IV, 54, 10. Vgl. dazu Browe, JL 13 (1935) 48; das hier erwähnte Franziskanermissale des 13. Jh. (bei Leroquais II, 129) ist aber schwerlich französischen Ursprungs. In Spanien erscheint das dreimalige *Domine non sum dignus* im Missale von Tarragona von 1499: Ferreres 188.

[42]) Gregorienmünster (14./15. Jh.): Martène 1, 4, XXXII (I, 657 A); Regensburg (um 1500) und Freising (1520): Beck 270. 309.

[43]) So weist es ein Meßordo des 11./12. Jh. aus Montecassino erst auf als Nachtrag des 12./13. Jh.: Ebner 310 Anm. 2.

[44]) Es ist vermerkt in den Missalien von Tarragona von 1499 (Ferreres 188) und Vich 1547 (ebd. CVIII). Daß man es beim dreimaligen *Deus propitius esto mihi peccatori* tat, wird als alte klösterliche Überlieferung von Johannes Trithemius († 1516) berichtet; Martène 1, 4, 10, 14 (I, 440). Vgl. auch Gabriel Biel, Canonis expositio, lect. 82; Missale von Schlägl (15. Jh.): Lentze (Anal. Praem. 1950) 139.

Wie sehr übrigens das Wort des Hauptmanns vor dem Empfange des Sakramentes naheliegt, ersieht man daraus, daß es auch in orientalischen Liturgien Verwendung gefunden hat. Es bildet im äthiopischen Meßordo den Anfang eines längeren Kommuniongebetes[45]), und auch der byzantinische Ritus weist unter den halbliturgischen Kommuniongebeten solche auf mit dem gleichen Anfang[46]); haben ja auch schon die Väter das Wort des Hauptmannes auf den Empfang des Sakramentes übertragen[47]).

Wenn der Gedanke des Besuches in den weitreichenden Perspektiven des liturgischen Gebetes auch nicht zu den Grundvorstellungen in der Betrachtung der Eucharistie gehört, so wird er doch mit dem biblischen Wort als treffendes Gleichnis für einen Augenblick aufgegriffen. Dabei steht nichts im Wege, das *Agnus Dei* als Hintergrund festzuhalten und im *Domine* die Anrede herauszuhören, mit der in der Geheimen Offenbarung nach der Vulgata (5, 9) auch das Lamm angeredet wird, das Lamm, das zusammen mit dem, der auf dem Throne sitzt, die Anbetung empfängt[48]). Sein Kommen, aber auch schon das Wort, mit dem der Herr gebietet *(dic verbo)*, bringt dem Kranken — und jeder Empfänger weiß sich krank an der Seele — Gesundung. Indem wir den Besuch nicht mit dem demütigen Hauptmann ablehnen, sondern sehnsüchtig erwarten,

---

[45]) Brightman 239: „Herr, Herr, es ist deiner durchaus nicht würdig, daß du unter das Dach meines beschmutzten Hauses kommst; denn ich habe dich zum Zorn gereizt..." (es folgt ein Schuldbekenntnis und nach dem Hinweis auf den Erlösungswillen des Herrn die Bitte, das Geheimnis möge nicht zum Gericht gereichen).

[46]) „Herr, ich bin nicht würdig, daß du eingehst unter das unreine Dach meiner Seele; aber wie du es dir in der Höhle gefallen ließest, in einer Krippe für vernunftlose Tiere zu liegen, und wie du im Hause Simons des Aussätzigen die Sünderin aufnahmst, die dir nahte und die gleich mir befleckt war, so komm auch in die Krippe meiner so unvernünftigen Seele und betritt meinen beschmutzten Leib, diesen Leib des Todes und voll Aussatz. Und wie du den unreinen Mund der Sünderin, die deine makellosen Füße küßte, nicht verschmäht hast, so verschmähe auch, mein Herr und Gott, mich armen Sünder nicht, sondern in deiner Güte und Menschenfreundlichkeit mache mich würdig teilzuhaben an deinem hochheiligen Leib und Blut." M. Daras, Les prières préparatoires à la S. Communion (Cours et Conférences VII, Löwen 1929) 255, mit Berufung auf Pl. de Meester, La divine liturgie de s. J. Chrysostome, Rom 1920 (= 1. Auflage, die mir nicht zugänglich ist). — Vgl. auch das dritte und vierte Gebet im byzantinischen Kommunionoffizium: Ὡρολόγιον τὸ μέγα, Venedig 1875, 417—419.

[47]) Beispiele bei Bona II, 17, 1 (838).

[48]) Dieselbe Anrede am Schluß unserer Litaneien: *Agnus Dei... parce nobis, Domine.*

verändern wir den Sinn seiner Bitte; sie geht in unserem Munde nicht mehr auf das Wort, das sein Kommen ersetzt, sondern auf das Wort, das uns für sein Kommen bereitet[49]).

Ein dritter Ansatz zu Worten, die den Empfang des Sakramentes durch den Priester begleiten — und nun unmittelbar begleiten — sind die Spendeformeln, die seit dem frühen Mittelalter zuerst bei der Krankenkommunion in Übung gekommen sind[50]). Die Spendeformeln werden einfachhin als Sumptionsformeln gebraucht, wobei meist nur das *te* und *animam tuam* ersetzt wird durch *me* und *animam meam*. Ein frühes, noch isoliertes Beispiel bietet wieder das Sakramentar von Amiens, das nach den beiden vorbereitenden Gebeten[51]) unter der Überschrift *Alia* für den doppelten Empfang die eine Formel bietet: *Corpus et sanguis D. N. J. C. prosit mihi in remissionem omnium peccatorum et ad vitam aeternam in saecula saeculorum*[52]). Die hier wahrnehmbare Zurückhaltung und dasselbe Bestreben, den Ausdruck etwas zu bereichern, ist auch noch sichtbar, wenn das Sakramentar von S. Thierry (Ende des 10. Jh.) nur eine Formel bietet zur Kelchkommunion, wohl mit Rücksicht darauf, daß der *sumptio corporis* ohnehin die längeren Vorbereitungsgebete unmittelbar vorausgehen; sie lautet: *Sanguis D. N. J. C., qui ex latere suo processit, salvet animam meam et perducat in vitam aeternam. Amen*[53]). Manche Meßbücher haben auch nach der Jahrtausendwende keine Sumptionsformel aufgenommen[54]). Englische Meß-

---

[49]) Die Umbiegung des Gedankens kommt besonders in der deutschen Übersetzung zur Geltung, wo das *sed* nicht, wie es manchmal geschieht, mit „sondern" (den vorausgehenden Gedanken ablehnend: Komme nicht), sondern mit „aber" (mit nur teilweisem Gegensatz: Komm trotz der Unwürdigkeit, behebe sie mit deinem Wort) wiedergegeben werden muß.

[50]) Siehe unten 483 ff. — Auch in den orientalischen Liturgien, die armenische ausgenommen, sind die vom Zelebranten gebrauchten Sumptionsformeln in der Regel von Spendeformeln abgeleitet. Baumstark, Die Messe im Morgenland 163.

[51]) Oben 428.

[52]) Leroquais (Eph. liturg. 1927) 444.

[53]) Martène 1, 4, X (I, 551 E). — Umgekehrt enthält das derselben Zeit angehörige Sakramentar von S. Gatien-Tours nur die eine Formel: *Corpus D. N. J. C. conservet animam meam in vitam aeternam. Amen*, die aber erst nach der Kelchkommunion zu sprechen ist; Martène 1, 4, VII (I, 537 D). — Dieselbe Erscheinung auch in einem Vorauer Missale des 15. Jh.; Köck 134.

[54]) Das Missale von Troyes (um 1050), das schon drei verschiedene Spendeformeln bietet, hat, abgesehen von den oben 437 f erwähnten Begrüßungen, noch keine Sumptionsformel: Martène 1, 4, VI (I, 534 D); ebenso fehlt sie noch in manchen italischen Meßordnungen des 11.—13. Jh.: Ebner 305. 326. 335. 348.

ordnungen haben sie noch im späteren Mittelalter ferngehalten[55]), die Kartäuser bis zur Gegenwart[56]).

Im allgemeinen tauchen sie aber nun überall auf, und zwar meist getrennt für Hostie und Kelch[57]) und manchmal noch von einer dritten Formel begleitet, die ursprünglich eine selbständige Kelchformel war[58]). Des öfteren wird auch in der zweiten Formel mit Rücksicht auf die beigemischte Partikel *Corpus et sanguis* gesetzt, wie dies u. a. in der Normandie und in England teilweise üblich war[59]). Die Formeln werden in der Regel, so wie heute, vor der *sumptio* gesprochen. Doch liegen auch noch im späten Mittelalter Fälle vor, wo sie erst nachfolgen[60]).

Die Formeln zeigen ungefähr dasselbe Bild, wie wir es bei den Spendeformeln antreffen werden: innerhalb des einfachen Grundschemas die größte Variation, die es durch lange Zeit auch im gleichen Meßordo

---

55) Siehe das Sarum Ordinary: Legg, Tracts 15. 227 f. Dagegen sind Sumptionsformeln aufgenommen, an die noch ein *In nomine Patris*... angefügt ist, im jüngeren Sarum-Ritus; s. oben Anm. 33.

56) Vgl. Legg 102. — Über andere Ordensliturgien vgl. Sölch 144. Die Lyoner Liturgie hat keine Formel bei der Kelchkommunion; Buenner 242.

57) Beispiele getrennter Sumptionsformeln schon im 11. Jh., u. a. in der Missa Illyrica: Martène 1, 4, IV (I, 515 f). — Eine einzige Formel für beides ist in späterer Zeit selten, ist jedoch noch vorgesehen im Missale von Lyon (1904) 319, vgl. de Moléon 59. 65. Ebenso bei den Dominikanern, Missale O. P. (1889) 22: *Corpus et sanguis D. N. J. C. custodiant me in vitam aeternam. Amen.* Vgl. Sölch, Hugo 143 f.

58) In einem mittelitalischen Sakramentar des 11. Jh. bei Ebner 299 (mit der Rubrik: *Ad calicem cum ceperit se confirmare): Communicatio et confirmatio s. sanguinis tui, Domine J. C., prosit mihi in remissionem omnium peccatorum meorum et perducat me in vitam aeternam. Amen.* (Danach folgt noch die Formel *Sanguis D. N. J. C. conservet animam meam in vitam aeternam. Amen.)* Die genannte Formel erscheint in dieser Fassung auch im Norden, wo sie offenbar heimisch ist: Meßordo von Séez (PL 78, 250 C); Missale von Lüttich: Martène 1, 4, XV (I, 594 A). Für Italien s. noch Ebner 14. 17. 200. 331. 341; für Steiermark Köck 129. 131; auch im Augsburger Missale von 1386: Hoeynck 376. — In der Missa Illyrica: Martène 1, 4, IV (I, 515 E), liegt bereits eine Umprägung auf beide Gestalten vor: *Communicatio et confirmatio corporis et sanguinis D. N. J. C. prosit mihi...;* sie kehrt in dieser Form wieder: Köck 130; Beck 271.

59) Martène 1, 4, V. XXVI. XXVIII. XXXI f. XXXVI (I, 528. 638. 645. 652. 657. 674); Ebner 334; Legg, Tracts 49. 66; Maskell 182. Der Meßordo von York um 1425 (Simmons 114) läßt eine solche Doppelformel noch auf die Einzelformeln folgen.

60) Hugo von S. Cher, Tract. super missam (ed. Sölch 50); dazu Sölch, Hugo 142 f mit Anm. 256. Diese Verschiebung ist ebenso zu beurteilen, wie die der Kommuniongebete, oben 433.

meist vermeidet, für Hostie und Kelch dieselbe Fassung der Formel zu verwenden. So kehrt in mehreren Fällen die Verbindung wieder: *Corpus D. N. J. C. sit mihi ad remedium sempiternum in vitam aeternam. Amen; Sanguis D. N. J. C. custodiat me in vitam aeternam. Amen*[61]). Vereinzelt wird schon die Bezeichnung des Herrn geändert: *Corpus Domini mei*[62]); für *sit remedium* und *custodiat* treten häufig ein *prosit, proficiat*[63]), bzw. *conservet*[64]), auch *mecum permaneat*[65]). Zu *me* und *mihi* tritt manchmal als demütige Selbstbezeichnung *peccator*[66]). Viel öfter wird dafür, wie die Beispiele gezeigt haben, schon in früherer Zeit gesetzt *anima mea,* manchmal auch *corpus et anima mea*[67]). Auch eine Erweiterung der Formel kommt in jüngeren Texten vor: ... *et omnibus fidelibus defunctis (proficiat) ad veniam et vivis ad salutem et conservet me ad vitam aeternam*[68]).

11. Kommunion der Gläubigen. Frequenz

Auf die Kommunion des zelebrierenden Priesters folgt, wie wir schon sahen, nach dem ursprünglichen Brauch und nach dem festen Plan auch der römischen Messe grundsätzlich die Kommunion der übrigen Ge-

---

[61]) In italischen Meßordnungen des 11./12. Jh.: Ebner 323. 338. 339. Ebenso im Missale von Remiremont (12. Jh.), wo daneben noch ein zweites Formelpaar erscheint: *Corpus D. N. J. C. mihi proficiat ad remedium animae meae; Sanguis D. N. J. C. conservet animam meam in vitam aeternam.* Martène 1, 4, 9, 9 (I, 424). — Anderseits sind es auch italische Meßbücher, die schon früh auf genau parallelen Ausdruck sehen; s. aus dem 11.—13. Jh. Ebner 302. 307. 311. 317. Später wird der Parallelismus auch anderswo häufiger; er findet sich z. B. im Mainzer Pontifikale um 1170; Martène 1, 4, XVII (I, 602 CD). Weitere Beispiele: Köck 132; Beck 270 f; Legg, Tracts 48 f. 66.

[62]) Beispiele des 11. und 12. Jh.: Martène 1, 4, V (I, 528 A); ebd. 1, 4, 9, 9 (I, 424 A). Beim Kelchwort fügen zwei ungarische Missalien des 14. Jh. ein: *(Sanguis D. N. J. C.) quem vere confiteor de latere eius profluxisse;* Radó 84. 96.

[63]) Beides mit Vorliebe z. B. in steirischen Texten: Köck 127—134.

[64]) Ebner 299. 307. 311 usw.

[65]) Ebner 150.

[66]) Sarum-Missale: Martène 1, 4, XXXV (I, 670 C); Missalien des 15. Jh. von Valencia: Ferreres 189 (n. 692 f). — Ähnlich Meßordo von Bec: Martène 1, 4, XXXVI (I, 674 E): *mihi, Domine, famulo tuo peccatori;* vgl. ebd. XXVIII (I, 645 D).

[67]) Für letzteres s. Missale von Fécamp: Martène 1, 4, XXVI (I, 638 C); Missale von Riga (14./15. Jh.): v. Bruiningk 88. Auch in manchen Prämonstratenser-Missalien des 12. und 13. Jh.; Sölch, Hugo 144 Anm. 261.

[68]) Missale des 15. Jh. aus Schlägl: Lentze (Anal. Praem. 1950) 139 f.

meinde. Diese Ordnung, die uns heute wieder mehr und mehr selbstverständlich geworden ist, hat im Lauf der Jahrhunderte manche Wandlungen und starke Erschütterungen erfahren. Diese Wandlungen und Erschütterungen haben auch auf die liturgische Gestalt der Kommunion des Volkes eingewirkt. Sie haben auch dazu geführt, daß man bis in die Gegenwart herein in der Erklärung der Messe die Kommunion des Volkes mitunter wie eine Art Fremdkörper behandelt hat, der nicht zum Aufbau der Meßliturgie gehört und darum übergangen werden kann.

Bis in das 4. Jahrhundert galt nicht bloß die Regel, daß die Gläubigen in jeder Messe kommunizierten; die Kommunion der Gläubigen war sogar häufiger als die Meßfeier, die im allgemeinen auf den Sonntag beschränkt war. Am Sonntag konnte man nicht bloß das konsekrierte Brot in Empfang nehmen für den Genuß an Ort und Stelle, sondern auch, um es nach Hause mitzunehmen[1]). Dort sollte man es sorgfältig verwahren und Tag für Tag vor jeder anderen Speise davon genießen[2]). Der Brauch lebte namentlich in Ägypten noch länger fort[3]) und besonders die Mönche und Einsiedler der Wüste, die sich meist an Samstagen und Sonntagen zur Eucharistiefeier in der Kirche einfanden, machten sich ihn zunutze. Sie nahmen vielfach zuerst die Eucharistie, wenn sie um die

---

[1]) Ps.-Cyprian (d. i. wahrscheinlich Novatian), De spectaculis c. 5 (CSEL 3, 3, S. 8 Z. 11): *dimissus e dominico et adhuc gerens secum, ut assolet, eucharistiam.*

[2]) Tertullian, Ad uxorem II, 5 (CSEL 70, 118): *Non sciet maritus, quid secreto ante omnem cibum gustes?* — Vgl. De or. c. 19 (CSEL 20, 192): an Fasttagen könne man die Eucharistie nach Hause nehmen, um erst am Abend davon zu genießen. — Hippolyt, Trad. Ap. (Dix 58 f): *Omnis autem fidelis festinet, antequam aliquid aliud gustet, eucharistiam percipere.* Über eine spätere Umbiegung der Vorschrift s. Dix S. LVIII. — Cyprian, De lapsis c. 26 (CSEL 3, 256), berichtet von einer Frau, die die Eucharistie *(Domini sanctum)* in einer *arca* verwahrt hielt, um daraus zu entnehmen. — Vgl. F. J. Dölger, Ichthys II, Münster 1922, 570 Anm. 4; Eisenhofer II, 306 f; Righetti, Manuale III, 459 f.

[3]) Basilius, Ep. 93 (vom Jahre 372; PG 32, 485): „In Alexandria und Ägypten hat sie (die Eucharistie) für gewöhnlich jeder Laie bei sich zu Hause und nimmt sie, so oft er will." — Übrigens wird der Brauch auch für Rom vorausgesetzt von Hieronymus, Ep. 49, 15 (CSEL 54, 377). — Einen dunklen Text bei Zeno von Verona, lib. I, 5, 8, erklärt im gleichen Sinn Dölger, Antike u. Christentum 5 (1936) 243 f. — Ein Zeugnis scheint auch noch vorzuliegen bei Augustinus, Opus imperf. c. Julian. III, 162 (PL 45, 1315); s. Roetzer 179. — Bei den Westsyrern wird noch im 6. Jh. der Brauch gemeldet, am Gründonnerstag das eucharistische Brot für das kommende Jahr nach Hause zu nehmen, wo man es in einem verschließbaren Schrank aufbewahrte; Joh. Moschus, Pratum spirituale c. 79 (PG 87, 2936 f).

neunte Stunde ihre kärgliche Mahlzeit begannen[4]). Daß man auf längeren Reisen die Eucharistie mit sich führte, war damals und auch später noch üblich[5]). Im allgemeinen aber wird, seitdem die Kirche den Frieden erlangt hat, der Empfang des Sakramentes dem nun meist häufigeren Gottesdienst vorbehalten[6]). Die Kommunion aller anwesenden Gläubigen gehört um das 4. Jahrhundert im allgemeinen noch zum regelmäßigen Gang der Eucharistiefeier.

Dann geht die Häufigkeit des Empfanges, wenigstens in manchen Ländern, überraschend schnell zurück[7]). Bei den Griechen klagt

---

[4]) Basilius a. a. O. — Rufinus († 410), Historia monach. c. 2 (PL 21, 406 B). — Palladius, Historia Lausiaca (um 420; es handelt sich jedoch um die längere Rezension, in die Material aus späterer Zeit hineingearbeitet ist) c. 10. 52 (PG 34, 1027 D. 1147 B C). — Nach Chrysostomus, In Hebr. hom. 17, 4 (PG 63, 131), gab es aber auch Wüstenväter, die nur einmal im Jahr oder nach zwei Jahren die Kommunion empfingen. — Weitere Belege bei Hanssens, Institutiones II, 301 f.

[5]) Ambrosius, De excessu fratris sui Satyri I, 43 (PL 16, 1304); dazu Dölger, Antike u. Christentum 5 (1936) 232—247: „Die Eucharistie als Reiseschutz." Hier auch Beispiele von Mißbräuchen und Mißständen, die sich dabei ergaben. — Gregor d. Große, Dial. III, 36 (s. oben 401). — Spätere Beispiele bei P. Browe, Zum Kommunionempfang des Mittelalters (JL 12, 1934) 177; Bona II, 17, 5 (850 f); Corblet I, 527—535. Nach dem 13. Jh. lebt der Brauch im Abendland noch fort als Vorrecht der Päpste, auf deren Reisen bis ins 18. Jh. dafür ein besonderes Zeremoniell bestand. Das Sakrament wurde in einer Art Tabernakel auf reich geschmückter Sänfte getragen und hatte ein eigenes Geleit von berittenen Klerikern; s. Corblet I, 529 ff (mit Abbildungen); Righetti, Manuale III, 505 f. — Nach Gabriel Sionita († 1653) war es bei den Maroniten noch damals üblich, denjenigen, die eine gefährliche Reise antraten, und den Soldaten im Krieg die Eucharistie mitzugeben. Hanssens II, 500.

[6]) Ein gewisser Zusammenhang der Hauskommunion mit der Verfolgungszeit wird jedenfalls in folgender Begebenheit sichtbar: Als in den Glaubenskämpfen um den Monophysitismus 519 eine Verfolgung hereinzubrechen schien, ließ Bischof Dorotheus von Thessalonike die Eucharistie körbchenweise verteilen, *canistra plena... ne imminente, sicut dicebant, persecutione communicare non possent;* Hormisdas, Ep. 102 (Thiel 902); vgl. Duchesne, Origines 263 Anm. — Verboten wurde das Mitnehmen der Eucharistie aus der Kirche auf der 1. Synode von Toledo (400) can. 14 (Mansi III, 1000 D). Auch nach Abt Schenute († um 451) soll der Priester oder Diakon niemandem auch nur soviel wie ein Senfkorn davon überlassen; J. Leipoldt, Schenute von Atripe (TU 25, 1), Leipzig 1904, 184.

[7]) J. Hoffmann, Geschichte der Laienkommunion bis zum Tridentinum, Speyer 1891; H. Leclercq, Communion quotidienne: DACL III, 2457—2462. — P. Browe, Die häufige Kommunion im Mittelalter, Münster 1938; derselbe, Die Pflichtkommunion im Mittelalter, Münster 1940; derselbe, De frequenti communione in Ecclesia occidentali usque ad annum c. 1000 documenta varia (Textus et documenta, ser. theol. 5), Rom 1932.

schon Chrysostomus: „Umsonst stehen wir am Altar; niemand ist, der teilnimmt“[8]). Auch in Gallien hat schon die Synode von Agde (506) Anlaß, eine dreimalige Kommunion im Jahre, an Weihnachten, Ostern und Pfingsten, als Mindestmaß einzuschärfen[9]), eine Verfügung, die bis ins hohe Mittelalter, manchmal mit Hinzufügung des Gründonnerstags, oft und oft wiederholt wurde[10]). In der karolingischen Reform wird noch einmal der Versuch gemacht, die allsonntägliche Kommunion, vor allem die Kommunion an den Fastensonntagen, durchzusetzen[11]); der Erfolg war höchstens vorübergehend[12]). Die Wirklichkeit scheint jedenfalls vom 9. Jahrhundert an im allgemeinen über das nicht hinausgegangen zu sein, was das Laterankonzil von 1215 als neues Minimum festlegte: die Kommunion an Ostern[13]).

Nur in den Klöstern blieb im frühen Mittelalter, bei Cluniazensern[14]) und Zisterziensern auch noch später, die sonntägliche Kommunion die Regel[15]). Doch mußten sich die Laienbrüder mit einem viel geringeren Maß begnügen, z. B. in einem so reformeifrigen Kloster wie Camaldoli mit nur viermaliger Kommunion im Jahr[16]). Eine ähnliche Regel galt in den Ritterorden[17]) und meist auch in den Frauenklöstern[18]).

---

[8]) Chrysostomus, In Eph. hom. 3, 4 (PG 62, 29); vgl. In I Tim. hom. 5, 3 (PG 62, 529 f); In Hebr. hom. 17, 4 (PG 63, 131 f). — Auch Ambrosius, De sacr. V, 4, 25 (Quasten, Mon. 169), kämpft schon gegen diejenigen an, die nur einmal im Jahr kommunizieren, und zwar mit der Kennzeichnung: *quemadmodum Graeci in Oriente facere consuerunt.*

[9]) can. 18 (Mansi VIII, 327): *Saeculares qui Natale Domini, Pascha et Pentecosten non communicaverint, catholici non credantur nec inter catholicos habeantur.*

[10]) Browe, Die Pflichtkommunion 33—39.

[11]) Browe 29—33.

[12]) Browe 29 ff. — Für eine gesteigerte Frequenz spricht immerhin u. a. die Tatsache, daß Walafried Strabo, De exord. et increm. c. 22 (PL 114, 950), die Frage behandelt, ob es den Gläubigen erlaubt sei, in jeder Messe zu kommunizieren, auch mehrmals am Tage; er bejaht die Frage. Vgl. auch die beim Kommuniongesang zu vermerkende Erscheinung, unten 491 f.

[13]) Browe 43 ff.

[14]) In Cluny konnten die Mönche auch mindestens an drei Tagen der Woche, in einzelnen Reformklöstern des 10. Jh. täglich, zur Kommunion gehen. E. Tomek, Studien zur Reform der deutschen Klöster im 11. Jh., Wien 1910, 204. 306f. 315.

[15]) Browe, Die häufige Kommunion 60—68; 74—77.

[16]) Ebd. 77; vgl. 71 ff. 86 f.

[17]) Ebd. 84 f.

[18]) Unter den Benediktinerinnen gab es Klöster mit nur dreimaliger, aber auch, besonders seit der Reformbulle Gregors IX. (1235), solche mit monatlicher Kommunion. Für die Clarissen verlangte die Ordensregel zwölfmalige Beicht und siebenmalige Kommunion. Browe, Die häufige Kommunion 89—97.

Warum konnte der Eifer für den Empfang des Sakramentes so stark zurückgehen? Warum konnte dieser Zustand auch in einer Zeit, die wir als Blütezeit des kirchlichen Lebens zu sehen gewohnt sind, auf der Höhe des Mittelalters, fortdauern? Es war offenbar nicht bloß die viel berufene, angeblich seit der Frühzeit immer größer werdende Lauheit und Kälte der Christen der Grund. Sonst hätte der Rückgang wenigstens vor den Pforten der vielen von religiösem Schwung getragenen Klöster haltmachen müssen. Gewiß mußte im Römerreich nach Konstantin die Masse der aus äußeren Gründen und darum nur äußerlich bekehrten Bekenner des Christentums auf das religiöse Leben hemmend wirken, ebenso wie bei den oft nur oberflächlich missionierten Germanenstämmen ein tieferes Verständnis für das sakramentale Leben sich nur langsam entfalten konnte. Aber es ist schon auffallend, daß der Rückgang sich am deutlichsten in jenen Ländern abzeichnet, in denen der Kampf gegen den Arianismus vielfach zu einer einseitigen Betonung der Gottheit in Christus geführt hat, und damit zu einer religiösen Haltung, die sich in den gleichen Ländern auch in entsprechenden Wandlungen des liturgischen Gebetes und in einer neuen Sprechweise hinsichtlich der Eucharistie auswirkt, nämlich im griechischen Orient und im Bereich der gallischen Liturgien. Das Menschliche und Mittlerische in Christus, das uns an sich zieht, tritt in den Schatten; der ungeheure Abstand, der uns von Gott und vom Heiligen trennt, bekommt bei allem Festhalten an der überlieferten Lehre eine steigende Macht über das christliche Gemüt. Man gewöhnt sich, vom furchtbaren Tisch, vom *mysterium tremendum*, zu sprechen[19]); kein Wunder, daß man es kaum mehr wagt, ihm zu nahen. Dort, wo die Erschütterungen in der Struktur des liturgischen Betens am geringsten waren, in Rom, bleiben auch die alten Überlieferungen einer häufigen und mit der Opferfeier selbstverständlich verbundenen Kommunion am längsten in Kraft[20]).

---

[19]) Vgl. Jungmann, Die Stellung Christi im liturgischen Gebet 217 ff; Browe, Die häufige Kommunion 152.

[20]) Das bezeugen für das 7./8. Jh. die römischen Ordines, die zunächst den Stationsgottesdienst vor Augen haben. Dieser traf aber in der Fastenzeit beinahe täglich. Auch andere Erscheinungen weisen in die gleiche Richtung. Im Gregorianum setzen einzelne der erst im 7./8. Jh. nachgetragenen Formeln der *oratio super populum*, die als Segnungsformeln an sich keinen Anlaß hatten, Kommuniongedanken in sich aufzunehmen, für den betreffenden Tag die Kommunion des Volkes voraus, so die des Aschermittwochs und des Donnerstags der ersten Woche; Lietzmann n. 35, 5; 42, 4. Wenn diese Formeln auch aus älteren Sakramentaren stammen, so bleibt doch ihre Wahl auffällig, da sonst nur ein kleiner Bruchteil der einschlägigen Formeln die Erwähnung der Kommunion enthält. —

Seit dem frühen Mittelalter hat sich sodann die Änderung der Bußdisziplin als Erschwernis für eine öftere Kommunion ausgewirkt. Im Gegensatz zur unbefangenen, gewiß oft allzu unbefangenen Art des älteren Christentums wurde das *probet se ipsum homo* des Apostels (1 Kor 11, 28) nun bald nicht mehr bloß als Forderung vorheriger sakramentaler Buße für *criminalia peccata,* sondern seit dem 10. Jahrhundert immer bestimmter auch als Forderung der jedesmaligen Beicht vor dem Empfang der Kommunion ausgelegt[21]). Um dazu für eine hohe Kommunionfrequenz Gelegenheit zu bieten, fehlte im Mittelalter bei dem herrschenden Pfarrzwang und der vielfach unzulänglichen Organisation der Seelsorge nicht bloß der Wille, sondern weithin auch die Möglichkeit[22]). Dazu kam, daß im Geiste alttestamentlicher Reinigkeitsvorschriften besonders für Eheleute und Frauen immer mehr Ausschließungsfälle festgesetzt wurden[23]) und daß anderseits immer höhere Anforderungen an die Vorbereitung gestellt wurden. Eine Synode von Coventry verlangt

---

Auch nach Beda († 735), Ep. 2 ad Egbertum (PL 94, 666 A), gingen damals in Rom Christen jeden Alters an jedem Sonntag zur Kommunion. — Papst Nikolaus I., Ep. 97 n. 9 (PL 119, 983), gibt 866 den Bulgaren auf die Frage, ob sie in der Quadragesima täglich kommunizieren sollen, eine bejahende Antwort, sofern sie nur die richtige Verfassung hätten.

[21]) P. Browe, Die Kommunionvorbereitung im Mittelalter (ZkTh 56 [1932] 375—415) 382 ff. — Die Kommunion ohne vorausgehende Beicht erscheint nun auch als Anklagepunkt in *Confiteor*formeln. Das erste von Browe dafür angeführte Beispiel, Alkuin, De psalmorum usu II, 9 (PL 101, 499 C), scheint aber doch nicht schon Alkuin selbst anzugehören; s. unten 456.

[22]) Browe, die häufige Kommunion 139—143.

[23]) Der Kommunionempfang der *mulier menstrua* wurde schon von Dionysius von Alexandrien, Ep. can. c. 2 (PG 10, 1281 A), und vom Testamentum Domini I, 23 (Quasten, Mon. 257) mißbilligt. Dasselbe geschieht in Bußbüchern bis ins hohe Mittelalter; s. H. J. Schmitz, Die Bußbücher und die Bußdisziplin der Kirche, Mainz 1883, 283. 411. 662. 694. Von den Eheleuten verlangt Hieronymus, Ep. 49, 15 (CSEL 54, 376 f), daß sie sich vor der Kommunion einige Tage der Ehe enthalten. Nach Cäsarius von Arles, Serm. 44 (Morin 189; PL 39, 2299), sollten Eheleute nach ehelichem Umgang die Kirche sogar durch 30 Tage nicht betreten. Weitere Hinweise s. PL 39, 2299 Anm. a. Eine mildere Praxis vertritt die Gregor d. Gr. als Antwort an Augustinus unterschobene (s. oben I, 130 Anm. 35) Ep. IX, 64 n. 10 (PL 77, 1195—1198). Die Bußbücher verlangen 3—8 Tage Abstand; s. W. Thomas, Der Sonntag im frühen Mittelalter, Göttingen 1929, 110. Später wurden Vorschriften dieser Art allmählich zu einem Rat abgeschwächt, der aber immer noch sehr wirksam gehandhabt wurde. Browe, Die häufige Kommunion 8. 19. 120. 153 f. Das Pontifikale von Narbonne (11. Jh.) bei Martène 1, 7, XIII (I, 893 D) bestimmt, *ut illi qui defuncti corpus laverint, per septem dies non accedant ad altare nec corpus Domini offerre nec participare praesumant, quia lex Veteris Testamenti hoc prohibet.*

1237 auch von den Laien ein vorheriges Fasten von einer halben Woche. Anderswo forderte man sechs Tage Abstinenz von Fleischspeisen[24]). Wer nicht schon eine hohe Vollkommenheit erreicht hatte und von hochgestimmter Andacht getragen war, sollte eher mit dem Hauptmann sich für unwürdig halten, als öfter mit Zachäus den Herrn bei sich aufnehmen[25]); denn so sagt man sich — und darin zeigt sich doch wieder eine echt religöse Beurteilung der Frage — „aus der häufigen Feier entsteht Geringschätzung, aus der seltenen aber wächst die Ehrfurcht vor dem Sakrament"[26]).

Auch die eucharistische Welle, die seit dem ausgehenden 12. Jahrhundert durch die Christenheit ging, hat wohl den Kult des Sakramentes, aber nicht die Häufigkeit seines Empfanges gesteigert. Umgekehrt glaubte man jetzt erst recht, durch den öfteren Anblick der Eucharistie den sakramentalen Empfang derselben irgendwie ersetzen zu können. Es entsteht die Idee der geistigen Kommunion. Mit Berufung auf das Augustinische *Crede et manducasti* erklärte man es als ein Werk von kaum geringerem Wert, wenn man mit lebendigem Glauben sich Christus zuwandte, sein Leiden mit inniger Liebe betrachtete, andächtig an der Messe teilnahm oder zur heiligen Hostie aufblickte[27]). Im späteren Mittelalter erblickte man dann auch im Verlangen nach der sakramentalen Kommunion ein Erfordernis einer solchen *spiritualis communio*[28]), ja deren wesentliches Merkmal. In der Zeit, da man durch die übergroßen Anforderungen eine öftere Kommunion fast unmöglich machte, wird dies bei vielen auch oft ein echtes Verlangen gewesen sein.

Eine gewisse Rechtfertigung der bestehenden Praxis der seltenen sakramentalen Kommunion fand man im Mittelalter in dem Gedanken, daß ja der Priester kommuniziere und daß er es vertretungsweise für die ganze Gemeinde tue. Die Idee dieser Vertretung wird immer wieder betont[29]) und man war geneigt, sie auch sonst noch zur Geltung zu

---

[24]) Browe, Die häufige Kommunion 146.

[25]) Ebd. 152—158.

[26]) Petrus von Blois († um 1204), Ep. 86 (PL 207, 267 A).

[27]) Browe, Die Kommunionandacht im Altertum und Mittelalter (JL 13, 1935) 58—61. Ein naheliegendes Beispiel in der Imitatio Christi IV, 10, 25. Für eine positive theologische Würdigung der in Rede stehenden Übung s. J. Auer, Geistige Kommunion: Geist u. Leben 24 (1951) 113—132.

[28]) Browe a. a. O.

[29]) Wie Herbord, Dialogus de Ottone II, 18 (Jaffé, Bibliotheca rerum Germanicarum V, 761), berichtet, ermahnte Otto von Bamberg († 1139) die neu bekehrten Pommern, öfter zur Messe zusammenzukommen; falls sie dabei nicht selber kommunizieren könnten, sollten sie es durch den Priester tun: *saltem per mediatorem*

bringen. Eine Trierer Synode von 1227 muß verbieten, daß der Priester den Leib des Herrn stellvertretend für Kranke nehme[30]). Dann beginnt man auch unter den Gläubigen, besonders in Frauenklöstern, irgendwie eine solche vertretende Kommunion zu üben. Im 13. Jahrhundert setzen nämlich die Zeugnisse ein für die Gepflogenheit, daß man die Kommunion für andere, besonders für Verstorbene empfängt[31]) oder, wie man später sagt, „aufopfert"[32]). Es ist also auch diese Übung eine Frucht der seltenen Kommunion jener Jahrhunderte.

---

vestrum sc. sacerdotem qui pro vobis communicat... communicate. Berthold von Regensburg († 1272), Predigten (ed. Pfeiffer I, 502), sagt vom kommunizierenden Priester: er „spîset sich an der sêle und uns alle"; denn alle Teilnehmer bildeten mit dem Priester einen Leib, davon er der Mund ist (ebd. II, 686). Vgl. Browe (JL 13, 1935) 61 Anm. 61. — Durandus IV, 56, 1: der menschlichen Sündhaftigkeit wegen ist bestimmt worden, daß wir dreimal im Jahr die sakramentale Kommunion nehmen *et sacerdos quotidie pro omnibus.* — Nach Ludolf von Sachsen († 1377), Vita D. N. Jesu Christi I, 37, 7 (Augsburg 1729: S. 164), heißt die Eucharistie unser tägliches Brot *quia quotidie ipsum sumimus per ministros Ecclesiae, qui hoc sacramentum percipiunt pro se et pro tota communitate.* — Vgl. auch die Begründung, die Honorius Augustod., Gemma an. I, 36 (PL 172, 555; oben I, 154 Anm. 81), für die tägliche Meßfeier gibt.

30) can. 3 (Hartzheim III, 527).

31) Der Brauch hat auch auf die liturgischen Bücher eingewirkt; das Missale von Valencia von 1492 (Ferreres S. XC) erweitert den Kommuniongesang der Totenmesse: *pro quarum commemoratione corpus Christi sumitur.* — Übrigens war die Kommunion der Gläubigen gerade in Totenmessen damals nicht üblich, aus dem oben 80 genannten Prinzip heraus. Sie wurde noch von B. Gavanti 1630 als unangemessen erklärt; s. die Erörterungen bei Gavanti-Merati, Thesaurus II, 10, 6 (I, 319—323); L. Paladini, La controversia della Communione nella Messa: Miscellanea Mohlberg I (1948) 347—371, bes. 354—356. — Die Ritenkongregation hat die Erlaubtheit der Kommunionspendung in der Totenmesse, und zwar auch mit früher konsekrierten Partikeln, ausgesprochen mit Entscheidung vom 27. VI. 1868; Decreta auth. SRC n. 3177.

32) Siehe den Exkurs „Aufopferung der Kommunion" bei Browe, Die häufige Kommunion 165—174, wo aber andere Entstehungsgründe gesucht werden. — Eine Stimme aus Straßburger Beginenkreisen um 1317 versichert, daß eine Laienkommunion für die Erlösung einer abgeschiedenen Seele ebensoviel vermöge, wie die Messe eines Priesters; ebd. 166. — Nachtridentinische Theologen stellen klar, daß es sich bei der genannten Übung nur um das *opus operantis* handeln könne, um die eigene Andacht beim Empfang und das damit verbundene fürbittende Gebet; ebd. 172 ff. Übrigens findet sich eine ganz ähnliche Ausdrucksweise von altersher in mehreren Formeln der Postcommunio, wenn gebeten wird, diese Kommunion *(sacramenta quae sumpsimus, coelestis participatio sacramenti)* möge jemandem (z. B. den verstorbenen Eltern) zum Heile gereichen; vgl. J. Tschuor, Das Opfermahl, Immensee 1942, 221—229, wo mit Recht betont wird, daß man die Kommunion hier ja nicht vom Opfer zu trennen braucht.

Um die Wende des Mittelalters setzen dann anders gerichtete Kräfte ein, die wieder einen häufigeren Empfang begünstigen und befördern und die im Konzil von Trient eine entscheidende Ermutigung und durch Pius X. schließlich ihren vollen Triumph erlangt haben[33]).

So finden wir in den zwei Jahrtausenden der Kirchengeschichte hinsichtlich der Kommunionfrequenz die denkbar gegensätzlichsten Standpunkte eingenommen: einerseits die bedenkenlose Zuversicht, daß derjenige, der durch die Taufe in Christus eingepflanzt und in das Reich Gottes aufgenommen ist, auch das Brot vom Himmel als sein tägliches Brot betrachten darf; anderseits das Gefühl der Scheu und des Zagens, das mehr auf die menschliche Schwäche als auf die gnadenhafte Würde des Christen sieht und das auch den Frommen davon zurückhält, öfter dem heiligen Geheimnis zu nahen.

Eine Bedingung wurde, abgesehen vom Gnadenstand, schon in früher Zeit wie für den Priester so auch für die Gläubigen erhoben: daß man vor dem Empfang des Sakramentes nüchtern bleibe. Diese Forderung war schon stillschweigend miterfüllt in der alten Gepflogenheit, das Sakrament zu nehmen „vor jeder anderen Speise"[34]). Mehr oder weniger aus-

---

[33]) E. Dublanchy, Communion fréquente: Dict. de Théol. cath. III, 515—552; Eisenhofer II, 309 f.

[34]) Diese oft wiederkehrende Formel (vgl. die oben Anm. 2 genannten Belege) wird von J. Schümmer, Die altchristliche Fastenpraxis (LQF 27), Münster 1933, 108, nur dahin verstanden, daß die Eucharistie als Schutzmittel gegen Gift im Sinne einer *praegustatio* genommen worden wäre, wie allerdings der Text bei Hippolyt, Trad. Ap. (Dix 58), anzunehmen nahelegt. Ähnlich auch J. M. Frochisse, A propos des origines du jeûne eucharistique: Revue d'hist. eccl. 28 (1932) 594—609, bes. 595 ff. Daß der Empfang des Sakramentes *ad tutamentum mentis et corporis* gereichen soll, ist uns übrigens ja auch heute nicht fremd. Diese Betrachtungsweise braucht eine andere, die von der Ehrfurcht ausgeht, nicht auszuschließen. Jene Praxis mußte beim unbezweifelten Glauben an die reale Gegenwart des Leibes Christi, der ja zugrunde lag, vielmehr notwendig den weiteren Gedanken mit sich führen, daß der heiligen Nahrung auch als solcher die Priorität gebühre. Schümmer selbst sieht sich in anderem Zusammenhang (221) genötigt, dies festzustellen und mit dem Hinweis auf die Auffassung bei den Juden zu bekräftigen, daß man das Paschamahl als heilige Opferspeise nicht mit vollem Magen essen dürfe. So kommt er hier zum Schluß, daß schon zu Tertullians Zeiten die Nüchternheit „wohl nicht nur tatsächlich, sondern gewollt" gewesen sei. So auch Dekkers, Tertullianus 63, der zugleich darauf hinweist, daß auch in der heidnischen Antike oft vielfältige Fastenvorschriften zu beobachten waren, wenn man vor die Gottheit hintreten wollte; vgl. R. Arbesmann, Das Fasten bei den Griechen und Römern, Gießen 1929, 72—97, bes. 96 f.

drücklich wurde sie erhoben am Ausgang des 4. Jahrhunderts[35]), obwohl noch einzelne Ausnahmen zugelassen wurden, vor allem am Gründonnerstag, wo das vorausgehende letzte Abendmahl nachgebildet werden sollte[36]). Im ganzen Mittelalter wurde am Gebot der Nüchternheit nicht nur streng festgehalten, es wurde sogar immer wieder auch für den Besuch der Messe eingeschärft, so noch in einer Brixener Synode von 1453[37]), oder wenigstens als Rat in Erinnerung gebracht[38]).

12. Kommunion der Gläubigen. Vorbereitende Gebete

Solange die Messe noch in ihrem ganzen Verlauf eine gemeinsame Feier von Priester und Volk war, bestand kein Anlaß, für die Kommunion der Gläubigen an andere Gebete zu denken, als diejenigen waren, die sie mit dem Priester verrichteten und der Priester mit ihnen. Der Gang der Messe führte selbst zum heiligen Mahle hin. Das gilt auch von der alten römischen Messe, trotz der besonderen Dürftigkeit ihres Gebetsplanes im Bereich der Kommunion[1]).

Als diese römische Messe in der karolingischen Epoche ins Frankenreich verpflanzt wurde, zeigte es sich, daß sich die fränkischen Kleriker in ihrem Rhythmus nicht mehr zurecht fanden; darum nun die Versuche umzuprägen und neuzubilden, gerade auch im Kommunionkreis. Das Verhältnis der Gläubigen zur antiken Strenge der römischen Messe konnte selbst in jener dünnen Schicht des Volkes, die noch des Lateins mächtig

---

[35]) Andeutungen bei Basilius, De ieiun. hom. I, 6 (PG 31, 172 B; im römischen Brevier am Sonntag ‚Laetare‘); Chrysostomus, In I. Cor. hom. 27, 5 (PG 61, 231). — Gregor von Nazianz, Orat. 40, 30 (PG 36, 401), der betont, daß man die Eucharistie nicht nach, sondern vor dem Mahle halte. Ähnlich Ambrosius, In ps. 118 expos. VIII, 48 (CSEL 62, 180). — Timotheus von Alexandrien († 385), Responsa canonica (PG 33, 1307 A); doch ist die von ihm gegebene Entscheidung nicht eindeutig; vgl. Frochisse 608. — Vgl. auch J. Burel, Le jeûne eucharistique: La Vie et les Arts liturg. 9 (1922/23) 301—310; Bericht darüber JL 3 (1923) 138 f. — In voller Klarheit liegt die Vorschrift um 400 bei Augustinus, Ep. 54, 6 (CSEL 34, 166 f), vor, der sie bereits als apostolische Überlieferung betrachtet, die in der ganzen Kirche beobachtet werde.

[36]) A. Bludau, Die Pilgerreise der Ätheria, Paderborn 1927, 313 f. Das Trullanum (692) verwirft diese Ausnahme, ein Beweis für ihr langes Fortleben.

[37]) Vgl. oben I, 251 Anm. 44.

[38]) P. Browe, Die Nüchternheit vor der Messe und Kommunion im Mittelalter: Eph. liturg. 45 (1931) 279—287; Franz, Die Messe 62 f; G. Bilfinger, Die mittelalterlichen Horen, Stuttgart 1892, 86—89.

[1]) Vgl. oben 292 ff. 347 ff.

war, nicht günstiger sein als das der Kleriker. So ist es nicht verwunderlich, daß wir von den neuen Kommuniongebeten des Priesters, die dieser nun mit leiser Stimme in seinem Meßordo einschaltet, einen guten Teil, und diejenigen, die heute noch üblich sind, sogar vollzählig, als Gebete der Gläubigen oder doch der assistierenden und mitfeiernden Kleriker oder Mönche kennenlernen. Das Zusammengehen ist hier vollständiger als bei der parallelen Erscheinung im Oblationskreis[2]).

Das meist an erster Stelle stehende Gebet an Gott den Vater, *Domine sancte Pater*[3]) trafen wir zuerst im Gebetbuch von Kaiser Karl dem Kahlen[4]). Auch das Gebet *Domine Jesu Christe, fili Dei vivi* erscheint seit derselben Zeit in privaten Gebetssammlungen, und zwar als Gebet vor der Kommunion, u. a. in der um 850 in einem italischen Kloster entstandenen Sammlung De psalmorum usu,[4a]) als Gebet nach der Kommunion auch in der einen Fassung der Kommunionandacht des ausgehenden 11. Jahrhunderts aus Montecassino[5]). Im gleichen Sinn wird es in der Meßordnung des elsässischen Klosters Gregorienmünster (11. Jh.) eingeführt mit der Rubrik: *Quando ad sumendum corpus et sanguinem dominicum accedimus, dicimus*[6]); es war also Kommunikantengebet. Das gleiche gilt vom Gebet *Perceptio corporis.* Es erscheint einmal als mit *Item* eingeführte zweite Formel unter der Überschrift *Communicantes singuli dicant*[7]). Zu den nun folgenden Formeln unserer Kommunionordnung liegen Parallelen vor im Missale von St. Lorenz in Lüttich (erste Hälfte des 11. Jh.), das die Weisung hat: *Cum aliquis cor-*

---

[2]) Oben 58 Anm. 22; 67 Anm. 60 usw. — Ein ähnlicher Fall liegt im byzantinischen Ritus vor, wo die Gläubigen noch jetzt ausdrücklich angewiesen werden, vor der Kommunion dasselbe Gebet Πιστεύω κύριε zu sprechen, das der Priester leise spricht. Brightman 396 b.

[3]) Oben 429.

[4]) Ebd. Anm. 13. Dieses enthält noch (a. a. O. 116) als Gebet nach der Kommunion die leicht variierte und singularisch gefaßte Oration *Quod ore sumpsi Domine.*

[4a]) PL 101, 508 C. Zur Datierung dieser nachmals von Alkuin hergeleiteten Sammlung s. A. Wilmart, Le manuel de prières de s. Jean Gualbert (Rev. Bénéd. 1936, 259—299) 265. Über weitere Fundorte des Gebets in Sammlungen des 9. Jh. s. ebd. 295 (darunter auch der Libellus von Fleury: PL 101, 1408 A).

[5]) A. Wilmart, Prières pour la Communion en deux psautiers du Mont-Cassin (Eph. liturg. 1929) 324.

[6]) Martène 1, 4, XVI (I, 600 D).

[7]) Salzburger Missale des 12./13. Jh.: Köck 131. Die Formel steht hier, wie so oft auch im priesterlichen Meßordo, nach dem Empfang. Die erste Formel, die alle sprechen sollen, ist eine Sumptionsformel: *Corpus D. N. J. C. proficiat mihi ad salutem corporis et animae in vitam aeternam. Per.*

pus Christi accipit, dicat: Panem coelestem accipiam et nomen Domini invocabo. Item: Corpus D. N. J. C. sit mihi remedium sempiternum in vitam aeternam[8]). Letzteres ist nicht die einzige Sumptionsformel, die auch den Gläubigen zugeeignet wird[9]). Das *Domine non sum dignus* wurde schon seit dem 11. Jahrhundert den Laien als Kommuniongebet empfohlen[10]). Tatsächlich findet es sich auch schon als letztes der vor der Kommunion gesprochenen Gebete in der eben erwähnten Kommunionandacht von Montecassino[11]) und seit dem 13. Jahrhundert beginnt man es in den Klöstern vor der Kommunion gemeinsam zu sprechen[12]).

Die Kommunionandacht von Montecassino[13]) gibt uns übrigens ein gutes Bild von der Weise, wie man sich damals in einem eifrigen Kloster zur Kommunion bereitet hat. Der *Ordo ad accipiendum corpus Domini* beginnt mit Pss 50. 15. 38. Es folgen *Kyrie, Pater noster* und *Credo*, darauf in freier Fassung eine *Confiteor*- und eine *Misereatur*-Formel. Nach mehreren Versikeln schließen sich nun die eigentlichen Kommuniongebete an, die sich zuerst an den Vater, dann an den Sohn, dann an den Heiligen Geist wenden[14]), worauf dreimal das Wort des Hauptmannes folgt[15]). Nach dem Empfang des Sakramentes spricht der Kommunikant dreimal: *Verbum caro factum est et habitavit*

---

8) Martène 1, 4, XV (I, 593 D).

9) Vgl. oben Anm. 7. Ein unteritalisches Missale des 12./13. Jh. (Ebner 346 f) teilt den Kommunikanten die Sumptionsformel *Perceptio* zu.

10) Browe, Mittelalterliche Kommunionriten (JL 15, 1941) 32, nennt dafür: Anselm von Laon († 1117), Enarr. in Matth. c. 8 (PL 162, 1321); Bruno von Segni († 1123), Comment. in Matth. II, 8, 25 (PL 165, 141); Balduin von Flandern († 1190), De sacr. altaris (PL 204, 773 B); Ludolf von Sachsen († 1377), Vita D. N. Jesu Christi I, 42, 8 (Augsburg 1729: S. 190). Vgl. auch oben 442 Anm. 39.

11) Wilmart 324.

12) Browe, Mittelalterliche Kommunionriten (JL 15, 1941) 32. Deswegen sagte man auch in Nonnenklöstern: *Domine non sum digna*, was dann gegebenenfalls manchmal selbst in das vom Priester vorgesprochene Wort überging (ebd. 31); so z. B. auch noch in einem 1563 zu Venedig gedruckten Missale Romanum; Lebrun I, 556.

13) Erste Fassung; Wilmart (Eph. liturg. 1929) 322—325.

14) In der zweiten Fassung je ein Gebet an jede göttliche Person (326); in der ersten sind zwei Formeln an den Vater. — Ein Teil der Formeln ist uns schon begegnet (oben 429 Anm. 14 f; 432 Anm. 23). Die Texte zeigen im allgemeinen die Tendenz zu gefühlsbetonten Erweiterungen.

15) Nur bis *sub tectum meum*. In der zweiten Fassung ist noch ein mit dem gleichen Wort beginnendes langes Gebet vorangestellt, ähnlich den oben 441 Anm. 34 erwähnten Gebeten.

in nobis[16]) und dann die Doxologie: *Tibi laus, tibi gloria, tibi gratiarum actio in saecula saeculorum, o beata Trinitas.* Unter den Gebeten, die nun folgen, steht außer dem schon erwähnten *Domine Jesu Christi Fili* das *Corpus tuum Domine quod sumpsi*[17]). Einige weitere Formeln variieren hauptsächlich die Bitte um die reinigende und stärkende Wirkung des Sakramentes[18]).

Es ist auffallend, daß diese Gruppe von Gebeten, die seit dem Ausgang des karolingischen Zeitalters aus der privaten Sphäre in das liturgische Beten auch des Priesters übergeht, einige Jahrhunderte später in der privaten Kommunionandacht keine besondere Rolle mehr spielt. Während sich die Gebete im priesterlichen Meßordo mehr oder weniger verfestigen, geht die private Frömmigkeit in der nun sich vorbereitenden gotischen Periode wieder neue Wege. Man kommt im 11. Jahrhundert zu den Begrüßungen des Sakramentes[19]), die ja auch noch in die Meßbücher übergegangen sind[20]) und an deren Höhepunkt die Erhebung der heiligen Hostie bei der Wandlung steht. Im Zusammenhang damit kommt aber auch allmählich eine neue Sprechweise zum Durchbruch, die im Sakrament nicht mehr bloß den Leib und das Blut Christi, sondern schlechthin Christus sehen und als Seelengast ersehnen und begrüßen will. Nicht mehr das Wort: „Wer mein Fleisch ißt und mein Blut trinkt" (Jo 6, 53 ff), sondern das andere: „Wer mich ißt" (Jo 6, 58), gibt den Grundton an. Sodann macht sich mehr und mehr die von der allegorischen Meßerklärung in den Vordergrund gerückte Betrachtung des Leidens Christi und damit überhaupt die rückschauende Beschäftigung mit dem Leben und Leiden des Herrn geltend[21]).

---

16) Ebenso im unteritalischen Missale des 12./13. Jh. bei Ebner 347.

17) Das eben (vorige Anm.) erwähnte Missale bei Ebner 347 läßt die kommunizierenden Kleriker sprechen: *Quod ore sumpsimus* und darauf *Corpus D. N. J. C. quod accepi.*

18) Wilmart 327 hebt darum mit Recht „une préoccupation morale" als kennzeichnenden Grundzug dieser Kommuniongebete hervor.

19) Wilmart, Auteurs spirituels 20 ff. 373 f; Browe, Die Kommunionandacht (s. unten Anm. 21) 49. — Eine alleinstehende Erscheinung ist es, wenn das Sakramentar von Fonte Avellana (vor 1325) ohne Erwähnung anderer Gebete die Kommunikanten gemeinsam sprechen läßt *(Ad sonitum patenae hanc fratres orationem dicant): Huius sacramenti susceptio fiat nobis, Domine, omnium peccatorum nostrorum remissio. Per Christum.* PL 151, 887 f.

20) Oben 437 f.

21) P. Browe, Die Kommunionandacht im Altertum und Mittelalter: JL 13 (1935) 45—64, bes. 53 ff. — Wieder etwas anderer Art sind die in sich großartigen Betrachtungen, die in der Imitatio Christi IV, 6 ff als *exercitium ante communionem* geboten werden.

Wohl auf diesem Hintergrund muß die Erscheinung gewertet werden, daß gegen Ende des Mittelalters innerhalb der Messe ein besonderer Gebetskreis vorgesehen wird für den Fall, daß den Gläubigen die Kommunion zu spenden ist, und zwar wird nun mehr und mehr derselbe Ritus in die Messe eingeschaltet, der dazu diente, gegebenenfalls außerhalb der Messe die Kommunion zu spenden, wie dies wenigstens für Kranke und Sterbende notwendig war. Im Grunde war dieser Hereinnahme vorher der umgekehrte Vorgang vorausgegangen. Die ältesten Riten der Krankenkommunion, die wir kennen, übertragen, soweit möglich, den Kommunionabschnitt der Messe ins Krankenzimmer. Man betet das *Pater noster* mit seiner Einleitung und mit seinem Embolismus, gibt dann den Friedenskuß mit einer dem *Pax Domini* entsprechenden Formel und reicht das Sakrament[22]).

Nach dem 11. Jahrhundert wird aber dieser Ritus der Krankenkommunion immer seltener. Er zerfällt und es treten andere Elemente in den Vordergrund, vor allem ein Sündenbekenntnis und ein Bekenntnis des Glaubens. Ein Sündenbekenntnis hat schon früh und im Grunde von jeher zur rechten Vorbereitung auf die Kommunion gehört; nur stand es nicht erst unmittelbar vor dem Empfang des Sakramentes[23]). Im Gebetbuch Karls des Kahlen erhält der kaiserliche Beter die Anweisung: *Confitenda sunt peccata secreto coram Deo, antequam vestram offeratis oblationem vel communicetis*[24]). In der Krankenkommunion mußte sich allerdings ergeben, daß diese Erfordernisse enger zusammenrückten. Der Kranke soll, heißt es im 12. Jahrhundert, *suum Confiteor* sagen[25]),

---

22) Des näheren leben darin Formeln der gallikanischen Messe fort; so noch deutlich im Rituale von St. Florian (12. Jh.) ed. Franz, Freiburg 1904, 82. Doch wird auch der betreffende Abschnitt der römischen Messe verwendet, beginnend mit *Praeceptis salutaribus* und sogar unter Vorausnahme einer Vormesse; so im Pontifikale von Narbonne (11. Jh.): Martène 1, 7, XIII (I, 892); vgl. Jungmann, Gewordene Liturgie 149—156. Eine zu größerer Feierlichkeit entwickelte Form des der Messe entnommenen Kommunionritus liegt vor in der *missa praesanctificatorum*; s. ebd. 144—146. Im Orient wurde mehrfach im wesentlichen der Ritus der Präsanktifikatenmesse verwendet, wenn jemand außerhalb der Messe kommunizieren wollte; Hanssens, Institutiones II, 99 f.

23) Vgl. oben I, 23 f. 631 ff.

24) ed. Ninguarda (s. oben 58 Anm. 22) 113; vgl. auch die Kommunionordnung von Montecassino, oben 457.

25) Rituale von St. Florian ed. Franz 82. Auf weitere Beispiele, darunter eines aus dem 11. Jh., weist hin Browe, Mittelalterliche Kommunionriten (JL 15, 1941) 28 f. Doch fehlt das *Confiteor* auch noch in jüngeren Dokumenten, so in der älteren Rezension des Pontificale Romanum des 13. Jh. (ed. Andrieu II, 493).

worauf das *Misereatur* mit einem der Absolution entsprechenden *Indulgentiam*[26]) und der weitere Kommunionritus folgte.

Ein vorgängiges Glaubensbekenntnis des Kranken ist, meist in der Form des Apostolischen Glaubensbekenntnisses, vereinzelt schon in Quellen des 8./9. Jahrhunderts vorhanden[27]). Allgemein üblich ist es nie geworden. Näherhin auf das Sakrament bezogen, erscheint es wieder seit dem 11./12. Jahrhundert[28]).

Beide Elemente gehen dann auch in die Kommunionordnung der Messe über. Die Ordensliturgien des 12./13. Jahrhunderts weisen meistens schon das *Confiteor* vor der Kommunion der Brüder auf[29]). Alsbald findet es als „Offene Schuld" auch Eingang in die Pfarrkirchen, wo es nun wohl meist von der ganzen Gemeinde gesprochen wird[30]). Auch das Bekenntnis des Glaubens an die Wahrheit des Sakramentes finden wir seit dem 13. Jahrhundert manchmal in irgendeiner Form vor

---

[26]) Vgl. oben I, 388 f. 631 ff.

[27]) P. Browe, Die Sterbekommunion im Altertum und Mittelalter 5. Die Ablegung des Glaubensbekenntnisses: ZkTh 60 (1936) 211—215; vgl. Dimmabuch (F. E. Warren, The liturgy and ritual of the Celtic Church, Oxford 1881, 169); Theodulf, Capitulare II (PL 105, 222 C). — Ein Beispiel aus dem 13./14. Jh. bei Martène 1, 7, XXVI (I, 948). Auch die Agende der Diözese Schwerin von 1521 (ed. A. Schönfelder, Paderborn 1906, 24 f) verlangt wieder das Apostolische Glaubensbekenntnis.

[28]) Rituale von St. Florian (Franz 82): *Ecce, frater, corpus D. N. J. C., quod tibi deferimus. Credis hoc esse illud, in quo est salus, vita et resurrectio nostra?* — Rituale des Bischofs Heinrich I. von Breslau († 1319) (ed. Franz, Freiburg 1912, 33): *Credis, quod hoc sit Christus, salvator mundi?* — Zuerst ein siebengliedriges christologisches Glaubensbekenntnis und darauf, nach dem von Gebet begleiteten Kuß des Kreuzes, das Bekenntnis des Glaubens an das Sakrament wird dem Kranken abgefordert in einem Krankenordo aus Gerona (um 1400); T. Noguer i Mosqueras, Un text liturgic en Català: Analecta sacra Tarraconensia 12 (1936) 451—462. Weitere Beispiele bei Browe, Die Sterbekommunion (ZkTh 1936) 213 ff.

[29]) Browe, Mittelalterliche Kommunionriten (JL 15, 1941) 29. — Nur die Kartäuser haben das *Confiteor* an dieser Stelle auch bis heute nicht übernommen, ebensowenig wie das *Domine non sum dignus*. Die Zisterzienser lassen es weg, wenn nur die Assistenten kommunizieren (ebd.).

[30]) Browe 30. — Auch daß gleichzeitig eine Buße aufgegeben wird, wie in anderen analogen Fällen (oben I, 632 Anm. 18), ist bezeugt (ebd.). Siehe den *Ritus communionis catholicus* (vor 1557) des Herzogs Albrecht IV. von Bayern sowie weitere Nachrichten bei H. Mayer, ZkTh 38 (1914) 276 f. — Sündenbekenntnis in der Volkssprache und Bußauflage auch in einem ungarischen Kommunionritus des 16. Jh.; C. Péterffy, Sacra concilia Ecclesiae Rom.-cath. in regno Hungariae, Preßburg 1742, 240.

der Kommunion innerhalb der Messe wieder[31]). Als Frage des Priesters und Antwort des Volkes erscheint es besonders seit der Bestreitung des Sakramentes durch die Reformatoren[32]).

Es war eine glückliche Lösung, als an die Stelle solcher Glaubensfragen und Glaubensbekenntnisse die ruhigere und harmonischere Form trat, die wir in unserem *Ecce agnus Dei* haben, das mit seiner treffenden und inhaltsreichen Bezeichnung des heiligen Sakramentes zugleich an den vorausgegangenen *Agnus-Dei*-Gesang anknüpft und das man wohl auch mit dem alten *Sancta sanctis* in Parallele setzen darf[33]). Die früheste Bezeugung dieser Worte vor der Kommunion scheint erst in der Synode von Aix 1585 vorzuliegen, wo sie mit dem begleitenden Ritus vorgeschrieben wurden[34]). Bis in die neueste Zeit herauf wurden sie vielfach, damit sie ihren Zweck erreichen konnten, in der Landessprache gesprochen, ähnlich wie früher jene Glaubensfragen und ebenso wie das nun folgende *Domine non sum dignus*. Nicht wenige Synoden und Diözesanritualien bis ins 18. Jahrhundert und darüber hinaus in Deutsch-

---

[31]) In der Queste del St. Graal (um 1220) ed. Pauphilet 167 (bei Browe 24) bekennt einer der Helden auf die Frage des Priesters, was er in Händen halte: Du hältst meinen Heiland und meine Erlösung in Gestalt von Brot. — Browe 24 ff weist darauf hin, daß man anstatt der Glaubensfrage oft, besonders seit der Mitte des 13. Jh., eine Ansprache gehalten habe, die zum gläubigen und würdigen Empfang aufforderte. Doch findet diese Ansprache noch oft an der sonst üblichen Stelle der Predigt oder (in Klöstern) auch am Vortage statt (25 f). In späterer Zeit und bis ins 20. Jh. herein sind die Kommunionansprachen unmittelbar vor der Kommunion, besonders vor der Generalkommunion, allerdings häufig geworden. Sie sind (als ‚fervorini') durch ein Dekret der Ritenkongregation vom 16. IV. 1853 als zulässig erklärt. Decreta auth. SRC n. 3009, 4. — Auch in Ritualien sind dafür gedruckte Texte vorgesehen; siehe z. B. für die Salzburger Kirchenprovinz im 16. Jh. Mayer a. a. O. 277; für Konstanz A. Dold, Die Konstanzer Ritualientexte (LQ 5/6), Münster 1923, 52 f.

[32]) So haben es die Dominikaner in den Generalkapiteln von 1569 und 1583 für die Kommunion der Laien in folgender Form vorgeschrieben: Nach dem Sündenbekenntnis hält der Priester das Sakrament dem Kommunikanten entgegen mit den Worten: *Credis hunc esse verum Christum Deum et hominem?* Dieser antwortet *Credo*, worauf das *Domine non sum dignus* folgt. Monumenta Ord. Fr. Praed. hist. 10 (1901) 239; Browe 27. — In dem von Kardinal Santori verfaßten Rituale sacramentorum Romanum (Rom 1584) 297 lautet die Frage: *Creditis hoc esse verum Christi corpus, quod pro vobis traditum fuit in mortem?* Nach dem bejahenden *Credo* folgt eine zweite allgemeinere Glaubensfrage. Ähnliche Fragen im ungarischen Kommunionritus des 16. Jh.; Péterffy (oben Anm. 30) 241.

[33]) Die naheliegende Ausdrucksweise mit *Ecce* auch oben Anm. 28.

[34]) Hardouin X, 1525. — Lebrun I, 556.

land wie in Frankreich ordneten dies ausdrücklich an[35]). Die Gruppe dieser drei Formeln, *Confiteor* mit den zugehörigen Absolutionsworten, *Ecce Agnus Dei* und *Domine non sum dignus,* geht nun in die Kommunionordnung des Rituale Romanum von 1614 ein. Sie wird darin selbstverständlich lateinisch geboten, was dann, soweit das römische Rituale an die Stelle der Diözesanritualien tritt, die Ausschließung der Volkssprache auch hier zur Folge hat. Das *Confiteor* soll nun *nomine populi* vom Meßdiener, das *Domine non sum dignus* vom Priester gesprochen werden[36]).

Die Aufnahme auch ins römische Missale[37]) war damit von selbst gegeben. Sie entsprach nach dem Gesagten nur einer schon längst eingelebten Übung. Dabei wird freilich heute dort, wo man dem Gang der Messe zu folgen gelernt hat, besonders das *Confiteor* als eine entbehrliche Wiederholung empfunden, da doch, selbst von der Gemeinschaftsmesse abgesehen, jede Anleitung zur Teilnahme auch das demütige Sündenbekenntnis am Anfang fordert[38]). Bei der Kommunion in der Ordinationsmesse entfällt übrigens *Ecce Agnus Dei* und *Domine non sum dignus,* bei der Kommunion der neugeweihten Priester auch das *Confiteor*[39]).

Daß gegen die Wende des Mittelalters die genannten Einschaltungen vor der Spendung der Kommunion so leicht sich durchsetzen konnten, hängt damit zusammen, daß man von altersher daran gewöhnt war, an dieser Stelle im gegebenen Fall innezuhalten und den heiligen Augenblick für wichtige Erklärungen zu benützen. Schon von Novatian wird

---

[35]) Browe, Mittelalterliche Kommunionriten (JL 15, 1941) 30 f; Corblet II, 30. So auch z. B. seit alters das Manuale sacrum der Diözese Brixen; noch die Ausgabe von 1906 gestattet (S. 102) das *Ecce Agnus Dei* erst lateinisch und dann deutsch, das „Herr, ich bin nicht würdig" nur deutsch zu sprechen, allerdings zunächst mit der damals gewöhnlichen Voraussetzung der Kommunion außerhalb der Messe. Anders die Antwort der Ritenkongregation vom 7. IV. 1835 an die Schweizer Kapuziner; Decreta auth. SRC n. 2725, 5. — Nach der oben erwähnten Synode von Aix konnte das *Domine non sum dignus* auch, anstatt vom Priester, vom Ministranten gesprochen werden; a. a. O. — Eine gewisse Feierlichkeit wird dem *Domine non sum dignus* gegeben, wenn es, wie als Brauch der lateinischen Katholiken in Rumänien gemeldet wird, an den großen Kommuniontagen von Chor und Volk gesungen wird; Kramp, Meßgebräuche der Gläubigen in den außerdeutschen Ländern (StZ 1927, II) 360.

[36]) Rituale Rom. (1925) IV, 2, 1. 3.

[37]) Missale Rom., Ritus serv. X, 6.

[38]) Auf die Unzukömmlichkeit der Wiederholung von *Confiteor* und *Domine non sum dignus* hat schon 1680 N. Letourneux hingewiesen; s. Trapp 10.

[39]) Pontificale Rom., De ord. presbyteri; für die Priester mit der Begründung: *quia concelebrant Pontifici.*

berichtet, daß er seine Anhänger, bevor er ihnen die Eucharistie gewährte, schwören ließ, ihm treu zu bleiben[40]. Im frühen Mittelalter waren ähnliche Aufforderungen und Erklärungen üblich, wenn bei der Messe, die einem Ordal vorausging, die Kommunion gereicht wurde[41]. Von da war es kein weiter Schritt mehr, auch die Ordensprofeß als eine Art heiligen Schwur zu betrachten, der mit dem Empfang des Sakramentes besiegelt wurde. Ein Beispiel dieser Art liegt vor vom Jahre 1331 aus französischen Franziskanerkreisen[42]. Zur festen Einrichtung ist die Ablegung der Gelübde im Augenblick vor dem Empfang des Sakramentes in der Gesellschaft Jesu geworden[43], ein Beispiel, das in manchen neueren Kongregationen Nachahmung gefunden hat.

13. *Kommunion der Gläubigen. Rituelle Gestaltung*

Hinsichtlich des Ortes, an dem die Gläubigen die Kommunion empfangen, sind im Lauf der Zeit verschiedene Lösungen angewandt wor-

---

[40]) Eusebius, Hist. eccl. VI, 43, 18.

[41]) P. Browe, Zum Kommunionempfang des Mittelalters 5. Die Kommunion vor dem Ordal und dem Duell: JL 12 (1934) 171—173. — Ein Missale des 12./13. Jh. aus der Gegend von Siena hat in der *Missa, quando lex agitur,* die Rubrik: *sacerdos cum ad communicandum accerserit, ita adiuret eum: Adiuro te, homo, per Patrem et Filium et Spiritum Sanctum et per tuam christianitatem et per istas reliquias quae sunt in ista ecclesia, ut praesumas non ullo modo communicare, si culpabilis es.* Ebnor 254 f. In pluralischer Form *(Adiuro vos homines)* und schon mit einigen Erweiterungen im Rituale von St. Florian (12. Jh.) ed. Franz 119; auch bei Franz, Die Messe 214. Ähnlich bereits in zwei Hss des 9./10. und 10. Jh., abgedruckt u. a. bei P. Browe, De ordaliis II (Textus et Documenta, ser. theol. 11, Rom 1933) 7. — Wie ersichtlich, diente die Kommunion des Beschuldigten auch zur Wahrheitsermittlung. Als „Abendmahlsprobe" war sie freilich auch mit Aberglauben umgeben. Im Wesen war sie aber „eine besonders feierliche Form des Reinigungseides"; G. Schnürer, Kirche und Kultur im Mittelalter II, Paderborn 1926, 54.

[42]) Generalkapitel von Perpignan, Constitutiones III, 8: Archivum Franciscanum hist. 2 (1909) 281.

[43]) Constitutiones S. J. V, 3, 2—4 (Institutum S. J. II, Florenz 1893, 89); I. Zeiger, Professio super hostiam. Ursprung und Sinngehalt der Profeßform in der Gesellschaft Jesu: Archivum historicum S. J. 9 (1940) 172—188. — Eine letzte Erklärung angesichts der Eucharistie vor ihrem Empfang als Wegzehrung liest man öfter im Leben von Heiligen seit dem späteren Mittelalter, so z. B. schon in demjenigen von Thomas von Aquin. Im gleichen Sinn beteuerte noch der letzte General der Gesellschaft Jesu vor der Aufhebung des Ordens, L. Ricci, vor seinem Tode angesichts der heiligen Hostie 19. XI. 1775 seine und seines Ordens Unschuld; s. B. Duhr, Lorenzo Ricci: StZ 114 (1928, I) 81—92, bes. S. 88.

den[1]). Solange alle oder der Großteil der Anwesenden auch kommunizierten, hatte der in den römischen Ordines eingeschlagene Weg manchen Vorteil: die Gläubigen bleiben an ihrer Stelle, der Klerus bringt ihnen das Sakrament[2]). Anderswo sind die Gläubigen schon im 4. Jahrhundert an den Altar herangetreten[3]). In Gallien war dies altüberlieferter Brauch. Die Schranken, die den Altarraum und damit den Raum des Klerus meist von dem des Volkes trennten, standen bei dieser Gelegenheit offen; die Gläubigen konnten die Stufen zum Altar hinaufsteigen, ein Recht, das die Synode von Tours (567) ausdrücklich bestätigte[4]) und das erst in der Karolingerzeit beschnitten wurde[5]). Von da an blieb dies mindestens ein Vorrecht der Mönche, aber vielfach doch auch der Ordensfrauen. Seltener blieb den Laien verstattet, beim Hauptaltar zu kommunizieren, wie dies bei den Augustiner-Chorherren noch nach einer 1116 für das Stift von Ravenna bestätigten Regel der Fall war[6]). Ihnen wurde die Kommunion dann meist an einem Nebenaltar gereicht, auf den man vorher das Sakrament übertrug oder an dem auch eine eigene Messe gelesen wurde[7]). Das war besonders auch dort der Fall, wo, wie seit der romanischen Periode in klerusreichen Kirchen häufig, der Chor durch eine hohe Wand, den sogenannten Lettner, vom Schiff der Kirche abgetrennt war. Hier wurde die Kommunion dann meist an den vor dem Lettner errichteten Kreuzaltar verlegt.

In der nordafrikanischen Kirche des Altertums und anderswo war die Lösung die, daß die Gläubigen an die Schranken herantraten, die

---

1) Browe, Mittelalterliche Kommunionriten 4. Der Ort des Empfanges: JL 15 (1941) 32—42.

2) Oben I, 96. Unter Umständen hat sich diese Weise auch noch später ergeben. Im Wallfahrtsort Maria Luschari in Kärnten war es noch im 19. Jh. Brauch, daß der Priester vom Hochaltar zum Hauptportal austeilend hin und her ging; A. Egger, Kirchliche Kunst- und Denkmalpflege, 2. Aufl., Brixen 1933, 204 Anm. 3.

3) Das Konzil von Laodicea can. 44 (Mansi II, 571) kennt bereits die Sitte, lehnt aber das Herantreten der Frauen an den Altar ab.

4) can. 4 (Mansi IX, 793). Anderweitige Einzelbelege bei Browe 36 f.

5) Vgl. die Einschränkungen beim Opfergang oben 13 Anm. 42. — Auch in Rom ergingen im 9. Jh. Verbote für Laien, das Presbyterium zu betreten; Browe 36. — In Spanien war schon durch das 4. Konzil von Toledo (633) can. 18 (Mansi X, 624) bestimmt worden, *ut sacerdos et levita ante altare communicent, in choro clerus, extra chorum populus.*

6) E. Amort, Vetus disciplina canonicorum I, Venedig 1747, 376. Auch eine um 1310 entstandene Humiliatenregel gibt den Männern noch Zutritt zum Chor; Browe 40.

7) Vgl. Browe 40.

den Altar umgaben. Augustin warnt die Schuldigen, die das Recht auf die Kommunion verwirkt haben, vor dem Herzutreten, „damit sie nicht von den Schranken *(de cancellis)* weggewiesen werden“[8]). Ähnlich muß der Brauch im Orient gewesen sein[9]). Auch in der Karolingerzeit wird uns von diesen Schranken berichtet. Diese Schranken waren aber nicht so niedrig wie die heutigen; sie erreichten Brusthöhe[10]). Man konnte stehend an ihnen das heilige Sakrament entgegennehmen.

Seit dem 13. Jahrhundert wird es da und dort üblich, vor den nun am Altare knienden Kommunikanten ein Tuch auszubreiten, das zwei Akolythen halten[11]). Später, im 16. Jahrhundert, beginnt man, dieses Tuch über einen Tisch oder eine Bank zu legen, die zwischen Schiff und Presbyterium vor den Kommunikanten aufgestellt wurde. Das erwies sich auch nützlich für ein geordnetes Kommen und Gehen. Verschiedene Synoden erlassen nun in diesem Sinn Vorschriften[12]). An ihre Stelle treten dann allmählich wieder feste Schranken aus Holz oder Stein, die nun aber auf das Knien berechnet und darum niedrig gehalten sind, unsere Kommunionbank, die seit dem 17. Jahrhundert auch fast überall den ehemaligen Lettner ersetzt.

Wenn die Gläubigen zur Kommunion hintreten, so sagen wir heute: sie gehen zum Tisch des Herrn. Mit diesem Ausdruck ist zwar nie die Kommunionbank oder irgendwelcher Vorgänger derselben gemeint ge-

---

[8]) Augustinus, Serm. 392, 5 (PL 39, 1712). — Vgl. Zeno von Verona, Tract. II, 30 (PL 11, 476 B).

[9]) Vgl. oben Anm. 3. — Theodor von Mopsvestia, Sermones catech. VI (Rücker 36): am Altare zu kommunizieren war ein Vorrecht des Klerus. Vgl. jedoch das oben 340 aus Eusebius, Hist. eccl. VII, 9, angeführte Beispiel und den in Laodicea (oben Anm. 3) bekämpften Brauch. — Siehe auch die Bestimmungen über die Gabenoblation oben 13 Anm. 42.

[10]) Walafried Strabo, De exord. et increm. c. 6 (PL 114, 926 B), sagt, sie seien in der Regel nur so hoch, daß man stehend die Ellbogen darauf stützen kann. J. Braun, Der christliche Altar II, 660, gibt allgemein als Höhe dieser Altarschranken an 0,80—1,20 m. Die *cancelli* waren also ähnlich denen in einer heutigen „Kanzlei“.

[11]) Ordinarium O. P. (Guerrini 247); Liber ordinarius von Lüttich (Volk 99 Z. 18). In beiden Quellen wird der Priester, der offenbar nicht selbst die Pyxis mit den heiligen Partikeln trägt, auch angewiesen, jedesmal die Hostie mit der rechten Hand zu fassen und in der linken die Patene zu halten *supponendo eam hostiae, et sic transferat usque ad fratrem communicandum.* — Das vorerwähnte Tuch konnte nach dem Ordo Stefaneschis n. 56 (PL 78, 1172 B) auch das Kelchvelum sein. Braun, Die liturgischen Paramente 233. — Vgl. auch die Belehrung über das Kommuniontuch, die der Mainzer Pfarrer Florentius Diel um 1500 den Gläubigen gibt, oben 22 Anm. 80.

[12]) Die älteste ist die von Genua 1574; Browe 41 f.

wesen, sondern von Anfang an immer nur der Altartisch, die *mensa Domini*, an der das Sakrament vollzogen und von der aus es gespendet wurde. Dennoch bleibt es eine schöne Aufgabe des Kirchenbaumeisters, in der Anordnung und Linienführung des genannten Baustückes den Zusammenhang mit jenem heiligen Tische spüren zu lassen, zu dem man eigentlich hinzutritt, wenn man sich an der Kommunionbank niederläßt.

Daß man den Leib des Herrn kniend empfängt, ist ein Brauch, der sich im Abendland[13]) zwischen dem 11. und 16. Jahrhundert im langsamen Fortschreiten durchgesetzt hat[14]).

Der Wandel der körperlichen Haltung spiegelt sich u. a. in den bildlichen Darstellungen des letzten Abendmahles. Während der Exeget aus den vorliegenden Berichten wohl feststellen muß, daß die Jünger das heilige Brot in der gleichen Haltung werden entgegengenommen haben, die sie beim Mahle einnahmen[15]), hat die den tieferen Gehalt hervorhebende Kunst gern den zeitgenössischen Kommunionritus auf den biblischen Vorgang übertragen[16]). So läßt der um 500 in Ägypten entstandene Evangelienkodex von Rossano den Herrn stehend an die stehenden Jünger die Brotsgestalt austeilen[17]). Umgekehrt zeigt bereits das Evangeliar Bernwards von Hildesheim († 1024) den Apostel Judas, wie er kniend die Eucharistie empfängt[18]). Daß der Brauch damals aber noch nicht überall

---

[13]) In der byzantinischen Liturgie empfangen die Gläubigen auch heute noch stehend die Kommunion. Die galizischen Ukrainer, die kniend kommunizieren, bilden eine Ausnahme. (Mitteilung von Dr. J. Casper.)

[14]) P. Browe, Mittelalterliche Kommunionriten 4. Äußere Verehrung des Sakramentes beim Empfang: JL 15 (1941) 42—48; B. Kleinschmidt, Zur Geschichte des Kommunionritus: Theol.-prakt. Quartalschrift 59 (1906) 95—109, bes. 96 f.

[15]) Mk 14, 18: ἀνακειμένων αὐτῶν. Vgl. Mt 26, 20; Lk 22, 14.

[16]) Vgl. E. Dobbert, Das Abendmahl Christi in der bildenden Kunst bis gegen Schluß des 14. Jh.: Repertorium für Kunstwissenschaft 13 (1890) 281—292 mit sieben Fortsetzungen bis 18 (1895) 336—379.

[17]) Abbildung bei O. Gebhardt-A. Harnack, Evangeliorum codex graecus purpureus Rossanensis, Leipzig 1880, Tafel 9 und 10; auf Grund photographischer Aufnahme mit eingehender Besprechung bei A. Haseloff, Codex purpureus Rossanensis, Berlin 1898, Tafel 6 und 7, bzw. S. 102—106. — Ähnlich der wenig jüngere syrische Evangelienkodex des Rabulas: O. Wulff, Altchristliche und byzantinische Kunst I, Berlin 1918, 194. — Einschlägige Abbildungen aus späterer Zeit in der Arbeit von Dobbert, Das Abendmahl: Repertorium 15 (1892) 507. 509. 511 ff. 517. 519; Braun, Das christliche Altargerät, Tafel 10 und 41. — Ein literarisches Zeugnis für die stehende Haltung im Abendland liegt vor in der wohl dem 6. Jh. angehörigen Regula Magistri c. 21 (PL 88, 988); *erecti communicent et confirment.*

[18]) Dobbert a. a. O. 18 (1895) 365.

durchgedrungen war, ergibt sich daraus, daß er in den verschiedenen Ordensstatuten aus dem 11., 12. und 13. Jahrhundert erst ausdrücklich vorgeschrieben wird. Für Seelsorgekirchen wird er in manchen Diözesen noch viel später erst zur Einführung empfohlen, so in einer 1602 gedruckten Paderborner Agende, die ihn dort eingeführt wissen will *ubi commode fieri poterit*[19]). Im Ritus der römischen Kurie ist er dagegen schon im 14. Jahrhundert soweit festgewurzelt, daß so wie heute nur mehr der Bischof bei seiner Bischofsweihe stehend kommuniziert[20]).

Für die Kelchkommunion ist aus naheliegenden Gründen immer die stehende Haltung maßgebend gewesen, die auch beim Ablutionswein beibehalten worden ist[21]).

Angesichts der Kommunion, die man stehend empfing, drängt sich uns die Frage auf, ob man in diesem Fall nicht doch sonstwie ein Zeichen der Anbetung oder der Ehrerbietung mit dem Empfange verbunden hat. Für die Zeit des beginnenden Aufschwunges des eucharistischen Kultes, der ja auch den Übergang zum knienden Empfang mit sich gebracht hat, ist das selbstverständlich. Die hl. Hildegard ließ ihre Nonnen in weißen Kleidern zur Kommunion gehen, bräutlich geschmückt mit einer Krone, die über der Stirne das Bild des Agnus Dei aufwies[22]). Wenn um dieselbe Zeit die Kanoniker im Lateran zur Kommunion gingen, trugen sie alle das Pluviale[23]). In Cluny spricht man noch von dem Brauch, den die Väter geübt, *discalceatis pedibus* hinzutreten[24]). Auch

---

[19]) Brinktrine, Die hl. Messe 289. Weitere Belege bei Browe 46—48.

[20]) Ordo Stefaneschis n. 56 f (PL 78, 1172 B. D.). Bei der feierlichen Papstmesse tut es auch der ministrierende Kardinaldiakon; Brinktrine, Die feierliche Papstmesse 36.

[21]) Browe 44 f.

[22]) Hildegard von Bingen, Ep. 116 (PL 197, 336 C. 337 f). Die Beziehung des geschilderten Schmuckes auf den Kommuniongang ist nicht eindeutig ausgesprochen, darf aber mit den Autoren (u. a. I. Herwegen) als dem Zusammenhang entsprechend angenommen werden. Eine um 1403 entstandene Hs der Trierer Stadtbibliothek führt den Kommunionkranz der hl. Hildegard bereits unter den Reliquien von St. Matthias in Trier an. (Mitteilung von Prof. Balth. Fischer.)

[23]) Ordo eccl. Lateran. (Fischer 12 Z. 15; 86 Z. 16). Eine mit dem Hinzutreten verbundene Kniebeugung galt aber dem Bischof (ebd. 86 Z. 22).

[24]) Odo von Cluny, Collationes II, 28 (PL 133, 572 C). Noch einmal aufgelebt ist diese Sitte, wenn die der Windesheimer Kongregation entstammende niederdeutsche „Laienregel des 15. Jh." verlangt, daß der Kommunikant Waffen und Schuhe („hosen") ablege; R. Langenberg, Quellen und Forschungen zur Geschichte der deutschen Mystik, Bonn 1902, 96, vgl. S. 145. — Ältere Belege und Deutung des Brauches bei Ph. Oppenheim, Symbolik und religiöse Wertung des Mönchskleides im christlichen Altertum, Münster 1932, 96 f. Es liegt

in der körperlichen Gebärde fand die Verehrung Ausdruck. Die um 1080 durch Udalricus aufgezeichneten Consuetudines von Cluny verlangen eine vorherige Kniebeugung[25]). Anderswo küßte man vorher den Boden oder den Fuß des Priesters[26]). Eine dreimalige Verneigung ist auch schon in der Ordensregel des hl. Columban († 615) vorgeschrieben[27]).

Etwas Ähnliches wird der hl. Augustinus im Auge haben, wenn er bemerkt, daß niemand dieses Fleisch ißt, *nisi prius adoraverit*[28]), doch erfahren wir nichts Näheres über eine körperliche Gebärde, außer daß die Gläubigen hinzutreten *coniunctis manibus*[29]). Nach Theodor von Mopsvestia soll der Empfänger hinzutreten mit niedergeschlagenen Augen, beide Hände ausgestreckt und er soll dabei ein Wort der Anbetung sprechen, da er den Leib des Königs empfangen will[30]).

---

darin außer der Erinnerung an Ex 3, 5 der Gedanke, daß man, wenn man vor Gott hintritt, alles ablegen soll, was an den Tod erinnert (Leder vom getöteten Tier). Darum legten auch die Mönche des Pachomius beim Kommuniongang Fellmantel und Gürtel ab. Hieher gehört auch das Taufkleid aus weißer Leinwand; s. F. van der Meer, Augustinus als Seelsorger, Köln 1951, 433. Über die Leinwand als kultische Kleidung s. E. Stommel, Münchener theol. Zeitschrift 3 (1952) 19 f.

[25]) II, 30 (PL 149, 721 B). Diese Kniebeugung wird noch betont bei Petrus von Cluny († 1156), Statuta n. 4 (PL 189, 1027 B). Ein vorheriger Kniefall ist im Orient schon früher bezeugt, bei den Ostsyrern schon im 6. Jh. und auch bei den Griechen (dreimalige Kniebeugung) im 10. Jh.; Browe 43. Nach dem Empfang wird im monastischen Brauch manchmal eine Verneigung erwähnt; Browe 44 f. — Bei den Zisterziensern wurde auch noch nach Einführung des knienden Empfanges vor dem Hinaufsteigen zu dem Altar eine *prostratio* verlangt. Liber usuum O. Cist. c. 58 (PL 166, 1432). — Der Analogie heutiger römischer Rubriken entspricht es, daß außer dem Knien beim Empfang weder vorher noch nachher eine weitere Reverenz gemacht werde; s. Th. Schnitzler, Kniebeuge nach der Kommunion?: Katechetische Blätter 75 (1950) 459—461.

[26]) Das Ordinarium der Dominikaner um 1256 (Guerrini 247) lehnt diese Gebräuche ab und verlangt nur das Niederknien; ebenso der Lütticher Liber ordinarius (Volk 99). Vgl. Browe 43 f.

[27]) Regula ed. Seebaß (Zeitschr. f. Kirchengesch. 1897) 227. Browe, der (a. a. O. 42) auf dieses Zeugnis hinweist, nennt noch zwei davon abhängige Nonnenregeln.

[28]) Augustinus, Enarr. in ps. 98, 9 (PL 37, 1264).

[29]) Augustinus, Contra ep. Parmen. II, 7, 13 (CSEL 51, 58 Z. 16). Ähnlich schon Passio Perpetuae c. 4, 9; s. Dekkers, Tertullianus 87 f.

[30]) Theodor von Mopsvestia, Sermones catech. VI (Rücker 36). Das Ausstrecken oder Entgegenstrecken der Hände begleitet offenbar das entferntere Hinzutreten, während sie unmittelbar vor dem Empfang, wie auch Augustin betont, geschlossen werden; vgl. die Reihe der herzutretenden Apostel in der Abendmahldarstellung des Codex Rossanensis (oben Anm. 17): Der Nächststehende beugt

Ein klares Bild über den Hergang der Kommunion im 4. Jahrhundert erhalten wir in den mystagogischen Katechesen aus Jerusalem:

„Wenn du nun hingehst, so gehe nicht hin so, daß du die flachen Hände ausstreckst oder die Finger auseinander spreizest, sondern mache die linke Hand zu einem Thron für die Rechte, die den König empfangen soll, und dann mache die flache Hand hohl und nimm den Leib Christi in Empfang und sage das Amen dazu. Dann heilige mit aller Sorgfalt deine Augen durch die Berührung des heiligen Leibes und empfange ihn, gib aber acht, daß dir nicht etwas davon wegfällt; denn was dir wegfiele, das wäre dir wie von den eigenen Gliedern verlorengegangen. Sage mir: wenn dir jemand Goldstaub gegeben hätte, würdest du ihn nicht mit aller Sorgfalt festhalten und achthaben, daß dir nichts davon entfällt und verlorengeht? Mußt du nicht viel sorgfältiger darauf sehen, daß dir von dem, was kostbarer ist als Gold und Edelstein, keine Brosame entfällt? Dann aber, wenn du des Leibes Christi teilhaft geworden bist, tritt auch zum Kelch des Blutes hinzu, ohne die Hände auszustrecken, sondern verbeugt und in der Haltung der Anbetung und Ehrfurcht, und sage das Amen und heilige dich, indem du auch am Blute Christi teilnimmst. Und wenn noch deine Lippen feucht sind, berühre sie mit den Händen und heilige die Augen und die Stirne und die übrigen Sinne. Dann warte auf das Gebet und danke Gott, der dich solcher Geheimnisse gewürdigt hat[31])."

Die meisten Einzelheiten des hier entworfenen Bildes werden für das christliche Altertum, von den vorhin angeführten Texten und bildlichen Darstellungen abgesehen, auch sonst mehrfach bestätigt[32]): die Darreichung der Eucharistie in die Hand der Empfänger[33]), das Überein-

---

sich küssend nieder zur rechten Hand des Herrn, aus der er eben mit beiden Händen das heilige Brot empfangen hat; der auf ihn Folgende hat die geschlossenen Hände noch verhüllt, die weiteren haben sie offen und ausgestreckt. Einer, der das Sakrament offenbar schon empfangen hat, hält beide Hände zum Gebet empor. Ganz parallel ist die Darstellung der Kelchkommunion. Vgl. die Besprechung des Bildes bei Haseloff 102—106, der auch die gekreuzten Hände des Empfängers erkennen will.

[31]) Cyrillus von Jerusalem, Catech. myst. V, 21 f (Quasten, Mon. 108—110).

[32]) F. X. Funk, Kirchengeschichtliche Abhandlungen I, Paderborn 1897, 293—308: „Der Kommunionritus".

[33]) Die wichtigsten Belege aus den ersten Jahrhunderten bietet F. J. Dölger, Ichthys II, Münster 1922, 512 ff; derselbe, Antike u. Christentum 3 (1932) 239 Anm. 34; 5 (1936) 236 f; s. auch Bona II, 17, 3 (841—847). — Ein frühes Zeugnis bei Tertullian, De idolol. c. 7 (CSEL 20, 36): der Christ, der den Götzen geopfert hat, wagt es *eas manus admovere corpori Domini, quae daemoniis corpora conferunt … O manus praecidendae!* — Dionysius von Alexandrien, bei Eusebius, Hist. eccl. VII, 9, 4; Papst Cornelius an Fabius, bei Eusebius VI, 43, 18. Nach der Pektorius-Inschrift soll der Christ essen und trinken ἰχθὺν ἔχων παλαμαῖς (Quasten, Mon. 26). — Die letzten deutlichen Zeugnisse

anderlegen der beiden geöffneten Hände in Kreuzesform[34]), das Segnen der Sinne mit den sakramentalen Gestalten[35]), die Mahnung zu größter Sorgfalt in ihrer Behandlung[36]), dann das sofortige Zusichnehmen des eucharistischen Brotes, bevor man sich zum Empfang des Kelches begibt. Doch weisen einzelne Quellen den Empfänger an, vorher noch einen Augenblick im Gebet zuzubringen; man solle der Macht dessen gedenken,

---

sind aus dem 8. Jh.: Capitulare eccl. ord. (Andrieu III, 108): *pontifex... communicat populum qui manus suas extendere ad ipsum potuerit;* vgl. dazu Nickl, Der Anteil des Volkes 65 f. — Beda († 735), Hist. eccl. IV, 24 (PL 95, 214 D). Noch spätere Spuren, die aber nicht mehr eindeutig sind, bei Funk 298. — Auch im Orient erstrecken sich die Zeugnisse für die Darreichung in die Hand bis ungefähr in dieselbe Zeit; sie wird noch bezeugt von Johannes Damascenus, De fide IV, 13 (PG 94, 1149).

[34]) Passio Perpetuae 4, 9 (Florileg. patr. 63, 20); Theodor von Mopsvestia, Sermones catech. VI (Rücker 36 f); Trullanische Synode (692) can. 101 (Mansi XI, 985 f), hier auch das Verbot, anstelle der bloßen Hände ein goldenes Gefäß zu benützen; Johannes Damascenus a. a. O. — Ikonographische Zeugnisse bei J. D. Stefănescu, L'illustration des liturgies dans l'art de Byzance et de l'Orient, Brüssel 1936, Abb. 73. 75. — Die in Rede stehende Haltung der Hände ist in der byzantinischen Liturgie heute noch üblich bei der Kommunion des Diakons und bei der Entgegennahme des Antidoron durch die Gläubigen. Pl. de Meester, La divine liturgie de s. Jean Chrysostome, 3. Aufl., Rom 1925, 135.

[35]) Der Brauch ist zuerst bezeugt bei Aphraates, Hom. 7, 8 (BKV, Ausgew. Schriften d. syrischen Kirchenväter [1874] 99). Er scheint bei den Syrern entstanden zu sein, wohl im Anschluß an Ex 12, 7 ff. Vgl. F. J. Dölger, Antike u. Christentum 3 (1932) 231—244: „Das Segnen der Sinne mit der Eucharistie". Dazu gehört auch ein Kuß des eucharistischen Brotes, das man in Händen hielt; vgl. ebd. 245 ff. — Das Segnen der Sinne ist in der ostsyrischen Messe noch heute kenntlich: nachdem der Priester Brechung und Konsignation vorgenommen hat, macht er mit dem Daumen sich und den Diakonen ein Kreuzzeichen auf die Stirne; Brightman 292 Z. 34. — Verwandte Gebräuche haben sich später im Abendlande neu gebildet, in Verbindung mit der Ablution nach der Kommunion des Priesters; siehe unten 519. — Außerhalb der Messe war die Verwendung der Eucharistie zu Schutz- und Heilzwecken nicht selten. Augustinus, Opus imperf. c. Julianum III, 162 (PL 45, 1315), berichtet ohne Mißbilligung von einer Frau, die aus der Eucharistie einen Umschlag für ihren blinden Knaben herstellt. Vgl. die Verwendung der Eucharistie als Reiseschutz, oben 448. Im Mittelalter vergröbern sich diese Anschauungen und Methoden und treten manchmal in den Dienst wirtschaftlicher und gewinnsüchtiger Absichten. Seit dem 12. Jh. muß die Kirche immer mehr gegen den Mißbrauch des Sakramentes zu solchen Zwecken und sogar als Zaubermittel ankämpfen.

[36]) Tertullian, De corona mil. c. 3 (CSEL 70, 158): *Calicis aut panis etiam nostri aliquid decuti in terram anxie patimur.* Weitere Stellen bei Quasten, Mon. 109 Anm. 2.

dessen Leib man in Händen hält, die eigene Sündhaftigkeit und Unwürdigkeit bekennen und den Herrn preisen *qui tale dedit tali*[37]). Ein diesem Augenblick entsprechendes, zuerst im 5. Jahrhundert bezeugtes Gebet[38]) ist in Ägypten heute noch in Gebrauch[39]). Dann genoß man den Leib des Herrn. Auch im Abendland war der Kommunionbrauch noch im frühen Mittelalter ähnlich[40]). Wir lernen ihn näher kennen bei der Kommunion der Kleriker, bei der sich die Darreichung in die Hände am längsten erhielt. In der Papstmesse des 8./9. Jahrhunderts begaben sich die Bischöfe und die Priester, wenn sie den Leib des Herrn entgegengenommen hatten, an die linke Seite des Altars, stützten die Hände mit dem Sakrament auf den Altar und kommunizierten; die Diakone taten dasselbe an der rechten Seite[41]). Nicht viel anders war der Brauch noch im Pontifikalamt des 9. und 10. Jahrhunderts[42]).

Die Laien mußten, wenn sie die Kommunion empfangen wollten, vorher die Hände waschen[43]). Es ist nicht klar, ob diese Händewaschung nur je nach Bedarf gefordert war oder ob sie eine feste rituelle Vorschrift darstellte; das letztere ist wahrscheinlich; war es ja auch sonst althergebrachte Sitte, vor dem Gebet die Hände zu waschen[44]). Jedenfalls

---

37) Theodor von Mopsvestia, Sermones catech. VI (Rücker 37 f).

38) Testamentum Domini I, 23 (Quasten, Mon. 258): *Sancta, sancta, sancta Trinitas ineffabilis, da mihi, ut sumam hoc corpus in vitam, non in condemnationem. Da mihi, ut faciam fructus, qui tibi placent, ut cum appaream placens tibi, vivam in te, adimplens praecepta tua, et cum fiducia invocem te, Pater, cum implorem super me tuum regnum et tuam voluntatem, nomen tuum sanctificetur, Domine, in me, quoniam tu es fortis et gloriosus et tibi gloria in saecula saeculorum. Amen.*

39) In der koptischen Liturgie als Gebet, das der Priester, in der äthiopischen als Gebet, das jeder Gläubige genau wie ehemals nach der Entgegennahme und vor dem Genuß des Leibes Christi sprechen soll. Brightman 185 f. 241. — Vgl. auch den Text des Gebetes in der arabischen Fassung des Testamentum Domini (Quasten, Mon. 258 Anm. 3).

40) Vgl. das *coniunctis manibus* bei Augustin, oben 468.

41) Ordo von S. Amand (Andrieu II, 165; vgl. 170).

42) Ordines der Bischofsmesse ‚In primis' und ‚Postquam' (Andrieu II, 335. 361; PL 78, 989. 994).

43) Athanasius, Ep. heort. 5 (vom Jahre 333) n. 5 (PG 26, 1383 A); Chrysostomus, In Eph. hom. 3, 4 (PG 62, 28 f); Cäsarius von Arles, Serm. 227, 5 (Morin 854; PL 39, 2168): *Omnes viri quando communicare desiderant, lavant manus suas, et omnes mulieres nitida exhibent linteamina, ubi corpus Christi accipiant.* — Vgl. Benedikt XIV., De s. sacrificio missae I, 12, 3 (Schneider 73).

44) Hippolyt von Rom, Trad. Ap. (Dix 61, 65 f).

gehörte zum Plan der großen Basiliken ein Brunnen im Vorhof derselben[45]). Daß er nicht allein als Schmuck gedacht war, erhellt daraus, daß vor der Petrusbasilika in Rom hinter dem prächtigen konstantinischen Brunnen durch Papst Symmachus, um dem Bedarf zu genügen, noch ein zweiter angelegt wurde, der viel bescheidener war[46]). Frauen durfte in Gallien den Leib des Herrn nicht auf die bloße Hand entgegennehmen; sie mußten diese mit einem weißen Tüchlein bedecken[47]).

Vor der Entgegennahme des eucharistischen Brotes küßte man vielfach die Hand des Spenders[48]). Ähnlich tut es heute noch der byzantinische Diakon vor der Entgegennahme des heiligen Brotes[49]).

Mit der Darreichung in die Hände war die Gefahr in Kauf genommen, daß die Eucharistie manchmal mißbraucht wurde. Spanische Synoden sahen sich veranlaßt zu verfügen: wer die Eucharistie in Empfang nimmt und nicht genießt, sei als *sacrilegus* zu betrachten[50]). Stärker als diese Besorgnis wegen Mißbrauch wird die steigende Ehrfurcht vor dem Sakrament dazu geführt haben, daß man dazu überging, die heilige Hostie in den Mund zu reichen; grundsätzlich geschieht dies, mögen

---

[45]) Vgl. Eusebius, Hist. eccl. X, 4; Paulinus von Nola, Ep. 32 (PL 61, 337).

[46]) Beissel, Bilder 254—256.

[47]) Cäsarius a. a. O. — Die gleiche Bestimmung auf der Synode von Auxerre (578 oder 585) can. 36 (Mansi IX, 915). — Dieses Tüchlein ist nicht zu verwechseln mit dem *dominicale*, das ihnen außerdem vorgeschrieben war. Mit letzterem war ein Schleier gemeint; vgl. Funk, Der Kommunionritus 296 f.

[48]) Codex von Rossano, oben Anm. 17.

[49]) Brightman 395 Z. 2. — Wenn von neueren Erklärern (Fortescue 374; Batiffol 289) für diesen Kuß auf den Bericht von der Sterbekommunion der hl. Melania am 31. XII. 439 hingewiesen wird, so liegt ein Mißverständnis vor, mit dem allerdings der Herausgeber der Vita vorangegangen ist; s. M. Kardinal Rampolla, Santa Melania Giuniore, Rom 1905, 39, und den Kommentar 257—259. Der Bericht lautet (c. 68): *accepitque eadem hora communionem de manu episcopi et completa oratione respondit Amen. Exosculatur vero dexteram sancti episcopi*... Auf den Empfang folgte also eine Oration von der Art unserer Postcommunio, die vom Bischof gesprochen und von Melania mit *Amen* beantwortet wird (vgl. auch Rampolla 39 Z. 21), und dann erst der Handkuß, der eher Abschiedscharakter hat; vgl. unten 545 Anm. 5. — In Verbindung mit der in den Mund gereichten Kommunion ist der Handkuß bezeugt für Cluny; Udalrici Consuet. Clun. II, 30 (PL 149, 721 B). Auch die Prämonstratenser übten ihn; Liber ordinarius (Waefelghem 90 f). Zum heutigen Handkuß gegenüber dem kommunionspendenden Bischof s. oben 403 Anm. 16.

[50]) Konzil von Saragossa (380) can. 3 (Mansi III, 634); Konzil von Toledo von 400, can. 14 (Mansi III, 1000).

auch einzelne Nachrichten aus früherer Zeit vorliegen[51]), doch erst seit dem 9. Jahrhundert[52]). Allgemein wird die Vorschrift erlassen vom Konzil von Rouen (um 878): *nulli autem laico aut feminae eucharistiam in manibus ponat, sed tantum in os eius*[53]). Die Änderung des Brauches fällt zeitlich zusammen mit dem Übergang zum ungesäuerten Brot und wird wohl auch mit ihm zusammenhängen[54]). Die zarten Bruchstücke der dünnen Oblatenscheibe luden fast dazu ein, zumal sie anders als die Stücke des bisher gebrauchten gesäuerten Brotes leicht auf der feuchten Zunge hafteten. Auf der Synode von Rouen wird auch die Regel festgelegt, daß der Priester weiterhin im Hochamt dem Diakon und dem Subdiakon als *ministri altaris* die Eucharistie in die Hand geben soll[55]). Im 10. und 11. Jahrhundert wird dieses Recht auf Priester und Diakone beschränkt[56]). Dann schwindet es ganz, wenn auch daneben noch einzelne Nachrichten erscheinen, daß Laien das Sakrament mit eigener Hand genommen haben.

Durch die neue Weise der Darreichung wurde man sowohl der Sorge um die reinen Hände der Empfänger überhoben, wie der noch größeren Besorgnis, daß keine Brosame des heiligen Brotes verlorengehe oder daß man auch hier an eine Purifizierung der Finger denken müßte, wie

---

[51]) Ausscheiden muß aus der Betrachtung wohl die berühmte von Johannes Diaconus († vor 882), Vita s. Gregorii II, 41, berichtete Anekdote von der Matrone, die beim Empfang des Sakramentes aus der Hand des Papstes lacht, weil sie in der Partikel das von ihr selbst geopferte Brot wiedererkennt, worauf der Papst sofort die Hand *ab eius ore* zurückzieht; vgl. oben 41 Anm. 2. — Als früheste Beispiele aus Gallien nennt P. Browe, Die Kommunion in der gallikanischen Kirche der Merowinger- und Karolingerzeit (Theol. Quartalschrift 1921) 49, einige Einzelfälle aus dem 7. Jh., die aber immer noch durch die Umstände (Krankheit) bedingt sein können. Vgl. auch Hoffmann, Geschichte der Laienkommunion 109. Daß den Kranken die Kommunion in den Mund gereicht werden soll, betonen allerdings ausdrücklich die sogenannten Statuta s. Bonifatii (9. Jh.) c. 32 (Mansi XII, 386): *infundatur ori eius eucharistia.*

[52]) Eine Synode von Cordova (839) wendet sich gegen die Sekte der Casianer, die sich dagegen sträubte, daß die Eucharistie den Kommunikanten in den Mund gelegt werde; C. J. Hefele, Conciliengeschichte IV, 2. Aufl., Freiburg 1879, 99.

[53]) can. 2 (Mansi X, 1199 f). — Einschlägige Abbildungen liegen seit dem 9./10. Jh. vor; Dobbert, Das Abendmahl: Repertorium 18 (1895) 365. 367.

[54]) Vgl. oben 43.

[55]) can. 2 (Mansi X, 1199 f).

[56]) Ordo ‚Postquam‘ der Bischofsmesse (Andrieu II, 361; PL 78, 994). Von den Subdiakonen heißt es schon: *ore accipiant corpus Christi.* — Dieselbe Regel in der Missa Illyrica: Martène 1, 4, IV (I, 516 B).

sie nun für den Priester bald in Übung kam. Das später eingeführte Kommuniontuch und seit 1929 auch noch die Kommunionpatene[57]) sind Ausdruck der inzwischen noch weiter gesteigerten Sorgfalt in der genannten Richtung.

Etwas länger als die Darreichung des eucharistischen Brotes in die Hand hat für das christliche Volk die Darreichung auch des Kelches gedauert. Die Mahnung, nichts zu verschütten, wurde begreiflicherweise schon früh für den Kelch besonders dringlich ausgesprochen[58]); sie mag beim besten Willen oft umsonst gewesen sein. Doch hielt man durch Jahrhunderte unverändert an der Kelchkommunion auch der Laien fest, wie es in der Liturgie der Ostsyrer und der Abessinier heute noch der Fall ist[59]), und zwar trank man aus dem einen Kelch[60]), der entweder der Konsekrationskelch selber war[61]) oder ein besonderer Spendekelch, zu Rom ursprünglich *calix ministerialis* genannt, neben dem, wenn nötig, auch eine Mehrheit solcher Kelche erscheinen konnte[62]).

Aber gerade bei der Verwendung eines eigenen Speisekelches scheint man früh auch zu einer anderen Lösung gekommen zu sein, zu einer Lösung, die mit dem heiligen Inhalt gewissermaßen auch die Gefahr seiner Verunehrung verdünnte. Man goß nur etwas weniges vom heiligen Blut in diesen Kelch, der im übrigen nichtkonsekrierten Wein enthielt.

---

[57]) J. Braun, Kommunionteller: LThK VI, 108. — An einzelnen Orten war die Kommunionpatene schon früher im Gebrauch. Es beschäftigen sich damit u. a. zwei Dekrete der Ritenkongregation von 1853 und 1854; Martinucci, Manuale decretorum n. 499 f. Eine Art Kommunionpatene wurde übrigens auch schon in Cluny verwendet; es war eine flache goldene Schale, die ein Akolyth hielt und mit der er die Bewegung der Hand des Priesters begleitete, wenn er die Partikel in den vom Subdiakon gehaltenen Kelch getaucht hatte und dann dem Kommunikanten auf die Zunge legte. Udalrici Consuet. Clun. II, 30 (PL 149, 721). Daß die Kommunion nur ausgeteilt werde *adiuncta patena propter fragmenta*, wird 1318 verlangt in c. 25 der Synode zu Brixen; Baur (oben I, 385 Anm. 30) 129. — Vgl. auch oben 465 Anm. 11.

[58]) Hippolyt, Trad. Ap. (Dix 59).

[59]) Brightman 241. 298.

[60]) Gregor von Tours, Hist. Franc. III, 31 (PL 71, 264), berichtet, daß bei den Arianern zur Kommunion ein anderer Kelch für die *reges* und ein anderer für das Volk gebraucht wurde; bei den Katholiken war es offenbar nicht der Fall.

[61]) Das ist offenbar die Voraussetzung z. B. in der Miniatur einer Athos-Hs des 9./10. Jh.: einer der herangetretenen Kommunikanten trinkt aus dem am Rande des Altares stehenden großen Kelch. Braun, Das christliche Altargerät, Tafel X; vgl. ebd. 79.

[62]) Braun 247.

Im Orient muß ein Brauch dieser Art früh bekannt gewesen sein[63]). Vielleicht hat schon das Konzil von Laodicea etwas Ähnliches im Auge, wenn es den Subdiakonen verbietet, den Kelch zu „segnen“, ποτήριον εὐλογεῖν[64]). Jedenfalls ist der Brauch schon in den frühesten römischen Ordines bezeugt[65]): Akolythen hielten Gefäße mit Wein bereit, in die nach der Kommunion des Zelebranten ein Teil des im *calix sanctus*, der allein konsekriert werden durfte, noch vorhandenen heiligen Blutes gegossen wurde. Die Mischung konnte immer noch *sanguis dominicus* heißen, *quia* — so bemerkt eine karolingische Bearbeitung — *vinum etiam non consecratum sed sanguine Domini commixtum sanctificatur per omnem modum*[66]). In ähnlicher Weise ist die Kelchkommunion in klösterlichen Consuetudines bis ins 12. Jahrhundert vorgesehen gewesen[67]): bevor der Inhalt des den Brüdern gereichten Konsekrationskelches zu Ende ging, konnte noch für die übrigen Kommunikanten Wein zugegossen werden. Auch die „Heiligung“ des Weines durch eine damit in Berührung gebrachte Partikel der heiligen Hostie war, vor allem für die Krankenkommunion, in Übung[68]).

Eine zweite Vorschrift lernen wir in einzelnen römischen Ordines kennen: Man läßt die Gläubigen nicht unmittelbar aus dem Kelch trinken, sondern mittels eines Saugröhrchens *(pugillaris)*[69]), auch *calamus* oder

[63]) Nach einer Entscheidung des Jakob von Edessa († 708) galt der Kleriker, der bei der Spendung des Kelches von dem hier mit Wasser vermischten heiligen Blut getrunken hatte, noch als nüchtern; s. Text und Erklärung bei Hanssens, Institutiones II, 303.

[64]) can. 25 (Mansi II, 567). Es könnte auch an die Segnung mit einer konsekrierten Brotpartikel gedacht sein. Andrieu, Immixtio et consecratio 218; vgl. ebd. 10 auch den Hinweis auf die Laurentius-Legende bei Ambrosius, De off. I, 41 (oben 390).

[65]) Ordo Rom. I n. 20 (Andrieu II, 103 Z. 7; PL 78, 947 A). Deutlicher umschreibend das Capitulare eccl. ord. (Andrieu III, 107): *per omnia vasa quod acolythi tenere videntur, de calice sacro ponit (archidiaconus) ad confirmandum populum.*

[66]) Fränkischer Auszug aus dem Ordo Rom. I (Andrieu II, 249; PL 78, 982 C); vgl. Amalar, Liber off. I, 15 (Hanssens II, 546): *Sanctificatur enim vinum non consecratum per sanctificatum panem.* — Daß diese *sanctificatio* als Verwandlung in das Blut Christi aufzufassen sei, war damit nicht notwendig gesagt; vgl. oben 394 Anm. 39.

[67]) Mabillon, In ord. Rom. commentarius 8, 14 (PL 78, 882).

[68]) Aber auch in der Messe; vgl. die oben 389 ff gegebene Erklärung zum Ursprung des Mischungsritus.

[69]) Ordo Rom. I n. 3. 20 (Andrieu II, 73. 103; PL 78, 939. 947); Ordo sec. Rom. (Andrieu II, 225 Z. 15; PL 78, 976).

fistula genannt[70]). Für die Kommunion des Volkes bei den Stationsgottesdiensten waren deren eine Mehrzahl vorhanden. Sie scheinen aber auch dem Klerus gedient zu haben, da neben den silbernen auch goldene erwähnt werden[71]). Von Rom aus hat sich das Saugröhrchen überall hin verbreitet; es blieb sogar vielfach noch nach dem Aufhören der Kelchkommunion in Verwendung beim Nehmen des Ablutionsweines[72]).

Außerhalb Roms wurde manchenorts ein anderer, dritter Ausweg eingeschlagen: Man reichte den Gläubigen das Sakrament in der Form des konsekrierten Brotes, das man vorher ins heilige Blut getaucht und so mit ihm getränkt hatte *(intinctio)*. Dieses Verfahren wird zuerst bezeugt durch die dritte Synode von Braga (675), die es aber zurückweist[73]), ebenso wie dies später durch die Synode von Clermont (1096)[74]) geschehen ist. Es muß aber in den nördlichen Ländern stark verbreitet gewesen sein[75]), besonders als ein Weg, um den Kranken das Sakrament unter beiden Gestalten bringen zu können[76]). In den meisten Riten des

---

[70]) Braun, Das christliche Altargerät 249—265. Die Angaben bei Braun 254 f zeigen, daß man im Frankenreich das Röhrchen nur zögernd übernahm. Tatsächlich erwähnen es die älteren römisch-fränkischen Meßordines — Mabillons Ordo Rom. III (Andrieu II, 250) ist nur Auszug aus Ordo Rom. I — nirgends.

[71]) Braun, 254; vgl. 256. 257 f. — Bekanntlich gebraucht heute noch der Papst in der feierlichen Papstmesse ein solches Saugröhrchen bei der Kelchkommunion. Innozenz III., De s. alt. mysterio VI, 9 (PL 217, 911 B), erwähnt es bereits in dieser Verwendung. Für die Kommunion des Bischofs im Pontifikalgottesdienst ist es auch schon im Ordo ‚Postquam' der Bischofsmesse (Andrieu II, 361; PL 78, 994) bezeugt.

[72]) Braun 257 f.

[73]) can. 2 (Mansi XI, 155).

[74]) can. 28 (Mansi XX, 818).

[75]) Udalrici Consuet. Clun. II, 30 (PL 149, 721); vgl. oben Anm. 57. — Johannes von Avranches († 1079), De off. eccl. (PL 147, 37); er betont, diese Weise werde angewendet *non auctoritate sed summa necessitate timoris sanguinis Christi effusionis.* — Ernulf von Rochester († 1124), Ep. ad Lambertum (d'Achery, Spicilegium III, 471 f), setzt diese Weise der Spendung als allgemein üblich voraus, wenn auch erst *nova consuetudine,* und verteidigt sie. — Auch Bernold von Konstanz, Micrologus c. 19 (PL 151, 989 f), und ebenso der Trierer Liber officiorum (12. Jh.), die beide gegen den Brauch polemisieren und von denen ersterer ihn mit dem Bissen des Judas in Parallele setzt, lassen dessen starke Verbreitung erkennen. Franz, Die Messe 374. 415; vgl. auch Bona II, 18, 3 (872 ff); Hoffmann, Geschichte der Laienkommunion 111 f.

[76]) Dafür wird es zur Vorschrift gemacht von Regino, De synod. causis I, 70 (PL 132, 206); Burchard von Worms († 1025), Decretum V, 9

Ostens und vor allem im byzantinischen ist es bis heute die gewöhnliche Art, den Gläubigen die Kommunion zu reichen[77]).

Seit dem 12. Jahrhundert beginnt man im Abendland mehr und mehr auf die Kelchkommunion zu verzichten[78]). Dogmengeschichtliche Entwicklungen, die zur klaren Erkenntnis geführt hatten, daß *per concomitantiam* in jeder Gestalt der ganze Christus gegenwärtig ist, sind für den Sieg dieser Lösung entscheidend gewesen[79]). Den Auftrag Christi: Esset und trinket! konnte man durch den Priester als erfüllt erachten, der ja als Haupt der Gemeinde am Altare steht[80]). Übrigens war die Kommunion unter einer Gestalt auch früher nicht unerhört. Den unmündigen Kindern wurde die Kommunion nach der Taufe in der Gestalt des Weines gereicht[81]). Auch bei den Sterbenskranken hat man es vor-

---

(PL 140, 754); Ivo von Chartres († 1116), Decretum II, 19 (PL 161, 165). Die weite Verbreitung dieses Verfahrens wird auch bestätigt durch die Häufigkeit, mit der im 11. und 12. Jh. die Spendeformel vorkommt: *Corpus D. N. J. C. sanguine suo tinctum conservet...;* Browe, Die Sterbekommunion (ZkTh 1936) 218 f; Andrieu, Immixtio et consecratio 136 f.

[77]) Man reicht die in den Kelch gegebenen und hier mit dem heiligen Blut befeuchteten Partikeln aus diesem mittels eines Löffelchens in den Mund. Bei den Armeniern geschieht dasselbe ohne Löffelchen. Brightman 573; vgl. Baumstark, Die Messe im Morgenland 164. — Diese Weise der Kommunionspendung war im Orient schon im 11. Jh. die vorherrschende; Funk 304 f. Dabei ist es in der byzantinischen Liturgie, abgesehen vom Bereich der Union, nach der vorherrschenden Auffassung so, daß die zur Kommunion der Gläubigen verwendeten Partikeln in der Regel nicht konsekriert werden, so daß nur das heilige Blut mit einem Symbol der ersten Gestalt empfangen wird, das Gegenstück der römischen Präsanktifikatenmesse; Hanssens, Institutiones II, 200—203. Über weitere Einzelheiten des orientalischen Kommunionritus s. Raes, Introductio 103—107; L. Corciani, Eph. liturg. 58 (1944) 197 f.

[78]) Funk 306—308; Corblet I, 613—619.

[79]) Vgl. oben I, 156.

[80]) Vgl. oben 452 mit Anm. 29.

[81]) Cyprian, De lapsis c. 25 (CSEL 3, 255). Weitere Belege aus der Frühzeit s. Eisenhofer II, 265 f. — J. Baumgärtler, Die Erstkommunion, München 1929, 30 ff, möchte die Taufkommunion der Kinder erst um die Zeit des hl. Augustinus entstanden sein lassen; vgl. dagegen ZkTh 54 (1930) 627 f. — Für das Mittelalter siehe das Kapitel „Die Taufkommunion“ bei Browe, die Pflichtkommunion im Mittelalter 129—142. — Außer Übung kam die Taufkommunion seit dem 12. Jh. Die Erinnerung lebte aber in der Reichung des Ablutionsweines lange fort; s. unten. — In den orientalischen Riten außerhalb der Union wird die Täuflingskommunion heute noch geübt; s. Baumgärtler 87—89. 100. 124 f. Innerhalb der Union ist sie bei den Kopten noch in Übung; L. Andrieux, La Première communion, Paris 1911, 73—77.

übergehend getan[82]). Für die Kommunion zu Hause kam ohnehin im allgemeinen nur die Brotsgestalt in Betracht[82a]).

Zur Zeit, da die Summa theologica des hl. Thomas († 1274) vollendet wurde, war aber die Kelchkommunion noch nicht überall verschwunden, denn darin wird es nur als ein wohlbegründeter Brauch mancher Kirchen bezeichnet, daß man das heilige Blut dem Volke nicht reicht, sondern nur der Priester es nimmt[83]). Bei besonderen Gelegenheiten blieb der Laienkelch auch im 14. Jahrhundert und darüber hinaus noch aufrecht, so bei der Kaiser- und Königskrönung[84]) und bei der Ostersonntagmesse in der Capella papalis[85]), wo in dieser Weise kommunizieren durfte *quicumque voluerit vere confessus et poenitens.* — Auch in manchen Klöstern der alten Orden ist die Kelchkommunion noch lange beibehalten worden, zum Teil über das Mittelalter hinaus[86]). Eine gewisse Erinnerung daran stellte sodann noch der Ablutionskelch dar, der teilweise bis in die letzten Jahrhunderte herauf in Übung geblieben ist[87]).

Als die Kelchkommunion im übrigen schon fast vergessen war, wurde sie von gegnerischen Gruppen aufgegriffen und zum Symbol ihrer Bewegung gemacht. Daraufhin wurde der Laienkelch nach anfänglichen Verboten[88]) 1433 für Böhmen, nach dem Konzil von Trient 1564 unter bestimmten Bedingungen für Deutschland bewilligt, die Bewilligung aber nach den unerfreulichen Erfahrungen für Bayern 1571, für Österreich

---

[82]) Statuta eccl. antiqua (6. Jh.) can. 76 (Mansi III, 957): *infundatur ori eius eucharistia.* Später hat man im allgemeinen die Doppelgestalt zu wahren gesucht auf dem Wege der *intinctio;* vgl. Browe, Die Sterbekommunion (ZkTh 1936) 218 ff.

[82a]) Vgl. oben 447 f; Hoffmann, Geschichte der Laienkommunion 76 f.

[83]) S. Thomas, Summa theol. III, 80, 12: *In quibusdam ecclesiis.* — Vgl. z. B. einen unteritalischen Meßordo des 12./13. Jh. bei Ebner 346 f, der für die Volkskommunion noch eine eigene Spendeformel bietet *ad confirmandum: Sanguis D. N. J. C.* — Die Synode von Exeter (1287) can. 4 (Mansi XXIV, 789) läßt noch die Gläubigen belehren: *hoc suscipiunt in calice quod effusum de corpore Christi.*

[84]) Browe, Zum Kommunionempfang des Mittelalters 3. Die Kommunion bei der Krönung der Kaiser und Könige: JL 12 (1934) 166—169. In Frankreich setzte sich die Überlieferung ununterbrochen fort bis auf Ludwig XIV. (168 f), in Deutschland mit einer Unterbrechung im 15./16. Jh. bis auf Franz II. (168).

[85]) Ordo des Petrus Amelii n. 85 (PL 78, 1331 f). Martin V. hat den Brauch abgeschafft; s. den Bericht bei Gerbert, Vetus liturgia alemannica 393.

[86]) Browe, Die häufige Kommunion 51 f.

[87]) Unten 513.

[88]) Konzil von Konstanz (1415) sess. 13 (Mansi XXVII, 727 f); Konzil von Basel (1437) sess. 30 (Mansi XXIX, 158).

1584, für Böhmen und allgemein 1621 wieder rückgängig gemacht[89]). Gespendet wurde der Kelch nach alter Überlieferung beim feierlichen Gottesdienst vom Diakon[90]). Die Zeugnisse dafür beginnen schon im 3. Jahrhundert[91]). In der römischen Liturgie wird diese Ordnung einhellig von den römischen Ordines und ihren Abkömmlingen bezeugt[92]). In der ältesten Darstellung, bei Justinus, ist es überhaupt Aufgabe der Diakone die Eucharistie auszuteilen[93]), ebenso wie auch, sie den Abwesenden zu bringen[94]). Von dieser Amtsbefugnis ist auch heute noch

---

[89]) A. Herte, Kelchbewegung: LThK V, 920 f; Hoffmann, Geschichte der Laienkommunion 189—209.

[90]) Dieser stand dabei in jüngerer Zeit an der Evangelienseite des Altares, während der Priester an der Epistelseite die Brotsgestalt spendete. So u. a. im alten Zisterzienserritus. Schneider (Cist.-Chr. 1927) 196 f.

[91]) Cyprian, De lapsis c. 25 (CSEL 3, 255, Z. 15); Augustinus, Serm. 304, 1 (PL 38, 1395); Const. Ap. VIII, 13, 15 (Quasten, Mon. 230); Testamentum Domini II, 10 (Quasten, Mon. 273); Johannes von Majuma, Pleroph. (um 515) c. 73 (Patrol. Or. 8, 128); Johannes Moschus, Pratum spirituale c. 219 (PG 87, 3109 C).

[92]) Ordo Rom. I n. 20 (Andrieu II, 103 f; PL 78, 947) usw. — Der Diakon erscheint noch als Spender der (klösterlichen) Kelchkommunion im Missale des 15. Jh. aus Monte Vergine: Ebner 157. — Vgl. die parallele Funktion des Diakons beim Offertorium, oben I, 94; II, 74.

[93]) S. oben I, 29 f. — Auch nach Isidor von Sevilla, De eccl. off. II, 8, 4 (PL 83, 789), kommt den Diakonen schlechthin die *dispensatio sacramenti* zu. — Dagegen sind sie bei Hippolyt, Trad. Ap. (Dix 41), nur zur Darreichung der Kelche berufen und dies nur in dem Fall, wenn nicht genug Presbyter da sind.

[94]) Daß unter Umständen auch Laien die Eucharistie zu Kranken trugen, wie jener Knabe unter Dionysius von Alexandrien, der sie dem greisen Serapion brachte (Eusebius, Hist. eccl. VI, 44), ist nicht befremdlich. Im römischen Pontifikalgottesdienst erscheinen Akolythen als Träger, allerdings nicht als Spender der Eucharistie (oben 376). In der Lateranbasilika sehen wir im 11. Jh. aber Subdiakone auch die Kommunion spenden (Ordo eccl. Lateran. ed. Fischer 86 Z. 29). — Auf der Synode von Nîmes (394) can. 2 (C. J. Hefele, Conciliengeschichte II, 2. Aufl., Freiburg 1875, 62) und in bischöflichen und päpstlichen Erlassen der Folgezeit, u. a. auch noch auf der Synode von Paris (829) can. 45 (Mansi XIV, 565), wird als ein nicht seltener Mißbrauch erwähnt und verurteilt, daß Frauen die Kommunion spenden. Es scheint sich hauptsächlich um die Wegzehrung zu handeln, die möglichst in letzter Stunde gereicht werden sollte und die der Pfarrer darum gegebenenfalls für diesen Zweck jemandem im Hause anvertrauen mochte; s. die Mahnung in der Admonitio synodalis des 9. Jh. (PL 96, 1376 C). Browe, Die Sterbekommunion (ZkTh 1936) 7 ff. Doch liegen aus England bis ins 13. Jh. Bestimmungen und Nachrichten vor, die für diesen Fall milder urteilen; Browe 11 f. Nicht wenige Theologen begünstigten noch später eine milde Lösung; s. Corblet I, 286 Anm. 2. — Auch im Orient war die Praxis zum Teil weniger streng. Nach der Trullanischen Synode (692) can. 58 (Mansi

ein Überrest vorhanden. Bei ihrer Weihe nennt der Bischof die Diakone: *comministri et cooperatores corporis et sanguinis Domini*[95]) und der Codex Iuris Canonici erklärt den Diakon immerhin noch als *minister extraordinarius sacrae communionis*[96]).

Der Zusammenhang zwischen dem Amt des Diakons und dem Sakrament war übrigens im ganzen Mittelalter auch insoferne noch enger, als es für ihn, so wie heute noch bei den Griechen und den Armeniern[97]), und ebenso für den Subdiakon immer noch als selbstverständlich galt, daß er im Hochamt vor allem selber kommunizierte. Dabei lebte auch die Kelchkommunion noch länger fort[98]), besonders in manchen franzö-

---

XI, 969) blieb es den Laien erlaubt, die Eucharistie zu reichen, wenn kein Priester, Bischof oder Diakon anwesend war. Bei den westsyrischen Jakobiten durften im gleichen Fall Diakonissen in Nonnenklöstern ihren Mitschwestern und kleinen Kindern die Kommunion spenden, jedoch nicht vom Altare weg, sondern aus einem besonderen Behältnis; C. Kayser, Die Canones Jakobs von Edessa (1886), 19; Browe 11 Anm. 65. Auch das Testamentum Domini II, 20 (Rahmani 143) läßt kranken Frauen durch Diakonissen die Osterkommunion bringen. — Aus Bequemlichkeit hat man auch später die Eucharistie manchmal durch Laien zu Kranken bringen lassen. Dagegen richten sich verschiedene Verbote. Ein solches erscheint z. B. in der Canonessammlung des Bischofs Ruotger von Trier (927) can. 6 (Pastor bon. 52 [1941] 67): man soll die Eucharistie nicht *per rusticos et immundos, sicut fieri solet,* zu Kranken tragen lassen, sondern sie entweder selbst oder *per clericos suos* hinbringen; s. auch Decretum Gratiani III, 2, 29 (Friedberg I, 1323 f); vgl. Browe 9—11.

95) Pontificale Rom., De ord. diaconi.

96) can. 845 § 2. In der Anmerkung wird an das alte Recht angeknüpft. Zeugnisse seit dem 4. Jh. für eine Beschränkung des genannten Rechtes der Diakone auf Fälle, in denen kein Presbyter anwesend ist, bei Martène 1, 4, 10, 5 (I, 431 C). Vgl. auch Corblet I, 283.

97) Baumstark, Die Messe im Morgenland 162.

98) Die Kelchkommunion kam aber manchmal nur mehr dem Diakon zu, so im 13. Jh. bei den Kartäusern, wo sie aber seit 1259 gänzlich aufgegeben wurde; Browe, Die häufige Kommunion 51. — Auch früher wurde im Ritus der Kommunion öfter zwischen Diakon und Subdiakon ein Unterschied gemacht. So bestimmt das Sakramentar des Ratoldus († 986) (PL 78, 245 A), der Bischof solle den Presbytern und Diakonen die Kommunion reichen *sicco sacrificio,* den Subdiakonen *misto sacrificio,* d. h. erstere empfingen das heilige Blut getrennt aus dem Kelch, letztere dagegen, ähnlich wie die Gläubigen, zusammen mit der heiligen Hostie auf dem Wege der *intinctio.* Auch die Darreichung in die Hand blieb für die Diakone länger erhalten; s. oben Anm. 56. — Von den ältesten römischen Ordines bietet nur der von S. Amand (Andrieu II, 166) eine einschlägige Angabe: während die Diakone am Altar kommunizieren wie die Bischöfe und Priester (oben 471), tun dies die Subdiakone erst nach der Kommunion des Volkes.

sischen Klöstern. In S. Denis empfingen noch um 1760 Diakon und Subdiakon an allen Sonn- und Festtagen im Hochamt, bei dem sie dienten, auch die Kommunion, und zwar unter beiden Gestalten[99]). Anderswo, an alten Stiften und Domkirchen, war derselbe Brauch immerhin noch im 15. Jahrhundert lebendig[100]).

Die Spendung des Sakramentes wurde schon in der christlichen Frühzeit mit einem entsprechenden Worte begleitet. Die gewöhnliche Spendeformel war: Σῶμα Χριστοῦ [101]), *Corpus Christi*[102]). Sie hatte den Sinn eines Bekenntnisses, wie das arabische Testamentum Domini die Formel ausdrücklich umschreibt: *unicuique, cum panem gratiarum actionis participat, sacerdos testimonium perhibeat id esse corpus Christi*[103]); darum wurde auch besonderer Wert darauf gelegt, daß der Empfänger mit *Amen* antwortete[104]). Dasselbe wiederholte sich beim Kelch[105]), wo aber öfter eine Erweiterung eintrat: Αἷμα Χριστοῦ, ποτήριον ζωῆς [106]). Auch bei der Brotsgestalt waren schon früh erweiterte Formeln in Gebrauch[107]). Erweiterte Fassungen zeigen auch die

---

99) Browe, Die häufige Kommunion 52. Vgl. die Nachrichten aus dem 18. Jh. bei de Moléon 149. 263. 290 f.

100) Browe 53.

101) Const. Ap. VIII, 13, 15 (Quasten, Mon. 230); Theodor von Mopsvestia, Sermones catech. VI (Rücker 37).

102) Ambrosius, De sacr. IV, 5, 25 (Quasten, Mon. 161); Augustinus, Serm. 272 (PL 38, 1247); vgl. dazu Roetzer 133.

103) A. Baumstark, Eine ägyptische Meß- und Taufliturgie vermutlich des 6. Jh. (Oriens christ. 1901) 29; Quasten, Mon. 258 Anm. 1.

104) Alle genannten Stellen. Die mystagogischen Katechesen Cyrillo von Jerusalem V, 21 (Quasten, Mon. 108 f) und das syrische Testamentum Domini I, 23 (ebd. 258) bezeugen nur dieses *Amen;* ebenso schon Papst Cornelius bei Eusebius, Hist. eccl. VI, 43, 19. Vgl. Passio Perpetuae 4, 9 (Florileg. patr. 63, 20). — Auch Augustinus erwähnt wiederholt nur dieses *Amen* der Empfänger; Roetzer 133 f. — Weitere Belege dafür bei Bona II, 17, 3 (842 f). — Wie Odilo Heiming, Liturgie u. Mönchtum 3 (1949) 84, erwähnt, hat Mailand in neuester Zeit die alte Spendeformel *Corpus Christi* wiederaufnehmen dürfen, auf die jeder mit *Amen* antwortet.

105) Theodor von Mopsvestia a. a. O.; das arabische Testamentum Domini (Baumstark a. a. O. 29).

106) Const. Ap. VIII, 13, 15 (Quasten, Mon. 230 f); ähnlich die sahidischen kirchlichen Canones: Brightman 462.

107) Hippolyt, Trad. Ap. (Dix 41): *Panis coelestis in Christo Jesu;* die Kelchformel ist infolge der Dreizahl der Kelche (oben I, 19) modifiziert. Die genannte Formel ist weitergebildet in der Taufmesse der sahidischen kirchlichen Canones (Brightman 464): „Das ist das Brot vom Himmel, der Leib Christi

späteren orientalischen Liturgien. Es werden ehrende Epitheta beigefügt, wie in der griechischen Markusliturgie: Σῶμα ἅγιον (bzw. Αἷμα τίμιον) τοῦ κυρίου καὶ θεοῦ καὶ σωτῆρος ἡμῶν Ἰησοῦ Χριστοῦ[108]). Es wird außerdem noch der Empfänger womöglich mit Namen und gegebenenfalls mit seinem kirchlichen Titel genannt, wie in der byzantinischen Messe[109]), wo ähnlich wie bei den Syrern[110]) auch noch ein wünschendes „zur Verzeihung seiner Sünden und zum ewigen Leben" hinzukommt[111]). Oder es wird der Bekenntnischarakter der Formel unterstrichen wie bei den Kopten: „Das ist in Wahrheit der Leib und das Blut von Emmanuel unserem Gott", wo auch der Kommunikant darauf immer noch erwidert: „Amen, ich glaube"[112]).

In der stadtrömischen Liturgie des frühen Mittelalters scheint die alte Überlieferung, die Darreichung des Sakramentes mit einem entsprechenden Worte zu begleiten, unterbrochen worden zu sein. Nicht bloß die Sakramentare schweigen davon, sondern auch die Ordines, die doch den ungefähr auf gleicher Stufe stehenden Mischungsspruch *Fiat commixtio* getreulich überliefern. Und was dann in der Folge auf fränkischem Boden wieder auftaucht, ist nicht das alte Bekenntnis „Der Leib Christi", das das bekennende *Amen* des Kommunikanten fordert, sondern ein

---

Jesu." Ähnlich in der äthiopischen Apostelanaphora (Brightman 240 f): „Das Brot des Lebens, das vom Himmel herabgekommen ist, der Leib Christi." In den Canones Basilii c. 97 (Riedel 275): „Dies ist der Leib Christi, welchen er für unsere Sünden hingab." — Marcus Eremita, Contra Nestorianos c. 24 (Brightman S. CIV zu S. 523), bezeugt um 430 die Formel: Σῶμα ἅγιον Ἰησοῦ Χριστοῦ εἰς ζωὴν αἰώνιον.

108) Brightman 140. — Einen preisenden Charakter anderer Art haben auch die äthiopischen Formeln, deren mehrere nebeneinander gebracht werden. Brightman 240 f mit den Anmerkungen; vgl. vorige Anm.

109) Diese Nennung des Empfängers auch in der ostsyrischen Messe, wo die Formel bei Brightman 298 wiedergegeben wird: The body of our Lord to the discreet priest (or: to the deacon of God, or: to the circumspect beleaver) for the pardon of offences. — Es scheint sich sowohl bei der Nennung des Empfängers wie bei dem wünschenden Zusatz um eine gemeinsyrische Überlieferung zu handeln; vgl. die Formel bei den westsyrischen Jakobiten: ebd. 103 f. — In der armenischen Formel (ebd. 452) scheinen sich syrische und römische Weise zu treffen.

110) Vorige Anm.

111) Brightman 395 f: Μεταλαμβάνει ὁ δοῦλος τοῦ θεοῦ N. τὸ τίμιον καὶ ἅγιον σῶμα καὶ αἷμα . . .

112) Brightman 186. — Das Amen des Empfängers wird auch noch durch eine ausdrückliche Rubrik betont in der äthiopischen Liturgie (ebd. 241) und in der westsyrischen Liturgie der Jakobiten (ebd. 104).

Segenswunsch, den im allgemeinen nur der Priester spricht[113]). Immerhin ist vielleicht noch ein Zwischenglied erkennbar, das die Verbindung zur alten Spendeformel herstellt, wenn nach einzelnen Quellen dem neugetauften Kinde das Sakrament mit den Worten gereicht wurde: *Corpus D. N. J. C. in vitam aeternam*[114]).

Die Grundform jenes Segenswunsches, von der spätere Formulierungen sich abzweigen, und die noch ins 8. Jahrhundert zurückreicht[115]), scheint gelautet zu haben: *Corpus et sanguis D. N. J. C. custodiat te in vitam aeternam*[116]).

---

[113]) Das *Amen* wäre zwar auch dem Segenswunsch durchaus angemessen und ist dem Spruch in den Handschriften meistens, nicht immer, beigefügt. Daß es aber in der Regel vom Priester, nicht (wie heute noch nach der Subdiakonats- und der Diakonatsweihe) vom Empfänger gesprochen wird, war sehr naheliegend, seitdem die Kommunion in den Mund gereicht wird. Soll das *Amen* auch da noch beim Empfänger verbleiben, so muß es nun selbstverständlich vor dem Empfang des Sakramentes gesprochen werden. — In manchen französischen Kirchen wurde im 18. Jh. dieses *Amen* von den Gläubigen verlangt; de Moléon 216. 246.

[114]) Sakramentar von Gellone (um 770/780): Martène 1, 1, 18, VII (I, 188 B); Taufordo aus M.-Gladbach: ebd. XIV (I, 204 D). Andere parallele Zeugen haben aber bereits: ... *sit tibi in vitam aeternam;* ebd. V (I, 183 C).

[115]) Eine alleinstehende Formel von ähnlichem Alter liegt vor in der Krankenkommunion des keltischen Dimmabuches (8./9. Jh.): *Corpus et sanguis D. N. J. C. Filii Dei vivi conservat animam tuam in vitam perpetuam;* F. E. Warren, The liturgy and ritual of the Celtic Church, Oxford 1881, 170. — Spätere Spendeformeln zur Wegzehrung bei Browe, Die Sterbekommunion (ZkTh 1936) 220 f.

[116]) Vgl. Theodulf von Orleans, Capitulare II (PL 105, 222 C), wo die Formel lautet: *Corpus et sanguis Domini sit tibi remissio omnium peccatorum tuorum et custodiat te in vitam aeternam.* Sie ist also schon mit einer zweiten Formel verquickt. — Stowe-Missale (Anfang des 9. Jh.) ed. Warner (HBS 32) 32: *Corpus et sanguis D. N. J. C. sit tibi in vitam aeternam.* Im Sakramentar von S. Thierry (Ende des 10. Jh.): Martène 1, 4, X (I, 551 E), liegt obige Grundform vor mit der Variante: *animam tuam* für *te.* Derselbe Wortlaut erscheint als Formel bei der kombinierten Spendung der beiden Gestalten im Sakramentar von S. Remy-Reims (nach Andrieu 10. Jh., nicht schon um 800; PL 78, 539 B). Bei getrennter Spendung lautet hier aber die erste Formel wie oben: *Corpus D. N. J. C. custodiat te in vitam aeternam* (gleichlautend auch bei Ps.-Alkuin, De div. off. c. 19; PL 101, 1219), die zweite: *Sanguis D. N. J. C. redimat te in vitam aeternam,* worauf noch eine den Friedenskuß einbeziehende Formel folgt: *Pax D. N. J. C. et sanctorum communio sit tecum et nobiscum in vitam aeternam* (PL 78, 537 A; vgl. oben 412 Anm. 59). — Vgl. auch den Krankenordo des Salzburger Römisch-deutschen Pontifikale (11. Jh.; s. Andrieu, Les ordines I, 207. 352 f), wo ebenfalls zuerst obige *Corpus et sanguis*-Formel (mit *animam tuam)* steht und dann *Pax et communicatio* folgt (im Wortlaut ähnlich wie oben 402 Anm. 10); Martène 1, 7, XV (I, 905 B).

Ähnliche Formeln begegnen uns seit dem 9. Jahrhundert auch bei der Spendung in der Messe[117]), und zwar erscheinen die Spendeformeln alsbald in einer großen Mannigfaltigkeit. Das ist um so bemerkenswerter, als Sumptionsformeln auch im 11. Jahrhundert noch nicht häufig sind und als anderseits die Kommunion des Volkes seit dieser Zeit in den Meßordnungen immer seltener Berücksichtigung findet. Obwohl diesen Spendeformeln das eben genannte Schema zugrunde liegt, scheint man nicht nur keinen Wert zu legen auf die Beibehaltung eines bestimmten Textes, sondern geradezu die Abwechslung im Ausdruck zu suchen.

Das um 1050 entstandene Missale von Troyes bietet drei Fassungen. Die erste lautet: *Corpus D. N. J. C. maneat ad salutem et conservet animam tuam in vitam aeternam. Amen.* Darauf, schon wieder anders gewendet, zum heiligen Blut: *Sanguis D. N. J. C. sanctificet corpus et animam tuam in vitam aeternam.* Dann mit der Überschrift *ad utrumque* (wohl für den Fall kombinierter Spendung): *Perceptio corporis et sanguinis D. N. J. C. prosit animae tuae in vitam aeternam. Amen*[118]). Auch die etwas ältere Messe des Flacius Illyricus bietet drei verschiedene Formeln: eine für die Kommunion der Priester und der Diakone[119]), eine für die übrigen Kleriker und eine für das Volk[120]). Auch ein besonderes Gebet, mit dem der Priester die Spendung des Sakramentes an die Gläubigen einleitete, begegnet uns in Quellen des 11. und 12. Jahrhunderts[121]).

---

[117]) Die Synode von Rouen (um 878) can. 2 (Mansi X, 1199 f) schreibt die Formel vor: *Corpus Domini et sanguis prosit tibi ad remissionem peccatorum et ad vitam aeternam.* — Wohl um dieselbe Zeit läßt der Interpolator des Paulus Diaconus, Vita s. Gregorii (PL 75, 72), Papst Gregor den Großen bei der Spendung in der Messe sprechen: *Corpus D. N. J. C. prosit tibi in remissionem omnium peccatorum et vitam aeternam.* — Johannes Diaconus († vor 882), Vita s. Gregorii II, 41 (PL 75, 103), teilt dem Papst die Formel zu: *Corpus D. N. J. C. conservet animam tuam.* — Regino von Prüm, De synod. causis I, 70 (PL 132, 206), bietet bei der Krankenkommunion: *Corpus et sanguis Domini proficiat tibi etc.*

[118]) Martène 1, 4, VI (I, 534 D).

[119]) In diesem Fall ist immerhin ein sachlicher Grund sichtbar: ihnen wird der Leib des Herrn in die Hand gegeben, und zwar mit *Pax tecum* oder *Verbum caro factum est et habitavit in nobis.* Darauf der Kelch mit der schon oben 394 Anm. 42 angeführten Mischungsformel.

[120]) Die beiden letzteren lauten: *Perceptio corporis et sanguinis D. N. J. C. sanctificet corpus et animam tuam in vitam aeternam. Amen,* und *Corpus et sanguis D. N. J. C. prosit tibi in remissionem omnium peccatorum et ad vitam aeternam. Amen.* Martène 1, 4, IV (I, 516).

[121]) Deutlich mit dieser Funktion, unmittelbar vor den Spendeformeln, im Missale von Troyes, wo es lautet: *Concede, Domine Jesu, ut sicut haec sacramenta*

Eine nähere Aufzählung der verschiedenen Fassungen, in denen die Spendeformel auftritt, wäre ohne Wert, da in der Bedeutung kaum ein Unterschied zu vermerken ist und auch nennenswerte Erweiterungen kaum vorkommen[122]). Jedes Glied des überlieferten Schemas erhält seine Varianten. Für *Corpus (et sanguis)*[123]) *D. N. J. C.* heißt es manchmal *Perceptio corporis . . .*[124]); für *custodiat* steht, wie wir bereits beobachten konnten, öfter *sanctificet* oder *conservet* oder (mit dativischer Konstruktion) *prosit* oder *proficiat*[125]) oder *propitiatus sit*[126]) oder *sit remedium sempiternum*[127]). Für *te* oder *tibi* wird *anima tua* eingesetzt, manchmal auch *anima tua et corpus*[128]) oder wie oben *corpus et anima tua.* Vor *in vitam aeternam,* das allein als festes Element in der Regel unverändert wiederkehrt, ist öfter eingesetzt *ad* (oder *in) remissionem (omnium) peccatorum (tuorum)*[129]). Es ist beinahe erstaunlich, daß sich

---

corporis et sanguinis tui fidelibus tuis ad remedium contulisti, ita mihi indigno famulo tuo et omnibus per me sumentibus haec ipsa mysteria non sint ad reatum, sed prosint ad veniam omnium peccatorum. Amen. Martène 1, 4, VI (I, 534 C). Mit unwesentlichen Varianten in den verwandten Quellen, ebd. IV. XV. XVI (I, 515 B. 593 B. 600 B); 1, 4, 9, 9 (I, 423 D). Jedoch steht das Gebet hier schon vor oder gleich nach dem Friedenskuß. Die Formel auch um 1300 in einer norwegischen Hs; Segelberg 258.

122) Vereinzelt ist der Fall eines Vorauer Missale des 15. Jh., das zur Spendeformel hinzufügt: *Pax tecum;* Köck 134.

123) Der Beisatz *et sanguis* geht auf die kombinierte Spendung beider Gestalten. Diese war besonders verbreitet bei der Spendung der Wegzehrung; s. Ivo von Chartres, Decretum II, 19 (PL 161, 165). Weitere Beispiele entsprechender Spendeformeln bei Andrieu, Immixtio et consecratio 124 ff. Es werden aber öfter auch eigene Formeln mit *Sanguis D. N. J. C.* angegeben, sowohl bei der Wegzehrung (Andrieu 125 f) wie innerhalb der Messe, so im Missale von Troyes: Martène 1, 4, VI (I, 534 D); in einem mittelitalischen Missale des ausgehenden 11. Jh.: Ebner 299; auch noch in einem Salzburger Missale des 12./13. Jh.: Köck 134. Ältere Beispiele s. oben Anm. 115 ff.

124) Außer den eben genannten Beispielen s. Ebner 339. 346; Martène 1, 4, XIII, XV (I, 579 D. 594 B); Köck 134 (n. 761).

125) Köck 134 (n. 17 b). So auch Bernold von Konstanz, Micrologus c. 23 (PL 151, 995 B): *Corpus et sanguis D. N. J. C. proficiat tibi in vitam aeternam.*

126) Ebner 299.

127) Ebner 297; Köck 134 (n. 17 a).

128) Für letzteres s. Ebner 339. 346; Köck 134 (n. 761); Binterim IV, 3, S. 226.

129) Martène 1, 4, IV (I, 516 C); Köck 134 (n. 272). — Die Meßordnung von Séez (PL 78, 250 D) weist die sonst alleinstehende Fassung auf: *Perceptio corporis Domini nostri sit tibi vita et salus et redemptio omnium tuorum peccatorum.*

in diesem Gewirr schließlich die anscheinend älteste Fassung behauptet hat: im gewöhnlichen Gebrauch mit *custodiat animam tuam,* bei der Subdiakonats- und der Diakonatsweihe mit dem einfachen *custodiat te*[130]).

14. Der Kommuniongesang

Daß die Spendung der Kommunion, wenn es sich um eine größere Zahl von Gläubigen und einen einigermaßen feierlichen Gottesdienst handelt, von einem Gesang begleitet werden muß, ist so selbstverständlich, daß man auch heute in den Fällen, in denen der ursprüngliche Kommuniongesang nicht mehr zu genügen scheint, Ersatzformen eines solchen gebraucht. Von den drei alten Scholagesängen der römischen Messe, Introitus, Offertorium und Communio, ist die Communio ohne Zweifel der älteste.

Einen Kommuniongesang lernen wir zuerst in den Liturgien des 4. Jahrhunderts kennen. Er erscheint hier zunächst noch als responsorischer Gesang, also als Gesang, bei dem das Volk noch in der Weise des altchristlichen Gemeindegesanges dem Vorsänger, der einen Psalm vorträgt, Vers für Vers mit einem gleichbleibenden Kehrvers antwortet. Wenigstens bezeugt Chrysostomus, daß die Eingeweihten — es handelt sich also um den Kern der Eucharistiefeier — beständig mit dem Vers respondieren (ὑποψάλλουσιν): „Aller Augen warten auf dich und du gibst ihnen Speise zur rechten Zeit"[1]). Man wird also den 144. Psalm gesungen haben. Eine ähnliche Beteiligung des Volkes wird vorausgesetzt für den 33. Psalm, wenn Hieronymus bemerkt: *quotidie coelesti pane saturati dicimus: Gustate et videte, quam suavis est Dominus*[2]).

Diesen 33. Psalm treffen wir denn auch sonst fast allenthalben in der alten Christenheit als Kommuniongesang an[3]). Es wird entweder der ganze Psalm in dieser Verwendung bezeugt[4]) oder es wird der ge-

---

[130]) Pontificale Rom., De ord. presbyteri. — Auch die Kartäuser gebrauchen diese letztere Fassung; Ordinarium Cart. (1932) c. 27, 14.

[1]) Chrysostomus, In Ps 144 expos. 1 (PG 55, 464); vgl. Brightman 475.

[2]) Hieronymus, In Isaiam comment. II, 5, 20 (PL 24, 86 D).

[3]) Vgl. die Übersicht bei H. Leclercq, Communion: DACL III, 2428—2433.

[4]) Const. Ap. VIII, 13, 16 (Quasten, Mon. 231). Der Psalm wird von einem Sänger vorgetragen; ebd. 14, 1 (231): παυσαμένου τοῦ ψάλλοντος. Es ist also auch hier responsorische Singweise vorausgesetzt.

nannte neunte Vers[5]) hervorgehoben, wie in der Liturgie von Jerusalem[6]) und anderswo[7]), oder auch der sechste Vers, mit dem Augustinus wiederholt die Gläubigen zum Tisch des Herrn hinweist: *Accedite ad eum et illuminamini*[8]). In verschiedener Gestaltung oder in Verbindung mit anderen Psalmen oder mit Hymnen begegnen uns diese beiden Verse in der Folgezeit auch sonst in Kommuniongesängen des Abendlandes[9]), ähnlich wie auch im Orient Ps 33 an verschiedenen Stellen der eucharistischen Liturgie bis heute in Verwendung steht[10]).

In besonderer Fassung lebt der genannte Psalm in der mozarabischen Liturgie noch fort, wo die sogenannte *antiphona ad accedentes* für den größten Teil des Jahres wie folgt lautet:

> *Gustate et videte quam suavis est Dominus, alleluja, alleluja, alleluja, Benedicam Dominum in omni tempore, semper laus eius in ore meo, alleluja, alleluja, alleluja. Redimet Dominus animas servorum suorum et non relinquet omnes qui sperant in eum, alleluja, alleluja, alleluja. Gloria et honor Patri et Filio et Spiritui Sancto in saecula saeculorum. Amen. Alleluja . . .*[11])

---

[5]) Zum naheliegenden Sinn desselben kam im griechischen Text noch der Anklang an den Christusnamen: ὅτι χρηστὸς (η wie i gesprochen) ὁ κύριος. Vgl. F. J. Dölger, Ichthys II, Münster 1922, 493.

[6]) Cyrill von Jerusalem, Catech. myst. V, 20 (Quasten, Mon. 108): „Ihr höret dann die Stimme des Psallierenden, der euch mit göttlicher Melodie zur Teilnahme an den heiligen Mysterien ladet und sagt: Kostet . . .“ Es kann auch hier der Kehrvers sein, der zuerst vom Vorsänger angestimmt wird. In der griechischen Jakobusliturgie (Brightman 63) erscheint aber nur mehr dieser Vers, gefolgt von anderen Gesängen.

[7]) Armenische Liturgie (Brightman 449 f); Ambrosius, De myst. 9, 58 (Quasten, Mon. 136).

[8]) Augustinus, Serm. 225, 4 (PL 38, 1098); Serm. Denis 3, 3 (PL 46, 828). Siehe die weiteren Bezeugungen des Kommunionpsalmes bei Roetzer 134 f.

[9]) Cassiodor, In Ps 33 (PL 70, 234 f. 235 f. 240 D); in der mailändischen Liturgie im Transitorium (= Kommuniongesang) am Ostermontag: Missale Ambrosianum (1902) 192. Auch in der römischen Messe erscheint Ps 33, 9 heute noch am achten Sonntag nach Pfingsten. In den älteren Antiphonaren bildet er hier die Antiphon zu Ps 33; s. Hesbert n. 180.

[10]) Der Psalm wird heute in der byzantinischen Liturgie mehrfach am Schluß der Messe gebetet, während der Verteilung des gesegneten Brotes oder während der Reinigung der Gefäße, vor allem aber bei der Kommunion in der Missa praesanctificatorum (Hinweis von Dom Irenäus Doens O. S. B.).

[11]) Missale mixtum (PL 85, 564 f). — Auch in der Kathedrale von Belley (Lyoner Ritus) wurde im österlichen Hochamt nach dem ersten *Agnus Dei* eine Antiphon *Gustate et videte* eingefügt. Buenner 256 Anm. 1.

Das an jeden Vers angehängte Alleluja ist offenbar das Responsum, mit dem einst die Gläubigen respondiert haben[12]). Auch orientalische Liturgien zeigen noch die Spuren dieser responsorischen Verwendung des Alleluja in ihren Kommuniongesängen[13]), besonders deutlich die armenische, die dabei noch den Alleluja-Psalm 148[14]), und die koptische, die den Alleluja-Psalm 150[15]) verwendet.

Während sich also in einer ältesten Periode in der Regel die Kommunikanten selber am Gesang beteiligt haben[16]), finden wir in den jüngeren unmittelbar faßbaren Quellen der morgenländischen Liturgien sowohl wie der abendländischen meist auch den Kommuniongesang oder einen der Kommuniongesänge[17]) der Sängerschaft übertragen. Damit ging Hand in Hand neben der Bereicherung der Melodien eine Vermehrung der zur Verwendung kommenden Texte; man verwendet u. a. nun Hymnen eigener Schöpfung. In der irisch-keltischen Liturgie des 7. Jahrhunderts begann ein solcher, in elf Doppelversen aufgebauter Hymnus:

Sancti venite, Christi corpus sumite,
Sanctum bibentes quo redempti sanguine,
Salvati Christi corpore et sanguine
A quo refecti laudes dicamus Deo[18]).

---

[12]) Vgl. oben I, 540 ff. — Vgl. auch Leitner, Der gottesdienstliche Volksgesang 167 f. — Die beiden ersten Verse, ebenfalls mit angeschlossenem Alleluja, auch im Stowe-Missale ed. Warner (HBS 32) 18; vgl. Antiphonar von Bangor ed. Warren (HBS 10) 30 f.

[13]) Ostsyrer: Brightman 299; westsyrische Jakobiten: ebd. 102 f.

[14]) Brightman 449 f.

[15]) Brightman 185. Derselbe Psalm auch noch in der äthiopischen Liturgie: ebd. 240 (s. Corrigenda S. CIV).

[16]) Vgl. auch Aurelian († 551), Regula ad monachos (PL 68, 596 B): *psallendo omnes communicent;* ebenso in der Nonnenregel (PL 68, 406 B). — A. Dohmes, Der Psalmengesang des Volkes in der eucharistischen Opferfeier der christlichen Frühzeit (Liturg. Leben 1938) 147 f, glaubt aus den Zeugnissen des christlichen Altertums nur eine geringe Ausdehnung des Gemeindegesanges beim Kommunionlied erschließen zu können. Die Entscheidung hängt u. a. davon ab, wie man die im Alleluja gegebene Erscheinung würdigt.

[17]) Schon in den Apostolischen Konstitutionen VIII, 13, 13 (Quasten, Mon. 229 f) wird außer dem erwähnten Ps 33 als ein erster Kommuniongesang, übrigens hier noch im Munde des Volkes, erwähnt eine Verbindung von Lk 2, 14; Mt 21, 9; Ps 117, 26 f, von denen Ps 117, 27 b; Mt 21, 9 noch in der armenischen Liturgie an ähnlicher Stelle fortleben. Brightman 24. 453. — Manchmal wird ein Gesang zur Kommunion des Klerus und ein solcher zur Kommunion des Volkes unterschieden; vgl. folgende Anm.

[18]) Antiphonar von Bangor (ed. Warren [HBS 4] fol. 10 v; PL 72, 587), mit der Überschrift: *Ymnum quando commonicarent sacerdotes.*

Die römische Liturgie hat zunächst am Psalmengesang festgehalten, jedoch so, daß auch der Kommunionpsalm nach dem Kirchenjahr wechselt[19]). Wie der Erste römische Ordo bestimmt, mußte die Schola, sobald der Papst im Senatorium mit der Spendung der Kommunion begann, die *antiphona ad communionem* anstimmen. Dann folgte die Psalmodie *(psallunt)*, bis das ganze Volk kommuniziert hatte. Wenn der Archidiakon sah, daß sich die Kommunion des Volkes dem Ende näherte[20]), wurde der Schola ein Zeichen gegeben zum *Gloria Patri*, nach welchem sie nochmals den Vers wiederholte: *et tunc repetito versu quiescunt*. Es war ein antiphonischer Gesang, bei dem die Schola cantorum mit den Subdiakonen abwechselte *(per vices cum subdiaconibus)*, von derselben Anlage wie der Introitus, bestehend aus einem Psalm mit einem Vorvers, der am Ende wiederholt wurde[21]).

Die Einführung dieser antiphonischen Singweise bei der Kommunion wie beim Offertorium geschah in Nordafrika zur Zeit des hl. Augustinus[22]) und wird in Rom auch nicht viel jünger sein[23]). Das Fehlen des Kommuniongesanges am Karsamstag erinnert noch an die Zeit vor der Einführung dieses Gesanges.

Anders als beim Offertorium hat sich bei der Kommunion die antiphonische Weise zunächst durch Jahrhunderte unverfälscht erhalten. Es wurde Wert darauf gelegt, daß der Gesang tatsächlich die Kommunionspendung begleite. Eine karolingische Meßerklärung bemerkt, während der Kommunion „soll sanfte Melodie das Ohr (der Gläubigen) berühren, damit sie bei ihrem Ton sich weniger mit müßigen Gedanken beschäftigen und ... ihre Herzen zu demütiger Liebe dessen gestimmt werden, was sie empfangen“[24]). Die ältesten Handschriften des Meßgesangbuches, die dem 8./9. Jahrhundert angehören, zeigen für die

---

19) Dem Wechsel nach dem Kirchenjahr unterliegt auch der Kommuniongesang der byzantinischen (κοινωνικόν) und der der ostsyrischen Liturgie; Baumstark, Die Messe im Morgenland 162 f.

20) Vgl. Ordo von S. Amand (Andrieu II, 167 Z. 11).

21) Ordo Rom. I n. 20 (Andrieu II, 105; PL 78, 947); Ordo sec. Rom. n. 14 f (Andrieu II, 226; PL 78, 976 B).

22) Augustinus, Retract. II, 11 (s. oben 36 Anm. 7). Zur Deutung des Textes vgl. Dohmes 148, der vermutet, daß zunächst das Volk antiphonisch gesungen habe. Soweit es sich nur um diesen einen Ps 33 gehandelt hat, ist dies wohl möglich.

23) P. Pietschmann, Die nicht dem Psalter entnommenen Meßgesangstücke auf ihre Textgestalt untersucht (JL 12 [1934] 87—144) 91, rechnet auf Grund seiner Textuntersuchung mit der Möglichkeit, daß die Communio in der römischen Messe auf die Autorität Augustins hin eingeführt worden ist.

24) Expositio ‚Primum in ordine‘ (vor 819; PL 138, 1186).

Communio dasselbe Bild wie für den Introitus: Es wird die Antiphon angegeben, dieselbe die im Missale Romanum heute noch allein die Communio ausmacht, und darauf folgen die Anfangsworte des Psalmes oder auch, in den nicht seltenen Fällen, in denen einfach der Introituspsalm zu wiederholen ist, der Vermerk: *Psalm. ut supra*[25]).

In einzelnen fränkischen Handschriften folgt dann, ähnlich wie wir es beim Introitus angetroffen haben[26]), unter der Überschrift *Ad repet.* öfter noch ein weiterer Psalmvers[27]), dessen Funktion bisher ein Rätsel geblieben ist. Doch löst sich dieses Rätsel an unserer Stelle im Rückgriff auf das Trecanum, den Kommuniongesang der gallikanischen Liturgie[28]). Es handelt sich um ein länger festgehaltenes Kernstück aus

---

[25]) Hesbert, Antiphonale missarum sextuplex. Von den fünf hier abgedruckten Hss, die die antiphonischen Gesänge bieten, ermangelt nur die von Rheinau (um 800) regelmäßig des Psalmes zur Kommunion. — In manchen Hss wird als Ausgangspunkt der Rezitation nicht immer der Anfang des Psalmes angegeben, sondern gelegentlich ein anderer bedeutsamer Vers, z. B. bei Ps 33 der Vers *Gustate* (Hesbert n. 44), oder am Pfingstdienstag bei Ps 50 *Cor mundum crea* (ebd. n. 108).

[26]) Oben I, 420 f.

[27]) Den genannten Vers bieten wiederum, aber in der Regel nicht im gleichen Formular, hauptsächlich zwei von den fünf ältesten Antiphonar-Hss bei Hesbert, die von Compiègne und von Senlis. In letzterer wird z. B. am Sonntag Sexagesima die heute gebrauchte Antiphon *Introibo* angegeben, darauf der Psalm *Judica*, dann aber noch beigefügt: *Ad repet.: Spera in Deo* (Hesbert n. 35). — Den Schlüssel zur Art und Weise der Ausführung dürfte auch hier das Capitulare eccl. ord. (Andrieu III, 124) bieten, demzufolge der Priester das Zeichen gibt, den Gesang mit dem *Gloria Patri* zu schließen, *et post Gloria repetent verso de ipso psalmo et novissime canent ipsa antephona et sic laudem Trinitatis debit peragere.*

[28]) In der Expositio der gallikanischen Liturgie (ed. Quasten 23) wird der Kommuniongesang wie folgt beschrieben: *Trecanum vero, quod psallitur, signum est catholicae fidei de Trinitatis credulitate procedens. Sicut enim prima (pars) in secunda, secunda in tertia et rursum tertia in secunda et secunda rotatur in prima, ita Pater in Filio mysterium Trinitatis complectitur, Pater in Filio, Filius in Spiritu Sancto, Spiritus Sanctus in Filio et Filius rursum in Patre.* Setzen wir in dieser Beschreibung des gallikanischen „Dreiklangs" für das erste Glied die Antiphon, für das zweite den Psalm, für das dritte das *Gloria Patri* ein, so ergibt sich das Schema: Antiphon (1) — Psalm (2) — *Gloria Patri* (3) — Psalm (2) — Antiphon (1), d. h. die Aufeinanderfolge wie im Capitulare (vorige Anm.), die ja ausdrücklich gleichfalls die *laus sanctae Trinitatis* betont. Tatsächlich kann man sagen, daß sich hier als ein entferntes Symbol der heiligsten Dreifaltigkeit 1 in 2 und 2 in 3 und 3 in 2 und 2 in 1 fortsetzt und zum Kreise fügt *(rotatur)*. Die Anlage des Gesanges wird zu einem Bilde der göttlichen Perichorese, die ja schon die Väter viel beschäftigt hat. Vgl. im besonderen die Ausführungen bei Gregor

der so stark trinitarisch geprägten gallikanischen Liturgie, in der der Vers dazu diente, in der Verschränkung von Antiphon, Psalmvers und *Gloria Patri* das Bild des Ineinander der drei Personen zu vollenden.

Auch andere Erweiterungen der Communio kommen vor, besonders durch Wiederholung der Antiphon[29]). Dabei scheinen die Subdiakone eine Art Gegenchor zur Schola gebildet zu haben[30]). In das *Gloria Patri* sollte dann nach karolingischen Bestimmungen das ganze Volk einfallen[31]).

Läuft so die Entwicklung des Kommuniongesanges eine Strecke weit parallel mit der des Introitus, so beginnt doch, anders als bei diesem, schon früh der Verfall des Psalmes. Im 10. Jahrhundert fängt letzterer an, in den Handschriften zu fehlen[32]), im 12. Jahrhundert ist er nur mehr selten vorhanden[33]). Dem entsprechen die Äußerungen der Liturgieerklärer; Bernold von Konstanz erwähnt noch die Beifügung des Psalmes samt *Gloria Patri*, aber mit der kleinlauten Einschränkung *si necesse fuerit*[34]). Auch die Bereicherung durch Tropen, die im 10. Jahr-

von Nyssa, Adv. Maced. c. 22 (PG 45, 1329) über die ἐνκύκλιος τῆς δόξης περιφορά bei den göttlichen Personen. Der gleiche Plan liegt auch der Darstellung zugrunde, die dasselbe Capitulare vom Introitus gibt (Andrieu III, 120; oben I, 417 Anm. 13), nur daß dort, wohl zur Steigerung der Feierlichkeit, die Antiphon nach jedem Vers wiederholt, die Verschränkung also noch verstärkt wird. — Über die bisherigen Erklärungsversuche zum Begriff des *trecanum* s. L. Brou, Journal of theol. studies 47 (1946) 19.

29) Nach dem Ordo von S. Amand (Andrieu II, 166 f) sollen die Subdiakone die Antiphon am Anfang wiederholen; was am Ende wiederholt wird, ist nicht ganz durchsichtig. Vgl. dazu die von Wagner, Einführung I, 65 Anm. 2, abgelehnte Theorie von J. N. Tommasi. — Das Stowe-Missale ed. Warner (HBS 32) 18 weist als Kommuniongesang eine lange Reihe von je mit Alleluja abgeschlossenen Versen auf, die aus gut gewählten Schriftworten gebildet sind; gegen Ende wird der Vers *Venite benedicti* (Mt 25, 34) in Verbindung mit dem *Gloria Patri* dreimal wiederholt.

30) Vgl. Ordo Rom. I n. 20 (PL 78, 947 B; Andrieu II, 105, vgl. II, 7 Anm. 4, wonach dies die ursprüngliche Lesart ist): die Schola beginnt die Antiphon zur Kommunion *per vices cum subdiaconibus*.

31) Vgl. oben I, 310 Anm. 20.

32) Ursprung, Die kath. Kirchenmusik 57.

33) Wagner, Einführung I, 119. Ebd. wird noch eine Leipziger Hs des 13. Jh. genannt, die den Psalm aufweist. In Lyon wurde die Communio an Hochfesten noch im 18. Jh. wie der Introitus, d. i. mit einem Psalmvers und *Gloria Patri*, gesungen; de Moléon 59. — Vgl. aber anderseits auch schon die Rheinauer Hs (oben Anm. 25).

34) Bernold von Konstanz, Micrologus c. 18 (PL 151, 989 B). — Innozenz III., De s. alt. mysterio VI, 10 (PL 217, 912), spricht noch vom Wechselgesang *(reciprocando cantatur)*, was mit Amalar, Liber off. III, 33, 2

hundert einsetzt, verfällt schon, bevor sie sich recht entfalten kann[35]). Wenn man das Beharrungsvermögen liturgischer Einrichtungen mit in Anschlag bringt, so stimmt die Erscheinung ungefähr damit überein, daß in der karolingischen Reform noch einmal, entsprechend der stadtrömischen Sitte, die sonntägliche Kommunion einen gewissen Aufschwung genommen hat[36]). Mit dem Erlahmen dieses Anlaufes entfiel dann endgültig der Grund für einen Kommuniongesang[37]). Es bleibt nur noch die Antiphon übrig, die im 13. Jahrhundert auch selbst schon Communio genannt wird[38]).

Im Grunde hätte der Kommuniongesang für gewöhnlich nun entfallen müssen, da er ja bestimmt war, nicht die Kommunion des Priesters, sondern die der Gläubigen zu begleiten. So war es denn nicht unrichtig, daß man die Communio gewissermaßen als Symbol der Volkskommunion, die statthaben sollte, erst nach der Kommunion des Priesters folgen ließ. Man ging dann aber weiter und betrachtete sie als eine Danksagung *post cibum salutarem*[39]), nannte sie wohl auch *antiphona post communionem*[40]), ja schlechthin *postcommunio*[41]). Schließlich kam man dazu,

---

(Hanssens II, 365), auf den wechselseitigen Bericht der Jünger nach der Erscheinung des Auferstandenen gedeutet wird. Durandus IV, 56, 2 hat wohl nur mehr eine literarische Kenntnis vom gleichen Brauch.

[35]) Die Tropen zur Communio, die wie diejenigen zum Introitus die Antiphon bald einleiten, bald durchsetzen, gehören fast ganz dem 10. und 11. Jh. an; s. die Texte bei Blume, Tropen des Missale II (Analecta hymnica 49) S. 343—353.

[36]) Oben 449.

[37]) Merkwürdigerweise ist ein Vers *(Requiem aeternam)* und sogar auch die Wiederholung eines Teiles der Antiphon bis heute erhalten geblieben in der Totenmesse *(Cum sanctis tuis)*, bei der eine Kommunion der Gläubigen im Mittelalter überhaupt nicht üblich war. Die Erscheinung ist aber auch schon innerhalb der Totenmessen des Mittelalters singulär; vgl. B. Opfermann, Alte Totenlieder der Kirche: Bibel u. Liturgie 9 (1934/1935) 55—59, wo für die Communio 14 verschiedene Texte angeführt werden, unter denen nur noch ein zweiter (n. 14) eine ähnliche Wiederholung kennt. Im Dominikanermissale steht übrigens unsere Communio ohne Vers und ohne Wiederholung; Missale iuxta ritum O. P. (1889) 86*. 34*. 91*.

[38]) Den Wandel in der Bezeichnung vermerkt Albertus Magnus, De sacrificio missae III, 23, 1 (Opp. ed. Borgnet 38, 162); vgl. Sölch, Hugo 150.

[39]) Rupert von Deutz († 1135), De div. off. II, 18 (PL 170, 46), und andere nach ihm. Sölch, Hugo 150.

[40]) Vgl. Innozenz III., De s. alt. mysterio VI, 10 (PL 217, 912). Vgl. auch schon die Expositio ‚Introitus missae quare' (9./10. Jh.) n. 19 (Hanssens, Amalarii opp. III, 321): *Cantus post communionem quare celebratur? Ut ostendatur vere gratias agere populos.*

[41]) Innozenz III., a. a. O., Kapitelüberschrift; Durandus IV, 56, 1.

sie auch dann, wenn die Kommunion an die Gläubigen ausgespendet wurde, erst anzustimmen, sobald die Kommunion vorbei war[42]), so wie es ja auch heute mit dem Kommunionvers meistens gehalten wird[43]).

Zum wirklichen Kommuniongesang war inzwischen das *Agnus Dei* geworden[44]). Das gilt wenigstens für die Kommunion des Priesters, an die sich übrigens noch im hohen Mittelalter die weitere Kommunionspendung anschließen konnte, ohne daß eine Pause nötig war. An großen Kommuniontagen kamen aber schon früh andere Gesänge hinzu, ausgenommen Karfreitag und Karsamstag, wo man in tiefem Schweigen kommunizierte[45]). So erscheint gegen Ende des 9. Jahrhunderts im Pontifikale von Poitiers[46]) am Ostersonntag mit der Überschrift *Ante communionem* die festliche Antiphon, die das ganze Mittelalter hindurch und darüber hinaus besonders in vielen französischen Kirchen bei solcher Gelegenheit gesungen wurde:

> *Venite populi, sacrum immortale mysterium et libamen agendum. Cum timore et fide accedamus. Manibus mundis poenitentiae munus communicemus. Quoniam Agnus Dei propter nos Patri sacrificium propositum est. Ipsum solum adoremus, ipsum glorificemus cum angelis clamantes alleluja*[47]).

---

[42]) Dominikanermissale des 13. Jh.; Sölch 151. — Offenkundig gegen einen solchen sich bildenden Brauch wendet sich das Rituale von Soissons: Martène 1, 4, XXII (I, 612 f): Die Communio sei, wie ja der Name sage, *in hora communionis* zu singen.

[43]) Wenn das Graduale Romanum (1908), De rit. serv. in cantu missae n. 9, bestimmt, die Communio sei erst zu singen *sumpto ss. sacramento*, so ist damit offensichtlich und ganz dem geschichtlichen Sinn des Kommuniongesanges entsprechend die Kommunion des Priesters gemeint. Freilich kann die heutige kurze Communio nur wenig ihrer eigentlichen Bestimmung genügen, eine längere Kommunionspendung zu begleiten. Das gilt trotz ihrer Dehnung durch Neumen, die übrigens anders als der Introitus der Würde des Augenblicks entsprechend „ruhig und melodisch anspruchslos" sind (Ursprung, Die kath. Kirchenmusik 32). Die Beifügung des zugehörigen Psalmes wäre dabei mindestens als ebenso erlaubt zu betrachten, wie der Gebrauch anderer Gesänge. Vgl. den ähnlichen Fall beim Introitus, oben I, 422.

[44]) Oben 419. — Auch in Mailand ist, wie O. Heiming, Liturgie u. Mönchtum 3 (1949) 84, bemerkt, das Transitorium eine jüngere Neubildung, während die römische Communio zum Confractorium geworden ist.

[45]) Belege bei Browe, Mittelalterliche Kommunionriten (JL 15, 1941), 60 f.

[46]) A. Wilmart, Notice du Pontifical de Poitiers (JL 4, 1924) 75.

[47]) Martène 1, 4, 10, 6 (I, 432); vgl. ebd. 4, 25, 26 (III, 488 f). Zahlreiche Nachweisungen aus dem 11.—15. Jh. bei Leroquais III, 422; s. auch Wagner, Einführung I, 122. — Im Ritus von Lyon wird der Gesang im Hochamt nach dem ersten *Agnus Dei* eingeschaltet; Missale von Lyon (1904) S. XXXVIII, vgl. Buenner 256. 281—284. Auch in Mailand ertönt er noch heute am Ostersonntag;

Anderswo schaltete man einen Abschnitt des Chorgebetes ein. In der Kathedrale von Soissons sangen die Kanoniker um 1130 während der Volkskommunion am Ostersonntag die Sext[48]). In einer ungarischen Kathedrale des 11./12. Jahrhunderts war es am Gründonnerstag die Vesper, wobei man acht hatte, daß ihr Schluß mit dem *Ite missa est* des Diakons zusammentraf[49]). Auch nach Johannes von Avranches († 1079) sollte am Gründonnerstag während der Kommunion die Vesper eingeschaltet werden, deren Schlußoration mit der Postcommunio zusammenfiel[50]). Auch andere Gesänge, Psalmen, Hymnen oder Antiphonen, die dazu geeignet schienen, sind bald in fester Regelung, bald in freier Wahl dafür verwendet worden[51]), wie dies ja auch gegenwärtiger Gepflogenheit entspricht, auch abgesehen davon, daß heute der Großteil der Kommunionen, selbst bei festlichen Gelegenheiten, auf die als *missa lecta* gehaltenen Frühmessen entfällt, bei denen der Kommuniongesang in der Volkssprache sich frei entfalten kann.

Anderseits ist der Kommunionvers in der römischen Messe fest verankert worden durch den Brauch, daß auch der Priester ihn aus

---

Missale Ambrosianum (1902) 189. Zu Vienne war er, ebenso wie in Tours (Martène 4, 25, 26), noch im 18. Jh. im Gebrauch; de Moléon 17. 29. Auch in England und Deutschland war der Hymnus nicht unbekannt; Buenner 282. So wird er u. a. bezeugt vom Ordinarius II (um 1489) von Münster i. W., hrsg. von Stapper (Opuscula et Textus, ser. liturg. 7/8) 69. — Er geht auf einen byzantinischen Gründonnerstagshymnus (Δεῦτε λαοί) zurück; Buenner 282, mit Hinweis auf P. Cagin, Paléographie musicale V, 185. Vgl. auch den Aufruf vor der Kommunion in der Jakobusliturgie: Μετὰ φόβου θεοῦ (die byzantinische Liturgie des 9. Jh. fügt hinzu καὶ πίστεως καὶ ἀγάπης; Brightman 64. 341).

[48]) Browe, Mittelalterliche Kommunionriten (JL 15, 1941) 51 Anm. 13; vgl. ebd. 60.

[49]) G. Morin, Manuscrits liturgiques hongrois: JL 6 (1926) 57.

[50]) Johannes von Avranches, De off. eccl. (PL 147, 50). Diese Ordnung wurde u. a. bei den Prämonstratensern lange beobachtet; Waefelghem 210. — Die Einschaltung einer kanonischen Hore nach der Kommunion war auch unabhängig von einer Kommunion des Volkes nicht unerhört, auch abgesehen von der Vesper am Karsamstag. Nach dem Missale von Zips (14. Jh.) wurden in der weihnachtlichen Mitternachtsmesse vor der Postcommunio die Laudes eingefügt; Radó 71. Etwas Ähnliches war zu Valencia um 1410 üblich; Ferreres 207. Ebenso in Vienne um 1700; de Moléon 14 f. Bei den Dominikanern besteht die genannte Einfügung der Laudes noch heute; Missale O. P. (1889) 19.

[51]) Beispiele bei Browe, Mittelalterliche Kommunionriten 61. Auch Texte in der Volkssprache waren dabei nicht ausgeschlossen. Wie Bischof Urban von Gurk in einer nach 1564 ergangenen Verfügung bestimmte, sollte nach der Kommunion „ein Hymnus oder Psalm in der Landessprache“ gesungen werden, um die Andacht der Gläubigen zu stützen (ebd.).

dem Meßbuch liest. Dieser Brauch muß in der Privatmesse schon früh geübt worden sein[52]), wenn er auch durch lange Zeit nicht allgemein war. Für die mit Gesang gefeierte Messe scheint er sich erst spät durchgesetzt zu haben, da eine entsprechende Andeutung noch in den meisten Meßordnungen des späten Mittelalters fehlt[53]).

Erweist sich so der Kommuniongesang, wie er im römischen Missale steht, nur noch als ein verkümmerter Rest dessen, was ursprünglich gemeint war, so muß festgestellt werden, daß auch schon die ursprüngliche Anlage dieses Gesanges in der römischen Messe das Ergebnis einer stark an die Peripherie drängenden Entwicklung darstellt. Festgehalten wurde am Prinzip der Psalmodie; aber es wurde darauf verzichtet, einen der Kommunionpsalmen oder auch nur der Lob- und Alleluja-Psalmen zu bevorzugen. Nicht einen Kommuniongesang im engeren Sinn wollte man an dieser Stelle einrichten, sondern, ähnlich wie ja auch bei den anderen Gesängen der römischen Messe, einen kirchlichen Gesang allgemeinen Charakters, der gegebenenfalls dem Festgedanken Raum bot. Man sieht daran noch einmal, wie weit die römische Messe davon entfernt war, eine eigentliche Kommunionandacht zu entwickeln; auch in den Gebeten haben wir ja im Vergleich mit anderen Liturgien die äußerste Dürftigkeit noch des frühmittelalterlichen römischen Meßordo im Kommunionbereich festgestellt[54]). So finden wir, wenn wir nur die heutigen Kommunionantiphonen ins Augen fassen, an den Sonntagen nach Pfingsten auch hier einfach Verse aus Psalmen in der Reihenfolge des Psalteriums von Ps 9—118 herangezogen[55]). An den Ferien der Quadragesima sind es, von den jüngeren Formularien der Donnerstage abgesehen, die Psalmen 1—26, mit denen der Bedarf von Aschermittwoch bis Palmsonntag der Reihe nach bestritten wird.

Wenn die Antiphon aus dem Psalmenbuch genommen war, folgte ihr

---

[52]) Er wird ähnlich wie beim Introitus vom Capitulare eccl. ord. (Andrieu III, 125) mit Nachdruck vertreten; vgl. oben I, 427.

[53]) Ein mit sorgfältigen Rubriken ausgestattetes Minoritenmissale des 13. Jh. läßt zwar den Zelebranten *cum ministris* den Introitus lesen, tut aber eines gleichen weder beim Offertorium noch bei der Kommunion Erwähnung (Ebner 313 f. 317). Doch tritt der Brauch um die gleiche Zeit im Ritus der Dominikaner auf (Guerrini 244) und wird vom benediktinischen Liber ordinarius von Lüttich übernommen (Volk 97).

[54]) Oben 363 f.

[55]) Oben I, 426. Eine größere Unterbrechung liegt nur vor vom 11.—15. Sonntag, die in den Herbst fallen und Antiphonen erhalten haben, die (außer dem 14. Sonntag) auf Ernte und (Himmels-)Brot Bezug nehmen; vgl. Hesbert S. LXXIV f.

nun auch der entsprechende Psalm. In den anderen Fällen wurde der Introitus-Psalm noch einmal aufgenommen[56]), bei dem dann noch weniger irgendwelche Beziehung zur Kommunion zu erwarten war. Wohl aber ist in Festzeiten und an Festtagen eine Beziehung zum Tagesgedanken gesucht[57]). Das führt dann doch wieder in die Nähe von Kommuniongedanken. So wenn wir etwa an den Sonntagen nach Ostern das Wort an Thomas vernehmen: *Mitte manum tuam et cognosce loca clavorum,* oder den Ruf des guten Hirten: *Ego sum pastor bonus,* oder auch im Advent das Prophetenwort: *Ecce Dominus veniet et omnes sancti eius cum eo.* Übrigens ist in unserem Missale selbst auch eine dünne Schicht von Meßformularien enthalten, deren Urheber offensichtlich auf eine mehr eucharistische Prägung der Kommunionverse bedacht waren. Es sind die im 8. Jahrhundert entstandenen Messen der Fastendonnerstage. Die des zweiten und dritten Donnerstags verwerten sogar Worte aus der Verheißungsrede (Jo 6, 52; 6, 57); in einem Teil der Überlieferung waren sie mit dem Kommunionpsalm 33 verbunden[58]).

15. Stille Gebete nach dem Empfang

Wenn der Priester die Kommunion empfangen und gegebenenfalls gespendet hat, bleiben ihm noch einige der Ordnung dienende Handlungen, vor allem die Ablutionen, die er wieder mit leisem Gebet be-

[56]) Diese Regel bei Bernold von Konstanz, Micrologus c. 18 (PL 151, 989 B). — Sie gilt auch in einem Teil der alten Hss. Dagegen erleidet sie besonders in der Hs von Corbie viele Ausnahmen; s. Hesbert n. 2. 4. 16. 22. 29 usw. An Lichtmeß (n. 29) wird z. B. das *Nunc dimittis* gebraucht. — Auch das Capitulare eccl. ord. (Andrieu III, 125; vgl. 121) hält nicht streng an der Regel fest, wenn es an Jungfrauenfesten zur Antiphon *Quinque prudentes* entweder den Introituspsalm 44 oder Ps 45 gestattet.

[57]) Siehe die Tabelle der 68 nicht dem Psalter entnommenen Kommunionverse nach Cod. Sangall. 339 (10. Jh.), denen nur 39 solche Verse des Introitus, 14 des Graduale, 17 des Offertoriums gegenüberstehen, bei Pietschmann (JL 12, 1934) 142 ff; vgl. Wagner, Einführung I, 118, demzufolge in dieser Hs die genannten Verse die größere Hälfte der Kommunionverse ausmachen. Im heutigen Missale ist die Zahl der nichtpsalmodischen Kommunionverse noch bedeutend gewachsen.

[58]) Hesbert n. 44. 50. — Auch die Antiphon *Acceptabis sacrificium iustitiae* des ersten Donnerstags ist wohl vom gleichen Gedanken eingegeben. Ähnlich werden die Antiphonen am vierten und sechsten Donnerstag zu beurteilen sein, die aus Ps 118 stammen, der ja als Lobpreis des (Neuen) Bundes Sonntagspsalm geworden ist und der auch Kommunionpsalm am Gründonnerstag war. Etwas weiter entfernt ist der fünfte Donnerstag mit Ps 70, 16—18.

gleitet. Der Natur der Sache entsprechend beschäftigt sich dieses Gebet diesmal nicht mit den in sich bedeutungslosen Verrichtungen, sondern mit dem, was eben geschehen ist, mit der Kommunion. Die Gebete sind von ähnlicher Herkunft und tragen ähnlichen Charakter wie die vorausgegangenen vorbereitenden und begleitenden Kommuniongebete. Wir stoßen dabei auch wieder auf die Erscheinung, daß sie ursprünglich ebensowohl für die Gläubigen, wie für den Priester bestimmt waren; beide schöpften aus derselben Quelle Nahrung für ihre persönliche Andacht.

Das erste Gebet *Quod ore sumpsimus,* das sich als Postcommunio schon in den ältesten Sakramentaren findet[1]), begegnet uns auch im Gebetbuch Karls des Kahlen unter der Überschrift *Oratio post communionem* in der Fassung: *Quod ore sumpsi, Domine, mente capiam, ut de corpore et sanguine D. N. J. C. fiat mihi remedium sempiternum. Per eundem D. N. J. C.*[2]), und später als Gebet der kommunizierenden Kleriker[3]). Da es offenbar auch vom Priester nicht mit lauter Stimme vor der Gemeinde, sondern leise gesprochen wird[4]), ist es auch hier als dessen persönliches Gebet, als eine private Vorwegnahme der Postcommunio zu betrachten. Es kehrt in der Mehrzahl der mittelalterlichen Meßordnungen wieder, in der Regel in der pluralischen Form des ursprünglichen Textes[5]) und nicht selten auch mit der Schlußformel *Per*

---

[1]) Auch bereits im Leonianum: Muratori I, 366; die weiteren Nachweise bei Mohlberg-Manz n. 1567.

[2]) ed. Ninguarda 116. — Die Variante *ut de corpore et sanguine D. N. J. C.*, die das nicht mehr verstandene *et de munere temporali* (s. unten) ersetzen will, auch in gedruckten Missalien von Rouen und Lyon (de Moléon 65. 315; auch Lyoner Missale von 1904, S. 320), ebenso in Schweden (Yelverton 21) und noch im heutigen Dominikanermissale (1889) 22, das nach der Kommunion nur diese Formel kennt. Ein Missale des 16. Jh. von Orléans hat: *et corpus et sanguis* D. N. J. C.; de Moléon 201.

[3]) Oben 458.

[4]) Soweit es nicht vorübergehend zur stehenden Postcommunio geworden ist; s. unten 527.

[5]) Bei Bernold von Konstanz, Micrologus c. 23 (PL 151, 995), ist die pluralische Form bewußt gesetzt mit der vorausgehenden Begründung: *Postquam omnes communicaverunt, dicit;* es ist hier das einzige Gebet nach der Kommunion. — In singularischer Form haben das Gebet die Meßordnung von Rouen (13./14. Jh.) bei Martène 1, 4, XXXVII (I, 678 C) und das Missale parvum Vedastinum (Arras, 13. Jh.; hrsg. von Z. H. Turton, London 1904) bei Ferreres 202; s. weiter Lebrun I, 546 Anm. a. — Die Formel bildet eine Parallele zum *Deus qui humanae substantiae* des Offertoriumkreises, das ebenfalls die Pluralform der ursprünglichen Oration und überdies die Schlußformel derselben behalten hat.

Christum D. N.[6]), die im Text des römischen Missale verlorengegangen ist[7]). Es wird darin in zweifacher Antithese die Bitte ausgesprochen, dem sakramentalen Empfang in der Zeit möge die innere[8]) und in die Ewigkeit hinein dauernde Wirkung entsprechen.

Auch unser zweites Gebet nach der Kommunion, das *Corpus tuum Domine,* das entsprechend seiner Herkunft aus der gallischen Liturgie[9]) wieder einen anderen Charakter aufweist, hat zugleich der privaten Andacht der Gläubigen gedient. Es steht in der Kommunionandacht des ausgehenden 11. Jahrhunderts aus Montecassino[10]). Schon vom 10. Jahrhundert an erscheint es auch — im Gegensatz zur früheren Formel zugleich in der singularischen Umprägung des privaten Gebetes — im Munde des Priesters als fester Bestandteil vieler Meßordnungen. Zu den frühesten Zeugen desselben gehört[11]) bezeichnenderweise ein Meßordo aus dem nahen Subiaco[12]), zu dem weitere benediktinische[13]), aber auch andere Meßordnungen Italiens kommen, insbesondere schließlich das für die spätere Entwicklung ausschlaggebende Franziskanermissale[14]). Das Gebet hat auch sonst eine weite, wenn auch nicht eine allgemeine Verbreitung erlangt. In Frankreich ist auch die ursprüngliche Pluralform

---

[6]) Siehe z. B. Köck 129. 130.

[7]) Da die Formel in Wunschform abgefaßt ist *(capiamus),* ist sie nicht auf eine bestimmte Gebetsanrede festgelegt. Um so eher kann sie mit der folgenden Formel unter der Konklusion *Qui vivis,* d. h. unter der Christusanrede, zusammengefaßt werden.

[8]) Im Text der Postcommunio der alten Sakramentare und auch noch bei der Verwendung an unserer Stelle fehlt vielfach bis ins 13. Jh. hinein (vgl. z. B. Köck 127; Ebner 326) das *pura* vor *mente;* es handelte sich also ursprünglich nur um den Gegensatz von *ore* und *mente.*

[9]) Das Gebet erscheint zuerst als Postcommunio im Missale Gothicum des 7. Jh. (Muratori II, 653): *Corpus tuum, Domine, quod accipimus et calicem quem potavimus, haereat in visceribus nostris, praesta, Deus omnipotens, ut non remaneat macula, ubi pura et sancta intraverunt sacramenta. Per.* — Es ist nicht ausgeschlossen, daß die unten (Anm. 17) zu erwähnende zweite Fassung im Liber ordinum (gleichfalls Postcommunio) ähnlichen Alters ist.

[10]) Wilmart (Eph. liturg. 1929) 325. — Dieselbe Kommunionandacht enthält unter den Gebeten, die auf den Empfang folgen, u. a. auch *Domine Jesu Christe Fili* (s. oben 458), außerdem einige Formeln, die in liturgischen Büchern nicht oder nur selten erscheinen.

[11]) Abgesehen von der sogleich zu erwähnenden zweiten Fassung der Formel (Anm. 17).

[12]) 11. Jh.; Ebner 339.

[13]) Ebner 299. 302. 338; Fiala 216.

[14]) Ebner 317.

noch einige Zeit erhalten geblieben[15]), zum Teil verbunden mit einer anderen, vielleicht auf mozarabischen Ursprung zurückgehenden[16]) Fassung des zweiten Teiles[17]). Häufig zeigt das Gebet auch sonst mehr oder weniger starke Erweiterungen oder Abänderungen[18]). Manchmal erscheint es unter Verzicht auf die gallikanische Christusanrede an die gewöhnliche Anredeweise angeglichen: *Corpus D. N. J. Christi quod sumpsi*[19]), so daß auch ein *Per Christum* angefügt werden konnte[20]). Doch sind solche Umbildungen nicht durchgedrungen.

Inhaltlich geht das Gebet um einen Schritt über das vorausgehende hinaus. Es wird darin nicht mehr vom äußeren Zeichen die innere Wirkung unterschieden, sondern das Sakrament erscheint selber schon beinahe als die Gnade: durch das, was es enthält, ist es so rein und

---

[15]) Missale von Remiremont (12. Jh.): Martène 1, 4, 9, 9 (I, 424 D).

[16]) Férotin, Le Liber ordinum 242. Die Formel zeigt hier jedoch gegenüber der Fassung im Missale von Troyes (folgende Anm.) bereits Erweiterungen.

[17]) Im Missale von Troyes (um 1050): Martène 1, 4, VI (I, 534 D), lautet die Formel: *Corpus D. N. J. C. quo pasti sumus et sanguis eius quo potati sumus, adhaereat in visceribus nostris et non nobis veniat ad iudicium neque ad condemnationem, sed proficiat nobis ad salutem et ad remedium vitae aeternae.* Dieselbe Fassung des zweiten Teiles in singularischer Form schon im Sakramentar von S. Aubin in Angers (10. Jh.; Leroquais I, 71) und in dem von Paris (10. Jh.; Netzer 247). Etwas erweitert in einem unteritalischen Missale um 1200 bei Ebner 323 f; im Zisterziensermissale des 13. Jh.: Ferreres S. LI. 203; im Missale von Westminster ed. Legg (HBS 5) 520 f; im Missale von Fécamp (um 1400) Martène 1, 4, XXVII (I, 642 B); im Missale von Lyon (1904) 320; außerdem in einer größeren Zahl von Meßbüchern des 12.—15. Jh. aus dem nordöstlichen Spanien: Ferreres S. LXII. CXII. 190. 201 f, wo der Schluß lautet: *remedium animae meae et animabus omnium fidelium vivorum et defunctorum.*

[18]) In deutschen Meßbüchern: *quod ego miser accepi:* Köck 131; Beck 310; v. Bruiningk 88; Hoeynck 376; vgl. de Corswarem 142. In spanischen Meßbüchern: *quod ego indignus et infelix sumere praesumpsi;* Ferreres 190. 202; vgl. Martène 1, 4, XV (I, 593 D). — In steirischen Meßbüchern auch: *Sanctum corpus tuum, Domine, quod indignus accepi;* Köck 128. 130; s. auch ebd. 127 die noch stärker erweiterte Form aus dem Seckauer Missale des 12. Jh., die nochmals erweitert ist im Sakramentar von Boldau in Ungarn (um 1195), Anhang zum Meßordo ed. K. Kniewald: Theologia 6 (Budapest 1939) 26. — Der erste Teil ist ganz umgestaltet im Mainzer Pontifikale um 1170: Martène 1, 4, XVII (I, 602 D): *Corporis sacri ... perceptio.*

[19]) Für Italien s. Ebner 147. 335; vgl. 299. 323 f. 326; Muratori I, 94. Ein weiteres Beispiel bei Brinktrine, Die hl. Messe 291 (Vat. lat. 6378; 13./14. Jh.). — Missale von Westminster ed. Legg (HBS 5) 520. Vgl. Augsburger Missale von 1386: Hoeynck 376. — Liber ordinum, Missale von Troyes und die weiteren Zeugen der oben Anm. 17 genannten Variante.

[20]) So im Augsburger Missale von 1386: Hoeynck 376.

heilig, daß es gewissermaßen nur in uns bleiben muß, um alle Sündenmakel zu verdrängen und zu verzehren[21]).

Neben diesen beiden Formeln, die sich aber in der früheren Zeit nur selten und auch dann oft nicht in der heutigen Reihenfolge zusammenfinden, waren im Mittelalter noch eine große Zahl weiterer Gebete und Texte im Umlauf, mit denen der Priester nach dem Empfang des Sakramentes seine Andacht nähren konnte[22]). Es wurde schon vermerkt, daß die heute dem Empfang vorausgehenden Gebete *Domine Jesu Christe Fili* und *Perceptio*, die in anderer Weise um die Gnadenwirkung des Sakramentes bitten, häufig ihre Stelle nach demselben hatten[23]). Andere Gebete ähnlichen Inhaltes kamen hinzu. So erscheint im 11./12. Jahrhundert einige Male die Formel: *Domine Jesu Christe fili Dei, corpus tuum pro nobis crucifixum edimus et sanguinem tuum pro nobis effusum bibimus. Fiat corpus tuum salus animarum et corporum nostrorum et tuus sanctus sanguis remissio omnium peccatorum hic et in aeternum. Amen*[24]). Häufig sind weitere Formeln von der Art einer Postcommunio oder auch wirkliche Texte derselben herangezogen[25]); die

---

[21]) Der ältere Text: *ubi pura et sancta intraverunt sacramenta* (s. oben Anm. 9), der bis ins späte Mittelalter vorherrscht, läßt diese bildliche Sprechweise noch stärker zur Geltung kommen. In dem von F. Roedel beschriebenen rheinischen Missale des ausgehenden 13. Jh., JL 4 (1924) 85, etwas variiert: *ubi tua sacrosancta intraverint sacramenta.* — Durch die heutige Textfassung ist das Persönliche mehr hervorgekehrt.

[22]) Ein langes, sonst kaum vorkommendes Dankgebet schon im Sakramentar von Fulda (Richter-Schönfelder n. 27): *Deus noster, Deus salvos faciendi, tu nos doce gratias agere* ... — Noch im ausgehenden Mittelalter herrschte die Auffassung, daß man hier Gebete entsprechend der persönlichen Andacht auswählen und einschalten dürfe, wenigstens wenn man sie nur leise sprach. Browe, Die Kommunionandacht (JL 13, 1935) 50 f.

[23]) Oben 433.

[24]) Missale von Remiremont (12. Jh.): Martène 1, 4, 9, 9 (I, 424 C); Sakramentar von Echternach (erste Hälfte des 11. Jh.): Leroquais I, 122 (vgl. ebd. 307; II, 340); Missale von Seckau (12. Jh.): Köck 127; Admonter Hs des 14. Jh.: Franz 111 Anm. 4. — Der erste Teil obiger Formel eröffnet ähnlich ein Kommuniongebet im Bobbio-Missale (Muratori II, 780); an den zweiten Teil klingt an das Gebet im Sakramentar von Vich (11./12. Jh.): *Fiat nobis hoc sacramentum*... (Ferreres S. XCVI). — Ein Sakramentar des ausgehenden 9. Jh. aus Tours bietet die Formel: *Sumentes ex sacris altaribus:* Leroquais I, 49; Martène 1, 4, 9, 9 (I, 423 B). — Im Missale von St. Vinzenz wird das *Corpus tuum* paraphrasiert: *Post communionem*...; Fiala 216.

[25]) Meßordo von Amiens ed. Leroquais (Eph. liturg. 1927) 544: *Praesta quaesumus.* — Sakramentar von Moissac: Martène 1, 4, VIII (I, 541 B): *Da quaesumus.* — Missa Illyrica: ebd. IV (I, 517 A): *Conservent; Custodi; Praesta*

Meßordnung einer Pariser Handschrift läßt sogar 13 Orationen auf die Kommunion folgen[26]).

Hierher ist auch das *Agimus tibi gratias* zu rechnen, das im späten Mittelalter manchmal erscheint[27]). Weit verbreitet war schon früh ein dem Schatz des privaten Gebetes angehöriges *Gratias tibi ago*. Seine anscheinend ursprünglichste Form liegt im Missale von Remiremont aus dem 12. Jahrhundert vor:

> *Gratias ago tibi, Domine Deus Pater omnipotens, qui me peccatorem satiare dignatus es corpore et sanguine Jesu Christi Filii tui Domini nostri. Ideo supplex deprecor ut haec sancta communio sit in arma fidei, scutum bonae voluntatis ad repellendas omnes insidias diaboli de corde et opere meo et illuc me mundatum introire faciat, ubi lux vera est et gaudia iustorum*[28]).

Daß diese Fassung schon in eine frühere Zeit zurückgeht, erhellt daraus, daß in der dem 11. Jahrhundert entstammenden Kommunionandacht von Montecassino schon eine auf mehr als den doppelten Umfang erweiterte Gestalt des Gebetes vorliegt[29]), die dann in einer nochmaligen Erweiterung als *Oratio S. Thomae Aquinatis* in die *Gratiarum actio post missam* unseres Missales Eingang gefunden hat[30]).

In mehreren Fällen des späteren Mittelalters folgt auf ein solches Gebet als weiterer Ausdruck des freudigen Dankes der Lobgesang *Nunc*

Domine Jesu Christe. — Italische Meßordnungen des 11./12. Jh.: (Ebner 297:) *Huius Deus,* (158. 348 und Fiala 214:) *Prosit,* bzw. *Proficiat nobis;* Brinktrine, Die hl. Messe 291: *Conservent.* Letztere Formel auch in Strengnäs: Segelberg 259. — Für England s. Sarum-Missale: Legg, The Sarum Missal 228: *Haec nos communio;* vgl. Martène 1, 4, XXXV (I, 670 f); Ferreres 203; Missale von York ed. Simmons 116. Dieselbe Oration auch in Vorau: Köck 133. — Ein Eichstätter Missale (Köck 7): *Concede quaesumus o. D., ut quidquid.*

[26]) Martène 1, 4, 9, 9 (I, 426 f).

[27]) Missale von Toul (14./15. Jh.): Martène 1, 4, XXXI (I, 652 D); Alphabetum sacerdotum (um 1500): Legg, Tracts 49; Ordinarium von Coutances (1557): ebd. 66. Weitere Beispiele bei Lebrun I, 545 Anm. e. — Es folgt darauf in allen diesen Fällen das (sofort zu erwähnende) *Nunc dimittis.*

[28]) Martène 1, 4, 9, 9 (I, 424 D). — Ein Gebet dieses Anfanges in italischen Sakramentaren des 11.—13. Jh.: Ebner 4. 17. 281. 295. 307; vgl. 158. — Eine Textform, die insbesondere den zweiten Teil abändert: *precor ut non veniat mihi ad iudicium* usw., in normannisch-englischen Texten des späteren Mittelalters: Martène 1, 4, XXVIII (I, 645 D); Legg, Tracts 228; Maskell 190; Ferreres 190. 202.

[29]) Wilmart (Eph. liturg. 1929) 324, mit dem Anfang *Gratias tibi ago Domine sancte.* Ebenso im Missale von St. Vinzenz (Fiala 215).

[30]) Brinktrine, Die hl. Messe 291, der auch eine weitere Hs aus Montecassino mit demselben Gebete kennt (Vat. lat. 6082; 12. Jh.), weist darauf hin, daß Thomas bis 1236 in diesem Kloster erzogen wurde.

dimittis[31]), der ohne Zweifel dem Augenblick in trefflicher Weise entspricht und auch in der byzantinischen Liturgie zum Abschluß der Messe gehört[32]). Mit bemerkenswertem Formgefühl wird mehrfach von dem mit *Gloria Patri* geschlossenen Lobgesang mit *Kyrie* und *Pater noster* zur Postcommunio als Abschluß übergeleitet[33]) oder auch ein besonderer Orationsschluß beigefügt[34]). Mit letzterem gehört der genannte Gebetskomplex einer Kommunionandacht anscheinend mindestens des 12. Jahrhunderts an.

Im gleichen Geiste betrachtenden Verweilens beim großen Geheimnis der göttlichen Herablassung erscheint an derselben Stelle öfter das Wort

---

[31]) Missale von Toul (oben Anm. 27) nebst den ebd. mitgenannten Zeugen; Missale von Evreux-Jumièges (14./15. Jh.): Martène 1, 4, XXVIII (I, 645 E). In einem Missale von Rouen folgt der Lobgesang auf die vom *Lavabo* begleitete Händewaschung; ebd. XXVI (I, 637 f Anm. d). — Der Gebrauch des *Nunc dimittis* ist auch auf deutschem Boden bezeugt: Martène 1, 4, XXXII (I, 657 E); Köck 134 (n. 347); Franz 595. 753. — Bei den Dominikanern wurde der Lobgesang 1551 verboten, ebenso wie das *O sacrum convivium* und alle anderen Beifügungen nach der Kommunion außer dem *Quod ore;* Bonniwell 264. — Das Missale von Valencia um 1411 läßt auf das *Nunc dimittis* noch einen Bittruf zur Gottesmutter folgen: *Domina nostra, advocata nostra;* Ferreres 201. Ähnlich bezeugt Gabriel Biel die Hinzufügung der marianischen Antiphon *Benedicta filia* (s. unten); Franz 111 Anm. 4.

[32]) Brightman 399.

[33]) Missale von Toul und die beiden verwandten Zeugen: oben Anm. 27.

[34]) Vorauer Missale (15. Jh.; Köck 134): *Perfice in nobis, quaesumus Domine, gratiam tuam, ut qui iusti Simeonis expectationem implesti... ita et nos vitam obtineamus aeternam. Per Christum D. N.* — Diese mit *Nunc dimittis* beginnende Gebetsordnung bildet den Kern der „Kommunion-Danksagungsgebete", die A. Dold, Liturgische Gebetstexte aus Cod. Sangall. 18: JL 7 (1927) 51—53, herausgegeben hat. In der St. Galler Hs, die „wohl noch um die Mitte des 13. Jh." (37) datiert wird, gehen drei weitere Formeln voraus: die nur mit den Anfangsworten angegebene *Corpus Christi quo repleti sumus et sanguis* (eine variierte Form unseres Kommuniongebetes *Corpus tuum Domine,* wie im Missale von Troyes; vgl. oben Anm. 17; Dolds Zurückgreifen auf das Antiphonar von Bangor ist unnötig), eine freie, kürzere Fassung von *Gratias ago* (oben 501) und das Gebet *Domine Jesu Christe fili Dei vivi, corpus tuum crucifixum* (vgl. oben 500). Am Schluß ist zur Oration *Perfice* noch eine weitere Formel: *Omnipotens sempiterne Deus propitius* hinzugefügt. Diese beiden Orationen gehören als Postcommunio dem Fuldaer Sakramentar an (Richter-Schönfelder n. 200. 2185). — In der noch einfacheren Gestalt, wie sie das Vorauer Missale bietet, liegt also wohl eine schon vor dem 13. Jh. entstandene, zunächst für den privaten Gebrauch bestimmte Kommunionandacht vor. Diese erinnert in ihrer Struktur an die Kommunionandacht von Montecassino, wenn auch in den Gebetstexten nur wenig Berührung vorhanden ist.

Verbum caro factum est et habitavit in nobis[35]) oder die Antiphon *O sacrum convivium*[36]), zu der schwedische Missalien wiederum Versikel *(Panem de coelo)* und Sakramentsoration hinzunehmen[37]). Des öfteren erscheint auch die marianische Lobpreisung *Benedicta filia tu a Domino quia per te fructum vitae communicavimus*[38]) oder auch ein Wort aus der Passio der hl. Agnes[39]). Andere Texte tauchen nur vereinzelt auf[40]).

---

[35]) Dieses Wort, das uns in der Kommunionandacht von Montecassino begegnet ist (oben 459), findet sich seit dem 11. Jh. vor allem in mittelitalischen Benediktinerklöstern, so im Sakramentar von Subiaco von 1075: Ebner 339; vgl. 323. 338. Öfter ist es verbunden mit einem vorausgehenden dreifachen *Deo gratias* und wird auch selbst dreimal gesprochen mit dem Nachsatz: *Tibi laus, tibi gloria, tibi gratiarum actio in saecula saeculorum, o beata Trinitas* (vgl. die genannte Kommunionandacht); so in dem unteritalischen Pontifikale (um 1100) der Biblioteca Casanatense: Ebner 331; vgl. ebd. 302. 311. 334. 348 f; Fiala 215. Das Karmeliten-Ordinale von 1312 (Zimmerman 84) hat, ebenso wie das heutige Missale O. Carm. (1935) 319, nur das *Tibi laus.* — Ein Sakramentar von St. Peter in Rom fügt anstatt dessen hinzu: *Et vidimus gloriam eius.* Ebner 336. — Gegen Ende des Mittelalters erscheint das johanneische Wort an den verschiedensten Orten; s. für Frankreich: Martène 1, 4, XXXII f. XXXVI (I, 657 D. 661 C. 675 A); Legg, Tracts 49; Lebrun I, 542 Anm. b; für Deutschland: Köck 53. 70. 130; Beck 271; Franz 111 Anm. 4; Peters, Beiträge 80.

[36]) Missale von Riga (um 1400): v. Bruiningk 88 Anm. 5. Im ausgehenden Mittelalter mehrfach in Skandinavien: Segelberg 259. — Meßerklärung des Joh. Bechofen (um 1500): Franz 594 f. — Vgl. das oben Anm. 31 erwähnte Verbot der Dominikaner.

[37]) Missale von Strengnaes (1487): Freisen, Manuale Lincopense S. LI; ebenso des Breviarium von Skara (1498; ebd. XXXI), das außerdem zwei Strophen des Hymnus *Jesu nostra redemptio* vorangehen läßt. Auch die Hymnen *Jesu nostra refectio* und *Salutaris hostia* wurden im Norden ähnlich gebraucht; Segelberg 259.

[38]) Seckauer Missale (erste Hälfte des 14. Jh.): Köck 130, vgl. 71; Missale von Riga (um 1400): v. Bruiningk 88 Anm. 5; Schleswig: Segelberg 259. In Deutschland muß der Gebrauch der Antiphon um die Wende des Mittelalters stark verbreitet gewesen sein, da Gabriel Biel und Berthold von Chiemsee davon sprechen; Franz 111 Anm. 4. — Schon im 13. Jh. ist sie in Sarum vorhanden, wo sie in der Folge aber ausgeschaltet wird; s. Legg, The Sarum Missal 228, mit der Lesart *Benedicta a filio tuo, Domina.* — Ein Mariengebet, *Sancta Maria genitrix D. N. J. C.*, auch im Sakramentar von Boldau, im Anschluß an das oben Anm. 18 erwähnte Gebet: Kniewald 26; vgl. Radó 44.

[39]) *Jam corpus eius corpori meo sociatum est et sanguis eius ornavit genas meas.* Anscheinend nur in süddeutschen Kirchen seit dem 14. Jh. Köck 53. 70. 79; Beck 310. — Öfter auch bezeugt mit dem Anfang *Mel et lac.* Köck 53. 70. 79; Franz 111 Anm. 4; 753; Radó 102. — Vgl. unten 437.

[40]) An byzantinische Hymnodik gemahnt ein mit *Domine suscipe me* beginnendes Gebet im Missale von Riga (v. Bruiningk 88 Anm. 5). — Manches

Die Gebete, die in solcher Weise dazu dienen, die Andacht des Priesters nach dem Empfang des Sakramentes zu nähren und zu stützen, fallen zeitlich in der Regel ganz oder teilweise zusammen mit den Handlungen, mit denen der Priester die nach der Gläubigenkommunion verbliebenen Partikeln zu versorgen und die mit dem Sakrament in Berührung gekommenen Gegenstände zu reinigen und in Ordnung zu bringen hat[41]). Auf beides müssen wir noch unser Augenmerk richten.

16. Aufbewahrung. Ablutionen

Irgendeine Aufbewahrung des Sakramentes nach der Eucharistiefeier war von jeher nahezu eine Selbstverständlichkeit, da man es ja für die Kranken zur Hand haben mußte. Diese Aufbewahrung hatte um so weniger etwas Besonderes an sich, als ja auch die Gläubigen den Leib des Herrn bei sich zu Hause verwahren durften[1]). Daneben ergab sich

---

Schriftwort ist hier aufgegriffen worden: die Verheißung Jo 6, 55 im Lyoner Klostermissale von 1531: Martène 1, 4, XXXIII (I, 661 C); Die Doxologie Apok 7, 12 und der Segenswunsch Ps 66, 7 *(Benedicat nos Deus;* dazu die Rubrik *signando se calice)* im Meßordo von Bec: ebd. XXXVI (I, 675 A. B). Auch mehr oder weniger frei formulierte Worte der Meditation, so im Regensburger Missale um 1500 (Beck 271): *Consummatum est et salva facta est anima mea. Haec sunt convivia quae tibi placent, o Patris Sapientia;* vgl. Köck 70. Oder im Missale von Valencia (vor 1411; Ferreres 202): *Haec singulariter victima* (vgl. oben I, 358 Anm. 21). — Ein Gebet um die Gnade der Wegzehrung: *Rogo te, Domine Jesu Christe, ut in hora exitus mei,* im Vorauer Missale des 14./15. Jh.: Köck 133. — Im übrigen sind rein private Gebete selten; vgl. dasselbe Bild auch oben 457 f in der Kommunionandacht von Montecassino. — Auf Apologien, wie sie z. B. in der Missa Illyrica auch nach der Kommunion auftreten, sei nicht näher eingegangen.

[41]) Diese begleitende Funktion ist bereits vermerkt in der Rubrik eines Sakramentars des 12./13. Jh. aus St. Peter in Rom (Ebner 336): *ablue digitos dicendo: Quod ore..., Corpus tuum..., Verbum varo factum est...* — Sie wird auch betont von Gabriel Biel, Canonis expositio, lect. 83, für die von ihm erwähnten Gebete: *Verbum caro factum, Lutum fecit, Nunc dimittis, Benedicta.* Er bemerkt zugleich, daß sie nicht vorgeschrieben, sondern der Andacht des Zelebranten anheimgestellt seien. — Anderseits bestimmt noch das Ordinale der Karmeliten von 1312 (Zimmerman 84) ausdrücklich: *deinde* (nach der ersten Ablution) *iunctis manibus inclinet ante altare dicendo: Quod ore.*

[1]) Oben 447 f. — Von der Weise der Aufbewahrung wissen wir wenig. Es scheint aber, daß schon die turmförmigen und taubenförmigen Gefäße *(turres, columbae)* aus Edelmetall in den Gabenverzeichnissen des 4. und 5. Jh. im Liber pontificalis (ed. Duchesne I, 177. 220. 243) hieher gehören; s. Beissel 310 f; Andrieu, Les ordines III, 73 Anm. 3.

die Frage, was zu geschehen hatte, wenn bei der Kommunion über den genannten Bedarf hinaus ein größerer Rest der heiligen Gestalten übrigblieb. Nach antiochenischem Brauch des 4. Jahrhunderts mußten die Diakonen sogleich nach der Kommunion der Gläubigen, was verblieben war, in die Sakristei übertragen[2]); was hier damit geschehen sollte, wird nicht gesagt. Aus einzelnen Bestimmungen jener Zeit spricht eine gewisse Verlegenheit, in die man sich in dem Falle versetzt sah, daß nach der Kommunion der Gläubigen eine größere Menge der geheiligten Gaben übrigblieb. Die sahidischen kirchlichen Canones mahnen darum die verantwortlichen Kleriker, nicht zu viel Brot und Wein auf den Altar zu legen, damit nicht die Strafe der Söhne Helis wegen Geringschätzung des Opfers sie träfe[3]). Manchenorts hat man mit Berufung auf Lev 8, 32 alles, was übrigblieb, verbrannt[4]). Anderswo hielt man es für passender, die Überreste in der Erde zu vergraben[5]). Nur selten wird man die Möglichkeit gehabt haben, wie in der Wallfahrtskirche von Jerusalem, sie gleich am folgenden Tage zur Kommunion des Volkes zu verwenden[6]). Schließlich hat man auch an bestimmten Tagen unschuldige Kinder herbeigerufen und hat ihnen die heiligen Gestalten gereicht[7]),

---

[2]) Const. Ap. VIII, 13, 17 (Quasten, Mon. 231). Vgl. Chrysostomus, Ep. ad. Innocentium I, 3 (PG 52, 533).

[3]) Brightman 463 Z. 6.

[4]) So der dem Hesychius von Jerusalem († um 450) zugeschriebene Leviticus-Kommentar II, 8 (PG 93, 886 D; Brightman 487). — Im Abendlande hat man diese Lösung seit dem 7./8. Jh. öfter für ungenießbar gewordene heilige Hostien vorgeschrieben. Im Feuer erblickte man das reinste Element, das reinigt, ohne selbst einer Reinigung zu bedürfen. Auch Durandus († 1296) IV, 41, 32 f spricht noch vom *incinerare*. Die Asche wurde manchmal als Reliquie aufbewahrt. Doch wurde dieses Verfahren seit dem 11. Jh. von den Theologen bekämpft. Zahlreiche Belege bei Browe, Wann fing man an, die in einer Messe konsekrierten Hostien in einer anderen Messe auszuteilen? (Theologie u. Glaube 30 [1938] 388—404) 391 ff.

[5]) Der Brauch bestand in der byzantinischen Kirche zur Zeit der Entstehung des Schismas; Belege bei Browe a. a. O. 389 f. — Die arabischen Canones von Nicäa (5./6. Jh.) sahen das Vergraben vor in Fällen des Erbrechens und begründeten es als ehrfurchtsvolle Bestattung in Parallele zur Behandlung von Märtyrerleibern (Mansi II, 1030; Browe 390).

[6]) Auf diese Lösung in Jerusalem weist lobend hin Humbert von Silva Candida, Adv. Graecorum calumnias n. 33 (PL 143, 952 A): *nec incendunt nec in foveam mittunt, sed in pixidem mundam recondunt et sequenti die communicant ex eo populum.*

[7]) Als Brauch in Konstantinopel bezeugt von Evagrius Scholasticus (6. Jh.), Hist. eccl. IV, 36 (PG 86, 2769 A), und von Nicephorus Callistus († um 1341), Hist. eccl. 17, 25 (PG 147, 280), der es als Erlebnis aus der eigenen Kindheit berichtet. Weitere Belege aus Konstantinopel bei Browe 393 f.

oder aber es wurde — was gewiß näherlag — von den Klerikern selbst das, was überschüssig war, am Ende des Gottesdienstes genossen[8]).

Eine Aufbewahrung zog man nur in Betracht, soweit der Bedarf für die Kranken in Frage kam. Übrigens hat man die Zeitspanne, für die die Aufbewahrung der Brotsgestalt zulässig schien, sehr verschieden bemessen. Byzantinische Gepflogenheit ist es noch heute, am Gründonnerstag das für die Kranken bestimmte Sakrament für das ganze Jahr zu konsekrieren. Der Brauch war schon im 7. Jahrhundert bei den Westsyrern bekannt und hatte sich um die Jahrtausendwende auch in England festgesetzt. Im Abendland wurde er rasch überwunden und auch im Orient wurde er bekämpft. Bei den unierten Gemeinschaften ist er denn auch längst verschwunden[9]). In England wurde jenem Brauch schon vom Erzbischof Aelfric um das Jahr 1000 die Forderung entgegengestellt, daß die Hostien, die für die Kranken aufbewahrt werden, alle 8—14 Tage erneuert werden müßten[10]). So wurde es auch in den folgenden Jahrhunderten meist gehalten[11]). Bei den Kartäusern wurde die Erneuerung im 13. Jahrhundert ins allsonntägliche Hochamt einge-

— Dasselbe wird verordnet von der Synode von Mâcon (585) can. 6 (Mansi IX, 952): An Mittwochen und Freitagen soll man Kinder rufen und ihnen *reliquias conspersas vino* reichen.

[8]) So im Abendlande verschiedene Vorschriften vom 9.—13. Jh., wobei der Genuß der verbliebenen Species bald von den anwesenden Klerikern, bald vom zelebrierenden Priester selbst verlangt wurde. Letzteres z. B. bei Regino von Prüm, De synod. causis, inquis. n. 65 (PL 132, 190 A). Weitere Belege bei Browe 394 f. — Die gleiche Lösung besteht heute noch zu Recht in den meisten orientalischen Liturgien, in denen es sogar zum Ritus gehört, bei der Kommunion von den beiden Gestalten etwas übrigzulassen. Hanssens, Institutiones III, 527—533. Besonders ausgeprägt im ostsyrischen Ritus, ebd. 528. 529 f; Brightman 304 f. 586 f.

[9]) Browe, Die Sterbekommunion (ZkTh 1936) 235 f.

[10]) B. Fehr, Die Hirtenbriefe Aelfrics (1914) 30. 62. 179; Browe, Die Sterbekommunion 235.

[11]) Eine strengere Regel ist wiedergegeben bei Regino von Prüm, De synod. causis I, 70 (PL 132, 206 A; vgl. oben Anm. 8): Die Erneuerung müsse geschehen *de tertio in tertium diem*. Doch begnügt sich Regino selber dann, ebd. 71 (206 B), mit der Erneuerung *de sabbato in sabbatum*. Die gleiche Bestimmung bei Ivo von Chartres, Decretum II, 19 (PL 161, 165): *de septimo in septimum mutetur semper*. — Wöchentliche Erneuerung ist auch vorgesehen in den Consuetudines Cluniacenses des Mönches Udalrich I, 8; II, 30 (PL 149, 653 C. 722 f). Dagegen begnügt sich der Liber ordinarius von Lüttich (Volk 100; vgl. ebd. 98 Z. 24) mit der Erneuerung der Species an jedem Kommuniontag, d. h. etwa jeden Monat (vgl. Browe, Die häufige Kommunion 68 ff). Bis in die letzten Jahrhunderte wird die zulässige Zeitspanne verschieden bemessen; Corblet I, 570—572.

baut[12]), und ähnlich geschah es anderswo. In Soissons mußte der Diakon am Sonntag bei der Kommunion des Priesters jedesmal das über dem Altar hängende Gefäß mit dem Allerheiligsten herbeibringen, worauf der Zelebrant eine neue Hostie hineinlegte und die bisherige genoß[13]).

Da man bei der Aufbewahrung das ganze Mittelalter hindurch nur an die Kranken dachte, ist in den betreffenden Vorschriften oft nur von einer oder zwei Hostien die Rede[14]). Alle übrigen Gläubigen kommunizierten mit dem Priester innerhalb der Messe, und zwar von den Hostien, die eben konsekriert worden waren. Eine Ausnahme bildete nur der Karfreitag, der ja bis um die Wende des Mittelalters ein beliebter Kommuniontag war[15]) und an dem die Kommunion nach orientalischem Vorbild im Rahmen der *missa praesanctificatorum* unter Verwendung der tagsvorher konsekrierten Hostien geschah. Daß man bei anderen Gelegenheiten absichtlich einen größeren Vorrat von Hostien für spätere Kommunionspendung konsekrierte und aufbewahrte[16]), war im ganzen Mittelalter unbekannt[17]).

---

[12]) Martène 1, 4, XXV (I, 634 f): der Diakon legt nach der Kommunion des Priesters eine neukonsekrierte Hostie in die *capsula* und kommuniziert dann von der bisherigen.

[13]) Martène 1, 4, XXII (I, 612 E). Ähnlich war der Brauch in Bayeux: ebd. XXIV (I, 630 B), und im alten Zisterzienserritus; s. die eingehende Schilderung bei Schneider (Cist.-Chr. 1927) 162—165. — Im Falle von Soissons liegt dabei deutlich die Lösung vor, daß der Zelebrant, von der in den Kelch gelegten Partikel abgesehen, für seine eigene Kommunion nur die frühere Hostie gebrauchte. Dieser merkwürdige Brauch ist in Spanien und Belgion bis ins 17. Jh. auch sonst befolgt und von einzelnen Theologen ausdrücklich als zulässig erklärt worden, während ihn andere (wie J. de Lugo, De sacr. eucharistie XIX, 5. 76 [Opp. ed. Fournials IV, 249 f]) zurückwiesen. Browe, Wann fing man an 399 f.

[14]) Noch in den Visitationsberichten aus der Diözese Ermland vom Anfang des 17. Jh., in denen regelmäßig die Zahl der vorgefundenen Partikeln vermerkt wird, sind es meistens nur vier bis acht. G. Matern, Kultus und Liturgie des allerheiligsten Sakramentes in Ermland: Pastoralblatt für die Diözese Ermland 43 (1911) 80; Browe a. a. O. 404; ebd. 401—404 weitere Belege.

[15]) P. Browe, Die Kommunion an den drei letzten Kartagen: JL 10 (1930) 56—76, bes. 70 ff.

[16]) Daß man Hostien, die in einer früheren Messe wider Erwarten übriggeblieben waren, in einer folgenden Messe verwendete, wird im 11. Jh., wie wir oben 505 sahen, als Ausnahme aus Jerusalem berichtet. Im Abendland wird ein gleiches um dieselbe Zeit zuerst für Cluny bezeugt, zugleich mit der Tatsache, daß anderswo ein solches Verfahren noch allgemein vermieden wurde; Udalrici Consuet. Clun. I, 13 (PL 149, 662 B). In anderen Klöstern wurde auch in den folgenden Jahrhunderten sorgfältig darauf geachtet, daß nicht wesentlich mehr Hostien konsekriert wurden, als jedesmal nötig waren. Daß man in den Pfarrkirchen

Doch war es schon in früher Zeit nichts Unerhörtes, daß man auch nach der Messe die Kommunion spendete[18]). In der byzantinischen Messe der Griechen ist dies ordnungsgemäßer Brauch[19]). Anderseits lag dort, wo man, wie in Rom und in Gallien, den Nichtkommunikanten nichts in den Weg legte, wenn sie die Kirche vor der Kommunion verließen[20]), selbst an großen Kommuniontagen kein Grund vor, von der Spendung des Sakramentes innerhalb der Messe abzugehen. Das gilt mindestens bis ins 8. Jahrhundert. Allerdings macht sich schon in der karolingischen Reform eine geänderte Auffassung bemerkbar. Es wird zwar den Gläubigen auch weiterhin nur zugemutet, bis zur *completio benedictionis sacerdotalis* auszuharren, aber diese wird nun mit den Schlußgebeten der neu übernommenen römischen Messe identifiziert[21]). Die Wirkung zeigt sich schon bald. Man beginnt nun nicht nur in einzelnen Fällen, sondern an großen Kommuniontagen grundsätzlich wenigstens für einen großen Teil der Kommunikanten die Kommunion nach der Messe zu spenden[22]). Die Zeugnisse dafür mehren sich seit

---

darauf sah und es zur Pflicht machte, wie es noch 1571 eine Synode von Osnabrück tut (VII, 6; Hartzheim VII, 715), war so lange selbstverständlich, als die Gläubigen nur an wenigen Hochfesten zur Kommunion gingen. Browe, Wann fing man an 396 ff.

[17]) Darum hatte auch das Gefäß zur Aufbewahrung der Eucharistie meist nur sehr geringe Ausmaße. Die ovale Mulde im Rücken der eucharistischen Taube, die an manchen Orten über dem Altare hing, war nur 4—6 cm lang. Doch bewegte sich der Durchmesser der Pyxiden des 14./15. Jh. zwischen 8 und 11 cm. Das Gefäß mochte also für eine einmalige Kommunion des Großteils einer mittleren Gemeinde (an Ostern standen mehrere Tage zur Verfügung) reichen. Erst gegen Ende des 16. Jh. nimmt das Ziborium den heutigen größeren Umfang an; Braun, Das christliche Altargerät 328—330. Es konnte nun eben eine Volkskommunion an aufeinanderfolgenden Sonntagen in Betracht gezogen werden und nun geschah zugleich der Schritt, daß man keinen Wert mehr darauf legte, daß die Kommunion aus der jeweiligen Konsekration geschah.

[18]) Eine hagiographische Notiz aus Alexandria bei H. Delehaye, Anal. Bolland. 43 (1925) 28 f. — Gregor d. Gr., Dial. III, 3 (PL 77, 224).

[19]) Brightman 396. Bei den Nestorianern ist der oben erwähnte Brauch, die Überreste des Sakramentes nach der Feier zu genießen, dahin entwickelt, daß selbst der Priester in den Fällen, wo die Gläubigen nicht kommunizieren, seine Kommunion aufschiebt und erst nach der Feier vornimmt. Hanssens, Institutiones III, 528.

[20]) Oben 423 f.

[21]) Nickl 57 f. — Die Verkündigung der einfallenden Festlichkeiten usw. wird in Rom im 12. Jh. nicht mehr vor, sondern nach der Kommunion vorgenommen; Ordo eccl. Lateran. ed. Fischer 87 Z. 9. Immerhin noch eine Ausnahme im gleichzeitigen Ordo Rom. Benedikts n. 34 (PL 78, 1038 C).

[22]) Ordo Angilberti (um 800): Bishop, Liturgica historica 323.

dem 12. Jahrhundert[23]). Um 1256 gibt das Ordinarium der Dominikaner dem Priester allgemein die Weisung, wenn viel Volk da sei, das auf das Ende der Messe wartet, könne er die Kommunion auch *usque post missam* verschieben; doch solle dies nicht am Gründonnerstag geschehen[24]). Immerhin blieb die Kommunion mit der Messe verbunden.

Eine gewisse Unsicherheit hinsichtlich der genauen Stelle, an der die Kommunion der Gläubigen anzusetzen war, ist schon früher wahrzunehmen. Darum betonen einzelne Liturgieerklärer, der richtige Moment dafür sei vor der Postcommunio, weil diese ja die Kommunion der Gläubigen voraussetze[25]). Die gleiche Begründung fügt zu einer einschlägigen Mahnung auch noch das 1614 erschienene römische Rituale[26]) bei, das aber in seiner echt seelsorglichen Haltung *ex rationabili causa* auch für die Spendung vor oder nach der Messe Raum läßt.

Nach dem Konzil von Trient macht die Loslösung der Kommunion von der Meßfeier immer größere Fortschritte, da der Sinn für die liturgische Ordnung mit dem Eifer für das sakramentale Leben nicht gleichen Schritt hält. Das gilt zunächst für die Kommunion an den Hochfesten und für die Generalkommunionen, dann aber auch für andere Fälle, bis um die Wende des 18. zum 19. Jahrhundert die Spendung der Kommunion außerhalb der Messe die Regel wurde[27]). In unserem Jahrhundert ist die rückläufige Bewegung wieder allmählich durchgedrungen[28]) und schon mehren sich wieder die Stimmen, die

---

[23]) Browe, Wann fing man an, die Kommunion außerhalb der Messe auszuteilen?: Theologie u. Glaube 23 (1931) 755—762. Ein Beispiel des 12. Jh. aus Rom ist die Täuflingskommunion, die in der Oster- und Pfingstoktav täglich *post finem missae* stattfand. Ordo eccl. Lateran. ed. Fischer 73.

[24]) Guerrini 248.

[25]) Walafried Strabo, De exord. et increm. c. 22 (PL 114, 950 f); Bernold von Konstanz, Micrologus c. 19 (PL 151, 990); Durandus IV, 54, 11. — Manchmal trifft man die Kommunionspendung vor der Kelchkommunion des Priesters angesetzt; Udalrici Consuet. Clun. II, 30 (PL 149, 721); Liber ordinarius O. Praem. (Waefelghem 89—91); Köck 131; vgl. Ebner 311. — Auch in der byzantinischen Messe reicht der Priester dem Diakon die Brotsgestalt vor der eigenen Kelchkommunion; Brightman 395 Z. 12.

[26]) Rituale Rom. (1925) IV, 2, 11.

[27]) Browe (Theologie u. Glaube 1931) 761 f.

[28]) In meinem Beobachtungsfeld ist die Rückverlegung der Kommunion in die Messe im allgemeinen um das Jahr 1930 durchgedrungen. Eine ähnliche Feststellung bezüglich der deutschen Diözesangebetbücher bei Hacker 109 f. Doch höre ich auch 1950 noch von Pfarren und von Schwesternkommunitäten, in denen die Kommunion regelmäßig vor der Messe stattfindet. Ein Beispiel s. auch Gloria Dei 2 (1947/48) 169.

dafür werben, zur Kommunion grundsätzlich nur die in der gleichen Meßfeier gewandelten Gaben zu verwenden, damit so der Zusammenhang zwischen Opfer und Mahl wieder wie ehemals seinen vollen, naturgemäßen Ausdruck findet[29]); durch Pius XII. ist dieses letztere Verlangen nun mit Nachdruck belobt und ermutigt worden[29a]).

Wenn die Kommunion der Gläubigen beendet und der Überschuß an heiligen Partikeln verwahrt ist, folgt das, was wir zusammenfassend als Ablutionsritus bezeichnen können.

Wir sind heute gewohnt, dabei nur an die Waschung der Fingerspitzen, die den Leib des Herrn berührt haben, und an die Reinigung des Kelches zu denken, der durch noch zweimalige Eingießung von jedem Rest des heiligen Blutes befreit werden soll. Aber noch das heutige Missale Romanum bezeichnet als ersten Akt dieses Ritus etwas anderes, wenn es den ersten Trunk nach der Kelchkommunion mit dem Worte umschreibt: *se purificat*[30]). Die *ablutio oris* ist sogar der älteste Teil des Ablutionsritus. Während wir für alles andere erst viel später von ausdrücklichen Maßnahmen hören, hat schon Chrysostomus den Brauch vertreten und auch selbst geübt, nach der Kommunion etwas Wasser zu trinken oder ein Stückchen Brot zu essen, damit nicht etwa ein Rest der heiligen Gestalten mit dem Speichel aus dem Munde gerate. Der Brauch war vorher in Konstantinopel unbekannt gewesen und mußte später als einer der Anklagepunkte gegen den Heiligen dienen[31]). Einen ähnlichen Brauch üben heute noch die Kopten. Sie nehmen nach der Kommunion einen Schluck Wasser, das sie „Wasser der Bedeckung" nennen, weil

---

29) J. Gülden, Grundsätze und Grundformen der Gemeinschaftsmesse in der Pfarrgemeinde (Volksliturgie und Seelsorge, Kolmar 1942) 111 f; J. Pinsk, Ex hac altaris participatione: Liturg. Leben 1 (1934) 85—91; A. Lemonnyer O. P., Communions à la Messe (Cours et Conférences VII, Löwen 1929) 292 f. Ähnliche Stimmen schon aus dem 18. und 19. Jh. bei Trapp 96. 109. 299. — Ein Hindernis für die praktische Durchführung wird heute oft die Form des Ziboriums bilden, das sich nicht wie die Patene auf kurzem Wege purifizieren läßt.

29a) Rundschreiben ‚Mediator Dei' vom 20. XI. 1947: Acta Ap. Sedis 39 (1947) 564 f.

30) Ritus serv. X, 5; auch im Text des Ordo missae.

31) Palladius, Dial. c. 8 (PG 47, 27); Photius, Bibliotheca c. 59 (PG 103. 109 A). — Der Brauch ist in der byzantinischen Liturgie heute noch bekannt. Man verwendet für diese *ablutio oris* den mit etwas Wein vermischten Rest des ζέον und ein Stückchen Brot von der Prosphora. Die slawische Bezeichnung dafür ist „zapiwka", Nachtrunk. (Mitteilung von Dom Irenäus Doens O. S. B.)

damit das Sakrament „bedeckt" wird[32]). Auch im Abendlande läßt die Regula Magistri im gleichen Sinn den Tischleser an Kommuniontagen vor der Lesung einen Trunk Wein nehmen *propter sputum sacramenti*[33]) und die Regel des hl. Benedikt hat eine ähnliche Bestimmung[34]).

Der Brauch ist im frühen Mittelalter gewiß nicht allgemein verbreitet gewesen, er wird aber doch wiederholt erwähnt, so in zwei Beispielen aus dem Leben Ludwigs des Frommen († 840), der unmittelbar nach der Kommunion einen Trunk empfängt, das eine Mal von Alkuin selbst dargeboten auf einer Wallfahrt in Tours[35]), das andere Mal auf dem Sterbelager[36]). Er ist auch in der römischen Pontifikalliturgie nicht unbekannt gewesen[37]). Am Monte Gargano pflegten die Gläubigen, wenn

---

[32]) G. Graf, Ein Reformversuch innerhalb der koptischen Kirche im 12. Jh., Paderborn 1923, 85; derselbe, Liturgische Anweisungen des koptischen Patriarchen Kyrillos ibn Laklak (JL 4, 1924) 126.

[33]) c. 24 (PL 88, 992 D).

[34]) c. 38: *accipiat mixtum priusquam incipiat legere propter communionem sanctam.* Vgl. dazu I. Herwegen, Sinn und Geist der Benediktinerregel, Einsiedeln 1944, 254.

[35]) Vita Alcuini c. 15 (MGH, Scriptores XV, 1, S. 193 Z. 9): *cum post communionem corporis Christi et sanguinis manu propria eis misceret.*

[36]) Thegan, Vita Chludowici c. 61 (MGH, Scriptores II, 648 Z. 1): *Iussit ... communionem sacram sibi tradi et post haec cuiusdam potiunculae calidulae haustum praeberi.* — Siehe die Hinweise bei Martène 1, 4, 10, 15 (I, 440 f).

[37]) Im Ordo von S. Amand (Andrieu II, 168) wird, offenbar aus römischer Quelle und wohl in diesem Sinne, erwähnt, daß am Schluß des Stationsgottesdienstes die Kleriker der Assistenz *pastillos de manu pontificis* erhalten, worauf noch ein Trunk gereicht wird. Vom Trunk, und zwar von drei Bechern, ist auch die Rede im Capitulare eccl. ord. (ebd. III, 109; vgl. III, 71); hier wird nämlich von den Klerikern der Assistenz nach der Rückkehr des Papstes in das Sekretarium bemerkt: *et accepta benedictione de manu ipsius confirmant ternos calicis.* — Demgegenüber fällt es auf, daß der Erste römische Ordo am Schluß des Gottesdienstes nichts dergleichen erwähnt; aber vielleicht liegt eine bereits weitergebildete, schon etwas ins Weltliche abgesunkene Form des Brauches, die wohl den Hochfesten vorbehalten war, in der merkwürdigen Einladung vor, die nach der jüngeren Rezension des Ordo vor der Kommunion an bestimmte Personen ergeht: drei Hofbeamte treten an den Thron des Papstes heran, *ut annuat eis scribere nomina eorum qui invitandi sunt, sive ad mensam pontificis per nomenculatorem, sive ad vicedomini per notarium ipsius,* worauf die Einladung sofort ausgeführt wird; Ordo Rom. I n. 19 (Andrieu II, 99; PL 78, 946; vgl. oben I, 96). Dieses dem sakralen Bezirk entwachsene Festmahl lebte in verstärkten Ausmaßen im 15. Jh. noch an der Kathedrale von Bayeux fort; G. Morin, Une ordonnance du Cardinal Légat G. d'Estouteville: Beiträge zur Geschichte der Renaissance und Reformation, J. Schlecht zum 60. Geburtstag, München 1917, 256—262.

sie kommuniziert hatten, aus einer bestimmten an die Kirche anstoßenden Quelle zu trinken[38]).

Wenn wir so der Spülung des Mundes ein größeres Gewicht beigelegt sehen, als wir erwarten würden, so ist zu beachten, daß man vor dem Übergang zum ungesäuerten Brot ja die heilige Hostie kauen mußte.

Dennoch sehen wir den Brauch fortleben, ja erst richtig aufleben, nach der genannten Änderung der Materie[39]). Es ist die Zeit, in der alle Bekundungen der Ehrfurcht vor dem heiligsten Sakrament verstärkte Pflege finden. Um 1165 wirbt Beleth für den Brauch; er möchte ihn wenigstens an Ostern überall eingeführt wissen[40]). Schon vorher ist er in den Klöstern geübt worden. Eine erste Erwähnung begegnet uns in den Satzungen des Wilhelm von Hirsau († 1091)[41]). Auch bei den Zisterziensern war es Brauch, daß der *sacrista* jedem Kommunikanten, wenn er nach der unter beiden Gestalten gespendeten Kommunion vom Altar zurückgetreten war, noch Wein darreichte[42]). Ähnliches erfahren wir nach dem Verzicht auf die Kelchkommunion aus anderen Orden, und zwar mit der ausdrücklichen Begründung: *ad abluendum os diligenter, ne aliqua particula hostiae remaneat inter dentes*[43]).

---

38) Martène 1, 4, 10, 15 (I, 441), aus einer um 1000 datierten Hs.

39) P. Browe, Mittelalterliche Kommunionriten 5: JL 15 (1941) 48—57.

40) Joh. Beleth, Explicatio c. 119 (PL 202, 122). Er wünscht an diesem Tage sogleich nach der Kommunion für alle ein aus Brot und Wein bestehendes *parvum prandiolum*. Der Rat wurde in manchen Kirchen tatsächlich befolgt, wie zwei Beispiele aus dem 13. und 14. Jh. bei Browe 49 zeigen. Weitere Belege, auch für eine spätere Zeit, bei Corblet I, 621; vgl. 594 f. In Oisemont (Somme) wurde noch 1619 eine Verpflichtung festgelegt, für die Tage der Osterkommunion Getreide und Wein beizustellen (621). Im allgemeinen hat man aber bald auf das Brot verzichtet. Übrigens sieht Beleth die späte Stunde der Messe an Ferial- und Fasttagen darin begründet, daß auf diese Weise ebenso wie an Festtagen auf die Kommunion gleich das *prandium* folgen könne. Im gleichen Sinn noch bestimmter ein anscheinend späterer, unbekannter Verfasser bei Martène 1, 4, 10, 15 (I, 441). — Übrigens gab es auch eine gegenteilige Tendenz. Der bei Regino, De synod. causis I, 195 (PL 132, 226) und im Decretum Gratiani III, 2, 23 (Friedberg I, 1321) wegen der genossenen *residua Corporis Domini* an Kommuniontagen geforderte mehrstündige Abstand vor der Mahlzeit erscheint als (abgelehnte) Forderung für jede Kommunion u. a. beim hl. Thomas, In IV. Sent. 8, 4, 3.

41) Wilhelm von Hirsau, Const. I, 86 (PL 150, 1019 C): der Priester trinkt den Wein, den ihm der Meßdiener in der Privatmesse zur Spülung von Kelch und Fingern eingeschenkt hat, aus dem Meßkelch, *quamquam de eodem calice etiam communicantes mox debeant vinum bibere*. — Es ist auffallend, daß die übrigen derselben Zeit angehörenden benediktinischen Consuetudines den Brauch anscheinend nicht erwähnen.

42) Liber usuum (um 1134) c. 58 (PL 166, 1432).

43) Ordinarium O. P. um 1256 (Guerrini 247); Liber ordinarius des

Der angegebene Grund galt natürlich sowohl für den Priester wie für die übrigen Kommunikanten. Für den Priester hat dann Innozenz III. (1204) eine Dekretale erlassen: *semper sacerdos vino perfundere debet postquam totum acceperit eucharistiae sacramentum*[44]). Seit dem 13. Jahrhundert wird es aber immer allgemeiner Übung, auch den Gläubigen nach der Kommunion Wein zu reichen. Der Brauch verquickt sich zunächst mit den letzten Ausläufern der Kelchkommunion, bei der ja ebenfalls schon lange nur Wein, mit einem Rest des heiligen Blutes versetzt oder durch Berührung mit einer Partikel „konsekriert", dargereicht wurde[45]). Der Übergang war also zum Teil unmerklich. Der neue Brauch war nur die abgeschwächte Fortsetzung des bisherigen[46]). Zum Teil wurde die Änderung aber den Gläubigen auch zum Bewußtsein gebracht[47]).

Lütticher St.-Jakobs-Klosters (Volk 99). Ähnlich eine Rubrik der Ordinationsmesse französischer Pontifikalien (14. und 16. Jh.): Leroquais, Les Pontificaux I, 47; II, 54; vgl. I, 129.

44) Corpus Jur. Can., Decretales Greg., l. III, 41, 5 (Friedberg II, 636). Vgl. am Karfreitag im Pontificale Rom. Curiae des 13. Jh. (Andrieu II, 563 Z. 5; PL 78, 1014 B).

45) Browe (JL 15, 1941) 51 f.

46) Das zeigt sich z. B. darin, daß auch den Kindern nach der Taufe an der Stelle der bisherigen Täuflingskommunion nun einfach etwas Wein eingeflößt wurde. Vereinzelt verwandte man dazu wohl Wein von der Ablution der Finger und des Kelches; s. Ordo eccl. Lateran. ed. Fischer 73 Z. 13. Noch Joseph II. wendet sich am 14. V. 1783 gegen den in den Vorlanden bestehenden „Mißbrauch", daß die Kinder am achten Tage nach der Taufe bei der Messe etwas vom Ablutionswein erhielten; Gesetzsammlung über das geistliche Fach von dem Tage der Thronbesteigung bis 1783, Wien 1784, 126 f. Ältere Beispiele bei Hoffmann, Geschichte der Laienkommunion 165. Man gebrauchte dabei entweder die alten Spendeformeln oder auch eine angepaßte, z. B.: *Haec ablutio calicis sit tibi salutaris et ad vitam aeternam capessendam. Amen;* E. Martène, Voyage littéraire II (1724) 141. Das Augsburger Obsequiale von 1580 läßt den Priester sprechen: *Prosit tibi ablutionis huius perceptio ad salutem mentis et corporis in nomine Patris...;* Hoeynck 126. Aber in anderen Fällen wurde einfach Wein gereicht, den man allenfalls segnete; s. die Belege, die bis ins 16. und zum Teil bis ins 18. Jh. reichen, bei Browe, Die Pflichtkommunion 140—142. — Mein Mitbruder und Lehrer O. Seywald S. J., 1845 zu Weitensfeld bei Gurk in Kärnten geboren, erzählte mir seinerzeit, daß in seiner Jugend dort noch der Brauch bestanden habe, dem Kinde, wenn man es von der Taufe nach Hause brachte, etwas Wein zu geben. Dasselbe bezeugt als einen in der Champagne noch jetzt lebendigen Brauch L. Andrieux, La première communion, Paris 1911, 72. Auch bei den Kärntner Slowenen ist es an manchen Orten noch heute üblich, dem Kinde nach der Taufe einige Brosamen mit Wein getränkten Weizenbrotes in den Mund zu schieben (Chr. Srienc).

47) Die Synode von Lambeth (1281) c. 1 (Mansi XXIV, 406) wies die Priester

Die Reformsynoden des 16. Jahrhunderts verlangten vielfach, daß dieser Trunk, um nicht irrige Auffassungen zu veranlassen, nicht aus einem Kelch, sondern aus einem anders geformten Gefäß gereicht werde[48]). Mit dieser Bestimmung ist der Brauch auch noch im Missale Romanum vorgesehen[49]). Aus dem gleichen Grunde sollte auch nicht ein Priester ihn reichen[50]). Um den Brauch aufrechtzuerhalten und besonders für die Festtage den nötigen Weinvorrat sicherzustellen, sind gegen Ende des Mittelalters und zu Anfang der Neuzeit allenthalben zahlreiche Stiftungen gemacht worden[51]). In einzelnen Resten ist diese aus der *ablutio oris* hervorgegangene letzte Erinnerung an die Kelchkommunion der Laien übrigens auch heute noch lebendig geblieben[52]).

---

an, das Volk zu belehren, daß man schon unter der Brotsgestalt Leib und Blut des Herrn empfange, daß dagegen das, was man im Kelch empfange, nichts Heiliges sei, *sacrum non esse*. Wie Browe, Mittelalterliche Kommunionriten (JL 15, 1941) 26, meint, geschah es vielleicht im Gegensatz hiezu, wenn 1287 die Synode von Exeter die Laien belehren ließ, daß sie im Kelch das Blut Christi empfingen (Mansi XXIV, 789). Vgl. auch Browe, Die Sterbekommunion (ZkTh 1936) 219 f.

48) Browe, Mittelalterliche Kommunionriten (JL 15, 1941) 56; Braun, Das christliche Altargerät 552—557.

49) Ritus serv. X, 6. — Ähnlich im Pontificale Rom., De ord. presbyteri, wo aber nur ein vom Kelch des zelebrierenden Bischofs verschiedener Kelch verlangt wird. Auch nach dem Ordo des Petrus Amelii n. 11 (PL 78, 1280 B) sollen bei der dritten Weihnachtsmesse drei große Kelche bereitstehen: einer zur Konsekration, einer *cum quo papa vinum bibit* und einer für die Kommunikanten, denen ein Akolyth nach der Kommunion Wein reicht. Darreichung aus einem Kelch auch in französischen Kathedralen um 1700; de Moléon 127. 246 (anders ebd. 409 f). Vgl. auch unten Anm. 52.

50) Browe 56. — Ebd. 55 ein Beispiel aus Deventer, wo ein von der Stadt gestiftetes *poculum publicum* vorhanden war, das vom *minister Senatus* dargereicht wurde. Vgl. auch Ordo des Petrus Amelii n. 11 (vorige Anm.); Caeremoniale ep. II, 29, 3 f.

51) Beispiele bei Browe 54—57. — In den deutschen Katechismen des 17. und 18. Jh. wird der Brauch allgemein als noch bestehend vorausgesetzt; s. etwa Ph. Scouville, Christ.-cathol. Glaubens-Lehr, Köln 1706, 215 f.

52) So bei jeder feierlichen Kommunion der Klostergemeinde im Kartäuserorden: Ordinarium Cart. (1932) c. 27, 14; vgl. c. 29, 26. Bei den Dominikanern noch am Gründonnerstag; Sölch, Hugo 148. Auch im Dom zu Brixen habe ich den Brauch als Theologe 1909—1913 außer bei den Weihen (vgl. oben Anm. 49) alljährlich am Gründonnerstag miterlebt: Ein Zeremoniär steht neben dem Altar und reicht den Wein aus einem Kelch, dessen Rand er jedesmal mit der vorgeschriebenen *mappula* abwischt. — Anderswo ist die alte Überlieferung bis 1870 nachweisbar; F. X. Buchner, Volk und Kult (Forschungen zur Volkskunde 27), Düsseldorf 1936, 39. In einzelnen Schweizer Pfarren bestand der Brauch für bestimmte Kommuniontage

Wie bei der *ablutio oris* oder der *purificatio,* so wird noch mehr bei dem, was wir im engeren Sinn Ablution nennen, bei der Reinigung des Kelches und der Fingerspitzen, die mit dem Leib des Herrn in Berührung gekommen sind, in der Frühzeit zunächst das Empfinden des Liturgen maßgebend gewesen sein. Was man hier angemessen fand, wird man, wie es noch heute in den orientalischen Riten vorwiegend geschieht, in der Regel nach dem Gottesdienst besorgt haben. Dazu gehörte vor allem die Reinigung des Kelches. In den älteren römischen Ordines ist dafür noch keine besondere Vorsorge getroffen[53]). Erst im 9./10. Jahrhundert finden wir im Abendlande ausdrückliche Bestimmungen. Die Reinigung des Kelches wird dem anwesenden Diakon oder dem Subdiakon zugewiesen, andernfalls muß sie der Priester selbst übernehmen[54]); es müsse ein passender Ort in der Sakristei oder neben dem Altar vorgesehen sein, wo man das dabei gebrauchte Wasser ausgießt[55]).

Wenn hier noch von Wasser die Rede ist, so verlangen klösterliche Bestimmungen seit dem 11. Jahrhundert für diese Waschung Wein[56]). Es galt als lobenswert, nicht nur einmal, sondern bis zu drei Malen diese Waschung vorzunehmen, wie es bei den Prämonstratensern üblich war[57])

---

noch um 1900; Krömler 83 f. In Münster in Westfalen war dies am Gründonnerstag bis zum ersten Weltkrieg der Fall; dabei ist auch noch von Brötchen die Rede, die an das Volk ausgeteilt wurden; R. Stapper, in der Festschrift für Mausbach „Aus Ethik und Leben", Münster 1931, 88. Siehe auch die Literaturhinweise bei Browe 57 Anm. 60. — Nachrichten über den Brauch in Frankreich bei Corblet I, 261 f.

53) Vgl. z. B. Ordo Rom. I n. 20 (Andrieu II, 103; PL 78, 947 A): wenn der Altarkelch geleert ist, wird er sofort einem Akolythen übergeben, der ihn in die Sakristei zurückträgt.

54) Regino von Prüm († 915), De synod. causis, inquis. n. 65 (PL 132, 190 A). — Auch der gleichfalls im 10. Jh. in Deutschland entstandene Ordo ‚Postquam' der Bischofsmesse (Andrieu II, 362 Z. 5; PL 78, 994) schärft dem Archidiakon ein, er müsse *nimis caute* darauf achten, daß an Kelch und Patene nichts von den heiligen Gestalten zurückbleibe.

55) So die dem 9. Jh. angehörige Admonitio synodalis (PL 96, 1376 B).

56) Udalrici Consuet. Clun. II, 30 (PL 149, 721). — Statuta antiqua der Kartäuser: Martène 1, 4, XXV (I, 635 B): im Hochamt nimmt der Diakon den Kelch, *vino lavat et sumit tantummodo quando communicat, alias vinum dimittitur in sacrarium.* Daß die Ablution des Kelches womöglich nicht weggeschüttet werde, wird schon vorausgesetzt in der Vita von Kaiser Heinrich dem Heiligen († 1024) c. 34 (MGH, Scriptores IV, 811): *qua (missa) completa, sicut semper facere consueverat, ablutionem calicis sumere volebat.*

57) Siehe bereits den Liber ordinarius des 12. Jh.: Lefèvre 13 f; vgl. Waefelghem 95 f.

und wie es insbesondere vom seligen Hermann Joseph († 1241) berichtet wird[58].

In der Folge verbindet man die Purifizierung des Kelches mit der der Fingerspitzen. Von einer besonderen Purifizierung der Patene ist nur selten die Rede[59]. Eine Waschung der Finger nach der Opferfeier wird schon aus dem Leben des Bischofs Bonitus von Clermont († 709) berichtet, von dem es heißt, daß die Kranken sich bemühten, etwas von diesem Ablutionswasser zu erlangen[60]. Das eine wie das andere wird um 1050 von einem Mönch von Montecassino gemeldet[61]. Auch der Erste römische Ordo spricht von einer Händewaschung des Papstes, sobald alle kommuniziert haben: *sedet et abluit manus suas*[62]; Ähnliches wird im 10. Jahrhundert zunächst für Deutschland bezeugt[63]. Wir haben darin die noch heute im Pontifikalritus übliche Händewaschung, die aber damals und vielenorts noch im 12. und 13. Jahrhundert als ausreichende Ablution galt, von der nur betont wurde, daß das Wasser an einem passenden Ort auszugießen sei[64]. Inzwischen wird aber, besonders in den Klöstern, auch hier die Sorgfalt erhöht. Man spült zuerst die Finger mit Wein ab, und zwar entweder unter Benützung

---

58) Acta SS, April. I, 697 F; Lentze (Anal. Praem. 1950) 143.

59) Es ist der Fall u. a. bei Johannes von Avranches, De off. eccl. (PL 147, 37 B): der Subdiakon soll dem Diakon helfen *ad mundandum calicem et patenam*. In manchen Ordensfamilien, u. a. bei den Prämonstratensern, war eine Waschung der Patene vorgeschrieben, die zunächst meist mit Wein geschah; Waefelghem 95 mit Anm. 3. Auch das Missale von Riga (um 1400) überschreibt das oben 503 Anm. 40 erwähnte Gebet *Domine suscipe me* mit der Rubrik: *Ad ablutionem patenae* (v. Bruiningk 88 Anm. 5).

60) Leben von einem zeitgenössischen Biographen (Mabillon, Acta sanctorum O. S. B. III, 1, 92); Franz 106.

61) Leo Mars., Chron. Casinense II, 90 (PL 173, 697): *ex aqua qua post missarum sollemnia manus ablueret*. Franz 108.

62) Ordo Rom. I n. 20 (Andrieu II, 106), ältere Rezension; aber auch die jüngere (PL 78, 947 C) erwähnt unter denjenigen, denen der Papst die Kommunion reicht: *qui manutergium tenet et qui aquam dat*.

63) Ordo ‚Postquam' der Bischofsmesse (Andrieu II, 362; PL 78, 994 C). Vgl. im 9. Jh. die Admonitio synodalis (PL 96, 1376 B), die in der Sakristei oder neben dem Altar ein *vas nitidum cum aqua* verlangt für die Händewaschung des Priesters nach der Kommunion.

64) Ivo von Chartres, De conven. vet. et novi sacrif. (PL 162, 560 D); Innozenz III., De s. alt. mysterio VI, 8 (PL 217, 911). Auch noch der von Innozenz abhängige Wilhelm von Melitona O. F. M., Opusc. super missam (um 1250) ed. van Dijk (Eph. liturg. 1939) 347. — Ebenso wiederholt Durandus († 1296) IV, 55, 1 nur die Ausführung Innozenz' III.

eines anderen Kelches[65]) oder auch sogleich unter Benützung des Meßkelches[66]). Dann wäscht man an der neben dem Altar angebrachten *piscina*[67]) oder auf andere Weise[68]) die Finger mit Wasser und trocknet sie. Darauf erst[68a]) trinkt man den Ablutionswein aus dem Kelch[69]), läßt dann in den Kelch, d. h. nun auf jeden Fall in den Meßkelch, noch einmal Wein einschenken und trinkt ihn.

Eine besondere *ablutio oris* wird auf diese Weise überflüssig, sie ist

---

65) Udalrici Consuet. Clun. II, 30 (PL 149, 721 f): das tut zuerst der Diakon, dann im gleichen Kelch der zelebrierende Priester, der darauf die Ablution trinkt. — Johannes von Avranches, De off. eccl. (PL 147, 37 B). Weitere Belege aus Klöstern bei Lebrun I, 545. — Nach dem Ordo eccl. Lateran. (Fischer 86 Z. 37) wird dem Bischof *in perfusorio argenteo* Wein über die Finger gegossen, den darauf der Diakon nimmt.

66) Wilhelm von Hirsau († 1091), Const. I, 86 (PL 150, 1019; oben Anm. 41). — Ähnlich im Liber usuum O. Cist. c. 53 (PL 166, 1127): der Priester läßt sich nach seiner Kelchkommunion Wein in den Kelch gießen, *recepto calice respergat digitos suos in ipso calice, quem ponens super altare eat ad piscinam abluere in ipsa digitos aqua. Quibus tersis ... redeat ad altare sumere vinum quod dimisit in calice. Quo sumpto iterum aspergat calicem vino.* — Deutlicher als hier wird im Ordinale der Karmeliten um 1312 (Zimmerman 83 f) vom Priester diese Spülung der Finger mit der ersten Kelchablution verbunden.

67) Die Anbringung einer solchen neben jedem Altar wird u. a. auf der Würzburger Synode von 1298 can. 3 (Hartzheim IV, 26) und bei den Zisterziensern noch vom Generalkapitel von 1601 (Schneider, Cist.-Chr. 1927, 376) gefordert. Auch heute noch geht ja der Priester zur Ablution an die Epistelseite.

68) Ordo eccl. Lateran. (Fischer 86 f).

68a) In Tongern um 1413 vor dem Gang zur *piscina;* de Corswarem 141.

69) Daß man die Ablution der Finger trinkt, ist also erst üblich geworden, seitdem man Wein dabei verwendet, d. h. seit der Angleichung an die Ablution des Kelches, bzw. der Zusammenlegung mit ihr. Und auch da war der Brauch noch verschieden. Im Leben des hl. Heribert von Köln († 1021; Vita von Rupert von Deutz, † 1135) wird von einer Frau berichtet, die sich den Wein zu verschaffen wußte, mit dem der heilige Erzbischof nach der Kommunion der Sitte gemäß die Finger gewaschen hatte (c. 19; PL 170, 410; Franz 109); er wurde also vom Zelebranten nicht getrunken. — Französische Kirchen haben an dieser älteren Weise der Fingerablution lange festgehalten, z. T. noch im 18. Jh.: ein Akolyth bringt dafür ein eigenes Ablutionsgefäß zum Altar (de Moléon 230. 291) oder man begibt sich zum *lavatorium* (ebd. 315); vgl. auch Martène 1, 4, XX. XXII (I, 609 A. 613 A). — Daß man aber schon im hohen Mittelalter die Ablution in der Regel getrunken hat, erhellt daraus, daß zahlreiche Synoden seit 1200 dem Priester einschärfen, daß er im Falle einer nachfolgenden Bination die *ablutio digitorum* nicht nehmen dürfe. K. Holböck, Die Bination, Rom 1941, 102. Vgl. auch die einschlägigen Angaben bei Simmons, The Layfolks Massbook 303—307. Wir haben übrigens heute noch eine doppelte Praxis, da wir bei der Spendung der Kommunion außerhalb der Messe uns ja mit der Ablution mittels Wasser begnügen, das dann in der früher üblichen Weise behandelt wird.

mit der Ablution des Kelches verbunden[70]). Während man sich beim Kelch, wie gesagt, manchenorts mit einer Spülung mit Wein begnügte, hat man aus naheliegenden Gründen wenigstens für die Finger im allgemeinen an der Verwendung auch von Wasser[71]), also an der überlieferten Händewaschung festgehalten. Das 1256 eingeführte Ordinarium der Dominikaner enthält dann zum ersten Male wenigstens für den Fall, daß keine *honesta piscina* da ist, als Rat *(melius est)* die Anweisung, auch diese Waschung der Finger mit Wasser über dem Kelch vorzunehmen und diese Ablution zusammen mit der vorher den Fingern gewidmeten Weinablution aus dem Kelche zu trinken[72]). Dieses Verfahren hat sich erst allmählich verbreitet[73]), ist aber dann durchgedrungen. Im heutigen Pontifikalritus ist es zur älteren Händewaschung noch hinzugetreten[74]).

---

[70]) Auf den Sinn der darin enthaltenen *ablutio oris* ist aber noch geachtet, wenn im Pontifikale des Durandus (Andrieu, Le Pontifical Romain III, 348; vgl. 371 Z. 37) die Kommunionspendung an die Neugeweihten, offenbar wegen der zu sprechenden Spendeformel, eingeschaltet ist *post primam oris ablutionem, priusquam digitos lavet.*

[71]) Doch kennt z. B. Johannes Burchard um 1500 in seiner Meßordnung (Legg, Tracts 164) innerhalb der Messe nur die Ablution der Finger mit Wein. Dabei wurde eben die nachfolgende Händewaschung in der Sakristei vorausgesetzt.

[72]) Guerrini 244; vgl. Sölch, Hugo 149. — Im genannten Dominikaner-Ordinarium (a. a. O.) auch eine erste bestimmtere Anweisung über den Gebrauch eines besonderen Tüchleins zum Trocknen der Finger, unseres Purifikatoriums: *intra calicem reservetur, et cum explicatur calix, reponatur super altare a dextris in loco mundo.* Daß mit demselben Tüchlein auch der Kelch zu trocknen sei, wird nicht gesagt; man hat dafür manchmal ein besonderes Tuch verwendet, wie schon die klösterlichen Consuetudines seit dem 11. Jh. andeuten; Braun, Die liturgischen Paramente 212 f; vgl. de Corswarem 125. 128. — Den Kelch mußte der Priester nach einem jüngeren Brauch „auf die Patene legen", so z. B. nach den jüngeren Sarum-Meßbüchern: *ponat... super patenam, ut si quid remaneat stillet;* Martène 1, 4, XXXV (I, 671 A); Maskell 194. Der Brauch auch in den Statuta antiqua der Kartäuser: Martène 1, 4, XXV (I, 635 B); er wurde, wie mir aus Valsainte freundlich mitgeteilt wird, so ausgeführt, daß der Cupparand auf der Patene lag, auf die so allerdings einige Tropfen ausfließen konnten. Zufolge dem Neudruck des Ordinarium Cart. (1932) c. 27, 13 wird der Kelch nur mehr geneigt und der sich sammelnde Inhalt getrunken. — Das Purifikatorium hat sich überhaupt erst langsam durchgesetzt. Ein 1563 aus Italien nach Polen reisender Jesuit stellt fest, daß es weder in Deutschland noch in Polen gebräuchlich sei; Braun 213. Durch das Missale Pius' V. wurde es dann gefordert.

[73]) Der benediktinische Liber ordinarius von Lüttich, der sonst oft weithin wörtlich das Dominikaner-Ordinarium übernimmt, hat es nicht (Volk 96). Auch der Ordo Stefaneschis (um 1311) n. 53 (PL 78, 1168 f) läßt den Papst nach dem Ablutionstrunk und der Weinablution der Finger noch die Wasserablution über einer Tasse vornehmen. Das Wasser wird *in loco mundo* ausgeschüttet.

[74]) Caeremoniale ep. II, 8, 76.

Übrigens kam es in diesen Dingen bis ins ausgehende Mittelalter zu keiner einheitlichen Praxis. Noch Gabriel Biel stellt es z. B. ins Belieben des Priesters, die Waschung der Finger entweder sogleich nach der Kommunion oder erst nach der Messe vorzunehmen[75]). Anderseits zeigen englische Meßbücher derselben Zeit eine äußerst sorgfältige und umständliche, wenn auch in Einzelheiten wieder variierende Regelung[76]).

In Deutschland war seit dem 14. Jahrhundert ein Brauch verbreitet, der an die Segnung der Sinne mit der Eucharistie, die tausend Jahre früher in Übung war, erinnert: Nach der Ablution der Finger berührte man mit diesen die Augen und sprach dazu die Worte: *Lutum fecit Dominus ex sputo et linivit oculos meos et abii et lavi et vidi et credidi Deo*[77]), ein Brauch, der leicht ins Abergläubische und ins Mindergeziemende umschlagen konnte[78]) und wieder verschwunden ist.

---

[75]) Gabriel Biel, Canonis expositio, lect. 83.

[76]) Ein Sarum-Missale des 15. Jh. (Legg, Tracts 266) gibt folgende Ordnung an: Nach der Kelchkommunion läßt sich der Priester an der rechten Seite des Altares vom Diakon Wein einschenken; nach dessen Genuß spricht er: *Quod ore.* Dann läßt er sich Wein über die Finger gießen, trinkt ihn und spricht: *Haec nos communio;* darauf ebenso Wasser, worauf er in der Mitte des Altares vor dem Kreuze betet: *Adoremus crucis signaculum per quod salutis nostrae sumpsimus exordium,* und das weitere Gebet *Gratias* (s. oben 501). Endlich geht er noch zum *sacrarium,* und wäscht sich die Hände. Vgl. Ferreres 202 f. — Nach einer Hs des 14. Jh., die ungefähr dieselbe Ordnung bietet, spricht der Priester zur letztgenannten Händewaschung den *Lavabo*-Vers Ps 25, 6 (Legg 268), der auch sonst manchmal an dieser Stelle erscheint; s. Maskell 197; Martène 1, 4, XXXI. XXXVI (I. 652 D. 675 B); Segelberg 259. — Eine Übersicht über die verschiedenen Ablutionsriten in England um die Wende des Mittelalters bei Maskell 190—197.

[77]) Jo 9, 11, in der Form der Communio vom Donnerstag in der vierten Fastenwoche. — Regensburger Missale um 1500 (Beck 271) mit der nachfolgenden (von weiteren Formeln gefolgten) Rubrik: *Lingendo digitos dic.* — Freisinger Missale von 1520: Beck 310; Augsburger Missale des 15. Jh.: Franz 753; Kölner Missale von 1487 (Peters, Beiträge 80 f). Meßordo von Gregorienmünster (14./15. Jh.): Martène 1, 4, XXXII (I, 657 B). — Die früheste Bezeugung (ohne Rubrik) finde ich in einem Seckauer Missale der ersten Hälfte des 14. Jh. (Köck 130), wo noch Ps 12, 4 b *(Illumina oculos meos)* und Ps 85, 17 *(Fac mecum signum)* hinzugefügt sind. Spätere Beispiele aus der Steiermark: Köck 53. 59. 65. 71. 133. Die Formel auch in einem Passauer Missale des späten 14. Jh.: Radó 102, und in einem Ödenburger Missale von 1363: Radó 109. — Das Wort aus Ps 12, 4 b mit der Rubrik *Madefac oculos* im Missale von Riga (v. Bruiningk 88 Anm. 5). — Auch bei deutschen Liturgieerklärern des 14.—16. Jh. wird der Brauch erwähnt; Franz 111 (mit Anm. 4). 576.

[78]) Franz 110—112.

Besondere Gebete sind zum Ablutionsritus im allgemeinen nicht ausgebildet worden[79]). Die Gebete, mit denen wir heute die Ablution begleiten, sind, wie aus ihrer Geschichte hervorgeht, nur äußerlich mit ihr verbunden worden.

Es ist bemerkenswert, daß auch die orientalischen Liturgien, und zwar auch außerhalb der Union, trotz ihrer im ganzen größeren Unbefangenheit und Sorglosigkeit dem Sakramente gegenüber, zu festen Ablutionsriten gekommen sind, die sich wenigstens an einzelnen Punkten unseren abendländischen nähern. Bei den Syrern liegt schon im 6. Jahrhundert eine Vorschrift vor, die verlangt, daß das Wasser von der Waschung heiliger Geräte an einen geziemenden Ort geschüttet werde[80]). Bei den westsyrischen Jakobiten ist ein umfangreicher, von vielen Gebeten umrahmter Ritus der Ablution ausgebildet worden, zu dem außer der Waschung der Geräte eine wiederholte Waschung der Finger und das Abreiben des Kelches mit einem Schwamm gehört[81]). Der Schwamm gehört auch zu den Erfordernissen der byzantinischen Liturgie[82]). Auch bei den Kopten sind mehrfache Ablutionen altüberliefert[83]).

17. Die Postcommunio

Schon die frühesten Erklärungen der Meßliturgie vergessen nicht, nachdem sie von der Kommunion gesprochen haben, zu der alle Gläubigen geladen sind, die Mahnung zum Dankgebet hinzuzufügen[1]). Augu-

[79]) Eine Ausnahme bildet das Missale des 15. Jh. aus Monte Vergine (Ebner 157), das zur Ablution der Finger beten läßt: *Omnipotens sempiterne Deus, ablue cor meum et manus meas a cunctis sordibus peccatorum, ut templum Spiritus Sancti effici merear. Amen.*

[80]) Johannes bar Cursos († 538), Resolutio can. 3 (Hanssens III, 532 f): *Aquae ablutionis rerum sacrarum in locum decentem, in fossam profundam proiciantur et occultentur.*

[81]) Brightman 106—108. Vgl. ebd. 574 s. v. deaconess. Am Anfang des Ritus steht der Genuß der verbliebenen Überreste der sakramentalen Gestalten; vgl. oben 506 Anm. 8.

[82]) Seine Funktion reicht allerdings weiter als bei den Syrern; Brightman 588 s. v. sponge.

[83]) Nach heutigem Brauch wird der Kelch zuerst mit Wein gewaschen; Hanssens, Institutiones III, 530. Eine Bestimmung aus dem 14. Jh. spricht auch vom Waschen der Patene; das dabei gebrauchte Wasser wurde getrunken; ebd. 532.

[1]) Cyrill von Jerusalem, Catech. myst. V, 22 (Quasten, Mon. 110; oben 469). — Theodor von Mopsvestia, Sermones catech. VI (Rücker 38): *Permanes (in ecclesia), ut cum omnibus laudes et benedictiones secundum legem Ecclesiae persolvas.*

stinus, der in der Meßfeier nach 1 Tim 2, 1 vier Abschnitte unterscheidet, betrachtet als letzten derselben die *gratiarum actio*, die Danksagung nach der Kommunion[2]). Chrysostomus wendet sich nicht ohne Schärfe gegen jene, die die εὐχαριστήριοι ᾠδαί nicht abwarten können, sondern mit Judas hinausstürmen, anstatt mit dem Herrn und seinen treuen Jüngern den Lobgesang zu sprechen[3]).

Es ist, wie nicht anders zu erwarten, zunächst von einem Dankgebet die Rede, das gemeinsam in der Kirche verrichtet wird. Wir finden ein solches von frühen Zeiten an in den Liturgien des Orients[4]), und zwar regelmäßig in der Weise, daß auf das meist mehrgliedrige Dankgebet noch ein ebensolches Segnungsgebet folgt, mit dem erst die Entlassung gegeben wurde. Außerdem sind manchmal die die Kommunion begleitenden Gesänge so ausgedehnt, daß schon diese als ein erstes Glied der Danksagung erscheinen[5]). Vor dem eigentlichen Dankgebet spricht in den Apostolischen Konstitutionen der Diakon eine Gebetseinladung: „Nachdem wir den kostbaren Leib und das kostbare Blut Christi empfangen haben, wollen wir dem Dank sagen, der uns gewürdigt hat, an seinen heiligen Geheimnissen teilzunehmen, und wollen bitten, daß es uns nicht zur Schuld, sondern zum Heile gereiche, zum Nutzen für Seele und Leib, zur Bewahrung der Frömmigkeit, zur Nachlassung der Sünden, zum Leben der Ewigkeit", worauf alle aufstehen und der Bischof ein umfangreiches Gebet spricht, in dem der Dank übergeht in eine nochmalige Fürbitte für alle Anliegen der Gemeinde und für alle Stände und Stufen der Kirche[6]). Der Gebetsruf des Diakons kehrt auch später ähnlich wieder[7]), anderswo ist er in verschiedener Weise weiterentwickelt. In der griechischen Jakobusliturgie beginnt er mit einer feierlichen Lobpreisung Christi[8]) und wird dann, ebenso wie in allen griechischen Liturgien, zu einer kurzen Litanei entfaltet, in der das Volk in gewohnter Weise mit dem κύριε ἐλέησον antwortet[9]). In der äthiopischen

---

[2]) Augustinus, Ep. 149, 16 (CSEL 44, 363).

[3]) Chrysostomus, De bapt. Christi c. 4 (PG 49, 370).

[4]) Vgl. oben 342.

[5]) So in der ostsyrischen Messe: Brightman 297—301; in der armenischen: ebd. 452—454.

[6]) Const. Ap. VIII, 14, 1—15, 5 (Quasten, Mon. 231 f). — Im Euchologion Serapions (ebd. 65 f) wird nur das Gebet des Zelebranten mitgeteilt.

[7]) In der Liturgie der westsyrischen Jakobiten: Rücker, Jakobosanaphora 53. 75.

[8]) Brightman 65. Ein ähnlicher Lobpreis, aber im Munde des Priesters, auch in der Liturgie der Jakobiten: ebd. 104.

[9]) Brightman 65. 141. 397; vgl. 454.

Messe folgt dem Aufruf des Diakons zuerst ein Wechselgebet des Priesters mit dem Volk, bei dem letzteres dem Priester auf Ps 144, 1. 2. 21 dreimal mit dem Ruf respondiert: „Vater unser, der Du bist im Himmel, führe uns nicht in Versuchung“[10]). Den Abschluß bildet dann grundsätzlich in allen Fällen das Dankgebet des Zelebranten, von dem allerdings in den griechischen Liturgien nur mehr die Schlußdoxologie mit lauter Stimme gesprochen wird[11]). Umgekehrt ist das Dankgebet des Priesters in der westsyrischen Messe sogar an das Eucharistiegebet angenähert, wenn dessen Einleitung die Formel erweiternd aufgreift: Es ist würdig und recht und billig ...[12]). Aus einer längeren Gebetsaufforderung und der priesterlichen Oration ist auch in der gallikanischen Liturgie die Danksagung aufgebaut gewesen[13]).

Die römische Liturgie ist auch hier durch die besondere Knappheit ihrer Gebetssprache gekennzeichnet. Immerhin war in ihr ursprünglich ebenfalls der Doppelabschluß von Dankgebet und Segnungsgebet in Übung. Das Dankgebet, in den gregorianischen Sakramentaren meist *Ad complendum* oder *Ad completa,* in den gelasianischen *Post communionem* überschrieben[14]), gehört in seinen jedesmal wechselnden Formeln zum Grundbestand der römischen Sakramentare, ebenso wie Kollekte und Secreta. Die Postcommunio ist auch genau in derselben Weise aufgebaut wie diese; sie weist darum wie sie die Umrisse eines Bittgebetes auf. Sie wendet sich in ihrem älteren Formelbestand wie diese ausnahmslos an Gott durch Christus, schließt also mit der Formel *Per Dominum*[15]), die in manchen mittelalterlichen Kirchen

---

[10]) Brightman 242 f. — Ps 144 ist der schon von Chrysostomus bezeugte Kommunionpsalm; s. oben 486. Die Weiterführung des Wechselgebetes bei Hanssens III, 521.

[11]) Brightman 65 f. 141 f. 342 f. In der heutigen byzantinischen Liturgie ist die Doxologie (ebd. 397 Z. 13) vom Dankgebet (ebd. 395 Z. 33) abgesprengt.

[12]) Brightman 302.

[13]) Missale Gothicum: Muratori II, 519. 523 u. ö.

[14]) Die letztere Bezeichnung auch in der gallikanischen Messe (Missale Gothicum: Muratori II, 519 usw.).

[15]) Jungmann, Die Stellung Christi 103 ff; vgl. 226 f. — Einzelne Abweichungen von der genannten Regel ergaben sich in der stadtrömischen Liturgie erst, als um die Jahrtausendwende die alten Formeln aus der gallikanisierten Atmosphäre des Nordens nach Rom zurückkehrten: vier von ihnen waren nun zum Schluß *Qui vivis* übergegangen, setzten also nunmehr die Gebetsanrede an Christus voraus, die ja auch in den inzwischen allenthalben in Übung gekommenen Gebeten vor der Kommunion vorherrschte. In der Folge haben dann auch neugeschaffene Texte öfter diese Anredeordnung gewählt, z. B. für die Postcommunio an Fronleichnam *(Fac nos),* ohne daß daraus ein Stilgesetz, etwa für bestimmte Fälle,

an dieser Stelle sogar eine besondere Betonung dadurch erfahren hat, daß sie in der Altarmitte gesprochen wurde[16]).

Die Parallele der Postcommunio zu den beiden früheren Orationen ist denn auch durch den Zusammenhang, in dem sie erscheint, eine sehr weitgehende. Eröffnung, Offertorium und Kommunion stellen ja drei liturgische Gebilde von genau entsprechender Anlage dar. Jedesmal liegt ein äußerer Vorgang vor, der mit räumlicher Bewegung verbunden ist: der Einzug, der Opfergang, der Kommuniongang. Jedesmal, und ursprünglich nur an diesen drei Stellen, tritt der Sängerchor in Tätigkeit mit antiphonischem Psalmengesang. Jedesmal, und wiederum fast nur hier, geht ein Kreis von stillen Gebeten voraus, mit denen der Zelebrant seine Andacht genährt hat. So wird auch jedesmal Gesang und Gebet abgeschlossen mit einer Oration, der der liturgische Gruß und das *Oremus* unmittelbar oder mittelbar vorhergeht und die nach den gleichen Stilgesetzen entworfen ist.

An dieser Stelle geht das *Dominus vobiscum* und das *Oremus* unmittelbar dem Gebet voraus; denn obwohl der ganze Kommunionkreis in eine Atmosphäre des Gebetes auch der Gläubigen gehüllt sein muß, ist das hier geforderte Gebet nicht Gebet von ebenso öffentlichem und kirchlichem Charakter, wie es die *oratio communis* ist, die mit dem Offertorium verbunden wurde. Wie eng indes die Postcommunio zum Kommunionkreis und damit zur Opfermesse gerechnet wurde, ersieht man daraus, daß in einem anscheinend für geostete Kirchen bestimmten Einschub des Ersten römischen Ordo angemerkt wird, der Papst wende sich beim *Dominus vobiscum* hier nicht zum Volk, sondern bleibe vor dem Altar nach Osten gewendet stehen[17]), ähnlich also, wie dies am Beginn der Präfation vorgesehen war, wo er sich nicht mehr von den Opfergaben wegwenden sollte. Doch ist diese Vorschrift nicht allzulange aufrecht erhalten worden, da man doch wohl zugeben mußte, daß das Opfer bereits

---

geworden oder ein Übergewicht dieser Postcommunionen auch nur unter den neuen Formeln entstanden wäre. Selbst an Tagen, an denen die Secreta die Christusanrede wählt, behält die Postcommunio öfter das *Per Dominum* (z. B. am 4. VI., am 13. VI.).

[16]) So im Dominikanerritus: Ordinarium O. P. von 1256 (G u e r r i n i 245), und auch noch heute: Missale iuxta ritum O. P. (1889) 22; Liber ordinarius von Lüttich (V o l k 97); Missale von Hereford von 1502 (M a s k e l l 197 f). — Nach dem Regensburger Meßordo um 1500 (B e c k 272) küßt der Priester nach *Filium tuum* das Kreuz im Missale und kehrt mit den Worten *Qui tecum* zur Altarmitte zurück. Ebenso nach einem Ordo von Averbode (um 1615): L e n t z e (Anal. Praem. 1950) 145.

[17]) Ordo Rom. I n. 21 (A n d r i e u II, 107; PL 78, 948 A).

vollendet ist[18]). Aus dem gleichen Grunde ist aber dieser Oration nie ein *Flectamus genua* vorausgeschickt worden; denn sie gehört wenigstens noch zum Ausklang der um die Eucharistie gruppierten Gebete[19]).

Auf den Inhalt gesehen, ist das Thema der Postcommunio gegeben durch die eben geschehene Kommunion; und zwar wird dabei immer an die Kommunion der versammelten Gemeinde gedacht, nicht an eine solche des Priesters allein, ein Formgesetz, das sogar jene Formeln mit geprägt hat, die aus Zeiten stammen, in denen eine Volkskommunion zu den seltenen Ausnahmen gehörte.

Verhältnismäßig selten erscheinen Formeln, die auf die Kommunion nicht eingehen und sich mit einer Oration allgemeineren Charakters, mit einer Bezugnahme auf die Tagesfeier[20]) oder auf das besondere Anliegen[21]) begnügen. Die Regel ist, daß das Gebet beginnt mit einem dankbaren Blick auf die empfangenen Gaben. Der Empfang des Sakramentes erscheint dabei entweder als nähere Bestimmung in der Verfassung der Beter: *Repleti cibo potuque coelesti, Sacro munere satiati,* oder als Strahlpunkt der erbetenen Wirkung: *Haec nos communio purget, Per huius Domine operationem mysterii,* oder er wird als Tatsache frei vorangestellt, entweder in ablativischer Form: *Perceptis Domine sacramentis,* oder in einem selbständigen Satz: *Sumpsimus Domine, Satiasti Domine,* oder er wird auf andere Weise in den Gedankengang eingebaut.

Nimmt man die verschiedenen Einzelzüge zusammen, so ergibt sich des näheren ein treffliches Bild der christlichen Verkündigung von Eucharistie und Kommunion. Was wir empfangen haben, wird als heilige Gabe, als himmlisches Mahl, als geistliche Nahrung, als wirkendes Geheimnis, als heiliger Leib und kostbares Blut bezeichnet. Ganz wie in den vorausgehenden Gebeten der römischen Messe

---

18) In dem für die Bischofsmesse in Deutschland im 10. Jh. entstandenen Ordo ‚Postquam‘ (Andrieu II, 362; PL 78, 994 C) ist wieder die Hinwendung zum Volk vorgesehen.

19) Vgl. oben I, 473.

20 So an Mariä Verkündigung *(Gratiam tuam)*; am Feste Johannes' des Täufers *(Sumat)*; öfters an Heiligenfesten (u. a. Commune Apostolorum, Commune Doctorum); in mehreren Vigilmessen. — Dieselbe Erscheinung schon in den ältesten Sakramentaren, von denen allerdings das Leonianum die Formeln ohne Überschrift bietet; die beiden erstgenannten Festtags-Postcommunionen z. B. im Gregorianum (Lietzmann n. 31, 4; 125, 3).

21) So mehrfach in Votivmessen und in den aus solchen hervorgegangenen *orationes diversae* des Missale Romanum. In der heutigen *missa tempore belli* z. B. steht eine Postcommunio, die in einer gleichen Messe des älteren Gelasianums III, 57 (Wilson 272 f) als zweite Kollekte diente.

wird nicht die Person des Herrn als solche hervorgehoben, weshalb auch von hier aus kein besonderer Anreiz gegeben war, zur Christusanrede überzugehen. Immer noch ist das Gesamtbild festgehalten vom Opfer, das wir mit ihm zusammen Gott dargebracht haben, an dem wir nun teilnehmen, und von der Bitte, die wir *per Dominum nostrum* an den Vater richten. Es ist dieselbe Art, das Sakrament zu sehen, die das römische Rituale auch heute noch zugrunde legt, wenn es will, daß die Gläubigen nach der Kommunion etwas im Gebet verharren sollen *gratias agentes Deo de tam singulari beneficio*[22]). Tatsächlich kommt auf solche Weise auch der Dank gegen Gott aufs beste zum Ausdruck, auch wenn das Wort „danken" nur selten vorkommt; denn in solchen Worten „gedenken" wir ja dessen, was Gott uns geschenkt hat.

Der Wortlaut der Postcommunio geht dann meistens rasch in die Bitte über, mit der nun das Bild in der Richtung der sakramentalen Wirkungen weitergezeichnet wird. Was wir aus dem Genuß von Christi Leib und Blut erhoffen und erflehen, ist das Fortschreiten und der schließliche Triumph seines erlösenden Wirkens in uns: *ut quod pia devotione gerimus, certa redemptione capiamus*[23]), *ut inter eius membra numeremur, cuius corpori communicamus et sanguini*[24]). Dazu gehört die Befreiung von inneren und äußeren Hemmnissen: *et a nostris mundemur occultis et ab hostium liberemur insidiis*[25]). Auch das leibliche Wohl wird im Gegenüber der Antithese Leib und Seele, Gegenwart und Zukunft, innen und außen, das hier wiederkehrt[26]), immer wieder erwähnt und erfleht: *et spiritualibus nos repleant alimentis et corporalibus tueantur auxiliis*[27]). Aber die wesentliche Wirkung geht auf das Innere. Das Sakrament muß uns heilen und festigen: *salvet et in tuae veritatis luce confirmet*[28]); es

[22]) Rituale Rom. IV, 1, 4; vgl. Cod. Iur. Can. can. 810.

[23]) Fundorte aus den ältesten Sakramentaren bei Mohlberg-Manz n. 975; Missale Rom., 2. VII.

[24]) Gregorianum (Lietzmann n. 58, 3); ebd. weitere Nachweise. Missale Rom., Samstag der dritten Fastenwoche.

[25]) Mohlberg-Manz n. 295; Missale Rom., Mittwoch der ersten Fastenwoche.

[26]) Vgl. oben I, 485 f.

[27]) Mohlberg-Manz n. 410; Missale Rom., Mittwoch der vierten Fastenwoche. — Der Gedanke, daß die Eucharistie ihre wohltätigen Wirkungen auch auf das leibliche und zeitliche Wohl erstrecken soll, ist besonders in den älteren Texten stark ausgeprägt; siehe z. B. im Leonianum: Muratori I, 322. 328. 362. 378. 413. 420. 462.

[28]) Mohlberg-Manz n. 1080; Missale Rom., 13. VIII.

muß in uns wirken, *ut non noster sensus in nobis, sed iugiter eius praeveniat effectus*[29]). Vor allem aber möge das Sakrament der Gemeinschaft in uns die Liebe mehren: *ut quos uno coelesti pane satiasti, tua facias pietate concordes*[30]). Dabei wissen wir wohl, daß unser eigenes freies Wirken mitentscheidet. Aber auch darum bitten wir im Hinblick auf das Sakrament: *ut quos tuis reficis sacramentis, tibi etiam placitis moribus dignanter deservire concedas*[31]). Ein Ideal christlicher Lebensführung leuchtet auf, wenn wir nach dem Empfang des Sakramentes darum bitten, daß wir nie mehr von ihm loskommen möchten: *ut (in) eius semper participatione vivamus*[32]), ja daß wir nicht mehr aufhören möchten zu danken: *ut in gratiarum semper actione maneamus*[33]). Die letzte Frucht aber, die das Sakrament uns bringen muß, ist das ewige Leben, wie es der Herr verheißen hat: *ut quod tempore nostrae mortalitatis exsequimur, immortalitatis tuae munere consequamur*[34]). Was am Altar geschieht, bleibt in der Welt von Zeichen und Sakrament; wir verlangen nach der vollen Wirklichkeit: *ut cuius exsequimur cultum, sentiamus effectum*[65]). Was wir empfangen haben, war groß, aber es war nur Pfand und Angeld; wir verlangen kühn darnach, *ut . . . beneficia potiora sumamus*[36]). Dabei ist meistens der Festgedanke dafür bestimmend, welche besondere Wirkung bittend hervorgehoben wird. Auch das Bewußtsein kommt manchmal zum Ausdruck, daß nicht das Sakrament allein die Gnadenquelle ist, der Glaube und das gläubige Bekenntnis tritt daneben; es soll uns zum Heil gereichen *sacramenti susceptio et sempiternae s. Trinitatis . . . confessio*[37]). An Heiligenfesten ist die Bitte meistens nur insoweit verändert, daß die betreffende Gnadenwirkung erbeten wird *intercedente beato N.;* aber auch hier tritt manchmal die Fürbitte des Heiligen neben die Wirkung des Sakramentes: *Protegat nos Domine cum*

---

[29]) Mohlberg-Manz n. 1177; Missale Rom., 15. Sonntag n. Pfingsten.

[30]) Mohlberg-Manz n. 1395; Missale Rom., Freitag nach Aschermittwoch; vgl. die Postcommunio an Ostern.

[31]) Mohlberg-Manz n. 110; Missale Rom., Sonntag in der Epiphanieoktav.

[32]) Mohlberg-Manz n. 1113: Missale Rom., 22. VIII.

[33]) Mohlberg-Manz n. 785; Missale Rom., 30. VIII.

[34]) Mohlberg-Manz n. 518; Missale Rom., Gründonnerstag.

[35]) Mehrmals im Gregorianum (Lietzmann n. 22, 3 usw.); Missale Rom., Commune unius Martyris u. ö.

[36]) Mohlberg-Manz n. 75; Missale Rom., 31. XII. — Zum Sinn dieser Ausdrucksweise vgl. O. Casel, JL 3 (1923) 13 u. ö.

[37]) Im Anhang des jüngeren Gelasianums bei Mohlberg S. 257 n. 51; Missale Rom., Dreifaltigkeitsfest.

tui perceptione sacramenti beatus Benedictus abbas pro nobis intercedendo[38]).

Vorübergehend scheint man übrigens in Rom auf den Wechsel der Postcommunio verzichtet zu haben. Ein römisch-fränkischer Ordo des 8./9. Jahrhunderts läßt den Papst nach dem Kommuniongesang mit lauter Stimme das *Dominus vobiscum* sagen und darauf die eine Oration: *Quod ore sumpsimus,* die damals in Rom noch nicht zu den stillen Kommuniongebeten gehörte[39]). Mit ihrem doppelten Weiterschreiten: von der Speise des Mundes zu der des Geistes und von der Gabe in der Zeitlichkeit zum Heilmittel, das in die Ewigkeit wirkt, bezeichnet diese Formel denn auch in typischer Weise den Aufstieg, den wir in der Kraft des Sakramentes vollbringen sollen.

---

[38]) Mohlberg-Manz n. 998; Missale Rom., Commune Abbatum. — Eine zusammenfassende Darstellung der in den Postcommunioformeln des heutigen Missale Romanum enthaltenen Eucharistielehre wird geboten von J. Tschuor, Das Opfermahl, Immensee 1942.

[39]) Ordo ‚Qualiter quaedam' (Andrieu II, 305; PL 78, 984 C). Damit übereinstimmend das Gregorianum des Cod. Pad. (Mohlberg-Baumstark n. 894) und das jüngere Gelasianum (Mohlberg n. 1567), die beide auf den Kanon diese Formel und die weitere Postcommunio *Conservent* folgen lassen. Vgl. auch oben 500 mit Anm. 25. — Siehe auch de Puniet, Le sacramentaire de Gellone 214* f; Leroquais I, 6. — Ein Überrest dieser Ordnung wird es sein, wenn am Karfreitag heute noch das *Quod ore sumpsimus* zugleich die Postcommunio ersetzt.

4.

DER SCHLUSS

1. *Die oratio super populum*

Mit dem Dankgebet nach der Kommunion ist der Gottesdienst zu Ende und die Versammlung kann sich auflösen. Der Form- und Ordnungssinn des antiken Menschen hätte es aber nicht lange ertragen können, daß diese Auflösung formlos geschah; es bildete sich also ein bestimmter Hergang. Dazu kam eine zweite, wohl noch stärkere Kraft, das war das Bewußtsein der christlichen Gemeinden von der Gemeinschaft, zu der sie in Christus zusammengeschlossen waren und gerade im Gottesdienst aufs neue zusammengeschlossen wurden: wenn man auseinanderging, blieb man einander doch verbunden durch die heiligenden Kräfte, die in der Kirche lebendig waren[1]). Kein Wunder, daß man diese Kräfte vor dem Auseinandergehen noch einmal wirksam sehen wollte. Die förmliche Ansage des Schlusses der Feier verbindet sich daher mit einer letzten Segnung, mit der die Kirche ihre Kinder in die Welt hinaus entläßt. Die Segnung nimmt im Lauf der Jahrhunderte verschiedene Formen an, schwindet und bildet sich neu, verdoppelt und verdreifacht sich[2]), geht über in letzte Danksagungen und Bitten, die dann ins private Gebet ausmünden. So ergaben sich am Schluß der Messe noch einmal verschiedene Gestaltungen, die nun des nähern zu überblicken sind.

Was uns zuerst als Schlußakt begegnet, ist ein Segnungsgebet, mit dem der zelebrierende Priester über das Volk, das sich nun wieder an seine Geschäfte begibt, Gottes Schutz und Hilfe herabfleht. Ein Überrest desselben liegt uns vor in der *oratio super populum* der Fastenzeit. Das in Rede stehende Gebet, meist als Inklinationsgebet bezeichnet, steht in genauer Parallele zu den Gebeten, die wir am Ende der Vormesse als vielfachen Brauch kennengelernt haben zur Segnung derjenigen, die

---

[1]) Das Bewußtsein davon lebt heute wieder auf bei E. Fiedler, Christliche Opferfeier, München 1937, 90: dem Christen sollte zumute sein, „als müßte er allen, die mit ihm aus dem Gotteshaus strömen, die Hand drücken, wie guten Freunden".

[2]) Auch die orientalischen Liturgien haben zu dem allen gemeinsamen Inklinationsgebet hinzu meist noch weitere Segensspendungen oder Segensgebete ausgebildet. Das gilt besonders von den ägyptischen Liturgien; s. Brightman 187 f. 243 f.

nach Anhören der Lesungen den Gottesdienst verlassen mußten[3]). Wie dort so geht ihm auch hier ein Aufruf des Diakons voran, sich zum Segen vor dem Herrn zu verbeugen; dann folgt das Gebet des Zelebranten in der Form einer Oration, die mit dem *Amen* beantwortet wird. In dieser Weise erscheint das Gebet als fester Bestandteil der Meßfeier wie in der alten römischen Liturgie so auch in den ägyptischen und syrischen Liturgien des Orients[4]), und zwar schon in den frühesten Zeugen derselben ebenso wie in anderen Quellen des 4. Jahrhunderts[5]), so daß man auf eine Überlieferung wenigstens schon aus dem 3. Jahrhundert schließen muß.

Der Aufruf lautet in Ägypten: Τὰς κεφαλὰς ὑμῶν τῷ κυρίῳ κλίνατε[6]). Es ist also genau derselbe Ruf wie in unserer römischen Liturgie: *Humiliate capita vestra Deo*[7]). Das Gebet wird im Orient meist breit entfaltet[8]). In der westsyrischen Liturgie hat jede Anaphora ihr eigenes Segensgebet. In der ältesten derselben, der Jakobusanaphora, lautet es: „Gott, großer und wunderbarer, schaue herab auf deine Knechte, denn dir haben wir[9]) unseren Nacken gebeugt, strecke deine starke, von Segen erfüllte Hand aus und segne dein Volk, beschütze dein Erbe, damit wir immer und jederzeit dich preisen ...“[10]). Für dieses Segnungsgebet ist

---

[3]) Oben I, 608 ff.

[4]) In der byzantinischen Liturgie ist der Aufruf des Diakons in Wegfall gekommen. Das Segnungsgebet ist als εὐχὴ ὀπισθάμβωνος erhalten. Hanssens, Institutiones III, 521 f.

[5]) Const. Ap. VIII, 15, 6—11 (Quasten, Mon. 232 f). — Euchologion Serapions (ebd. 67); hier geht der χειροθεσία über das Volk noch ein Gebet zur Segnung von Öl und Wasser voraus. Es ist im Wesen jene Segnung von Naturalien, die in der römischen Messe am Schluß des Kanons statthatte.

[6]) Brightman 186 Z. 33; vgl. ebd. 142.

[7]) Das Zusammentreffen mit ägyptischem Brauch (vgl. oben I, 71 f) zeigt, daß es sich auch in Rom um alte Überlieferung handelt. In den Quellen erscheint der lateinische Wortlaut erst um 800 im stadtrömischen Ordo der Quadragesima (Andrieu III, 261; PL 78, 949 B). Die gallikanische Fassung ist uns schon früher begegnet, oben 366. — Der Ruf wird aber auch in römischen Texten schon von jeher vorausgesetzt. Denn daß das Volk zu diesem Gebet sich niederbeugte, besagen nicht wenige Formeln des Segensgebetes, in denen die Gemeinde als *prostrata, supplex, inclinantes se* usw. bezeichnet wird; s. die Nachweise aus dem Leonianum bei A. Baumstark, JL 7 (1927) 20 Anm. 97. Vgl. auch unten Anm. 15.

[8]) Siehe die vergleichende Übersicht bei L. Eizenhöfer, Untersuchungen zum Stil und Inhalt der römischen oratio super populum (Eph. liturg. 52 [1938] 258—311) 302—309.

[9]) Eizenhöfer 300 vermutet hier ein ursprüngliches „sie“: ἔκλιναν.

[10]) Brightman 67.

es charakteristisch, daß das Personalobjekt des erflehten Segens nicht mit einem „uns" bezeichnet wird, so daß der Zelebrant sich mit einschlösse, sondern es sind „deine Knechte", „dein Volk", *populus tuus, ecclesia tua, familia tua* usw. genannt. Dieses Stilgesetz ist in den entsprechenden Formeln des Leonianums fast ausnahmslos eingehalten[11]), während es schon im Gregorianum, auf das die *Super-populum*-Formeln des römischen Missale zurückgehen, nur mehr einen Teil der Gebete beherrscht[12]). Ein weiterer Zug, der das Gebet, mit dem die Gläubigen in den Alltag hinaus entlassen werden, kennzeichnet, ist, daß die erflehten Gaben, Schutz in Gefahr, leibliche und seelische Wohlfahrt, Bewahrung vor Sünde, nicht wie in anderen Orationen nur im allgemeinen, sondern für die ganze, unbestimmte Zukunft erbeten werden: *semper, iugiter, perpetua protectione* usw.[13]), ähnlich wie wir auch heute die Segnungsformel schließen: *Benedictio ... descendat super vos et maneat semper.* Daß auch die zeitlichen Sorgen nicht selten Erwähnung finden, ist aus der gleichen Lage der Dinge, aus dem gegebenen Standort zwischen Kirche und Welt verständlich. Übrigens ist in den Formeln der gelasianischen Sakramentare denen des Leonianums gegenüber eine deutliche Vergeistigung der Bitten festgestellt worden[14]). Wie hoch das römische Volk diesen Segen schätzte, sieht man an einer Begebenheit aus dem Jahre 538. Papst Vigilius hatte am Fest der hl. Cäcilia in der Kirche derselben den Stationsgottesdienst gehalten und soeben die Kommunion ausgeteilt; da erschien ein Abgesandter des Kaisers, um den Papst zu verhaften und nach Byzanz abzuführen. Das Volk folgte ihm zum Schiff und verlangte *ut orationem ab eo acciperent.* Der Papst sprach die Oration, das ganze Volk antwortete mit *Amen* und das Schiff setzte sich in Bewegung[15]).

---

[11]) In 154 von 158 Fällen. In den vier verbleibenden Fällen scheint es sich um Formeln zu handeln, die zu Unrecht an ihrem Platze stehen. Eizenhöfer 262—269, bes. 267.

[12]) Von den 25 ursprünglichen Formeln nur mehr 13. Die für die Donnerstage hinzugekommenen sind aus älteren Texten herübergenommen und beobachten wieder das Stilgesetz; Eizenhöfer 286 f. Vgl. auch L. Eizenhöfer, Zum Stil der oratio super populum des Missale Romanum: Liturg. Leben 5 (1938) 160—168.

[13]) C. Callewaert, Qu'est-ce que l'oratio super populum? (Eph. liturg. 51 [1937] 310—318) 316.

[14]) Eizenhöfer, Untersuchungen 283. 297 f.

[15]) Liber pont. ed. Duchesne I, 297. — Die Segensformeln des Leonianums enthalten übrigens öfter Wendungen, die das Verlangen des Volkes zum Ausdruck bringen: *suppliciter et indesinenter expectant* (Muratori I, 339), *supplex poscit* (362), *benedictio desiderata* (441) u. ä. — Häufigkeit und Hergang dieser Segnung sind übrigens schon bezeugt beim Ambrosiaster, Quaestiones Vet. et Novi

An der heute noch erhaltenen *oratio super populum* fällt besonders auf, daß sie nur in der Fastenzeit vorhanden ist. Das war genau so schon der Fall im Meßbuch Gregors des Großen, während sie im Leonianum zu jedem Meßformular gehörte und in den gelasianischen Büchern wenigstens noch über das ganze Kirchenjahr verstreut auftrat. Von Amalar bis zur Gegenwart sind für diese Beschränkung der *oratio super populum* auf die Fastenzeit die verschiedensten Erklärungen versucht worden: Die Quadragesima sei eine Zeit gesteigerten geistlichen Kampfes, die vermehrten Segens bedürfe[16]); die Segensoration sei ein Ersatz für die Kommunion, die man wenigstens in dieser Zeit täglich empfangen müßte[17]), ein Gebet, das den Nichtkommunikanten gewidmet ist[18]), oder es sei ein Ersatz für die Eulogien, die man sonst empfing[19]), oder die Oration sei ursprünglich nur als Oration der Vesper gebraucht und erst nachträglich in die in der Fastenzeit nach der Vesper gefeierte Messe hereingezogen worden[20]). Schließlich wird die in der Liturgiegeschichte auch sonst auftretende Tatsache geltend gemacht, daß gerade in der Fastenzeit eine im übrigen verlassene ältere Überlieferung noch weiter fortlebt[21]).

Das letztgenannte Moment verdient ohne Zweifel Beachtung. Die alte Segnung des Volkes, die *oratio super populum,* wie sie heute noch genannt wird, kann sich in der Quadragesima in ähnlicher Weise erhalten haben, wie eine Reihe ehrwürdiger Gebräuche in den letzten Kartagen

---

Test. (um 370/75 in Rom) q. 109 (PL 35, 2325): *Nostri autem sacerdotes super multos quotidie nomen Domini et verba benedictionis imponunt;* auch wenn einer heilig ist, *curvat tamen caput ad benedictionem sumendam.*

16) Amalar, Liber off. III, 37, 1 f (Hanssens II, 371 f).

17) Bernold, Micrologus c. 51 (PL 151, 1014 f).

18) H. Thurston, Lent and Holy Week, London 1904, 190. — Dagegen ist zu beachten, daß einzelne Formeln doch die Kommunion der Segensempfänger ausdrücklich voraussetzen. Im Leonianum sind es 14 von 158, im älteren Gelasianum 9 von 71; s. die Statistik bei Eizenhöfer, Untersuchungen 265. 282. Auch im heutigen Missale gehören hieher die Formeln vom Aschermittwoch und vom Donnerstag der ersten Woche, die auch schon im Gregorianum des 8. Jh. vorhanden waren, während sie allerdings im Urgregorianum beide gefehlt haben müssen; s. Eizenhöfer, Untersuchungen 288 f.

19) Honorius Augustod., Gemma an. I, 67 (PL 172, 565); Sicard von Cremona, Mitrale III, 8 (PL 213, 144). — Eine regelmäßige Verteilung des gesegneten Brotes wie auf gallischem Boden ist in Rom für die in Betracht kommende Zeit des frühen Mittelalters nicht nachweisbar; vgl. unten 562 f.

20) Fortescue, The mass 390 f. — Siehe die Widerlegung bei Baumstark (folgende Anm.).

21) A. Baumstark, Das Gesetz der Erhaltung des Alten in liturgisch hochwertiger Zeit (JL 7, 1927), 16—21, bes. 20.

erhalten geblieben sind. Aber rätselhaft bleibt immer noch, daß gerade die vornehmsten Tage der Fastenzeit, die Sonntage, eine Ausnahme bilden, und daß die Reihe schon mit dem Mittwoch in der Karwoche abgebrochen wird[22].

Hier wird man die Einrichtungen der öffentlichen Kirchenbuße des ausgehenden christlichen Altertums in die Erklärung einbeziehen müssen. Nicht allzulange nach dem Ende des 5. Jahrhunderts muß man in Rom die Kirchenbuße im Gegensatz zu ihrer vorherigen Erstreckung über das ganze Jahr auf die Quadragesima zusammengezogen haben[23]. Nur die Sonntage wurden auch in der Quadragesima nie als eigentliche Bußtage betrachtet[24]. Das Ende der Bußzeit war für die Büßer gegeben mit dem Gründonnerstag, an dem sie die Rekonziliation erhielten. Die Buße umfaßte also gerade jene Tage, die in unserem Missale ähnlich wie schon im gregorianischen Sakramentar mit einer *oratio super populum* ausgestattet sind. Doch müssen wir, wenn wir genauer sprechen wollen, noch feststellen, daß die Quadragesima zur Zeit Gregors des Großen noch mit dem ersten Fastensonntag begonnen hat, so daß die öffentliche Buße erst am darauffolgenden Montag eröffnet wurde[25]. Auch die Donnerstage der Fastenzeit und der Samstag vor Palmsonntag hatten damals noch keine Meßfeier und darum auch keine *oratio super populum*. Wenn wir nun von diesen Tagen absehen, an denen die Segnung erst mit dem weiteren Ausbau der Quadragesima hinzukam, so zeigt die *oratio super populum* an den verbleibenden Tagen im Sakramentar Gregors des Großen nicht nur die Eigentümlichkeit, daß sie im Vergleich zu den älteren Sakramentaren aus lauter neuen Formeln besteht, also eine Reorganisation verrät[26], sondern auch, daß sie in keinem Fall, wie es sonst gelegentlich geschah[27], die Kommunion der Segensempfänger voraussetzt, wiederum ein Zug, der verständlich wird, wenn vor allem an die Büßer gedacht war. Dies anzunehmen zwingt aber noch ein

---

[22]) Wenn die Vermutung Baumstarks a. a. O. 21 zuträfe, daß man den Ruf *Humiliate capita vestra Deo* und die entsprechende Gebärde mit dem freudigen Charakter des Sonntags für unvereinbar gehalten hätte, hätte man ihn doch ebenso einfach weglassen können, wie dies in anderen Fällen, z. B. am Pfingstquatember mit dem *Flectamus genua* und dem dazugehörigen Ritus geschehen ist. Außerdem bleibt noch der Karmittwoch als Endpunkt unerklärt.

[23]) Vgl. Jungmann, Die lateinischen Bußriten 13 f.

[24]) Darum werden sie u. a. seit dem 7. Jh. bei der Berechnung der 40 Tage überhaupt nicht mitgezählt.

[25]) Jungmann, Die lateinischen Bußriten 48—51.

[26]) Eizenhöfer, Untersuchungen 288 f.

[27]) Oben Anm. 18.

anderer Umstand. Die Bußgeschichte bezeugt nicht nur, daß es auch in Rom wie anderswo am Ausgang des christlichen Altertums einen *ordo poenitentium* gab, sondern auch, daß die Büßer während ihrer Bußzeit regelmäßig einen Segen ihres Bischofs empfangen mußten — von dem aber gerade in den um diese Zeit so reichlich fließenden liturgischen Quellen keine Spur vorhanden ist, wenn nicht die *oratio super populum* in Frage kommt. So drängt alles zum Schluß, daß Gregor der Große bei der Neuordnung der *oratio super populum*, die in seinem Sakramentar aufscheint, Verhältnisse der Bußdisziplin berücksichtigt hat. Während des Jahres ließ er die Segnungsoration fallen; sie hatte schon in den gelasianischen Formularien oft gefehlt, ohne daß für Gebrauch oder Nichtgebrauch ein klares Prinzip zur Geltung gekommen wäre. Für die Quadragesima aber hat er sie beibehalten, da in dieser Zeit wenigstens die Büßer auf jeden Fall einen Segen empfangen mußten[28]). Die *oratio super populum* war zwar immer noch, was ihr Name zum Ausdruck bringt, eine Segnung des ganzen Volkes, das diese 40 Tage, zumal in den damaligen unaufhörlich sich drängenden Nöten, als eine Zeit der Buße und des Gebetes zubringen sollte, und der Wortlaut der Segensbitte blieb ähnlich wie früher weit und allgemein, alle leibliche und seelische Not umfassend, aber der Kern der büßenden Versammlung waren die öffentlichen Büßer, die vielleicht auch damals noch nach dem Ruf des Diakons herantreten, niederknien und die Handauflegung empfangen mußten[29]), worauf sie mit den übrigen Gläubigen in verbeugter Haltung verharrten, während der Papst die Segensoration sprach.

Die bußdisziplinäre Funktion der *oratio super populum* scheint aber nicht lange im Bewußtsein geblieben zu sein. Unter den Formeln derselben, die im 7. und 8. Jahrhundert im Gregorianum nachgetragen wurden, kommen, wie schon bemerkt[30]), auch wieder solche vor, die von

---

[28]) J. A. Jungmann, Oratio super populum und altchristliche Büßersegnung: Eph. liturg. 52 (1938) 77—96. Die These, die ich in den „Lateinischen Bußriten" 15 ff. 38 ff. 296. 313 noch ohne die nötigen Einschränkungen vertreten habe und die darum von der Kritik angegriffen wurde — s. auch die oben Anm. 8 und 13 angeführten Arbeiten — ist in dieser Abhandlung entsprechend abgegrenzt und gesichert worden. Vgl. auch Eizenhöfer, Untersuchungen 293 ff, der zwar auf Grund seiner eingehenden Analysen eine von mir vormals vermutete Entwicklung der *oratio super populum* aus einer ursprünglichen Büßersegnung mit vollem Rechte ablehnt, aber mit der Möglichkeit rechnet, daß auch schon vor Gregor dem Großen eine Einbeziehung der Büßer stattgefunden habe, und auch feststellt, daß eine solche mit dem düsteren Charakter vieler Formeln wohl im Einklang stünde (295 f. 297 f).

[29]) Vgl. Jungmann, Die lateinischen Bußriten 20 ff.

[30]) Oben Anm. 18.

der Kommunion der Segensempfänger sprechen. Die fränkischen Erklärer vollends wissen nichts mehr von einer Beziehung zur öffentlichen Buße, weshalb vereinzelt sogar die Beschränkung auf die Quadragesima wieder durchbrochen wird[31]). Das konnte auch darum nicht anders sein, weil das gregorianische Sakramentar, das ursprünglich für den Pontifikalgottesdienst bestimmt war, in dem allein eine Büßersegnung in Frage kam, nunmehr im gewöhnlichen Gottesdienst verwendet wurde. Die *oratio super populum* ist seither einfach w i e d e r eine S e g e n s o r a t i o n geworden, die in der heiligen Zeit der Quadragesima als ein Stück alter Überlieferung weiter gehütet wird, ja die bald auch nicht einmal mehr als Segensoration empfunden wird, da ja niemand außer dem Zelebranten selbst dem Aufruf, das Haupt zu verneigen, Folge leistet[32]). Wenn darum ein Missale von Huesca vom Jahre 1505 diese Oration zwar nicht zu unterdrücken wagt, sie aber *submissa voce* sprechen und so zurücktreten läßt[33]), so kann man die Folgerichtigkeit einer solchen Maßnahme nicht bestreiten.

2. *Der Entlassungsruf*

Ähnlich wie am Schluß der Vormesse auf das Segnungsgebet über diejenigen, die nun entlassen wurden, wenigstens nach einem Teil der Quellen auch ein förmlicher Entlassungsruf erfolgt ist, so gehörte ein solcher um so mehr wohl von jeher zum Abschluß des Gesamtgottes-

---

[31]) Die karolingische Meßerklärung ‚Primum in ordine' (PL 138, 1186 A) bemerkt, daß vor dem *Ite missa est* noch *orationes sacrae communionis* gesprochen werden *et benedictio super populum.* — Das Sakramentar des 10. Jh. von S. Remy zu Reims (ed. C h e v a l i e r S. 345) weist u. a. im stehenden Meßordo nach der Postcommunio eine *Benedictio super populum* auf: *Domine sancte Pater, omnipotens aeterne Deus, de abundantia misericordiarum tuarum*... Es ist die erste der Formeln, die das jüngere Gelasianum unter der Überschrift *Benedictiones super populum* aufweist (M o h l b e r g n. 1569); vgl. oben 425.

[32]) Im 10. Jh. war diese Verneigung mindestens insofern noch üblich, als sich die Gläubigen ja bei jeder am Altar gesprochenen Oration verneigten; s. oben I, 475 f. — Auch um 1090 betrachtete man die *oratio super populum* noch als wirkliche Segensspendung; vgl. B e r n o l d, Micrologus c. 51 (PL 151, 1015), demzufolge damals ein anderer Schlußsegen nur *in aliis temporibus* mehr und mehr üblich wurde. Der benediktinische Liber ordinarius von Lüttich (um 1285) schreibt für die *collecta super populum* noch dieselbe Verneigung vor *(inclinent versi ad altare caputia removentes)* wie beim feierlichen Pontifikalsegen (V o l k 103).

[33]) F e r r e r e s 248.

dienstes. Man darf darin nicht viel mehr erwarten, als das Wort, mit dem der Vorsitzende in jeder wohlgeordneten Versammlung diese zuletzt für geschlossen erklärt, zumal das verabschiedende Segnungsgebet ja vorausgegangen ist. Ein solches Ansagen des Schlusses, zum Teil auch unter Verwendung des Wortes *missa,* war in der antiken Kultur durchaus geläufig[1]), im christlichen Gebrauch erhielt die betreffende Formel manchmal einen religiösen oder biblischen Einschlag. Chrysostomus bezeugt für Antiochia den Ruf des Diakons Πορεύεσθε ἐν εἰρήνῃ[2]), der auch in Ägypten gebräuchlich war[3]) und hier weiterhin gebräuchlich geblieben ist[4]). Ähnlich lautet er in Byzanz: Ἐν εἰρήνῃ προέλθωμεν[5]). Bei den Westsyrern ist der religiöse Klang noch etwas verstärkt: Ἐν εἰρήνῃ Χριστοῦ πορευθῶμεν[6]), ja in der syrischen Form dieser Liturgie geht der Ruf, den hier der Priester spricht, noch in ein weiteres leise gesprochenes Segnungswort über[7]). In allen griechischen Liturgien erfolgt darauf die Antwort des Volkes: Ἐν ὀνόματι κυρίου[8]). Im Abendlande treffen wir die gleiche Weise in Mailand an, wo ebenfalls auf den Entlassungsruf *Procedamus cum pace* geantwortet wird: *In nomine Christi*[9]). Eine längere Formel, die dabei nur rückschauend die Vollendung der Feier feststellt, gebraucht die mozarabische Messe: *Sollemnia completa sunt in nomine Domini nostri Jesu Christi. Votum nostrum sit acceptum cum pace. R. Deo gratias*[10]).

Allen diesen Formeln gegenüber um einen Grad nüchterner, aber der sachlichen Art römischer Liturgie getreu, ist unser Entlassungsruf: *Ite missa est.* Während das *Ite* genau dem πορεύεσθε der ägyptischen Litur-

---

1) Oben I, 230 Anm. 37.

2) Chrysostomus, Adv. Jud. 3, 6 (PG 48, 870). Ähnlich Const. Ap. VIII, 15, 10 (Quasten, Mon. 233): Ἀπολύεσθε ἐν εἰρήνῃ. — Vgl. Lk 7, 50 u. ö.

3) So nämlich schon die Ägyptische Kirchenordnung, d. i. die etwa dem 4. Jh. entstammende ägyptische Fassung von Hippolyts „Apostolischer Überlieferung" (Brightman 193).

4) Brightman 142. 193. 244. 463 Z. 6; Hanssens, Institutiones III, 526.

5) Brightman 343.

6) Brightman 67.

7) Brightman 106; Hanssens III, 525, 527.

8) Brightman 67. 142. 343. In anderen Liturgien bleibt der Ruf meist ohne Antwort.

9) Missale Ambrosianum (1902) 183. Es wird dann noch hinzugefügt: *Benedicamus Domino.* — Der genannte Ruf mit ähnlicher Antwort bekanntlich auch am Schluß des römischen Reisesegens; s. Breviarium Rom., Itinerarium.

10) Missale mixtum (PL 85, 567 B).

gien entspricht, steht das erklärend beigefügte *missa est* ziemlich vereinzelt da[11]). Das Wort *missa* hat hier noch seine ursprüngliche Bedeutung: Entlassung, Schluß[12]). Immerhin muß es, als es in diese Formel aufgenommen wurde, in seiner Bedeutung schon so weit geprägt gewesen sein, daß es im besonderen auch technischer Ausdruck für die Auflösung einer Versammlung war, weil man sonst doch eher gesagt hätte: *finis est.* Diesen Sinn hat das Wort mindestens schon im 4. Jahrhundert[13]), während es anderseits schon dem frühen Mittelalter in dieser Bedeutung nicht mehr geläufig war. Wenn daher die Formel *Ite missa est* auch erst in den römischen Ordines literarisch bezeugt ist[14]), so wird man dennoch nicht fehlgehen, wenn man sie für ebenso alt hält wie die lateinische Messe selbst[15]). Dafür spricht auch die Tatsache, daß ähnliche Formeln im gesellschaftlichen Leben der Römer gang und gäbe waren. Nach einem Begräbnis wurde die Trauergesellschaft entlassen mit dem Wort: *Ilicet = Ire licet*[16]). Nach den Bronzetafeln von Iguvium (Gubbio in Umbrien) aus dem letzten Jahrhundert vor Christus wurde die Segnung des Volkes und die damit verbundene Verfluchung der Fremden

---

[11]) Äußerlich ähnlich ist zwar der Entlassungsruf, den das Stowe-Missale ed. Warner (HBS 32) 19 aufweist: *Missa acta est. In pace.* Aber hier ist *missa* schon in der Bedeutung „Messe“ gebraucht. Die Formel wird ein Versuch sein, die damals (9. Jh.) schon nicht mehr verstandene lateinische Entlassungsformel zurechtzurücken.

[12]) Vgl. oben 1, 230 f.

[13]) Das ergibt sich am deutlichsten daraus, daß das Wort im byzantinischen Hofzeremoniell in der Form μίσσα oder μίνσα fortlebt mit der Bedeutung „Entlassung aus Audienz und Sitzung“. Dölger, Antike u. Christentum 6 (1940) 88—92; vgl. die ganze Studie „Ite missa est“: ebd. 81—132. — Auch im kirchlichen Gebrauch ist *missa* für Entlassung aus dem Gottesdienst schon seit dem Ende des 4. Jh. bezeugt, u. a. in der Peregrinatio Aetheriae c. 25, 1 f; vgl. Jungmann, Gewordene Liturgie 36. 38.

[14]) Ordo Rom. I n. 21 (Andrieu II, 107; PL 78, 948); Capitulare eccl. ord. (Andrieu III, 109); Ordo von S. Amand (ebd. II, 167). — Eine Andeutung immerhin schon bei Avitus von Vienne, Ep. 1 (PL 59, 199; oben I, 230 Anm. 37).

[15]) Vgl. Dölger a. a. O. 108 ff, der zum Schluß kommt, daß die Formel um 400 schon gebräuchlich gewesen sein muß, daß aber eine Entlassung „mit dieser oder einer fast gleichen Formel“ auch schon vorausgesetzt sei, wenn Tertullian, De an. c. 9 (CSEL 20, 310), vom Schluß der Meßfeier sagt: *post transacta sollemnia dimissa plebe.*

[16]) So ist nach Servius die Stelle von den *novissima verba* bei Virgil, Aeneis VI, 231 zu verstehen; Dölger 123 f.

geschlossen mit dem Ruf: *Itote Iguvini*[17]). Andere Formeln waren festgesetzt zur Verabschiedung der Versammlungen des staatlichen Lebens[18]).

Dem Entlassungsruf wird in der römischen Messe einiges Gewicht und zugleich nun doch wieder eine religiöse Umrahmung gegeben dadurch, daß er mit dem *Dominus vobiscum* eingeleitet und mit dem *Deo gratias* des Volkes beantwortet wird. Das *Dominus vobiscum* ersetzt hier wie anderswo im Grunde nur die vokativische Anrede, die sonst der Aufforderung *Ite* vorangehen müßte[19]). Gesprochen wird dieses *Dominus vobiscum* auch im Hochamt vom Zelebranten selbst, so daß der Diakon nur als dessen Organ erscheint, wenn er darauf die Entlassung verkündet. Das *Deo gratias*, mit dem diese Verkündigung erwidert wird, steht in genauer Parallele zu demjenigen, mit dem das Volk in den liturgischen Quellen des frühen Mittelalters auch die Verkündigung der kommenden Festtage entgegennimmt[20]); es ist wieder nur der Ausdruck der Kenntnisnahme, aber eingetaucht in die christliche Grundgesinnung des Dankes[21]).

Das *Ite missa est* wurde in Rom ursprünglich in jeder Messe gebraucht[22]), gleichviel welchen Charakters sie war[23]), und wohl auch am Schluß anderer Gottesdienste[24]). Umgekehrt dürfte das *Benedicamus Domino* eine Schlußformel der gallikanischen Liturgie gewesen sein. Während es in den römischen Quellen vor der Jahrtausendwende anscheinend nicht nachweisbar ist[25]), treffen wir seine Spuren wesentlich

---

[17]) Dölger 130 f. — Bei der Isisfeier zu Kenchreä bei Korinth lautete ein Schlußruf nach Apuleius, Metamorph. XI, 17: λαοῖς ἄφεσις, was von den Humanisten wiedergegeben wird mit *populis missio*. Doch ist der griechische Ausdruck textkritisch angefochten. Dölger 124—130.

[18]) Senatssitzungen wurden in der Zeit der römischen Republik geschlossen mit den Worten: *Nemo vos tenet*. Die Comitien hat man in der Kaiserzeit verabschiedet mit der Formel: *Nihil vos moramur, patres conscripti*. Livius II, 56, 12 überliefert als Auflösungsformel, die der Tribunus sprach: *Si vobis videtur, discedite Quirites*. Dölger 122.

[19]) Oben I, 464.

[20]) Oben I, 538.

[21]) Oben I, 537 f.

[22]) So wie die älteren Ordines (oben Anm. 14) erwähnen auch die jüngeren nur das *Ite missa est:* Ordo sec. Rom. n. 15 (Andrieu II, 226; PL 78, 976); Ordo ‚Postquam' der Bischofsmesse (Andrieu II, 362; PL 78, 994).

[23]) Der römische Ordo der Quadragesima (Andrieu III, 260 f; PL 78, 949) bezeugt es für den Aschermittwoch und für die Fastenzeit.

[24]) Jedoch wird man dafür schwerlich mit Dölger 95 auf die sog. Litanei von Beauvais verweisen können; vgl. oben I, 499 Anm. 70.

[25]) Es erscheint um die Mitte des 12. Jh. im Ordo eccl. Lateran. im Stundengebet und in der Messe (ed. Fischer S. 1 und passim; s. das Register S. 165);

früher auf fränkischem Boden. Nach der Schilderung der Kommunionordnung an den Hochfesten, die um 800 der Ordo Angilberti bietet, geht man nach der *completio missae* auseinander *laudantes Deum et benedicentes Dominum*[26]). Um dieselbe Zeit heißt es in einem Krankenordo nach der Spendung der Kommunion: *Tunc data oratione in fine dicat sacerdos: Benedicamus Domino. Et respondeant omnes: Deo gratias, et expletum est*[27]).

Im 11. Jahrhundert ist aber zwischen beiden Schlußformeln ein Ausgleich vollzogen, derselbe, den wir heute kennen: das *Ite missa est* wird an den Tagen mit *Gloria* gebraucht, das *Benedicamus Domino* an den übrigen Tagen[28]). Doch war man bemüht, für diese rein äußerliche Abgrenzung einen tieferen Grund namhaft zu machen. Die Tage mit *Ite missa est* sind diejenigen mit Festcharakter, an denen das ganze Volk zusammenkommt, das dann am Schluß sinnvollerweise zum Gehen aufgefordert wird; dagegen seien die Tage mit *Benedicamus* diejenigen, an denen nur die *religiosi* anwesend sind, deren Leben ohnehin vorwiegend dem geistlichen Dienst gewidmet ist, weshalb der Priester sich selbst mit ihnen zusammen, ohne sich umzuwenden, zum weiteren gemeinsamen Lobpreis Gottes ermuntert[29]). Daß damit nicht der erschöpfende Grund für die heutige Ordnung angegeben ist, zeigt die Verwendung des *Benedicamus Domino* u. a.[30]) an den Sonntagen im Advent und von Septuagesima an[31]). Auch hätte man, wenn man so feinfühlig auf den Gemeinschaftscharakter der jeweiligen Feier hätte achten wollen, wenigstens in der reinen Privatmesse auf vieles andere, z. B. auf das *Dominus vobiscum*, verzichten müssen. Das *Benedicamus Domino* war ebensogut

---

vgl. Ordo Benedikts n. 8 f (PL 78, 1029 f). Die auffällige Betonung der Formel läßt erkennen, daß sie noch kaum recht eingelebt war.

[26]) Bishop, Liturgica historica 323.

[27]) Theodulf von Orleans, Capitulare II (PL 105, 222 C). Für das Officium bezeugt auch Amalar, Liber off. IV, 45, 5 (Hanssens II, 541; vgl. III, 445) das *Benedicamus Domino* mit dem *Deo gratias* als regelmäßigen Schluß. — Vgl. auch das *Benedicamus Domino* in der Mailänder Liturgie, oben Anm. 9.

[28]) Bernold, Micrologus c. 19 (PL 151, 990). Dieselbe Regel gilt im 12. Jh. in Rom; Ordo eccl. Lateran. (Fischer 3 Z. 30; 65 Z. 20).

[29]) Bernold, Micrologus c. 46 (PL 151, 1011). Ähnlich Durandus IV, 57, 7.

[30]) Vgl. auch das *Benedicamus Domino* bei Theodulf, oben Anm. 27.

[31]) Dem steht kaum entgegen die Begründung bei Bernold, Micrologus c. 46 (PL 151, 1011 D), die letztere Verwendung geschehe *pro tristitia temporis insinuanda.*

Entlassungsformel für die Versammlung der Gläubigen wie das *Ite missa est.* Darum wird es auch ebenso wie dieses mit *Deo gratias* beantwortet[32]); nur ist der Entlassungsruf darin religiös gewendet, ähnlich wie die Kenntnisnahme im *Deo gratias* einen religiösen Ausdruck gefunden hat. Richtig ist aber wohl, daß bei der Grenzziehung für den Geltungsbereich der beiden Formeln Überlegungen wie die oben genannten, insbesondere die Rücksicht auf den Feierlichkeitscharakter eine Rolle gespielt haben[33]). Auch wenn der Gottesdienst eine Fortsetzung fand, wie bei der Mitternachtsmesse an Weihnachten, wo die Laudes folgten, am Gründonnerstag, an der Oster- und Pfingstvigil, zog man die mit dem *Benedicamus Domino* gegebene Aufforderung zum Gotteslob vor[34]). Wenn das *Ite missa est* als Ausdruck der Freude galt, mußte es auch aus der Totenmesse verschwinden. Seit dem 12. Jahrhundert tritt dafür das *Requiescant in pace* ein[35]).

Wenn der Herold in alter Zeit die Auflösung einer Versammlung verkündete, so geschah dies mit entsprechendem Aufgebot seiner Stimme. Der Richter, der Staatsbeamte spricht, seiner Würde bewußt, in gemäßigtem Tone, der Herold läßt seinen Ruf laut über die Versammlung hin erschallen. Das konnte nicht viel anders sein, wenn es sich um die Entlassung aus dem Gottesdienste handelte[36]). Als weitere Steigerung

---

[32]) Darauf hat schon Kössing, Liturgische Vorlesungen 593, aufmerksam gemacht. — Die Entscheidung der Ritenkongregation vom 7. IX. 1816 (Decreta auth. SRC n. 2572, 22), daß der Zelebrant im Hochamt zwar nicht das *Ite,* wohl aber das *Benedicamus* und *Requiescant* leise mitzusprechen habe, wird wohl aus dem Gebetscharakter der letzteren Formeln zu verstehen sein.

[33]) Batiffol, Leçons 303, weist auf die Zusammenordnung des *Ite missa est* mit dem *Gloria* hin und spricht die Vermutung aus, daß das *Ite missa est* gleich diesem ursprünglich der bischöflichen Messe zugehört habe. Dölger 91 f fügt hinzu, daß eine solche Zugehörigkeit zur bischöflichen Messe verständlich wäre, wenn nicht bloß der Ausdruck *missa,* sondern auch die Formel *Ite missa est* in der kaiserlichen Hofsitte heimisch sein sollte, aus der seit Konstantin mit der Übertragung von Ehrenrechten manche Gebräuche auf die Bichöfe übergegangen sind. Doch handelt es sich vorerst um reine Vermutungen. Insbesondere ist zu beachten, daß das *Benedicamus Domino* in der vorkarolingischen römischen Liturgie nicht nachgewiesen ist.

[34]) Bernold, Micrologus c. 34. 46 (PL 151, 1005. 1011); vgl. Joh. Beleth, Explicatio c. 49 (PL 202, 56).

[35]) Stephan von Baugé († 1139), De sacr. altaris c. 18 (PL 172, 1303); Joh. Beleth, Explicatio c. 49 (PL 202, 56).

[36]) Dölger 132 erinnert an Cassian, De inst. coenob. XI, 16 (CSEL 17, 202), und an den Kommentar des Smaragdus († 830) zu c. 17 der Benediktusregel: *levita... elevata voce cantat: Ite missa est* (Dölger 119 f; anders allerdings der Text bei Migne, PL 102, 837 C).

muß für das *Ite missa est* auch frühzeitig ein eigentlicher Sington in Übung gekommen sein, und für diesen muß es im 10. Jahrhundert schon Melodien gegeben haben, die mit Melismen reich geschmückt waren; denn um diese Zeit setzen auch hier die Tropen ein, die erweiternden Texte, die für jede Note eine Silbe setzen[37]). Dagegen scheint es für das *Benedicamus Domino* in der Messe im allgemeinen keine Tropen gegeben zu haben[38]).

Das *Ite missa est* hat auch insofern noch eine sinngemäße Gestaltung als Aufruf an das Volk behalten, als man sich dabei ebenso wie beim Gruß auch wirklich noch dem Volke zuwendet. So ist der Ruf immerhin ein deutlicher Schlußpunkt der Feier geblieben[39]).

Im Pontifikalgottesdienst des Mittelalters hat die Feierlichkeit des Entlassungsaktes manchmal noch dadurch eine Erhöhung erfahren, daß hier, ähnlich wie am Schluß des Einzuges, die Gelegenheit ergriffen wurde zu huldigenden Zurufen an den Bischof[40]).

---

[37]) Blume-Bannister, Tropen des Missale I, S. 407—416. — Ein solcher Tropus, der im 12. Jh. in Seckau auftaucht, lautet: *Ite, Deo servite, Spiritus Sanctus super vos sit, iam missa est. Deo potenti nobis miserenti, ipsi demus dignas laudes et gratias;* a. a. O. 411.Derselbe Tropus u. a. im Regensburger Missale von 1485, das noch eine Reihe anderer Tropen und *Ite-missa-est*-Melodien enthält; Beck 240 f. Daraus, daß der entsprechende Tropustext für das *Deo gratias* nicht angegeben wird, erhellt, daß der angegebene Wortlaut vom Priester (oder Diakon) zu singen war. — In kroatischen Landpfarreien wird noch heute der Tropus *Ite benedicti et electi* (Blume S. 412) gesungen. Mitteilung von D. Kniewald, Eph. liturg. 54 (1940) 222.

[38]) Blume a. a. O. führt keine Tropen an. Das eben genannte Regensburger Missale gibt für das *Benedicamus Domino* nur eine einzige Melodie ohne Tropen; Beck 241. Doch bietet das Missale von Braga (1924) 332—334 für Weihnachten und Epiphanie neben dem einfachen *Ite missa est* je einen (in die Worte *benedicunt Domino* ausklingenden) Tropus. — Das *Benedicamus Domino* am Schluß des Officiums ist schon im 11./12. Jh. nicht nur mit Tropen ausgestattet, sondern auch von den Anfängen des mehrstimmigen Gesanges erfaßt worden. Ursprung 120 f.

[39]) Aus einigen französischen Kathedralen wird im 18. Jh. der Brauch berichtet, daß sich der Diakon beim *Ite missa est* gegen Norden wandte; de Moléon 11. 169. 429. Hier scheint der symbolische Gesichtspunkt, der die Stellung des Diakons bei der Evangelienlesung bestimmt, eingewirkt zu haben.

[40]) Es wurde der entsprechende Abschnitt der *laudes gallicanae* verwendet, der allerdings manchmal zu einer fürbittenden Litanei oder einer Art Segenspendung des Bischofs geworden zu sein scheint; s. H. Leclercq, Laudes gallicanae: DACL VIII, 1906 f. Vgl. oben I, 499 Anm. 70.

3. Abschied vom Altar

Wenn der Diakon im Ersten römischen Ordo das *Ite missa est* gerufen hat, setzen sich sofort die sieben Leuchterträger und der Subdiakon mit dem Rauchfaß in Bewegung und gehen dem Papst zum Secretarium voran[1]). Das *Ite missa est* ist also der wirkliche Schluß der Messe. Bei den Kartäusern verläßt auch heute noch der Priester nach diesen Worten sofort den Altar[2]). Nur eine kurze Zeremonie vollzieht sich noch im Weggehen, die im ersten Ordo wohl nur zufällig nicht erwähnt ist[3]): der Kuß des Altares als Abschiedsgruß, der das Gegenstück bildet zum Kuß der Begrüßung am Beginn der Messe[4]).

Ein solcher oder ein ähnlicher Abschiedsgruß ist auch in anderen Liturgien üblich. Bei den westsyrischen Jakobiten ist es ebenfalls ein Kuß, dem hier ein dreifaches Lebewohl von hoher poetischer Schönheit folgt; es beginnt: „Verbleibe in Frieden, heiliger und göttlicher Altar des Herrn! Ich weiß nicht, ob ich zu dir noch einmal zurückkehren werde oder nicht. Möge der Herr mir gewähren, dich zu sehen in der Kirche der Erstgeborenen im Himmel[5]). Auf diesen Bund setze ich mein Vertrauen“[6]).

Auch in der römischen Messe ist auf fränkischem Boden zu diesem Altarkuß alsbald ein Begleitwort hinzugetreten, ebenso wie es zum begrüßenden Kuß am Anfang geschehen ist — es waren die einzigen Altarküsse, die damals gebräuchlich waren. Das Sakramentar von Amiens aus dem 9. Jahrhundert bestimmt: *Expleto officio sanctum osculetur altare dicens: Placeat tibi, sancta Trinitas*[7]). Das Gebet, das in den

---

[1]) Ordo Rom. I n. 21 (Andrieu II, 107; PL 78, 948).

[2]) Er spricht nur noch das *Placeat*, das aber schon als Privatgebet gilt, und am Fuße des Altars nach jüngerer Vorschrift noch ein *Pater noster*.

[3]) So auch Dölger, Antike u. Christentum 2 (1930) 193.

[4]) Oben I, 406 f. Die oft vorgebrachte Erklärung, daß der Priester im Altarkuß hier den Segen (und ähnlich in anderen Fällen den Gruß für das Volk) zuerst selbst von Christus entgegennehmen müsse, scheitert u. a. daran, daß der in Rede stehende letzte Altarkuß auch in der Totenmesse geschieht, wo kein Segen folgt.

[5]) Hebr 12, 23.

[6]) Brightman 109.

[7]) Leroquais (Eph. liturg. 1927) 444. Das Gebet hat genau den heutigen Wortlaut, jedoch fehlt eine Schlußformel (die Schlußwendungen des Gebetes auch in der Apologie *Deus qui de indignis*, ebd. 440 f). Darauf folgt nur noch ein Gebet nach dem Ablegen der Gewänder. — Gleichfalls in Verbindung mit dem Altarkuß im Sakramentar von Le Mans (9. Jh.): Leroquais I, 31; im Sakramentar von Fulda (10. Jh.): Richter-Schönfelder n. 28; im Sakramentar des Ratoldus:

folgenden Jahrhunderten überall, wenn auch nicht allgemein[8]), im Gebrauche stand, ist, wie schon die trinitarische Anrede erkennen läßt, gallischen Ursprungs[9]). Es war ein durchaus naheliegender Gedanke, beim Abschied vom Opfertisch noch einmal um Gottes Gnadenblick zu bitten für das, was hier geschehen ist. Noch einmal tritt der Doppelsinn der Darbringung hervor: Ehrung der göttlichen Majestät, bei der unser Tun gnädige Aufnahme finden möge, und Bitte für eigene und fremde Anliegen, die huldvoll erhört werden möge.

Als einziges Gebet nach der Kommunion wird das *Placeat* in der Mitte des Altares gesprochen, weil es eben die Kußgebärde zu begleiten hat. Wie diese eine persönliche Handlung des Priesters ist, so ist das Gebet auch im Singular gehalten. Als Gegenstück zum *Oramus te Domine*, das zum Altarkuß am Anfang hinzutritt und ebenfalls für die eigene Person *(peccata mea)* bittet, wird das *Placeat* auch dadurch kenntlich, daß es gleich jenem in verbeugter Haltung und mit auf dem Altar aufruhenden Händen sowie mit leiser Stimme verrichtet wird[10]). In Meßbüchern

---

PL 78, 245 B. — Die ausdrückliche Verbindung mit dem Altarkuß ist in den älteren Texten fast allgemein; s. auch Bernold, Micrologus c. 22 (PL 151, 992): *osculatur sacerdos altare dicens.* Ebenso das gleichzeitige Missale von St. Vinzenz (wo ausnahmsweise der Text erweitert ist, u. a. durch Erwähnung der Verstorbenen; Fiala 216). Ein Beispiel noch aus dem 14. Jh.: Ebner 175.

[8]) In Deutschland bedurfte es im 14. Jh. erst noch dringender Empfehlung, die auch durch eine Legende gestützt wurde; Franz 511. Das Gebet fehlt auch in manchen englischen Meßordnungen, z. B. in der von York (Simmons 116).

[9]) Das Sakramentar von S. Denis (11. Jh.): Martène 1, 4, V (I, 528 B), hat den gallikanischen Schluß: ... *propitiabile. Per te Trinitas sancta, cuius gloriosum regnum permanet in saecula saeculorum.* Spanische Meßordnungen seit dem 11. Jh. weisen den Schluß auf: ... *propitiabile. Rex regum qui* (mehrere Hss erweitern: *in Trinitate perfecta) vivis;* Ferreres 208. 210. Für gewöhnlich hat das Gebet den Schluß *Qui vivis,* so schon im 11. Jh. im Meßordo von Séez (PL 78, 251 A) und in der Missa Illyrica: Martène 1, 8, IV (I, 517 B), ebenso auch noch am Ausgang des Mittelalters, z. B. Alphabetum sacerdotum: Legg, Tracts 49 f; Ordinarium von Coutances: ebd. 67. — Der Schluß *Per Christum* findet sich bei Bernold, Micrologus c. 23 (PL 151, 995), und scheint in Italien von jeher, d. h. seit dem 11. Jh., üblich zu sein, wenn die Angaben bei Ebner 299. 302. 317. 324. 331, 339 („wie jetzt") auch auf den Schluß zu beziehen sind. Auch in deutschen Meßbüchern: Beck 272. 311. Mit dem *Per Christum* ist im Missale Romanum dieselbe Lösung durchgedrungen wie beim Gebet *Suscipe sancta Trinitas* (oben 57), mit dessen Grundtypus sich das *Placeat* auch durch die Hervorhebung des *offerre pro* verwandt zeigt.

[10]) Die verbeugte Haltung wird beim *Placeat* im Mittelalter nur ausnahmsweise ausdrücklich erwähnt, z. B. im Augsburger Missale von 1386 (Hoeynck 376), im Alphabetum sacerdotum (Legg, Tracts 49).

namentlich vom 11. bis zum 13. Jahrhundert, ist an das *Placeat* öfter ein zweiter Gebetsspruch angeschlossen, der die Beziehung zum Altarkuß noch deutlicher hervortreten läßt: *Meritis et intercessionibus omnium sanctorum suorum misereatur nobis omnipotens Dominus*[11]). Der Spruch, der in der Regel nur auftritt, wo vorher der Altarkuß erwähnt ist, steht in offensichtlicher Parallele zur Nennung der im Altar ruhenden Reliquien beim *Oramus te Domine* am Anfang. Mehrfach erscheint er denn auch zur Form erweitert: *Meritis et intercessionibus istorum et omnium sanctorum*[12]). Durch solche Zutaten ist dann allerdings gegen Ende des Mittelalters der eigentliche Sinn dieses Altarkusses als Abschied einigermaßen verdunkelt worden[13]).

4. Der priesterliche Schlußsegen

Wenn heute der Bischof nach dem Pontifikalamt den Dom verläßt, geht er segnend durch die Reihen der Gläubigen, die dabei das Knie beugen. Etwas Ähnliches geschah, wie uns der Erste römische Ordo berichtet[1]), schon am Schluß des römischen Stationsgottesdienstes. Wenn der Papst nach dem *Ite missa est* vom Altar herabgestiegen war und sich unter Vorantritt des Thurifer und der sieben Leuchterträger und begleitet von den Diakonen[2]) zum Gehen anschickte, traten zuerst die

---

[11]) Meßordo von Séez: PL 78, 251 A; vgl. die verwandten Meßordnungen: Martène IV. XV (I, 517 B. 594 C); 1, 4, 9, 9 (I, 424 E). — Ebner 20. 139. 158. 164. 169. 311. 331. 349; Köck 135 (drei Beispiele). Zwei Fälle noch aus dem 15. Jh.: Ebner 158; Köck 136. Auch ein Passauer Missaledruck: Lentze (Anal. Praem. 1950) 147. — Zwei Zisterziensermissalien des 13. Jh. aus Tarragona: Ferreres 210. Das Gebet begleitete den Altarkuß noch im Zisterzienserritus des 17. Jh.: Bona II, 20, 4 (905); Schneider (Cist.-Chr. 1927) 265. — Die Formel dem *Placeat* vorausgehend: Ebner 189. — Vereinzelt kommt der Spruch auch für sich allein vor, ohne vorausgehendes *Placeat:* Sakramentar von Modena (vor 1173): Muratori I, 95; Seckauer Missale um 1170: Köck 135 (n. 479). — In einer venezianischen Hs des ausgehenden 11. Jh. ist der Spruch von mehreren Parallelformeln begleitet: Ebner 20.

[12]) Vetus Missale Lateranense (um 1100): Ebner 169. Ebenso in den Zisterzienser-Missalien seit dem 13. Jh. (vorige Anm.); Kölner Kanon des 14. Jh. (Peters, Beiträge 81); auch schon in der Missa Illyrica: Martène 1, 4, IV (I, 517 B). — Zum *istorum* vgl. oben 62 f.

[13]) Es ist aber bemerkenswert, daß im Regensburger Meßordo um 1500 ein neuer Abschiedskuß erscheint: vor dem Schließen des Buches küßt der Priester das Kreuz im Missale; Beck 272.

[1]) Ordo Rom. I n. 21 (Andrieu II, 108; PL 78, 948).

[2]) Vgl. Ordo von S. Amand (Andrieu II, 167).

Bischöfe vor und sprachen das *Iube domne benedicere*, worauf der Papst antwortete: *Benedicat nos Dominus.* Dasselbe taten dann die Priester, dann die Mönche und die Schola[3]). Es folgten im Weiterschreiten des Zuges die adeligen Fahnenträger *(milites draconarii)*, die Fackelträger, die Akolythen, die an den Schranken die Aufsicht hatten, die Kreuzträger und die weiteren Organe des kirchlichen Dienstes[4]).

Ein solcher Segen im Weggehen war schon alte bischöfliche Gepflogenheit[5]). Er ist auch in nördlichen Ländern, wenn nicht schon immer in Übung gewesen, so doch mindestens mit der Aufnahme römischer Liturgie in Übung gekommen[6]). Doch lag hier zunächst ein Vorrecht des Bischofs vor. Gerade in den nördlichen Ländern waren die alten Rechtssatzungen unvergessen, daß der einfache Priester im öffentlichen Gottesdienst[7]) nicht segnen dürfe[8]). Karolingische Rechtssammlungen schärften diese Vorschrift, die die überragende Hirtenstellung des Bischofs schützen wollte, aufs neue ein[9]). Doch war daneben

---

[3]) Soweit auch Ordo sec. Rom. n. 15 (Andrieu II, 227; PL 78, 976), mit der Variante *vos* statt *nos*. Vgl. übrigens als Spruch der Christen schon bei Tertullian, De test. an. c. 2 (CSEL 20, 136): *Benedicat te Deus.*

[4]) Daß die einzelnen Gruppen die Segensbitte sprechen, ist jedenfalls die Auffassung des fränkischen Auszugs aus dem Ordo Rom. I (Andrieu II, 227; PL 78, 984). Nach dem Ordo ‚In primis' der Bischofsmesse (Andrieu II, 336; PL 78, 990) soll die Schola die Segensbitte und nach dem Segen ein *Amen* mit lauter Stimme rufen.

[5]) Aetheriae Peregrinatio c. 24, 2 (CSEL 39, 71): *Et post hoc* (am Ende des täglichen Morgengottesdienstes, nach der Segnungsoration über die Gläubigen) *... omnes ad manum ei accedunt et ille eos uno et uno benedicet exiens iam, et sic fit missa.* Das *ad manum accedere* dürfte bedeuten, daß der Bischof den einzelnen, die an seinem Wege knien, im Vorübergehen noch die Hand auflegt; vgl. Konzil von Laodicea can. 19 (Mansi II, 567), wo die Büßer nach der Vormesse vor ihrem eigenen Weggang ὑπὸ χεῖρα, d. i. zur Handauflegung herantraten; vgl. oben I, 610 Anm. 18. — Ambrosius, Ep. 22, 2 (PL 16, 1020). — Es ist aber nicht ausgeschlossen, daß ein Handkuß damit gemeint ist, wie Dölger, Antike u. Christentum 3 (1932) 248; 6 (1940) 98, annimmt.

[6]) Vgl. oben Anm. 3 und 4.

[7]) Das Recht privater Segensspendung *per familias, per agros, per privatas domos* war dem Presbyter schon auf dem Konzil von Riez (439) can. 5 al. 4 (Mansi V, 1193) zuerkannt worden.

[8]) Mit besonderer Entschiedenheit war das ausgesprochen auf der Synode von Agde (506) can. 44 (Mansi VIII, 332): *Benedictionem super plebem in ecclesia fundere ... presbytero penitus non licebit.*

[9]) Benedictus Levita, Capitularium collectio III, 225 und Add. IV, 71 (PL 97, 826. 898); Herard von Tours, Capitularia n. 78 (PL 121, 769). Es ist jedoch nicht ausgeschlossen, daß die hier erneuerten Verbote sich zunächst

schon früh eine zweite Auffassung verbreitet und zum Teil auch schon in Canones verankert, die dem Priester das Segnungsrecht, und zwar auch für den Schlußsegen in der Messe, nur *praesente episcopo* absprach[10]). Demgemäß war ja auch schon in der gallikanischen Messe des 7. Jahrhunderts ein priesterlicher Schlußsegen — nach dem *Pater noster* — in Übung gewesen[11]).

Es war natürlich, daß die Verfechter der gallikanischen Überlieferung und der darin dem Priester eingeräumten Rechte auch dieses Segnungsrecht nicht leichthin preisgeben wollten, zumal man sich dafür, so wie von jeher, auf das Verlangen des Volkes und auf das seelsorgliche Bedürfnis berufen konnte[12]). Beim Übergang zur römischen Messe, d. h. zunächst zu den gelasianischen Sakramentaren, bot sich immerhin noch in einem Großteil der Meßformularien ein Segnungsgebet *super populum* am Schluß der Messe dar, dem sogar eine förmliche Aufforderung zum Segensempfang vorausging. Dabei mochte man die Verlegung des Segens auf den wirklichen Schluß der Messe willkommen heißen; denn ein Weggang der Nichtkommunikanten schon nach

---

dagegen richteten, daß der feierliche gallikanische Pontifikalsegen, der ja von den Bischöfen auch in die römische Messe herübergenommen worden war, durch Priester gebraucht wurde *(benedictionem publice fundere)*.

[10]) Im ersten Konzil von Orleans (511) can. 26 (Mansi VIII, 355) war bestimmt worden: ... *populus non ante discedat, quam missae sollemnitas compleatur, et ubi episcopus fuerit, benedictionem accipiat sacerdotis.* Kraft dieser Bestimmung war, entsprechend der älteren Phase der Rechtsentwicklung, (in der gallischen Messe) nur ein Schlußsegen des etwa anwesenden Bischofs zugelassen (vgl. oben 365 f). Der Kanon wurde in den mittelalterlichen Rechtssammlungen weitergegeben, aber bereits in der Hispana (vor 633) erscheint er mit der umdeutenden Variante: *ubi episcopus defuerit* (soll man den Segen des *sacerdos* = des Presbyters empfangen), was sachlich dem can. 7 des 2. Konzils von Sevilla (619; Mansi X, 559) und einer schon um die Wende des 6. Jh. belegbaren Praxis entsprach. J. Lechner, Der Schlußsegen des Priesters in der hl. Messe (Festschrift E. Eichmann, Paderborn 1940) 654 ff. 658 f. Für dieselbe Auffassung wirbt bereits am Beginn des 7. Jh. die später weitverbreitete ps.-hieronymianische Schrift De septem ordinibus ecclesiae (PL 30, 148—162; bzw. 152—167); Lechner 666—672. — Wie sehr man um das 7. Jh. das Besondere der bischöflichen Vorrechte in der Segensgewalt erblickt hat, wird deutlich aus der Aufzählung „De gradibus in quibus Christus adfuit", die u. a. im Missale von Bobbio (ed. Lowe: HBS 58, S. 178) erscheint: Das bischöfliche Amt hat Christus ausgeübt, als er die Hände über die Jünger erhob und sie segnete. Über die theologischen Zusammenhänge dieser Auffassung s. W. Croce, Die Niederen Weihen und ihre hierarchische Wertung: ZkTh 70 (1948) 297 f.

[11]) Oben 365.

[12]) Lechner 662. 672. 683 f.

dem *Pater noster* wäre nunmehr einer allgemeinen Flucht aus dem Gotteshause gleichgekommen. Als aber der weitere Übergang zum gregorianischen Sakramentar zu vollziehen war und nur mehr die Postcommunio als *ultima benedictio* übrigblieb[13]), werden viele darin keinen vollwertigen Ersatz mehr haben erblicken wollen und dafür, soweit man nicht einfach die *oratio super populum* im gewöhnlichen Meßordo beibehielt[14]), Segnungsgeste und Segnungswort in Anspruch genommen haben von der Art, wie sie in den römischen Ordines beim Weggang vom Altar verzeichnet waren. Diese Weise der Segnung muß sich dann bis zum 11. Jahrhundert weithin durchgesetzt haben[15]).

Dabei ist es auffällig, daß die eigentlichen liturgischen Quellen erst verhältnismäßig spät diesen neuen Schlußsegen erwähnen. Denn es schweigen darüber nicht nur die liturgischen Texte des 11., sondern auch die des 12. Jahrhunderts noch fast vollständig[16]). Das ist indessen durchaus verständlich, einmal weil der Segen ja erst „nach der Messe" gegeben wurde — auch heute folgen in vielen Kirchen „nach der Messe" die verschiedensten Anhängsel, die in keinem liturgischen Buch stehen — und weil man dabei zunächst immer noch einigermaßen ein schlechtes Gewissen hatte und lieber nicht viel von der Sache reden mochte. Doch muß man daraus, daß selbst vereinzelt noch im späten Mittelalter Meßordnungen und darunter auch solche, die im übrigen den Schluß der Messe genau umschreiben, den Hinweis auf eine Segensspendung vermissen lassen, schließen, daß der Segen an manchen Orten auch wirklich nicht gegeben wurde. Das gilt besonders[17]) für Klosterkirchen, in deren zahlreichen Privatmessen ja auch tatsächlich meist keine Notwendigkeit

---

[13]) Oben 426 Anm. 11.

[14]) Oben 535.

[15]) Darin, daß dieser priesterliche Schlußsegen in die Zeit Karls des Großen zurückreichen muß, wird man Lechner 679 f zustimmen müssen, wenn auch die von ihm gebotene nähere Erklärung, wie angedeutet, der Ergänzung bedarf.

[16]) Eine Ausnahme bildet das Sakramentar des ausgehenden 11. Jh. aus Brescia bei Ebner 17 mit der Weisung, *finita missa* das Volk zu segnen: *Benedictio Dei Patris et Filii et Spiritus Sancti descendat super vos.* Die italischen Meßbücher erwähnen im übrigen selbst um die Wende des 12. Jh. den Segen noch nicht; siehe z. B. Ebner 334. 336.

[17]) Nicht ausschließlich. In England hat von den vier bei Maskell 202 f wiedergegebenen Meßordnungen des ausgehenden Mittelalters keine eine Segnung des Volkes. Zwei derselben lassen auf das *Placeat* die Worte *In nomine Patris ...* folgen, die man wohl mit einer Selbstbekreuzung verbunden hat; vgl. unten Anm. 31. Auch in einzelnen französischen Kathedralen war im Hochamt kein Schlußsegen, und zwar sogar noch um 1700; de Moléon 159. 169; vgl. 200.

für eine Segensspendung vorlag. In diesem Sinn schließt schon das Dominikaner-Ordinarium von 1256 den Meßordo mit der Bemerkung: *Et si consuetudo patriae fuerit et extranei affuerint hoc expectantes, det benedictionem secundum modum patriae*[18]). Das Schweigen gerade monastischer Meßbücher um das Ende des Mittelalters muß darum in der Regel als Verzicht auf die Segensspendung verstanden werden. Benediktiner[19]), Zisterzienser[20]), Prämonstratenser[21]) und Dominikaner[22]) haben erst später den Schlußsegen in ihre Meßordnung aufgenommen, die Kartäuser haben es bis heute nicht getan[23]).

Dagegen ist ein anderer Schlußsegen im sonntäglichen Hochamt gerade in den Klöstern heimisch, der Segen über den Lektor der Tischlesung der kommenden Woche[24]).

---

[18]) Guerrini 245. Dieselbe Bemerkung auch im Ordinale der Karmeliten (um 1312; ed. Zimmerman 84); auch noch im Karmelitenmissale von 1514 (nach Eisenhofer II, 223).

[19]) Der Schlußsegen fehlt noch im Missale des Klosters Fécamp um 1300 und um 1400: Martène 1, 4, XXVI f (I, 638. 642); im Lyoner Klostermissale von 1531: ebd. XXXIII (I, 661 D). — Im Hinblick darauf ist es bedeutsam, daß der benediktinische Liber ordinarius von Lüttich (Volk 97), der sonst meist wörtlich das Dominikaner-Ordinarium wiederholt, die oben genannte Bemerkung desselben als überflüssig übergeht.

[20]) Wie Bona II, 20, 4 (905) bemerkt, war der Segen im Orden erst *paucis abhinc annis* eingeführt worden (sein Werk erschien 1671); vgl. Schneider (Cist.-Chr. 1927) 266 f.

[21]) Die Segensspendung ist zum ersten Male einbezogen im Liber ordinarius von 1622; Waefelghem 98 Anm. 0.

[22]) Ein Dominikaner-Missale, das 1562 in Venedig erschien, hat noch keinen Schlußsegen; Ferreres 213.

[23]) Als Grund wird in einer Schrift des 15. Jh. angegeben: weil sie keine Gemeinden haben. Franz 595.

[24]) Regula s. Benedicti c. 38: *Qui ingrediens post missas et communionem petat ab omnibus pro se orari, ut avertat ab ipso Deus spiritum elationis.* Er beginnt selbst dreimal: *Domine labia mea aperies,* worauf er den Segen empfängt. — Dieser Segen ist später manchmal in die Meßliturgie eingebaut worden; s. schon Sakramentar von Fulda (Richter-Schönfelder n. 29) im Anschluß an den Meßordo: es werden über den Leser einige Versikel und darauf die Segensformel gesprochen: *Dominus custodiat introitum tuum et exitum tuum et auferat a te spiritum elationis.* Vgl. Udalrici Consuet. Clun. II, 34 (PL 149, 725 f); Missale Westmonasteriense (um 1380) ed. Legg (HBS 5) 524 und den Kommentar des Herausgebers (HBS 12) 1506 mit Hinweis auf klösterliche Consuetudines des 11. Jh. — Siehe auch Liber ordinarius von Lüttich (Volk 97 Z. 16), wo der Segen auf das *Placeat,* Missale von Monte Vergine (15. Jh.; Ebner 158), wo er auf das *Ite missa est* folgt. — Vgl. auch Köck 59; Radó 56; de Moléon 135. 392; Schneider (Cist.-Chr. 1927) 267 f.

Die Anführung einer besonderen Segnungsformel war übrigens auch deswegen meist überflüssig, weil man jeweils einfach die landesübliche Formel gebrauchte, wie sie auch bei der privaten Segnung von jeher gebräuchlich war[25]). Darum treten uns dort, wo Segnungstexte mitgeteilt werden, sofort die verschiedensten Formulierungen entgegen.

Dabei bleibt der Zusammenhang mit der Segensspendung, wie sie von den römischen Ordines berichtet wird und wie sie sich zunächst im bischöflichen Gottesdienst immer fester eingewurzelt hat, doch deutlich sichtbar. Die Liturgieerklärer schenken dieser bischöflichen Segensspendung nun immer stärkere Beachtung[26]). Schon um die Mitte des 12. Jahrhunderts wird dieser Segen auch in Rom nicht mehr im Weggehen, sondern noch vom Altar aus gegeben[27]). Zu Beginn des 14. Jahrhunderts begegnet er uns bereits in gehobener Gestalt[28]). Es ist derselbe Segensritus, der seither im bischöflichen Pontifikalamt und auch in der bischöflichen Privatmesse üblich geworden ist[29]). Diese römische Weise ist schon im späteren Mittelalter auch außerhalb von Rom und Italien vielfach in Übung gekommen[30]). So konnte mehr und mehr auch das lebendige Vorbild des bischöflichen Ritus die priesterliche Segensspendung ermutigen und dies in den nördlichen Ländern um so mehr, als der an dieser Stelle — wohl meist bei minder festlichen Gelegenheiten — vom Bischof gegebene Segen nicht die hoch-

---

25) Ordinarium O. P. von 1256 (oben 548). Auch zwei Minoritenmissalien des 13. und des 13./14. Jh. (Ebner 317, 351) vermerken nur die Segnung, ohne eine Formel anzugeben, ebenso das Augsburger Missale von 1386 (Hoeynck 376).

26) Sicard von Cremona, Mitrale III, 8 (PL 213, 143); Innozenz III., De s. alt. mysterio VI, 14 (PL 217, 914); vgl. Durandus IV, 59.

27) Ordo eccl. Lateran. (Fischer 87 Z. 18).

28) Ordo des Kard. Stefaneschi n. 53 (PL 78, 1169 D): vorher soll der Papst *cum nota* singen: *Sit nomen Domini benedictum.*

29) Caeremoniale episc. I, 25; I, 29, 11. — Im feierlichen Pontifikalamt wird, soweit nicht nach dem Evangelium eine Predigt stattgefunden hat, an dieser Stelle mit der Segensspendung noch die *publicatio indulgentiae* (vgl. oben I, 633) verbunden, die Verkündigung eines Ablasses von 40, bzw. von 100 Tagen.

30) Liber ordinarius von Lüttich (um 1285; Volk 103 Z. 32). Um dieselbe Zeit erwähnt diese Segensspendung Durandus in seinem Pontifikale neben dem gallikanischen Pontifikalsegen als eine minder feierliche Weise, die der Bischof anwendet, wenn er am Schluß des Offiziums oder einer nicht von ihm selbst zelebrierten Messe den Segen spendet. Dagegen sei dieser Schlußsegen in der Messe nicht nötig, wenn vorher der genannte feierliche Pontifikalsegen gegeben worden ist. Martène 1, 4, XXIII (I, 623 C); Andrieu, Le Pontifical III, 655 f. — Vgl. auch Durandus, Rationale IV, 59, 7.

feierliche Form des gallischen Pontifikalsegens hatte, der immerhin dem Bischof vorbehalten bleiben mochte. Wir werden aber auch unmittelbar an das schlichte *Benedicat nos Dominus* der römischen Rubrikenbüchlein erinnert, wenn in den allmählich sich verdeutlichenden Angaben über diesen priesterlichen Segen des öfteren die Selbstbekreuzung erscheint[31]) oder wenn außerdem Formeln, die dann stufenweise weiter ausgebaut werden, mit den gleichen Worten beginnen[32]) oder doch den Segnenden sonstwie bescheiden mit einschließen[33]). Verhältnismäßig selten sind daneben Formeln oder Varianten, die auf das *vos* angelegt sind: *Benedicat vos*[34]), *Benedictio ... descendat et maneat super vos* usw.[35]). Die heutige Formel *Benedicat vos omnipotens Deus Pater et Filius et Spiritus Sanctus* erscheint u. a. auf der Synode von Albi (1230)[36]).

Da und dort steigert sich dann aber die Feierlichkeit dieses priesterlichen Schlußsegens und er nimmt Formen an, die nach heutigen Begriffen schon dem bischöflichen Ritus angehören. Es gehen ihm die ein-

---

[31]) So im Sarum Ordinary des 13. Jh. (Legg, Tracts 228): Selbstbekreuzung mit *In nomine Patris...;* ebenso in den jüngeren Texten von Sarum: ebd. 268 und Martène 1, 4, XXXV (I, 671 B). Von einer Segnung des Volkes ist hier gar nicht ausdrücklich die Rede.

[32]) Meßordnung ‚Indutus planeta' (Legg, Tracts 188): *Benedicat nos et custodiat omnipotens Dominus Pater...;* ähnlich das Caeremoniale O. F. M. von 1254 (ed. Golubovich: Archivum Francisc. hist. 1910, 72). — Pariser Missale des 14. Jh. (Leroquais II, 182): *Benedicat nos Deus omnipotens P. et F. et Sp. S.* — Missale von Toul (um 1400; Martène 1, 4, XXXI [I, 652 E]): *Benedicat nos divina maiestas et una Deitas, Pater...* — Deutsche Missalien des 15./16. Jh. (Köck 136; Beck 310; vgl. 272): *Benedictione coelesti benedicat nos divina maiestas et una Deitas...* — Meßordo von Bec (Martène 1, 4, XXXVI [I, 675 D]): *Dominus nos benedicat...* (mit breiter Ausführung). — Ein Franziskanermissale des 13. Jh. (Leroquais II, 129): *In unitate Sancti Spiritus benedicat nos Pater...*

[33]) Alphabetum sacerdotum (Legg, Tracts 51): *Et benedictio... descendat super nos...;* Brauch von Tongern im 15./16. Jh. (de Corswarem 144): *Benedicat et custodiat nos et vos divina maiestas...*

[34]) Vgl. jedoch schon oben Anm. 16.

[35]) Salzburger Missale des 12./13. Jh.: Köck 135.

[36]) P. Browe, Eph. liturg. 45 (1931) 384. Die Formel steht auch im Ordo des Kard. Stefaneschi (um 1311) n. 71 (PL 78, 1192 A). — Zwei andere Segnungsformeln mit *vos* gibt Durandus, Instructiones et constitutiones (ed. Berthelé S. 77; Browe 384 Anm. 4): *In unitate Sancti Spiritus benedicat vos Pater et Filius; Benedicat et custodiat vos omnipotens Dominus P. et F. et Sp. S.* Ein Metzer Missale von 1324 (Leroquais II, 208): *Benedicat vos divina maiestas, una Deitas...* — In Deutschland bezeugt uns um 1450 Egeling Becker die Formel: *Coelesti benedictione benedicat vos et custodiat vos P. et F. et Sp. S.;* Franz 549. Sie war auch in Skandinavien vorherrschend; Segelberg 260.

leitenden Versikel voraus, die anderswo schon im 13. Jahrhundert als Sondergut des bischöflichen Segensritus gelten[37]): *Sit nomen Domini benedictum ...* und *Adiutorium nostrum in nomine Domini*[38]). Man begleitet die Segensworte nicht mit einem einfachen Kreuzzeichen, sondern mit einem dreifachen[39]) oder vierfachen[40]) — nach den vier Himmelsrichtungen. Man trägt sie im Gesangton vor[41]). In allen diesen Dingen hat das Missale Pius' V. und dann endgültig dessen Revision durch Clemens VIII. (1604) deutliche Grenzlinien gezogen.

Anderseits kam auch im Mittelalter das Bewußtsein verschiedentlich zum Ausdruck, daß sich auch im Schlußsegen der Unterschied zwischen bischöflicher und priesterlicher Segensgewalt offenbaren solle. Der Bischof bildete das Kreuzzeichen mit der Hand, der Priester sollte sich eines geheiligten Gegenstandes bedienen. Schon im 11. Jahrhundert war es mancherorts Brauch, mit Reliquien, die man während

---

[37]) Durandus IV, 59, 7. — Gabriel Biel, Canonis expositio, lect. 89, sieht sich in der gleichen Auffassung durch die Tatsache irregemacht, daß eben auch Priester diese Versikel gebrauchen.

[38]) Salzburger Missale des 12./13. Jh.: Köck 135; süddeutsche Meßordnungen des 15. und 16. Jh.: Beck 272. 310; Franz, Die Messe 754. — Aber (meist mit geänderter Reihenfolge der beiden Versikel) auch in französischen Meßordnungen seit dem 14. Jh.: Leroquais II, 182. 208; de Moléon 200; Legg, Tracts 50. 67; Martène 1, 4, XXVIII. XXXI (I, 645 E. 652 E). — Eine noch feierlichere Form liegt vor im klösterlichen Breviarium von Rouen (Martène 1, 4, XXXVII [I, 678 f]): den beiden Versikeln geht noch voraus der Lobspruch: *Te invocamus, te adoramus, te laudamus, o beata Trinitas!* Auf denselben folgen vier Orationen, dann weitere Versikel und die doppelte Segnungsformel: *A subitanea et improvisa morte et a damnatione perpetua liberet nos P. et F. et Sp. S., Et benedictio Dei omnipotentis P. et F. et Sp. S. descendat et maneat super nos. Amen.* Ähnlich das Alphabetum sacerdotum (um 1495): Legg, Tracts 50 f; vgl. auch Ordinarium von Coutances (1557): ebd. 68; der Segnungsritus folgt in allen drei Fällen erst auf das Johannesevangelium. — Eine ältere Gestalt dieses Ritus bietet ein Missale von Rouen (Martène 1, 4, XXVI Anm. [I, 638 E]): der Segen steht in schlichterer Fassung vorher, nur die Orationen folgen auf das Evangelium. — In abgeschwächter Form auch im Ritus der Privatmesse des Klosters Bec: ebd. XXXVI (I, 675).

[39]) So schon in einem Sakramentar des 11. Jh. aus Bologna (Ebner 17) und noch um 1500 bei Burchard von Straßburg (Legg, Tracts 167). Auch im Missale Pius' V. war noch vorgesehen, daß der Priester in der *missa sollemnis* mit dreifachem Kreuzzeichen in dreifacher Richtung segnen sollte (zu Ritus serv. XII, 7; Antwerpener Druck von 1572).

[40]) Johannes Bechofen (um 1500), der demgegenüber für das einfache Kreuzzeichen eintritt (Franz 595); Bursfelder Missale von 1608 (Gerbert, Vetus liturgia Alemannica I, 406).

[41]) So nach Eisenhofer II, 224 in Frankreich noch im 18. Jh.

der Messe auf den Altar stellte[42]), oder mit einer Kreuzpartikel am Schluß derselben den Segen zu spenden[43]). Durandus weist den Priester an, das segnende Kreuzzeichen zu bilden mit einem Kruzifix oder mit der Patene oder mit dem Corporale[44]). Diese Weise des priesterlichen Schlußsegens, besonders die Segnung mit der Patene oder mit dem Corporale, ist seit dem 14. Jahrhundert häufig bezeugt, zuerst in Frankreich, dann auch in Deutschland[45]). Auch mit dem Kelch wurde dieser Segen gegeben[46]). Kelch und Patene blieben ja meist unbedeckt bis zum Schluß der Messe auf dem Altare stehen.

Während diese Weisen des Schlußsegens wieder verschwunden sind, ist eine Besonderheit desselben, die ihn, auch abgesehen vom Wortlaut, von sonstiger priesterlicher Segensspendung außerhalb der Messe unterscheidet, erhalten geblieben: der Priester erhebt vorher Augen und Hände zum Himmel[47]). Diese Gebärde erklärt sich aus der mittelalterlichen Allegorese, die im Schlußsegen des Priesters schon früh den letzten Segen Unseres Herrn vor der Himmelfahrt dargestellt sah[48]), bei dem er seine Jünger *elevatis manibus* (Lk 24, 50) gesegnet hat[49]).

Der Schlußsegen wurde bald vor dem Altarkuß und dem zugehörigen *Placeat* gegeben, bald nach demselben. Im allgemeinen scheint die zeit-

---

42) Reliquienschreine sind die ersten Gegenstände, die man auf den Altartisch zu stellen wagte; s. oben I, 337.

43) P. Browe, Der Segen mit Reliquien, der Patene und Eucharistie: Eph. liturg. 45 (1931) 383—391.

44) Durandus, Instructiones et constitutiones ed. Berthelé S. 77; Browe 384 Anm. 4.

45) Browe 385 f. Auch eine Segnung der einzelnen Gläubigen mit dem Corporale war nach der Messe vielfach üblich: man legte es ihnen auf das Gesicht oder fächelte ihnen damit zu, ein Brauch, den Heinrich von Hessen († 1397) mit leiser Mißbilligung erwähnt; ebd. 385 f. Eine außerordentliche Verehrung des Corporales, die dann oft ins Abergläubische umschlug, ist schon seit dem 10./11. Jh. bezeugt; Franz 88—92.

46) Ein Pariser Missale des beginnenden 14. Jh. (Leroquais II, 182): *cum calice vel patena.* Ebenso Ordinarium von Coutances (1557): Legg, Tracts 67. — Zeugnisse aus England bei Browe 386.

47) Dieser im Missale Rom., Ritus serv. XII, 1, vorgesehene Ritus bleibt, wenigstens nach Ph. Hartmann-J. Kley, Repertorium Rituum, 14. Aufl., Paderborn 1940, 625, der Segensspendung in der Messe vorbehalten. Anders M. Gatterer, Praxis celebrandi, 3. Aufl., Innsbruck 1940, 333. Die Rubriken enthalten darüber keine nähere Angabe. Die genannte Gebärde ist bei Segnung von Personen und Gegenständen im römischen Rituale nirgends vorgesehen.

48) Amalar, Liber off. III, 36, 1 (Hanssens II, 368); Bernold, Micrologus c. 20 (PL 151, 990); Durandus IV, 59, 4.

49) Vgl. oben I, 119.

liche Reihenfolge des Zuwachses entscheidend gewesen zu sein. In Frankreich, wo man das *Placeat* früh aufgenommen hat, läßt man ihm den Segen meist erst folgen[50]). Dagegen geht auf deutschem Boden, wo das *Placeat* erst später ganz durchgedrungen ist, in der Regel der Segen voraus[51]). Diese letztere Reihenfolge war auch in Rom zunächst die herrschende[52]). Sie findet sich auch noch in verschiedenen Druckausgaben des Römischen Missale, z. B. in denen von 1474, 1530 und 1540[53]). Die Umstellung, wie sie im Missale Pius' V. vorgenommen ist, wird von dem Empfinden ausgegangen sein, daß, wenn nach dem Entlassungsruf noch Segen und Gebet folgen soll, jedenfalls der Segen, der ja einstmals selbst als *missa* bezeichnet wurde, am Ende stehen muß[54]). Aus dem gleichen Gefühl heraus ist man am Ausgang des Mittelalters in der Kirche von Rouen, als man den Schlußsegen hier zu größerer Feierlichkeit ausbaute, dazu gekommen, ihn erst auf das Johannesevangelium folgen zu lassen[55]). Auch hinsichtlich der zu gebrauchenden Formel bestand, wie schon angedeutet, lange Zeit keine feste Ordnung. Noch die Druckausgaben des Missale Romanum von 1530 und 1540 stellten zwei Formeln zur Wahl[56]); es waren im wesentlichen diejenigen, die Durandus empfohlen hatte[57]). In Druckausgaben von 1505, 1509, 1543, 1558, 1560 und 1561 wird nur eine davon angegeben: *In unitate Sancti Spiritus benedicat vos Pater et Filius*[58]), die dann schließlich durch die uns geläufige Formel verdrängt worden ist.

Die römischen Missaledrucke von 1558 und 1560 bieten übrigens auch eine besondere Segnungsformel für Totenmessen: *Deus, vita*

---

50) Durandus IV, 59, 8; Martène 1, 4, XXVIII. XXXI (I, 645 E. 652 E); Legg, Tracts 67; vgl. 228.

51) Bernold, Micrologus c. 21 f (PL 151, 991 f); Beck 272. 310 f; Hoeynck 376; Franz 576. 754. — Dieselbe Ordnung auch in den Minoritenmissalien bei Ebner 317. 351.

52) Ordo Stefaneschis n. 53 (PL 78, 1169 D).

53) R. Lippe, Missale Romanum 1474, Bd. II (HBS 33) 114 f. — Das 1539 in Rom erschienene Directorium divinorum officiorum des Ludwig Ciconiolanus läßt dem Priester die Wahl: *in suo positum est arbitratu.* Legg, Tracts 212.

54) Einen schwerlich zutreffenden, mehr äußerlichen Grund nennt Gavanti: Die Messe, die mit dem Kuß des Altares begonnen habe, solle auch mit demselben schließen. Gavanti-Merati II, 12, 6 (I, 342).

55) Missale von Rouen und Alphabetum sacerdotum, oben Anm. 38.

56) Lippe a. a. O.

57) Oben Anm. 36.

58) Lippe 115; s. auch Ferreres 212. Die Formel noch heute im Missale von Braga (1924) 334.

vivorum, resurrectio mortuorum, benedicat vos in saecula saeculorum[59]). Das spätere Missale Romanum hat auch hier den Grundsatz zur Anwendung gebracht, daß in Totenmessen alle Segnung der Lebenden unterbleiben soll. Deutsche Missalien des ausgehenden Mittelalters haben dann sogar einen Segensspruch für die Verstorbenen in den Meßordo auch außerhalb der Totenmesse eingeführt. So wie im Officium auf die Oration und das *Benedicamus Domino* das *Fidelium animae* folgt, so ließ man auch in der Messe auf die Postcommunio und den Entlassungsruf einen solchen Segenswunsch für die Verstorbenen folgen und gab erst dann den Lebenden den Segen[60]). Ins römische Missale Roms ist dieser Segenswunsch nicht vorgedrungen. Doch wird das *Requiescant in pace* der Totenmessen, das wie eine verkürzte Fassung jenes Spruches erscheint, aus einer ähnlichen Wurzel hervorgegangen sein[61]).

5. *Das letzte Evangelium*

Daß am Schluß der römischen Messe noch eine Evangelienperikope gelesen wird, ist sehr auffällig. Wenn wir aber auf den Ursprung zurückgehen, so fügt sich auch diese Lesung ein in die Reihe der Entlassungsriten und näherhin der Segnungen. Der Prolog des Johannesevangeliums mit dem hohen Schwung seiner Gedanken und der Tiefe seiner Geheimnisse genoß schon früh ein außerordentliches Ansehen. Augustinus berichtet das Wort eines Zeitgenossen, man sollte diesen Text in goldenen Lettern in allen Kirchen an hervorragender Stelle anbringen[1]).

Der Johannesprolog gilt mit Recht als der Inbegriff des Evangeliums, dessen göttliche Kraft darin gewissermaßen konzentriert ist. Wie man andere heilige Zeichen, Worte oder Bilder als Pfand des göttlichen Schutzes verwendete, wie man mit heiligen Gegenständen, Kreuz, Kelch und Patene, oder im Orient mit Dikirion und Trikirion segnete und

---

[59]) Lippe 115. Die gewöhnliche Formel nach dem *Requiescant in pace* im Kölner Ordinarius von 1520; Peters, Beiträge 81. Auch bei den Dominikanern war bis 1608 der Segen in Totenmessen vielfach üblich; Bonniwell 310 f.

[60]) Regensburger Missale von 1500 (Beck 272): *Et animae omnium fidelium defunctorum requiescant in sancta Dei pace.* — Ähnlich Augsburger Meßordo der zweiten Hälfte des 15. Jh.: Franz 754; Freisinger Missale um 1520: Beck 310; Missale der Bursfelder Benediktiner von 1608: Gerbert, Vetus liturgia Alemannica I, 405 f.

[61]) Eine unmittelbare Ableitung ist wegen des zeitlichen Abstandes — das *Requiescant in pace* erscheint um drei Jahrhunderte früher — nicht möglich.

[1]) Augustinus, De civ. Dei X, 29 (CSEL 40, 1, S. 499).

segnet, so gelangte man im Lauf der Zeit auch dazu, den Anfang des Johannesevangeliums als Instrument des Segens zu gebrauchen, sei es, daß man die Worte geschrieben bei sich trug, sei es, daß man sie sprechen oder hören wollte. Freilich mochte es dabei vorkommen, daß sich an die Stelle des christlichen Gottvertrauens, das in demütiger Bitte auf Grund des heiligen Gotteswortes zu Gott aufblickt, abergläubische und zauberhafte Vorstellungen einschlichen[2]). Im Jahre 1022 berichtet die Synode von Seligenstadt, daß manche Laien und besonders Frauen darauf Wert legten, jeden Tag das Evangelium *In principio erat Verbum* oder bestimmte Messen, *de s. Trinitate* oder *de s. Michaele,* zu hören; das dürfe in Hinkunft nur mehr *suo tempore* geschehen und soweit jemand aus Ehrfurcht vor der heiligsten Dreifaltigkeit, *non pro aliqua divinatione,* danach verlangt[3]).

Neben dem so gerügten Mißbrauch des heiligen Textes blieb aber immer noch ein weiter Raum für rechten und christlichen Gebrauch desselben. Man las den Anfang des Johannesevangeliums im Krankenzimmer vor der Spendung der Sterbesakramente[4]) oder nach der Taufe über dem neugetauften Kinde[5]). Besonders beliebt war sein Gebrauch schon seit dem 12. Jahrhundert im Wettersegen[6]), ebenso wie man in der Folge auch die vier Evangelieninitien, nach den vier Weltgegenden hin, dafür verwendet hat und ja noch verwendet. Wie dieser Segen während des Sommers — von Hl. Kreuz (3. V.) bis Hl. Kreuz (14. IX.) — in irgendwelcher Form noch heute in vielen Diözesen allsonntäglich und manchenorts auch täglich nach der Pfarrmesse gegeben wird, so wird insbesondere der Johannesprolog als bleibende Segensperikope mehr und mehr mit dem Schluß der Messe verwachsen sein[7]). In seiner um 1505 erschienenen Meßerklärung spricht der Augustinereremit Johannes Bechofen

---

[2]) Vgl. A. Jacoby, Johannisevangelium: Handwörterbuch des deutschen Aberglaubens, hrsg. von Bächtold-Stäubli IV (1931/32) 731—733.

[3]) can. 10 (Mansi XIX, 397 f).

[4]) Missale von Remiremont (12. Jh.): Martène 1, 7, XVII (I, 911 A). Auch nach dem heutigen Rituale Romanum V, 4, 24 ist Jo 1, 1—14 eine der bevorzugten Perikopen, die beim Krankenbesuch gelesen werden sollen.

[5]) Rituale von Limoges: Martène 1, 1, 18, XVIII (I, 215 A).

[6]) A. Franz, Die kirchlichen Benediktionen im Mittelalter II, Freiburg 1909, 52. 57 f.

[7]) Täglicher Wettersegen am Schluß der Messe ist z. B. in der Diözese Salzburg üblich. — Wie mir Bischof Simon Landersdorfer gütig mitteilte, bildete in der Diözese Passau noch um die Wende des 19. Jh. das Johannesevangelium der Messe den Anfang des Wettersegens: die Ministranten mußten Kerzen anzünden und es wurde laut gesungen. Dazu erfahre ich aus Kärnten, daß derselbe Brauch dort heute noch in vielen Pfarreien lebendig ist; vgl. Rituale von Gurk (1927) 160.

von der Lesung dieses Evangeliums als von einer *laudabilis consuetudo* und begründet sie damit, daß der Teufel uns die Verbindung mit Gott zu rauben und uns an Seele, Leib und Habe zu schaden sucht, wogegen sich das Lesen oder Anhören dieses Evangeliums richte[8]).

Die erste Bezeugung des Johannesevangeliums am Schluß der Messe — es handelt sich zunächst um die Privatmesse — liegt in dem vor 1256 abgeschlossenen Ordinarium der Dominikaner vor: der Priester kann es beim Ablegen der Gewänder oder nachher sprechen, zusammen mit der Oration *Omnipotens aeterne Deus, dirige actus*[9]). Daß der Brauch im Dominikanerorden rasch an Wertschätzung gewonnen haben muß, erkennt man daran, daß seine Vertreter in der armenischen Mission u. a. die Einführung dieses Schlußevangeliums auch in der armenischen Messe durchgesetzt haben, und zwar mit solchem Erfolg, daß es darin auch nach dem um 1380 erfolgten Zusammenbruch der Union selbst in der Liturgie der Schismatiker bis heute verblieben ist[10]), ein Beispiel von missionarischer Latinisierung, wie sie dem Mittelalter, dem historisches Denken fremd blieb, selbstverständlich schien.

Im Abendland war das Schlußevangelium noch am Ausgang des Mittelalters nicht überall durchgedrungen[11]). Als im Jahre 1558

---

[8]) Franz, Die Messe 595.

[9]) Guerrini 250. — Um 1340 spricht der Dominikaner Bernhard de Parentinis von der fakultativen Lesung des Johannesevangeliums. Franz, Die Messe 595 Anm. 2.

[10]) Brightman 456.

[11]) Vorgesehen ist das Johannesevangelium u. a. um 1285 im Liber ordinarius von Lüttich (Volk 102), auch hier nur für die Privatmesse. Im Vorübergehen erwähnt es Durandus IV, 24, 5, bespricht es aber am Schluß der Messe (IV, 59) nicht näher. — In der Folge erscheint es in manchen französischen Meßordines: Martène 1, 4, XXXI. XXXIII. XXXVII (I, 652 E. 661 D. 678 D); Leroquais III, 12. 57. 70. 107. 113 usw.; Legg, Tracts 50. 67. — Nach dem spätmittelalterlichen Missale von Sarum in England (Martène 1, 4, XXXV [I, 671 C]) wird es vom Priester *redeundo* gesprochen, ebenso wie noch heute im Ritus von Lyon (Buenner 258) und auch im römischen Ritus beim Pontifikalamt (Caeremoniale episc. II, 8, 80). — In Deutschland war das Schlußevangelium um 1494, als Balthasar von Pforta schrieb, im allgemeinen noch nicht im Gebrauch (Franz 588; vgl. 595. 727). In der Beschreibung der 79 von Köck erschlossenen steirischen Missalien des 12.—15. Jh. wird das letzte Evangelium nur einmal erwähnt (S. 191). Doch ist es um die Wende des Mittelalters bezeugt in den Meßordnungen von Regensburg (Beck 272) und Augsburg (Franz 754) und auch durch Johannes Bechofen (oben 555 f). — Für Skandinavien wird es erwähnt im Breviarium von Skara (1498): Freisen, Manuale Lincopense S. XXXI, und im Missale von Drontheim (1519): ebd. S. LXI; doch scheint es sich dabei eher um Ausnahmen zu handeln; s. Yelverton 21.

die erste Generalkongregation der Gesellschaft Jesu versammelt war, um den Nachfolger des hl. Ignatius zu wählen, und man auch den Ritus der Messe innerhalb des Ordens vereinheitlichen wollte, gehörte das letzte Evangelium noch zu den schwankenden Punkten, und zwar auch in Rom selbst[12]). Es wurde die Aufnahme desselben in den Ordensritus beschlossen und freigestellt, ob man Lk 11, 27 f: *Loquente Jesu ad turbas* oder den Johannesprolog wählen wollte[13]). Dagegen haben die Kartäuser es bis heute nicht in ihren Ritus aufgenommen[14]), ebensowenig wie den letzten Segen.

Dem Schlußevangelium gab man manchmal eine liturgische Abrundung dadurch, daß man ihm eine Oration folgen ließ, zu der in der Regel einige Versikel überleiteten[15]).

Daß als Schlußevangelium nicht ausschließlich der Johannesprolog in Betracht komme, stand schon im 13. Jahrhundert fest[16]), wird aber in den älteren Quellen nur selten erwähnt. Mit dem zunehmenden Hervor-

---

12) Wie Bona II, 20, 5 (908 f) anmerkt, hatte noch das in Rom überprüfte Missale Romanum, das 1550 in Lyon erschien, kein Schlußevangelium, während dessen Lesung im Caeremoniale des römischen Zeremoniärs Paris de Grassis († 1528) ins Belieben des Zelebranten gestellt war.

13) Decreta Congr. gen. I n. 93 (Institutum S. J. II, Florenz 1893, 176).

14) Ebenso nicht die kastilischen Zisterzienser; s. B. Kaul, Cist.-Chr. 55 (1948) 224. Auch manche französischen Kirchen hatten es um 1700 noch nicht oder ließen es den Priester auf dem Rückweg vom Altare sprechen; de Moléon, s. im Register S. 522 f s. v. Evangile.

15) Im Liber ordinarius von Lüttich (Volk 102) ist es die Oration *Protector in te sperantium* (heute am 3. Sonntag n. Pf.); ebenso im Lyoner Klostermissale von 1531: Martène 1, 4, XXXIII (I, 661 D). Im Karmeliten-Ordinale von 1312 (Zimmerman 89) kommt hinzu die Oration *Actiones*. Mit vier Orationen und verschiedenen Versikeln im Breviarium von Rouen: Martène 1, 4, XXXVII (I, 678); doch wurden diese vier Orationen, wie der Meßordo von Bec (Martène 1, 4, XXXVI [I, 675]) zeigt, auch ohne Schlußevangelium an die Kommuniongebete angeschlossen (vgl. oben 551 Anm. 38), oder man ließ, wie ein Missale von Rennes (15. Jh.; Leroquais III, 70) bestimmt, eine *memoria de beata Virgine vel de dominica vel de quodam sancto vel de mortuis* dem Schlußevangelium vorausgehen. — Das Ordinarium O. P. von 1256 (Guerrini 250) und ebenso noch das Bursfelder Missale von 1608 (Gerbert, Vetus liturgia Alemannica I, 406) gebraucht nach dem Schlußevangelium die Oration *Omnipotens sempiterne Deus* (heute am Sonntag in der Weihnachtsoktav). Vgl. auch Ordinarium von Coutances von 1554: Legg, Tracts 68. — Das Augsburger Missale des 15. Jh. (Franz 754) fügt dem Schlußevangelium ebenso wie dem Evangelium der Vormesse den Segensspruch bei: *Per istos sacros sermones*. Ähnlich der prämonstratensische Ordo von Averbode (um 1615): Lentze (Anal. Praem. 1950) 149.

16) Durandus IV, 24, 5: Manche lesen am Schluß der Messe das Evangelium des hl. Johannes *vel aliud*.

treten dieser Möglichkeit einer anderen Evangelienlesung hat sich neben dem Charakter des Schlußevangeliums als Segen und Sakramentale in den letzten Jahrhunderten mehr und mehr der Gedanke durchgesetzt, daß durch diese Lesung zugleich eine Kommemoration stattfinden könne, indem gerade der Haupttext eines zweiten Formulars, eben das Evangelium, an dieser Stelle aufgegriffen wird. Der Gedanke lag um so näher, als noch im 16. Jahrhundert die *missa sicca* gang und gäbe war, bei der der Priester im Anschluß an die eigentliche Meßfeier ohne Kasel[17]) den ganzen Propriumtext des betreffenden zweiten Formulars samt anderen Meßgebeten außerhalb des Kanons oder aber auch nur Epistel, Evangelium und *Pater noster* zu lesen pflegte[18]). Als nun die *missa sicca* nach dem Konzil von Trient mehr und mehr verschwinden mußte, war es kein großer Schritt mehr, von ihr wenigstens das ihr eigene Evangelium als Einbeziehung des zweiten Formulars festzuhalten[19]). Eine solche Einbeziehung wurde im Missale Pius' V. zunächst vorgesehen für behinderte Formularien des Proprium de tempore. Sie ist 1920 in der Neuausgabe des Missale durch Benedikt XV.[20]) auf alle jene Messen ausgedehnt worden, die ein *evangelium stricte proprium* haben, wie es bei Meßformularien der Gottesmutter oder der Apostel der Fall ist.

Es ist nicht zu leugnen, daß sich in solchen Bestimmungen eine fortschreitende Umdeutung des Schlußevangeliums und eine Vergeistigung seiner Funktion offenbart. Das Moment der Segnung tritt zurück. Der Inhalt der Perikope, auch der johanneischen, tritt in den Vordergrund. Neuere Meßerklärer sprechen nicht mehr vom Segenscharakter des Schlußevangeliums und suchen insbesondere die Johannesperikope mit dem darin ausgesprochenen Inkarnationsgeheimnis als den treffenden Epilog der ganzen Meßfeier zu kennzeichnen, durch den diese „in ihre ewige Wurzel" zurückgeleitet wird[21]). Der Prolog der Frohbotschaft ist

---

[17]) Man las auch das Johannesevangelium im 15./16. Jh. vielfach ohne Kasel. Leroquais III, 107. 135. 227; Legg, Tracts 67.

[18]) J. Pinsk, Die missa sicca: JL 4 (1924) 90—118, bes. 104 f.

[19]) Im gleichen Sinn s. G. Malherbe, Le dernier évangile non-Johannique et ses origines liturgiques: Les Questions liturgiques et paroissiales 25 (1940) 37—49.

[20]) Additions et Variationes IX, 3. Näher bestimmt durch eine Verfügung der Ritenkongregation vom 29. IV. 1922; Decreta auth. SRC n. 4369.

[21]) Kössing, Liturgische Vorlesungen 598 f. Man könnte auch von einer Art Doxologie sprechen auf den, der für uns und unter uns Mensch geworden ist, einer Christusdoxologie am Schluß der Messe, ähnlich der Christusdoxologie am Schluß des Kanons (oben 322 f).

zum Epilog des erneuerten Opfers geworden. Freilich ist ein überzeugender Grund für die Notwendigkeit eines solchen Epilogs nicht erkennbar. So bleibt eine gewisse Zwiespältigkeit dieses Schlußpunktes unserer Meßliturgie bestehen[22]). Sie tritt auch darin zutage, daß der Inhalt doch nicht in einer wirklichen Verkündigung des Evangeliums zur Geltung gebracht wird. Das Evangelium wird zwar eingeleitet mit den gleichen Formeln wie das Evangelium der Vormesse: mit dem Gruß und einer Ankündigung, auf die ein Zuruf Antwort gibt, und die Gläubigen pflegen sich dabei auch zu erheben und zugleich mit dem Priester zu bekreuzen wie beim Evangelium der Vormesse[23]). Aber Gruß, Ankündigung und Zuruf werden ebenso wie die Lesung selbst auch in der feierlichen Messe nicht gesungen[24]). Es handelt sich also offensichtlich nur um Nachbildungen, die der vom Priester vollzogenen Lesung einen würdigeren Rahmen geben sollen. Ja die Lesung wird auch als solche nicht förmlich vollzogen. Sie wird normalerweise aus dem Gedächtnis gesprochen wie ein heiliger Text, den man immer zur Hand hat. Im ausgehenden Mittelalter wurde das Johannesevangelium, wie ein 1503 in Straßburg erschienener Hortulus animae in seiner Meßerklärung bemerkt, „in vil landen" von den Umstehenden mitgesprochen, was offenbar die Segnungsfunktion verstärken sollte[25]). Im bischöflichen Pontifikalamt spricht es der Bischof im Weggehen; er bezeichnet nur noch den Altar mit einem Kreuzzeichen, um auf diese Weise auch hier anzudeuten, daß er das Wort des Evangeliums vom Altar, von Christus, von Gott her, entgegennimmt[26]).

---

[22]) In der Gemeinschaftsmesse wird diese Zwiespältigkeit heute in der Regel dadurch überwunden, daß die Gemeinschaft sich am Schlußevangelium nicht mehr näher beteiligt. — Für die Ostervigil erleben wir heute unter Pius XII. bereits wieder den Verzicht auf das Schlußevangelium; Acta Ap. Sedis 43 (1951) 137.

[23]) Daß der Priester den Altar und darauf sich selbst bekreuzt *in fronte et in corde*, bemerkt das Regensburger Missale um 1500: Beck 272. — Auch die Kniebeugung bei *Et Verbum caro factum est* wird um dieselbe Zeit verlangt und die Forderung noch mit einem echt mittelalterlichen Exempel gestützt. Franz 576 Anm. 7.

[24]) Ausnahmsweise geschah es im alten Kölner Ritus (noch im 17. Jh.): am Schluß der ersten Weihnachtsmesse wurde das Matthäusinitium feierlich gesungen; Peters, Beiträge 31. Vgl. auch oben Anm. 7.

[25]) Franz 719.

[26]) Vgl. oben I, 568 f. Diese Symbolik wird deutlich aus einer der frühesten Erwähnungen des Schlußevangeliums, nämlich bei Durandus IV, 24, 5, wo eben dieses Kreuzzeichen als Beweismoment dafür geltend gemacht wird, daß das Evangelienbuch immer vom Altar genommen werden muß.

6. *Partikularrechtliche Schlußsegnungen*

Wenn wir die lebendige Liturgie im Auge behalten, d. h. nicht bloß ihre Gestalt, soweit sie den überall geltenden Vorschriften des Missale Romanum entspricht, sondern darüber hinaus die tatsächliche Übung, so wie sie an verschiedenen Orten zurecht besteht, so müssen wir sagen, daß die Meßfeier vielfach auch mit dem letzten Evangelium nicht zu Ende ist. Der Drang zu segnen und das Verlangen, den Segen der Kirche zu empfangen, hat noch weitere Formen hervorgetrieben.

Es war schon die Rede vom Wettersegen, der in den Sommermonaten an vielen Orten noch nachfolgt, in Formen, die sich seit dem Mittelalter in den einzelnen Bistümern in verschiedener Weise entwickelt haben[1]). Soweit er Tag für Tag an die Messe angeschlossen wird, besteht er wohl in der Regel nur aus einem Gebet, das der Priester an den Stufen des Altares verrichtet oder dem Volke vorbetet, und aus der Segnung mit dem Allerheiligsten oder auch mit einer Kreuzpartikel, die mit den entsprechenden Worten des Segens über Feld und Flur begleitet wird.

Anderswo folgt das ganze Jahr hindurch, besonders an Sonn- und Festtagen, noch ein Segen über die gläubige Gemeinde mit der Monstranz[2]), sei es, daß diese nach einem in Süddeutschland noch bei vielen Gelegenheiten geübten Brauch schon während der ganzen Messe über dem Altar ausgesetzt ist[3]), sei es, daß sie zu diesem Zweck, etwa am Ende des sonntägigen Amtes, noch aus dem Tabernakel genommen und nach kurzer Anbetung zum Segen erhoben wird[4]).

---

[1]) Vgl. darüber P. Browe, Die eucharistischen Flurprozessionen und Wettersegen: Theologie u. Glaube 21 (1929) 742—755; Eisenhofer II, 447 f.

[2]) Ein Segen mit dem Allerheiligsten am Schluß der Messe wurde im 14. Jh. zunächst an Fronleichnam, im 15. Jh. auch in den vielfach zur Verehrung des Sakramentes gestifteten Donnerstagsmessen gebräuchlich. Eine erste Erwähnung desselben in der Donnerstagsmesse liegt aus dem Jahre 1429 für Ingolstadt vor. Der Segen war meist mit dem Gesang des *Tantum ergo* verbunden. Beim Wort *benedictio*, das damit allerdings eine sehr äußerliche Deutung erhielt, wurde das segnende Kreuzzeichen mit der Monstranz gebildet. Außerdem war vielfach schon vorher eine Segnung während der Sequenz *Lauda Sion* bei den Worten *Ecce panis angelorum* gebräuchlich. Browe, Die Verehrung der Eucharistie im Mittelalter 151 f; 181—185.

[3]) Vgl. oben I, 161 f.

[4]) Diese letztere Lösung ist vielfach dort üblich, wo man die bisher gebräuchlichen Messen vor ausgesetztem Allerheiligstem einschränken und doch einen völligen Bruch mit der Überlieferung vermeiden will. So verbindet die Wiener Diözesansynode 1937 mit einer weitgehenden Einschränkung dieser Aussetzungen den Hin-

Sodann sind Formen gebräuchlich, durch die der Segen nicht bloß über die Gemeinde als ganze gespendet, sondern gewissermaßen mehr oder weniger jedem einzelnen zugeeignet wird. Die alte Kirche hatte dafür die individuelle Handauflegung[5]), die aber viel Zeit erfordert und die heute fast nur mehr dort Anwendung findet, wo sie zum sakramentalen Vollzug notwendig ist, wie in Firmung und Priesterweihe. Die am meisten verbreitete Form einer in der Versammlung der Gemeinde irgendwie den einzelnen berührenden Segnung ist heute die Ausspendung des Weihwassers. Sie bildet, besonders in süddeutschen Landpfarreien, vielfach den eigentlichen Schluß der Messe. Der Priester geht, unmittelbar bevor er den Altar verläßt, den Weihwedel schwingend und die vorgeschriebene Antiphon *Asperges* mit dem Psalm betend, durch die Reihen der Gläubigen, die auf diese Weise etwas vom Segen der Kirche gewissermaßen in sichtbarer Form als ihnen zugedachten Anteil mit nach Hause nehmen. Auch dieser Brauch ist schon seit Jahrhunderten vorhanden[6]).

Mit der Austeilung des geweihten Wassers entfernt verwandt ist die Austeilung des geweihten Brotes, der Eulogien, die in orientalischen Liturgien, aber auch in Frankreich bis heute fortlebt. Besonders ausgeprägt ist dieser Brauch in der byzantinischen Liturgie. Nach den abschließenden Gebeten tritt der Priester aus dem Heiligtum hervor und verteilt die hier sogenannten ἀντίδωρα[7]). Das sind die übriggebliebenen Stücke jener Hostienbrote, denen die für die Konsekration gebrauchten Partikeln entnommen wurden. Der Name wird meist dahin erklärt, daß diese Gabe ein Ersatz sein soll für die eigentliche und größere Gabe,

---

weis, daß es auch weiterhin erlaubt sei, „am Schlusse der hl. Messe den Segen mit dem Allerheiligsten in der vom Rituale vorgeschriebenen Weise zu erteilen"; Die erste Wiener Diözesansynode, Wien 1937, S. 36.

[5]) Oben I, 610.

[6]) Nach den kirchlichen Gewohnheiten des Städtchens Biberach, die um 1530 aufgezeichnet wurden, mußte der Priester bei bestimmten Gelegenheiten am Schluß der Messe zuerst mit der Monstranz den Segen erteilen und dann „das Weihwasser geben". A. Schilling, Die religiösen und kirchlichen Zustände der ehemaligen Reichsstadt Biberach unmittelbar vor Einführung der Reformation: Freiburger Diözesan-Archiv 19 (1887) 154; Browe 185. — Die ursprüngliche Stelle für die Austeilung des Weihwassers in der Kirche ist bekanntlich vor dem sonntägigen Pfarrgottesdienst. Hier ist die Besprengung in ihren Anfängen schon im 8. Jh. nachweisbar. Eisenhofer I, 478—480; vgl. Braun, Das christliche Altargerät 581—598.

[7]) Brightman 399. vgl. Pl. de Meester, La liturgie de s. Jean Chrysostome, 3. Aufl., Rom 1925, 135.

die in der Eucharistie vorliegt[8]). Das ἀντίδωρον ist also Kommunionersatz, obwohl es heute auch von den Kommunikanten entgegengenommen wird[9]). Im wesentlichen derselbe Brauch liegt auch bei den Armeniern[10]) und bei den Syrern vor. Bei den Ostsyrern gehört die Verteilung der Eulogien zur jedesmaligen Liturgie[11]), bei den Westsyrern ist sie auf die Fastenzeit und auf Vigilienmessen beschränkt. Das dabei verwendete Brot braucht keine Beziehung zur Eucharistie zu haben, sondern wird unmittelbar vor der Verteilung besonders gesegnet[12]).

Das scheint auch der ursprünglichen Auffassung der Eulogien zu entsprechen. Es dürfte darin jene Segnung von Naturgaben fortleben, die wir in der älteren römischen Liturgie seit Hippolyt am Ende des Kanons[13]), anderswo aber früh am Schluß der Gesamtfeier antreffen[14]): Es sind Gaben, die in vielen Fällen die Gläubigen selbst herbeigebracht oder auch dargebracht haben, und die sie nun als greifbare Träger des göttlichen Segens zurückerhalten.

Im Abendland hat sich der Brauch der mit dem Schluß der Messe verbundenen Eulogien am lebenskräftigsten auf dem Boden des Frankenreiches entwickelt[15]). Er tritt hier zuerst im 6. Jahrhundert hervor[16]).

---

[8]) So Brightman 577; Mercenier-Paris 253 Anm. 1. — Dagegen gibt Baumstark, Die Messe im Morgenland 179, ἀντίδωρα mit „Gegengaben" (an die Gläubigen, für deren ehemals übliche Brotoblation) wieder.

[9]) So jedenfalls bei den Mönchen der Athosklöster. R. Pabel, Athos, Münster 1940, 23; vgl. 27.

[10]) Brightman 457.

[11]) Brightman 304; A. J. Maclean, East-Syrian daily office, London 1894, 291.

[12]) Brightman 109 f. — Eine schon stark ins Profane gewandte Form der Eulogienspendung auch bei den Kopten; s. Baumstark a. a. O. 179.

[13]) Oben I, 38; II, 323 ff.

[14]) Im Euchologium des Serapion (Quasten, Mon. 66) folgt auf das Gebet, das die Kommunion der Gläubigen abschließt, ein „Gebet über dargebrachtes Öl und Wasser" und dann der Schlußsegen über das Volk. Ähnlich im Testamentum Domini I, 24 f (ebd., Anm.; Rahmani 49); vgl. Baumstark, Die Messe im Morgenland 178.

[15]) A. Franz, Die kirchlichen Benediktionen im Mittelalter I, Freiburg 1909, 247—263; Nickl, Der Anteil des Volkes an der Meßliturgie 68—71; Browe, Die Pflichtkommunion im Mittelalter 185—200 („Der Kommunionersatz: Die Eulogien"); Schreiber, Gemeinschaften des Mittelalters 213—282, bes. 229 ff. 262 ff. — Vgl. auch die Materialien bei Corblet I, 233—257.

[16]) Gregor von Tours, Hist. Franc. V, 14 (PL 71, 327 B): *Post missas autem petit (Merovech), ut ei eulogias dare deberemus.* Vgl. ebd. IV, 35 (PL 71, 298 B). Von diesen liturgischen Eulogien sind die damals häufig vorkommenden privaten Eulogien zu unterscheiden. — Nickl 69 f; Browe 187 f.

Im 9. Jahrhundert erscheint er in vollem Licht als Vorschrift für die Priester, an Sonn- und Festtagen nach der Kommunion an die Nichtkommunikanten dieses Brot auszuteilen, das vorher mit einer bestimmten Formel gesegnet werden soll[17]). Der Brauch war von da an zunächst durch Jahrhunderte im ganzen Abendland geläufig[18]). Am frühesten ist er in Deutschland erloschen, wo Wolfram von Eschenbach um 1209 im „Willehalm", der Umdichtung eines französischen Epos, vom Brote spricht, das „alle suntage in Francrîche gewîhet wirt"[19]).

Dabei war die Bindung des Brauches an die Kommunion als deren Ersatz für Nichtkommunikanten so stark, daß beim Übergang zum Ungesäuerten zunächst auch die Eulogien diesen Übergang mitmachten und die Form von Hostien annahmen. Seit dem 12. Jahrhundert empfand man aber mehr und mehr das Mißliche, das in der Gleichheit der Gestalt lag, und begann den Unterschied durch die Brotform, manchmal auch durch die Weise der Austeilung bewußt zu betonen[20]). Dann verwischt sich der Gedanke des Kommunionersatzes, der gegen Ende des 12. Jahrhunderts noch mit Nachdruck hervorgehoben wird[21]), und das gesegnete

---

[17]) Hinkmar von Reims, Capitula presbyteris data (vom Jahre 852) c. 7 (PL 125, 774): *Ut de oblatis, quae offeruntur a populo et consecrationi supersunt, vel de panibus, quos deferunt fideles ad ecclesiam, vel certe de suis presbyter convenienter partes incisas habeat in vase nitido et convenienti, ut post missarum sollemnia, qui communicare non fuerunt parati, eulogias omni die dominico et in diebus festis exinde accipiant.* Das danach angegebene Segnungsgebet ist im wesentlichen das noch im heutigen Rituale Romanum VIII, 16 gebotene. — Eine einschlägige Vorschrift auch in der ungefähr gleichzeitigen Admonitio synodalis (u. a. PL 96, 1378 B). Vgl. auch die entsprechende Visitationsfrage bei Regino von Prüm (oben 13 Anm. 45) und eine verwandte Bestimmung für Klöster schon im Capitulare monasticum vom Jahre 817 n. 68 (MGH Cap. I, 347). — Franz, Die kirchlichen Benediktionen I, 247 ff.

[18]) In Italien wird der Brauch um 1320 noch vorausgesetzt. In England fragt um 1400 ein Beichtspiegel: „Hast du am Sonntag deine Mahlzeit ohne geweihtes Brot eingenommen?" In Spanien stehen noch im 16. Jh. Texte zur Segnung des von den Gläubigen gebrachten Brotes in liturgischen Büchern. Browe 189 f. 194 f. — Am längsten hat sich der Brauch, und zwar mit dem deutlichen Charakter als Kommunionersatz, im allgemeinen für die Tage der Osterkommunion und außerdem in vielen Klöstern erhalten. Browe 191—194.

[19]) II, 68, 4 f; Wolfram von Eschenbach, Werke, hrsg. von Leitzmann II (Altdeutsche Textbibliothek 15) 54.

[20]) Browe 198 f. — Vgl. den parallelen Fall beim Ablutionskelch, oben 514.

[21]) Joh. Beleth (s. oben 404 Anm. 22); Sicard von Cremona, Mitrale III, 8 (PL 213, 144).

Brot wird einfach „ein Sakramentale, das man wie das Weihwasser spendete“[22]).

In diesem Sinn lebt der Brauch des *panis benedictus,* pain bénit, in Frankreich noch lange, in ländlichen Gegenden, besonders im Burgundischen und in der Bretagne, noch heute fort. Das Brot wird nach festgesetzter Reihenfolge jedesmal von einer bestimmten Familie gestiftet, die den betreffenden Sonntag des Jahres als ihr Fest betrachtet, und von ihr, manchmal im Geleit der Verwandten und Freunde, zur Kirche getragen[23]). Vor Beginn der Messe oder vor dem Offertorium oder auch erst am Ende der Messe wird es in die Nähe des Altares gebracht, gesegnet, in kleine Stücke zerlegt und an alle Anwesenden verteilt und von diesen, soweit man nicht erst kommunizieren will, auch gleich gegessen[24]). Während sich im Herbeibringen vor dem Offertorium eine ehemalige Verbindung des Brauches mit dem Opfergang offenbart, hat die ursprüngliche Idee des gesegneten Brotes doch dort das Übergewicht behalten, wo die Verteilung am Schluß der Messe stattfindet[25]).

---

[22]) Browe 194.

[23]) G. Schreiber a. a. O. 278 f. Hier auch weitere Einzelheiten aus Darstellungen des Brauches im vergangenen Jahrhundert. Es wird manchmal eine bestimmte Anzahl von Broten vorgesehen, drei, zwölf, vierzehn (273 f); im Metzer Gebiet wird an Sonntagen Brot, an Feiertagen Kuchen verwendet (274); eine Kerze begleitet meist die Brotoblation (275 ff), wie dies auch schon im Mittelalter Brauch war.

[24]) Hauptsächlich nach mündlichen Mitteilungen aus verschiedenen Gegenden Frankreichs. — Paul Claudel widmet dem volkstümlichen Brauch in seiner Dichtung „Die Messe“ (deutsch von Klara M. Faßbinder, Paderborn 1939, 54 f) einen besonderen Abschnitt zwischen dem *Ite missa est* und dem letzten Evangelium: „Am liebsten haben in Frankreich die kleinen Knaben den Teil der Messe gegen Ende, wenn der Meßdiener sich vom Altar wendet und zu ihnen kommt mit einem großen Korb voll Brot, aus dem man nur zu nehmen braucht...“ — In mittelalterlichen Meßordnungen ist die Segnung des Brotes nur selten erwähnt, so im Missale von Evreux-Jumièges: Martène 1, 4, XXVIII (I, 646 A), und im Missale von Westminster (um 1380) ed. Legg (HBS 5) 524; sie steht in beiden Fällen am Schluß der Messe.

[25]) Am reinsten ist der Doppelcharakter des alten Ritus dort sichtbar, wo, wie mir aus einer Gemeinde in der Gegend von Besançon berichtet wird, das Brot nach dem Evangelium herbeigebracht, dann in der Sakristei in Stücke geschnitten und nach der Kommunion ausgeteilt wird.

7. Die Gebete Leos XIII.

Während die eben besprochenen Hinzufügungen zur überkommenen Meßliturgie mehr oder weniger organisch aus dem Schlußakt derselben herausgewachsen sind, aus dem Gedanken nämlich, daß vor der Auflösung der gottesdienstlichen Versammlung die Kirche noch einmal ihre Segensmacht entfalten soll, sind im 19. Jahrhundert zur Messe, allerdings doch nur zur Privatmesse, noch Gebete hinzugetreten, von denen man eine solche innere Beziehung nicht aussagen kann. Es sind Fürbitten in bedrängter Zeit, Fürbitten in den großen Anliegen der Kirche, an denen nun auch das Volk teilnehmen soll, und die darum mit dem Volk in seiner Sprache verrichtet werden.

Der Gedanke von Fürbitten und gerade auch von Fürbitten für die Anliegen der Kirche, und zwar in der Weise, daß sie gemeinsam vom ganzen Volk zu Gott emporgesandt werden, ist uns im Gang der Meßliturgie und ihrer geschichtlichen Entwicklung schon mehr als einmal begegnet. Sie hatten ihre ursprüngliche Stellung am Schluß der Lesungen, im allgemeinen Kirchengebet. Als dieses in der römischen Liturgie um die Wende des 5. Jahrhunderts zerfiel, erhielt die volkstümliche Komponente dieses Gebetes eine neue und reiche Entfaltung in der Kyrielitanei, während das fürbittende Gebet des Priesters tiefer in das innerste Heiligtum des Kanons hineinrückte. Als auch die Kyrielitanei auf den mehrmaligen Kyrieruf zusammengeschrumpft und schließlich selbst dieser dem Volke entzogen und zu einem melodischen Gesang der Sängerschaft aufgewertet und umgewertet wurde, schuf sich das Bedürfnis des Bittens und Flehens in drangvoller Zeit seit dem 9. Jahrhundert erneut einen Ausdruck in Verbindung mit dem Gebet des Herrn, zuerst nach, dann vor dem Embolismus. Und schließlich hat man im späteren Mittelalter auch an anderen Stellen, besonders nach dem *Dona nobis pacem*, Not- und Friedensgebete eingefügt[1]). Dabei handelte es sich in den letzteren Fällen allerdings nur um gemeinsames Gebet der im Chor versammelten Kleriker, denen sich aber doch die übrigen des Lateins kundigen *literati* anschließen sollten[2]).

Orientalische Liturgien, die sich einem Wechsel der Volkssprache gegenüber sahen, wie die byzantinisch-melchitische, die westsyrische und die koptische nach dem endgültigen Sieg des arabischen Elementes, haben nicht gezögert, bei aller sonstigen konservativen Haltung neben den Lesungen gerade auch die solchen Fürbitten entsprechenden Litaneien, die

---

[1]) Siehe oben 361 ff. 421.

[2]) Oben 363.

der Diakon im Wechsel mit dem Volke zu sprechen pflegte, in die neue Volkssprache überzuführen[3]); sie werden an ihrer bisherigen Stelle nunmehr arabisch gesprochen. Zu einer ähnlichen Anpassung ist es in den abendländischen Liturgien, von leisen Ansätzen in der Frühzeit abgesehen[4]), nicht gekommen. Dazu konnte es auch in der römischen Liturgie der Folgezeit weniger als anderswo kommen, solange lateinische Kultur das Abendland beherrschte und dem lateinischen Gebet wenigstens einen leisen Widerhall in der Gemeinde sicherte. Aus anderen Gründen war die Lage auch im 19. Jahrhundert noch nicht günstiger geworden, als wieder das Verlangen nach einem solchen Notgebet sich einstellte. War doch das Bemühen noch um die Mitte dieses Jahrhunderts vor allem darauf gerichtet, die Grenzlinie zwischen Priester und Volk zu betonen, wie noch 1857 das Verbot einer Übersetzung des Ordo missae zeigt[5]). Wohl hat gerade Leo XIII. das laute Beten der Gläubigen während der Messe ermutigt, aber es war das Beten des Rosenkranzes im Monat Oktober, eines Gebetes also, das zwar in seinem letzten Sinn, aber nicht in seiner konkreten Gestalt Beziehungen zum Geschehen der Messe oder gar zum Stufengang der Liturgie aufwies. Sollte also ein Fürbittengebet für die Anliegen der Kirche mit dem Volke gemeinsam gesprochen werden, so konnte ein solches nach dem damaligen Stand liturgischen Denkens nur entweder vor oder nach der Messe seine Stelle erhalten.

Der Kern der Gebete, die wir nach der Privatmesse verrichten, liegt schon vor Leo XIII. vor. Als 1859 die Bedrohung des Kirchenstaates immer ernster wurde, schrieb Pius IX. für den Bereich dieser seiner weltlichen Herrschaft Gebete aus. Sie blieben vorgeschrieben, als der Kirchenstaat gefallen war. Als Leo XIII. die letzten Anstrengungen machte, um in Deutschland die Beseitigung der Kulturkampfgesetze zu erreichen und der Kirche die Freiheit zurückzugewinnen, dehnte er am 6. Januar 1884 die Gebete auf die ganze Welt aus[6]). Als die Freiheit der Kirche hier im wesentlichen wiedergewonnen war, blieben die Gebete doch weiter vorgeschrieben. In der neuen, bis heute geltenden Fassung[7]) erhielten sie noch die Ausweitung auf einen Gegenstand, der der Kirche

---

[3]) Baumstark, Vom geschichtlichen Werden 102.

[4]) Oben I, 432 Anm. 11.

[5]) Oben I, 214.

[6]) Acta S. Sedis 16 (1883) 239 f. Die Oration schließt hier: ... *et omnibus sanctis, quod in praesentibus necessitatibus humiliter petimus, efficaciter consequamur. Per.*

[7]) Sie ist veröffentlicht in den Diözesanblättern; z. B. Wiener Diözesanblatt 1886, 181. Die Acta S. Sedis 19 (1886) enthalten darüber nichts.

ohne Zweifel zu allen Zeiten am Herzen liegen muß: es wurden in der Oration u. a. die Worte eingefügt: *pro conversione peccatorum.*

An den zeremoniellen Formen der römischen Meßliturgie gemessen, ist es zwar auffällig, daß diese Gebete knιend am Fuß des Altares gesprochen werden. Der demütigen und flehentlichen Bitte solcher Gebete pflegte der Priester durch verbeugte Haltung Ausdruck zu verleihen. Da diese Haltung aber bei den Gläubigen, mit denen der Priester zusammen beten soll, außer Übung gekommen ist, ergab sich das gemeinsame Knien, das immerhin gerade für derartige Notgebete auch am Altare seine Vorläufer hat[8]). Auch ein Niederknien am Schluß der Messe ist in der Liturgie der Kartäuser schon in den Statuta antiqua (um 1259) vorgeschrieben, denen zufolge der Priester, nachdem er die Paramente abgelegt, am Fuß des Altares *flexis genibus* das *Pater noster* sprechen soll[9]).

Was den Aufbau betrifft, entsprechen die Gebete Leos XIII. im wesentlichen den Formgesetzen römischer Liturgie. Während die älteren Beispiele ähnlicher Notgebete in der Regel mit Psalmen beginnen, ist hier das volkstümlichere Element des marianischen Grußes gewählt[10]), der mit dem zugehörigen Bittgebet dreimal gesprochen wird und der im *Salve Regina*[11]) noch eine Steigerung erfährt. Das Bestreben, dem Ausklang einer liturgischen Feier noch eine marianische Note zu geben, hat bekanntlich im hohen Mittelalter u. a. dazu geführt, das Stundengebet oder wenigstens bestimmte Horen desselben mit einer marianischen Antiphon zu beschließen. Einen Lobspruch auf die Gottesmutter hat man

---

[8]) Oben 363. — Daß dieses für alle Zeiten des Kirchenjahres vorgeschriebene Knien aber den sonst in der römischen Liturgie geltenden Regeln widerspricht, betont mit Recht eine Bemerkung in Les Questions liturgiques et paroissiales 6 (1921) 63.

[9]) Martène 1, 4, XXV (I, 635 C). Das heutige Ordinarium Cart. (1932) c. 27, 19 verlangt *Pater* und *Ave.*

[10]) Das *Ave Maria* tritt hiemit nicht zum erstenmal in die Liturgie der Messe ein. Das ausgehende Mittelalter hat es z. B. in das Stufengebet aufgenommen; s. oben I, 385 f Anm. 30. 33. — Die Verbindung von Lk 1, 28 und Lk 1, 42 liegt als Einschaltung im Fürbittengebet nach der Wandlung bereits in der griechischen Jakobusliturgie (Brightman 56) und (ohne *Dominus tecum)* als Offertoriumsgesang in den ältesten Hss des römischen Meßantiphonars (Hesbert n. 5. 7bis. 33), also im Grundtext desselben zu Beginn des 7. Jh., vor. Die Beifügung des Namens Jesu und der Bitte *Sancta Maria* ... entstammt dem volkstümlichen Gebrauch des ausgehenden Mittelalters und ist durch das Brevier Pius' V. 1568 in der heutigen Fassung festgelegt worden.

[11]) Das *Salve Regina* muß im 11. Jh. im Kloster Reichenau entstanden sein; s. zu seiner Geschichte des näheren A. Manser, Salve Regina: LThK IX, 137 f.

damals auch in der Messe manchmal entweder nach der Kommunion[12]) oder am Schluß[13]) beigefügt. Auch das *Salve Regina* bildete vereinzelt den Schluß des Meßordo[14]). Der Versikel *Ora pro nobis* leitet dann, ähnlich wie es sonst nach einem Psalm oder einer Antiphon herkömmliche Ordnung ist, zur Oration über, in der das Gebet zusammengefaßt und die Bitte formuliert wird. Hier zeigen sich wieder die alten Stilgesetze römischer Gebetsrede wirksam: im Rückblick auf die eben angerufene Fürbitte der Gottesmutter, neben der die großen Beschützer der Kirche erscheinen, wird von Gottes Gnade das innere Heil und die äußere Freiheit und Entfaltung der Kirche erbeten und das Gebet mit dem *Per Christum* geschlossen.

Schließlich sind auch hier zum Anhang noch weitere Anhänge hinzugekommen, von denen man wiederum nicht sagen kann, daß sie in einer inneren Beziehung stünden zu dem, was vorausgeht. Leo XIII. selbst hat 1886 gelegentlich der Neufassung der Oration die Anrufung des hl. Erzengels Michael hinzugefügt[15]). Es handelt sich dabei ja nicht um eine zweite Oration, sondern um eine isolierte Anrufung, wie sie sonst in der römischen Liturgie kaum vorkommt.

Wieder ein selbständiges Gebilde von ganz anderer Art, das mit den Schlußworten des vorausgehenden Gebetes: *in infernum detrude*, in

---

[12]) Oben 503.

[13]) Zwei Meßordnungen des späten Mittelalters aus der Normandie fügen zur trinitarischen Formel des Schlußsegens hinzu: *Et beata viscera Mariae Virginis quae portaverunt aeterni Patris Filium.* Martène 1, 4, XXXVI f (I, 675 D. 679 A). — Nach dem Pontifikale des Durandus kann der Priester in der Messe, die er vor dem Bischof feiert, nachdem dieser den Schlußsegen erteilt hat, noch beten: *Salva sancta parens.* Martène 1, 4, XXIII (I, 620 C); Andrieu III, 647.

[14]) Nach einem französischen Klostermissale von 1524 (Leroquais III, 268) wird das *Salve Regina* oder eine andere Antiphon samt der zugehörigen Oration nach dem Johannesevangelium gesprochen. Ähnlich auch im Kölner Ritus des 16. Jh.; Peters, Beiträge 188. — Bei den Karmeliten wurde es um 1321 eingeführt. Das Missale O. Carm. (1935) 323 setzt es nebst zugehöriger Oration zwischen Schlußsegen und letztes Evangelium; B. Zimmerman, Carmes: DACL II. 2170 f. Vgl. die von der Ritenkongregation am 18. VI. 1885 beantwortete Anfrage; Decreta auth. n. 3637, 7. — Das Missale von Braga (1924) 336—338 hat nach dem Schlußevangelium eine nach den Zeiten des Kirchenjahres wechselnde *commemoratio b. Mariae Virginis.*

[15]) Die Anfangsworte der Anrufung finden sich gleichlautend im Allelujavers der Festmesse des Erzengels am 8. V. und am 29. IX. — Gegen eine sich bildende Legende um den Ursprung dieser Anrufung wendet sich Bers, Die Gebete nach der hl. Messe: Theol.-prakt. Quartalschrift 87 (1934) 161—163.

einem starken Kontrast steht, ist der dreimalige Ruf: *Cor Jesu sacratissimum, miserere nobis,* der unter Pius X. hinzugewachsen ist. Doch liegt hier nicht eine Vorschrift vor, sondern eine Erlaubnis, die mit Dekret der Ablaßkongregation vom 17. VI. 1904 gegeben wurde[16]). Wenn daraus doch eine gewisse Verpflichtung entstanden ist, so ist sie aus der, wie es scheint, überall sich bildenden Gewohnheit herzuleiten.

Da mit der Veröffentlichung der Gebete Leos XIII. zwar die Weisung verbunden wurde, sie mit dem Volk zu beten, aber kein amtlicher Text in den Volkssprachen festgelegt worden ist, hat sich der eigenartige Fall ergeben, daß, wenigstens im deutschen Sprachgebiet, fast jede Diözese einen anderen Wortlaut verwendet. Es ist klar, daß auch dieser Umstand die Beliebtheit dieser Gebete nicht vermehrt. Soweit sie beigefügt werden müssen[17]), und das ist selbst an den höchsten Festtagen der Fall, die sonst jegliche Art von Kommemoration und Preces ausschließen, hat sich doch wieder auch hier nicht selten jene Liturgisierung, jene Einschmelzung in das Latein der übrigen Meßliturgie unter Beschränkung auf ein Wechselgebet mit dem Meßdiener, ergeben, die auch andere ursprünglich in der Volkssprache gedachte Textelemente, wie die Worte vor der Kommunionspendung, in die lateinische Sprachform zurückgeholt hat.

Dasselbe ist angestrebt, aber nicht erreicht worden bezüglich eines weiteren Gebetes, das sich im vergangenen Jahrhundert in den außerdeutschen Ländern am Schluß der Messe, besonders der öffentlichen Messe, weithin durchgesetzt hat; es handelt sich um die Reihe der ursprünglich acht, heute elf Lobpreisungen, die als „Lobgebet zur Sühne für die Gotteslästerungen“ unter den Ablaßgebeten verzeichnet werden[18]). Sie beginnen mit dem Ruf „Gott sei gepriesen!“ (Dio sia benedetto; Dieu soit béni; ...), worauf in ähnlicher Weise die wichtigsten Glaubensgeheimnisse preisend genannt werden in der Form, wie sie dem religiösen Denken der Zeit vertraut sind. Die Lobpreisungen, die einzeln von den Gläubigen dem Priester nachgesprochen werden, schließen mit dem Ruf: „Gepriesen sei Gott in seinen Engeln und Heiligen!“ Das Gebet ist 1797 in Rom entstanden als Werk des Matrosenseelsorgers

---

16) Acta S. Sedis 36 (1904) 750; F. Beringer, Die Ablässe I, 14. Aufl., Paderborn 1915, 194.

17) Über die Abgrenzung dieser Pflicht ist bereits eine umfangreiche Rubrizistik entstanden; s. etwa W. Lurz, Ritus und Rubriken der hl. Messe, 2. Aufl., Würzburg 1941, 170 f. 657—659.

18) Die erste Ablaßverleihung stammt vom 23. VII. 1801. Ablaßbuch, Regensburg 1939, S. 321; Enchiridion indulgentiarum, Rom 1950, S. 531 f (im italienischen Wortlaut).

P. Aloisius Felici S. J., der damit gegen das Fluchen ankämpfte[19]). Es wurde als Gebet *post solemniores Missas* 1847 für die Diözese Rom vorgeschrieben und muß sich dann rasch verbreitet haben[20]). Auf solche Weise erhielt die Meßfeier einen Schlußakkord, der im *Benedicite* des Priesters weiterklingt.

8. Der Rezeß

Wenn die letzten Obliegenheiten erfüllt sind, verläßt der Priester den Altar. In der ohne Leviten gefeierten Messe trägt er nach heutigem Brauch selber den Kelch mit der aufgelegten Patene und dem darüber gebreiteten Kelchvelum nebst dem Corporale in der Bursa in die Sakristei zurück, während der Meßdiener in der Regel mit dem Buch vorangeht. Im Hochamt bleiben die heiligen Gefäße auf dem Kredenztisch stehen.

Diese uns selbstverständlich scheinende Ordnung ist verhältnismäßig jungen Datums. Daß Kelch und Patene in der heutigen Weise zusammen getragen werden, kommt erst seit der Verkleinerung der Patene in Frage. Nach einer deutschen Meßordnung des 10. Jahrhunderts trug beim Weggang vom Hochamt ein Subdiakon den (unbedeckten) Kelch und ein Akolyth die Patene[1]). Dann treten diese beiden Geräte zusammen. Da aber auch noch im Ausgang des Mittelalters unser Kelchvelum nicht vorhanden ist[2]), steckt der Priester nach dem Meßordo des Burchard von Straßburg (1502) den Kelch mit der Patene in ein Säckchen, das er zubindet, legt die Bursa mit dem zusammengefalteten Corporale darauf und trägt so beides in die Sakristei, wobei ihm der Meßdiener nach diesem Ordo mit Meßbuch, Kissen, Kännchen, Hostienbüchse, Altar-

---

[19]) A. P(aladini), De laudis ‚Dio sia benedetto' historia progressu et usu: Eph. liturg. 63 (1949) 230—235.

[20]) In Italien wurde es vielfach nach jeder Messe üblich (Paladini 233), anderswo, z. B. in Frankreich, in Nordamerika, nach Messen, die mit dem Volke gefeiert werden, in den Ländern spanischer und portugiesischer Zunge jedoch, wie mir berichtet wird, nur nach dem sakramentalen Segen. — Die Ritenkongregation hat sich mit dem Gebet beschäftigt am 11. III. 1871 (Verbindung mit dem sakramentalen Segen) und am 23. II. 1921 (Einbeziehung des hl. Joseph); Decreta auth. SRC n. 3237. 4365. — Die Forderung, das Gebet wenigstens nach der *missa cantata* nur lateinisch zu sprechen, wurde 1899 in einem Gutachten der Ephemerides liturgicae erhoben (Paladini 233), scheint aber nicht durchgedrungen zu sein.

[1]) Ordo ‚Postquam' der Bischofsmesse (Andrieu II, 362; PL 78, 994). Über die Verkleinerung der Patene s. oben 376 ff.

[2]) In der Erzdiözese Köln wurde es sogar erst auf der Synode des Jahres 1651 vorgeschrieben. Braun, Die liturgischen Paramente 214.

kerzen und Wandlungskerze vorangehen soll[3]). Die heutige Ordnung datiert also erst seit Pius V.

Auf dem Rückweg beginnt der Priester das Canticum *Benedicite*. Dies wird jedoch nebst den zugehörigen Gebeten im Missale Romanum nicht mehr innerhalb des Ordo missae geboten, sondern nur in der Gratiarum actio post missam, die dem eigentlichen Missale vorangeht. Die betreffende Rubrik[4]) gilt darum heute als lediglich direktiv[5]). Dagegen stellen die mittelalterlichen Meßbücher die mit dem Canticum beginnenden abschließenden Gebete, seitdem sie um die Jahrtausendwende üblich geworden sind, regelmäßig in eine Reihe mit den vorhergehenden Texten, ohne einen Unterschied anzudeuten[6]). Der Lobgesang, der beim Weggehen gesprochen wurde und der von Anfang an mit Psalm 150 verbunden ist, stand etwa auf gleicher Linie mit dem Psalm *Judica*, den man beim Hingang betete, und zwar wurde er vom Zelebranten mit der Assistenz gemeinsam gesprochen oder gesungen, wie die ältesten Bezeugungen seit dem 10. Jahrhundert ausdrücklich bemerken[7]). Schon hier folgen auf die Psalmodie eine Anzahl Versikel und die Oration *Deus qui tribus*. Dann stellen sich bald verschiedene Erweiterungen ein.

Zwischen *Benedicite* und Ps 150 wird manchmal Ps 116 eingeschoben[8]) oder es wird der alte Hymnus *Te decet laus* hinzugefügt[9]). Später tritt manchmal das *Nunc dimittis* hinzu[10]). An die Spitze der Versikel,

---

[3]) Legg, Tracts 169.

[4]) Vgl. auch Ritus serv. XII, 6.

[5]) Vgl. oben I, 358 f.

[6]) Vgl. z. B. das Faksimile nach einem mittelitalischen Sakramentar des 11. Jh. bei Ebner 50. — Doch heißt es in einem Teil der Meßordnungen, nicht in den ältesten (s. unten), der Priester spreche die Gebete *exuens se vestibus;* so z. B. Bernold, Micrologus c. 23 (PL 151, 995).

[7]) Meßordo von Séez (PL 78, 251 A): *Expletis omnibus episcopus rediens ad sacrarium cum diaconibus et ceteris cantet hymnum trium puerorum et Laudate Dominum in sanctis eius.* Darauf folgen ohne vorausgehendes *Pater noster* zehn Versikel, darunter die heute vom Missale Romanum gebotenen, und die erste Oration, die aber eine Erweiterung aufweist. — Ähnlich in den verwandten Zeugen: Martène 1, 4, IV. XIV. XV (I, 517 f. 582. 594), wo aber in der angeführten Rubrik zweimal hinter *et ceteris* einschränkend beigefügt wird: *quos (quibus) voluerit.*

[8]) Das eben genannte mittelitalische Sakramentar des 11. Jh.: Ebner 50. 299. — Missa Illyrica: Martène 1, 4, IV (I, 517 C); Liber ordinarius von Lüttich: Volk 102.

[9]) Missale von St. Lorenz in Lüttich: Martène 1, 4, XV (I, 594 C).

[10]) Mainzer Pontifikale (um 1170): Martène 1, 4, XVII (I, 602 E); Missale von Toul: ebd. XXXI (I, 652 E). Regensburger Missale um 1500: Beck 272. — Vgl. den Gebrauch desselben Lobgesanges nach der Kommunion, oben 501 f.

die übrigens starkem Wechsel unterworfen sind, tritt das *Pater noster*[11]) und das *Kyrie*[12]). Zur Oration *Deus qui tribus pueris*, die in der römischen Liturgie von altersher auch sonst den Lobgesang der drei Jünglinge begleitet[13]), kommt als zweite *Actiones nostras*[14]).

Erst spät und nur vereinzelt erscheint die heute an dritter Stelle stehende Oration, die auf das siegreiche Leiden des hl. Laurentius hinweist[15]). Es ist die Vermutung ausgesprochen worden, daß diese im vorliegenden Zusammenhang immerhin auffällige Oration aus dem Brauch der voravignonesischen Päpste herzuleiten sei, die die Messe in der dem hl. Laurentius geweihten Palastkapelle des Laterans Sancta Sanctorum zu feiern pflegten[16]). Die Tatsachen widersprechen dieser Vermutung[17]). Die Oration aus der Festmesse des hl. Laurentius wird dort in Aufnahme gekommen sein, wo man anfing, den Charakter des Canticums als Gesang der drei Jünglinge im Feuerofen, mit deren Schicksal das des hl. Laurentius so viel Ähnlichkeit hat, stärker hervorzuheben. Das war offenbar der Fall, seitdem man den Gesang mit der Antiphon *Trium puerorum cantemus hymnum* umrahmte, die zuerst um

---

[11]) Missa Illyrica: Martène 1, 4, IV (I, 517 C).

[12]) Bernold, Micrologus c. 23 (PL 151, 995); Missale von St. Vinzenz: Fiala 216; Liber ordinarius von Lüttich: Volk 102.

[13]) Mohlberg, Das fränkische Sakramentarium Gelasianum n. 841. 891. 1446 und die ebd. S. 317 f. 335 verzeichneten weiteren Fundorte.

[14]) Missa Illyrica: a. a. O.; vgl. u. a. Martène 1, 4, XIV f. XXXII (I, 582 D. 594 C. 658 B); Bernold, Micrologus c. 23 (PL 151, 995); Fiala 217. Auch in zwei römischen Dokumenten tritt diese Oration allein zur erstgenannten hinzu: im Vetus Missale Lateranense (Ebner 169) und im Meßordo der päpstlichen Hofkapelle um 1290 ed. Brinktrine (Eph. liturg. 1937) 209.

[15]) Blew-Hs des Sarum-Manuale (14. Jh.): Legg, Tracts 268; Missale von Toul (um 1400): Martène 1, 4, XXXI (I, 653); Preßburger Missale D (15. Jh.): Jávor 120; Regensburger Missale um 1500: Beck 273.

[16]) H. Grisar, Die römische Kapelle Sancta Sanctorum, Freiburg 1908, 23; übernommen u. a. auch von Baumstark, Missale Romanum 145.

[17]) Das Canticum ist zwar, entgegen einer Bemerkung bei Eisenhofer II, 227, schon lange vor dem Ordo Stefaneschis (Mabillons Ordo Rom. XIV), also tatsächlich in voravignonesischer Zeit in Rom geläufig; s. die oben Anm. 14 angeführten römischen Quellen. Zu ihnen gehört auch der aus dem Ordinarium Innozenz' III. erwachsene Meßordo der päpstlichen Hofkapelle dieser Zeit. Die Oration *Da nobis quaesumus* ist darin nicht genannt, ebensowenig im Ordo Stefaneschis n. 71 (PL 78, 1192 B), wo uns, bereits auf dem Boden von Avignon, um 1311 die letzte Phase der Entwicklung in der päpstlichen Hofkapelle entgegentritt, wo wiederum nur die beiden Orationen *Deus qui tribus* und *Actiones* erscheinen. — In anderen italischen Quellen des 11.—13. Jh. ist bei Ebner 317. 331. 334. 349 nur die Vorschrift ersichtlich, das *Benedicite* zu beten.

1170 im Mainzer Pontifikale erscheint[18]). Die Laurentiusoration folgt denn auch in den mittelalterlichen Texten, anders als im Missale Romanum, unmittelbar auf die Oration *Deus qui tribus pueris*[19]) oder sie ist von ihr nur durch die ihr innerlich verwandte Oration *Ure igne Sancti Spiritus* getrennt[20]). Man wollte also durch diese Orationen vor allem Hilfe erbitten gegen den gefährlichsten Feind, den von innen. Die Oration *Actiones nostras* war in dieser Überlieferung zunächst nicht vorgesehen[21]).

Dagegen wollen die auch heute noch den Orationen vorhergehenden Versikel den frohen Ton der Lobpreisung aufgreifen und vor allem das mit *Benedicite sacerdotes Domini Domino* beginnende Thema, den Aufruf an die in erster Linie zum Lobe Gottes berufenen priesterlichen Geschöpfe weiterführen: *Sancti tui benedicant tibi, Exultabunt sancti in gloria*[22]). In einer Reihe von Zeugen ist das Canticum überhaupt erst vom genannten Verse an vorgesehen[23]). In den abschließenden Orationen war für diesen Ton der Freude weniger Raum, da es sich darin ja um ein Bittgebet handelt[24]).

---

18) Martène 1, 4, XVII (I, 602 E).

19) Toul, Preßburg, Regensburg (s. oben Anm. 15).

20) Blew-Hs. Diese Hs weist im Anschluß an die genannten drei noch drei weitere Orationen auf; s. unten Anm. 24.

21) Nur im Preßburger Missale ist sie hinzugenommen, und zwar als letzte, so daß sie den gemeinsamen Gedanken der beiden anderen Formeln nicht stört. In anderer Weise stoßen die beiden Überlieferungen zusammen bei Burchard von Straßburg in dessen Meßordo (Legg, Tracts 170 f): zu den beiden in Rom geläufigen älteren Orationen *Deus qui tribus pueris* und *Actiones* ist *Da nobis* nur äußerlich hinzugefügt. Diese Anordnung ist im Missale Pius' V. beibehalten worden.

22) In der Missa Illyrica (a. a. O.) auch: *Sacerdotes tui, Domine, induantur iustitiam.*

23) Vetus Missale Lateranense (um 1100): Ebner 169. — Spätmittelalterliche Meßordnungen aus der Normandie (Bec, Rouen): Martène 1, 4, XXXVI f (I, 675 D. 679 A); Ordinarium von Coutances (1557): Legg, Tracts 69. — Es ist also unnötig, für diese Versikel wiederum an die Kapelle Sancta Sanctorum und ihren Reliquienschatz zu denken, wie es mit Grisar (oben Anm. 16) nun auch F. Cabrol tut (bei R. Aigrain, Liturgia, Paris 1935, 554).

24) Vereinzelt ist aber doch auch hier ein einschlägiger Versuch gemacht worden, so in einer vorangestellten Oration der Missa Illyrica: a. a. O. (517 E): *Deus quem omnia opera benedicunt.* Das Ordinarium von Coutances (Legg, Tracts 70) hat an dritter Stelle eine Oration mit Postcommuniocharakter: *Purificent nos,* eine sehr naheliegende Lösung. Die Blew-Hs des Sarum-Manuale (s. oben Anm. 15) bietet nach den drei auf das Feuer bezüglichen Orationen *(Deus qui, Ure, Da nobis)* noch drei weitere: *Infirmitatem nostram, Deus qui conspicis, Protector in te sperantium;* doch ist eine solche Häufung selten. — Das Missale von Braga (1924) bringt

Der Gedanke eines psalmodischen Lobpreises nach Abschluß der Meßfeier liegt so nahe, daß es für sein Aufkommen kaum einer besonderen Erklärung bedarf, wenigstens dann nicht, wenn ein solcher Lobpreis beim Weggang vom Altar, wie es in den ältesten Zeugen der Fall ist, nur das Gegenstück darstellt zum Psalm der Sehnsucht, der den Hingang zum Altar begleitet hat[25]). Man muß sich eher wundern, daß nicht auch dieser Lobgesang am Ende so wie der Psalm am Anfang als bleibender Bestandteil der eigentlichen Liturgie an den Altar verlegt worden ist. Wenn daher gesetzeskundige Männer der Reform in den folgenden Jahrhunderten[26]), um diesen Gebeten mehr Ansehen zu verschaffen, einen Canon aus dem Leben der altspanischen Kirche zitieren, der in Wirklichkeit zwar von unserem Canticum handelt, aber einen ganz anderen Zusammenhang vor Augen hat[27]), so darf man eine solche kanonistische Unterbauung nicht mit dem wirklichen Entstehungsgrund der Rezeßgebete verwechseln[28]). Das Canticum *Benedicite* und der 150. Psalm waren für den Zweck vorzüglich geeignet. Im Rückblick auf das, was uns am Altar geworden ist, beginnt uns in wortlosem Jubel die ganze Schöpfung zu tönen und das Lob dessen zu singen und zu klingen, der Welt und Menschheit so reich begnadet hat.

Übrigens hat man vereinzelt auch das kanonische Stundengebet herangezogen, um dem Lobpreis Gottes eine längere Dauer zu geben. In der Lateranbasilika wurde im 12. Jahrhundert nach dem *Ite missa est* des Pontifikalamtes die Sext angestimmt, und erst nach ihrer Beendigung begab sich der Bischof zu seinem Sitz zurück *hymnum trium puerorum cantando cum eisdem ministris*[29]). Ähnlich wird es ja auch heute noch in vielen Domkirchen gehalten.

Daß, wenn sich der Priester — und ähnliches gilt von den Gläubigen — nach Messe und Kommunion aus der feiernden Gemeinschaft gelöst hat und er nun wieder von der Stille umgeben ist, nicht mündliches Gebet allein am Platze ist, das ist nicht erst eine Erkenntnis jüngster Frömmigkeitsweise. Klösterliche Meßordnungen des 13. Jahr-

---

den Ton freudigen Dankes dadurch stärker zur Geltung, daß es das *Te Deum* dem *Benedicite* vorausgehen läßt (S. XCII f. 338).

[25]) Vgl. Meßordo von Séez (PL 78, 251 A, bzw. 246 A). Vgl. oben I, 124.

[26]) Bernold, Micrologus c. 22 (PL 151, 992); Sicard von Cremona, Mitrale III, 8 (PL 213, 144 A).

[27]) 4. Konzil von Toledo (633) can. 14 (Mansi X, 623): *in omnium missarum solemnitate* muß das *Benedicite* fortan gesungen werden, womit aber das in den gallischen Liturgien der Vormesse angehörige Canticum gemeint war; vgl. oben I, 61.

[28]) Wie es bei Eisenhofer II, 227 geschieht.

[29]) Ordo eccl. Lateran. (Fischer 87 Z. 20).

hunderts geben dem Priester nach Anführung der Rezeßgebete die Weisung: *Terminatis vero omnibus potest orare sacerdos secreto prout ei Dominus inspiraverit*[30]). Im Geiste älterer Bestimmungen[31]) mahnt heute das kirchliche Rechtsbuch den Priester: er möge nicht unterlassen, wie sich zum Opfer durch Gebet vorzubereiten, so auch eine geziemende Danksagung ihm folgen zu lassen, *gratias Deo pro tanto beneficio agere*[32]). Dies entspricht einer längst gefestigten aszetischen Übung[33]).

Was dafür in liturgischen Büchern geboten werden kann, sind dann doch wieder nur eben Gebetstexte. Der im römischen Missale auf die eigentlichen Rezeßgebete folgende Anhang: *Orationes pro opportunitate sacerdotis dicendae,* enthält solche Texte, von denen zumal der erste, als *Oratio s. Thomae Aquinatis* überschrieben, von ehrwürdigem Alter ist[34]). Das folgende Gebet, das als *Oratio s. Bonaventurae* bezeichnet ist, stammt tatsächlich von diesem Kirchenlehrer[35]). Im übrigen hat der hier gebotene Gebetsschatz gerade in neuerer Zeit mancherlei Bereicherung erfahren. Auch mittelalterliche Missalien enthalten dann und wann am Schluß noch eine Beigabe von privaten Gebeten ähnlicher Art[36]).

---

30) Dominikaner-Ordinarium von 1256 (Guerrini 251); Liber ordinarius von Lüttich (Volk 102).

31) Rituale Romanum IV, 1, 4; auch schon in älteren Ausgaben.

32) Codex Jur. Can. c. 810.

33) Bereits im IV. Buch der Imitatio Christi c. 1, 24 wird angedeutet, daß die Andacht nach dem Kommunionempfang doch eine halbe Stunde dauern sollte. Auf die Fortdauer der eucharistischen Gegenwart nach der Kommunion (es wird dafür eine Stunde angenommen) lenkt seine Aufmerksamkeit und seine aszetischen Überlegungen Étienne Binet († 1639), der dann damit etwas weitgehende Berechnungen verbindet; H. Bremond, Histoire littéraire du sentiment religieux en France I, 141 f. — Ähnlich hoch gespannte Forderungen für eine längere Danksagung nach der Kommunion („wenigstens eine halbe Stunde") kehren beim hl. Alphons wieder; Alphons M. von Liguori, Der vollkommene Christ, c. 15, 1 (Regensburg 1867: S. 433). Verwandte Überlegungen scheint man manchmal um die Zeit der ps.-isidorischen Dekretalen angestellt zu haben, weniger hinsichtlich der Dauer einer besonderen Danksagung als hinsichtlich der geziemenden Fortsetzung der Nüchternheit: Der Priester, der am Morgen die Überreste der Volkskommunion genossen hat, soll bis Mittag nüchtern bleiben usw.; s. Decretum Gratiani III, 2, 23 (Friedberg I, 1321); vgl. oben 512 Anm. 40.

34) Vgl. oben 501.

35) M. Grabmann, Der Einfluß des hl. Bonaventura auf die Theologie und Frömmigkeit des deutschen Mittelalters: Zeitschrift f. Aszese u. Mystik 19 = ZkTh 68 (1944) 20.

36) Das Missale von Valencia (vor 1411) läßt auf das *Placeat* noch ein Gebet folgen: *Sit, Jesu dulcissime, ss. corpus tuum.* Ferreres 209.

Doch ist ja hier eine Scheidung von Privat und Öffentlich viel schwerer möglich als im heutigen Meßbuch, wenn nicht grundsätzlich ausgeschlossen, da ja viele Meßgebete noch in der Phase des privaten Gebetes waren.

Wenn wir weiter zurückschauen und das erste Jahrtausend der Meßliturgie ins Augen fassen, müssen wir allerdings feststellen, daß mit dem *Ite missa est* im allgemeinen nicht nur der gemeinsame Gottesdienst, sondern auch die persönliche Andachtspflege abgeschlossen war, so daß die Meßfeier gerade in der römischen Liturgie, selbst als noch die ältere Segensoration in Übung war, ein verhältnismäßig rasches Ende fand und von einer besonderen Danksagung kaum die Rede sein konnte. Das hängt damit zusammen, daß eben die gesamte Meßfeier auf den Grundton des Dankes gestimmt war, des Dankes für all das Große, das Gott in Christus und der Kirche uns geschenkt hat. Was augenblicklich im Sakrament empfangen wurde, war nur die sakramentale Bestätigung des Gnadendaseins, in das unser Christenleben eingebettet ist. Wenn das Bewußtsein davon in der Feier wieder neu belebt wurde, so konnte tatsächlich das ganze nachfolgende Tagewerk die angemessene Danksagung für die neue Stunde der Gnade sein, wie dies ja in mancher Postcommunio zum Ausdruck kommt[37]). Mit dem wachsenden Auseinandergehen der sich allmählich verfestigenden Meßliturgie einerseits und der neue Wege suchenden persönlichen Frömmigkeit anderseits und mit dem immer stärkeren Hervortreten der Eucharistie als der alles umfassenden und alles überstrahlenden Gabe Gottes war es gegeben, daß eine *gratiarum actio* auch nach der εὐχαριστία ein Bedürfnis wurde. Auch die bewußtere Pflege des betrachtenden Gebetes, das ja den alten Mönchen vorwiegend nur in der Form der *lectio divina* geläufig war, mußte in der gleichen Richtung wirken; lädt doch kein anderer Augenblick im gleichen Maße ein, betend zu bedenken, was man empfangen hat und was man besitzt, als der Augenblick, wenn die letzten Gebete der Messe verklungen sind. Mögen wir uns auch weniger entsetzen als unsere Vorfahren, wenn Gläubige, die im Drang der Geschäfte stehen, auch wenn sie kommuniziert haben, das *Ite missa est* wieder einigermaßen wörtlich nehmen, so wird es doch mindestens für uns Kleriker eine gute Synthese sein, wenn uns gerade die betende Stille nach dem heiligen Geschehen zur Gelegenheit wird, daß der Geist der Eucharistia mehr und mehr unsere innerste Seele durchdringt[38]).

---

[37]) Oben 526.

[38]) Vgl. nun in ähnlichem Sinne die Darlegungen Pius' XII. im Rundschreiben ‚Mediator Dei' vom 20. XI. 1947: Acta Ap. Sedis 39 (1947) 566—568.

REGISTER

A) Schriftstellen

B) Quellen

Allgemeine Angaben über die einzelnen Riten sowie Zeugnisse von kirchlichen Schriftstellern sind in der Regel in Register C zu suchen. — Die Beifügung der Herausgebernamen (die in den Anmerkungen durch Sperrung hervortreten) soll (auch ohne Beigabe der Anmerkungsziffer) das Auffinden erleichtern. Ein * bezeichnet Stellen mit Angaben über Datierung und Herkunft.

I. Altchristliche Quellen

II. Außerrömische Liturgien

1. Ägyptische Liturgien

2. Westsyrische Liturgien

3. Ostsyrische Liturgie

4. Byzantinische Liturgie

5. Armenische Liturgie

6. Mozarabische Liturgie

7. Gallikanische Liturgie

8. Irisch-keltische Liturgie

9. Mailänder Liturgie

III. Römische Liturgie

1. Frühzeit

a) Sakramentarien

b) Lektionare

c) Antiphonarien

d) Ordines

2. Karolingerzeit bis Hochmittelalter

a) Sakramentare*)

*) Sakramentare (auch aus späterer Zeit) werden im allgemeinen nur hier, Missalien (auch aus dieser Zeit) nur unter 3 a gebucht

b) Rheinischer Meßordo

c) Pontifikalien

d) Ordines Romani

α) Ordines des 7. bis 10. Jh.*)

*) Die Ordines werden aufgeführt in der Reihenfolge ihrer Ordnungszahl in der Ausgabe von Andrieu. Die Ordnungszahl bei Andrieu und bei Mabillon ist den beiden Namen vorangestellt.

β) Jüngere Ordines

*) Die Ordines XXXV—L sind bei Andrieu zurzeit (1952) noch nicht erschienen.

e) Kanonistisches

Hispana II 546[10].
Statuta S. Bonifatii II 473[51].
Admonitio synodalis 276*; II 183 479[94] 515[55] 516[63] 563[17].
Sammlung von König Edgar 282[21].
Decretum Gratiani (Friedberg) 236 293 296 309 321 324 326 472; II 20 29 151 480 512 575[33].
Decretales Gregorii IX. (Friedberg) 278 293 326; II 262.
Vgl. in Register C: Konzilien, Synoden, Regino, Burchard v. W. usw.

f) Monastisches: Benediktinische Consuetudines

Capitulare monast. (817) II 361[85] 563[17].
Capitula mon. ad Augiam II 281[13] 402[15].
Ordo qualiter 388[8].
Consuet. mon. Germ. II 281[13] 402[15].
Cluny: Consuet. vor 1048 (Albers) II 402; Farfa (Albers) I 90[7] 130 291 298 f; II 28 361[87] 362.
Bernardi O. Clun. (Herrgott) 130 294 397 409 534 580; II 45 100 173 255 295 335 338 362 384.
Udalrici C. Cluny 130 262 266 268 294 298 300 364 375 388 390 393 396 403 421 458 495 537 582; II 13 38 45 f 55 69 93 97 256 378 403 404 472 474 506 ff 515 f 548.
Wilhelm v. Hirsau 130[39] 296 f 300 364 376 393 397 399 497 533 575 580; II 16 28 45 61 69 256 359 512 517.
Consuet. v. Fruttuaria (Albers) II 17 45.

g) Monastisches: Neue Gründungen

Augustiner: Regel v. St. Viktor 476[57]; II 173[48]; Rituale v. St. Florian (Franz) II 412 459 f 463.
Kartäuser: Statuta antiqua (Martène 1, 4, XXV; Legg) 132* 385 397[63] 428 f 581 596; II 70[74] 79 82 87 94 106 116 261 262 294 333 361 382 394 410 422 432 506 515 518 567. — Ordinarium Cartus. I 268[55] 302[120] 316[44] 385[30] 390[22] 397[63] 429[62] 581[89] 596[17]; II 64[45] 66[52] 70[74] 79[117] 82[134] 90[12] 94[27, 28, 32] 101[28] 104[8] 177[17] 178[20] 259[33] 265[72] 359[76] 404 422[48] 486 514 518[72] 567. — Missale Cartus. (1713) II 432[20]. — Vgl. Register C: Kartäuser.
Zisterzienser: Liber usuum (PL 166) 131* 140[11] 262[18] 270[64] 298[105] ff 316[42] 408[35] 443[57] 476[57] 528[56] 596[17]; II 178[24] 402[15] 404[19] 409[42] 419[28] 436[4] 468[25] 512[42] 517[66]; Rituale Cist. (1689) I 298[107]; Missale Cist. (1890) 484[21]. — Vgl. Register C: Zisterzienser.
Prämonstratenser: Liber ord. (Lefèvre, Waefelghem) 132* 148 268 269 388 474 508 596; II 70 94 99 107 233 270 275 294 335 336[58] 360 409 472 494 509 515 548. — Missale v. Schlägl II 81[129] 85[148] 431[16] 441[33] 442[40, 44]; v. Chotieschau II 430[15]; v. 1578 (Legg) II 360; Ordo v. Averbode II 523[16] 557[15]. — Vgl. Register C: Prämonstratenser.
Dominikaner: Ordinarium (Guerrini) 132 140 259 262 267 f 299 388 399 418 427 445 459 468 477 536 547 554 565 580 603; II 69 95 101 107 116 178 256 260 264 275 294 359 404 406 410 413 419 432 439 465 468 495 509 512 518 523 548 549 556 557 575. — Missale O. P. (1889) 299[109] 385[29] 396[58] 398[68] 399[71] 408[34] f 428[56] 508[18] 580[78]; II 39[25] 69[70, 72] 75[98] 101[28] 116[21] 199[45] 234[33] 383[36] f 394[40] 410[50] 437[9] 445[47] 492[37] 494[50] 497[2]. — Vgl. Register C: Dominikaner.
Franziskaner: Caeremoniale (Golubovich) 314 474 547; II 550. — Missale s. unten (3, a).
St. Jakob in Lüttich: Liber ord. (Volk) 133 268 270 298 316 326 362 366 368 370 375 382 392 f 399 405 418 445 459 477 526 528 537 554 562 579 f 583; II 39 64 69 81 83 f 85 94 101 116 178 207 233 256 260 264 266 275 294 334 359 366 383 404 406 419 422 432 465 468 495 506 513 518 523 535 548 556 571 575.
Karmeliten: Ordinale (Zimmerman) 133 390 475 547; II 86 102 116 252 261 362 431 503 504 517 548 557. — Missale O. Carm. (1935) 357[15] 362[13] 365[30] 367[35, 38] 373[74] 381[15] 399[71] 408[35] 473[47] 508[18] 565[127]; II 61 70[72] 82[134] 86[151] 109[35] 116[21] 233[32] 252[4] 336[58] 382[29] 383[37] 394[40] 406[30] 431[16] 503[35] 568[14]. — Vgl. Register C: Karmeliten.

h) Meßerklärungen

‚Quotiens contra se‘ 113*; II 131[17] 289[32] 419[31].
‚Primum in ordine‘ 113[55]* 546[40] 553[74]; II 418[22] 419[31] 426[11] 489 535[31].
‚Dominus vobiscum‘ 109[39] 113[55] 236[2]; II 400[2] 419[31].
‚Introitus Missae quare‘ (Hanssens) 110 113 116[64]; II 131 393 395 410 492.

3. Spätmittelalter

a) Missalien

4. Neuzeit und Gegenwart

b) Römische Bücher

C) Namen, Sachen, Formeln